ENGENHARIA AMBIENTAL

CONCEITOS, TECNOLOGIAS E GESTÃO

Maria do Carmo Calijuri
Davi Gasparini Fernandes Cunha

2ª EDIÇÃO

ENGENHARIA AMBIENTAL

CONCEITOS, TECNOLOGIAS E GESTÃO

ELSEVIER

ISBN: 978-85-352-9047-9
ISBN (versão digital): 978-85-352-9048-6

Copidesque: Gabriel Pereira
Revisão tipográfica: Augusto Coutinho
Editoração Eletrônica: Thomson Digital

Elsevier Editora Ltda.
Conhecimento sem Fronteiras

Rua da Assembleia, n° 100 – 6° andar – Sala 601
20011-904 – Centro – Rio de Janeiro – RJ

Av. Nações Unidas, n° 12995 – 10° andar
04571-170 – Brooklin – São Paulo – SP

Serviço de Atendimento ao Cliente
0800 026 53 40
atendimento1@elsevier.com

Consulte nosso catálogo completo, os últimos lançamentos e os serviços exclusivos no site
www.elsevier.com.br

Nota

Muito zelo e técnica foram empregados na edição desta obra. No entanto, podem ocorrer erros de digitação, impressão ou dúvida conceitual. Em qualquer das hipóteses, solicitamos a comunicação ao nosso serviço de Atendimento ao Cliente para que possamos esclarecer ou encaminhar a questão.

Para todos os efeitos legais, a Editora, os autores, os editores ou colaboradores relacionados a esta obra não assumem responsabilidade por qualquer dano/ou prejuízo causado a pessoas ou propriedades envolvendo responsabilidade pelo produto, negligência ou outros, ou advindos de qualquer uso ou aplicação de quaisquer métodos, produtos, instruções ou ideias contidos no conteúdo aqui publicado.

A Editora

CIP-BRASIL. CATALOGAÇÃO NA PUBLICAÇÃO
SINDICATO NACIONAL DOS EDITORES DE LIVROS, RJ

E48
2. ed.

Engenharia ambiental : conceitos, tecnologia e gestão / organizadores Maria do Carmo Calijuri, Davi Gasparini Fernandes Cunha. - 2. ed. - Rio de Janeiro : Elsevier, 2019.
; 28 cm.

ISBN 978-85-352-9047-9

1. Engenharia ambiental. 2. Proteção ambiental. 3. Gestão ambiental. I. Calijuri, Maria do Carmo. II. Cunha, Davi Gasparini Fernandes. II. Título.

19-54855   CDD: 577.272
                                  CDU: 502.1

Vanessa Mafra Xavier Salgado - Bibliotecária - CRB-7/6644
25/01/2019 28/01/2019

SOBRE OS AUTORES

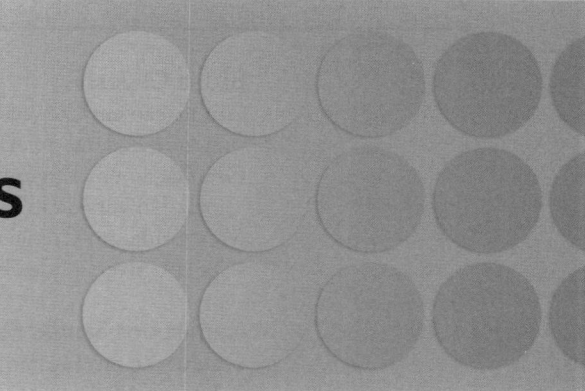

Adelaide Cassia Nardocci

Bacharel em Física pela Universidade Estadual de Londrina, UEL (1987)

Mestrado em Engenharia Nuclear e Planejamento Energético – Coordenação dos Programas de Pós-graduação em Engenharia, COPPE/UFRJ (1990)

Doutorado em Saúde Pública pela Faculdade de Saúde Pública da Universidade de São Paulo (1999)

Pós-doutorado em Engenharia pela Università di Bologna (2008)

Livre-docente da Universidade de São Paulo, USP (2010)

Professora Associada do Departamento de Saúde Ambiental da Faculdade de Saúde Pública da Universidade de São Paulo, FSP-USP

Aldo Roberto Ometto

Graduação em Engenharia de Produção Química pela Universidade Federal de São Carlos, UFSCar (1997)

Mestrado em Ciências da Engenharia Ambiental pela Universidade de São Paulo, USP (2000)

Doutorado em Engenharia Hidráulica e Saneamento pela Universidade de São Paulo, USP (2005)

Pós-doutorado, Universidad Autonoma de Barcelona, Espanha (2011)

Professor Associado do Departamento de Engenharia de Produção da Escola de Engenharia de São Carlos da Universidade de São Paulo, EESC-USP

Alexander Turra

Graduação em Ciências Biológicas pela Universidade Estadual de Campinas, Unicamp (1994)

Mestrado em Ciências Biológicas (Ecologia) pela Universidade Estadual de Campinas, Unicamp (1998)

Doutorado em Ciências Biológicas (Ecologia) pela Universidade Estadual de Campinas, Unicamp (2003)

Professor Titular do Instituto Oceanográfico da Universidade de São Paulo, IOUSP

Aline Borges do Carmo

Graduação em Ciências Biológicas pela Universidade de São Paulo, USP (2002)

Mestrado em Ecologia e Biomonitoramento pelo Instituto de Biologia da Universidade Federal da Bahia, UFBA (2008)

Doutorado em Oceanografia pelo Instituto Oceanográfico da Universidade de São Paulo, IO-USP, com período sanduíche na Universidade de Rennes (França), (2016)

Analista Ambiental do Instituto Brasileiro do Meio Ambiente e dos Recursos Naturais Renováveis da Superintendência Estadual de São Paulo, IBAMA

Aline Doria de Santi

Graduação em Gestão e Análise Ambiental pela Universidade Federal de São Carlos, UFSCar (2015)

Mestrado em Ciências da Engenharia Ambiental pela Universidade de São Paulo (2018)

Americo Guelere Filho

Graduação em Engenharia Mecânica pela Universidade de São Paulo, USP (2001)

Mestrado em Engenharia Mecânica pela Universidade de São Paulo, USP (2004)

Doutorado em Engenharia de Produção pela Universidade de São Paulo, USP (2009)

Sócio-diretor da LCM Inovação & Sustentabilidade

Aníbal da Fonseca Santiago

Graduação em Engenharia Ambiental pela Universidade Federal de Viçosa, UFV (2006)

Mestrado em Engenharia Hidráulica e Saneamento pela Universidade de São Paulo, USP (2008)

Doutor em Engenharia Civil (Área de Concentração: Eng. Sanitária e Ambiental) pela Universidade Federal de Viçosa, UFV (2013)

Professor do Departamento de Engenharia Civil da Escola de Minas da Universidade Federal de Ouro Preto, EM-UFOP

Bruna Chyoshi

Graduação em Ciência e Tecnologia pela Universidade Federal do ABC (2014)

Graduação em Engenharia Ambiental e Urbana pela Universidade Federal do ABC (2016)

Mestranda em Ciência e Tecnologia Ambiental pela Universidade Federal do ABC

Camila dos Santos Ferreira

Graduação em Gestão e Análise Ambiental pela Universidade Federal de São Carlos, UFSCar (2013)

Mestrado em Engenharia de Produção pela Escola de Engenharia de São Carlos (EESC) da Universidade de São Paulo, USP (2015)

Doutoranda no Programa de Pós-Graduação em Ciências da Engenharia Ambiental da Escola de Engenharia de São Carlos da Universidade de São Paulo, EESC-USP

Carlos Roberto Monteiro de Andrade

Graduação em Arquitetura e Urbanismo e em Ciências Sociais pela Universidade de São Paulo, USP (1974)

Mestrado em Arquitetura e Urbanismo pela Universidade de São Paulo, USP (1992)

Doutorado em Arquitetura e Urbanismo pela Universidade de São Paulo, USP (1998)

Pós-doutorado pelo Politécnico de Milão, Itália (setembro/2008 – fevereiro/2009)

Professor Assistente do Instituto de Arquitetura e Urbanismo da Universidade de São Paulo, IAU-USP

Celso Dal Ré Carneiro

Graduação em Geologia pela Universidade de São Paulo, USP (1972)

Mestrado em Geociências pela Universidade de São Paulo, USP (1977)

Doutorado em Geociências pela Universidade de São Paulo, USP (1984)

Livre-docente da Universidade Estadual de Campinas, UNICAMP (2010)

Professor Colaborador do Departamento de Geologia e Recursos Naturais do Instituto de Geociências da Universidade Estadual de Campinas, UNICAMP

Davi Gasparini Fernandes Cunha

Graduação em Engenharia Ambiental pela Universidade de São Paulo, USP (2008)

Doutorado em Engenharia Hidráulica e Saneamento pela Universidade de São Paulo, EESC-USP (2012)

Pós-doutorado pela Universidade de São Paulo, USP (2013-2014)

Professor Doutor do Departamento de Hidráulica e Saneamento da Escola de Engenharia de São Carlos da Universidade de São Paulo, EESC-USP

Denise Taffarello

Bacharelado em Ciências Biológicas pela Universidade de São Paulo (2002)

Mestrado em Biotecnologia pela Universidade de São Paulo (2009)

Doutorado em Engenharia Hidráulica e Saneamento pela Escola de Engenharia de São Carlos (EESC) da Universidade de São Paulo (2016)

Pós-doutorado em Engenharia Hidráulica e Saneamento pela Escola de Engenharia de São Carlos (EESC) da Universidade de São Paulo (início: 2017)

Doron Grull

Graduação em Engenharia Civil/Hidráulica pela Universidade de São Paulo, USP (1969)

Pesquisador e consultor do Centro de Apoio à Faculdade de Saúde Pública da Universidade de São Paulo, FSP-USP

Dulce Buchala Bicca Rodrigues

Graduação em Engenharia Ambiental pela Universidade Federal de Mato Grosso do Sul, UFMS (2007)

Mestrado em Tecnologias Ambientais: Recursos Hídricos e Saneamento pela Universidade Federal de Mato Grosso do Sul, UFMS (2010)

Doutorado em Ciências: Engenharia Hidráulica e Saneamento pel Escola de Engenharia de São Carlos da Universidade de São Paulo, EESC-USP (2014)

Professora Doutora da Faculdade de Engenharias, Arquitetura e Urbanismo e Geografia da Universidade Federal de Mato Grosso do Sul, FAENG-UFMS

Edson Cezar Wendland

Graduação em Engenharia Civil pela Universidade Federal de Mato Grosso, UFMT (1986)

Mestrado em Engenharia Mecânica pela Universidade Federal do Rio Grande do Sul, UFRGS (1991)

Doutorado em Engenharia Civil pela Ruhr-Universität Bochum, Alemanha (1995)

Pós-doutorado em Engenharia de Petróleo pela Universidade Estadual de Campinas, Unicamp (2001)

Livre-docente da Universidade de São Paulo, USP (2004)

Professor Titular do Departamento de Hidráulica e Saneamento da Escola de Engenharia de São Carlos da Universidade de São Paulo, EESC-USP

Eduardo Cleto Pires

Graduação em Engenharia Mecânica pela Universidade de São Paulo, USP (1977)

Mestrado em Engenharia Mecânica pela Pontifícia Universidade Católica do Rio de Janeiro, PUC-RJ (1981)

Doutorado em Engenharia Civil Hidráulica e Saneamento pela Universidade de São Paulo, USP (1985)

Pós-doutorado – Miami University, Estados Unidos (1985-1987 e 1995-1996), University of Arkansas, Estados Unidos (1989) e University of Oxford, Inglaterra (2008)

Livre-docente da Universidade de São Paulo, USP (1993)

Professor Titular do Departamento de Hidráulica e Saneamento da Escola de Engenharia de São Carlos da Universidade de São Paulo, EESC-USP

Eduardo Mario Mendiondo

Graduação em Engenharia de Recursos Hídricos pela Universidad Nacional Del Litoral (Argentina), UNL (1991)

Mestrado em Engenharia Civil e Recursos Hídricos pela Universidade Federal de Rio Grande do Sul, UFRGS (1995)

Doutorado em Engenharia de Recursos Hídricos e Saneamento Ambiental pela Universidade Federal de Rio Grande do Sul, UFRGS (2001)

Pós-doutorado pela Universidade de Kassel, Alemanha (2001)

Professor Doutor do Departamento de Hidráulica e Saneamento da Escola de Engenharia de São Carlos da Universidade de São Paulo, EESC-USP

Eduardo Lucas Subtil

Graduação em Oceanografia pela Universidade Federal do Espírito Santo, UFES (2005)

Mestrado em Engenharia Ambiental pela Universidade Federal do Espírito Santo, UFES (2007)

Doutorado Sanduíche: ETS de Ingenieros de Caminos, Canales y Puertos – Universidad de Cantabria, Espanha (2010)

Doutorado em Ciência: Engenharia Hidráulica e Ambiental pela Escola Politécnica da Universidade de São Paulo, Poli-USP (2012)

Professor Doutor do Centro de Engenharia, Modelagem e Ciências Sociais Aplicadas da Universidade Federal do ABC, CECS-UFABC

Érica Pugliesi

Graduação em Farmácia-Bioquímica pela Universidade Estadual Paulista, UNESP (1995)

Doutorado em Ciências – Ciências da Engenharia Ambiental pela Universidade de São Paulo, USP (2010)

Professor Adjunto do Departamento de Ciências Ambientais da Universidade Federal de São Carlos, UFSCar

Eugenio Foresti

Graduação em Engenharia Civil pela Universidade de São Paulo, EESC-USP (1970)

Mestrado em Engenharia Hidráulica e Saneamento pela Universidade de São Paulo, EESC-USP (1972)

Doutorado em Engenharia Hidráulica e Saneamento pela Universidade de São Paulo, EESC-USP (1982)

Pós-doutorado pela University of New Castle Upon Tyne, Inglaterra (1985-1986)

Livre-docente da Universidade de São Paulo, USP (1987)

Professor Titular (aposentado) do Departamento de Hidráulica e Saneamento da Escola de Engenharia de São Carlos da Universidade de São Paulo, EESC-USP

Professor Sênior do Departamento de Hidráulica e Saneamento da Escola de Engenharia de São Carlos da Universidade de São Paulo, EESC-USP

Evandro Mateus Moretto

Graduação em Ciências Biológicas pela Universidade Estadual Paulista, Unesp (1997)

Mestrado em Ciências da Engenharia Ambiental pela Universidade de São Paulo, USP (2001)

Doutorado em Ecologia e Recursos Naturais pela Universidade Federal de São Carlos, UFSCar (2006)

Livre-docente em Avaliação de Impacto Ambiental da Universidade de São Paulo (2016)

Professor Associado da Escola de Artes, Ciências e Humanidades (EACH) e do Instituto de Energia e Ambiente (IEE) da Universidade de São Paulo, USP

Flávia Marisa Prado Saldanha-Corrêa

Graduação em Ciências Biológicas pela Universidade de São Paulo, USP (1987)

Mestrado em Oceanografia Biológica pela Universidade de São Paulo, USP (1993)

Doutorado em Oceanografia Biológica pela Universidade de São Paulo, USP (1999)

Bióloga do Departamento de Oceanografia Biológica, Instituto Oceanográfico da Universidade de São Paulo, IO-USP

Francisco Arthur Silva Vecchia

Graduação em Engenharia de Produção pela Universidade de São Paulo, USP (1981)

Especialização em Arquitetura Bioambiental pela Pontifícia Universidade Católica do Paraná, PUCPR (1986)

Mestrado em Arquitetura: Tecnologia do Ambiente Construído pela Universidade de São Paulo, USP (1990)

Doutorado em Geografia pela Universidade de São Paulo, USP (1997)

Livre-docente da Universidade de São Paulo, USP (2005)

Professor Associado do Departamento de Hidráulica e Saneamento da Escola de Engenharia de São Carlos da Universidade de São Paulo, EESC-USP

Gabriel D'Arrigo de Brito Souto

Graduação em Ciências Biológicas pela Pontifícia Universidade Católica do Rio Grande do Sul, PUCRS (1996)

Especialização em Qualidade e Modelagem Estatística pela Universidade Federal do Rio Grande do Sul, UFRGS (1998)

Graduação em Engenharia Civil pela Universidade Federal do Rio Grande do Sul, UFRGS (2001) Mestrado em Engenharia Hidráulica e Saneamento pela Universidade de São Paulo, USP (2005) Doutorado em Engenharia Hidráulica e Saneamento pela Universidade de São Paulo, USP (2009)

Especialização em Engenharia de Segurança do Trabalho pela Universidade de São Paulo, USP (2017)

Diretor da EHSA – Engenharia Sanitária e Ambiental

Responsável Técnico Substituto da Pro-Rad Consultores em Radioproteção

Guilherme Samprogna Mohor

Graduação em Engenharia Ambiental pela Universidade Federal de Itajubá, UNIFEI (2012)

Mestrado em Engenharia Hidráulica e Saneamento pela Universidade de São Paulo, USP (2016)

Doutorando em Geografia e Riscos Naturais na Universidade de Potsdam (Alemanha) (início: 2017)

Isabel Kimiko Sakamoto

Graduação em Ciências Biológicas pela Universidade de São Paulo, USP (1992)

Mestrado em Engenharia Hidráulica e Saneamento pela Universidade de São Paulo, USP (1996) Doutorado em Engenharia Hidráulica e Saneamento pela Universidade de São Paulo, USP (2001)

Pós-doutorado pela Universidade de São Paulo, USP (2006)

Especialista de laboratório do Departamento de Hidráulica e Saneamento da Escola de Engenharia de São Carlos da Universidade de São Paulo, EESC-USP

Ivan Silvestre Paganini Marin

Graduação em Física, com ênfase em Computação pela Universidade de São Paulo, USP (2005)

Mestrado em Física Aplicada pela Universidade de São Paulo, USP (2007)

Doutorado em Ciências, Área Hidráulica e Saneamento pela Universidade de São Paulo, USP (2011)

Pós-doutorado em Engenharia Geoquímica pela Université Laval, Québec, Canadá (2013)

Cientista de Dados na Daitan Group, Campinas

Jamile Gonçalves

Graduação em Engenharia Ambiental e Urbana pela Universidade Federal do ABC, UFABC (2016)

Mestranda do Programa em Ciência e Tecnologia Ambiental da Universidade Federal do ABC, UFABC.

João Luiz Boccia Brandão (*in memorian*)

Graduação em Engenharia Civil pela Universidade de São Paulo, USP (1981)

Especialista em Hidrologia pelo International Institute of Hydraulic and Environmental Engineering, IHE Delft, Holanda (1985)

Doutorado em Engenharia Civil (Área de Recursos Hídricos) pela Universidade de São Paulo, USP (2004)

Professor Doutor do Departamento de Hidráulica e Saneamento da Escola de Engenharia de São Carlos da Universidade de São Paulo, EESC-USP

Juliana Moccellin

Graduação em Ciências Biológicas pela Universidade de São Paulo, USP (2002)

Mestrado em Engenharia Hidráulica e Saneamento pela Universidade de São Paulo, EESC-USP (2006)

Doutorado em Ciências: Hidráulica e Saneamento pela Universidade de São Paulo, EESC-USP (2010)

Analista de Ciência e Tecnologia – Coordenação de Aperfeiçoamento de Pessoal de Nível Superior, CAPES

Juliano José Corbi

Graduação em Ciências Biológicas pela Universidade de Araraquara (1998)

Mestrado em Ecologia e Recursos Naturais pela Universidade Federal de São Carlos, UFSCar (2001)

Doutorado em Ecologia e Recursos Naturais pela Universidade Federal de São Carlos, UFSCar (2006)

Pós-doutorado pela Universidade Federal de São Carlos (2006-2007)

Pós-doutorado pela Universidade de São Paulo (2007-2010)

Livre-docente da Universidade de São Paulo, USP (2018)

Professor Associado do Departamento de Hidráulica e Saneamento da Escola de Engenharia de São Carlos da Universidade de São Paulo, EESC-USP

Jurandyr Povinelli

Graduação em Engenharia Civil pela Universidade de São Paulo, USP (1964)

Graduação em Engenharia Sanitária pela Universidade de São Paulo, USP (1970)

Mestrado em Saúde Pública pela Universidade de São Paulo, USP (1971)

Doutorado em Engenharia Hidráulica e Saneamento pela Universidade de São Paulo, USP (1973)

Professor Titular (Aposentado) do Departamento de Hidráulica e Saneamento da Escola de Engenharia de São Carlos da Universidade de São Paulo, EESC-USP

Professor Sênior do Departamento de Hidráulica e Saneamento da Escola de Engenharia de São Carlos da Universidade de São Paulo, EESC-USP

Katia Maria Paschoaletto Micchi de Barros Ferraz

Graduação em Ciências Biológicas pela Universidade Estadual Paulista, UNESP (1993)

Mestrado em Psicologia Experimental pela Universidade de São Paulo, USP (1999)

Doutorado em Ecologia de Agroecossistemas pela Universidade de São Paulo, USP (2004)

Pós-doutorado pela Universidade de São Paulo, USP (2004-2009)

Professor Doutor do Departamento de Ciências Florestais da Escola Superior de Agricultura Luiz de Queiroz da Universidade de São Paulo, ESALQ-USP

Lázaro Valentin Zuquette

Graduação em Geologia pela Universidade Federal Rural do Rio de Janeiro, UFRRJ (1978)

Mestrado em Geotecnia pela Universidade de São Paulo, USP (1981)

Doutorado em Geotecnia pela Universidade de São Paulo, USP (1987)

Livre-docente da Universidade de São Paulo, USP (1993)

Professor Titular do Departamento de Geotecnia da Escola de Engenharia de São Carlos da Universidade de São Paulo, EESC-USP

Lorena Oliveira Pires

Graduação em Engenharia Química pela Universidade Federal de São Carlos, UFSCar (2003)

Mestrado em Engenharia Civil pela Universidade de São Paulo, USP (2006)

Doutorado em Ciências pela Universidade de São Paulo, USP (2010)

Pós-doutorado pela Universidade de São Paulo, USP (2012)

Professora Doutora do Departamento de Bioquímica e Tecnologia Química do Instituto de Química, Unesp – Araraquara

Luisa Fernanda Ribeiro Reis

Graduação em Engenharia Civil pela Universidade Estadual de Campinas, Unicamp (1981) Mestrado em Hidráulica e Saneamento pela Universidade de São Paulo, USP (1985)

Doutorado em Hidráulica e Saneamento pela Universidade de São Paulo, USP (1990)

Pós-doutorado pelo Centre for Water Systems, Exeter University, Inglaterra (2000-2001)

Livre-docente da Universidade de São Paulo, USP (2003)

Professora Titular do Departamento de Hidráulica e Saneamento da Escola de Engenharia de São Carlos da Universidade de São Paulo, EESC-USP

Luiz Antonio Daniel

Graduação em Engenharia Civil pela Universidade Federal de Minas Gerais, UFMG (1983)

Mestrado em Engenharia Civil: Hidráulica e Saneamento pela Universidade de São Paulo, USP (1989)

Doutorado em Engenharia Civil: Hidráulica e Saneamento pela Universidade de São Paulo (1993)

Professor Doutor do Departamento de Hidráulica e Saneamento pela Escola de Engenharia de São Carlos da Universidade de São Paulo, EESC-USP

Lyda Patricia Sabogal Paz

Graduação em Engenheira Sanitária pela Universidad del Valle, Colômbia (2000)

Doutorado em Engenharia (Hidráulica e Saneamento) pela Universidade de São Paulo, USP (2007)

Pós-doutorado pela Universidade de São Paulo (2010)

Professora Doutora do Departamento de Hidráulica e Saneamento da Escola de Engenharia de São Carlos da Universidade de São Paulo, EESC-USP

Marcelo de Souza Lauretto

Graduação em Ciência da Computação pela Universidade Federal do Mato Grosso do Sul, UFMS (1992)

Mestrado em Matemática Aplicada pela Universidade de São Paulo, USP (1996)

Doutorado em Bioinformática pela Universidade de São Paulo, USP (2007)

Marcelo Montaño

Graduação em Engenharia Mecânica pela Universidade de São Paulo, USP (1998)

Mestrado em Hidráulica e Saneamento pela Universidade de São Paulo, USP (2002)

Doutorado em Hidráulica e Saneamento pela Universidade de São Paulo, USP (2005)

Pós-doutorado pela University of Liverpool, Inglaterra (2014-2015)

Livre-docente da Universidade de São Paulo, USP (2016)

Professor Associado do Departamento de Hidráulica e Saneamento da Escola de Engenharia de São Carlos da Universidade de São Paulo, EESC-USP

Marcelo Zaiat

Graduação em Engenharia Química pela Universidade Federal de São Carlos, UFSCar (1990) Mestrado em Engenharia Química pela Universidade Federal de São Carlos, UFSCar (1992) Doutorado em Engenharia Hidráulica e Saneamento pela Universidade de São Paulo, USP (1996)

Pós-doutorado pela Universidade de São Paulo, USP (1997) e Escola de Engenharia Mauá, EEM (1998)

Livre-docente da Universidade de São Paulo, USP (2004)

Professor Titular do Departamento de Hidráulica e Saneamento da Escola de Engenharia de São Carlos da Universidade de São Paulo, EESC-USP

Márcia Helena Rissato Zamariolli Damianovic

Graduação em Engenharia Civil pela Universidade de São Paulo, USP (1986)

Mestrado em Hidráulica e Saneamento pela Universidade de São Paulo, USP (1991)

Doutorado em Hidráulica e Saneamento pela Universidade de São Paulo, USP (1997)

Pós-doutorado pela Universidade de São Paulo, USP (2003-2007) e Universidade Federal de São Carlos, UFSCar (2008-2009)

Professora Doutora do Departamento de Hidráulica e Saneamento da Escola de Engenharia de São Carlos da Universidade de São Paulo, EESC-USP

Marco Antonio Penalva Reali

Graduação em Engenharia Civil pela Universidade de São Paulo, USP (1981)

Mestrado em Engenharia Civil pela Universidade de São Paulo, USP (1984)

Doutorado em Engenharia Civil pela Universidade de São Paulo, USP (1990)

Professor Doutor do Departamento de Hidráulica e Saneamento da Escola de Engenharia de São Carlos da Universidade de São Paulo, EESC-USP

Marcos José de Oliveira

Graduação em Engenharia Ambiental pela Universidade de São Paulo, USP (2007)

Mestrado em Ciências da Engenharia Ambiental pela Universidade de São Paulo, USP (2010)

Doutorando em Ciências da Engenharia Ambiental da Universidade de São Paulo, USP (início: 2015)

Analista Ambiental do Instituto Brasileiro do Meio Ambiente e dos Recursos Naturais Renováveis, IBAMA

Marcus Polette

Graduação em Geografia pela Universidade Federal do Rio Grande, FURG (1987)

Graduação em Oceanografia pela Universidade Federal do Rio Grande, FURG (1989)

Mestrado em Ecologia e Recursos Naturais pela Universidade Federal de São Carlos, UFSCar (1993)

Doutorado em Ecologia e Recursos Naturais pela Universidade Federal de São Carlos, UFSCar (1997)

Pós-doutorado pela Universidade Federal de Santa Catarina, UFSC (2006)

Professor do Centro de Ciências Tecnológicas da Terra e do Mar da Universidade do Vale do Itajaí, UNIVALI

Maria Bernadete Amâncio Varesche

Graduação em Ciências Biológicas pela Universidade Estadual Paulista, UNESP (1983)

Mestrado em Hidráulica e Saneamento pela Universidade de São Paulo, USP (1990)

Doutorado em Hidráulica e Saneamento pela Universidade de São Paulo, USP (1997)

Pós-doutorado pela Universidade de São Paulo, USP (2000)

Professora Associada do Departamento de Hidráulica e Saneamento da Escola de Engenharia de São Carlos da Universidade de São Paulo, EESC-USP

Maria do Carmo Calijuri

Graduação em Ciências Biológicas pela Universidade Federal de São Carlos, UFSCar (1982)

Mestrado em Ecologia e Recursos Naturais pela Universidade Federal de São Carlos, UFSCar (1985)

Doutorado em Engenharia Hidráulica e Saneamento pela Universidade de São Paulo, USP (1988)

Livre-docente da Universidade de São Paulo, USP (1999)

Professora Titular do Departamento de Hidráulica e Saneamento da Escola de Engenharia de São Carlos da Universidade de São Paulo, EESC-USP

Maria Inês Zanoli Sato

Graduação em Ciências Biológicas, Modalidade Médica pela Escola Paulista de Medicina, EPM (1977)

Mestrado em Microbiologia e Imunologia pela Escola Paulista de Medicina, EPM (1986)

Doutorado em Ciências (Microbiologia) pelo Instituto de Ciências Biomédicas, USP (1995)

Gerente do Departamento de Análises Ambientais da Companhia Ambiental do Estado de São Paulo, CETESB

Maria Lúcia Calijuri

Graduação em Engenharia Civil pela Universidade de São Paulo, USP (1977)

Mestrado em Geotecnia pela Universidade de São Paulo, USP (1983)

Doutorado em Engenharia Civil pela Universidade de São Paulo, USP (1988)

Professora Titular do Departamento de Engenharia Civil da Universidade Federal de Viçosa, UFV

Maria Tereza Pepe Razzolini

Graduação em Ciências Biológicas pela Universidade Presbiteriana Mackenzie (1986)

Mestrado em Saneamento Ambiental pela Universidade Presbiteriana Mackenzie (1998)

Doutorado em Saúde Pública pela Faculdade de Saúde Pública da Universidade de São Paulo, USP (2003)

Pós-Doutorado em Avaliação de Risco Microbiológico pela Michigan State University (EUA) (2009)

Livre-docente da Faculdade de Saúde Pública da Universidade de São Paulo, USP (2013)

Professora Associada do Departamento de Saúde Ambiental da Faculdade de Saúde Pública da Universidade de São Paulo, USP

Micheline de Sousa Zanotti Stagliorio Coêlho

Graduação em Meteorologia pela Universidade Federal de Campina Grande, UFCG (1998)

Mestrado em Meteorologia pelo Instituto Nacional de Pesquisas Espaciais, INPE (2001)

Doutorado em Meteorologia pela Universidade de São Paulo, USP (2007)

Graduação em Matemática pela Universidade Paulista, UNIP (2011)

Pós-doutorado pela Universidade de São Paulo (2013)

Graduação em Ciências Médicas pela University of Technology Sydney, Austrália (2017)

Pesquisadora (colaboradora) no Instituto de Estudos Avançados da Universidade de São Paulo, USP

Pesquisadora na University of Technology Sydney, Austrália

Osni José Pejon

Graduação em Geologia pela Universidade Estadual Paulista, UNESP (1982)

Mestrado em Geotecnia pela Universidade de São Paulo, USP (1987)

Doutorado em Geotecnia pela Universidade de São Paulo, USP (1992)

Pós-doutorado pelo Laboratoire Central des Ponts et Chaussèes, LCPC, França (1994)

Livre-docente da Universidade de São Paulo, USP (2000)

Professor Titular do Departamento de Geotecnia da Escola de Engenharia de São Carlos da Universidade de São Paulo, EESC-USP

Oswaldo Augusto Filho

Graduação em Geologia pela Universidade de São Paulo, USP (1983)

Mestrado em Engenharia Civil pela Universidade de São Paulo, USP (1991)

Especialização em Análise de Risco e SIG – Serviço Geológico dos Estados Unidos, USGS, Colorado (1999)

Doutorado em Geociências e Meio Ambiente pela Universidade Estadual Paulista, UNESP (2001)

Professor Associado do Departamento de Geotecnia da Escola de Engenharia de São Carlos da Universidade de São Paulo, EESC-USP

Paula Peixoto Assemany

Graduação em Engenharia Ambiental pela Universidade Federal de Viçosa, UFV (2010)

Mestrado em Engenharia Civil (Área de Concentração: Engenharia Sanitária e Ambiental) pela Universidade Federal de Viçosa, UFV (2013)

Doutorado em Engenharia Civil (Área de Concentração: Engenharia Sanitária e Ambiental) pela Universidade Federal de Viçosa, UFV (2017)

Pesquisadora Pós-Doc do Departamento de Engenharia Civil da Universidade Federal de Viçosa, UFV (início: 2017)

Professora Substituta do Departamento de Engenharia Civil da Universidade Federal de Viçosa, UFV (2018)

Paulo Hilário Nascimento Saldiva

Graduação em Medicina pela Universidade de São Paulo, USP (1977)

Especialização em Medicina pela Universidade de São Paulo, USP (1979)

Doutorado em Patologia pela Universidade de São Paulo, USP (1983)

Pós-doutorado pela Universidade de São Paulo, USP (1980)

Livre-docente da Universidade de São Paulo, USP (1986)

Professor Titular do Departamento de Patologia da Faculdade de Medicina da Universidade de São Paulo, FM-USP

Paulo Tarso Sanches de Oliveira

Graduação em Engenharia Ambiental pela Universidade Federal de Mato Grosso do Sul, UFMS (2008)

Mestrado em Tecnologias Ambientais: Recursos Hídricos e Saneamento pela Universidade Federal de Mato Grosso do Sul, UFMS (2011)

Doutorado em Ciências: Engenharia Hidráulica e Saneamento pela Escola de Engenharia de São Carlos da Universidade de São Paulo, EESC-USP (2014)

Professor Doutor da Faculdade de Engenharias, Arquitetura e Urbanismo e Geografia da Universidade Federal de Mato Grosso do Sul, FAENG-UFMS

Rafael Doñate Avila

Graduação em Engenharia Ambiental pela Universidade de São Paulo, USP (2008)

MBA em Gestão e Tecnologias Ambientais pela Universidade de São Paulo, USP (2015)

Mestrando em Saúde, Ambiente e Sustentabilidade na Universidade de São Paulo, USP

Renata Bovo Peres

Graduação em Arquitetura e Urbanismo pela Universidade de São Paulo, USP (1999)

Mestrado em Arquitetura e Urbanismo pela Universidade de São Paulo, USP (2003)

Especialização em Gestão Ambiental pela Universidade Federal de São Carlos, UFSCar (2006)

Doutorado em Engenharia Urbana pela Universidade Federal de São Carlos, UFSCar (2012), com estágio na Universidad Autónoma de Barcelona, Espanha (2011)

Professora Adjunta do Departamento de Ciências Ambientais da Universidade Federal de São Carlos (2013)

Severino Soares Agra Filho

Graduação em Engenharia Química pela Universidade Federal da Bahia, UFBA (1977)

Especialização em Sistemas de Tratamento de Despejos Domésticos e Industriais pela Universidade Estadual do Rio de Janeiro, UERJ (1980)

Especialização em Administração de Projetos de Meio Ambiente pela Fundação Getulio Vargas, FGV (1982)

Mestrado em Planejamento Energético pela Universidade Federal do Rio de Janeiro, UFRJ (1991)

Doutorado em Economia Aplicada ao Meio Ambiente pela Universidade Estadual de Campinas, UNICAMP (2002)

Pós-doutorado pela Universidade Nova de Lisboa, Portugal (2015-2016)

Professor Adjunto do Departamento de Engenharia Ambiental da Escola Politécnica da Universidade Federal da Bahia, EP-UFBA

Silvio Frosini de Barros Ferraz

Graduação em Engenharia Florestal pela Universidade de São Paulo, USP (1998)

Doutorado em Recursos Florestais pela Universidade de São Paulo, USP (2004)

Pós-doutorado pela Universidade de São Paulo, USP (2005)

Professor Doutor do Departamento de Ecologia do Instituto de Biociências de Rio Claro da Universidade Estadual Paulista, UNESP (2006)

Professor Associado do Departamento de Ciências Florestais da Escola Superior de Agricultura Luiz de Queiroz da Universidade de São Paulo, ESALQ-USP

Sônia Maria Flores Gianesella

Graduação em Ciências Biológicas pela Universidade de São Paulo, USP (1974)

Mestrado em Oceanografia Biológica pela Universidade de São Paulo, USP (1978)

Doutorado em Oceanografia Biológica pela Universidade de São Paulo, USP (1981)

Pós-doutorado pela McMaster University, Canadá (1983) e pelo Observatoire Ocèanologique de Banyuls, Laboratoire Arago, França (1994)

Livre-docente da Universidade de São Paulo, USP (2000)

Docente do Instituto de Biociências da Universidade de São Paulo (1978-1984)

Docente do Instituto Oceanográfico da Universidade de São Paulo (1984-2015)

Professora Sênior do Instituto de Energia e Ambiente da Universidade de São Paulo

Tadeu Fabrício Malheiros

Graduação em Engenharia Civil pela Universidade de São Paulo, USP (1991)

Especialização em Engenharia Ambiental e Saúde Pública pela Universidade de São Paulo, USP (1993)

Mestrado em Engenharia de Recursos Naturais pela Universität Karlsruhe, Alemanha (1996)

Doutorado em Saúde Pública pela Universidade de São Paulo, USP (2002)

Pós-doutorado pela Universidade de São Paulo, USP (2005)

Livre-docente da Universidade de São Paulo, USP (2014)

Professor Associado do Departamento de Hidráulica e Saneamento da Escola de Engenharia de São Carlos da Universidade de São Paulo, EESC-USP

Tiago Balieiro Cetrulo

Graduação em Engenharia Agronômica pela Universidade de São Paulo, USP (2006)

Mestrado em Ciências da Engenharia Ambiental pela Universidade de São Paulo, USP (2010)

Doutorando em Ciências da Engenharia Ambiental pela Universidade de São Paulo, USP

Professor da Universidade Estadual do Mato Grosso, UNEMAT

Tiago da Silva Pinto

Graduação em Engenharia Ambiental pela Universidade Camilo Castelo Branco, UNICASTELO (2010)

Mestrado em Ciências da Engenharia Ambiental pela Universidade de São Paulo, USP (2015)

Consultor em Engenharia e Meio Ambiente (Profissional Liberal) com ênfase em Projetos Ambientais e Legislação Ambiental Aplicada

Valéria Del Nery

Graduação em Engenharia Química pela Universidade Federal de São Carlos, UFSCar (1983)

Mestrado em Hidráulica e Saneamento pela Universidade de São Paulo, USP (1987)

Doutorado em Hidráulica e Saneamento pela Universidade de São Paulo, USP (1993)

Pós-doutorado em Hidráulica e Saneamento pela Universidade de São Paulo, USP (2013-2018)

Projetista e consultora em sistemas de tratamento de efluentes líquidos industriais e esgoto sanitário

Valéria Guimarães Silvestre Rodrigues

Graduação em Geologia pela Universidade de São Paulo, USP (1998)

Mestrado em Ciências pela Universidade de São Paulo (2001)

Doutorado em Ciências pela Universidade de São Paulo (2007)

Pós-doutorado pela Universidade Estadual Paulista, Unesp (2010)

Livre-docente da Universidade de São Paulo, USP (2018)

Professora Associada do Departamento de Geotecnia da Escola de Engenharia de São Carlos da Universidade de São Paulo, EESC-USP

Victor Eduardo Lima Ranieri

Graduação em Engenharia Agronômica pela Universidade de São Paulo, USP (1994)

Mestrado em Ciências da Engenharia Ambiental pela Universidade de São Paulo, USP (2000)

Doutorado em Engenharia Civil (Hidráulica e Saneamento) pela Universidade de São Paulo, USP (2004)

Pós-doutorado pela Universidade de Zaragoza, Espanha (2011)

Professor Associado do Departamento de Hidráulica e Saneamento da Escola de Engenharia de São Carlos da Universidade de São Paulo, EESC-USP

Walter de Paula Lima

Graduação em Engenharia Agronômica pela Universidade de São Paulo, USP (1968)

Mestrado em Hidrologia Florestal pelo Ohio State University, Estados Unidos (1971)

Doutorado em Solos pela Universidade de São Paulo (1975)

Livre-docente da Universidade de São Paulo, USP (1981)

Pós-doutorado pelo Commonwealth Scientific and Industrial Research Organization, Division of Forestry, Austrália (1981) e pelo Institute of Ecology and Resource Management, University of Edimburgo, Escócia (1992)

Professor Titular aposentado do Departamento de Ciências Florestais da ESALQ-USP

Wiclef Dymurgo Marra, Junior

Graduação em Engenharia Química pela Universidade Federal de São Carlos, UFSCar (1988) Mestrado em Engenharia Química pela Universidade Federal de São Carlos, UFSCar (1991) Doutorado em Engenharia Química pela Universidade Federal de São Carlos, UFSCar (2000)

Professor Doutor do Departamento de Hidráulica e Saneamento da Escola de Engenharia de São Carlos da Universidade de São Paulo, EESC-USP

PREFÁCIO

A humanidade vive um período muito especial e único de sua civilização. Um período de rápidas e profundas mudanças que trazem no seu bojo desafios colossais, alguns deles insolúveis, se considerarmos somente o conjunto de soluções já existentes e as respostas do presente. Nesse cenário, ao mesmo tempo em que se faz necessário aproveitar o melhor do passado, daquilo que deu certo e continua dando certo, é primordial preparar-se para fazer diferente e viabilizar a transição para um futuro que, alicerçado nas melhores avaliações atuais, se faz incerto. E, por mais paradoxal que possa parecer, esse futuro é de ruptura com boa parte do passado. Um bom exemplo é o dos desafios advindos do nexo alimento-água-energia e suas relações com a sociedade, o que implica a busca da segurança alimentar, energética e hídrica nos contextos local, nacional e mundial. No entanto, tais seguranças encontram-se sem soluções evidentes, ainda mais quando a esses desafios adicionam-se, simultaneamente, os das mudanças climáticas, demográficas e de uso e ocupação do solo para uma população crescente, mais longeva, de classe média e de maior poder aquisitivo. A necessidade de uso mais eficiente de insumos (água, solo, ar, corretivos, produtos químicos, sementes, biodiversidade e energia, entre outros) e a geração, avaliação e otimização de sistemas integrados de produção, mais sustentáveis, resilientes e sinérgicos na interação do cenário rural com o urbano e industrial, também são exemplos de desafios que precisam ser vencidos.

O Brasil pode ser parte das soluções na medida em que detém a maior biodiversidade tropical e 12% das águas de superfície do planeta, além de sua liderança na produção agrícola e tecnológica tropical. No contexto mundial, uma nova economia – a bioeconomia – emerge como uma das principais forças motrizes para ajudar na solução desses desafios. Ela se propõe a reunir o conjunto de atividades econômicas baseadas no uso de recursos biológicos (biomassa) renováveis no lugar de matérias-primas fósseis para a produção de alimentos, rações, novos materiais, produtos químicos, combustíveis e energia para a geração e promoção de saúde, desenvolvimento sustentável, crescimento e bem-estar para a sociedade. Assim, espera-se que a economia brasileira, nas próximas décadas, incorpore em sua matriz a promoção de produtos biológicos sustentáveis de alto valor, derivados da agricultura, alimentação, saúde, bioenergia e química verde, que terão que ser eficazes, eficientes e vantajosos dos pontos de vista ambiental, social e econômico, a fim de consolidar a economia brasileira e sua participação mundial. Devido às suas dimensões territoriais e ao uso sustentável dos recursos biológicos renováveis e da biodiversidade nacional, no lugar de matérias-primas fósseis, o Brasil poderá desenvolver bionegócios e bioprodutos, utilizar a economia circular e dar importante contribuição aos Objetivos de Desenvolvimento do Milênio, declarados pela ONU. Além disso, poderá ajudar a construir uma nova geopolítica mundial baseada na abundância a partir da escassez. Para tal, terá que alicerçar um robusto sistema de inovação baseado na excelência educacional, científica e de negócios.

Vale lembrar que está surgindo outra nova economia baseada na conectividade – a economia digital – cujos ingredientes apontam para novas soluções no que se refere à segurança do nexo alimento-água-energia e à bioeconomia. Ela está mudando a maneira de produzir bens, serviços, valores, conhecimento, de se fazer negócios, de se relacionar: seres humanos, entre si e estes com a natureza. Ela está viabilizando uma nova onda tecnológica e de empreendedorismo a partir da indústria e da agricultura digital sustentada na convergência tecnológica que integra bits, genes, átomos, moléculas e neurônios. A economia digital, através da conectividade (internet de tudo) e de sensores, integra a automação com veículos autônomos, pessoas, animais e faz uso da robótica, da computação nas nuvens e do *big data*. Além disso, em conjunto com as tecnologias convergentes, Tecnologia de Informação e Comunicação, Biotecnologia, Nanotecnologia e Ciências Cognitivas (por exemplo, inteligência artificial), ela traz novos e inimagináveis horizontes à solução dos grandes problemas mundiais e nacionais. Avanços tecnológicos promissores estão previstos, no horizonte de uma década tais como conexão 5G, computação quântica e computadores neuromórficos, realidade virtual e aumentada, impressão 3D em alta resolução, disponibilidade e acesso à "constelação de satélites" assim como o uso de tecnologia *blockchain* para registrar, integrar dados e informações de percepção pública, além dos biofísicos e socioeconômicos.

Reconhecer as dimensões da heterogeneidade e da complexidade inerente dos sistemas naturais e humanos é parte do mesmo todo, hoje cada vez mais possível e necessário. Na sociedade do conhecimento que estamos vivendo, do ponto vista das instituições e empresas, busca-se um novo profissional que deve ser reconhecido pelas suas habilidades de inovar, empreender, influenciar o futuro da tecnologia e participar da resolução de alguns dos problemas mais importantes do mundo. Que saiba trabalhar em equipes globalmente integradas para aplicar e agregar o máximo de valor, e gerar em profundidade e amplitude a tecnologia para criar soluções cada vez mais inteligentes. Que saiba definir novos mercados para as inovações para resolver problemas desafiadores através das conexões existentes nas contribuições individuais. Se ainda lembrarmos de que as crises, as incertezas, a necessidade de mudanças, a complexidade, a escassez e a pressão por resultados são características marcantes de nossos tempos, otimizar as sinergias e construir resiliência de sistemas são ingredientes indispensáveis para se enfrentarem os desafios pessoais, profissionais e corporativos.

De acordo com essa visão, o engenheiro ambiental tem um papel de enorme destaque dentre as profissões do presente e do futuro tanto pela sua formação multi e interdisciplinar como pelo preparo em lidar com a sustentabilidade. Isso se confirma no Capítulo 6 deste livro que trata das habilidades do engenheiro ambiental: otimizar o uso dos recursos e aumentar a eficiência de processos produtivos; estudar efeitos ainda desconhecidos; inovar; prevenir, minimizar e remediar impactos ambientais negativos e agir com respaldo legal. Portanto, a iniciativa deste livro não poderia ser mais bem gestada e implementada do que na Escola de Engenharia de São Carlos, da Universidade de São Paulo (EESC-USP), em total sintonia com o grupo distinto de autores e editores, que fazem parte do ecossistema de educação e inovação em São Carlos e no Brasil. O título *Engenharia Ambiental: Conceitos, Tecnologia e Gestão* traduz exatamente o contexto aqui abordado e traz à tona os melhores conceitos e práticas em engenharia ambiental, tão bem apresentados pelos seus autores, professores e pesquisadores do mais alto nível. Em um total de 33 capítulos, expõe-se, de maneira didática e profunda, o excelente conteúdo em cinco eixos: Fundamentos, Ecossistemas Aquáticos e Terrestres, Impactos Ambientais, Ações Mitigadoras de Impactos Ambientais e Gestão Ambiental. Esta 2ª edição, revista e ampliada, surge na data especial de comemoração dos 65 anos da EESC-USP, uma instituição que, ao longo de sua notável história, se consagrou como vanguarda em ensino, pesquisa e extensão de serviços à comunidade, gerando conhecimentos e aplicações de reconhecimento mundial. Esta obra não poderia acontecer em melhor hora e lugar!

SILVIO CRESTANA
Físico, Mestre e Doutor IFQSC-USP.
Pesquisador e fundador da Embrapa-Instrumentação.
Professor da Pós-graduação em Ciências da Engenharia Ambiental da EESC-USP. Presidente da Embrapa (2005-2009).
Pós-Doutor, Soil and Environmental Sciences, Universidade California, Davis, EUA (1988-1990).
Pós-Doutor, Hidrology, USDA-Agricultural Research Service Beltsville, Mariland, Estados Unidos (1998-2001).

SUMÁRIO

ENGENHARIA, NATUREZA E RECURSOS NATURAIS

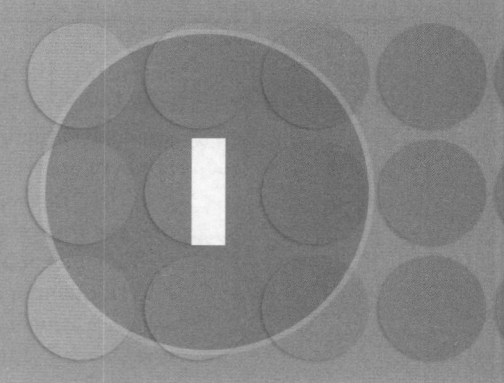

Carlos Roberto Monteiro de Andrade / Marcelo Zaiat

Os principais conceitos apresentados neste capítulo são os de natureza, cultura, energia e recursos naturais. São vistos, também, os conceitos de sociedades nômades e sociedades sedentárias. É discutida a noção de engenharia, em especial de engenharia ambiental, como base para os próximos capítulos que compõem este livro.

1.1 INTRODUÇÃO

Falar em engenharia – atividade cuja característica principal é a transformação da natureza, ou, conforme definição do *Dicionário Houaiss da Língua Portuguesa* (Houaiss, 2001), a *"aplicação de métodos científicos ou empíricos à utilização dos recursos da natureza em benefício do ser humano"* – exige falar, também, em natureza. Principalmente quando se fala de engenharia ambiental, habilitação relativamente recente – ao menos na denominação – da engenharia, que tem como objeto principal o meio ambiente. Entretanto, também a ideia de cultura tem de ser abordada quando se analisam as relações dos homens com a natureza ao longo da história.

1.2 NATUREZA E CULTURA

Na história das sociedades humanas, as relações que os homens estabelecem com a **natureza** – entendida como o mundo material, em especial aquele em que vivemos e que independe de nós, mas também, ainda conforme o Dicionário Houaiss (Houaiss, 2001), é *"o conjunto de elementos do mundo natural"*, ou *"o universo, com todos seus fenômenos"* – sempre foram distintas para cada **sociedade** e **período histórico**.

A diversidade das culturas entre os homens – organizados em sociedades – expressa, de modo particular, suas relações com a natureza. O próprio termo cultura significa, originalmente, *"ação, processo ou efeito de cultivar a terra"* (Houaiss, 2001), referindo-se à lavoura, ao *"cuidado com o crescimento natural"* (Williams, 2007), indicando que é no modo como trabalhamos a natureza que construímos nossa cultura. Mais ainda, a palavra "cultura" vem do latim *colere*, que significa, além de cultivar, habitar (daí o termo colônia e o verbo colonizar), proteger e *"honrar com veneração"* (*cultus*, que dá origem a "culto" e "cultuar").

Poderíamos mesmo afirmar que, já no modo como representamos a natureza, ou como cada sociedade representa o mundo natural, constituímos uma dada relação com a natureza, seja nos percebendo como parte constitutiva e inseparável dela ou, então, pretendendo dominá-la para nossos fins, a partir de uma relação de exterioridade com ela. Portanto, a engenharia ambiental pressupõe e implica certa ideia de natureza e também de cultura, que deve ser considerada e discutida principalmente por aqueles que vão atuar nesse campo técnico-profissional.

A palavra em grego para "natureza" é φύσιϛ (*physis*). Corresponde ao vocábulo latino *natura*, *"a partir da raiz do particípio passado do latim nasci (nascer) – do qual também derivam nação [nation], nativo [native], inato [innate]"* (Williams, 2007). Natureza pode ser vista, filosoficamente, em pelo menos dois sentidos: como *"a natureza de um ser"* (Mora, 1971), que é seu sentido mais antigo, ou como *"a Natureza"*, ou seja, *"o próprio mundo material, incluídos ou excluídos os seres humanos"* (Williams, 2007), que é o sentido que nos interessa aqui, ainda que Mora (1971) nos lembre que nem sempre esses sentidos são independentes. A filosofia no ocidente, dos filósofos pré-socráticos aos contemporâneos, sempre pensou e problematizou a natureza conforme significados diversos, correspondentes a cada sociedade, ao espírito da época, às ideologias vigentes.

Em seu curso sobre o conceito de natureza, ministrado no Collège de France nos anos de 1957 a 1960, o filósofo francês Maurice Merleau-Ponty (1908-1961) estudou as variações do conceito de natureza desde a antiguidade até o século XX, e afirmou que "*a Natureza é diferente do homem; não é instituída por ele, opõe-se ao costume, ao discurso*" (Merleau-Ponty, 2000). Aristóteles, ao conferir à natureza um caráter finalista – para o filósofo, ela não teria feito nada em vão, tendo sempre algum fim –, o que também aparece nos relatos da Bíblia[1], ao mesmo tempo em que a divide em regiões com qualidades próprias, "*lugares de certos fenômenos naturais*", vê nela "*a realização, mais ou menos bem-sucedida, desse destino qualitativo dos corpos*" (Merleau-Ponty, 2000).

Tal concepção, com pequenas alterações, sobreviveu até a Inglaterra da virada dos séculos XVII para XVIII, quando, como observa o historiador inglês Keith Thomas (Thomas, 1983), "*a visão tradicional era que o mundo fora criado para o bem do homem e as outras espécies deveriam se subordinar a seus desejos e necessidades*". Tal ponto de vista antropocêntrico ainda é vigente, e mesmo dominante, na maioria das sociedades contemporâneas e constitui um ponto-chave na discussão sobre a questão ambiental nos dias atuais.

Mas, mais ainda, Thomas nos diz que, a partir do Renascimento, "não foram as descobertas científicas que provocaram a mudança da ideia de natureza. Foi a mudança da ideia de natureza que permitiu essas descobertas". Destaca, assim, a importância de certa ideia-chave, como, no caso, a de natureza, para entendermos como o homem interage com ela, transformando-a a partir de seu trabalho. Não se trata aqui de realizarmos uma abordagem filosófica da ideia de natureza, como fez Merleau-Ponty em suas aulas,[2] mas de apenas apontarmos suas profundas implicações filosóficas. Desse modo, no mesmo período histórico em que a figura do engenheiro surgia na sociedade europeia, por volta dos séculos XIV e XV, nas repúblicas que deram origem à Itália, uma nova ideia de natureza foi se constituindo, marcada cada vez mais pela exterioridade do homem em relação a ela e, segundo uma perspectiva que buscaria dominá-la, pelo controle de suas forças e exploração de suas potencialidades para atender aos fins utilitários dos homens. A ciência moderna, assim como a teoria e a prática da engenharia, vão se desenvolver a partir dessa concepção de natureza.

Em relação à ideia de cultura, uma concepção dominante é a de que o homem é o único animal capaz de criar cultura, entendendo-se por esta o conjunto integrado de características de comportamento de um determinado grupo social ou sociedade, mas também os resultados – materiais e imateriais – de sua produção socioeconômica. Podemos também dizer que o homem se diferencia dos animais pela sua capacidade de adaptação ao meio. Se no caso dos animais, a adaptação às condições do meio ambiente é principalmente – embora não apenas – fisiológica, no caso do homem a adaptação é muito pouco fisiológica e, sobretudo, cultural, o que envolve mudança de hábitos e de procedimentos. Isso não significa que a cultura de certa sociedade seja determinada principalmente pelo meio, como pensa a teoria mesológica, mas, sem dúvida, este irá interferir em padrões culturais e soluções tecnológicas.

Para o antropólogo francês Claude Lévi-Strauss (1908-2009), "*a cultura não se justapõe simplesmente à vida, nem se superpõe a ela; mas, por um lado, serve de substituto à vida e, por outro, serve-se dela e a transforma para efetuar a síntese de uma nova ordem*" (Lévi-Strauss, 2009, publicado originalmente em 1949).

Ao falarmos em natureza e cultura, porém, já não carregamos implícita uma separação entre elas? Em quase todos os mitos de origem, a cultura se opõe à natureza e podemos verificar tal transcendência do homem em relação à natureza em inúmeras religiões, como no judaísmo, no cristianismo e no islamismo. As leis naturais não alcançariam, então, a cultura, e tampouco o espírito (no pensamento judaico-cristão), que seriam autônomos em relação à natureza e característicos exclusivamente do homem. Mas a antropologia ecológica nos indica outra resposta ao afirmar que a cultura também está sujeita às leis que governam os seres vivos. É assim que há limites para se impor culturas aos sistemas ecológicos. Ou seja: "*em resposta às alterações ambientais, as culturas devem se transformar (...), senão os organismos produtores delas perecerão ou as abandonarão*" (Rappaport, 1982, publicado originalmente em 1971).

Desse modo, é fundamental, na relação que se estabelece entre o Homem e a Natureza (aqui as duas palavras com maiúscula), o fato de que "*a natureza é vista pelos homens através de uma tela composta de crenças, conhecimentos e intenções, e os homens agem a partir de suas imagens culturais da natureza, e não a partir da estrutura real da natureza*" (Rappaport, 1982, publicado originalmente em 1971), o que é decisivo para entendermos as relações dos homens com o meio ambiente.

---

[1]Trecho do livro do Gênesis, no Velho Testamento: "*Temam e tremam em vossa presença todos os animais da terra, todas as aves do céu, e tudo o que tem vida e movimento na terra. Em vossas mãos pus todos os peixes do mar. Sustentai-vos de tudo o que tem vida e movimento*" (Gênesis, IX, 2-3).

[2]"A Natureza é um objeto enigmático, um objeto que não é inteiramente objeto; ela não está inteiramente diante de nós. É o nosso solo, não aquilo que está adiante, mas o que nos sustenta." (Maurice Merleau-Ponty).

1.3 NÔMADES E SEDENTÁRIOS: FORMAS DISTINTAS DE SE RELACIONAR COM A NATUREZA

Dentre as diversas formas das sociedades se relacionarem com a natureza, aquela que distingue os **nômades** dos **sedentários** é fundamental no que diz respeito à construção dos territórios e suas territorialidades. A imagem que nós – homens urbanos por excelência, sedentários – fazemos dos nômades é a de hordas de miseráveis vagando sem rumo, atravessando fronteiras. Multidões famintas saqueando cidades, vilas, povoados e fazendas; guerreiros que tudo destroem em sua contínua travessia. Eis a saga de povos nômades vista por sedentários.

A cidade, em sua origem, constituiu-se como aparelho militar, arma de defesa com seus muros, fossos e portas, controlando fluxos e passagens, criando alfândegas e barreiras. *Polis versus Nomos*, eis como a história da humanidade, por milhares de anos, marcou as diferenças entre formas de territorialidades radicalmente distintas, a dos nômades em oposição à dos sedentários ou, se quisermos, urbanos, uma vez que a cidade é a forma acabada do sedentarismo como modo de construção do território.

Nômades, deslocando-se pela mata, as sociedades que se encontravam no território que hoje chamamos Brasil desenvolveram uma arquitetura totalmente adaptada à floresta. Utilizando-se fundamentalmente de madeira e fibras vegetais para construir seus abrigos e outras construções, sua arquitetura era leve e descartável. Permeando e articulando as formas de sociabilidade no âmbito do grupo familiar, bem como do grupo social como um todo, eram fundamentais a forma e localização das casas, dos caminhos e trilhas, dos pátios e das roças, dos lugares específicos e da aldeia como um todo.

A arquitetura dos nômades da floresta é totalmente integrada a uma forma de territorialidade antis-sedentária, marcada pela mobilidade. Embora inúmeros, se não quase todos, grupos indígenas exis-tentes no Brasil em 1500 praticassem a guerra – ainda que sob formas e fins muito distintos da guerra moderna, como nos mostrou o antropólogo francês Pierre Clastres (1934-1977) em seu livro *Arqueologia da violência: ensaio de antropologia política* (Clastres, 1982) –, sua arquitetura não se caracteriza como militar, apesar da adoção do círculo ou da elipse como traçado do assentamento que demarca um espaço circunscrito. Se pode haver uma razão defensiva nessas formas, ao mesmo tempo elas expressam – mais que isso, tecem – os profundos liames de modos de sociabilidade que aglutinam suas comunidades.

Civilização da palha, as sociedades florestais dominaram essa tecnologia de modo bastante aperfei-çoado, sem comprometer as condições ecológicas de seu hábitat, mas interagindo com elas de modo harmônico e sustentável, para usarmos um termo atual. Sociedades contra o Estado (Clastres, 1978), os nômades da floresta, que habitavam o que veio a ser o Brasil, faziam de sua territorialidade nômade um dos modos de impedir o surgimento de um poder que se exercesse, de fora, sobre o conjunto da sociedade. Com a chegada dos europeus, inicia-se o processo de sedentarização, e a noção de poder que chega com eles é a de que quem tem poder manda, ao contrário daquela das sociedades florestais, nas quais o chefe não manda.

Construtores de cidades por excelência, os europeus adotaram, desde o início, a estratégia de fixação dos grupos nômades, atingindo suas culturas pela destruição de sua forma de territorialidade. Cidades, reduções e reservas foram as formas urbanas impostas aos indígenas brasileiros, visando a transformá-los em dóceis trabalhadores. Submeter-se a essa política dita de integração, ou à morte, foram as únicas opções oferecidas pelos colonizadores aos povos que já habitavam o Brasil, o que resultou no massacre de dezenas de culturas com suas arquiteturas peculiares e uma rica diversidade de formas e soluções construtivas. Em seu lugar, passaram a ser erguidos edifícios de barro ou pedra, fortalezas e muralhas resistentes, introduzindo uma arquitetura rude e pesada, que apenas pouco a pouco se adaptaria às condições tropicais.

Mas, às diferenças de territorialidades, concepções espaciais e arquitetura que marcam as culturas nômades e as sedentárias opõem-se, também, distintas concepções de natureza e de como se relacionar com ela. Ao longo da história, os registros de desastres ambientais antrópicos encontram-se sempre associados a sociedades urbanas, em especial aquelas que instauram um poder estatal, centralizado e calcado no controle dos recursos hídricos, e que implantam monoculturas em larga escala. Às grandes obras de engenharia hidráulica realizadas na antiguidade oriental correspondem, também, os primeiros processos de desertificação provocados pelo homem.

As considerações dadas buscam apenas suscitar questões, de natureza antropológica e filosófica, mas também histórica, sobre as quais o estudante e o profissional de engenharia ambiental devem refletir, levando em conta não apenas as implicações epistemológicas dos conceitos que utiliza, mas também os compromissos éticos e políticos de suas práticas, portanto, de seus projetos.

1.4 A ENGENHARIA E O AMBIENTE

De acordo com Levenspiel (2002), a primeira frase do estatuto do Institute of Civil Engineers (ICE), estabelecido na Inglaterra em 1811, define o objetivo do profissional de engenharia preconizado por aquela instituição: "(...) *dominar o poder e as forças da natureza em benefício da humanidade* (...)". Nesse mesmo sentido, o Professor Theodoreto de Arruda Souto, primeiro diretor da Escola de Engenharia de São Carlos (EESC), da Universidade de São Paulo (USP), adotou, em 1952, o seguinte lema para a instituição de ensino de engenharia: "*Nesta casa se procura a verdade científica e a técnica de adaptação das energias da natureza a serviço da humanidade*". Ainda que o termo "adaptar" amenize o "dominar" e que tenha se usado o termo "energia" (somente estabelecido em 1805) em lugar de "poder e força", os dois conceitos indicam que a função do profissional de engenharia é a manipulação da matéria e da energia de forma a transformá-las em algo útil para a humanidade.

O notável desenvolvimento tecnológico que o mundo experimentou desde a Revolução Industrial demonstra que a humanidade tem conseguido, de forma muito eficiente, "*dominar o poder e as forças da natureza*". No entanto, o que se entende por "*benefício da humanidade*" vem sofrendo complexas e amplas modificações desde que o ICE estabeleceu o principal objetivo desse instituto. Tais modificações estão, além de relacionadas com avanços no uso de materiais e energia, intimamente atreladas aos avanços do conhecimento científico sobre o ambiente e os recursos naturais. Assim, essa relação ser humano/ambiente tem dado novos contornos ao objetivo estabelecido pelo ICE em 1811 e pelo lema adotado pelo Professor Theodoreto de Arruda Souto, em 1952, para uma instituição de ensino de engenharia.

Dessa forma, todo profissional de engenharia, de qualquer habilitação, deverá ter claros e bem definidos os conceitos de matéria e energia e das leis físicas que regem suas transformações, pois é assim que a engenharia tem se desenvolvido mesmo antes do objetivo maior ter sido explicitado no estatuto do ICE, sempre com base em transformações energéticas e materiais.

Matéria é tudo aquilo que ocupa lugar no espaço e tem massa. A matéria pode ser líquida, sólida ou gasosa e se conserva na natureza, não sendo criada ou destruída em qualquer sistema físico ou químico. Há apenas a transformação de uma forma em outra. Essa é a **lei da conservação das massas**, enunciada inicialmente em 1760, pelo cientista russo Mikhail Vasilyevich Lomonossov e comprovada experimentalmente e popularizada, anos mais tarde, em 1774, pelo químico francês Antoine Laurent de Lavoisier como "*Na natureza, nada se perde, nada se cria, tudo se transforma*". Assim, em um sistema reacional fechado, a massa permanece constante, ainda que tenham ocorrido transformações.

A energia é definida, de forma geral, como a capacidade para realizar trabalho, e pode ser de vários tipos, como cinética, potencial, química, térmica, magnética, entre outras. As formas de energia podem ser transformadas umas nas outras, mas nunca energia poderá ser criada ou destruída. Esse é o enunciado da **primeira lei da termodinâmica** ou lei da conservação da energia. De acordo com Castellan (1986), a primeira lei da termodinâmica é a expressão mais geral do princípio da conservação da energia, não sendo conhecida nenhuma exceção a essa lei.

Embora a primeira lei da termodinâmica estabeleça a conservação da energia, cabe à segunda lei estabelecer a direção natural da transformação de uma forma de energia em outra ou outras. Enquanto a primeira lei informa sobre a transformação de uma forma em outra, a segunda lei informa se essa transformação é possível na prática. O físico Marcelo Gleiser considera a **segunda lei da termodinâmica** como, talvez, a mais fascinante lei natural em seu artigo "Tempo, vida e entropia" (*A Folha de São Paulo*, 2002). Nesse texto, o físico brasileiro discute a influência da segunda lei em nosso dia a dia, principalmente porque ela mostra a direção do tempo, pois o sentido dos processos naturais vai de um estado organizado e termina em um estado menos organizado (aumento da entropia). Ou seja, em sistemas isolados, a desordem sempre aumenta, como no caso de um ovo que é quebrado para fazer uma omelete, a qual jamais será transformada novamente em um ovo. As leis da termodinâmica serão exploradas também no Capítulo 7.

Em resumo, de acordo com a primeira lei da termodinâmica, a energia se conserva nos processos de transformação e, de acordo com a segunda lei, tais processos possuem uma direção natural. A combinação das duas leis, dessa forma, permite prever a situação de equilíbrio e qual fração da energia total do sistema pode ser extraída como trabalho útil, levando ao conceito de exergia (Levenspiel, 2002). Tal conceito se refere ao máximo de trabalho que se pode extrair, ou ao menor dispêndio necessário para uma dada transformação.

Um exemplo bastante interessante para o entendimento prático das duas leis da termodinâmica é apresentado por Castellan (1986) e será aqui adaptado. Considerando um sistema composto de uma bola acima de um copo com água, energia potencial será convertida em energia cinética se a bola for solta. No processo final, a bola repousará no fundo do copo. Durante a queda, a bola ganha energia cinética, enquanto perde energia potencial. E, ao final do processo, a bola em repouso no fundo do copo indica a posição de equilíbrio, o que pode levantar o questionamento sobre o "desaparecimento" da energia, contrariando a primeira lei da termodinâmica. Na verdade, se a temperatura da água for medida antes e depois de se soltar a bola, ficará evidente que a temperatura será superior depois que a bola atingir o fundo do copo, indicando a transformação de energia potencial em energia térmica. Assim, de acordo com a primeira lei da termodinâmica, a energia do sistema (bola + copo com água) será a mesma na situação um (bola acima do copo) e na situação dois (bola em repouso no fundo do copo). Já a segunda lei estabelece que há um sentido natural nesse processo (queda da bola e repouso no fundo do copo). Não seria natural que a bola emergisse do copo, voltando à posição acima dele.

Finalmente, entendendo de forma geral e combinando a lei de conservação das massas com as duas leis da termodinâmica, fica claro que todo processo ocorre com **conservação da massa e da energia** e que há um **sentido natural** para tal transformação, sendo que a energia é sempre transformada de uma forma mais útil para uma menos útil. Assim, se forem analisados os processos de transformação, haverá sempre a obtenção do produto ou dos produtos desejados ou de um tipo de energia desejada conjugada com a obtenção de vários produtos não desejados ou de baixo valor (subprodutos) e de formas de energia não úteis. Tais matérias e energias não aproveitadas em um processo de transformação podem ser despejadas no ambiente. Esse lançamento pode resultar em alterações deletérias, configurando a poluição do meio. Assim, dessa análise simplista, mas conclusiva, de fenômenos complexos, fica claro e estabelecido o conceito de poluição ambiental.

O conceito de poluição da água, do ar e do solo, que permeará diversos capítulos deste livro, não é simples e está associado a vários fatores, como desbalanceamento dos ciclos biogeoquímicos (Capítulo 7), alterações no meio que levam a danos à saúde dos seres humanos (Capítulo 5) e trazem riscos à saúde pública (Capítulo 31), alterações no meio que impedem ou restringem seu uso, e mesmo alterações na paisagem. No entanto, o entendimento das relações de causa e efeito passa, obrigatoriamente, pela compreensão dos fundamentos, iniciando pelas leis de conservação de massa e energia e pela segunda lei da termodinâmica, "*provavelmente a mais fascinante em toda a ciência*", conforme declarado por Levenspiel (2002).

Nesse ponto é que se torna importante uma discussão acerca da relação entre engenharia e ambiente, principalmente por serem os profissionais de engenharia os maiores responsáveis pelos processos de transformação e pelo projeto e pela operação de aparatos tecnológicos que, desde a Revolução Industrial, vêm transformando a vida da humanidade no planeta. Desde a criação da máquina a vapor, engenheiros vêm aplicando os fundamentos das ciências básicas e os transformando em tecnologias que geralmente visam ao benefício da humanidade. Diversos processos industriais foram concebidos e máquinas e equipamentos foram criados, sempre com base nos princípios científicos e nas leis básicas de funcionamento de nosso universo e tendo, como ponto comum, o uso dos recursos naturais e os processos de transformação da matéria e de conversão de energia.

No entanto, ainda que a base de toda a engenharia seja a mesma em qualquer das habilitações, e que os princípios básicos utilizados para desenvolvimento de aparatos tecnológicos sejam os mesmos que regem a relação entre engenharia e ambiente, a atenção sempre esteve mais voltada a satisfazer as necessidades mais prementes dos seres humanos. Assim, o "*benefício da humanidade*" estaria relacionado com a satisfação das necessidades mais imediatas e, em uma sociedade capitalista, aos interesses do mercado. Recentemente, no entanto, dentro do contexto histórico apresentado neste capítulo, com a tomada de consciência global acerca das relações de causa e efeito no que concerne ao ambiente, a engenharia vem se modificando dia a dia a partir do entendimento que os conceitos básicos que regem o funcionamento das máquinas e dos processos de transformação são os mesmos que definem os impactos ambientais decorrentes do desenvolvimento desses aparatos ou da aplicação dos processos transformadores.

Nesse sentido, a busca por processos e máquinas mais eficientes, com menores perdas energéticas e desperdícios materiais, tem sido constante e já é realidade na engenharia mundial. As buscas por substituição dos recursos naturais não renováveis pelos renováveis, por recuperação e valorização de subprodutos de processos de transformação, por práticas de aproveitamento energético com maximização do trabalho obtido são realidade na engenharia e vão em direção à adequação ambiental dos processos, ainda que a motivação seja, principalmente, econômica.

É certo que, com toda a tecnologia empregada, as leis da conservação, e principalmente a segunda lei da termodinâmica, são "implacáveis", e a geração de resíduos será inevitável, ainda que mínima. No entanto, os princípios científicos utilizados para o desenvolvimento tecnológico em geral são os mesmos que serão empregados para o desenvolvimento de tecnologias para o controle da poluição, ou seja, para converter materiais e energia que serão lançados no ambiente, minimizando os impactos desses lançamentos.

Portanto, chega-se aqui a uma clara relação entre engenharia e ambiente, a qual tem um pouco de relação de "amor e ódio", mas que parece caminhar para um bom termo e para o que se chama de sustentabilidade, termo complexo e amplo que será objeto específico do Capítulo 6. Assim, o papel da engenharia vem se modificando e se ampliando dentro do mesmo objetivo traçado pelo ICE e do lema estabelecido pelo Professor Theodoreto Souto, principalmente pelo fato de o entendimento sobre o *"benefício da humanidade"* estar em constante evolução e, também, pelo fato de o avanço do conhecimento científico jogar luzes em pontos que ainda estavam obscuros, tanto nas ciências básicas quanto nas aplicadas.

Assim, todo engenheiro, de qualquer habilitação, com conceitos básicos sólidos em ciências básicas e com conhecimentos, ainda que básicos, das leis da conservação e da segunda lei da termodinâmica, está municiado com valiosas ferramentas para cumprir o objetivo de manipular matéria e energia realmente em benefício da humanidade, com respeito ao ambiente que nos acolhe.

Bem, se é verdade que todo engenheiro deve ter conhecimentos básicos e atuar com responsabilidade em relação ao ambiente, há a necessidade de uma engenharia com habilitação na área ambiental, ou seja, é necessário formar engenheiros ambientais? Não bastaria que todos os engenheiros tivessem as bases fundamentais que permitissem uma atuação mais responsável em relação ao meio ambiente? Qual o sentido de formar um profissional especificamente para a área ambiental? Não é contraditório que a profissão que mais causa impacto no meio tenha uma habilitação na área ambiental?

Todas essas perguntas têm sido feitas não só por estudantes, mas por universidades e associações de classe. Antes, porém, de entrar no próximo item, no qual esses questionamentos serão respondidos de forma ampla, uma resposta simples pode ser dada, a qual sumariza tudo que será apresentado a seguir: Sim, a Engenharia Ambiental é necessária e, mais que isso, tende a se consolidar como uma grande área da engenharia.

1.5 UMA ENGENHARIA CHAMADA AMBIENTAL

Primeiramente, é importante salientar que a Engenharia Ambiental é um curso de engenharia, ou seja, uma engenharia com habilitação ambiental. Embora óbvia, essa explicação deve ser dada, pois muita confusão tem sido feita com essa carreira, desde a escolha errada por alunos do ensino médio, que ingressam no curso atraídos pela "questão ambiental", até a elaboração de grades curriculares e projetos pedagógicos equivocados.

No caso da escolha dos alunos, o maior problema está no fato de muitos buscarem uma carreira que trate de questões ambientais. Nessa busca, muitos "caem" na Engenharia Ambiental sem se dar conta de que escolheram um curso de engenharia. A base de todas as engenharias é a mesma: forte fundamentação nas ciências básicas e aplicação dos conceitos fundamentais para a geração, o aprimoramento, a análise, a simulação e a aplicação de tecnologias. Em suma, o engenheiro, por meio de linguagem matemática, usa os conceitos científicos, consolidando-os em equipamentos, processos e produtos. Cada modalidade da engenharia usa esses conceitos para aplicações específicas e é natural que algumas das modalidades usem mais uma ciência básica que outra.

Como primeiro exercício, avalie um motor a combustão e seu princípio de funcionamento e tente associar, a esse equipamento, todos os conceitos que foram necessários para produzi-lo e para o seu funcionamento. Outro exercício é avaliar um processo de produção de cerveja, com todos os equipamentos necessários para, de forma sequenciada, partir de matérias-primas até se chegar ao produto final. A análise da construção de uma ponte pode ser outro exercício interessante. Quais conceitos das ciências básicas foram envolvidos? Essa consolidação dos conceitos básicos de física, química e biologia por meio da linguagem matemática em aparatos tecnológicos como o motor a combustão, uma ponte ou o processo de produção da cerveja são os objetos da engenharia e são alguns exemplos de "obras da engenharia".

O Engenheiro Ambiental, da mesma forma que as outras habilitações da engenharia, como, por exemplo, Mecânica, Química e Civil, representadas nos exemplos anteriores, usa conceitos básicos de química, física e biologia, por meio de linguagem matemática, para a avaliação, a prevenção, a mitigação e, muitas vezes, a remediação de impactos ambientais.

É possível trabalhar com a questão ambiental em qualquer carreira, de Ciências Sociais a Geologia, de Direito a Astronomia, de Pedagogia a Engenharia Elétrica, incluindo todos os cursos de ciências básicas (química, física, biologia e matemática). A Engenharia Ambiental é uma dessas carreiras, obviamente com temática mais direcionada para a área. No entanto, o "tema ambiental" não deve ser o único fator decisivo para a escolha dessa carreira.

No caso de grades curriculares e projetos pedagógicos equivocados, naturais até certo ponto para novas carreiras, o maior problema está no entendimento geral sobre as bases de sustentação do curso. Para ser mais claro, ainda que repetitivo, as bases de sustentação devem estar nas ciências básicas, pilares de qualquer curso de engenharia. Disciplinas de formação básica específica devem fazer a ponte entre os conceitos fundamentais e a aplicação tecnológica, sempre por meio de linguagem matemática. No final, devem estar as disciplinas mais tecnológicas, com aplicação mais direta dos conceitos já consolidados. O curso deve ser equilibrado nesses três grupos (conceitos fundamentais, formação básica específica e aplicação tecnológica), sendo os dois primeiros os mais importantes e que fornecem uma formação mais sólida. As falhas aparecem principalmente quando se negligencia a formação básica ou quando importância não é dada à ponte que liga as ciências básicas ao desenvolvimento tecnológico. Nesse caso, os cursos ficam desbalanceados e podem levar a problemas graves de formação dos profissionais.

Problemas mais graves ainda podem ser detectados quando os cursos de Engenharia Ambiental são "confundidos" com outras habilitações da engenharia, como a de Produção. Seria interessante um curso de Engenharia de Produção Ambiental como há os de Produção Mecânica ou Química, por exemplo? Essa questão não será discutida e a resposta não será dada aqui por não ser esse o objeto deste livro, mas certamente muitos cursos estão conformados mais como uma modalidade da Engenharia de Produção, e não como Engenharia Ambiental. Em outros casos mais graves, os cursos de Engenharia Ambiental são formatados como cursos de Gestão Ambiental, uma carreira da área das Ciências Humanas.

A Engenharia Ambiental é única. Essa afirmação tem muitas consequências, desde a concepção de grades curriculares que não devem atrelar essa habilitação a nenhuma outra, até a questão das atribuições profissionais (apresentadas no Capítulo 6). O fato de todas as habilitações da engenharia terem conteúdos na área ambiental e de todos os engenheiros terem conhecimento de questões ambientais, principalmente as de causa e efeito, não transforma todos os engenheiros, de qualquer modalidade, em engenheiros ambientais. Do mesmo modo, engenheiros de qualquer modalidade com alguma especialização na área ambiental não se convertem em engenheiros ambientais. Essa discussão não está baseada em nenhuma regulamentação profissional de qualquer Conselho, mas na questão didático-pedagógica e na filosofia educacional do curso.

A Engenharia Ambiental é única porque leva a uma formação básica com conceituação, além da física e de matemática comuns a todas as engenharias, em química de forma mais aprofundada e de certa forma diferenciada das habilitações Química, Metalúrgica, Alimentos e Materiais, que também possuem forte fundamentação química. Além disso, é a única das engenharias com maior fundamentação em biologia, ecologia e ecossistemas, de forma a levar o engenheiro ambiental a uma visão mais ampla do ambiente e dos processos naturais. Todas essas ferramentas conceituais adquiridas dão ao engenheiro ambiental uma visão privilegiada acerca dos fenômenos físicos, químicos e biológicos. Essa formação leva a uma aplicação também diferenciada das disciplinas que fazem a ponte das ciências básicas com a aplicação tecnológica, o que certamente resulta em visão própria e particular na caracterização ambiental, na avaliação de impactos ambientais e na aplicação de tecnologias, seja para a prevenção ou o controle da poluição ambiental.

Essa formação da Engenharia Ambiental, com conceitos próprios e visão particular, certamente a levará a se consolidar como uma grande área da engenharia, como é o caso das Engenharias Civil, Química, Elétrica e Mecânica. Ainda que isso não ocorra nas esferas burocráticas, essa consolidação se dará certamente na atuação profissional e no reconhecimento do engenheiro ambiental como aquele com visão própria e única aplicada à transformação dos recursos naturais, ponto de partida de todo processo de engenharia.

Para exemplificar quais os campos de atuação do profissional formado em Engenharia Ambiental, é apresentada a Tabela 1.1, que constava da versão final do projeto de resolução que dispõe sobre as atividades, a atribuição de títulos e as competências nos campos profissionais abrangidos pelas diferentes modalidades das categorias profissionais de Engenharia, Agronomia e demais profissões inseridas no Sistema do Conselho Federal de Engenharia e Agronomia e Conselho Regional de Engenharia e Agronomia (Confea/Crea), o qual foi apreciado em sessão plenária do Confea no ano de 2004. Esse projeto de resolução propunha considerar os campos profissionais interdisciplinares (Produção, Ambiental, Automação e Controle, Têxtil, Alimentos e Materiais) como modalidades individualizadas.

TABELA 1.1   Proposta de atribuições para Engenharia Ambiental apresentada na versão final do projeto de resolução que dispõe sobre as atividades, atribuição de títulos e competências nos campos profissionais abrangidos pelas diferentes modalidades das categorias profissionais de Engenharia, Agronomia e demais profissões inseridas no Sistema Confea/Crea

Setores	Subsetores
Tecnologia Ambiental	Ações Mitigadoras de Impactos Ambientais. Controle da Poluição das Águas. Tratamento de Águas Residuárias Industriais. Tratamento de Esgoto Doméstico. Tratamento de Águas de Abastecimento Público e Industrial. Técnicas de Reúso de Água. Controle da Poluição do Ar. Controle da Poluição do Solo. Coleta e Destino de Resíduos Sólidos. Reaproveitamento e Reciclagem de Resíduos Sólidos. Remediação e Biorremediação de Solos e Águas Contaminadas. Projeto, Construção e Operação de Equipamentos para Controle Ambiental (Água, Ar e Solo)
Gestão Ambiental	Avaliação de Impactos Ambientais. Monitoramento Ambiental. Adequação Ambiental de Empresas. Planejamento Ambiental em Áreas Urbanas e Rurais. Licenciamento Ambiental
Geotecnia Ambiental	Recuperação de Áreas Degradadas. Remediação de Solos Degradados. Prevenção e Recuperação de Processos Erosivos. Aplicação de Tecnologias de Investigação Geoambiental. Avaliação de Impactos Geoambientais. Prevenção de Desastres Geoambientais. Aquisição, Pré-processamento, Gerenciamento e Análise de Dados obtidos por SIG e Sensoriamento Remoto
Recursos Energéticos Renováveis	Conservação de Energia. Fontes Alternativas e Renováveis de Energia. Adequação Energética de Empresas
Hidrologia e Recursos Hídricos	Aproveitamento de Recursos Hídricos. Captação de Mananciais Superficiais e Subterrâneos e Abastecimento de Água. Controle de Enchentes. Análise Estatística de Eventos Hidrológicos. Regularização de Vazão. Aproveitamentos Hidrelétricos. Sistemas de Irrigação
Engenharia Legal	Avaliações, Perícias e Arbitragens no âmbito da Modalidade

Essa proposta foi baseada em sugestão oficial enviada pela Escola de Engenharia de São Carlos da USP ao Confea em 19 de agosto de 2004. Na proposta, a Comissão Coordenadora do Curso de Engenharia Ambiental da EESC-USP sugeriu a criação do Campo Profissional da Modalidade Ambiental, dentro da Categoria Profissional da Engenharia. Foi sugerido, também, que fossem revistos os setores de "Meio Ambiente" apresentados por todas as modalidades, principalmente as modalidades Civil e Química, a fim de serem adequados às realidades dos projetos pedagógicos desses cursos.

O projeto de resolução, apresentado pelo Professor Ruy Carlos de Camargo Vieira, um dos primeiros, senão o primeiro, a propor a criação da Engenharia Ambiental no Brasil (como Engenharia Ecológica, ainda no início dos anos 1970), não foi aprovado dessa forma e tomou os contornos apresentados na Resolução 1.010 do Confea, publicada em 22 de agosto de 2005. Tal Resolução, por apresentar dificuldades de operacionalização, foi substituída pela Resolução 1.073/2016, aprovada pelo plenário do Conselho Federal de Engenharia e Agronomia em 19 de abril de 2016.

A história da Engenharia Ambiental está apenas começando, se comparada a habilitações tradicionais e seculares. A evolução dessa carreira se dará pelo claro entendimento de que os profissionais, antes de serem treinados para a aplicação de tecnologias de controle de poluição ou o uso de instrumentos de gestão ambiental, necessitam de sólidos conceitos fundamentais e de uma concepção peculiar da relação entre o ser humano e o ambiente.

1.6 CONCLUSÃO

A relação entre engenharia e ambiente passa pelo entendimento da relação entre ser humano e natureza e, principalmente, pelas distintas concepções de natureza. Além disso, tal relação passa pela compreensão das leis de conservação da matéria e da energia e de transformação energética. A relação do engenheiro, principalmente do engenheiro ambiental, com o ambiente pressupõe, além do conhecimento profundo das ciências básicas e da tecnologia, um entendimento amplo da relação do homem com a natureza e de como essa relação varia em diferentes culturas.

REVISÃO DOS CONCEITOS APRESENTADOS

- As relações que os homens estabelecem com a natureza sempre foram distintas para cada sociedade e também para cada período histórico.
- A ciência moderna e a engenharia se desenvolveram a partir de uma concepção de natureza marcada, cada vez mais, pela exterioridade do homem em relação a ela e segundo uma perspectiva que buscaria dominá-la, controlar suas forças e explorar suas potencialidades para atender aos fins utilitários dos homens.
- A diversidade das culturas entre os homens expressa, de modo particular, suas relações com a natureza.
- Às diferenças de territorialidades, concepções espaciais e arquitetura que marcam as culturas nômades e as sedentárias, opõem-se, também, distintas concepções de natureza e de como se relacionar com ela.
- Todo profissional de engenharia, de qualquer habilitação, deverá ter claros e bem definidos os conceitos de matéria e energia e das leis físicas que regem suas transformações.
- Se forem analisados os processos de transformação, haverá sempre a obtenção do produto ou dos produtos desejados ou de um tipo de energia desejada conjugada com a obtenção de vários produtos não desejados ou de baixo valor (subprodutos) e de formas de energia não úteis.
- O engenheiro ambiental utiliza conceitos básicos de química, física e biologia, por meio de linguagem matemática, para a avaliação, a prevenção, a mitigação e, muitas vezes, a remediação de impactos ambientais.

SUGESTÕES DE LEITURA COMPLEMENTAR

- Artigo de Washington Novaes, intitulado "Os estranhos caminhos de um pedaço do Brasil", publicado em *O Estado de São Paulo* em 27 de janeiro de 2012, na página 2. No texto, Novaes comenta o livro recém-publicado pelo também jornalista Marco Antônio Tavares Coelho, "Rio Doce – a espantosa evolução de um vale". Belo Horizonte: Autêntica, 2011.
- Capítulo I, "Natureza e Cultura", do livro de Claude Lévi-Strauss, *As Estruturas Elementares do Parentesco*. Petrópolis: Vozes, 2009.
- Verbetes "cidade", "ciência", "civilização", "cultura", "ecologia" e "natureza" do livro de Raymond Williams, *Palavras-Chave [um vocabulário de cultura e sociedade]*. São Paulo: Boitempo, 2007.
- Livro de Enzo Tiezi, *Tempos Históricos, Tempos Biológicos. A Terra ou a morte: os problemas da nova ecologia*. São Paulo: Nobel, 1988.
- Livro de Cornelius Castoriadis e Daniel Cohn-Bendit, *Da Ecologia à Autonomia*. São Paulo: Brasiliense, 1981.

Referências

CASTELLAN, G. (1986) *Fundamentos de físico-química*. Rio de Janeiro: Livros Técnicos e Científicos Editora S.A., 527 p.

CLASTRES, P. (1982) *Arqueologia da violência: ensaio de antropologia política*. São Paulo: Brasiliense, 243 p.

CLASTRES, P. (1982) *Sociedade contra o Estado. Pesquisas de antropologia política*. Rio de Janeiro: Francisco Alves. 152 p.

HOUAISS, A. (2001). Dicionário Houaiss da língua portuguesa. Rio de Janeiro: Objetiva, 1978. 3.008 p.

LEVENSPIEL, O. (2002) *Termodinâmica Amistosa para Engenheiros*. São Paulo: Edgard Blücher Ltda., 323 p.

LÉVI-STRAUSS, C. (2009) *As estruturas elementares do parentesco*. Petrópolis: Vozes, 542 p. (publicado originalmente em 1949).

MERLEAU-PONTY, M. (2000) *A natureza*. São Paulo: Martins Fontes, 448 p.

MORA, J.F. (1971) *Dicionário de filosofia*. Buenos Aires, Argentina: Editorial Sudamericana, 2 tomos.

RAPPAPORT, R. (1982) A. Natureza, cultura e antropologia ecológica. In: SHAPIRO, H. (organizador). *Homem, cultura e sociedade*. São Paulo: Martins Fontes, 470 p. (publicado originalmente em 1971).

THOMAS, K. (1983) *O homem e o mundo natural*. São Paulo: Companhia das Letras, 454 p.

WILLIAMS, R. (2007) *Palavras-chave [um vocabulário de cultura e sociedade]*. São Paulo: Boitempo, 464 p.

GEOLOGIA E SOLOS

2

Osni José Pejon / Lázaro Valentin Zuquette / Oswaldo Augusto Filho

Neste capítulo, são abordados conceitos fundamentais para qualquer profissional que pretenda trabalhar com meio ambiente, uma vez que a Geologia é, por excelência, a ciência que se ocupa do estudo da Terra. Dessa forma, são tratadas, neste capítulo, a origem do planeta Terra e sua evolução ao longo do tempo geológico, além da formação dos minerais e das rochas ígneas, sedimentares e metamórficas que constituem a crosta terrestre (que é, em síntese, a superfície sobre a qual se desenvolvem praticamente todas as atividades humanas). A estrutura interna da Terra e os diversos campos de força que promovem a constante modificação de sua superfície são analisados. Apresenta-se, também, a teoria da Tectônica de Placas, que permite entender boa parte da dinâmica do planeta e sua influência no relevo e nas estruturas terrestres. A formação dos solos e o desenvolvimento dos perfis de alteração e sua relação com os processos superficiais de intemperismo e erosão também são abordados. Apresentam-se, ainda, os principais componentes dos solos e as classificações mais usuais.

2.1 INTRODUÇÃO

O **sistema Terra** pode ser considerado um sistema praticamente fechado, pois se assume que o ganho ou a perda de matéria sejam insignificantes. No entanto, não é um sistema isolado, pois recebe radiações e energia, provenientes principalmente do Sol, que interagem com o sistema terrestre. Essa energia é absorvida ou refletida, sendo responsável pela manutenção de condições que permitem a vida como a conhecemos sobre a Terra.

Meio ambiente pode ser conceituado e entendido sob diferentes enfoques. Nos estudos ambientais desenvolvidos em nosso território, adotam-se, como referência geral, as definições propostas pela Associação Brasileira de Normas Técnicas (ABNT, 1989) e pela Resolução do Conselho Nacional do Meio Ambiente – Conama nº 01 de 1986. Em ambas as definições, é destacada a interação dos componentes bióticos (fauna e flora), abióticos (água, rocha e ar) e biótico-abiótico (solo). O engenheiro ambiental, além das matérias básicas de engenharia, deverá ter conhecimento das áreas de geologia e pedologia (estudo dos solos).

A **Geologia** é a ciência que se ocupa do estudo e do entendimento dos componentes e processos da Terra, tais como a formação dos minerais e rochas e os processos endógenos e exógenos envolvidos na formação e modificação da crosta terrestre. Com a amplitude de fatores envolvidos nesses processos, é evidente o entrelaçamento da Geologia com várias outras ciências naturais, como a Física, a Química e a Biologia.

O entendimento dos processos de formação das rochas e de sua modificação é fundamental para a Engenharia Ambiental. A formação dos solos a partir do intemperismo das rochas é reconhecidamente essencial para o estabelecimento e a manutenção da vida na Terra. Os depósitos de águas subterrâneas, que constituem os aquíferos (objeto de estudo específico nos Capítulos 8 e 12), são unidades geológicas com propriedades ditadas por sua composição e estruturas geológicas.

As rochas e os solos supriram o Homem com materiais essenciais desde a sua mais tenra existência e, ainda hoje, os bens minerais são fonte de grande parte dos produtos consumidos pela humanidade, seja na forma de minerais metálicos ou não metálicos, como diversos tipos de materiais de construção.

A Terra é dinâmica e está em constante transformação, resultante da interação entre os processos internos e externos (endógenos e exógenos). A maioria desses processos é direta ou indiretamente sensível à ação do Homem e pode ser intensificada em frequência/magnitude, com possibilidade de ocorrência de acidentes ambientais que afetam a sociedade de diferentes formas.

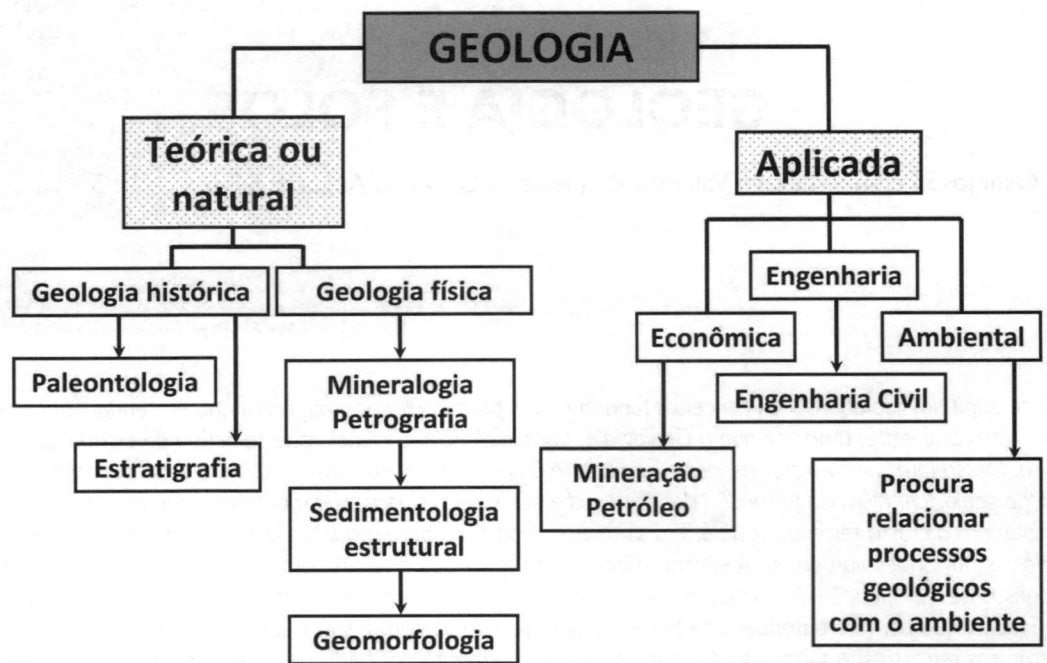

FIGURA 2.1 Áreas de atuação da Geologia. *Fonte: Modificado de Chiossi (1979).*

Dentro deste contexto, o campo de estudo da Geologia tem se expandido, partindo de uma base científica até atingir áreas mais aplicadas, como a Geologia de Engenharia, a Geologia Ambiental, entre outras, como mostrado na Figura 2.1.

Para fazer uso adequado dos conhecimentos geológicos, é importante que o Engenheiro Ambiental conheça os tipos principais de minerais e rochas, sua forma de origem e os processos envolvidos (principalmente os processos de formação de solos), além dos condicionantes, dos mecanismos e da dinâmica dos diferentes processos geológicos.

2.2 ORIGEM DA TERRA

A **origem da Terra** está ligada à de outros planetas do sistema solar, à de outros sistemas planetários e à do próprio universo. A teoria do *Big-Bang* ainda é a mais aceita para a formação do universo. Muito resumidamente, essa teoria propõe que o universo se formou a partir de uma explosão de toda a energia/matéria disponível em um espaço muito pequeno e em uma condição de temperatura infinita. A posterior expansão e o consequente resfriamento permitiram, inicialmente, a formação das partículas subatômicas, os prótons, os nêutrons, os elétrons e os átomos mais simples (H, He), seguindo-se os mais complexos (com maior número atômico).

Passados alguns bilhões de anos, na expansão do universo, as nuvens de matéria formaram aglomerados que, por atração gravitacional, começaram a sofrer colapso, na forma de redemoinhos. O colapso dessas nuvens de matéria provocou o choque de átomos e reações de fissão e de fusão nuclear (fenômeno de acresção), com liberação de calor e formação das estrelas e dos planetas, dependendo do volume inicial de matéria dos aglomerados.

Na nuvem de matéria que deu origem ao sistema solar, o planeta Terra começou a se consolidar como um corpo planetário individual, inicialmente formado por rocha fundida (magma) em temperaturas muito altas e bombardeado por meteoritos (não metálicos e metálicos, Figura 2.2), que acabaram agregando novos elementos químicos à sua composição. Acredita-se que, nesse período, a Lua tenha sido formada a partir de uma quantidade de massa arrancada dessa massa fluida da Terra pelo choque de um meteorito de grande porte.

Na continuidade desse processo, iniciou-se o resfriamento da Terra da superfície para o seu interior. Estabeleceram-se as correntes de convecção devido à diferença de temperatura entre a parte interna (mais quente) e a externa (mais fria) e a segregação dos elementos químicos pesados, que migraram para o centro do planeta. A Terra se estruturou, então, em camadas concêntricas com diferentes composições e comportamentos mecânicos. A liberação de gases devido ao resfriamento do planeta formou uma atmosfera inicial, também muito quente e com composição distinta da atual. Após redução da temperatura,

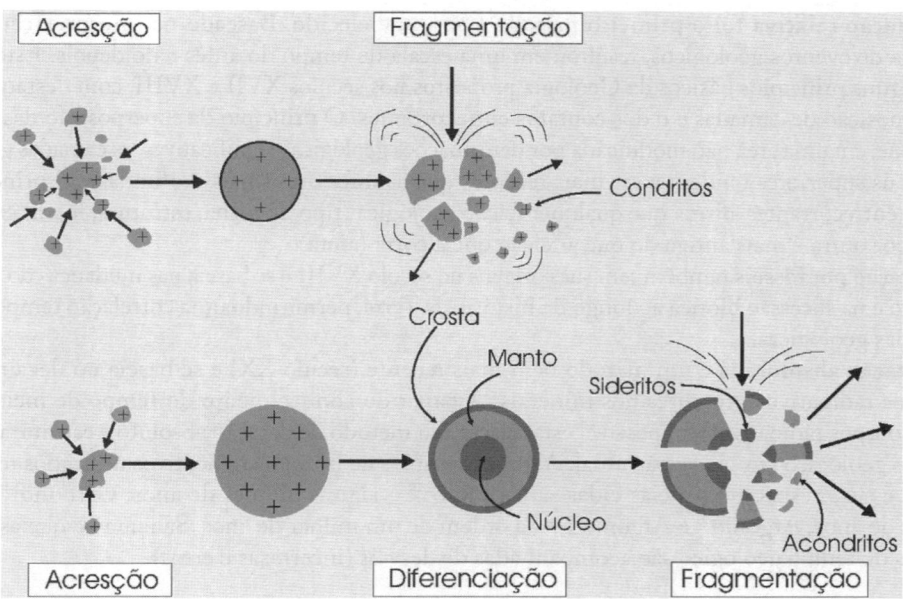

FIGURA 2.2 Origem dos tipos de meteoritos que contribuíram para a composição da Terra. *Fonte: Teixeira et al. (2000).*

precipitações sobre o planeta durante milhares de anos geraram a hidrosfera. Com a hidrosfera, foram estabelecidas as condições para o desenvolvimento da vida no planeta.

2.3 TEMPO GEOLÓGICO

Estima-se a idade do universo em cerca de 15 bilhões de anos (tempo decorrido do *Big-Bang* até hoje). As teorias atuais da Geologia histórica estabelecem a idade da Terra em 4,5 bilhões de anos. O tempo geológico ou tempo profundo constitui uma das maiores dificuldades para o entendimento de alguns processos e fenômenos geológicos, pois foge totalmente da escala de tempo humano. Uma forma de tentar compreender o significado temporal da idade da Terra em relação à vida humana é fazendo uma analogia com distâncias. Suponha que 100 anos equivalham à distância de um milímetro. Nessa condição, a idade da Terra equivaleria a 45 quilômetros de distância.

O estabelecimento da idade da Terra, com as diferentes **eras e períodos geológicos**, foi possível graças ao desenvolvimento da Geologia como ciência a partir dos séculos XVII e XVIII e à utilização de três métodos de datação combinados (relativa, com fósseis e absoluta). As grandes divisões da história da Terra são baseadas na sucessão biótica e em grandes eventos geológicos ocorridos ao longo da evolução do planeta (Cenozoica: vida recente; Paleozoica: vida antiga, Tabela 2.1).

TABELA 2.1 Escala de tempo geológico simplificada

ERA	Cenozoica		Mesozoica			Paleozoica							
PERÍODO	Quaternário	Terciário	Cretáceo	Jurássico	Triássico	Permiano	Carbonífero	Devoniano	Siluriano	Ordoviciano	Cambriano	Proterozoica	Arqueana
IDADE (10^6 anos)	1,8	60	248			545						2500	4560

Fonte: Press et al. (2006).

A **datação relativa** foi o primeiro método a ser estabelecido. Baseado na interpretação de uma sequência de eventos geológicos, resultou em uma escala de tempo do antes e do depois. Este método utiliza alguns princípios básicos da Geologia propostos nos séculos XVII e XVIII, com destaque para o da superposição de camadas e o dos contatos entrecortantes. O princípio da superposição das camadas propõe que, em uma área não modificada por deformações geológicas significativas, as camadas geológicas horizontais superiores tendem a ser mais recentes que as inferiores (mais profundas). O princípio dos contatos entrecortantes afirma que qualquer feição geológica (tipo de rocha, estrutura, fóssil) cortada ou afetada por outra é mais antiga do que a feição que a corta (afeta).

A **datação por fósseis** também tem suas origens no século XVIII e se baseia nas mudanças do conteúdo fossilífero e na sucessão biótica ao longo da história da Terra, permitindo uma correlação temporal entre as camadas geológicas.

A **datação absoluta** já é um método bem mais recente (século XX) e se baseia no decaimento de elementos radioativos presentes nos minerais. A partir do conhecimento do tempo de meia-vida de alguns isótopos radioativos, foi possível estabelecer um método de datação absoluto e estruturar a escala de tempo geológico em sua versão atual. Alguns exemplos de isótopos radioativos utilizados na datação absoluta e suas respectivas-meias vidas são: Urânio^{238} – alguns bilhões de anos; Carbono^{14} – alguns milhares de anos; Argônio^{40} e Argônio^{39} – da ordem de um milhar de anos. Salienta-se que as medidas absolutas de tempo geológico são acompanhadas de desvios (incertezas e erros).

2.4 ESTRUTURA INTERNA DA TERRA

Os processos e os fenômenos ocorridos ao longo da formação da Terra (Item 2.2) resultaram um sistema ambiental integrado por diferentes compostos abióticos e bióticos, que podem ser agrupados nas chamadas geosferas do planeta. Comumente são identificadas as seguintes **geosferas: atmosfera** (gases); **hidrosfera** (líquidos), **litosfera** (sólidos) e **biosfera** (seres vivos). Neste capítulo, será enfatizado o estudo da litosfera, diretamente relacionada com o conhecimento geológico. As geosferas estão intimamente integradas no sistema ambiental terrestre, com constante troca de energia e matéria entre si.

Atualmente, o conhecimento da estrutura interna do planeta identifica uma série de esferas aproximadamente concêntricas, compostas de materiais sólidos com comportamento rijo e plástico, predominantemente abióticos, cujo raio total é da ordem de 6.370 km.

Essa estrutura foi estabelecida a partir do estudo da propagação das ondas sísmicas geradas por terremotos e dos fenômenos físicos da refração e reflexão associados à velocidade de propagação dessas ondas em diferentes meios. O estudo dos meteoritos e a realização de ensaios de laboratório, simulando a fusão e a cristalização de diferentes materiais em altas temperaturas e pressões, também foram importantes para a elaboração do modelo atual da estrutura interna da Terra. A sondagem mecânica mais profunda realizada até hoje atingiu apenas 12 quilômetros de profundidade.

O modelo atual da estrutura da Terra propõe três grandes subdivisões: crosta, envolvendo crosta continental e crosta oceânica; manto, subdividido em superior, transicional e inferior; e núcleo, subdividido em externo e interno. Além desses componentes básicos, também são identificadas descontinuidades, relacionadas com o aumento ou à queda brusca da velocidade de propagação das ondas sísmicas e, em alguns casos, à não propagação de ondas secundárias (cisalhantes, ondas S) pela ocorrência de material sólido com comportamento muito plástico, quase fluido (Figura 2.3).

A temperatura e a densidade das rochas e dos materiais tendem a aumentar com a profundidade (densidade média da crosta < densidade média do manto < densidade média do núcleo). A densidade da crosta oceânica é um pouco maior que a densidade da crosta continental e seus contatos são laterais, estando ambas sobre o manto superior (Figura 2.3).

As crostas oceânica e continental, acrescidas da parte inicial do manto superior, compõem a litosfera propriamente dita e as chamadas placas tectônicas, que flutuam sobre o trecho plástico do manto superior (astenosfera), caracterizado pela queda brusca da velocidade de propagação das ondas sísmicas (zona de baixa velocidade, Figura 2.3). Os movimentos dessas placas tectônicas sobre a astenosfera, induzidos pelas correntes de convecção geradas pelas diferenças de temperatura entre a parte superficial e mais profunda do planeta, são responsáveis pelos terremotos, pelos fenômenos vulcânicos e pelas grandes deformações da superfície terrestre, gerando as grandes cadeias montanhosas, como Himalaia e Andes.

A descontinuidade de Mohorovicic marca a fronteira entre a base das crostas oceânica e continental e o topo do manto superior, sendo caracterizada pelo aumento brusco da velocidade de propagação das ondas sísmicas (maior densidade das rochas do manto). A descontinuidade de Gutenberg marca a

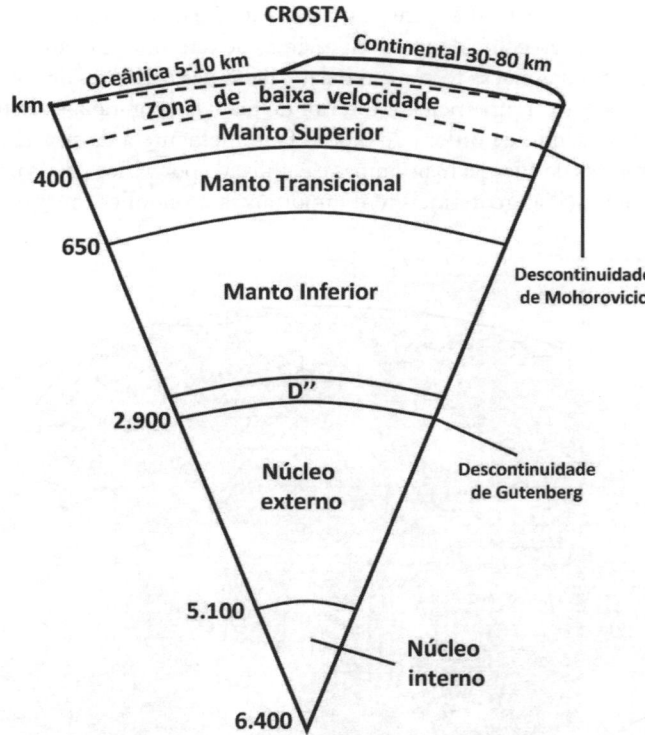

FIGURA 2.3 Modelo simplificado da estrutura interna da Terra. *Fonte: Teixeira et al. (2000).*

fronteira entre o manto inferior e o núcleo externo e é caracterizada pela queda brusca da velocidade de propagação das ondas sísmicas e pela não propagação das ondas S (cisalhantes).

Ambos os núcleos são compostos de material metálico (ferro e níquel) com elevada densidade (em torno de 10 g/cm³), resultado da segregação dos elementos químicos pesados durante o processo de consolidação do planeta e oriundo dos meteoritos metálicos que colidiram com a Terra (Item 2.2). Porém, o núcleo externo encontra-se em um estado parecido ao de um líquido, o que explica a queda da velocidade das ondas sísmicas e a não propagação das ondas S (Figura 2.3).

2.5 FONTES DE ENERGIA E CAMPOS DE FORÇA TERRESTRES

As transformações e os fluxos de matéria que ocorrem entre as geosferas são movidos e controlados pelas fontes de energia (radiação solar e calor interno) e campos de força (gravidade, magnetismo) do planeta Terra.

A energia solar é uma das principais fontes de energia que desenvolvem trabalho mecânico na superfície da Terra (modelagem do relevo). A água armazenada na hidrosfera converte a energia solar em mecânica, resultando em diferentes tipos de processos erosivos.

A atmosfera absorve a energia solar e a transforma em energia térmica. Um dos principais fatores que condiciona essa transformação em calor é o ângulo de incidência dos raios solares sobre a superfície da Terra, que depende da latitude (máxima próximo ao equador e mínima nos polos), além dos movimentos de rotação diurna e anual em relação ao sol. O deslocamento de ar na superfície da Terra (ventos) se explica principalmente devido a essas diferenças de aquecimento e consequentes pressões atmosféricas (deslocamento das áreas de alta pressão, mais frias, para as de baixa pressão, mais quentes). Dessa forma, a precipitação, o próprio clima e os processos geológicos exógenos (erosão, deslizamentos, alteração das rochas, pedogênese) estão associados, direta e indiretamente, a esta fonte de energia.

O calor interno é uma fonte de energia diretamente associada às origens da Terra (Item 2.2). A poucos metros de profundidade, os efeitos da radiação solar passam a ser pouco significativos e a atuação do fluxo de calor interno da Terra, ou fluxo geotérmico, passa a preponderar. Define-se gradiente ou grau geotérmico como o número de metros necessários, em profundidade, para a temperatura aumentar um grau Celsius. O gradiente geotérmico médio da Terra é de 30 metros. Nas regiões vulcânicas, ele pode ser inferior a 11 metros.

O fluxo geotérmico está associado à estrutura interna da Terra e à estrutura tectônica de placas. As áreas de maior fluxo termal são coincidentes com as áreas de terremotos e vulcanismo, que por sua vez estão associadas aos limites das placas tectônicas e das células das correntes de convecção formadas pela diferença de temperatura entre a superfície e o interior do planeta (Figura 2.4). Estima-se a temperatura no núcleo da Terra como sendo da ordem de 6.000 °C, semelhante à da superfície do Sol. A energia geotermal é uma das formas de energia mais limpas e é utilizada por vários países para geração de energia elétrica. As áreas com anomalias geotermais têm importância econômica (energia, turismo, mineração) e ambiental.

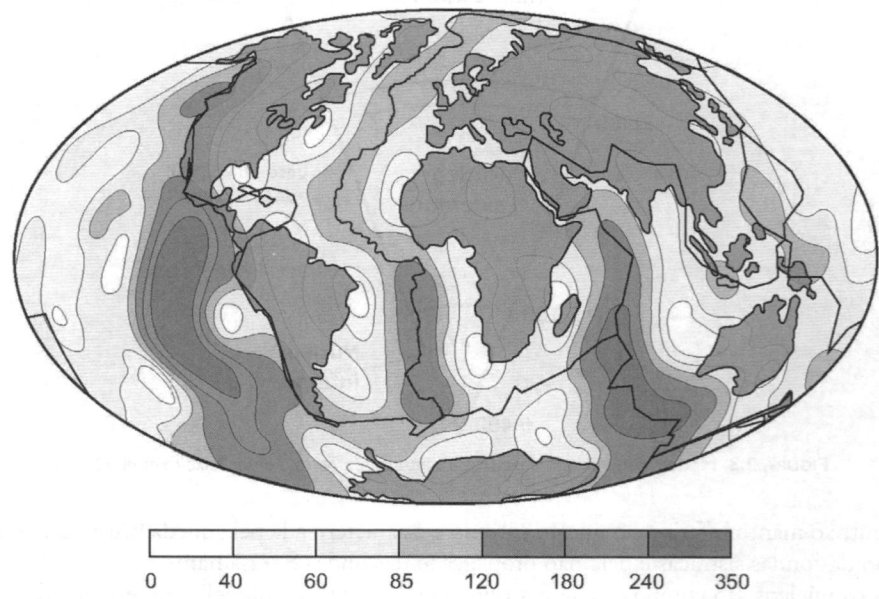

| 0 | 40 | 60 | 85 | 120 | 180 | 240 | 350 |

FIGURA 2.4 Fluxo geotermal (mW/m²) no planeta Terra. *Fonte: Teixeira et al. (2000).*

O campo gravitacional da Terra também é responsável por uma série de processos geológicos e tem papel fundamental na dinâmica ambiental do planeta. É comum o uso de termos como força de atração gravitacional, gravidade, força da gravidade e aceleração gravitacional de forma indistinta. Deve-se tomar cuidado, pois, apesar de serem grandezas físicas relacionadas, são diferentes. Força de atração gravitacional refere-se à lei da Gravitação Universal proposta por Newton, que diz que dois corpos são atraídos por uma força diretamente proporcional ao produto das massas e inversamente proporcional ao quadrado da distância entre eles. Força da gravidade terrestre é a resultante entre a força de atração gravitacional exercida pela massa da Terra em outras massas e a força centrípeta, devido à rotação do planeta Terra (Figura 2.5). Aceleração da gravidade é o módulo do vetor força da gravidade. Qualquer corpo fica submetido à aceleração da gravidade quando entra no campo de gravidade da Terra (região do espaço onde atua a força da gravidade terrestre).

A força e a aceleração da gravidade não são constantes em toda a superfície da Terra. Essa variação está associada à forma do planeta (levemente achatada nos polos), à ocorrência de elevações e depressões e às rochas com diferentes densidades. A unidade de medida da aceleração da gravidade é o Gal (1 gal = 1 cm/s²). Existem aparelhos para medir a aceleração da gravidade (gravímetros). Estas medidas, após correções relativas à altitude e à massa topográfica, permitem identificar anomalias no campo associadas à presença de materiais com densidades diferenciadas em relação à média do terreno investigado. Uma aplicação para estudos ambientais é a identificação de depósitos clandestinos de metais pesados que possuem alta toxicidade.

O campo magnético da Terra é equivalente ao campo de um dipolo (imã), cujo eixo faz um ângulo de 11,5° com o seu eixo de rotação. Portanto, os polos magnéticos não coincidem com os geográficos. Essa diferença é denominada declinação. O campo magnético também tem um componente vertical denominado inclinação magnética.

Além disso, a posição dos polos magnéticos varia ao longo do tempo, com mudanças diárias, anuais e até mesmo de milhares de anos. Essas mudanças de longo prazo incluem a inversão de polaridade.

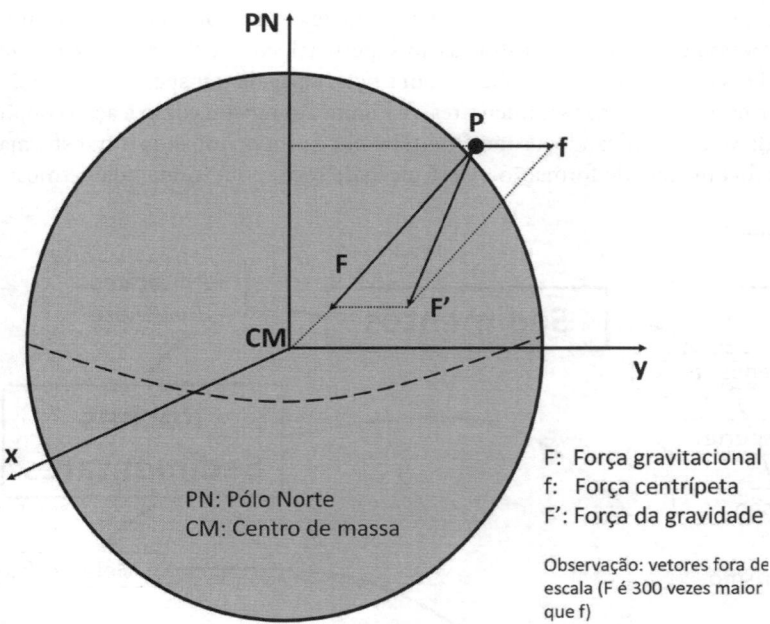

FIGURA 2.5 Relação entre as forças gravitacional, centrípeta e da gravidade na Terra. *Fonte: Ribeiro & Molina (2011).*

A teoria atual com relação à origem do campo magnético da Terra é que ele seja gerado pelo movimento do núcleo externo metálico líquido em relação ao núcleo interno metálico sólido, funcionando como um dínamo, que transforma energia mecânica em elétrica. A unidade de medida é o Tesla (1 T = 1N/m.A). O campo magnético da Terra é de baixa intensidade ($1,0 \times 10^{-5}$ T), porém ocupa um volume muito expressivo (10 a 13 vezes o raio da Terra), formando a magnetosfera. A magnetosfera possui a forma de uma gota com calda que fica sempre voltada ao sentido contrário da irradiação solar (vento solar). Ela funciona como uma blindagem para a biosfera, impedindo que as partículas energéticas atinjam a superfície do planeta.

As inversões do campo magnético (paleocampos) ficam registradas pelo alinhamento e cristalização dos minerais ricos em óxidos de ferro nas rochas vulcânicas do assoalho oceânico, formando o que se chama de "padrão zebrado". Essas inversões do campo magnético contribuíram para o estabelecimento da teoria da Tectônica de Placas, que será apresentada no Item 2.7.

2.6 PROCESSOS GEOLÓGICOS E O CICLO DAS ROCHAS

A história evolutiva do planeta Terra é bastante dinâmica, com ciclos de construção e de destruição ao longo dos 4,5 bilhões de anos que se estima terem transcorrido desde sua origem. A dinâmica interna preponderou na modificação da estrutura da Terra no seu início, mas, com o aumento da estabilidade da crosta terrestre, com o estabelecimento de uma atmosfera mais estável e, principalmente, com a presença de água, a importância dos processos relacionados com a dinâmica externa aumentou, conduzindo a modificações extensivas em sua superfície.

A própria origem de minerais e rochas, de continentes, mares, cadeias montanhosas e bacias sedimentares está associada aos processos geológicos que continuam atuando até os dias atuais. Esses processos estão relacionados e dependem das fontes de energia e campos de força existentes na Terra, como a energia geotermal ou as forças gravitacionais. A dinâmica superficial também é fortemente influenciada por fontes de energia externa provenientes principalmente do Sol, que afeta as condições climáticas na superfície do planeta e os processos de erosão e transporte de sedimentos.

As primeiras rochas só puderam se formar a partir do momento em que as temperaturas baixaram o suficiente para permitir a cristalização dos minerais. As rochas mais antigas encontradas na Terra até hoje foram datadas em torno de 4 bilhões de anos (Cordani & Tassinari, 2008). Portanto, a crosta primitiva foi constituída pelas rochas conhecidas como magmáticas, ou seja, aquelas que se originaram a partir da cristalização do magma em temperaturas, em geral, inferiores a 1.000 °C.

Devido aos processos geológicos, as transformações constantes na crosta original ocorreram com refusão e modificações nas rochas ígneas originais, até o momento em que as temperaturas na superfície e na atmosfera terrestre permitiram a existência de água em estado líquido. Assim, iniciou-se um significativo processo exógeno de transformação superficial, com a alteração e a reação das rochas em contato com a água e a atmosfera e, também, com a ocorrência de transporte e deposição de sedimentos e a posterior formação das rochas sedimentares. A Figura 2.6 mostra como a ação conjunta da dinâmica interna e externa vem modificando a superfície terrestre e proporcionando a transformação de rochas e minerais, gerando um ciclo de formação e destruição de rochas que ainda hoje se mostra ativo.

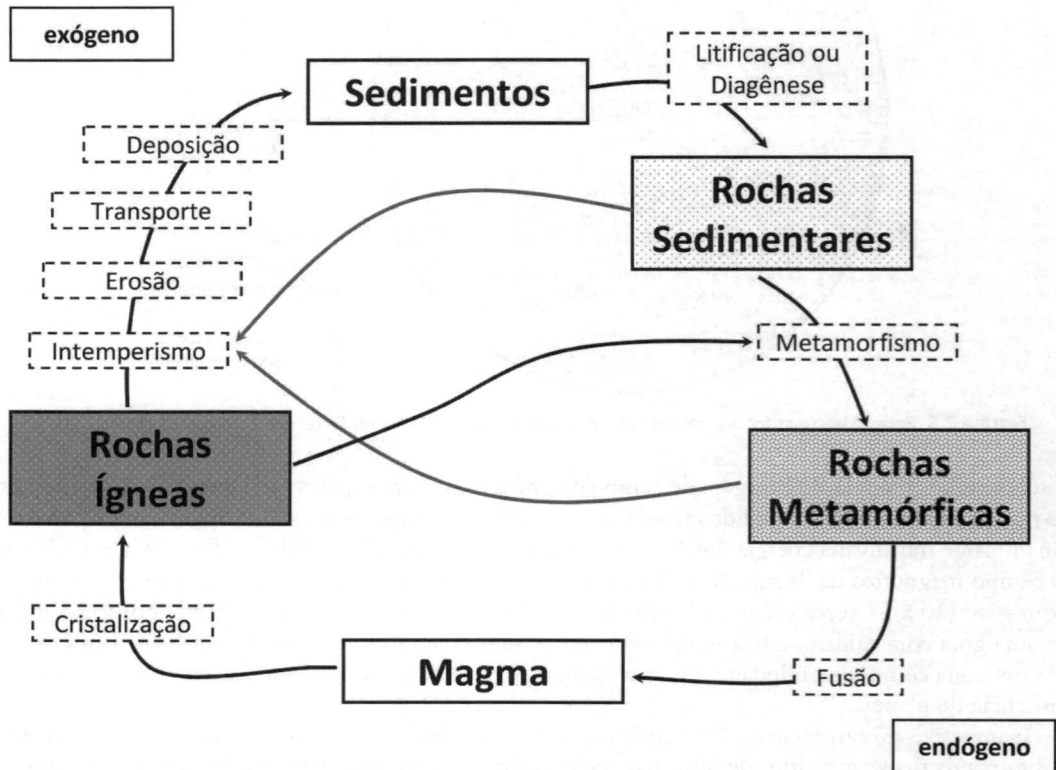

Figura 2.6 Ciclo das rochas. *Fonte: Adaptado de Popp (1987).*

Esses processos são lentos (fazem-se sentir na escala geológica de tempo) e são os responsáveis pela origem dos três grandes grupos de rochas: ígneas, metamórficas e sedimentares. Além disso, os processos exógenos são os responsáveis pelo intemperismo e pela formação dos solos sobre a superfície terrestre. Nos itens a seguir, são descritos as características e o modo de formação dos minerais, dos grupos de rochas, assim como dos solos.

2.6.1 Formação dos Minerais

Mineral é um elemento ou composto químico de origem inorgânica e natural que apresenta uma estrutura interna ordenada dentro de certos limites. A composição química particular e a estrutura cristalina permitem individualizar cada mineral e, assim, identificá-lo.

Os agrupamentos de minerais formam as rochas que são, em síntese, os componentes de toda a crosta terrestre. Os minerais são também os principais formadores dos solos, o que os coloca em posição de elemento fundamental de todo sistema de suporte à vida sobre a superfície terrestre. Além disso, os minerais são fontes de materiais fundamentais para o Homem e para o desenvolvimento da sociedade tecnológica moderna. Quando ocorre a concentração anormal de um ou mais minerais de importância econômica em uma área restrita da crosta terrestre e há possibilidade de sua exploração, temos os chamados minérios.

Origem, Classificação e Identificação

Os minerais originais se formaram a partir da cristalização do magma como consequência do resfriamento. Com o abaixamento da temperatura, os elementos químicos formaram associações mais estáveis no estado sólido, dando origem a uma diversidade de minerais, cujas características dependem da composição original do magma e da velocidade de resfriamento. Os processos geológicos, tanto endógenos quanto exógenos, vêm promovendo a contínua geração e destruição dos minerais ao longo da história da Terra por processos de fusão, metamorfismo ou intemperismo, que serão abordados com detalhe mais adiante.

Os minerais podem ser classificados quanto à sua composição química e estrutura cristalina, que são interdependentes. Por definição, todo mineral apresenta uma estrutura interna dos elementos químicos que o compõem de maneira ordenada, o que permite que sejam classificados em um dos sete sistemas cristalinos: cúbico, tetragonal, ortorrômbico, hexagonal, trigonal, monoclínico e triclínico.

Quanto à composição química, os minerais são classificados, de acordo com o grupo aniônico predominante, em: silicatos $(SiO_4)^{4-}$, carbonatos $(CO_3)^{2-}$, sulfatos $(SO_4)^{2-}$, sulfetos (S^-, S^{2-}), haletos (F^-, Cl^-, Br^-, I^-), óxidos (O^{2-}), fosfatos $(PO_4)^{3-}$ e elementos nativos (Ernest, 1971). As classes, por sua vez, são subdivididas em grupos e espécies, considerando as características químicas.

A maioria dos minerais pertence à classe dos silicatos, que são os principais formadores das rochas e, por conseguinte, da crosta terrestre (90% em volume). Entre os demais minerais, apesar de menos abundantes, encontram-se inúmeros com importância econômica ou tecnológica.

Alguns minerais apresentam composição química igual, porém diferentes estruturas cristalinas, e são denominados de polimorfos, como no caso do diamante e da grafita. Outros podem ter a mesma estrutura cristalina e apresentar variações em sua composição química, sendo conhecidos como isomorfos. Podem formar soluções sólidas, como é o caso da série dos feldspatos plagioclásios.

Atualmente, existem técnicas e métodos que podem ser utilizados para a identificação dos minerais, desde as mais simples, baseadas em observação e testes pouco complexos, até as mais sofisticadas, como a microscopia ótica e eletrônica, a difração de raios-X, as análises térmicas, além das análises químicas por via úmida e seca.

Quando os minerais possuem tamanho suficiente para permitir sua manipulação e observação direta, várias propriedades físicas podem ser facilmente determinadas com bastante eficiência: hábito cristalino, transparência, brilho, cor, traço, dureza, clivagem, fratura, densidade e propriedades magnéticas. Detalhadas explicações dessas propriedades e de sua aplicação na identificação dos minerais podem ser encontradas em Leinz & Souza Campos (1971) e Dana & Hurlbut (1983). Diversos sites também fornecem grande quantidade de informações sobre minerais e auxiliam na sua identificação (por exemplo, http://webmineral.com). Apesar de atualmente serem conhecidos milhares de minerais, somente alguns, em torno de dez a doze, são os principais formadores de rochas.

2.6.2 Rochas Ígneas

As rochas ígneas representam cerca de 90% em volume da crosta terrestre e são formadas a partir da **solidificação por resfriamento do magma**. O magma é um material que se encontra no interior da Terra em altas temperaturas (700 °C e 1.200 °C), resulta da fusão dos materiais aí presentes e, ao atingir a superfície, recebe o nome de lava. As características das rochas ígneas dependem da composição do magma e das condições e posição de solidificação. Quando a cristalização ocorre no interior da crosta, o resfriamento é mais lento e permite a gênese de rochas de granulação mais grosseira, formando as rochas chamadas de intrusivas (Figura 2.7).

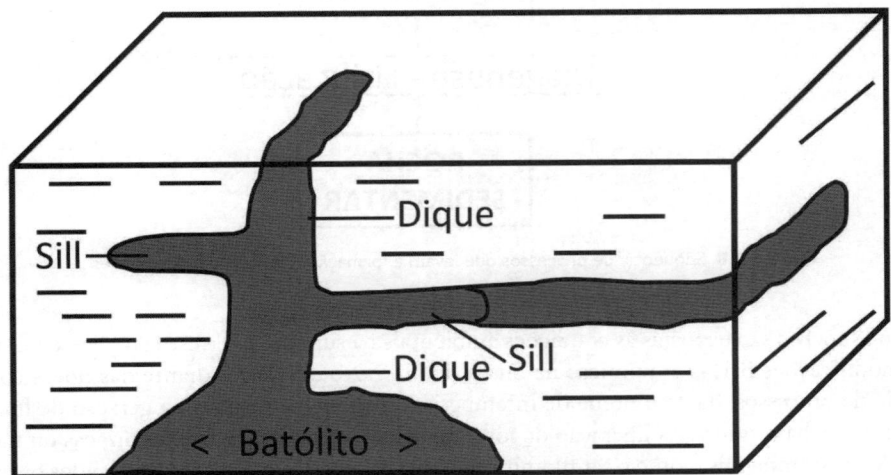

FIGURA 2.7 Formas de ocorrência das rochas ígneas intrusivas.

Quando o magma é menos fluido, tende a se cristalizar em profundidade na crosta na forma de grandes corpos rochosos (com quilômetros de extensão) denominados batólitos, representados principalmente pelas rochas graníticas. Nos casos em que possui maior fluidez, o magma pode migrar e se cristalizar em corpos intrusivos de menores dimensões (metros a centenas de metros) na forma de Dique ou Sill. Quando o magma extravasa e se solidifica na superfície, forma as rochas extrusivas, constituídas por minerais de tamanhos reduzidos devido ao resfriamento mais rápido. As rochas ígneas mais comuns, nesses casos, são os diabásios e basaltos.

A composição das rochas ígneas é bastante variável e depende, fundamentalmente, da composição dos magmas que lhes dão origem. Os dois tipos principais são os graníticos, com maior teor em sílica e que representam 95% das rochas intrusivas, e os basálticos, com menores teores de sílica, representando 98% das rochas extrusivas. As rochas graníticas compõem, principalmente, as áreas continentais, enquanto as basálticas, os fundos oceânicos. A classificação das rochas ígneas é baseada em sua composição mineralógica e características texturais. Para maiores detalhes sobre origem e classificação de rochas ígneas, sugere-se a leitura de Wernick (2004).

2.6.3 Rochas Sedimentares

As rochas sedimentares são o produto da **litificação ou consolidação de sedimentos minerais ou de materiais de origem orgânica**. Podem ser também o resultado de precipitações químicas. No entanto, para que se chegue a esse ponto, uma série de processos pretéritos precisa ocorrer, iniciando-se com a exposição de uma rocha preexistente aos agentes de intemperismo, seguida pela sua desagregação ou decomposição, erosão, transporte, deposição e diagênese (Figura 2.8).

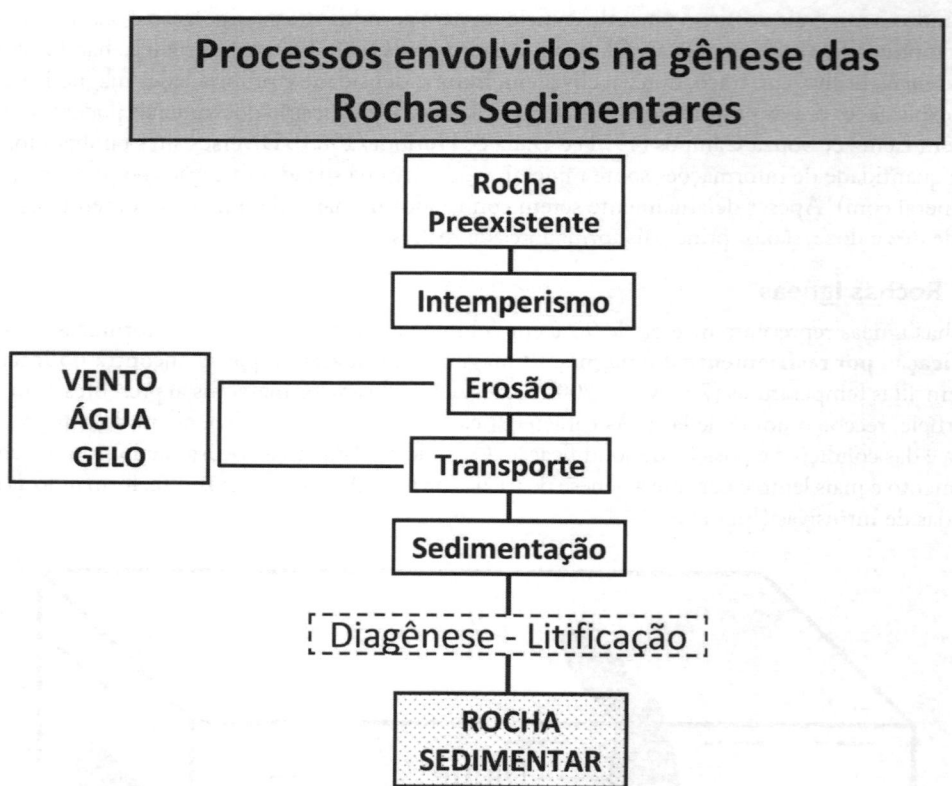

FIGURA 2.8 Sequência de processos que levam à formação das rochas sedimentares

Quando as rochas são expostas às condições ambientais na superfície terrestre, inicia-se um processo lento de modificações físicas e químicas na busca de um novo equilíbrio diante das novas condições. A essa série de processos, dá-se o nome de intemperismo, que pode resultar na geração de fragmentos por quebra da rocha original, na liberação de íons em solução devido a reações químicas ou mesmo na formação de novos minerais (como os argilominerais). Na Figura 2.9, estão esquematizados os principais processos relacionados com o intemperismo e seus produtos, que são a matéria-prima para a formação

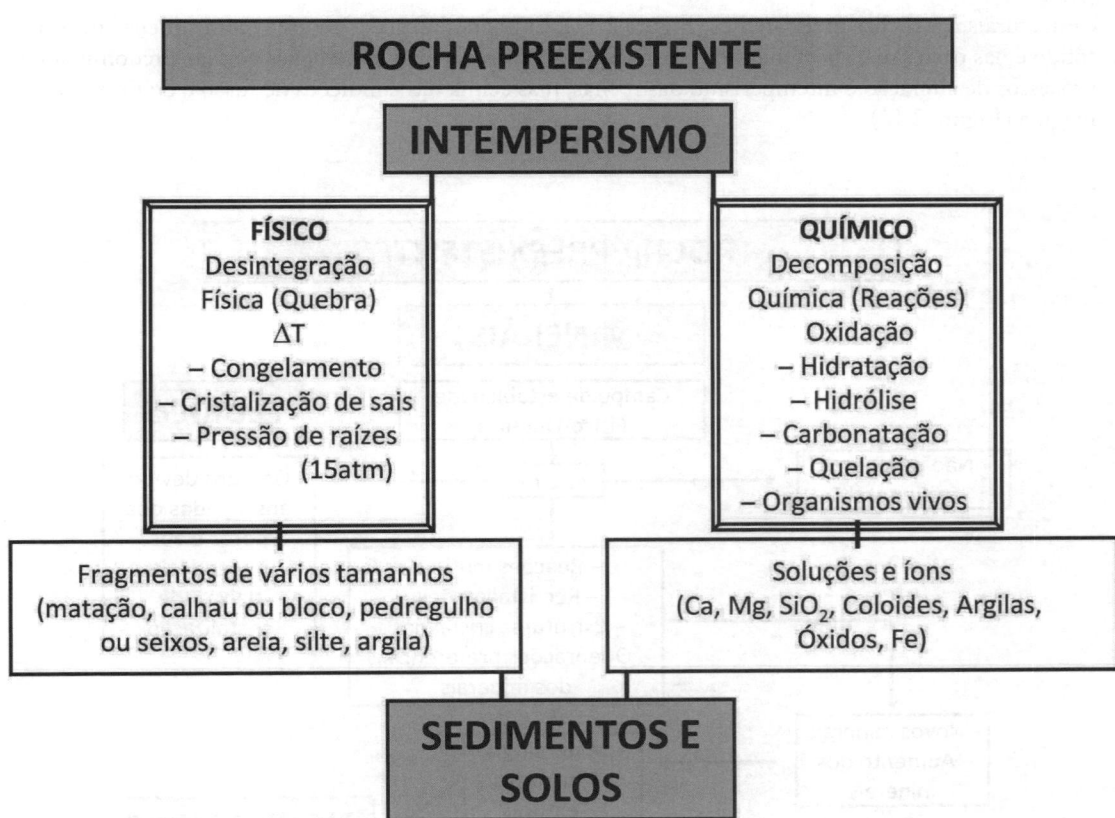

FIGURA 2.9 Processos de intemperismo e formação de solos e sedimentos.

dos solos ou dos sedimentos. Aqui é importante diferenciar sedimento de solo. Solo é o material de alteração formado sobre a rocha e que não sofreu transporte significativo pelos agentes como vento, água ou gravidade. Somente a partir do momento que as partículas provenientes do intemperismo começam a sofrer transporte mecânico na superfície é que o material pode ser chamado de sedimento. Este material pode ser transportado para outras regiões, depositado e, então, ser novamente consolidado por processos de compactação, cimentação ou recristalização, originando as rochas sedimentares.

As rochas sedimentares, apesar de constituírem a menor proporção da crosta em volume, assumem importância fundamental por sua localização mais superficial, por recobrir cerca de 70% da superfície terrestre e por interagir de maneira significativa com as atividades humanas.

As rochas sedimentares são classificadas, primeiramente, em função do tipo de sedimento que as compõem, em clásticas (formadas por grãos), químicas (formadas por precipitação) e biogênicas (origem orgânica). As rochas clásticas são, em seguida, nomeadas em função do tamanho das partículas componentes, conforme mostrado na Figura 2.10.

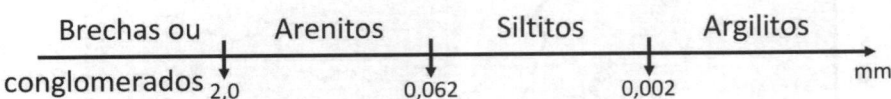

FIGURA 2.10 Classificação das rochas sedimentares clásticas.

Alguns tipos de rochas sedimentares, como os arenitos, armazenam grandes quantidades de água em seus poros, constituindo importantes depósitos de água subterrânea, como o grande aquífero Guarani, localizado nas regiões Sul e Sudeste do Brasil e demais países do Cone Sul (conforme explorado no Capítulo 8). Importantes depósitos de petróleo e carvão também são encontrados nas rochas sedimentares.

2.6.4 Rochas Metamórficas

As rochas metamórficas se originam da **atuação de processos geológicos endógenos** que produzem mudanças nas condições de pressão e temperatura e resultam em modificações químicas, mineralógicas e estruturais nas rochas preexistentes (Figura 2.11). Essas modificações ocorrem com a rocha em estado sólido e nas partes mais profundas da crosta, abaixo das zonas mais superficiais em que predominam os processos de alteração e intemperismo das rochas, mas acima das condições de fusão e de formação do magma (Figura 2.12).

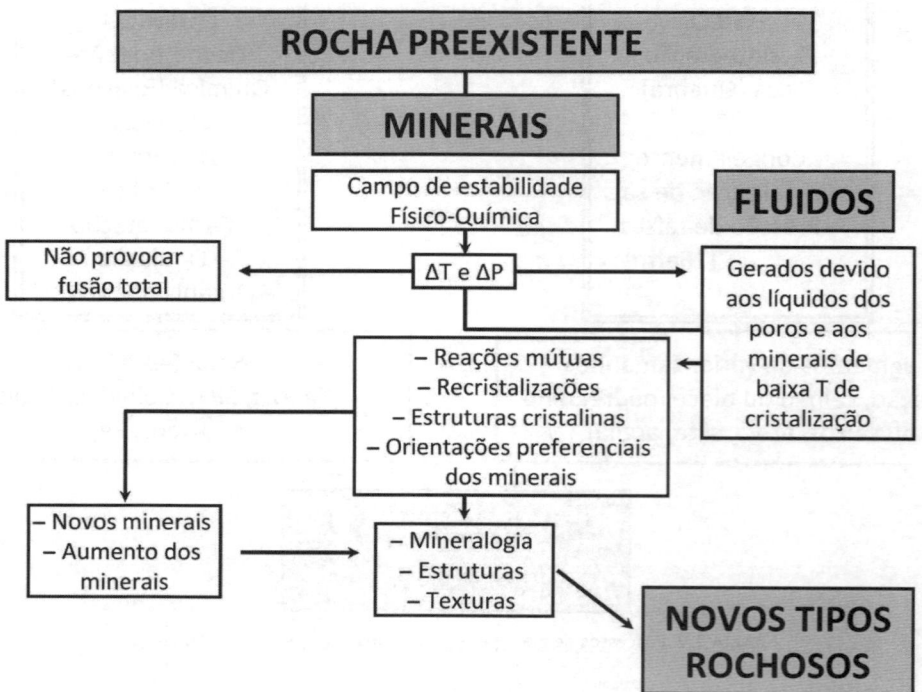

FIGURA 2.11 Modificações nas rochas preexistentes que conduzem à formação das rochas metamórficas.

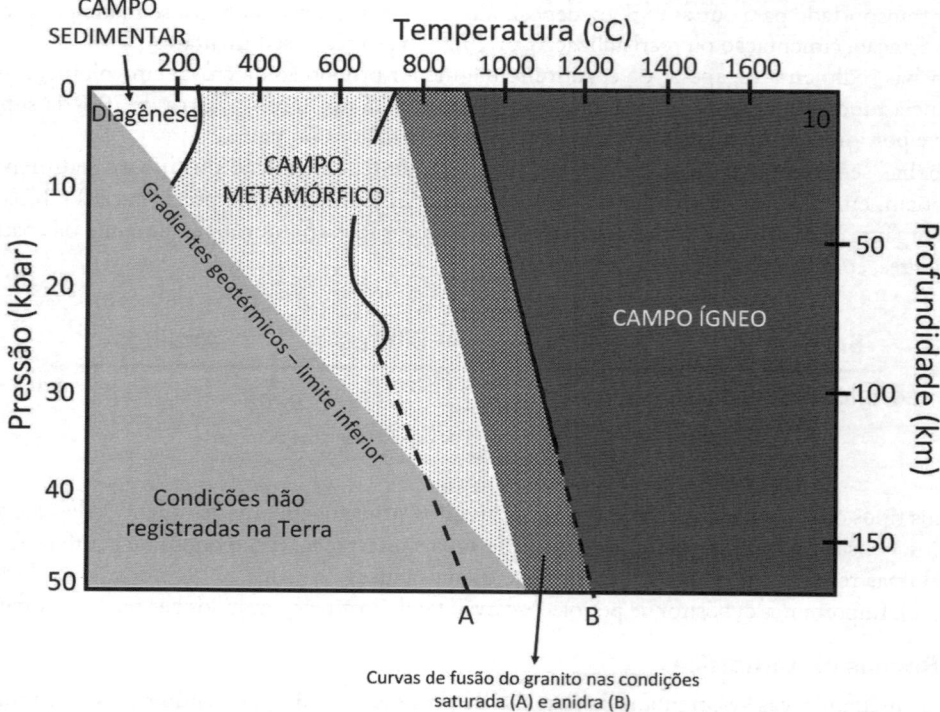

FIGURA 2.12 Campos de pressão e temperatura das rochas ígneas, sedimentares e metafórmicas. *Fonte: Teixeira et al. (2000).*

O intervalo de pressões envolvido nos processos de metamorfismo varia de 2 a 40 kbar (2.000 a 40.000 tf/cm²). Esses níveis de pressão são resultantes da pressão litostática (peso das rochas e profundidade) e das pressões dirigidas nas áreas de deformação da crosta (movimento das placas tectônicas). As temperaturas envolvidas variam de 200 °C a 800 °C. Acima deste último valor, ocorre a fusão das rochas e entra-se no campo das rochas ígneas (Figura 2.12). O aumento de temperatura está associado à profundidade (gradiente geotérmico) e/ou à intrusão de corpos ígneos.

As características das rochas metamórficas dependem, essencialmente, da composição das rochas originais (sedimentar e ígnea), das condições de pressão e temperatura e dos fluidos envolvidos no processo. Rochas originais com composição e características distintas resultam em diferentes rochas metamórficas quando submetidas a condições de pressão e temperatura semelhantes nos processos de metamorfismo. Exemplos: calcários (rochas sedimentares químicas) resultam em mármores; arenitos (rocha sedimentar clástica) resultam em quartzitos; basalto (rocha ígnea extrusiva) resulta em anfibolito.

Quando as condições de pressão e temperatura envolvidas no processo de metamorfismo são menos intensas, a rocha original sofre apenas recristalização, sem a formação de novos minerais (por exemplo, o calcário se transforma em mármore, embora os minerais principais em ambas as rochas sejam os mesmos, calcita e dolomita).

Quando as condições de pressão e/ou temperatura são mais intensas, ocorre a formação de novos minerais, característicos das rochas metamórficas (granadas, por exemplo). A perda de fluidos pelas rochas preexistentes é importante nos processos de metamorfismo, destacando-se a desidratação (perda de água) e a decarbonatação (perda de CO_2).

Os processos de metamorfismo e as respectivas rochas resultantes podem ser classificados em três grupos principais, segundo o ambiente geológico (pressão, temperatura, fluidos e rochas originais) e a extensão geográfica de ocorrência: metamorfismo regional ou dinamotermal, metamorfismo de contato ou local e metamorfismo dinâmico.

No metamorfismo regional atuam, simultaneamente, o aumento da pressão e da temperatura, estando associado às zonas de deformação intensa da crosta e às regiões de encontro das placas tectônicas e de formação das grandes cadeias montanhosas (Andes, Himalaia, Rochosas). No metamorfismo de contato atua, principalmente, o aumento da temperatura, devido à intrusão de corpos ígneos que provocam a recristalização das rochas encaixantes. No metamorfismo dinâmico atua, preponderantemente, a pressão dirigida em áreas de intensa movimentação tectônica (grandes falhas geológicas), o que resulta na moagem e na reorientação dos minerais das rochas preexistentes (Tabela 2.2).

TABELA 2.2 Rochas características dos principais tipos de metamorfismo

Rochas	Características	Metamorfismo
Xistos	Estrutura foliada, minerais micáceos (biotita, muscovita, entre outros)	Regional
Gnaisses	Estrutura com bandas claras (quartzo e feldspatos) se alternando a bandas escuras (micas, anfibólios e piroxênios)	
Mármore	Estrutura maciça, com cristais grandes e bem formados, composta essencialmente de calcita e/ou dolomita	Contato
Cataclasito	Estrutura com minerais moídos, com bordas angulosas e orientados segundo faixas (cataclástica)	Dinâmico

2.7 TECTÔNICA DE PLACAS

A teoria da Tectônica de Placas teve um impacto científico muito significativo na Geologia e nas ciências afins, bem como no entendimento da dinâmica do planeta Terra como um todo. Ela conseguiu unificar, dentro de um modelo teórico, a explicação para uma série de fenômenos geológicos que eram estudados desde os primórdios da Geologia como ciência.

Essa teoria começou a ser estabelecida no início do século XX principalmente por Wegener (astrônomo) que, em 1911, publicou um trabalho científico que propunha que todas as massas continentais formavam um único supercontinente há cerca de 200 milhões de anos, ao qual ele denominou Pangea. A distribuição atual das massas continentais se devia à movimentação relativa destas ao longo do tempo geológico (Teoria da Deriva Continental).

Wegener propôs essa teoria com base nas seguintes evidências indiretas: o encaixe das linhas de costa entre os vários continentes atuais, como os da América do Sul e da África; a distribuição geográfica dos mesmos tipos de fósseis de animais terrestres e de plantas em vários continentes, atualmente separados por milhares de quilômetros de água; a ocorrência de rochas características de clima glacial em áreas continentais hoje situadas próximas à região equatorial; e a idade das rochas que formam o assoalho oceânico, que mostravam que os oceanos mais rasos (continentes mais próximos) possuem assoalho oceânico com idades mais recentes em relação aos oceanos mais profundos (continentes mais afastados).

Wegener, porém, não conseguiu propor o mecanismo que teria força suficiente para fazer movimentar os continentes nem como isso seria possível sem provocar a ruptura das massas continentais. Dessa forma, sua teoria foi abandonada por um tempo.

Porém, durante as grandes guerras mundiais e com a implantação dos cabos telegráficos intercontinentais, o fundo dos oceanos foi muito investigado e descobriu-se a existência de grandes depressões e elevações no assoalho oceânico. Também se constatou que a espessura dos sedimentos marinhos era bem inferior ao que era de se esperar se a idade da Terra era admitida em alguns bilhões de anos, indicando, portanto, que os oceanos eram bem mais jovens. Ainda com relação ao fundo dos oceanos, também foi constatado, nas rochas, o registro de inversões do campo magnético da Terra, formando um padrão "zebrado" simétrico em relação às grandes elevações existentes no meio dos oceanos (cadeias meso-oceânicas). Por fim, com o desenvolvimento dos métodos de datação geológica absoluta, foi possível identificar a idade máxima das rochas da crosta oceânica em 200 milhões de anos e observar que essas idades também aumentam simetricamente em relação às cadeias meso-oceânicas.

Esses novos dados sobre as rochas do fundo oceânico, o melhor conhecimento da estrutura interna do planeta e, em particular, das correntes de convecção entre o manto e o núcleo externo, permitiram explicar a movimentação dos continentes e dar a configuração atual da teoria da Tectônica de Placas. Atualmente, a movimentação dos continentes (placas) pode ser medida diretamente pelos satélites.

A tectônica de placas estabelece que a litosfera seja composta por blocos rígidos, formados pelas crostas continental, oceânica e pela parte inicial do manto superior, que flutuam e se movimentam sobre a zona plástica existente na porção intermediária do manto superior (Figura 2.3).

As placas tectônicas possuem três tipos principais de limites: margens divergentes, situadas nas cadeias meso-oceânicas onde as correntes de convecção trazem material do manto para a formação da crosta oceânica e das placas; margens convergentes, onde as placas se chocam, mergulhando umas sobre as outras (zonas de subducção), são destruídas e provocam o enrugamento da superfície do planeta com a formação das grandes cadeias montanhosas; e margens de conservação, onde as placas não são construídas nem destruídas, mas se movimentam lateralmente por falhas geológicas (Figura 2.13). Essas margens são coincidentes com a distribuição geográfica dos terremotos, das áreas vulcânicas, das áreas de metamorfismo regional, das grandes cadeias montanhosas e das depressões (fossas oceânicas) do planeta.

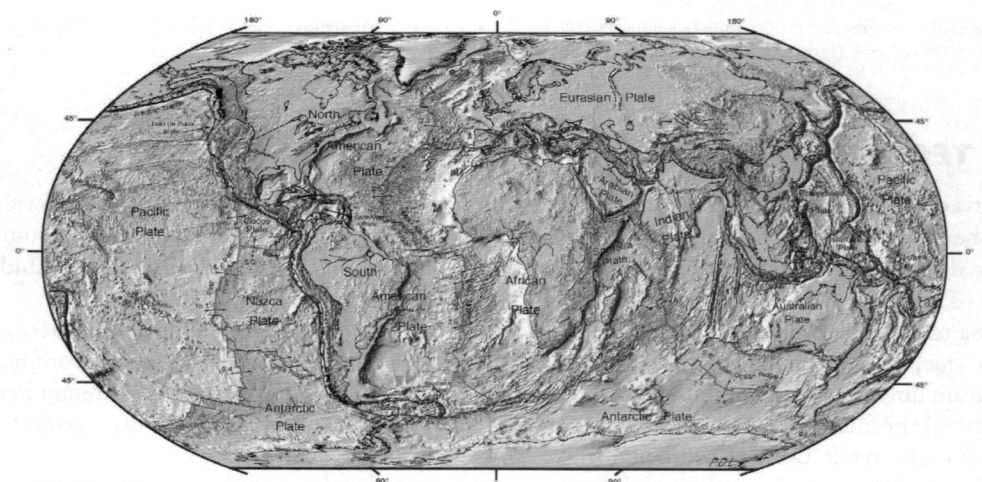

FIGURA 2.13 Placas tectônicas e as margens divergentes, convergentes e conservativas. *Fonte: www.nasa.gov (2011).*

2.8 ESTRUTURAS GEOLÓGICAS

Os maciços rochosos não se apresentam de forma contínua na natureza, mas estão segmentados pelas chamadas **descontinuidades** ou **estruturas geológicas** (Figura 2.14). O comportamento desses maciços (permeabilidade, resistência, estabilidade das escavações) diante das diferentes solicitações impostas pelas atividades humanas é diretamente condicionado pelas estruturas geológicas. A Geologia Estrutural é o campo de especialização da Geologia que se dedica ao estudo da distribuição, orientação e persistência das estruturas geológicas e ao entendimento de suas origens e de seus regimes de deformação.

FIGURA 2.14 Estruturas geológicas expostas em talude de corte em calcário.

As estruturas geológicas podem ser divididas em dois tipos principais: **atectônicas** e **tectônicas**. As atectônicas estão relacionadas com os processos de formação das rochas sedimentares ou de exposição dos maciços rochosos na superfície pelos processos erosivos. Elas afetam áreas restritas e são geradas pela ação da gravidade (Exemplos: dobras em sedimentos e juntas de alívio).

As estruturas tectônicas, por sua vez, estão associadas às tensões geradas nas rochas pelo movimento das placas tectônicas, principalmente, nas suas margens convergentes. Elas afetam grandes áreas e profundidades e, em geral, exercem um papel mais importante no comportamento dos maciços rochosos.

As deformações tectônicas dependem do tipo de rocha afetada, da intensidade e da duração do esforço e da profundidade. Podem ser identificados dois tipos de regime de deformação em relação à profundidade: o regime rúptil, que ocorre em profundidades de poucos quilômetros e resulta na quebra e na geração de descontinuidades no maciço rochoso; e o regime dúctil ou plástico, que ocorre em profundidades maiores (vários quilômetros) e resulta na deformação do maciço rochoso sem a perda de sua continuidade.

Dentro das deformações em regime rúptil, são possíveis dois tipos principais de estruturas geológicas: as juntas (ou diáclases) e as falhas. Nas juntas, não existe movimento relativo entre os blocos separados pelas descontinuidades. Nas falhas, existe um movimento relativo significativo entre os blocos segmentados pelas descontinuidades. Quando esses movimentos são de pequena monta e principalmente perpendiculares ao plano da descontinuidade, tem-se uma fratura.

O plano de movimentação principal das falhas geológicas recebe o nome de plano de falha. Os blocos situados acima e abaixo desse plano de falha recebem o nome de teto (ou capa) e muro (ou lapa), respectivamente. As falhas geológicas são classificadas em relação ao movimento relativo desses blocos e ao tipo de esforço principal atuante. Nas falhas normais, o teto abate e o esforço é distensivo. Nas falhas inversas, o teto sobe e o esforço é compressivo. Nas falhas transcorrentes, o teto se desloca lateralmente e o esforço é cisalhante. Nas falhas oblíquas, o teto se desloca obliquamente e o esforço tem um componente cisalhante e um componente distensivo ou compressivo (Figura 2.15).

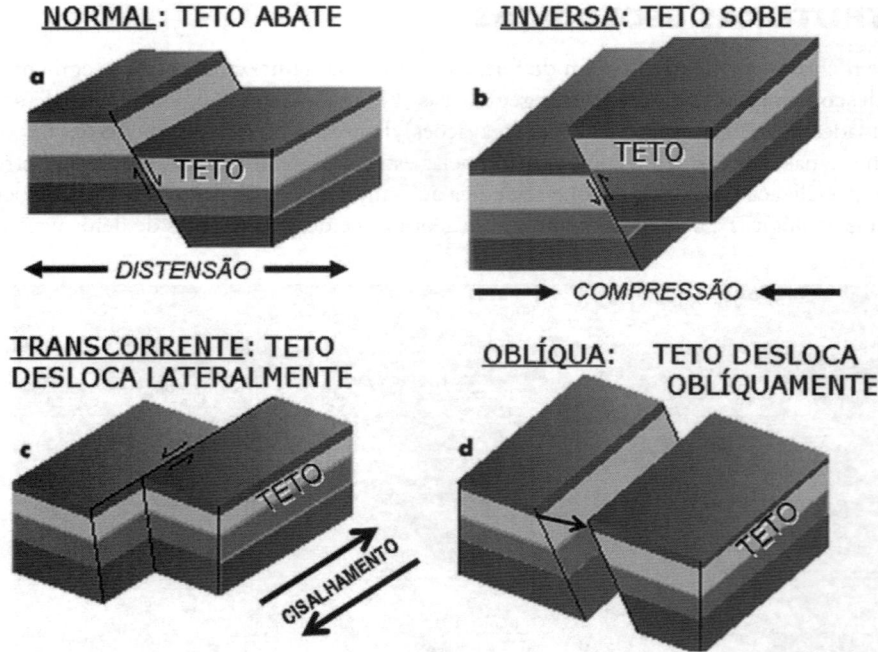

FIGURA 2.15 Tipos de falhas, movimentos relativos e esforços atuantes. *Fonte: Teixeira et al. (2000).*

As falhas normais ocorrem principalmente nas margens divergentes, as inversas, nas margens convergentes e as transcorrentes, nas margens conservativas das placas tectônicas.

As estruturas geradas no regime dúctil de deformação são denominadas dobras ou arqueamentos. Os dobramentos podem ser microscópicos ou até quilométricos. Eles ocorrem principalmente nas regiões mais profundas das margens convergentes das placas tectônicas.

Vários elementos geométricos (plano axial, flanco, eixo) são identificados nas dobras e utilizados para classificá-las. Salienta-se que, dependendo do plano de exposição em superfície do dobramento, eles só são identificados indiretamente pela inclinação das camadas geológicas (Figura 2.16).

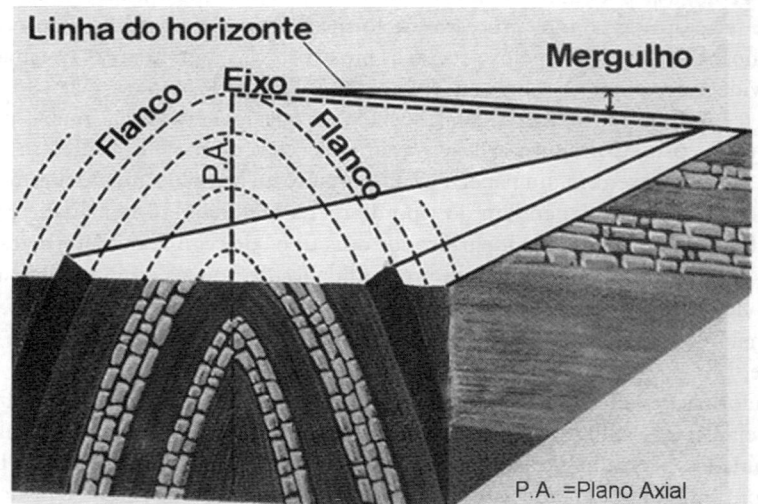

FIGURA 2.16 Elementos geométricos de uma dobra e a sua visualização em superfície. *Fonte: Leinz & Amaral (1978).*

Dois tipos básicos de dobramentos são definidos em função da posição de suas concavidades. Na dobra sinforme, a concavidade é voltada para cima. Na dobra antiforme, a concavidade é voltada para baixo. Quando se conhece a idade dos estratos dobrados e os mais novos estão no núcleo da dobra, ela passa a ser denominada de sinclinal. Quando os estratos mais antigos estão no núcleo da dobra, ela é denominada de anticlinal (Figura 2.17). As dobras também podem ser classificadas em função da posição do eixo e do plano axial em relação ao plano horizontal ou em relação ao ângulo entre seus flancos.

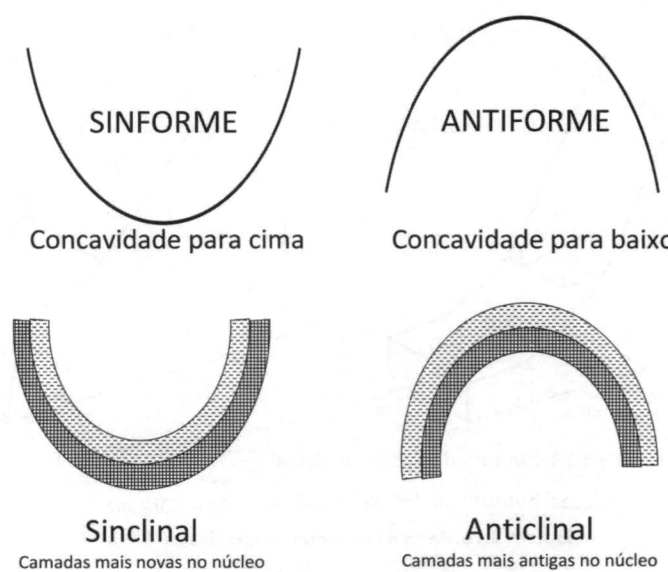

FIGURA 2.17 Tipos básicos de dobramentos.

2.9 RELEVO: ASPECTOS GEOLÓGICOS E AMBIENTAIS

Podemos definir relevo como as saliências e as reentrâncias da superfície da Terra que podem ser descritas e caracterizadas em diferentes escalas. O relevo é o resultado da interação entre as geosferas (litosfera, hidrosfera, atmosfera e biosfera) e o movimento das placas tectônicas. Na escala planetária, podemos identificar dois grandes compartimentos de relevo: os associados aos oceanos e aos continentes.

Nos oceanos, as cadeias meso-oceânicas são grandes elevações submersas de origem vulcânica, associadas às margens divergentes das placas tectônicas. Temos, também, as fossas marinhas, que são depressões que atingem dezenas de quilômetros de profundidade e estão associadas às margens convergentes das placas tectônicas. Por fim, devem ser destacadas as plataformas continentais, que formam extensas rampas com declividade suave e pequenas profundidades, que fazem a transição entre a parte emersa das áreas continentais e as margens divergentes das placas tectônicas nas áreas oceânicas.

Ainda em escala planetária, podemos reconhecer como grandes feições fisiográficas nos continentes: as cadeias montanhosas recentes, associadas às margens convergentes das placas tectônicas (Andes, Himalaia, Rochosas); as áreas continentais estáveis, englobando os escudos, os planaltos e as coberturas sedimentares; e as fossas ou riftes intracontinentais, que são depressões relativamente estreitas com baixas altitudes (às vezes abaixo do nível do mar) e associadas às margens divergentes das placas tectônicas, só que localizadas dentro das áreas continentais.

Em uma escala de maior detalhe, os relevos das áreas continentais e costeiras são classificados como de degradação ou dissecação (resultantes da remoção de materiais pela ação dos movimentos de massa e dos processos erosivos) e de agradação (resultantes do acúmulo de materiais na formação dos depósitos detríticos, como as planícies aluvionares e costeiras). Os elementos principais dessas formas de relevo são: talvegue, que é linha de fundo de um vale onde se alojam os canais de drenagem; interflúvio ou divisor de águas, que é a área que separa dois talvegues; e encosta ou vertente, que é uma superfície inclinada que une duas outras com diferentes cotas altimétricas. As encostas ou vertentes são compostas pelo topo e por segmentos que podem caracterizar diferentes perfis longitudinais (Figura 2.18).

A Tabela 2.3 sintetiza os principais atributos morfométricos utilizados para caracterizar os sistemas de relevo continentais de degradação e agradação (Tabela 2.4). Além desses parâmetros, os sistemas ou as formas de relevo são classificados em função do padrão e da densidade da rede de drenagem, da distribuição dos depósitos detríticos, da dinâmica dos processos superficiais e de suas origens. O tamanho ou a área dos sistemas de relevo pode variar de acordo com a escala da análise realizada.

Os diferentes tipos de rochas possuem resistências distintas aos processos de intemperismo e de erosão, refletindo-se em variadas formas de relevo de agradação. As propriedades hidráulicas (porosidade, permeabilidade) também variam com o tipo de rocha e se manifestam nas diferentes densidades de drenagem e nos graus de dissecação (entalhe) do relevo. Estruturas geológicas primárias (acamamento, foliação) e as estruturas tectônicas (diáclases, falhas e dobras), sua distribuição espacial e inclinação em relação ao plano horizontal também condicionam as diferentes formas de relevo (Figura 2.19).

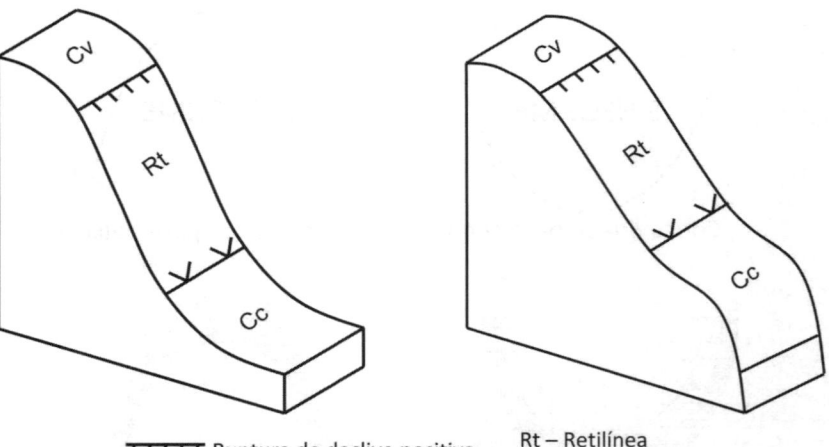

TTTTT Ruptura de declive positiva

V V Ruptura de declive negativa

Rt – Retilínea
Cv – Convexa
Cc – Côncava

FIGURA 2.18 Perfis de vertentes. *Fonte: Young (1971).*

TABELA 2.3 Atributos morfométricos utilizados na caracterização dos sistemas de relevo

Atributo	Descrição
Altitude	Cota altimétrica em relação ao nível do mar
Amplitude	Diferença de cota entre o interflúvio e o fundo de vale contíguo ("altura" local do relevo)
Comprimento de rampa	Distância perpendicular entre o interflúvio ou crista da vertente e a linha de talvegue ou base da encosta
Declividade	Relação, expressa em graus ou porcentagem, entre comprimento de rampa e amplitude

TABELA 2.4 Formas de relevo, amplitude e declividade

Amplitude (m)	Declividade (%)	Forma de Relevo
< 100	< 5	Rampa
	5 a 15	Colina
	> 15	Morrote
100 a 300	5 a 15	Morro com encosta suave
	> 15	Morro
> 300	> 15	Montanha

Fonte: IPT (1981)

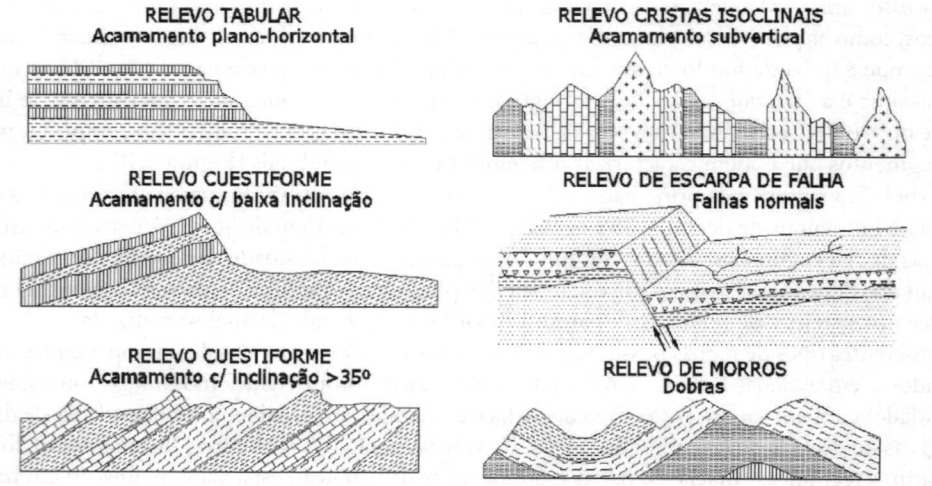

RELEVO TABULAR
Acamamento plano-horizontal

RELEVO CRISTAS ISOCLINAIS
Acamamento subvertical

RELEVO CUESTIFORME
Acamamento c/ baixa inclinação

RELEVO DE ESCARPA DE FALHA
Falhas normais

RELEVO CUESTIFORME
Acamamento c/ inclinação >35º

RELEVO DE MORROS
Dobras

FIGURA 2.19 Relevo e condicionantes estruturais. *Fonte: Moreira & Neto (1998).*

2.10 FORMAÇÃO DOS SOLOS

O termo "solo" é utilizado de maneira muito genérica por diferentes profissionais, dependendo da sua formação, do uso que se pretende ou, ainda, do enfoque do estudo. Assim, geólogos, geógrafos, engenheiros ambientais, civis, sanitaristas e de minas, entre outros, consideram modelos e aspectos diferentes, portanto adotam conceitos diferenciados para um mesmo pacote de material geológico. O pacote de particulados entre a superfície da Terra e o substrato rochoso pode receber diferentes denominações, tais como: regolito, materiais inconsolidados, solos, depósitos superficiais, materiais superficiais, entre outros.

Este pacote de material denominado solo é normalmente estudado dentro do campo chamado Ciências do Solo, que envolve a Pedologia e a Edafologia. A Pedologia se ocupa do estudo científico do solo e do seu perfil de alteração, enquanto a Edafologia trata das interações entre o solo e os organismos vivos, o que inclui o Homem e o uso que faz do solo. Porém, os solos também são tratados e estudados dentro do campo das Geociências (Geologia de Engenharia, Geografia, Geoquímica, Mineração) e das Engenharias (Mecânica dos Solos, Saneamento, Estradas, Hidrologia), considerando aspectos e usos específicos.

Neste capítulo, será adotada a denominação "solo" em seu sentido mais genérico, que se refere a um espaço volumétrico, constituído por partículas (minerais e matéria orgânica) de diferentes dimensões e por vazios, que ocupa a parte superior da Terra, com relações volumétricas diversas entre sólidos e vazios, apresentando ou não cimentação entre as partículas.

2.10.1 Aspectos Fundamentais

O solo é considerado um sistema porque é composto de um grupo de elementos interconectados. Pode ser considerado aberto (porque troca energia e massa) e dinâmico (porque está sempre em modificação), buscando um equilíbrio – alta entropia. A natureza dos solos se altera com os fatores que controlam as taxas e características do intemperismo. Além disso, a composição do solo geralmente muda, de maneira sistemática, com a profundidade. Os principais fatores que interferem na formação do solo são o clima, a rocha de origem, o relevo, a ação de organismos e o tempo.

O clima surge como um dos fatores de maior importância no desenvolvimento dos solos. Supõe-se que solos similares se desenvolvam em climas semelhantes, mais ou menos independentes da natureza do material-fonte, e que os solos desenvolvidos a partir da mesma rocha-fonte podem diferir se o clima variar de um local para outro. O tempo também afeta a formação do solo, uma vez que quanto maior for o período de atuação dos processos superficiais sobre as rochas, maiores serão as modificações esperadas. O relevo interfere no balanço hídrico e pode criar microclimas que provocam variações significativas no intemperismo. A presença de organismos nos solos, tanto macroscópicos quanto microscópicos, interfere nos processos físicos e químicos de alteração das rochas.

2.10.2 Componentes do Solo

Os solos são constituídos por uma fase sólida e outra porosa (vazios), que pode estar preenchida por água ou gases. A fase sólida do solo pode incluir tanto componentes orgânicos, quanto inorgânicos. Os componentes inorgânicos compreendem formas minerais, bem como materiais quase cristalinos e ainda não cristalinos, enquanto os orgânicos incluem, principalmente, a parte decomposta, substâncias húmicas e polissacarídeos do solo. As formas cristalinas podem compreender óxidos e óxido-hidróxidos de ferro, alumínio e sílica, minerais primários e secundários, carbonatos, sulfatos, fosfatos e sulfetos. As formas não cristalinas incluem óxido-hidróxidos de ferro, alumínio e sílica (Figura 2.20). A distribuição porcentual média (em volume) dos componentes do solo é de 45% de materiais inorgânicos, 5% de matéria orgânica e 50% de vazios.

A ação combinada dos processos de intemperismo físico e químico sobre as rochas pode levar ao aparecimento de minerais primários e secundários no solo. Os minerais primários são aqueles derivados da rocha mãe, geralmente pela atuação dos processos de intemperismo físico, e compreendem grande parte da fração areia e silte dos solos. Os minerais primários mais comuns são o quartzo e o feldspato, embora as micas, anfibólios e piroxênios também possam ocorrer. Por terem, normalmente, tamanhos grandes (em comparação às partículas de argila), as partículas desses minerais possuem pequena área superficial e são, dessa maneira, de pouca importância nos processos de interação e atenuação de contaminantes (YONG et al., 1992).

Os minerais secundários, entretanto, são gerados como produto da alteração das rochas pela atuação conjunta de processos de intemperismo físico, químico e/ou biológico. Os minerais secundários são, principalmente, silicatos lamelares (filossilicatos) e compreendem a maior porção do material da fração do tamanho argila (< 0,002 mm) presente nos solos. A combinação de uma grande superfície específica

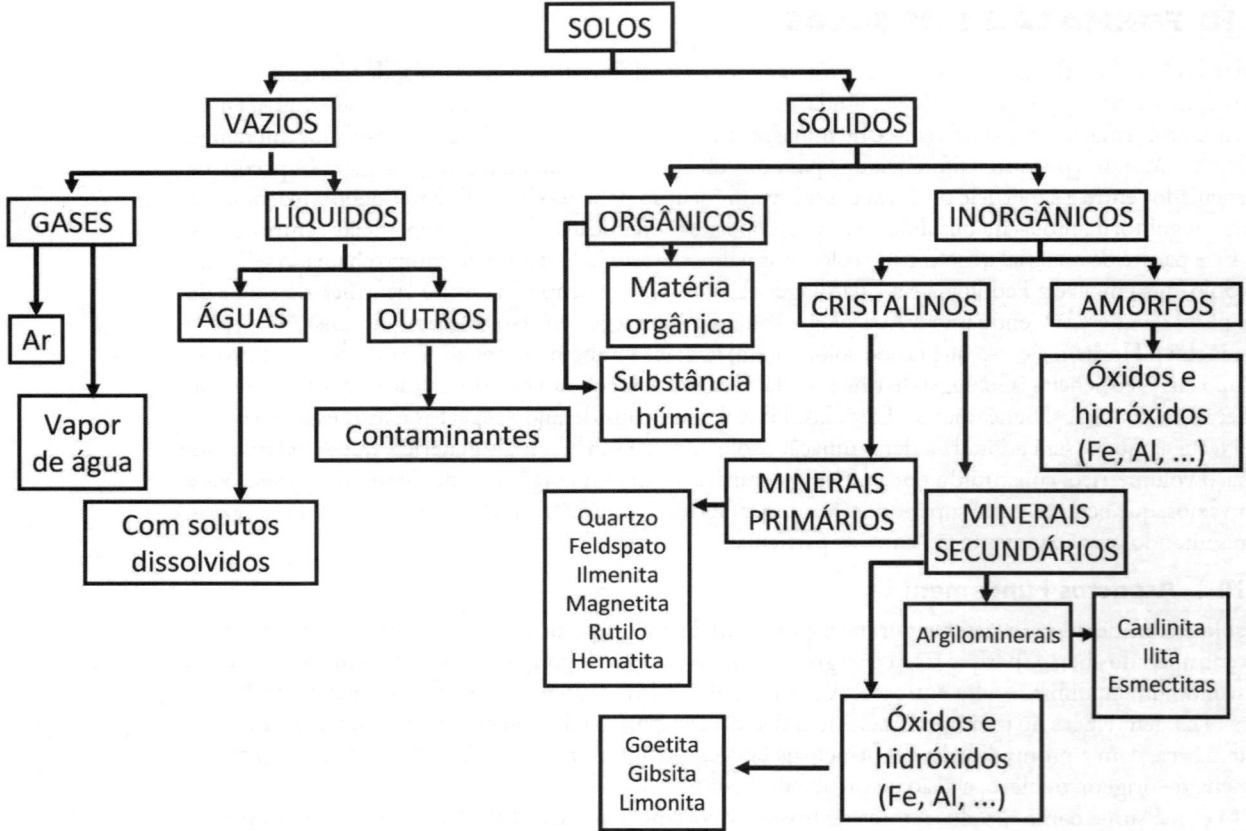

FIGURA 2.20 Principais componentes dos solos.

e uma significativa carga elétrica superficial faz desses minerais secundários importantes elementos dos mecanismos de atenuação de contaminantes no solo, devido a sua alta capacidade de troca de cátions (CTC). Os silicatos lamelares mais comuns no solo incluem as caulinitas, cloritas, micas, esmectitas e vermiculitas. Dentre todos os minerais presentes na constituição dos solos, os argilominerais são de grande importância em razão de seu comportamento físico-químico, que confere aos solos propriedades como: adsorção de íons, absorção de água, plasticidade, expansão e contração.

2.10.3 Estrutura dos Solos

A estrutura do solo consiste na disposição geométrica das partículas primárias e secundárias. As primárias são isoladas e as secundárias são um conjunto de primárias dentro de um agregado mantido por agentes cimentantes, como óxidos e hidróxidos de ferro e alumínio, sílica e matéria orgânica. A estrutura de um solo tem importância fundamental no seu comportamento em termos de drenagem, resistência mecânica, aeração, infiltração e outras propriedades como colapso. Os agregados são compostos por partículas de areia e silte que se mantêm unidas pela ação das argilas e da matéria orgânica (que atuam como agentes cimentantes), formando unidades individualizadas, chamadas de unidades estruturais.

Alguns fatores podem afetar a estrutura dos solos e, por conseguinte, alterar suas propriedades e ocasionar sua degradação. O manejo inadequado, o uso incorreto e a retirada ou queima dos resíduos orgânicos são as principais causas de perda da estrutura original dos solos. Fatores climáticos, ciclos de umedecimento e secagem e atividade biológica também podem alterar a estrutura dos solos e prejudicar o seu aproveitamento econômico.

2.10.4 Origem e Formação dos Solos

Todos os possíveis tipos de solos são originados a partir de modificações de rochas e sedimentos, sejam em termos dos constituintes, estruturas ou arranjos tridimensionais, variando ou mantendo o volume inicial ocupado pela rocha. As modificações são originadas a partir da interação entre a rocha e as novas condições físico-químicas, predominantemente relacionadas com o clima (chuvas e temperatura). Em função da magnitude e da intensidade das modificações sofridas pelas rochas, são gerados diferentes tipos de solos, que apresentam variações verticais (perfis) e laterais (zonas de ocorrências). Os processos que estão envolvidos na formação e evolução dos solos podem ser enquadrados em dois grandes grupos: intemperismo pedogenético ou químico e físico.

O intemperismo físico ou mecânico refere-se à desintegração ou quebra da rocha por processos físicos sem que haja mudanças na sua composição química e mineralógica (Figura 2.21a), enquanto o intemperismo químico é a decomposição das rochas por processos superficiais (Figura 2.21b) que alteram a composição química e/ou mineral do material intemperizado (Easterbrook, 1993).

O intemperismo compreende, portanto, todos os processos que destroem o maciço rochoso e o convertem em fragmentos, íons em solução ou coloides. Essas alterações ocorrem principalmente *in situ*. A movimentação de materiais intemperizados é localizada e, na maioria das vezes, limitada ao afloramento. Mesmo os fragmentos de rochas intemperizadas podem continuar a se colapsar no local até

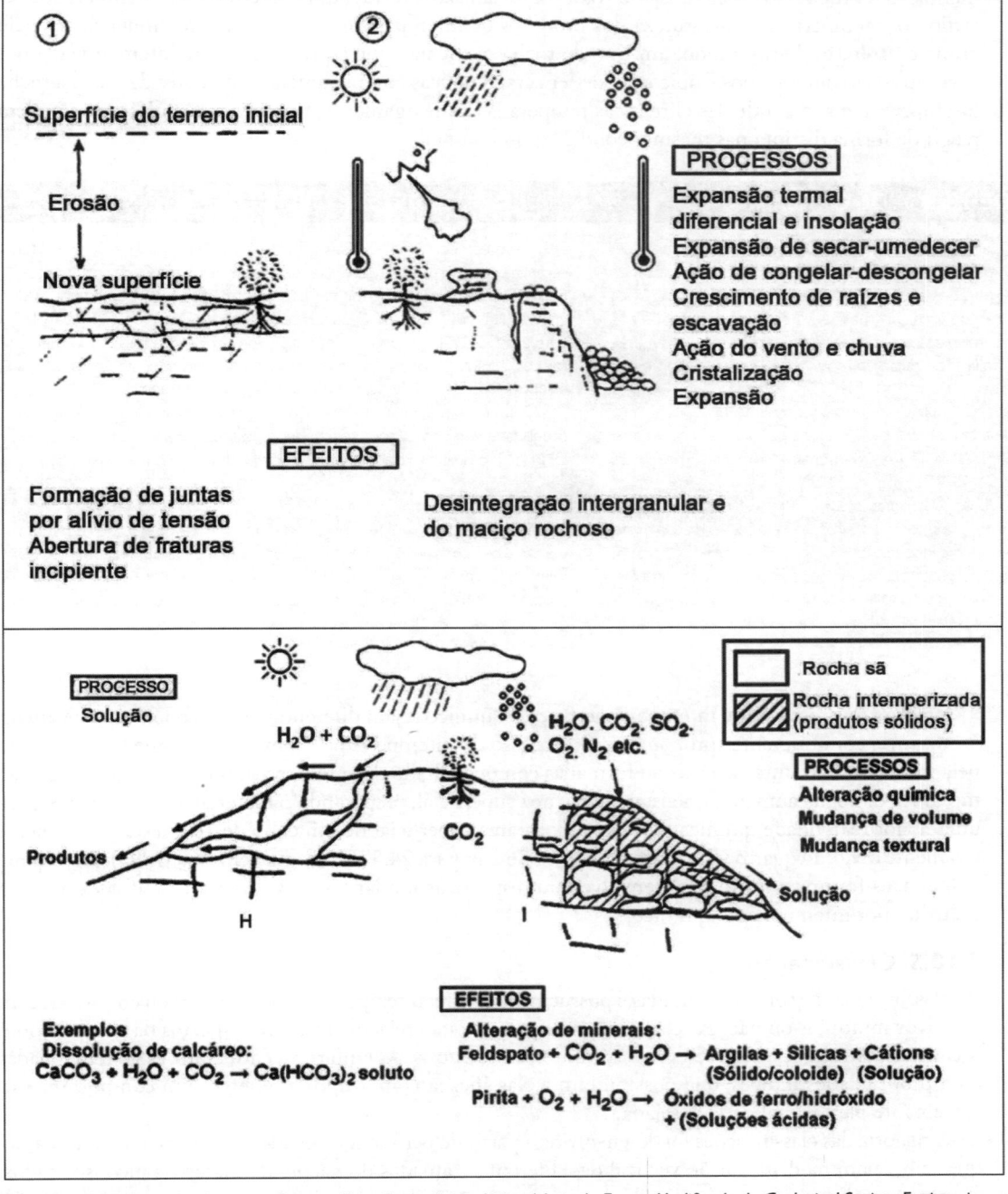

FIGURA 2.21 Processos de intemperismo: físico (acima) e químico (abaixo). *Fonte: Modificado de Geological Society Engineering Group (1995).*

que um produto final, essencialmente em equilíbrio com o ambiente, seja formado. Entretanto, se a rocha intemperizada for erodida e transportada tão logo seja formada, um produto estável final dificilmente será formado. O intemperismo prepara o caminho para a erosão pelo enfraquecimento da rocha, tornando-a mais suscetível aos movimentos de massa e remobilização por outros agentes de erosão.

Os processos biológicos também podem ter um efeito significativo nas condições físico-químicas e provocar o intemperismo da rocha. O espaço ocupado pelos solos é uma zona com abundância de plantas animais (organismos visíveis e microscópicos) que produzem sua demanda no ambiente. Em outras palavras, essa zona reflete as interações no interior da litosfera, atmosfera, hidrosfera e a biosfera, assim como entre esses compartimentos.

A taxa de intemperismo não é constante em todos os lugares, pois varia de acordo com as diferenças de intensidade dos processos em um determinado ponto. O tipo de intemperismo que predomina na superfície também varia de lugar para lugar. Pelo fato de o intemperismo se referir somente à fragmentação da rocha no local, erosão e transporte não são considerados processos de intemperismo. O estilo do intemperismo e a natureza dos produtos de intemperismo são fortemente influenciados pelo **clima e litologia**. Desse modo, um tipo de rocha particular, que é principalmente intemperizada por decomposição química nos trópicos, pode ter características completamente diferentes da mesma rocha intemperizada sob condições climáticas temperadas. Analogamente, tipos de rocha diferentes podem reagir de forma distinta nas mesmas condições ambientais.

CAPACIDADE DE TROCA DE CÁTIONS

Essa propriedade é uma das mais importantes nos solos, pois permite que íons adsorvidos na superfície dos coloides presentes no solo sejam trocados com o ambiente ou retirados pelas plantas. As reações de troca iônica envolvem a substituição de íons (normalmente cátions) adsorvidos aos argilominerais por íons em solução sem o rearranjo da estrutura do mineral. Os cátions trocáveis são ligados fracamente por adsorção na superfície dos coloides, sendo os mais comuns: H^+, K^+, Na^+, Ca^{2+}, Mg^{2+}, Fe^{3+}, Si^{4+}, e Al^{3+}. A habilidade de um cátion em substituir outro é fortemente influenciada pelo raio iônico, sendo que a troca entre cátions com raio iônico similar ocorre facilmente, dessa maneira, Na^+ e K^+ são intercambiáveis, assim como as duplas Ca^{2+} e Mg^{2+} e Si^{4+} e Al^{3+}.

No entanto, quando os cátions Na^+, Ca^{2+} ou K^+ estão localizados no interior da estrutura de minerais, como os feldspatos, eles estão ligados muito fortemente para serem deslocados sem que haja rompimento da estrutura. Porém, esses mesmos íons e outros, tais como Mg^{2+} e Fe^{2+}, têm ligações relativamente fracas quando próximos às estruturas lamelares dos argilominerais, o que permite que sejam trocados facilmente. Os argilominerais do grupo das esmectitas apresentam elevada CTC, enquanto os do grupo da caulinita possuem menor quantidade de cátions trocáveis. Cada argilomineral tem CTC diferente que pode ser expressa em miliequivalentes por 100 gramas de argila (meq/100 g) ou em centimol por quilo (cmol/kg). As argilas com alta CTC são importantes na fixação de certos íons (tais como metais tóxicos) no solo e podem, por exemplo, ser utilizadas na proteção ambiental e redução dos riscos de contaminação da água subterrânea.

Outra propriedade importante do ponto de vista ambiental refere-se à mobilidade dos íons no solo, que pode ser expressa em função do potencial iônico (I_p), o qual é a relação entre a carga iônica (Z) e o raio iônico (r).

$$I_p = Z/r$$

Os íons mais móveis têm potencial iônico menor do que três e podem permanecer em solução como íons. Íons com potencial iônico maior do que três podem precipitar como hidróxidos. Outros fatores, tais como pH (potencial de hidrogênio), Eh (potencial de oxidação), presença de lixiviantes e fixadores de íons, também podem afetar a mobilidade.

Embora os processos de intemperismo físico e químico sejam diferentes, eles frequentemente atuam juntos, mas com diferentes proporções. O processo de intemperismo químico é usualmente favorecido pela presença de fraturas abertas ou formadas como resultado do intemperismo físico. A desintegração mecânica da rocha aumenta imensamente a área superficial, preparando o material, dessa maneira, para uma maior reatividade química. Por exemplo, a área superficial de um cubo de 16 cm de aresta sucessivamente dividido quatro vezes aumenta de 1.536 cm^2 para 24.576 cm^2 (Easterbrook, 1993). Da mesma maneira, as fraturas podem se desenvolver em resposta às mudanças no volume e ao enfraquecimento induzido por intemperismo químico.

2.10.5 Classificação

As classificações de solos são variadas e possuem bases diferentes, podendo ser naturais ou empíricas, com objetivos múltiplos ou não. As classificações naturais estão relacionadas com aspectos da gênese, como rocha mãe, estruturas, maturidade, constituintes, entre outros. As empíricas, entretanto, estão relacionadas com propriedades índices, que possibilitam a classificação em grupos e refletem um comportamento semelhante para a finalidade desejada.

A maioria das classificações foi desenvolvida a partir de perfis denominados pedológicos e de alteração, que se baseiam na distribuição vertical das diferentes camadas do pacote de materiais inconsolidados. Os fatores que afetam a profundidade da zona intemperizada são: posicionamento geográfico, geologia, condições geomorfológicas, história do intemperismo e erosão do local. Quando o solo é formado *in situ* pela decomposição da rocha matriz, o perfil é denominado residual, podendo apresentar diversos estágios de evolução. Quando o material intemperizado é removido pela erosão, transportado e depositado em outra área, pode dar origem aos solos coluvionares, se o agente principal for gravidade, ou aos solos aluvionares, se forem o resultado do transporte e sedimentação por ação da água.

Os perfis de solo podem se diferenciar verticalmente com a profundidade em horizontes acima da rocha-fonte (Figura 2.22). Em um solo típico, ocorre uma zona superior de lixiviação com a adição de húmus e uma zona inferior de acumulação mineral e de coloides. Essas zonas são denominadas de eluviação e iluviação respectivamente, correspondendo aos horizontes A e B. A rocha-fonte parcialmente intemperizada é conhecida como horizonte C. Todos esses horizontes não precisam, necessariamente, ser bem desenvolvidos ou mesmo estarem presentes em um solo (Easterbrook, 1993).

A expressão "perfil de solo" é muito comum no meio técnico, porém se deve ter muito cuidado, pois o termo é utilizado com diferentes significados. O **Perfil Pedológico**, utilizado pelos agrônomos, trata principalmente dos 2 metros superficiais (Figura 2.22), enquanto o **Perfil de Alteração**, de maior importância para os profissionais de engenharia, considera os materiais inconsolidados desde a superfície até a rocha de origem (Figura 2.23).

Classificação Textural

O tamanho das partículas componentes do solo e sua distribuição granulométrica têm influência em importantes propriedades dos solos, tais como porosidade, compacidade, condutividade hidráulica, resistência mecânica, entre outras. Os ensaios de peneiramento e sedimentação são os mais usados para determinar, respectivamente, a fração grosseira (areia e pedregulho) e a fração fina dos solos (silte e argila). Os limites entre tamanhos das partículas podem variar em diferentes classificações, sendo que a Associação Brasileira de Normas Técnicas (ABNT) adota, desde 1995, a classificação com os limites apresentados na Figura 2.24.

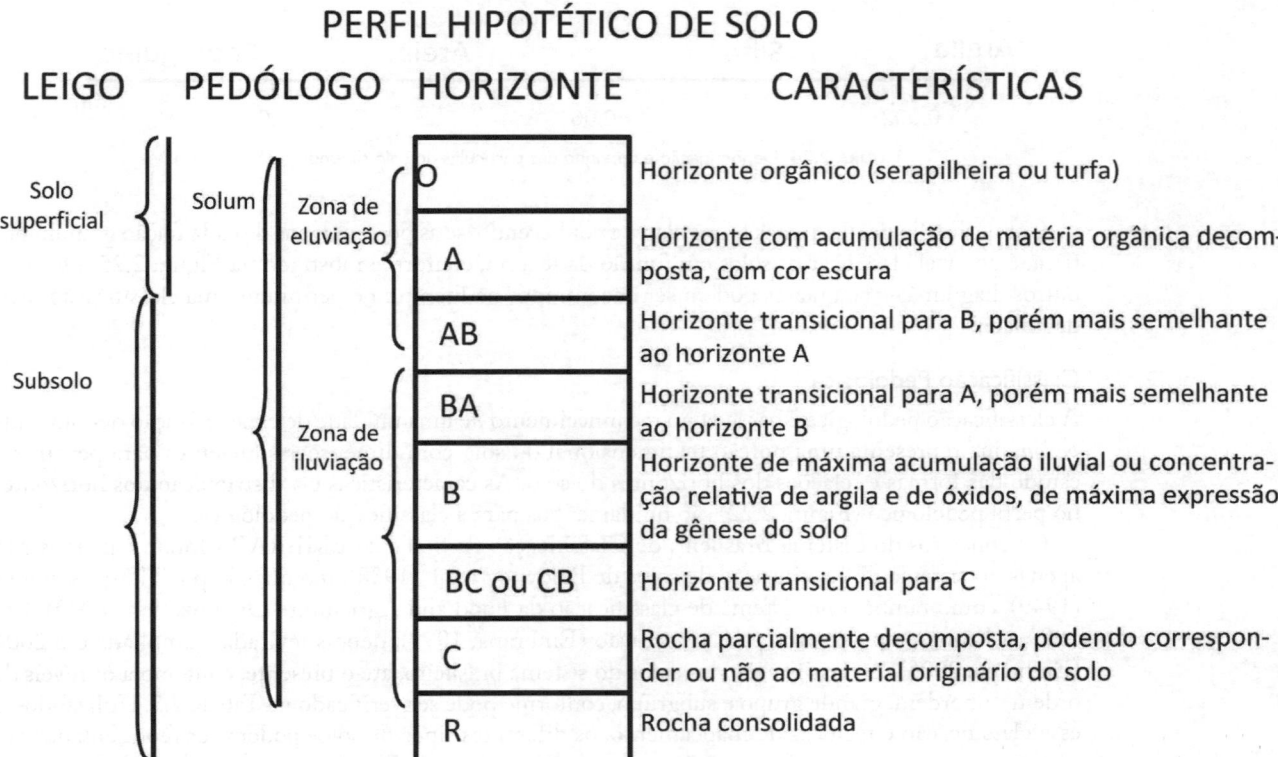

PERFIL HIPOTÉTICO DE SOLO

LEIGO	PEDÓLOGO	HORIZONTE	CARACTERÍSTICAS
Solo superficial	Solum / Zona de eluviação	O	Horizonte orgânico (serapilheira ou turfa)
		A	Horizonte com acumulação de matéria orgânica decomposta, com cor escura
		AB	Horizonte transicional para B, porém mais semelhante ao horizonte A
Subsolo	Zona de iluviação	BA	Horizonte transicional para A, porém mais semelhante ao horizonte B
		B	Horizonte de máxima acumulação iluvial ou concentração relativa de argila e de óxidos, de máxima expressão da gênese do solo
		BC ou CB	Horizonte transicional para C
		C	Rocha parcialmente decomposta, podendo corresponder ou não ao material originário do solo
		R	Rocha consolidada

A presença dos vários tipos de horizontes mencionados está subordinada às condições que regulam a formação e evolução do solo, e como as condições variam de acordo com as circunstâncias ditadas pelo material de origem, vegetação, clima, relevo e tempo. Assim, o tipo e o número de horizontes de um perfil de solo são diferentes.

FIGURA 2.22 Perfil Pedológico Hipotético. *Fonte: Moraes et al. (2012).*

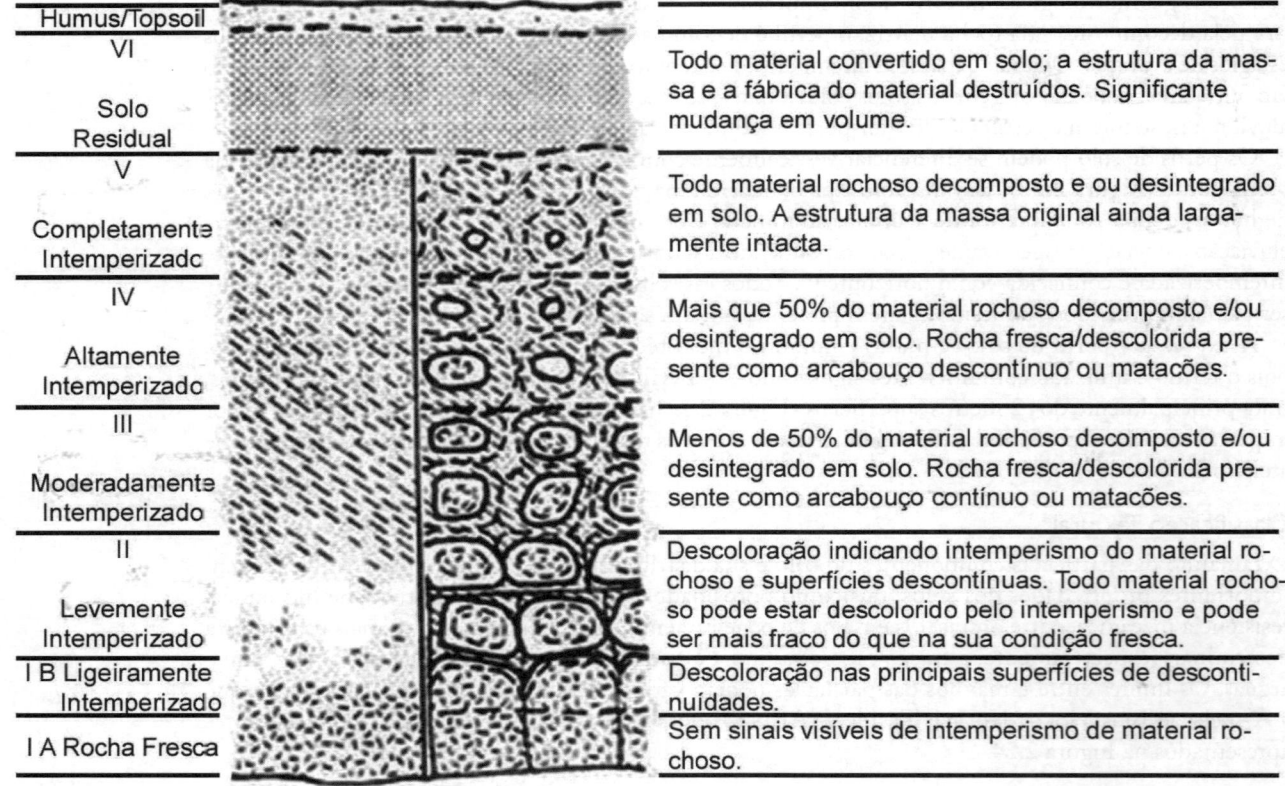

Humus/Topsoil	
VI	Todo material convertido em solo; a estrutura da massa e a fábrica do material destruídos. Significante mudança em volume.
Solo Residual	
V	Todo material rochoso decomposto e ou desintegrado em solo. A estrutura da massa original ainda largamente intacta.
Completamente Intemperizado	
IV	Mais que 50% do material rochoso decomposto e/ou desintegrado em solo. Rocha fresca/descolorida presente como arcabouço descontínuo ou matacões.
Altamente Intemperizado	
III	Menos de 50% do material rochoso decomposto e/ou desintegrado em solo. Rocha fresca/descolorida presente como arcabouço contínuo ou matacões.
Moderadamente Intemperizado	
II	Descoloração indicando intemperismo do material rochoso e superfícies descontínuas. Todo material rochoso pode estar descolorido pelo intemperismo e pode ser mais fraco do que na sua condição fresca.
Levemente Intemperizado	
I B Ligeiramente Intemperizado	Descoloração nas principais superfícies de descontinuidades.
I A Rocha Fresca	Sem sinais visíveis de intemperismo de material rochoso.

Figura 2.23 Perfil de Alteração de um solo residual. *Fonte: Little (1969)*

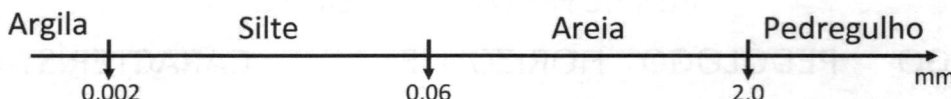

Figura 2.24 Denominação e tamanho das partículas do solo segundo ABNT (1995).

Com o auxílio de diagramas triangulares e conhecendo-se as porcentagens de cada fração granulométrica, é possível classificar os solos em função da textura, conforme mostrado na Figura 2.25. Diversos outros diagramas triangulares podem ser encontrados na literatura e permitem uma classificação mais detalhada.

Classificação Pedológica

A classificação pedológica é baseada no reconhecimento de uma unidade de caracterização denominada *pedon*, que representa uma porção tridimensional do solo com dimensões suficientes para permitir o estudo das formas e relações dos horizontes do solo. As características e a distribuição dos horizontes no perfil pedológico (Figura 2.22) são fundamentais para a classificação pedológica.

Os conceitos do Sistema Brasileiro de Classificação de Solos da EMBRAPA foram baseados não apenas no sistema de classificação de solos de Baldwing et al. (1938), modificado por Thorp & Smith (1949), como também no sistema de classificação da Food and Agriculture Organization (FAO). Em 1999, a Embrapa publicou a primeira edição (Embrapa, 1999), depois revisada e ampliada em 2006 (Embrapa, 2006). A classificação dos solos do sistema brasileiro, até o presente, contempla os níveis de ordem, subordem, grande grupo e subgrupo, conforme pode ser verificado na Tabela 2.5. Utilizando-se essa classificação e técnicas de mapeamento, os diferentes tipos de solos podem ser representados em mapas, como mostrado na Figura 2.26 para a região Sudeste do Brasil.

Percebe-se no mapa da Figura 2.26 que os solos tipo Latossolos recobrem grandes áreas na região Sudeste e em outras áreas do Brasil. Esses solos são característicos de ambientes tropicais e se formam devido à intensa lixiviação e remoção de sílica e cátions básicos (Na, Ca, Mg, K) no processo de intemperismo. Os solos assim formados têm espessuras significativas, pouca distinção entre os horizontes e

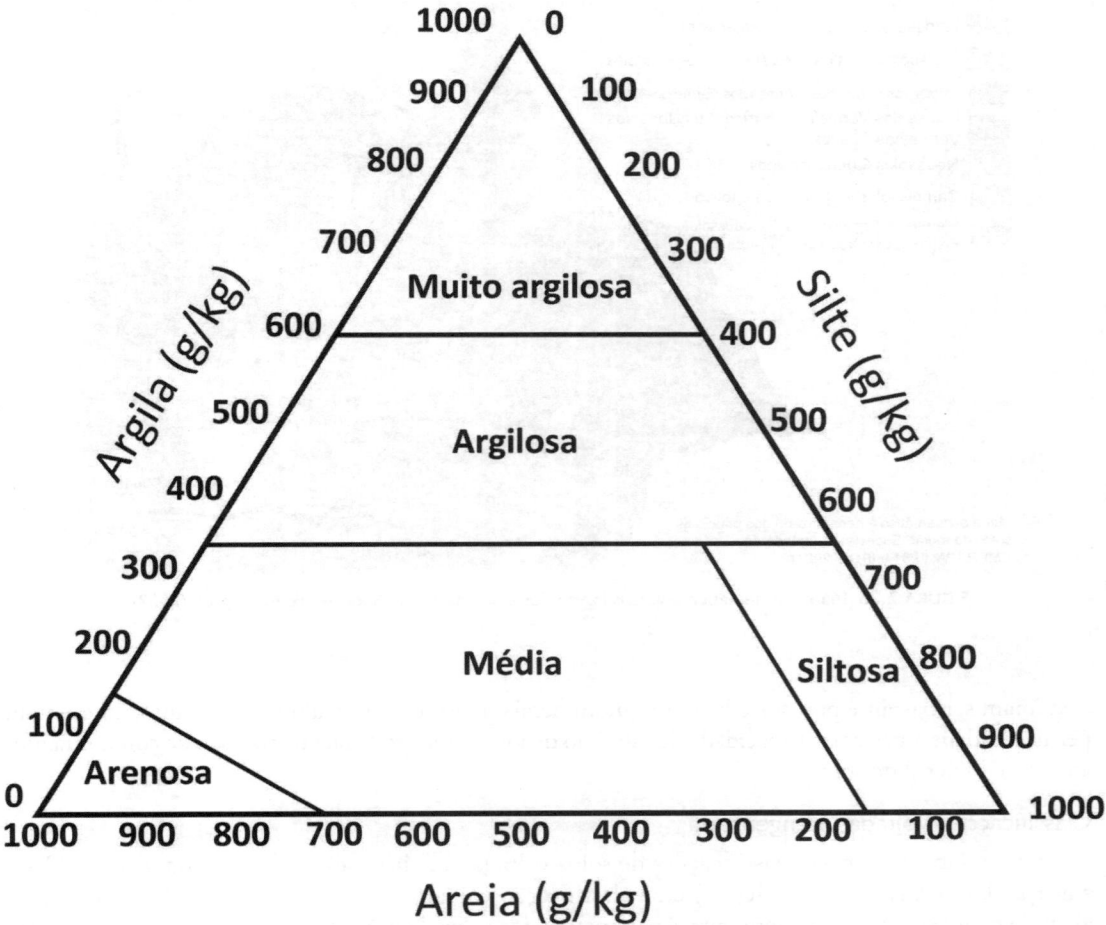

FIGURA 2.25 Diagrama triangular simplificado para a classificação textural de solos adotado pela Empresa Brasileira de Pesquisa Agropecuária (EMBRAPA).

TABELA 2.5	Classificação Pedológica simplificada adotada pela Embrapa
Solo	**Características**
Neossolo	Solo pouco evoluído, com ausência de horizonte B. Predominam as características herdadas do material original
Vertissolo	Solo com desenvolvimento restrito; apresenta expansão e contração pela presença de argilas 2:1 expansivas
Cambissolo	Solo pouco desenvolvido, com horizonte B incipiente
Chernossolo	Solo com desenvolvimento médio; atuação de processos de bissialitização, podendo ou não apresentar acumulação de carbonato de cálcio
Luvissolo	Solo com horizonte B de acumulação (B textural), formado por argila de atividade alta (bissialitização); horizonte superior lixiviado
Alissolo	Solo com horizonte B textural, com alto conteúdo de alumínio extraível; solo ácido
Argissolo	Solo bem evoluído, argiloso, apresentando mobilização de argila da parte mais superficial
Nitossolo	Solo bem evoluído (argila caulinítica– oxi-hidróxidos), fortemente estruturado (estrutura em blocos), apresentando superfícies brilhantes (cerosidade)
Latossolo	Solo altamente evoluído, laterizado, rico em argilominerais 1:1 e oxi-hidróxidos de ferro e alumínio
Espodossolo	Solo evidenciando a atuação do processo de podzolização; forte eluviação de compostos aluminosos, com ou sem ferro; presença de húmus ácido
Planossolo	Solo com forte perda de argila na parte superficial e concentração intensa de argila no horizonte subsuperficial
Plintossolo	Solo com expressiva plintitização (segregação e concentração localizada de ferro)
Gleissolo	Solo hidromórfico (saturado em água), rico em matéria orgânica, apresentando intensa redução dos compostos de ferro
Organossolo	Solo essencialmente orgânico; material original constitui o próprio solo

Fonte: Lepsch (2002).

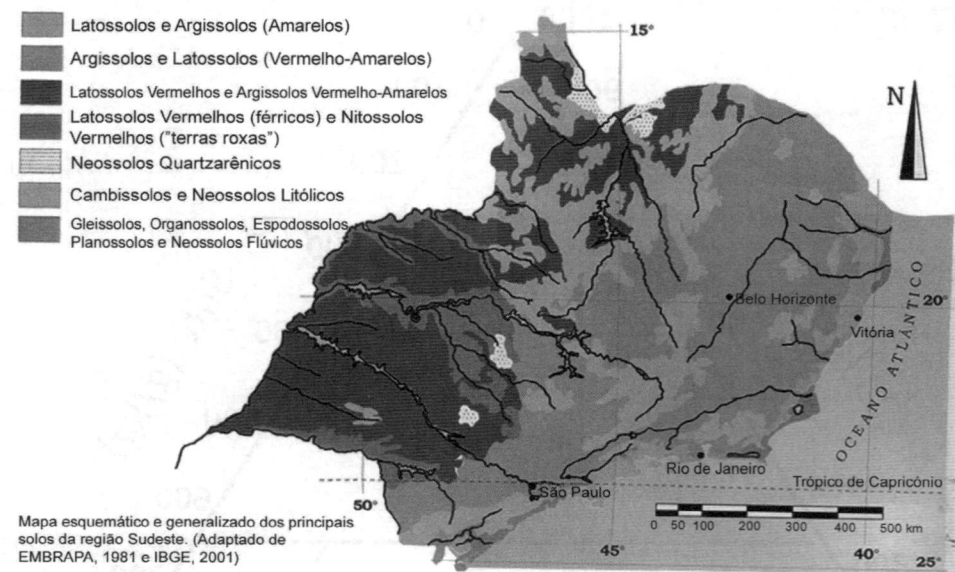

FIGURA 2.26 Mapa esquemático e generalizado dos solos da região Sudeste. *Fonte: Lepsch (2002).*

costumam ser bastante porosos e conter argilominerais do grupo das caulinitas. Portanto, apresentam permeabilidade alta e baixa capacidade de retenção de íons, o que pode facilitar o fluxo de contaminantes ao longo do perfil do solo.

Classificações Voltadas à Engenharia

Existem, também, diversas classificações de solos voltadas a aplicações da engenharia, como a Classificação Unificada de Solos (SUCS) ou a classificação voltada à construção de estradas (HRB) que, além de dados texturais, utilizam outros parâmetros dos solos de importância para a execução de obras de terra (Vargas, 1978). Nogami & Villibor (1981) desenvolveram a Classificação MCT, específica para a classificação de solos de regiões tropicais.

REVISÃO DOS CONCEITOS APRESENTADOS

Neste capítulo, foram abordados alguns aspectos referentes à Geologia e aos solos que são fundamentais para o trabalho do engenheiro ambiental, tais como:

- Os fundamentos da Geologia como ciência e sua relação com a Engenharia Ambiental.
- A origem da Terra, o tempo geológico e os processos da dinâmica interna e externa, a tectônica de placas, a formação das rochas ígneas, metamórficas e sedimentares.
- A estrutura interna da Terra e as principais fontes de energia relacionadas com os processos geológicos internos e externos.
- A classificação das rochas e dos solos.
- Processos de intemperismo das rochas e os principais processos e fatores relacionados com formação dos solos.

SUGESTÕES DE LEITURA COMPLEMENTAR

- TEIXEIRA, W., TOLEDO, M.C.M., FAIRCHILD, T.R., TAIOLI, F. (2009) Decifrando a Terra. 2 ed. São Paulo: Companhia Editora Nacional, 623p.

Referências

Associação Brasileira de Normas Técnicas (ABNT). (1989) NBR 10.703:1989. *Norma de degradação do solo – terminologia.* Rio de Janeiro: ABNT.
_____. Associação Brasileira de Normas Técnicas. (1995) NBR 6.502:1995. *Rochas e Solos – terminologia.* Rio de Janeiro: ABNT.
BALDWING, M., KELLOG, C.E., THORP, J. (1938) Soil classification. In: United States Department of Agriculture. *Soils and Men.* Washington, DC, p. 979-1001.

CHIOSSI, J.N. (1979) *Geologia Aplicada à Engenharia*. São Paulo: Grêmio Politécnico – DLP. 2 ed. 427p.

CORDANI, U.G., TASSINARI, C.C.G. (2008) O Interior da Terra: características e implicações na dinâmica do planeta. In: MACHADO, R. (editor). *As ciências da terra e sua importância para a humanidade*. São Paulo: Sociedade Brasileira de Geologia. 139p.

DANA, J.D., HURLBUT, C.S. (1983) *Manual de mineralogia*. Rio de Janeiro: Livros Técnicos e Científicos Editora. 642p.

EASTERBROOK, D.J. (1993) *Surface processes and landforms*. Nova York: Maxwell Macmillan International. 520p.

Empresa Brasileira de Agropecuária (EMBRAPA). (1999) *Sistema brasileiro de classificação de solos*. Brasília: Centro Nacional e Pesquisa em Solos, Embrapa. 412p.

_____. (2006) *Sistema brasileiro de classificação de solos*. Rio de Janeiro: Centro Nacional e Pesquisa em Solos, Embrapa. 306p.

ERNEST, W.G. (1971) *Minerais e rochas*. Editora São Paulo: Edgard Blucher Ltda. 162p.

GEOLOGICAL SOCIETY ENGINEERING GROUP. (1995) The description and classification of weathered rocks for engineering purposes. *Quartely Journal of Engineering Geology*, v. 28, n. 3, p. 207-242.

Instituto de Pesquisas Tecnológicas do Estado de São Paulo (IPT). (1981) *Mapa geomorfológico do estado de São Paulo* (Escala 1:500.000, Publicação 1183 – Monografia 5). São Paulo: IPT. 130p.

LEINZ, V., AMARAL, S.E. (1978) *Geologia geral*. São Paulo: Editora Nacional. 397p.

LEINZ, V., SOUZA CAMPOS, J.E. (1971) *Guia para determinação de minerais*. São Paulo: Editora Nacional e Editora da US. 149p.

LEPSCH, I.F. (2002) *Formação e conservação dos solos*. São Paulo: Oficina de Textos. 178 p.

LITTLE, A.L. (1969) *The engineering classification of residual tropical soils*. Proceedings of the 7th International Conference on Soil Mechanics and Foundation Engineering. México: Special Session on Engineering Properties of Lateritic Soils. p. 1-10.

MORAES, A.R., CAMPAGNA, A.F., SANTOS, S.A. M. (2012) Recursos naturais – Solos, 2012. Disponível em: <http://educar.sc.usp.br/ciencias/recursos/solo.html#degrada>. Acesso: abril 2012.

MOREIRA, C.V.R., NETO, A.G.P. (1998) Clima e relevo. In: OLIVEIRA, A.M., BRITO, S. (editores). *Geologia de engenharia*. São Paulo: ABGE. 586p.

NOGAMI, J.S., VILLIBOR, D.F. (1981) *Uma nova classificação de solos para finalidades rodoviárias*. Anais do Simpósio Brasileiro de Solos Tropicais em Engenharia, Rio de Janeiro, COPPE/UFRJ. v. 1, p. 30-41.

POPP, J.H. (1987) *Geologia geral*. Rio de Janeiro: Livros Técnicos e Científicos Editora Ltda. 299 p.

PRESS, F., SIEVER, R., GROTZINGER, J., JORDAN, T.H. (2006) *Para entender a Terra*. Traduzido por Menegat et al. Porto Alegre: Arttmed. 656p.

RIBEIRO, F.B., MOLINA, E.C. (2011) *O campo da gravidade da Terra – Tópico 5*. Apostila do curso de Geofísica da Licenciatura em Ciências, USP/Universidade Virtual do Estado de São Paulo – Univesp. 11p.

TEIXEIRA, W., TOLEDO, M.C.M., FAIRCHILD, T.R., TAIOLI, F. (2000) *Decifrando a Terra*. São Paulo: Companhia Editora Nacional. 557p.

THORP, J., SMITH, G.D. (1949) Higher categories of soil classification: order, suborder and great groups. *Soil Science*, v. 67, p. 117-126.

VARGAS, M. (1978) *Introdução à mecânica dos solos*. São Paulo: McGraw-Hill. 509p.

WERNICK, E. (2004) *Rochas Magmáticas*. São Paulo: Editora da Unesp. 655p.

YONG, R.N., MOHAMED, A.M.O., WARKENTIN, B.P. (1992) *Principles of contaminant transport in soils*. Nova York: Elsevier. 327p.

YOUNG, A. (1971) Slope profile analyses: the system of the best units. In: *Slopes: form e processes*. Institute of British Geographers. Londres: Institute of British Geographers. p. 1-13.

BACIAS HIDROGRÁFICAS: CARACTERIZAÇÃO E MANEJO SUSTENTÁVEL

3

Dulce B.B. Rodrigues / Paulo Tarso S. Oliveira / Denise Taffarello / Guilherme Samprogna Mohor / Eduardo Mario Mendiondo

Neste capítulo, são apresentados conceitos hidrológicos, estratégias e desafios em torno da caracterização e do manejo sustentável de bacias hidrográficas. Buscou-se ressaltar a importância e as recentes abordagens no âmbito científico, além de sugerir caminhos para futuros estudos. O capítulo está dividido em duas partes. Na primeira, são apresentados fundamentos e diferentes abordagens metodológicas sobre a caracterização de bacias hidrográficas. A segunda trata de diversos aspectos do manejo sustentável de bacias, incluindo instrumentos de gestão e indicadores ambientais, visando à conservação dos recursos hídricos em longo prazo e considerando várias escalas de estudo.

3.1 INTRODUÇÃO

A água é o elemento determinante para sustentação da vida e a propulsora do desenvolvimento cultural e econômico da sociedade humana. A **multiplicidade de usos e funções da água** gera conflitos em virtude das demandas específicas de quantidade e qualidade de água (Tundisi, 2003a). No contexto socioambiental, a água apresenta as seguintes funções: i) produção e consumo, quando é utilizada como bem de consumo final ou intermediário, por exemplo, para consumo humano, dessedentação animal, irrigação e uso industrial; ii) diluição e regulação, quando é utilizada para recepção e depuração de resíduos; iii) suporte, quando proporciona condições para vida e atividades produtivas, por exemplo, a água como hábitat natural e meio de transporte (Lanna, 1995). Os múltiplos usos da água são divididos em: consuntivos, nos quais a água é retirada do corpo hídrico e não retorna para o mesmo; e não consuntivos, em que a água é utilizada na própria fonte ou é retirada do corpo hídrico e retorna para o mesmo, ocasionando mínimas alterações na disponibilidade hídrica (Perry et al., 2009).

Apesar de a sociedade humana usufruir de vários serviços ambientais proporcionados pela água, diversos corpos de água no mundo estão sob efeito de uma combinação de vazões reduzidas e elevadas cargas de nutrientes, como nitrogênio e fósforo. Muitos rios não conseguem retornar a seu estado natural, após atividade depurativa (ver Capítulo 8) (FAO, 2011). Como agravante dessa situação, as tendências de crescimento populacional, elevada demanda por alimentos, água e energia, acompanhados de incertezas climáticas, aumentam os problemas relacionados com a água. Algumas projeções indicam que até 2025 cerca de 1,8 milhões de pessoas estarão em estado de escassez absoluta de água (WWDR, 2015). Agregado a isso, estima-se que até 2050 a população mundial demandará um crescimento de 70% da produção de alimentos em relação aos níveis de 2009 (FAO, 2011). No entanto, os sinais da escassez hídrica já são observados em diversas regiões do mundo, como na Índia (Sinha et al., 2016), Austrália (Van Dijk et al., 2013), Catalunha (Martin-Ortega e Markandya, 2009) e, recentemente, África do Sul (Booysen, Visser & Burger, 2019). Em 2014, o Estado da Califórnia, Estados Unidos da América, declarou estado de emergência devido aos indícios de seca extrema e elevadas temperaturas observados naquele ano. No Brasil, destacam-se os eventos extremos de seca em 2005 na região Amazônica, no período de 2004 a 2006 na região Sul, em 2007 na porção norte de Minas Gerais e em 2012 na região Nordeste (considerada a mais intensa em 30 anos), enquanto na região Sudeste ocorreram períodos de extrema estiagem nos anos 2000, 2013, 2014 e 2015.

Os eventos destacados de seca do Sudeste brasileiro desencadearam crises hídricas e energéticas. O primeiro (2001-2002), conduziu programas de racionamento do fornecimento de energia elétrica e até mesmo apagões. O segundo (2014-2015), período mais seco de acordo com os registros hidrometeorológicos realizados desde 1930 (Marengo et al., 2015), promoveu uma abrupta diminuição da capacidade de abastecimento de água para cerca de 9 milhões de habitantes da Região Metropolitana de São Paulo, dentre outras consequências sentidas em efeito cascata nas cadeias produtiva e economia do país (El País, 28 de janeiro de 2015).

Os **conflitos** de usos múltiplos da água, em sua maioria, não são causados pela escassez desta, mas pela sua **gestão inadequada** (Aldaya et al., 2010). A variabilidade espacial e temporal determina os principais usos e estratégias de gerenciamento para enfrentar situações de escassez ou excesso de água (Tundisi, 2003b; Oki & Kanae, 2006). O gerenciamento dos recursos hídricos deve ser integrado, preditivo, adaptativo e em escala de bacia hidrográfica (Tundisi, 2006). Nesse sentido, o conhecimento das características das bacias hidrográficas, o contexto de utilização dos recursos hídricos e as possíveis alternativas de uso e manejo do solo são fundamentais para a conservação da água.

3.2 BACIA HIDROGRÁFICA: UNIDADE DE ESTUDO E GESTÃO DOS RECURSOS HÍDRICOS

A Política Nacional de Recursos Hídricos, através da Lei nº 9.433 (Brasil, 1997), estabeleceu a **bacia hidrográfica** como unidade territorial para sua implementação e atuação do Sistema Nacional de Gerenciamento de Recursos Hídricos. Assim, a aplicação dos instrumentos de gestão e a atuação dos comitês são restritas às bacias, sub-bacias, grupo de bacias ou sub-bacias contíguas. De modo complementar, a Lei da Política Agrícola (Brasil, 1991), no Artigo 20, estabelece que: "*As bacias hidrográficas constituem-se unidades básicas de planejamento do uso, da conservação e da recuperação dos recursos naturais*". No entanto, a Lei nº 9.433/1997 não define o termo "bacia hidrográfica". Esta pode ser conceituada como sendo uma área delimitada por divisores topográficos e drenada por um curso de água e seus afluentes, que conduzem as águas superficiais para uma seção fluvial de saída, denominada exutório. Os divisores topográficos ou de água, por sua vez, são compostos pela ligação entre os pontos mais elevados do terreno, separando o recolhimento da precipitação por duas bacias adjacentes.

A vertente da bacia hidrográfica abrange diversos processos hidrológicos, ecológicos e uma crescente antropização, na forma de atividades agrícolas, industriais e comerciais, bem como a expansão de núcleos urbanos. Parte das consequências dessa ocupação é refletida, de modo significativo, na quantidade e qualidade da rede de drenagem da bacia (Porto & Porto, 2008). A bacia hidrográfica proporciona uma visão abrangente e sistêmica, que analisa e leva em conta tanto as imposições climáticas naturais quanto o resultado das alterações da paisagem causadas pelo Homem (Lima, 2010).

Entretanto, a adoção da bacia hidrográfica como unidade de gestão possui alguns aspectos negativos, um dos quais reside no fato de que esta não controla o fluxo de águas subterrâneas, importante fonte de recursos hídricos (Setti, 2005). Além disso, os campos de atuação dos aspectos econômicos e políticos não coincidem com os limites da bacia hidrográfica (Freitas, 2005). Portanto, existem certas dificuldades para se lidar com esse recorte geográfico, uma vez que os recursos hídricos exigem a gestão compartilhada com a administração pública (Porto & Porto, 2008). Desse modo, o principal desafio ocorre no sentido de que o Brasil ainda necessita aprimorar sua base territorial de unidades de planejamento e gestão de recursos hídricos, bem como tipologias de gerenciamento, que poderão não coincidir, em sua totalidade, com as bacias hidrográficas predefinidas (Braga et al., 2008). Assim, é imprescindível que a tomada de decisão nos níveis regional e municipal seja coerente às necessidades e ao próprio planejamento das bacias hidrográficas.

Procure saber o nome da bacia hidrográfica na qual se encontra o seu município, quais sub-bacias que ele abrange e se existem comitês e planos de bacia na região.

3.3 CARACTERIZAÇÃO AMBIENTAL VISANDO AO GERENCIAMENTO DE BACIAS HIDROGRÁFICAS

No âmbito do planejamento e gestão de recursos hídricos, a boa qualidade da base de informações relativas à oferta e demanda de água são primordiais nas tomadas de decisão, diminuindo incertezas e favorecendo a sustentabilidade das bacias ou sistemas hídricos (Braga et al., 2006). A caracterização de bacias hidrográficas é composta pela integração de informações de ordem física (tipo de solo, uso e ocupação do solo, rede hidrográfica, clima, relevo, geologia, geomorfologia), ecológica (fauna e flora predominantes no ambiente terrestre e aquático) e socioeconômica (produção agrícola e industrial, demografia, crescimento populacional e economia regional), além do comportamento hidroclimatológico (séries históricas de pluviometria, fluviometria, sedimentometria e de qualidade da água). Essa integração de aspectos de diversas naturezas é, atualmente, facilitada pelo uso de Sistemas de Informação Geográfica (SIG).

Neste capítulo são abordados, especificamente, os tópicos referentes à fase inicial de caracterização de bacias hidrográficas: definição da base de dados topográficos, delimitação e determinação das principais características morfométricas.

3.3.1 Dados Topográficos

Em ambiente de SIG, as informações de relevo são representadas por uma estrutura numérica de dados correspondente à distribuição espacial da altitude e da superfície do terreno, denominada Modelo Digital de Elevação (MDE). Esse modelo pode ser obtido a partir da interpolação de curvas de nível, extraídas de cartas topográficas, ou mediante imagens de sensores remotos.

As informações de sensores remotos produzidas a partir do método *Interferometric Synthetic Aperture Radar*, em especial aquelas referentes à missão *Shuttle Radar Topography Mission* (SRTM), têm se destacado pela velocidade e acuracidade na aquisição de dados topográficos na forma de MDE (Rabus et al., 2003), além de serem disponibilizados gratuitamente pelo centro de pesquisa dos Estados Unidos *U.S. Geological Survey*. Assim, os dados SRTM têm sido amplamente utilizados para analisar, comparar e atualizar informações da superfície terrestre (Valeriano et al., 2006; Ludwig & Schneider, 2006; Fredrick et al., 2007; Rennó et al., 2008; Oliveira et al., 2010). Os Sistemas de Informação Geográfica serão alvo de estudo específico e detalhado no Capítulo 25.

3.3.2 Delimitação da Bacia

A delimitação de bacias hidrográficas pode ser realizada de forma manual ou automática. No primeiro modo, utilizam-se cartas topográficas e efetua-se o traçado do divisor de águas a partir do ponto de exutório ou seção de saída da bacia. A delimitação automática emprega dados topográficos na forma de MDE e se desenvolve em um aplicativo SIG associado a uma extensão ou "*plugin*", que executa uma sequência de algoritmos relacionados com a determinação do divisor de águas da bacia (Oliveira et al., 2010). Na Figura 3.1, é apresentada uma comparação entre os dois tipos de delimitação para a mesma bacia.

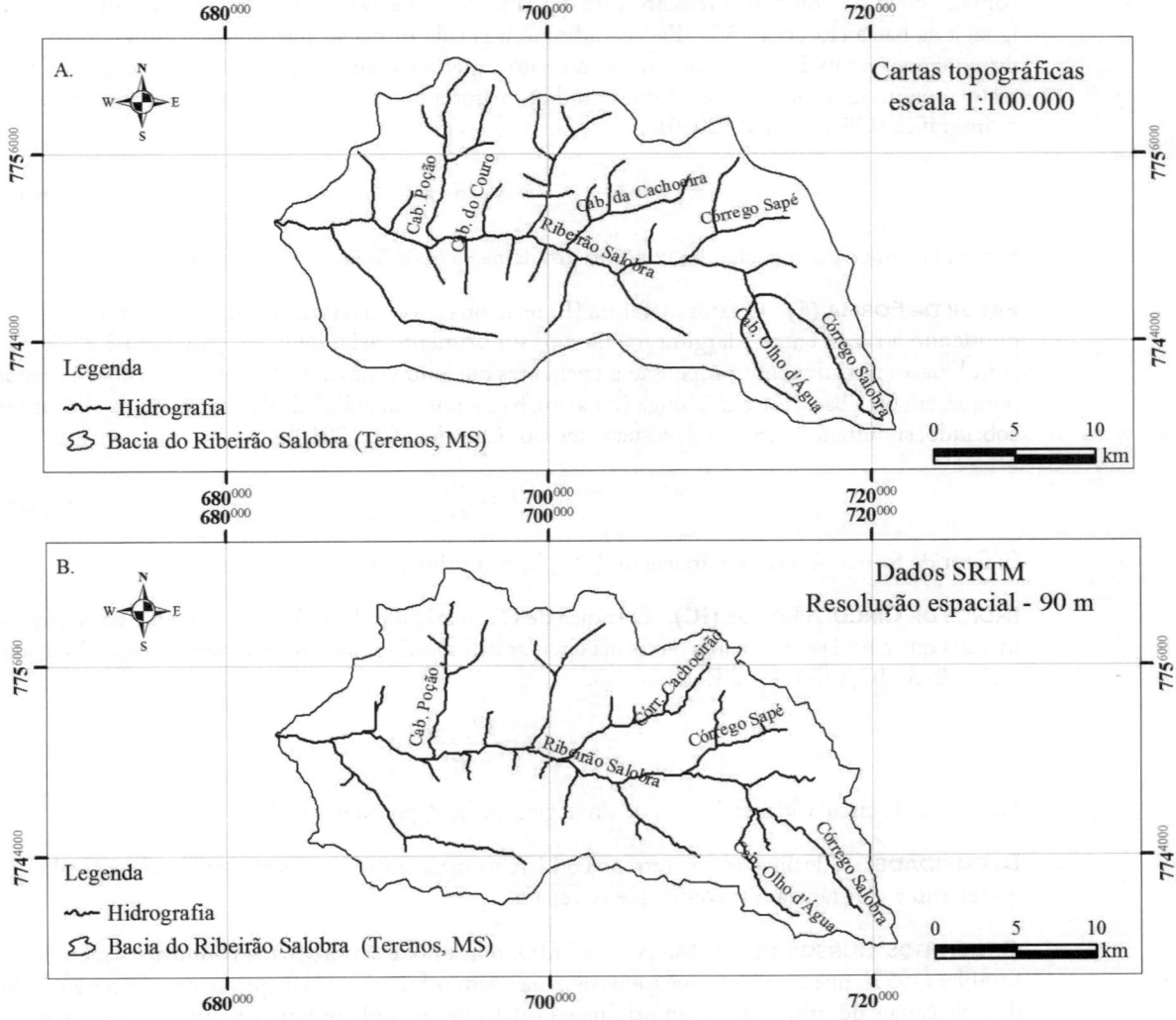

Figura 3.1 Delimitação de uma bacia hidrográfica. *Fonte: Oliveira et al. (2010).*

Ressalta-se que a automatização da delimitação de bacias hidrográficas é importante no sentido de se estabelecer a padronização do traçado e posterior minimização de conflitos quanto à fixação da unidade territorial para a gestão dos recursos hídricos (Alves Sobrinho et al., 2010).

3.3.3 Caracterização Morfométrica da Bacia

A caracterização morfométrica de bacias promove a descrição quantitativa de sistemas hídricos, identificação de correlações entre propriedades geomorfológicas e respostas hidrológicas, além de possibilitar a comparação entre bacias distintas (De Scally et al., 2001; Moussa, 2003). As medidas morfológicas permitem predizer o comportamento da bacia na presença de eventos pluviométricos extremos (Angillieri, 2008). Em bacias desprovidas de dados hidrológicos, a geomorfologia propicia estimativas de vazão pela metodologia do Hidrograma Unitário Instantâneo Geomorfológico, com base em teorias da mecânica estatística (Rodriguez-Iturbe & Valdés, 1979; Gupta et al., 1980; Stefen et al., 2009). No sentido de aumentar a compreensão dos riscos de enchentes, dos processos erosivos e da determinação de medidas mitigadoras específicas, a morfometria das bacias hidrográficas deve ser analisada como componente essencial de estudos hidrológicos e ambientais (Ozdemir & Bird, 2009; Sreedevi et al., 2009).

As principais variáveis que compõem a caracterização morfométrica da bacia hidrográfica podem ser subdivididas em: i) **características geométricas** (área da bacia, perímetro, coeficiente de compacidade, fator de forma, índice de circularidade); ii) **características de relevo** (declividade e altitude); e iii) **características da rede de drenagem** (densidade de drenagem e ordem dos cursos de água) (Tonello et al., 2006).

Coeficiente de Compacidade (Kc). O coeficiente de compacidade (Kc) relaciona a forma da bacia com um círculo e constitui a relação entre o perímetro da bacia e a circunferência de um círculo de área igual à da bacia (Equação 3.1). Bacias hidrográficas cuja forma se aproxima à de um círculo tendem a proporcionar a rápida conversão do escoamento superficial para um trecho pequeno do rio principal; assim, quanto mais próximo a 1 for este índice, maior a potencialidade de picos de enchentes na bacia hidrográfica (Oliveira et al., 2010).

$$Kc = 0,28 \frac{P}{\sqrt{A}}$$

Equação 3.1

Kc: coeficiente de compacidade; P: perímetro da bacia (m); A: área de drenagem (m^2).

Fator de Forma (F). O fator de forma (F) relaciona a forma da bacia com a de um retângulo, correspondendo à razão entre a largura média e o comprimento axial da bacia (Equação 3.2). Uma bacia com F baixo possui menor propensão a enchentes que outra com a mesma área, mas com F maior. Isso porque, em uma bacia estreita e longa (F baixo), há menor probabilidade de ocorrência de chuvas intensas cobrindo, simultaneamente, toda a sua extensão (Oliveira et al., 2010).

$$F = \frac{A}{L^2}$$

Equação 3.2

F: fator de forma; A: área de drenagem (m^2); L: comprimento do eixo da bacia (m).

Índice de Circularidade (IC). O Índice de Circularidade (IC), simultaneamente ao Kc, aumenta à medida que a bacia se aproxima da forma circular e diminui sempre que a forma se torna alongada. Para o cálculo do IC, utiliza-se a Equação 3.3.

$$IC = \frac{12,57 A}{P^2}$$

Equação 3.3

IC: índice de circularidade; A: área de drenagem (m^2); P: perímetro (m).

Declividade. A declividade do terreno consiste na razão entre a variação de altitude entre dois pontos do terreno e a distância horizontal que os separa.

Ordem dos Cursos de Água. A rede hidrográfica pode ser ordenada conforme a metodologia de Strahler (1957), que considera que todos os canais sem tributários são de primeira ordem e a confluência de dois canais de primeira ordem origina os canais de segunda ordem. Os cursos de água de terceira ordem, por sua vez, formam-se pela junção de canais de segunda ordem e assim por diante (Figura 3.2).

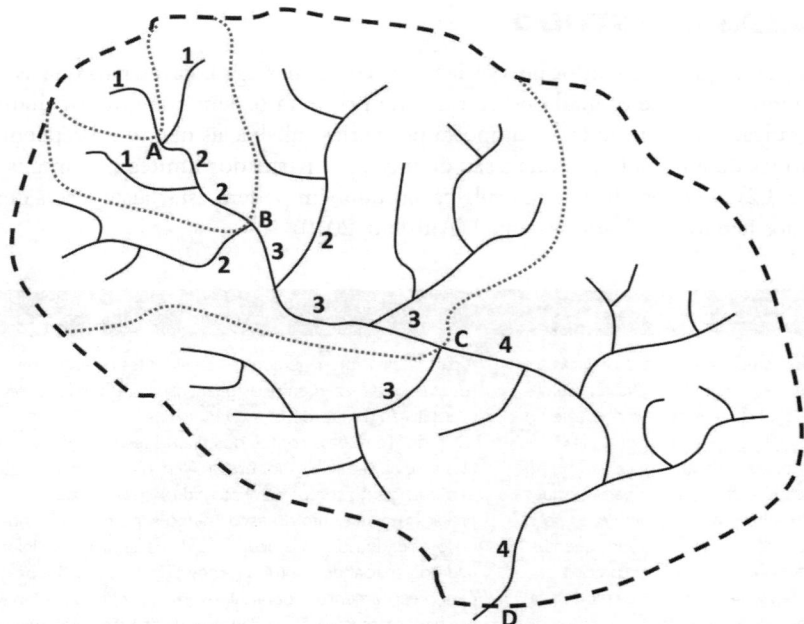

FIGURA 3.2 Ilustração do traçado de bacias hidrográficas embutidas. A bacia com exutório no ponto A se encontra no interior da bacia com exutório no ponto B e assim por diante. *Fonte: Anisfeld (2010).*

DENSIDADE DE DRENAGEM (DD). A densidade de drenagem (Dd) indica o nível de desenvolvimento do sistema de drenagem de uma bacia hidrográfica, fornecendo uma indicação da sua eficiência. O cálculo de Dd é expresso pela relação entre o comprimento total dos canais com a área da bacia de drenagem (Equação 3.4).

$$Dd = \frac{Lt}{A}$$ Equação 3.4

Dd: densidade de drenagem (km/km²); Lt: comprimento total de todos os canais (km); A: área de drenagem (km²).

TEMPO DE CONCENTRAÇÃO (TC). O tempo de concentração (Tc) é o período requerido para que uma gota de água localizada no ponto hidraulicamente mais distante possa atingir o ponto de saída da bacia (exutório). As estimativas diretas de Tc utilizam traçadores radioativos e químicos (Calkins & Dunne, 1970; e Pilgrim, 1976). De modo geral, o Tc é estimado por meio de fórmulas empíricas baseadas em características geomorfométricas da bacia hidrográfica. A Equação 3.5, proposta por Kirpich (1940), é uma das equações mais utilizadas no Brasil, e foi desenvolvida no estado de Tennessee, Estados Unidos, a partir de dados de 7 bacias rurais (declividade variando de 3 a 10%).

$$Tc = 0,0195L^{0,77} \ S^{-0,385}$$ Equação 3.5

Tc: tempo de concentração (min); L: comprimento do curso de água principal (m); S: declividade do curso de água principal (m m⁻¹).

O Tc calculado na Equação 3.5 deve ser multiplicado por 0,4 quando o escoamento superficial ocorrer sob cobertura de asfalto ou concreto e por 0,2 quando o canal for revestido de concreto (Chow et al., 1988). Nos trabalhos de Chow et al., (1988), McCuen et al. (1984), Silveira (2005) e Grimaldi et al., (2012), são descritas e discutidas outras equações empíricas usadas no cálculo de Tc.

Exercício 3.1
Considere uma bacia com área de 540 km²; perímetro = 111 km; comprimento total de todos os canais = 185 km; comprimento do eixo da bacia = 41 km, comprimento do curso de água principal = 59 km; S: declividade do curso de água principal = 0,03 m m-1. Calcule: a) Coeficiente de compacidade; b) Fator de Forma; c) Índice de circularidade; d) Densidade de drenagem; e) Tempo de concentração. Como esta bacia poder ser classificada em termos de escoamento superficial?

3.4 ESCALAS DE ESTUDO

As bacias são hierarquizadas conforme a ordem dos cursos das águas principais que as integram. Uma bacia de primeira ordem é drenada por um rio de primeira ordem e assim por diante. Portanto, a bacia hidrográfica, como um todo, é composta por várias sub-bacias que se sobrepõem, denominadas bacias embutidas ou aninhadas, as quais são delineadas a partir dos limites das ordens dos cursos das águas (Figura 3.2). Vale ressaltar que as sub-bacias também podem estar justapostas dentro da bacia e referindo-se aos tributários do rio principal (Anisfeld, 2010).

EXEMPLO DE APLICAÇÃO: ESCALA DE BACIAS

A influência da escala de bacias nos valores de variáveis hidrológicas foi analisada no contexto do experimento de bacias embutidas (*Nested Catchment Experiment – NCE*) da bacia do rio Potiribu, localizada ao noroeste do Estado do Rio Grande do Sul (Mendiondo, 1995; Mendiondo et al., 2007) e ocupada predominantemente por atividades de agricultura (soja e milho no verão, aveia e trigo no inverno). Foram consideradas quatro bacias embutidas na presença de dois tipos de eventos pluviométricos, tipo A e tipo B (Figura 3.3). Os eventos do tipo A ocorrem no verão ou períodos quentes, com chuvas convectivas e em condições de baixa quantidade de precipitação antecedente, enquanto os eventos do tipo B possuem intensidade moderada, duração mais longa, normalmente em época de inverno ou períodos de baixa temperatura, e maior nível de precipitação antecedente. Tais eventos foram estudados no período de novembro de 1989 a novembro de 1993.

A partir deles, foram gerados os coeficientes de escoamento superficial (C), resultantes da razão entre as quantidades de escoamento superficial (Q) e precipitação (P), sendo C = Q/P.

Nota-se que os efeitos dos diferentes tipos de eventos (A e B) destacam-se na bacia de maior escala. Além disso, a variação da escala evidencia as mudanças no comportamento hidrológico da bacia. O aumento da escala propiciou o aumento do escoamento superficial. Considerando a relativa uniformidade no uso e ocupação da bacia, pode-se inferir a respeito do padrão espacial de contribuição de fluxos subterrâneos e subsuperficiais para o escoamento superficial. Assim, a predição de variáveis hidrológicas em bacias desprovidas de dados pode ser realizada por meio da aplicação do conceito de regionalização, que é a inferência de resultados a partir da relação de proporcionalidade com bacias similares.

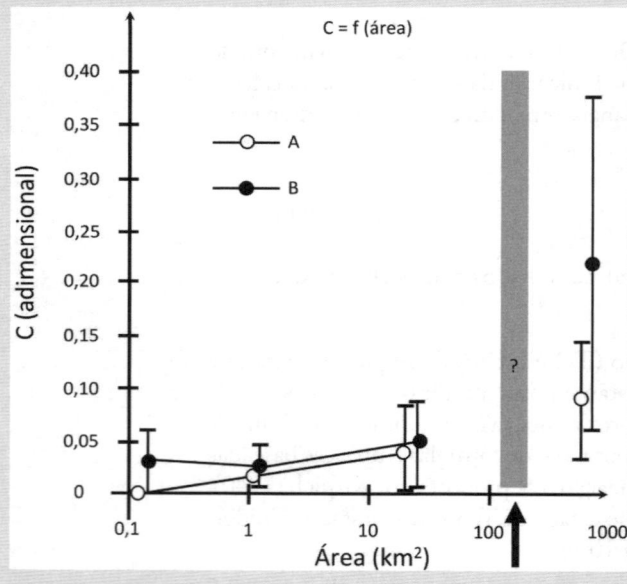

FIGURA 3.3 Análise do coeficiente de escoamento em bacias embutidas a partir da bacia do rio Potiribu, considerando as bacias dos rios: Anfiteatro (0,125 km², 1ª ordem, rural); Donato (1,1 km², 2ª ordem, rural); Tucato (19,9 km², 4ª ordem, rural e urbana); e Potiribu (563 km²). As barras representam os desvios padrão dos eventos analisados. O ponto de interrogação chama a atenção para a predição do índice C (coeficiente de escoamento superficial) em escala intermediária (165 km²). *Fonte: Adaptado de Mendiondo et al. (2007).*

A abordagem de bacias embutidas providencia uma estrutura de análise do padrão espacial de ocorrência de processos hidrológicos, suas características e interações ao longo das escalas espaciais gradativas (McNamara et al., 1998; Mendiondo et al., 2007). Essa abordagem também pode auxiliar na identificação de processos relevantes em cada escala e como estes influenciam as condições ambientais na vertente da bacia (*on-site*) e nos cursos de água (*off-site*) em diferentes escalas (Ferreira et al., 2008; Bottino, 2008). Logo, os impactos de determinadas alterações de uso do solo também podem ser melhor avaliados no contexto das bacias embutidas (Thorne et al., 2009; Taffarello et al., 2016).

No contexto da gestão dos recursos hídricos, o tamanho ideal de bacia hidrográfica é aquele que incorpora toda a problemática de interesse. Desse modo, tanto uma pequena bacia de 0,5 km² em área urbana, quanto a bacia do rio São Francisco, com mais de 600 mil km² de área, podem se enquadrar nesse critério de interesse (Porto & Porto, 2008).

Quais são as principais teorias e princípios básicos envolvidos na escala de bacias hidrográficas?

3.5 CICLO HIDROLÓGICO E PROCESSOS ENVOLVIDOS

"*Nós esquecemos que o ciclo da água e o ciclo da vida são um só*" (Jacques Cousteau). O ciclo hidrológico representa o conjunto de processos físicos que envolvem a circulação e movimentação da água na superfície terrestre, oceanos e atmosfera. Os principais componentes do ciclo hidrológico são: precipitação, evaporação, transpiração vegetal, interceptação, infiltração, percolação, escoamento superficial e subterrâneo. De modo geral, esses processos são impulsionados, principalmente, pela energia térmica solar, pela força dos ventos e pela força da gravidade. O ciclo hidrológico é um fenômeno global, complexo e dinâmico, podendo ser simplificado através da sua categorização em componentes de armazenamento e de fluxo (Ffolliott et al., 2001) (Figura 3.4).

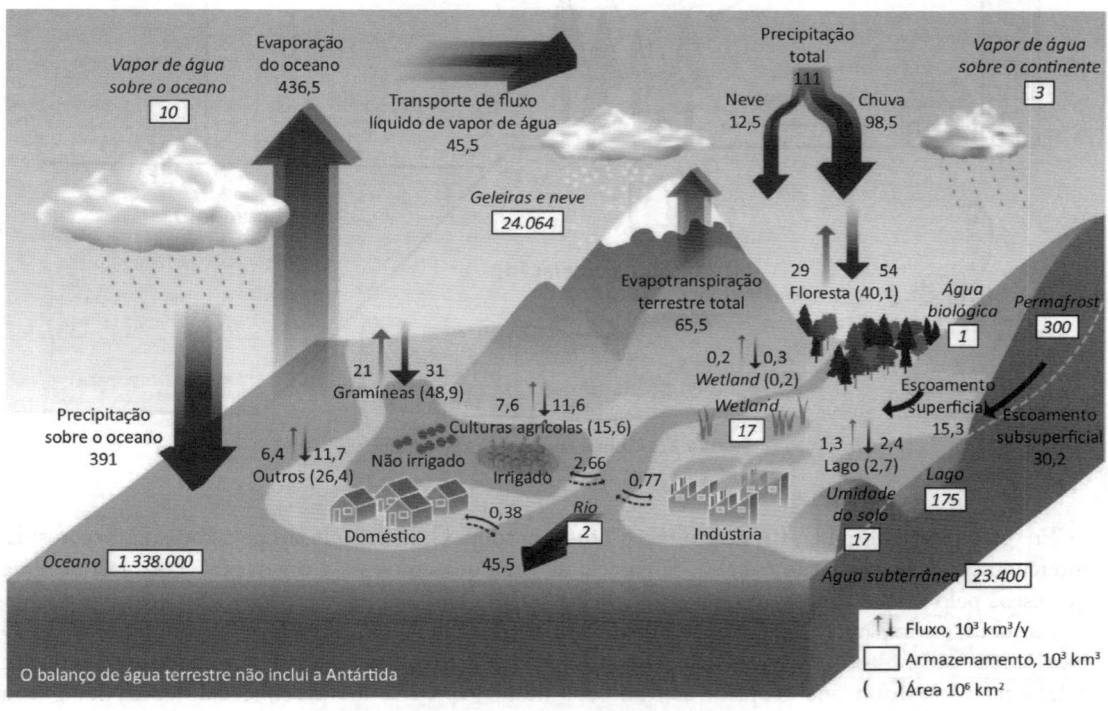

FIGURA 3.4 Ciclo hidrológico, fluxos e unidades de armazenamento. *Fonte: Oki & Kanae (2006).*

Os principais processos hidrológicos que participam de modo relevante no gerenciamento de recursos hídricos estão expostos na Figura 3.5 e descritos a seguir.

A **precipitação** é o maior fator controlador do ciclo hidrológico de uma região. Diversas características da precipitação afetam o gerenciamento de recursos hídricos, tais como: quantidade anual, sazonalidade, intensidade, duração e tempo de recorrência de eventos chuvosos (Dunne & Leopold, 1978), além da distribuição espacial desses valores. As medidas de precipitação podem ser obtidas a partir de estimativas baseadas em sensoriamento remoto (satélite e radar) e estações de superfície (pluviógrafos, pluviômetros convencionais e automáticos) (Kaiser & Porto, 2005). A precipitação é representada graficamente por **hietogramas**, que relacionam a quantidade precipitada com o tempo. Nem toda quantidade de água precipitada atinge diretamente o solo, pois uma parte é retida pela vegetação ou superfícies acima do solo. Essa quantidade de água subtraída da precipitação é denominada **interceptação**. A magnitude desse fenômeno depende da forma, densidade, rugosidade da superfície da vegetação e de outros elementos capazes de ocasionar a interceptação. A água interceptada pode ser evaporada ou atravessar a vegetação e atingir o solo. Conforme Tucci (2004), a expressão da continuidade do sistema de interceptação, pode ser descrita pela Equação 3.6.

$$Ic = Pt - T - S$$

Equação 3.6

Ic: quantidade de água interceptada; Pt: precipitação bruta ou total; T: parcela de água que atravessa a vegetação; S: parcela de água que escoa pelo tronco das árvores.

A precipitação que efetivamente atinge o solo é denominada precipitação líquida (Pn). Esta, por sua vez, pode ser determinada pela seguinte relação (Brooks et al., 2003):

$$Pn = Pt - Ic$$

Equação 3.7

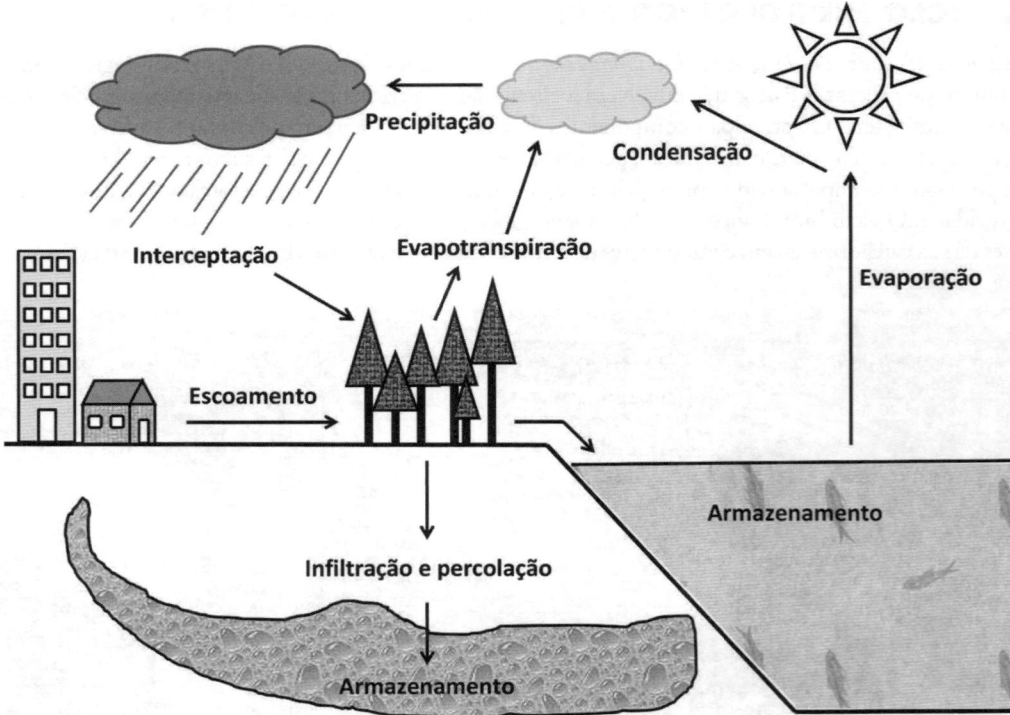

Figura 3.5 Componentes do ciclo hidrológico.

Pn: precipitação líquida; Pt: precipitação bruta ou total; C: interceptação pela copa das árvores; L: interceptação pela vegetação rasteira; T: parcela de água que atravessa a vegetação; S: parcela de água que escoa pelo tronco das árvores.

As medidas da parcela de água que atravessa a vegetação (T) são tomadas em campo por meio de pluviômetros dispostos sob a vegetação. O escoamento pelo tronco pode ser determinado através de um coletor na forma de um anel acoplado ao tronco, na altura do peito da árvore, conectado a uma mangueira que liga o anel ao recipiente no solo (Oliveira et al., 2015). A **evapotranspiração** é a soma de processos de evaporação e transpiração que promovem a conversão da água líquida para vapor a partir da superfície do solo, corpos de água e vegetação, possuindo elevada participação nos fluxos de água do ciclo hidrológico. Ela é um componente de grande importância no gerenciamento dos recursos hídricos, destacando-se no projeto e operação de reservatórios e na quantificação de demanda hídrica pela vegetação. As medidas de evaporação são determinadas a partir de evaporímetros, tanques de evaporação (por exemplo, classe A), ou estimadas através de modelos baseados em transferência de massa, balanço de energia e equações empíricas. Os valores de evapotranspiração resultam de medidas diretas em lisímetros, sistema de *eddy covariance* (torres de fluxo) e variação de umidade do solo ou, de forma indireta, a partir de modelos baseados na temperatura, radiação, índices de vegetação ou combinados, agregando-se o coeficiente de cultura (kc) aos dados de evapotranspiração potencial de referência (ETo). A ETo é definida como o processo de perda de água para a atmosfera por meio de uma superfície padrão gramada cobrindo a superfície do solo e sem restrição de umidade (Allen et al., 1998; Borges & Mendiondo, 2007).

A parcela de água que participa do processo de **infiltração** penetra na superfície do solo como resultado da combinação de forças de capilaridade e gravidade. A taxa de infiltração da água no solo é elevada no início do processo de infiltração, particularmente, quando o solo está com baixos níveis de umidade inicial, mas tende a decrescer com o tempo aproximando-se assintoticamente de um valor constante denominado taxa de infiltração estável ou final ou, ainda, velocidade de infiltração básica. Quando a intensidade de precipitação supera a taxa de infiltração, ocorre o escoamento superficial. Os dados de infiltração podem ser determinados com base em infiltrômetros, na forma de anéis concêntricos, e infiltrômetros de aspersão ou simuladores de chuva. Estes últimos, apesar de serem estruturalmente mais complexos, apresentam medidas mais acuradas das taxas de infiltração (Costa et al., 1999). Durante o processo de infiltração, a água preenche os micróporos da camada superior de solo e uma parte continua a se movimentar ao longo do perfil do solo, sendo drenada para as camadas mais profundas por meio do processo de **percolação**, de modo a contribuir para a recarga de águas subterrâneas em aquíferos não confinados. A parcela de precipitação que atinge o solo e não é infiltrada ou evaporada passa a contribuir para o **escoamento superficial**, que ocorre em áreas impermeáveis, saturadas ou onde a capacidade de infiltração do solo é inferior à intensidade de precipitação. Quando essas condições são mantidas, os fluxos de água do escoamento superficial alimentam os corpos de água superficiais (rios, lagos e reservatórios). Entretanto, a água que participou do processo de infiltração e não foi percolada também é capaz de abastecer esses corpos de água através do processo de **escoamento sub-superficial**. A água percolada, presente nos aquíferos rasos, em determinadas condições, pode contribuir com água para o leito dos rios (rios efluentes), os quais, por sua vez, também podem abastecer os aquíferos rasos (rios influentes). O escoamento superficial resultante de eventos específicos de precipitação é representado graficamente por **hidrogramas**, que relacionam a vazão líquida com o tempo.

3.6 BALANÇO HÍDRICO EM BACIAS HIDROGRÁFICAS

O **balanço hídrico** é o resultado da aplicação do princípio de conservação de massa expresso pela **equação da continuidade**, na qual se considera o balanço dos componentes do ciclo hidrológico em uma área e o intervalo de tempo específicos. Esse conceito consiste da análise quantitativa do ciclo hidrológico que é realizada por meio de métodos que, simplesmente, quantificam as **entradas e saídas do sistema** ou que desenvolvem uma complexa **modelagem dos processos** que transformam as entradas em saídas de água. A escala temporal de cálculo do balanço hídrico pode ser desde anual à horária, ou ainda mais detalhada, dependendo da quantidade de dados disponíveis (Mitchell et al., 2003).

Atualmente, com a disponibilidade de grande quantidade de dados de sensoriamento remoto, modelos de superfície e técnicas de assimilação de dados, tem sido possível calcular o balanço hídrico em bacias com escassez de dados ou não monitoradas (Rodell et al., 2004; Montanari et al., 2013). O cálculo de balanço hídrico destina-se, principalmente, à avaliação dos seguintes aspectos: comportamento hidrológico das bacias hidrográficas, impactos de mudanças climáticas, efeitos da mudança de uso do solo e padrões espaciais e temporais de oferta e demanda hídrica. O balanço hídrico na bacia hidrográfica envolve a quantificação dos componentes do processo de transferência de água através da bacia (Tucci & Beltrame, 2004). A bacia pode ser representada pelas seguintes estruturas de armazenamento de água interconectadas: armazenamento superficial; zona não saturada ou vadosa; zona saturada; e leito dos cursos de água. As camadas superiores geram escoamento superficial e sub-superficial e percolação.

Dependendo do objetivo proposto e da disponibilidade de dados, o equacionamento do balanço hídrico pode ser efetuado em variados níveis de detalhamento e unidades de cálculo (volume ou lâmina de água por tempo e volume por unidade de área). Partindo de um padrão de componentes hidrológicos da bacia, propõe-se a classificação do balanço hídrico em três gerações: 1ª, 2ª e 3ª.

3.6.1 Balanço Hídrico de 1ª Geração

O balanço hídrico de 1ª geração identifica a variação de armazenamento no sistema hídrico através do equacionamento de componentes hidrológicos simples e adaptáveis a diversas escalas (Healy et al., 2007), conforme Equação 3.8.

$$\Delta S(t) = P(t) + Qin(t) - ET(t) - Qout(t) \qquad \text{Equação 3.8}$$

$\Delta S(t)$: variação da quantidade de água armazenada na bacia no final do intervalo de tempo considerado; $P(t)$: precipitação; $Qin(t)$: importação de água para a bacia; $ET(t)$: evapotranspiração; $Qout$: escoamento superficial ou quantidade de água que deixa a bacia.

3.6.2 Balanço Hídrico de 2ª Geração

O balanço hídrico de 2ª geração detalha os componentes padrão, integrantes do balanço de 1ª geração, conforme o campo de estudo e análise. Considerando o balanço hídrico no solo no sentido de se avaliar a variação do armazenamento de água resultante de mudanças de cobertura vegetal e manejo do solo (Le et al., 2011), estabelece-se o balanço das seguintes variáveis (Equação 3.9):

$$\Delta S(t) = P(t) + Qin(t) - Ic(t) - Tr(t) - E(t) - Se(t) - Sp(t) - Qout(t) \qquad \text{Equação 3.9}$$

$\Delta S(t)$: variação total da quantidade de água armazenada na bacia por unidade de tempo; $P(t)$: precipitação; $Qin(t)$: importação de água de outra bacia para fins de irrigação; $Ic(t)$: interceptação; $Tr(t)$: transpiração;

E(t): evaporação; Se(t): evaporação direta do solo; Sp(t): escoamento subsuperficial; Qout(t): escoamento superficial ou quantidade de água que deixa a bacia.

Por outro lado, considerando as peculiaridades de bacias urbanas, o balanço hídrico de 2ª geração pode ser desenvolvido de acordo com a Equação 3.10 (Mitchell et al., 2003).

$$\Delta S(t) = P(t) + Qin(t) - ET(t) - D(t) - Rw(t)$$

Equação 3.10

ΔS(t): variação total da quantidade de água armazenada na bacia por unidade de tempo; P(t): precipitação; Qin(t): quantidade de água importada para a bacia visando ao abastecimento público; ET(t): evapo-transpiração; D(t): escoamento superficial ou drenagem urbana para fora da bacia; Rw(t): lançamento de águas residuárias para fora da bacia.

Exercício 3.2:
Até 2030, um Plano Diretor Urbano prevê, para uma bacia hidrográfica, 3,5 km² de área de drenagem com uma ocupação do solo dividida em área urbanizada (47% da bacia), área remanescente de mata nativa (35% da bacia), e o restante da bacia para agricultura familiar. Estime um balanço hídrico em condições estacionárias com lâminas anuais de P = 1570 mm, ETR(agricultura familiar) = 450 mm, ETR (mata nativa) = 920 mm. O consumo hídrico para necessidades humanas é próximo a 167L/hab.dia, e a população total prevista é de 36.500 pessoas. Compare este balanço hídrico de 2030 com a situação de pré-desenvolvimento do ano 1900, onde existia somente mata nativa ocupando 100% da área da bacia. Comente seus resultados a partir dos balanços realizados.

3.6.3 Balanço Hídrico de 3ª Geração

Levando-se em conta a demanda hídrica dos produtos consumidos na bacia e que não foram produzidos nela, podem-se quantificar a transferência de água entre bacias e o impacto que usuários de uma bacia podem ocasionar nos recursos hídricos de outras bacias. Essa demanda hídrica embutida em produtos comercializados ou *commodities* é denominada **água virtual** (*Virtual Water-VW*), a qual é determinada a partir da quantificação da água demandada em toda cadeia de produção, desde a matéria-prima até a comercialização (Allan, 1993, 1994, 2011). Assim, em um terceiro nível de análise do balanço hídrico em bacias urbanizadas, os componentes de água virtual de entrada e saída são incorporados ao equacionamento (Equação 3.11).

$$\Delta S(t) = P(t) + Qin(t) - ET(t) - D(t) - Rw(t) + VWe(t) - VWs(t)$$

Equação 3.11

ΔS(t): variação total da quantidade de água armazenada na bacia por unidade de tempo; P(t): precipitação; Qin(t): quantidade de água importada para a bacia visando ao abastecimento público; ET(t): evapo-transpiração; D(t): escoamento superficial ou drenagem urbana para fora da bacia; Rw(t): lançamento de águas residuárias; VWe(t): água virtual de entrada na bacia; VWs(t): água virtual de saída da bacia.

A quantidade de água virtual combinada aos fluxos de produtos comercializados entre regiões permite avaliar, também, a dependência hídrica relativa de diferentes locais (Hoekstra & Hung, 2002; Montesinos et al., 2011). A VW é um instrumento de gestão da demanda hídrica, pois é capaz de influenciar a oferta hídrica de uma região específica sem a necessidade de realizar grandes obras hidráulicas (Velázquez et al. 2011). Juntamente ao aumento da eficiência hídrica (t de produto/m³ de água consumida), uma das chaves para diminuição da pressão sobre os recursos hídricos é a minimização do fluxo do comércio de produtos "*water-intensive*" de regiões com maior grau de escassez hídrica para consumo em locais com menor grau de escassez ou maior grau de abundância hídrica, ou seja, a produção de produtos específicos deve se adequar ao local (Fader et al., 2011). O conceito de água virtual está fortemente relacionado com o de **pegada hídrica**, que é tratado em tópico posterior.

Exercício 3.3:
Como as equações de balanços hídricos de 1ª, de 2ª, e de 3ª geração podem ser aplicadas na gestão de recursos hídricos e quais são os principais desafios?
Qual a importância de conhecer os componentes do balanço hídrico para avaliar secas e inundações?
Explique as principais diferenças dos fluxos de água em áreas rurais e urbanas.

Exercício 3.4:
Uma bacia hidrográfica recebe precipitações médias anuais de 1600 mm. Estudos anteriores mostraram que o coeficiente de escoamento superficial (C = Escoamento superficial/Precipitação) nesta bacia é igual a 0,30. Qual a vazão média esperada em m³/s para uma seção do rio em que a área da bacia é de 210 km²?

3.6.4 Balanço Hídrico dos Fluxos de Água Azul e Verde

Os **fluxos de água dentro do ciclo hidrológico** também podem ser classificados em dois grupos: **azul e verde**, os quais agrupam vários componentes hidrológicos, de modo a facilitar o manejo e conservação dos recursos hídricos na bacia. A água azul é proveniente de aquíferos, lagos, rios e reservatórios, enquanto a água verde consiste da água contida na zona insaturada do solo e disponível para ser utilizada pelas plantas (Chartres & Varma, 2011). Em nível global, 65% da precipitação pluviométrica forma a água verde e 35% corresponde à água azul. A primeira parcela retorna à atmosfera na forma de vapor e a segunda parcela, por sua vez, sai do sistema através do escoamento de rios e aquíferos (Falkenmark & Rockstrom, 2010). Portanto, esses fluxos hídricos são complementares dentro do balanço hídrico de uma bacia hidrográfica (Falkenmark & Rockstrom, 2006).

Os caminhos da água precipitada até sua transformação em fluxos de água verde e azul é dinâmico. Assim, a classificação do tipo de fluxo, azul ou verde, é determinada pelos processos hidrológicos e unidades de armazenamento envolvidas. A água azul é identificada pelo escoamento superficial e subterrâneo. A água verde, por sua vez, pelo escoamento subsuperficial e evapotranspiração.

3.7 BALANÇO DE CARGAS POLUIDORAS EM BACIAS HIDROGRÁFICAS

A poluição hídrica, na forma difusa ou pontual, representa os impactos do uso e ocupação na vertente da bacia na rede de drenagem. Na forma **difusa**, os poluentes são originados por processos naturais ou atividades humanas e transportados pelos componentes do ciclo hidrológico, especialmente os escoamentos superficial, subsuperficial e subterrâneo. Assim, processo de poluição difusa inclui tanto os processos hidrológicos quanto a dissolução e o transporte de solutos até os corpos hídricos. Conforme Libos et al. (2003), os poluentes são gerados a partir de áreas extensas e de modo intermitente, dificultando sua identificação, medição e controle. Os processos erosivos e os produtos agroquímicos utilizados em atividades agrícolas são os principais responsáveis pela poluição difusa.

A poluição **pontual**, por outro lado, é facilmente identificável, pois é limitada por uma estrutura de lançamento que concentra o fluxo de despejo líquido, por exemplo, em um canal ou tubulação. Esse despejo é composto, essencialmente, por resíduos de origem urbana, doméstica e industrial e é lançado conforme as regras de operação das unidades de tratamento de efluentes e produção industrial ou por atividades de despejo irregular.

As cargas poluidoras são determinadas pelo produto das vazões pela concentração dos poluentes. Estas cargas podem ser de natureza determinística ou estocástica. A variabilidade de tais cargas, de natureza pontual ou difusa, pode ser atribuída à sazonalidade das características das atividades poluidoras, tais como: processos produtivos, hábitos da população, mudanças no uso e cobertura do solo, conforme o ciclo vegetativo e de plantio das culturas agrícolas, entre outros. Além disso, há a incorporação de fenômenos de sinergia, ou seja, possíveis reações químicas, biológicas ou físicas no transporte de cargas da cabeceira até os exutórios das bacias.

A partir do princípio de conservação de massa, a carga poluidora no exutório da bacia ou a jusante do trecho de rio em estudo é resultante do somatório das cargas determinísticas a montante mais componentes aleatórias. As cargas determinísticas dependem das cargas de poluição difusa, relacionadas com a área parcial de cada uso e ocupação do solo. As cargas pontuais dependem do cadastro de efluentes líquidos (Equações 3.12 e 3.13).

$$Lrio_{jusante} = Lrio_{montante} + Ldifusa + Lpontual + Lestocástica \qquad \text{Equação 3.12}$$

$Lrio_{jusante}$: carga poluidora (massa/tempo) a jusante do trecho do rio; $Lrio_{montante}$: carga poluidora (massa/tempo) a montante no trecho do rio; $Ldifusa$: carga poluidora difusa (massa/tempo) da bacia incremental entre os pontos de montante e jusante do trecho do rio; $Lpontual$: carga poluidora pontual (massa/tempo) na área incremental; $Lestocástica$: carga poluidora baseada em dados aleatórios (massa/tempo); esta equação pode ser reescrita da forma mais detalhada conforme:

$$C_{i,j} \cdot Q_{i,j} = C_{i-1,j} \cdot Q_{i-1,j} + \sum_{k=1}^{Mnp} Ybacia_i Y_{j,k} \cdot A_{i,k} + \sum_{s=1}^{Mp} P_{i,j,s} + erro_{i,j,k,s} \qquad \text{Equação 3.13}$$

índices – i: espaço; j: tempo; k: tipo de uso e ocupação do solo; s: tipo de atividade geradora de poluição pontual; variáveis – $C_{i,j}$: concentração do poluente a jusante do trecho do rio (massa/volume); $Q_{i,j}$: vazão líquida a jusante do trecho do rio (volume/tempo); $C_{i-1,j}$: concentração do poluente a montante do trecho do rio (massa/volume); $Q_{i-1,j}$: vazão líquida a montante do trecho do rio (volume/tempo); Ybacia$_{i,j,k}$: carga difusa específica (massa/tempo.área) do k-ésimo uso e ocupação do solo, que pode variar de 1 até Mnp; $A_{i,k}$: área com k-ésimo uso e ocupação do solo; $P_{i,j,s}$: carga pontual específica (massa/tempo) para atividade específica "s", que pode variar de 1 até Mp; erro$_{i,j,k,s}$: desvios aleatórios que dependem da posição relativa e/ou local na bacia ("i"), da sazonalidade ("j"), do tipo de uso do solo que produz poluição difusa ("k") e das atividades pontuais de poluição de cargas com regras de operação, volume e períodos determinados por condições próprias ("s").

EXEMPLO DE APLICAÇÃO: CARGAS POLUIDORAS

A bacia hidrográfica do rio Monjolinho, localizada em São Carlos (SP), possui três pontos de monitoramento, denominados: Fórum do Gregório (P1); Casa Branca (P2); e Cristo (P3), sendo os dois primeiros localizados a montante do terceiro. Na Figura 3.6, é apresentada a configuração da bacia, a localização dos pontos de monitoramento e os dados resultantes de contribuição de carga específica de Demanda Bioquímica de Oxigênio (DBO$_{5,20}$) ao longo do comprimento do curso de água principal e da área da bacia.

Estação/ Variável	Fórum P1	C. Branca P2	Cristo P3
Comprimento (km)	7,5	12,4	13,8
Área (km²)	9,5	51,7	77,4
DBO (mg/L)	4,0	8,6	2,0
Vazão (m³/s)	0,2	1,7	2,0
Carga (kg/ha.ano)	21,0	89,6	16,3

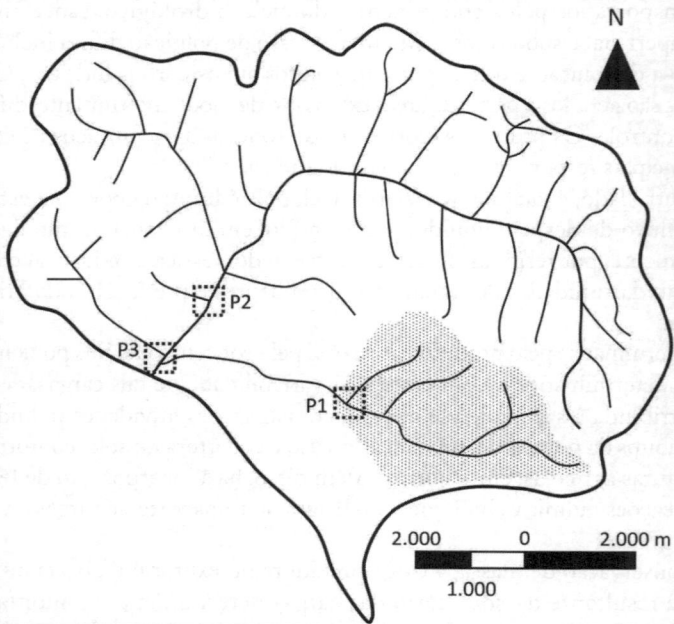

FIGURA 3.6 Exemplo de estudo de cargas poluidoras em bacias embutidas. *Fonte: Adaptado de Zaffani et al. (2015).*

3.8 GESTÃO QUALITATIVA DO FLUXO SUPERFICIAL DE ÁGUA AZUL

O controle da contribuição de cargas poluidoras nas bacias hidrográficas pode ser efetuado a partir das "curvas qualiquantitativas de carga máxima total" (*Total Maximum Daily Loads* – TMDL), que indicam a carga crítica de poluentes no corpo hídrico receptor, conforme os padrões de qualidade da água locais (Usepa, 1991). No caso brasileiro, esses padrões são definidos pela Resolução Conama nº 357/2005 (Brasil, 2005), de acordo com o enquadramento do curso de água em análise. Essas curvas podem ser obtidas pelo produto das vazões pelas concentrações dos padrões de qualidade de água pré-estabelecidos, Pad (Equação 3.14) (Quinn et al., 2009).

$$TMDL_{massa/tempo} = Q_{volume/tempo} \cdot Pad_{massa/volume}$$

Equação 3.14

EXEMPLO DE APLICAÇÃO: REGIONALIZAÇÃO DAS CURVAS DE PERMANÊNCIA

A partir de um caso de estudo real, apresenta-se a regionalização das curvas de permanência de quantidade e qualidade de vazões do rio Canha (SP). Estas curvas aparecem com valores de carga poluidora específica de nitrogênio (massa/tempo.área) e vazão específica (volume/tempo. área). Esta regionalização quali-quantitativa da curva de permanência compreende áreas de drenagem de bacias aninhadas variando entre 1 km² e 125 km². A regionalização quantitativa segue critérios de região

hidrológica homogênea proposta pelo Departamento de Águas e Energia Elétrica (DAEE/SP) e a curva de permanência de qualidade foi construída com base em valores médios de dados experimentais observados *in situ*. No exemplo (Figura 3.7), para uma probabilidade média de 38%, espe-ram-se vazões específicas superiores a 14 L/s.km², com cargas específicas maiores do que 27 kg/ano.ha e concentrações superiores a 6,1 mg/L de nitrogênio total.

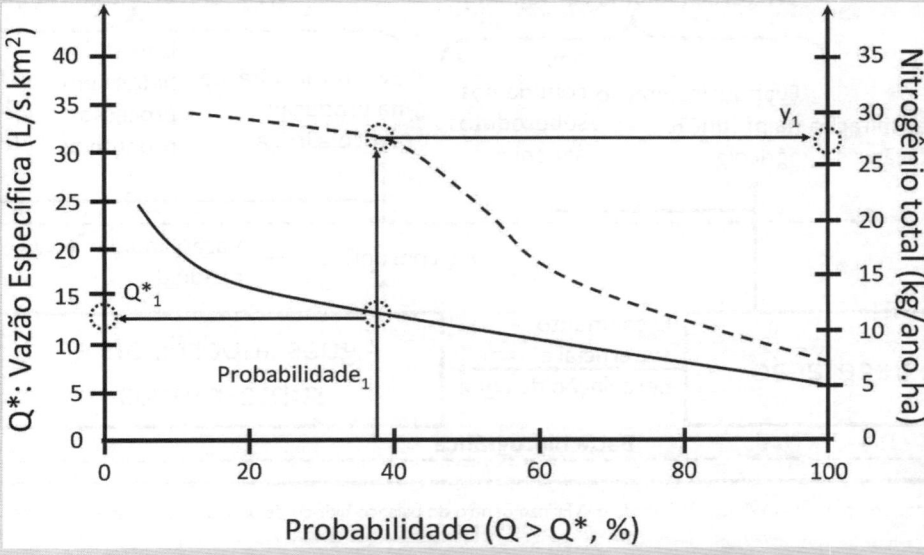

FIGURA 3.7 Regionalização de permanências de qualidade e quantidade de vazões.

Assim, a curva TMDL representa os limites de carga poluidora para cada medida de vazão. Nos Estados Unidos, diversos cursos de água estão sujeitos à regulamentação pela curva TDML, que especifica as normas de qualidade da água para bacias hidrográficas (Stringfellow et al., 2009). As curvas TMDL podem ser utilizadas para auxiliar o órgão ambiental no monitoramento e fiscalização da qualidade da água, pois possibilitam a análise da carga total máxima diária permitida de poluentes em condições críticas do corpo de água (Oliveira et al., 2011).

3.9 PEGADA HÍDRICA: QUANTIFICAÇÃO DO CONSUMO DOS FLUXOS DE ÁGUA AZUL E VERDE

A medida do consumo de água referente às parcelas de água verde e azul foi incorporada ao conceito de pegada hídrica (em inglês, *Water Footprint – WF*), sendo um indicador quantitativo formado pela soma de três componentes: WFazul, WFverde e WFcinza. As parcelas WFazul e WFverde distinguem-se pela origem da água utilizada. Como visto anteriormente, o valor de WFazul é resultante do uso consuntivo da água de fontes superficiais e subterrâneas (água azul), uma vez que esta é captada, pode ser incorporada ao produto ou processo e não retorna para a mesma bacia hidrográfica. A WFverde refere-se a uma parcela da precipitação, retida no solo (água verde) que é consumida durante o processo de crescimento da vegetação e é capaz de ser definida através de estimativas de evapotranspiração. A parcela WFcinza, ao contrário, é o uso não consuntivo de água azul para diluição de resíduos líquidos das atividades humanas, oriundos de poluição difusa ou pontual, até atingir os padrões de qualidade da água do corpo receptor, definido pela Resolução Conama nº 357/2005. Assim, os impactos ambientais advindos do consumo e poluição dos recursos hídricos são avaliados mediante um único indicador, a WF, que agrega as duas vertentes na unidade de volume de água doce (Hoekstra et al., 2011).

O valor da WF é capaz de indicar o consumo e a poluição de água doce ocasionada por indivíduos, comunidades, nações, atividades econômicas e áreas geográficas (Hoekstra & Hung, 2002; Hoekstra et al., 2011). Nesta última dimensão, a WF é definida pela quantidade de água consumida e poluída nos limites de uma determinada região, sendo o somatório das WFs referentes aos processos ou atividades presentes na área (Hoekstra & Chapagain, 2008). A avaliação espacial da sustentabilidade da WF total é melhor conduzida em uma unidade hidrológica, como uma bacia hidrográfica, em virtude da determinação da disponibilidade hídrica e da alocação justa dos usos da água (Aldaya et al., 2010). Os componentes da WF (WFazul, WFverde e WFcinza) relacionam-se dentro da bacia hidrográfica conforme exposto na Figura 3.8.

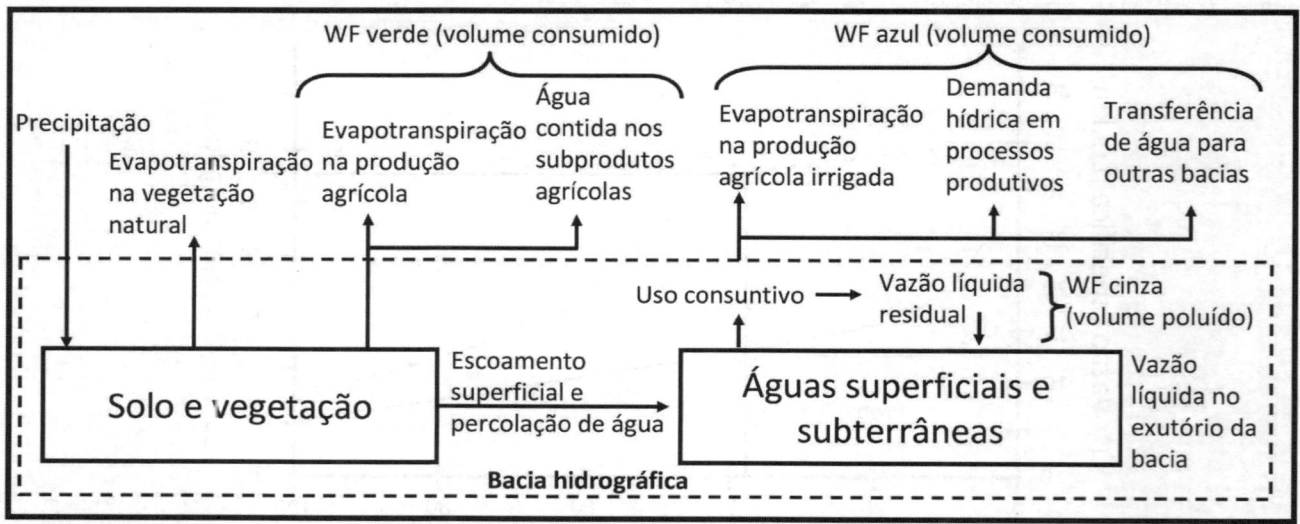

FIGURA 3.8 Ilustração dos componentes WFazul, WFverde e WFcinza dentro do balanço hídrico de uma bacia hidrográfica. *Fonte: Adaptado de Hoekstra et al. (2011).*

Além do consumo direto de água, o valor de WF também é capaz de englobar o consumo indireto de água, através da quantificação dos fluxos de água virtual de entrada e saída na cadeia de processos envolvidos nas atividades humanas. Portanto, os componentes virtuais da WF acrescentam uma dimensão global ao planejamento de recursos hídricos. Em geral, nos planos brasileiros de bacias hidrográficas, as estatísticas convencionais de demanda hídrica são calculadas com base em captações de águas superficiais e subterrâneas. Por outro lado, na Espanha, uma recente ordem ministerial (ARM/2656/2008) estabeleceu a inclusão do conceito de WF no desenvolvimento de planos de bacias (Velázquez et al., 2011). Nesse sentido, pesquisas estão sendo realizadas no sentido de inserir a WF no contexto da gestão de recursos hídricos brasileiros (Rodrigues et al., 2010; Rodrigues et al., 2011b).

Exercício 3.5:
Em Agosto de 2017, um Decreto liberou uma antiga área protegida, intacta, localizada na Amazônia Legal Brasileira para usos múltiplos de mineração, agricultura e pecuária. Uma parte desta área é delimitada por uma bacia hidrográfica de 50 km² de área de drenagem. Dados: P = 1950 mm, ETR(floresta nativa) = 1460 mm; DBO(mineração) = 950 mg/L, DBO(admissível em rios) = 5 mg/L, ETR (agricultura) = 1200 mm; fração de área (da bacia) para mineração = 5%, fração de área (da bacia) para agricultura = 20%, fração de área(da bacia) para pecuária = 25%. número máximo autorizado de cabeças de gado: 10.000, demanda hídrica de um animal (bovino) = 400 L/dia/animal. Compare os balanços hídricos dessa bacia em duas situações: "antes"(como área protegida) e "depois" (com usos múltiplos autorizados pelo Decreto). Discuta seus resultados a partir dos conceitos de fluxos de água azul e verde, incluindo aspectos de pegada hídrica cinza e cargas poluidoras.

3.10 AVALIAÇÃO DA PEGADA HÍDRICA E GESTÃO QUALI-QUANTITATIVA DE FLUXOS DE ÁGUA AZUL E VERDE

"A chuva e a neve descem dos céus e não voltam para ele sem regarem a terra e fazerem-na brotar e florescer, para ela produzir semente para o semeador e pão para o que come" (*Livro de Isaías 55:10*). Considera-se a existência de três categorias de consumidores de fluxos ambientais: natureza, culturas agrícolas e demais atividades humanas (Figura 3.9).

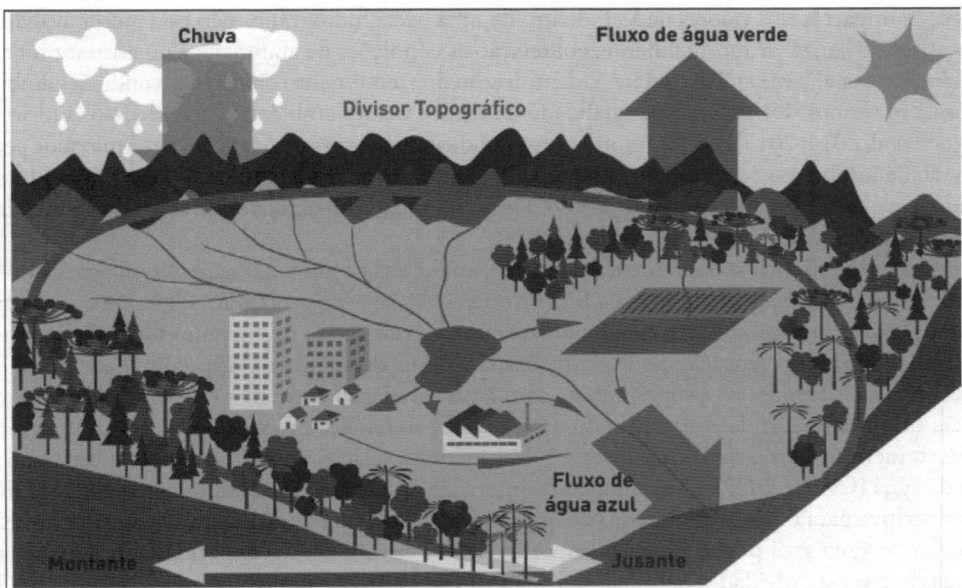

FIGURA 3.9 Fluxos de água verde e azul na bacia hidrográfica. *Fonte: Lima (2010).*

No caso das demandas da natureza, é primordial o atendimento de exigências de água verde para os ecossistemas terrestres e água azul para os ecossistemas aquáticos. Os primeiros são formados por áreas de preservação, na forma de fragmentos de florestas ou de vegetação nativa, constituem importantes funções ecossistêmicas, promovem o incremento no processo de retenção de água na vertente da bacia hidrográfica e produzem elevados valores de evapotranspiração. Assim, deve-se estabelecer o valor total de água verde correspondente aos ecossistemas terrestres protegidos como valor mínimo e restritivo de demanda hídrica verde na bacia.

Por sua vez, o fluxo de água azul em rios subdivide-se, essencialmente, em duas partes: vazão disponível para uso consuntivo e vazão ecológica ou ambiental, necessária para conservação do ecossistema aquático. O regime hidrológico deve manter a variabilidade de vazão semelhante aos padrões naturais (Naiman et al., 2002; Collischonn et al., 2005). Desse modo, os ecossistemas aquáticos também podem ser considerados como usuários de água, tendo em vista a necessidade da manutenção de um determinado padrão de regime hidrológico, com aceitável qualidade da água, para conservação de sua integridade nos cursos de água (Cruz & Tucci, 2008; Gupta, 2008; Zhang & Xia, 2009). No caso brasileiro, as vazões mínimas ou ecológicas são definidas conforme regulamentação de cada estado (por exemplo, vazões de permanência Q_{95}, Q_{90} ou $Q_{7,10}$). Na Figura 3.10, estão representadas situações nas quais esses requisitos ambientais não são atendidos.

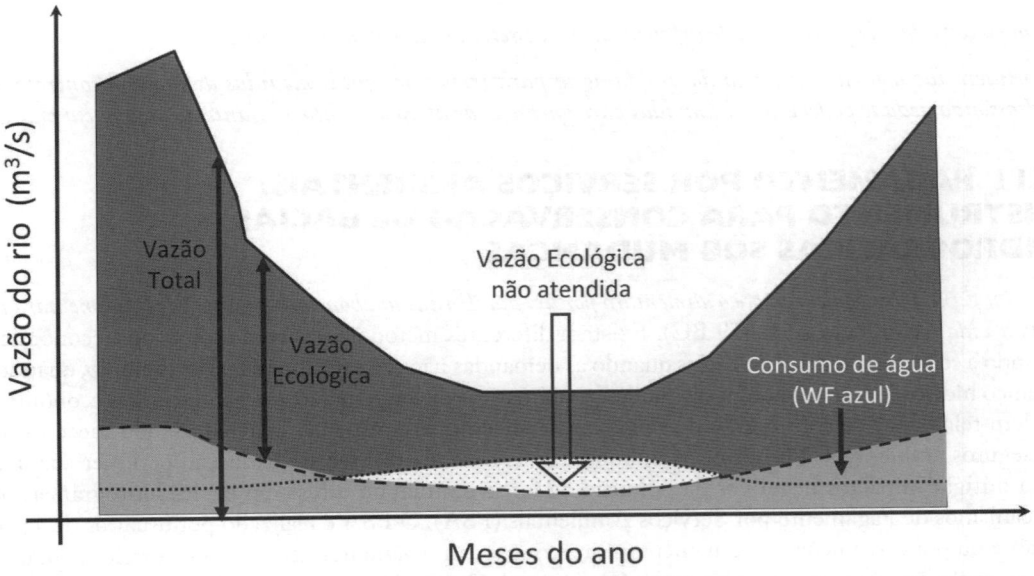

FIGURA 3.10 Representação do não atendimento da vazão ecológica. *Fonte: Adaptado de Hoekstra et al. (2011).*

Logo, os impactos dos valores de WF dentro de uma bacia hidrográfica não podem ser avaliados em termos absolutos, mas, primordialmente, em relação às condições de abundância ou escassez hídrica do local (Hoekstra et al., 2011). Isso requer a identificação do atendimento ou não das condições ambientais mínimas, em termos dos padrões de qualidade da água e vazões ambientais dos recursos hídricos (ver Rodrigues et al, 2014; 2015). Os locais onde essas condições não são satisfeitas em determinados períodos do ano são denominados *hotspots*, os quais estão altamente suscetíveis a problemas de escassez hídrica em quantidade e qualidade (Van Oel et al., 2009). Desse modo, o planejamento de ações de gerenciamento da demanda hídrica deve priorizar os *hotspots*.

Buscando o atendimento das demandas hídricas ambientais e humanas, a gestão integrada do solo e dos recursos hídricos (*Integrated Land and Water Resources Management – ILWRM*) propõe um mecanismo de *trade-off* para alocação dos fluxos ambientais entre as categorias de consumidores (Falkenmark & Rockstrom, 2006). Essa alocação pode ser realizada a partir da análise da disponibilidade de água azul e verde na bacia, definida, no primeiro caso, com base na relação entre fluxo superficial (vazão média) e a vazão mínima permitida e, no segundo caso, na relação entre a precipitação e a evapotranspiração. Assim, são identificadas quatro condições resultantes dessa relação entre disponibilidades e limitações do uso da água (Calder, 2007). Dependendo da interação dessas duas relações, a região pode ser mais ou menos restritiva para o desenvolvimento de qualquer atividade que demanda muita água (Lima, 2010).

O fluxo de água azul possui especial importância em virtude da sua capacidade de suprimento da demanda de diversas atividades humanas, seja na forma de usos consuntivos ou não consuntivos. Tendo em vista a preocupação com os múltiplos usos e usuários, aplica-se o conceito de **hidrossolidariedade**, buscando-se estabelecer estratégias para a manutenção do equilíbrio do fluxo de água azul e o aumento da oferta de água a jusante, em termos qualitativos e quantitativos (Falkenmark & Folke, 2002). Em relação às culturas agrícolas, as mudanças no percentual de utilização dos fluxos de água verde e azul, como a adoção de variedades de cultivo com maior eficiência hídrica (t/m^3), promovem a redução das necessidades de irrigação e permitem o incremento da disponibilidade hídrica, na forma de água azul.

Estima-se que as vegetações naturais, na forma de floresta tropical e savana, consumam em torno de 1.146 mm/ano e 556 mm/ano, respectivamente, enquanto as pastagens (gramíneas) constituem uma demanda de água verde de 258 mm/ano (Gordon et al., 2005). Ressalta-se que não se deve considerar a substituição da vegetação natural visando a mudanças no consumo de água pela bacia hidrográfica, pois esta promove importantes serviços ambientais insubstituíveis por culturas agrícolas, que são instituídas com propósito econômico. Esforços devem ser realizados no sentido de máximo aproveitamento da água verde. A produção de grãos na Austrália destaca-se pela não utilização da irrigação (modo *rainfed*), o que contribui para a minimização da escassez hídrica do local (Ridoutt, 2009), bem como para a aplicação do conceito de hidrossolidariedade.

Exercício 3.6:

De que maneira a pegada hídrica e a água virtual contribuem para a caracterização da demanda hídrica de bacias hidrográficas?

Como o consumo de produtos pode influenciar a escassez hídrica em outros locais?

Considerando a predominância do uso da água para irrigação, quais medidas de manejo concretas de hidrossolidariedade poderiam ser tomadas para garantia de abastecimento a jusante de uma bacia padrão?

3.11 PAGAMENTO POR SERVIÇOS AMBIENTAIS: INSTRUMENTO PARA CONSERVAÇÃO DE BACIAS HIDROGRÁFICAS SOB MUDANÇAS

"Dê um peixe a um homem e você o alimentará por um dia. Ensine um homem a pescar e você o alimentará por toda a vida" (Confúcio, 551-479 BC). Existem diferentes metodologias com indicadores econômicos visando a segurança hídrica de bacias quando as demandas não são estacionárias. Por exemplo, quando o balanço hídrico incorpora potenciais mudanças climáticas de longo prazo, estes indicadores econômicos podem relacionar-se com o grau de solvência financeira para mitigar impactos usando mecanismos de seguros ambientais (Mohor & Mendiondo, 2017). Também, essa securitização pode ser adaptada para mitigar impactos negativos da poluição de fonte pontual ou difusa em bacias hidrográficas por mecanismos de Pagamento por Serviços Ambientais (PSA). O PSA é realizado por usuários de água a jusante ou por instituições governamentais que contribuam voluntariamente para o custeio de práticas de conservação promovidas a montante (Engel et al., 2008). Os serviços ambientais representam os benefícios de que a população desfruta a partir de funções do ecossistema (Costanza et al., 1997, 1998).

Assim, o PSA envolve uma transação financeira voluntária entre compradores e fornecedores de um serviço ambiental específico (Wunder, 2005) e se sustenta no princípio do provedor-recebedor, em substituição ao tradicional poluidor-pagador (Kosoy et al., 2007; Engel et al., 2008).

Por um lado, o PSA é um mecanismo baseado na compensação de ações de conservação, que torna a gestão de bacias hidrográficas mais eficiente em relação ao princípio poluidor-pagador, estabelecido na Política Nacional do Meio Ambiente (Lei Federal 6.938/1981). Assim, o PSA é considerado uma dentre as várias opções de adaptação baseada em ecossistemas (*Ecosystem-based Adaptation*, ou EbA) utilizadas em bacias sob mudanças (Taffarello et al, 2017). Os benefícios dos serviços ambientais não são favoráveis somente aos usuários da bacia que executam práticas de conservação, mas à sociedade como um todo, seja no curto ou no longo prazo. A Constituição Federal de 1988 impõe ao poder público e à coletividade o dever de defender e preservar o meio ambiente ecologicamente equilibrado para as presentes e futuras gerações. Vale ressaltar que a Política Nacional dos Serviços Ambientais está em formulação por meio dos Projetos de Lei da câmara dos deputados 792 /2007; 5.487/2009; 312/2015; e do Senado 276/2013.

Por outro lado, o uso do solo é capaz de prover uma variedade de serviços ambientais a partir da regulação de fluxos hidrológicos, de carbono e da biodiversidade (Pagiola et al., 2005; Wunder, 2007). Em diversos países, programas de PSA foram aplicados à conservação dos recursos hídricos por meio da preservação de florestas e atividades de reflorestamento, tais como: Equador (Wunder & Alban, 2008), Costa Rica (Pagiola, 2008), México (Muñoz-Piña et al., 2008) e Bolívia (Asquith et al., 2008). Também, no Reino Unido (Dobbs & Pretty, 2008), China (Bennett, 2008) e Estados Unidos (FSA, 1985) há incentivos econômicos para práticas agrícolas de conservação.

Os Estados Unidos implementam, desde 1985, um programa de PSA, denominado *Conservation Reserve Program (CRP)*, que promove incentivo econômico para práticas de conservação do solo em propriedades rurais (FSA, 1985). O programa CRP encontra-se aplicado em 13,7 milhões de hectares (USDA, 2008). Estima-se que já foram investidos US$2,91 para retenção de cada tonelada de solo (Pimentel et al., 1995). Uri & Lewis (1998) apontam que, após a implantação do programa, houve redução na perda de solo de, aproximadamente, 3,4 bilhões de toneladas em 1982 para cerca de 2,0 bilhões em 1997. Além disso, diversas cidades dos Estados Unidos observaram que investimentos em conservação do solo e preservação de florestas em bacias hidrográficas revelam-se financeiramente vantajosos em virtude de abatimentos nos custos de processos de tratamento de água para fins de consumo humano (Postel & Thompson, 2005). Além dos benefícios *off-site* de tais investimentos, constatam-se, também, vantagens econômicas no incremento da produtividade *on-site* (Sharda et al., 2010).

No Brasil, existe o programa de serviços ambientais "Produtor de Água", desenvolvido pela Agência Nacional de Águas. O programa brasileiro se baseia, essencialmente, em incentivos financeiros proporcionais aos benefícios ambientais relacionados com a redução da erosão advinda da implantação de projetos de conservação. O programa objetiva, primordialmente, a melhoria da qualidade da água e o aumento das vazões médias dos rios em bacias hidrográficas de importância estratégica para o país. É um programa de adesão voluntária de produtores rurais que se proponham a adotar práticas e manejos conservacionistas (Chaves et al., 2004; ANA, 2008; ANA, 2012). Desse modo, o PSA tem ganhado considerável relevância no contexto da gestão efetiva dos recursos hídricos brasileiros, levando em conta as diversas iniciativas promovidas por parte de municípios, comitês de bacia hidrográfica e governo federal para execução de projetos de incentivos aos produtores rurais visando à conservação do solo da água em suas propriedades (Pagiola, 2011).

O PSA deve estar associado a ferramentas de suporte científico para quantificação precisa e viável dos benefícios dos serviços ambientais (Yang et al., 2010). Atualmente, o número de sistemas de PSA no mundo, bem como de pesquisas e de avaliação de projetos piloto, ainda são limitados (Zabel & Roe, 2009). A integração de conceitos, métodos, experiências e a consideração de peculiaridades locais podem gerar relevantes políticas de serviços ambientais (Lele, 2009). Os serviços ambientais oferecidos por bacias hidrográficas podem ser mensurados por alterações positivas nas medidas de escoamento superficial, vazão de cursos de água, erosão do solo e produção de sedimentos (Pattanayak, 2004). Além disso, é importante que haja um planejamento estratégico de PSA, direcionando os recursos financeiros a áreas críticas ou com maior vulnerabilidade e que a elaboração de projetos de PSA leve em conta características específicas da área de aplicação (Rodrigues et al., 2011a).

No Brasil, diversos projetos encontram-se em execução: i) Departamento de Meio Ambiente de Extrema – Conservador de Águas (MG); ii) Ana/TNC – Produtor de Água, Bacia PCJ (SP); iii) Instituto Terra – Produtores de Água e Florestas – Bacia Guandu (RJ); iv) Instituto BioAtlântica/IEMA – Produtores de Água – Bacia Benevente (ES); v) IEMA – Produtores de Água – Bacia Guandu (ES); vi) Fundação Grupo Boticário de Proteção à Natureza – Oásis (SP); vii) Fundação Grupo Boticário de Proteção à Natureza – Oásis (PR);

viii) Fundema – Programa de Gestão Ambiental da Região dos Mananciais (SC). Uma síntese de projetos de PSA, sua abrangência na Mata Atlântica brasileira e diretrizes para monitoramento e avaliação eco-hidrológica dos serviços ambientais são apresentadas por Taffarello et al (2017). Por sua vez, Mohor & Mendiondo (2017) apresentam vários tipos de indicadores econômicos de pagamentos para manutenção de serviços de provisão de água em bacias afluentes a mananciais públicos, sujeitos às mudanças climáticas e às variações de demandas, usando diferentes modelos hidrológicos e em diferentes tamanhos de bacias hidrográficas.

REVISÃO DOS CONCEITOS APRESENTADOS

Diversos locais no Brasil e no mundo já se encontram sob ameaça de elevados riscos de escassez hídrica em virtude de déficits em qualidade ou quantidade de água para atendimento dos múltiplos usos de uma crescente população. A escassez hídrica constitui uma ameaça à segurança alimentar e econômica da população mundial, o que reforça a necessidade de medidas estruturais e não estruturais que busquem a segurança hídrica.

No Brasil, a adoção de bacias hidrográficas como unidade de gestão dos recursos hídricos possui vantagens e desafios. A bacia hidrográfica é uma escala espacial capaz de abrigar tanto os principais processos hidrológicos que subsidiam a mensuração da disponibilidade hídrica, quanto os impactos do conjunto de atividades humanas presentes nos limites da bacia. No entanto, o modelo de gestão por bacias ainda necessita de ajustes no contexto institucional. A caracterização ambiental visando ao gerenciamento de bacias hidrográficas compreende aspectos gerais e um detalhamento no caráter morfológico da bacia. Trata-se da fase inicial, que dá suporte para uma visão geral das diferenças entre bacias e seus respectivos comportamentos hidrológicos. O tamanho ideal de bacias de estudo ainda é tema de discussão e depende do fator de interesse, mas uma bacia pode ser analisada de modo gradativo através da sua subdivisão em bacias embutidas ou sub-bacias. A avaliação hidrológica da antropização ou alterações no uso do solo da bacia também pode ser realizada em diversas escalas, por meio de diferentes abordagens e níveis de detalhamento do balanço hídrico. Nesse contexto, insere-se a visão do balanço de fluxos de água verde e azul como forma de gestão da bacia e da prática da hidrossolidariedade, na qual se promove a maior eficiência hídrica, a qual é incentivada em prol de outros usos e usuários de água, bem como o atendimento de demandas ambientais (na forma de água verde para os ecossistemas terrestres e de água azul para os ecossistemas aquáticos).

A utilização dos fluxos ambientais nas atividades humanas é quantificada pela pegada hídrica, um indicador de consumo e poluição dos recursos hídricos, formado pelos componentes verde, azul e cinza, sendo os dois primeiros de consumo e o último, de poluição. Esforços para redução da pegada hídrica e conservação de bacias podem ser economicamente incentivados pelo pagamento por serviços ambientais, em que são realizados projetos visando à proteção e restauração de ecossistemas terrestres e aquáticos à continuidade dos serviços ambientais oferecidos pelas bacias hidrográficas.

SUGESTÕES DE LEITURA COMPLEMENTAR

- Site: Online Training in Watershed Management <*http://cfpub.epa.gov/watertrain/index.cfm*>
- Site: Watershed Education <*https://ohiowatersheds.osu.edu/resources*>
- Site: Water Footprint Network <*http://www.waterfootprint.org*>
- Site: Cursos de capacitação da Agência Nacional de Águas (ANA): <*https://capacitacao.ead.unesp.br/*>

AGRADECIMENTOS

Os autores declaram originalidade e inexistência de conflito de interesse. Este trabalho contou com apoio parcial do INCT-MC-II (Instituto Nacional de Mudanças Climáticas, Segurança Hídrica, CNPq 465501/2014-1, FAPESP 2014/50848-9 INCT-II, CAPES/PROEX do PPGSHS/EESC/USP, atuando nos laboratórios NIBH (Núcleo Integrado de Bacias Hidrográficas) e do The WADI Lab (The Water-Adaptive Design & Innovation Lab). A primeira autora agradece à CAPES pelo apoio financeiro durante a execução deste trabalho. O segundo autor foi apoiado por recursos do CNPq (Projetos 441289/2017-7 e 306830/2017-5). A terceira autora agradece à CAPES pela bolsa de pós-doutorado CAPES/PNPD-SHS/EESC e à FIPAI pela bolsa de aperfeiçoamento pedagógico (Processo FB-015/18).

Referências

Agência Nacional de Águas (ANA). (2008). *Manual Operativo do Programa Produtor de Água*. Brasília: Superintendência de Usos Múltiplos.

_____. (2010). *Atlas Brasil: Abastecimento Urbano de Água* (Panorama Nacional). Brasília: ANA, Engecorps, Cobrape, v. 1, 68 p.

_____. (2012) *Programa Produtor de água*. Disponível em: <ww.ana.gov.br/produagua>. Acesso: janeiro 2012.

ALDAYA, M., MARTÍNEZ-SANTOS, P., LLAMAS, M. (2010) Incorporating the Water Footprint and Virtual Water into Policy: Reflections from the Mancha Occidental Region. Espanha: *Water Resources Management*, v. 24, p. 941-958.

ALLAN, J.A. (1993) Fortunately there are substitutes for water otherwise our hydro-political futures would be impossible. In: *Priorities for water resources allocation and management*. Londres: Overseas Development Administration, pp.13-26.

ALLAN, J.A. (1994) Overall perspectives on countries and regions. In: ROGERS, P., LYDON, P. (editores). *Water in the Arab world: perspectives and prognoses*. Cambridge: Harvard University Press, 388 p.

ALLAN, T. (2011) *Virtual water: tackling the threat to our planet's most precious resource*. Nova York: I.B.Tauris & Co Ltd., 384 p.

ALLEN, R.G., PEREIRA, L.S., RAES, D., SMITH, M. (1998) Crop evapotranspiration: Guidelines for computing crop water requirements. Rome: Food and Agricultural Organization. (FAO Irrigation and Drainage Paper 56).

ALVES SOBRINHO, T., OLIVEIRA, P.T.S., RODRIGUES, D.B.B., AYRES, F.M. (2010) Delimitação automática de bacias hidrográficas utilizando dados SRTM. *Engenharia Agrícola (Impresso)*, <htp://www.ana.gov.br/Produagua>.v. 30, p. 46-57.

ANGILLIERI, M.Y.E. (2012) Morphometric analysis of Colangüil river basin and flash flood hazard, San Juan, Argentina. *Environmental Geology*, v. 55, n. 1, p.107-111.

ANISFELD, S.C. (2010) *Water resources*. Island Press, Washington, Estados Unidos, 330 p.

ASQUITH, N.M., VARGAS, M.T., WUNDER, S. (2008) Selling two environmental services: In-kind payments for bird habitat and watershed protection in Los Negros, Bolivia. *Ecological Economics*, v. 65, n. 4, p. 675-684.

BBC (2018) "Will Cape Town be the first city to run out of water?". Disponível em: <http://www.bbc.com/news/business-42626790>. Acesso em: Fevereiro de 2018.

BENNETT, M.T. (2008) China's sloping land conversion program: institutional innovation or business as usual? *Ecological Economics*, v. 65, n. 4, p. 699-711.

BOOYSEN, M.J., VISSER, M., BURGER, R. (2019) Temporal case study of household behavioral response to Cape Town's "Day Zero" using smart meter data. *Water Research*, 149, 414-420 https://doi.org/10.1016/j.watres.2018.11.035.

BORGES, A.C., MENDIONDO, E.M. (2008) Comparação entre equações empíricas para estimativa da evapotranspiração de referência na Bacia do Rio Jacupiranga. *Revista Brasileira de Engenharia Agrícola e Ambiental*, v. 11, n. 3, p. 293-300.

BOTTINO, F. (2008) *Análise experimental e numérica da qualidade d'água visando a ecohidrologia fluvial de pequenas bacias: estudo de caso do Rio Canha, Baixo Ribeira de Iguape, SP*. Dissertação de Mestrado. Universidade de São Paulo, 188 p.

BRAGA, B.P.F, FLECHA, R., PENA, D.S., KELMAN, J. (2008) Pacto federativo e gestão de águas. *Estudos avançados*, v. 22, n. 63, p. 17-42.

BRAGA, B.P.F., PORTO, M., TUCCI, C.E.M. (2006) Monitoramento de quantidade e qualidade das águas. In: REBOUÇAS, A.C., BRAGA, B., TUNDISI, J.G. *Águas doces no Brasil: capital ecológico, uso e conservação*. São Paulo: Escrituras Editora, 703 p.

BRASIL. (1981) *Lei Federal nº 6.938*. Dispõe sobre a Política Nacional do Meio Ambiente, seus fins e mecanismos de formulação e aplicação, e dá outras providências. Brasília: Diário Oficial da União de 31 de agosto de 1981.

_____. (1991) *Lei Federal nº 8.171*. Dispõe sobre a política agrícola. Brasília: Diário Oficial da União de 18 de janeiro de 1991.

_____. (1997) *Lei Federal nº 9.433*. Institui a Política Nacional de Recursos Hídricos, Cria o Sistema Nacional de Gerenciamento de Recursos Hídricos, e dá Outras Providências. Brasília: Diário Oficial da União de 9 de janeiro de 1997.

_____. (2005) *Resolução Conama nº 357*. Dispõe sobre a classificação dos corpos de água e diretrizes para o seu enquadramento, bem com estabelece as condições e padrões de lançamento de efluentes, e dá outras providências. Brasília: Diário Oficial da União, 18 de março de 2005.

_____. (2009) *Projeto de Lei nº 5.487*. Institui a Política Nacional dos Serviços Ambientais, o Programa Federal de Pagamento por Serviços Ambientais e estabelece formas de controle e financiamento desse Programa. Brasília, 1 de julho de 2009. Disponível em: <http://www.camara.gov.br/sileg/Prop_Detalhe.asp?id=439941>. Acesso: jan. 2011.

BROOKS, K.N., FFOLLIOTT, P.F., GREGERSEN, H.M., DEBANO, L.F. (2003) *Hydrology and the management of watersheds*. Iowa: Iowa State University Press, 574 p.

CALDER, I.R. (2007). Forests and water: ensuring forest benefits outweigh water costs. *Forest Ecology and Management*, v. 251, p. 110-120.

CALKINS, D., DUNNE, T. (1970) A salt tracing method for measuring channel velocities in small mountain streams. *Journal of Hydrology*, v. 11, n. 4, p. 379–392.

CHARTRES, C. J., VARMA, S. (2011) *Out of water: from abundance to scarcity and how to solve the world's water problems*. New Jersey: FT Press, 230 p.

CHAVES, H.M.L., BRAGA, B., DOMINGUES, A.F., SANTOS, D.G. (2004) Quantificação dos benefícios ambientais e compensações financeiras do "Programa do Produtor de Água" (ANA): I. Teoria. *Revista Brasileira de Recursos Hídricos*, v. 9, n. 3, p. 5-14.

CHOW, V.T., MAIDMENT, D.R., MAYS, L.W. (1988) Applied hydrology, New York: McGraw-Hill.

COLLISCHONN, W., AGRA, C. F., FREITAS, G. K., PRIANTE, G. R., TASSI, R., SOUZA, C. F. (2005) *Em busca do hidrograma ecológico*. In: XVI Simpósio Brasileiro de Recursos Hídricos, João Pessoa, nov. 2005. Anais... João Pessoa: Associação Brasileira de Recursos Hídricos - ABRH. CD-ROOM.

COSTA, E.L., SILVA, A.M. da, COLOMBO, A., ABREU, A.R. de (1999) Infiltração de água em solo, determinada por simulador de chuvas e pelo método dos anéis. *Revista Brasileira de Engenharia Agrícola e Ambiental*, v. 3, n. 2, p. 131-134.

COSTANZA, R., D'ARGE, R., DE GROOT, R. et al. (1998) The value of the world's ecosystem services and natural capital. *Ecological Economics*, v. 25, p. 3-15.

_____. (1997) The value of the world's ecosystem services and natural capital. *Nature*, v. 15, p. 253-260.

CRUZ, J.C., TUCCI, C.E.M. (2008) Estimativa da disponibilidade hídrica através da curva de permanência. *Revista Brasileira de Recursos Hídricos*, v. 13, n. 1, p. 111-124.

DE SCALLY, F., SLAYMAKER, O., OWENS, I. (2001) Morphometric Controls and Basin Response in The Cascade Mountains. *Geografiska Annaler: Series A, Physical Geography*, v. 83, n.3, p. 117-130.

DOBBS, T.L., PRETTY, J. (2008) Case study of agri-environmental payments: the United Kingdom. *Ecological Economics*, v. 65, n. 4, p.766-776.

DUNNE, T., LEOPOLD, L.B. (1978) *Water in environmental planning*. Nova York: W. H. Freeman, 818 p.

El País (2015) Efeito dominó da seca afetará toda a economia, começando pela alface. Disponível em: <https://brasil.elpais.com/brasil/2015/01/28/economia/1422463421_541248.html>. acesso em: fevereiro de 2018.

ENGEL, S., PAGIOLA, S., WUNDER, S. (2008) Designing payments for environmental services in theory and practice: An overview of the issues. *Ecological Economics*, v. 65, p. 663-674.

FADER, M., GERTEN, D., THAMMER, M. et al. (2011) Internal and external green-blue agricultural water footprints of nations, and related water and land savings through trade. *Hydrology and Earth System Sciences*, v. 15, n. 5, p. 1641-1660.

FALKENMARK, M., FOLKE, C. (2002) The ethics of socio-ecohydroecological catchment management: Towards hydrosolidarity. *Hydrology and Earth System Sciences*, v. 6, p. 1-9.

FALKENMARK, M., ROCKSTROM, J. (2006) The new blue and green water paradigm: breaking new ground for water resources planning and management. *Journal of Water Resources Planning and Management*, v. 132, n. 3, p. 129-132.

_____. (2010) Building water resilience in the face of global changefrom a blue-only to a green-blue water approach to land-water management. *Journal of Water Resources Planning and Management*, v. 136, n. 6, p. 606-610.

FAO (2011) Food and Agriculture Organization of the United Nations. *The state of the world's land and water resources for food and agriculture (SOLAW) – Managing systems at risk.* Rome: FAO, Londres: Earthscan.

FERREIRA, A.J.D., COELHO, C.O.A., BOULET, A.K., KEIZER, J.J., RITSEMA, C.J. (2008) Soil and water degradation processes in burned areas: lessons learned from a nested approach. *Catena*, n. 74, p. 273-285.

FFOLLIOTT, P.F., BOJORQUEZ-TAPIA, L.A., HERNANDEZ-NARVAEZ, M. (2001) *Natural resources management practices: a primer.* Iowa: Iowa State University Press. 237 p.

FREDRICK, K.C., BECKER, M.W., MATOTT, L.S., DAW, A., BANDILLA, K., FLEWELLING, D. M. (2007) Development of a numerical groundwater flow model using SRTM elevations. *Hydrogeology Journal*, v. 15, p. 171-181.

FREITAS, A.J. (2005) Gestão de recursos hídricos. In: SILVA, D.D., PRUSKI, F.F. *Gestão de recursos hídricos: Aspectos legais, econômicos, administrativos e sociais.* Universidade Federal de Viçosa. Viçosa: Associação Brasileira de Recursos Hídricos - ABRH, 2005. 659 páginas.

FSA – *Food Security Act of 1985.* (1985) United States, Public Law 99 – 198, Title XII: Conservation. 99 Stat. 1504, 23 dec. 1985.

GORDON, L., DUNLOP, M., FORAN, B. (2003) Land cover change and water vapour flows: learning from Australia. *Philosophical Transactions of the Royal Society of London – Series B: Biological Sciences*, v. 358, n. 1440, p. 1973-1984.

GORDON, L.J, STEFFEN, W., JÖNSSON, B.F, FOLKE, C., FALKENMARK, M., JOHANNESEN, A. (2005) Human modification of global water vapor flows from the land surface. *Proceedings of the National Academy of Sciences*, v. 102, n. 21, p. 7612-7617.

GRIMALDI, S., PETROSELLI, A., TAURO, F., PORFIRI, M. (2012) Time of concentration: A paradox in modern hydrology. *Hydrolog. Sci. J.* v. 57, p. 217–228.

GUPTA, A. (2008) Implication of environmental flows in river basin management. *Physics and chemistry of the Earth, Parts A/B/C*, v. 33, p. 298-303.

GUPTA, V.K., WAYMIRE, E., WANG, C.T. (1980) A representation of an instantaneous unit hydrograph from geomorphology. *Water Resource Research*, v. 16, n. 5, p. 855-862.

HEALY, R.W., WINTER, T.C., LABAUGH, J.W., ANDFRANKE, O.L. (2007) *Water budgets: foundations for effective water-resources and environmental management.* Estados Unidos: US Geological Survey Circular 1308, 90 p.

HOEKSTRA A.Y., HUNG P.Q. (2002) *Virtual water trade: a quantification of virtual water flows between nations in relation to international crop trade.* Unesco-IHE. Delft: Institute for Water Education, 66 p.

HOEKSTRA, A.Y., CHAPAGAIN, A.K. (2008) *Globalization of water: sharing the planet's freshwater resources.* Oxford: Blackwell Publishing., 208 p.

HOEKSTRA, A.Y., CHAPAGAIN, A.K., ALDAYA, M.M., MEKONNEN, M.M. (2011) *The water footprint assessment manual: setting the global standard.* Londres: Earthscan, 224 p.

KAISER, I.M., PORTO, R.M. (2005) Campos de Precipitação Parte I: Fundamentos Teóricos e Estudos Preliminares. *Revista Brasileira de Recursos Hídricos*, v. 10, n. 4, p. 99-111.

KIRPICH, Z. P. (1940) Time of concentration of small agricultural watersheds. *Civil Engineering*, v. 10, n. 6, p. 362.

KOSOY, N., MARTINEZ-TUMA, M., MURADIAN, R., MARTINEZ-ALIER, J. (2007) Payments for environ- mental services in watersheds: Insights from a comparative study of three cases in Central America. *Ecological Economics*, v. 61, p. 446-455.

LANNA, A.E. (1995) *Gerenciamento de Bacia Hidrográfica: aspectos conceituais e metodológicos.* Brasília: Instituto Brasileiro do Meio Ambiente e dos Recursos Naturais Renováveis.171 p.

LE, P. V.V., KUMAR, P., DREWRY, D.T. (2011) Implications for the hydrologic cycle under climate change due to the expansion of bioenergy crops in the Midwestern United States. *Proceedings of the National Academy of Sciences*, v. 108, n. 37, p. 15085-15090.

LELE, S. (2009) Watershed services of tropical forests: from hydrology to economic valuation to integrated analysis. *Current Opinion in Environmental Sustainability*, v. 1, p. 148-155.

LIBOS, M.I.P.C, ROTUNNO, O.F, ZEILHOFER, P. (2003) Modelagem da poluição não pontual na bacia do rio Cuiabá baseada em Geoprocessamento. *Revista Brasileira de Recursos Hídricos*, v. 8, n. 4, p. 113-135.

LIMA, W. P. (2010) *A silvicultura e a água: ciência, dogmas, desafios.* Rio de Janeiro: Instituto BioAtlântica, 64 p. (série Cadernos do Diálogo, v. 01).

LUDWIG, R., SCHNEIDER, P. (2006) Validation of digital elevation models from SRTM X-SAR for applications in hydrologic modeling. *Journal of Photogrammetry & Remote Sensing*, v. 60, p. 339-358.

MARENGO, J.A., NOBRE, C.A., SELUCHI, M. et al. (2016) A seca e a crise hídrica de 2014-2015 em São Paulo. Rev. USP, n. 116, p. 31–44.

MARTIN-ORTEGA, J., MARKANDYA, A. (2009) The costs of drought: the exceptional 2007-2008 case of Barcelona. BC3 Working Paper Series 2009-09. Basque Centre for Climate Change (BC3). Bilbao, Spain.

MCNAMARA, J., KANE, D., HINZMAN, L. (1998) An analysis of streamflow hydrology in the Kuparuk River Basin, Arctic Alaska: a nested watershed approach. *Journal of Hydrology*, v. 206, p. 39-57.

McCUEN, R.H., WONG, S.L., RAWLS, W.J. (1984) Estimating urban time of concentration. *Journal of Hydraulic Engineering*, v.110, n.7, p. 887-904.

MENDIONDO, E.M., TUCCI, C.E.M., CLARKE, R.T., CASTRO, N.M., GOLDENFUM, J., CHEVALLIER, P. (2007) Space-time observations in nested catchment experiments of representative basins-experiences gained and lessons learned to help the PUB initiative in the World's Biomes. In: SCHERTZER, D., HUBERT, P., KOIDE, S., TAKEUCHI, K. (editores). *Predictions in ungauged basins: PUB Kick-off.* Proceedings of the PUB Kick-off meeting, Brasilia, November 2002. Wallingford: IAHS International Association of Hydrological Sciences, p.164-172, (IAHS Publication 309).

MENDIONDO, E.M. (1995) *Integração das Escalas Hidrológicas nas Sub-Bacias Embutidas do Rio Potiribu, RS.* Dissertação de Mestrado. Universidade Federal do Rio Grande do Sul (UFRGS).248 p.

MOHOR, G.S., MENDIONDO, E.M. (2017) Economic indicators of Hydrologic Drought Insurance Under Water Demand & Climate Change Scenarios in a Brazilian Context, *Ecological Economics*, DOI: 10.1016/j.ecolecon.2017.04.014

MITCHELL, V.G., MCMAHON, T.A., MEIN, R.G. (2003) Components of the total water balance of an urban catchment. *Environmental Management*, v. 32, p. 735-746.

MONTANARI, A. et al. (2013) Panta Rhei—Everything Flows: Change in hydrology and society—The IAHS Scientific Decade 2013–2022. *Hydrological Sciences Journal*, v. 58, n. 6, p. 1256-1275.

MONTESINOS, P., CAMACHO, E., CAMPOS, B., RODRÍGUEZ-DÍAZ, J.A. (2011) Analysis of Virtual Irrigation Water. Application to Water Resources Management in a Mediterranean River Basin. *Water Resources Management*, v. 25, n. 6, p. 1635-1651.

MOUSSA, R. (2003) On morphometric properties of basins, scale effects and hydrological response. *Hydrological Processes*, v. 17, n. 1, p. 33-58.

MUÑOZ-PIÑA, C., GUEVARA, A., TORRES, J.M., BRAÑA, J. (2008) Paying for the hydrological services of Mexico's forests: analysis, negotiations and results. *Ecological Economics*, v. 65, n. 4, p. 725-736.

NAIMAN, R. J., BUNN, S.E., NILSSON, C., P ETTS, G.E., PINAY, G., THOMPSON, L.C. (2002) Legitimizing fluvial ecosystems as users of water: an overview. *Environmental Management*, v. 30, p. 455-467.

OKI, T., KANAE, S. (2006) Global hydrological cycles and world water resources. *Science*, v. 313, p. 1068-1072.

OLIVEIRA, L.L., COSTA, R.F., SOUSA, F.A., COSTA, A.C.L., BRAGA, A.P. (2008) Precipitação efetiva e interceptação em Caxiuanã, na Amazônia Oriental. *Acta Amazonica*, v. 38, n. 4, p. 723-732.

OLIVEIRA, P.T.S., ALVES SOBRINHO, T., STEFFEN, J.L., RODRIGUES, D.B.B. (2010) Caracterização morfométrica de bacias hidrográficas através de dados SRTM. *Revista Brasileira de Engenharia Agrícola e Ambiental*, v. 14, n. 8, p. 819-825.

OLIVEIRA, P.T.S., RODRIGUES, D.B.B., ALVES SOBRINHO, T., PANACHUKI, E. (2011) Integração de informações quali-quantitativas como ferramenta de gerenciamento de recursos hídricos. *Revista de Estudos Ambientais*, v. 13, p. 18-27.

OLIVEIRA, P.T.S., WENDLAND, E., NEARING, M.A., SCOTT, R.L., ROSOLEM, R., da ROCHA, H.R. (2015) The water balance components of undisturbed tropical woodlands in the Brazilian cerrado. *Hydrology and Earth System Sciences*, 19, 2899-2910. doi:10.5194/hess-19-2899-2015.

OZDEMIR, H., BIRD, D. (2009) Evaluation of morphometric parameters of drainage networks derived from topographic maps and DEM in point of floods. *Environmental Geology*, v. 56, n. 7, p. 1405-1415.

PAGIOLA, S. (2008) Payments for environmental services in Costa Rica. *Ecological Economics*, v. 65, n. 4, p. 712-724.

PAGIOLA, S. (2011) *Pagamentos por Serviços Ambientais Teoria e Experiências no Brasil*. In: Workshop sobre Experiências de Pagamentos por Serviços Ambientais (PSA) no Brasil, São Paulo. Disponível em: <http://sigam.ambiente.sp.gov.br/sigam3/Repositorio/222/Documentos/2011_Seminario%20PSA/Pagiola.pdf>. Acesso: abr. 2011.

PAGIOLA, S., ARCENAS, A., PLATAIS, G. (2005) Can payments forenvironmental services help reduce poverty? An exploration of the issues and the evidence to date from Latin America. *World Development*, v. 33, n. 2, p. 237-253, 2005.

PATTANAYAK, S.K. (2004) Valuing watershed services: concepts and empirics from southeast Asia. *Agriculture, Ecosystems & Environment*, v. 104, p. 171-184.

PERRY, C., STEDUTO, P., ALLEN, R.G., BURT, C.M. (2009) Increasing productivity in irrigated agriculture: Agronomic constraints and hydrological realities. *Agricultural Water Management*, v. 96, p. 1517–1524.

PILGRIM, D.H. (1975) Travel times and nonlinearity of flood runoff from tracer measurements on a small watershed. *Water Resources Research*, v. 12, p. 487–496.

PIMENTEL, D., HARVEY, C., RESOSUDARMO, P. et al. (1995) Environmental and economic costs of soil erosion and conservation benefits. *Science*, v. 267, n. 5201, p. 1117-1123.

PORTO, M.F.A., PORTO, R.L.L. (2008) Gestão de bacias hidrográficas. *Estudos Avançados*, v.22, n. 63, p. 43-60.

POSTEL, S.L., THOMPSON, B.H. (2005) Watershed protection: Capturing the benefits of nature's water supply services. *Natural Resources Forum*, v. 29, p. 98-108.

RABUS, B., EINEDER, M., ROTH, A., BAMLER, R. (2003) The shuttle radar topography mission: a new class of digital elevation models acquired by spaceborne radar. *ISPRS Journal of Photogrammetry & Remote Sensing*, v.57, n.4. p. 241-262.

RENNÓ, C.D., NOBRE, A.D., CUARTAS, L.A. et al. (2008) HAND, a new terrain descriptor using SRTM-DEM: Mapping terra-firme rainforest environments in Amazonia. *Remote Sensing of Environment*, v. 112, p. 3469-3481.

RIDOUTT, B. (2009) Water footprint: A concept in need of further definition. *Water*, v. 36, n.8, p. 51-54.

RODELL, M., HOUSER, P.R., JAMBOR, U. et al. (2004) The global land data assimilation system, Bull. Am. Meteorol. Soc., v. 85, n. 3, p. 381–394.

RODRIGUES, D.B.B., BRESSIANI, D.A., OLIVEIRA, P.T.S., MENDIONDO, E.M. (2011a) *Incentivos para conservação do solo e dos recursos hídricos a partir da pegada hídrica (Water Footprint)*. In: XIX Simpósio Brasileiro de Recursos Hídricos, Maceió. Anais... Maceió: Associação Brasileira de Recursos Hídricos - ABRH.

RODRIGUES, D.B.B., ALVES SOBRINHO, T., OLIVEIRA, P.T.S., PANACHUKI, E. (2011b) Nova abordagem sobre o modelo brasileiro de serviços ambientais. *Revista Brasileira de Ciência do Solo*, v. 35, p. 1037-1045.

RODRIGUES, D.B.B., PIMENTEL, I.M.C., MENDIONDO, E.M., LAURENTIS, G.L. (2010) *Nova proposta de gerenciamento dos recursos hídricos a partir da neutralização da pegada hidrológica*. In: II Simpósio – Experiências em Gestão dos Recursos Hídricos por Bacia Hidrográfica, Atibaia. Anais... Atibaia: Consórcio PCJ.

RODRIGUES, D.B.B., GUPTA, H.V., MENDIONDO, E.M., OLIVEIRA, P.T.S. (2015) Assessing uncertainties in surface water security: An empirical multimodel, Water Res. Research, DOI: 10.1002/2014WR016691

RODRIGUES, D.B.B., GUPTA, H.V., MENDIONDO, E.M. (2014) A blue/green water-based accounting framework for assessment of water security, Water Res. Research, doi: 10.1002/2013WR01427

RODRIGUEZ-ITURBE, I., VALDÉS, J.B. (1979) The geomorphologic structure of hydrologic response. *Water Resource Research*, v. 15, n. 6, p. 1409-1420.

ROSA, L.P., LOMARDO, L.L.B. (2004) The Brazilian energy crisis and a study to support building efficiency legislation. Energy Build. v. 36, p. 89–95.

SETTI, A. A. (2005) Legislação para uso dos recursos hídricos. In: SILVA, D.D., PRUSKI, F.F. *Gestão de recursos hídricos: Aspectos legais, econômicos, administrativos e sociais*. Viçosa: Universidade Federal de Viçosa, Porto Alegre: Associação Brasileira de Recursos Hídricos, 659 p.

SHARDA, V., DOGRA, P., PRAKASH, C. (2010) Assessment of production losses due to water erosion in rainfed areas of India. *Journal of Soil and Water Conservation*, v. 65, n. 2, p. 79-91.

SILVEIRA, A.L.L. (2015) Performance of time of concentration formulas in urban and rural basins. *Revista Brasileira de Recursos Hídricos*, v. 10, p. 5-23.

SINHA, D., SYED, T.H., FAMIGLIETTI, J.S., REAGER, J.T., THOMAS, R.C. (2016) Characterizing Drought in India Using GRACE Observations of Terrestrial Water Storage Deficit. *J. Hydrometeorol*. 18, 381-396. https://doi.org/10.1175/JHM-D-16-0047.1.

SREEDEVI, P.D., OWAIS, S., KHAN, H.H., AHMED, S. (2009) Morphometric analysis of a watershed of South India using SRTM data and GIS. *Journal of the Geological Society of India*, v. 73, n. 4, p. 543-552.

STEFFEN, J.L., ANDRADE, A.C. de S., ALVES SOBRINHO, T., OLIVEIRA, P.T.S, RODRIGUES, D.B.B. (2009) Hidrograma unitário instantâneo geomorfológico aplicado a bacias desprovidas de dados hidrológicos. *Geociências*, v. 28, n. 3, p. 247-254.

STRAHLER, A.N. (1957) Quantitative analysis of watershed geomorphology. *Transaction of American Geophysical Union*, v. 38, p. 913-920.

STRINGFELLOW, W., HERR, J., LITTON, G. et al. (2009) Investigation of river eutrophication as part of a low dissolved oxygen total maximum daily load implementation. *Water Science and Technology*, v. 59, n. 1, p. 9-14.

TAFFARELLO, D., MOHOR, G.S., CALIJURI, M.C., MENDIONDO, E. M. (2016) Field investigations of the 2013–14 drought through quali-quantitative freshwater monitoring at headwaters of Cantareira System, Brazil, *Water International*, doi :10.1080/02508060.2016.1188352

TAFFARELLO, D., MARENGO, J.A., CALIJURI, M C., VIANI, R., MENDIONDO, E.M. (2017) Hydrological services in the Atlantic Forest, Brazil: An ecosystem-based adaptation using ecohydrological monitoring, *Climate Services* 8: 1-16, https://doi.org/10.1016/j.cliser.2017.10.005

THORNE, J.H., GIRVETZ, E.H., MCCOY, M.C. (2009) Evaluating Aggregate Terrestrial Impacts of Road Construction Projects for Advanced Regional Mitigation. *Environmental Management*. v. 43, n. 5, p. 936-948.

TONELLO, K.C., DIAS, H.C.T., SOUZA, A.L., RIBEIRO, C.A.A.S., LEITE, F.P. (2003) Morfometria da bacia hidrográfica da cachoeira das pombas, Guanhães – MG. *Revista Árvore*, v. 30, n. 5, p. 849-857.

TUCCI, C.E.M. (2004) Interceptação. In: TUCCI, C.E.M. (organizador). Porto Alegre: *Hidrologia: ciência e aplicação*. Universidade Federal do Rio Grande do Sul - UFRGS/ Associação Brasileira de Recursos Hídricos - ABRH. 943 p.

TUCCI, C.E.M., BELTRAME, L.F.S. (2004) Evaporação e Evapotranspiração. In: TUCCI, C.E.M. (organizador). *Hidrologia: ciência e aplicação*. Porto Alegre: Universidade Federal do Rio Grande do Sul - UFRGS/ Associação Brasileira de Recursos Hídricos - ABRH. 943 p.

TUNDISI, J.G. (2003a) *Água no Século XXI: Enfrentando a Escassez*. São Carlos: RIMA, IIE, 248 p.

TUNDISI, J.G. (2003b) Ciclo hidrológico e gerenciamento integrado. *Ciência e Cultura*, v. 55, n. 4.

TUNDISI, J.G. (2006) Novas perspectivas para a gestão dos recursos hídricos. *Revista USP*, n. 70, p. 24-35.

URI, N.D., LEWIS, J.A. (1998) The dynamics of soil erosion in US agriculture. *The Science of the Total Environment*, v. 218, n. 1, p. 45-58.

USA TODAY (2018) "Day Zero': What Cape Town's water crisis says about inequality". Disponível em: <https://www.usatoday.com/story/news/world/2018/02/03/day-zero-what-cape-towns-water-crisis-inequality-south-africa/303542002/>. Acesso em: Fevereiro de 2018.

United States Department of Agriculture (USDA). (2008) *Agricultural Statistics*. Washington DC: Government Printing Office. 529 p.

United States Environmental Protection Agency (USEPA). (1991) *Guidance for water quality-based decisions: The TMDL process*. EPA 440/4-91-001. Washington, DC: U.S. Environmental Protection Agency. 58 p.

VALERIANO, M.M., KUPLICH, T.M., STORINO, M., AMARAL, B.D., MENDES JÚNIOR., J.N., LIMA, D. (2006) Modeling small watersheds in Brazilian Amazônia with SRTM-90m data. *Computers & Geosciences*, v. 32, n. 8, p. 1169-1181.

VAN DIJK, A.I.J.M., BECK, H.E., CROSBIE, R.S. et al. (2013) The Millennium Drought in southeast Australia (2001–2009): Natural and human causes and implications for water resources, ecosystems, economy, and society. *Water Resour. Res.* 49, 1040–1057. https://doi.org/10.1002/wrcr.20123.

VAN OEL, P.R., MEKONNEN, M.M., HOEKSTRA, A.Y. (2009) The external water footprint of the Netherlands: Geographically-explicit quantification and impact assessment. *Ecological Economics*, v. 69, n. 1, p. 82-92.

VELÁZQUEZ, E., MADRID, C., BELTRÁN, M. (2011) Rethinking the Concepts of Virtual Water and Water Footprint in Relation to the Production–Consumption Binomial and the Water–Energy Nexus. *Water Resources Management*, v. 25, n. 2, p. 743-761.

World Water Development Report (WWDR). (2015) *The United Nations World Water Development Report 2015*, United Nations Educational, Scientific and Cultural Organization. Paris, France.

WUNDER, S. (2005) *Payments for environmental services: some nuts and bolts*. Bogor Barat: Center for International Forestry Research - CIFOR. 24 páginas. (Occasional Paper, 42).

WUNDER, S. (2007) The Efficiency of Payments for Environmental Services in Tropical Conservation. *Conservation Biology*, v. 21, n. 1, p. 48-58.

WUNDER, S., ALBÁN, M. (2008) Decentralized payments for environmental services: the cases of Pimampiro and PROFAFOR in Ecuador. *Ecological Economics*, v. 65, n. 4, p. 685-698.

YANG, W., BRYAN, B.A., MACDONALD D.H.A, WARD, J.R., WELLS, G., CROSSMAN, N.D., CONNOR, J.D. (2010) Conservation industry for sustaining natural capital and ecosystem services in agricultural landscapes. *Ecological Economics*, v. 69, n. 4, p. 680-689.

ZABEL, A., ROE, B. (2009) Optimal design of pro-conservation incentives. *Ecological Economics*, v. 69, p. 126-134.

ZAFFANI, A.G., CRUZ, N.R., TAFFARELLO, D., MENDIONDO, E.M. (2015) Uncertainties in the generation of pollutant loads in the context of disaster risk management using Brazilian nested catchment experiments under progressive change of land use and land cover. *Journal Physical Chemistry & Biophysics*, v. 5, n. 1, p. 2161-0398.

ZHANG, X., XIA, J. (2009) Coupling the hydrological and ecological process to implement the sustainable water resources management in Hanjiang River Basin. *Science in China Series E: Technological Sciences*, v. 52, n. 11, p. 3240-3248.

COMUNIDADE MICROBIANA

Maria Bernadete Amancio Varesche Silva / Isabel Kimiko
Sakamoto / Lorena Oliveira Pires

*O conhecimento das **rotas metabólicas dos microrganismos** pode contribuir para o entendimento da degradação dos compostos e da diversidade metabólica de tipos microbianos. No processo de tratamento de efluentes e resíduos em **reatores biológicos**, abordado no Capítulo 18, a avaliação da **diversidade microbiana**, aliada à análise das variáveis operacionais, é fundamental para o entendimento dos processos e de sua eficiência. Os conhecimentos microbiológico e tecnológico são informações indispensáveis a qualquer processo biotecnológico. No caso dos reatores biológicos utilizados no tratamento de diferentes águas residuárias, eles geralmente são constituídos por nichos ecológicos com ampla diversidade microbiana, tornando difícil o estudo desses microrganismos por técnicas convencionais. Por exemplo, o isolamento de culturas puras, além de seletiva, é inadequado para o estudo da biodiversidade de amostra complexa. Os métodos de **biologia molecular** revolucionaram a pesquisa em ecologia microbiana, pois a análise ocorre em nível molecular, ou seja, utiliza-se o ácido nucleico dos microrganismos como informação específica. Entre essas técnicas, estão o **FISH (Fluorescence In Situ Hybridization)**, que torna possível quantificar e identificar microrganismos, dependendo da especificidade da sonda utilizada; a **PCR (Polymerase Chain Reaction)**, etapa importante para diferentes técnicas moleculares porque amplifica fragmentos de DNA específicos a baixa concentração; o **DGGE (Denaturing Gradient Gel Electrophoresis)**, que é um método rápido e simples que fornece padrões de bandas característicos para as amostras diferentes; a **clonagem**, por meio da qual existe uma biblioteca de clones de amostra complexa, ou seja, com ampla diversidade genética; e o **sequenciamento** Sanger, que possibilita realizar a aproximação da identidade filogenética para o estudo taxonômico. No entanto, algumas limitações são observadas no sequenciamento Sanger, tais como custo elevado e longo tempo para preparação da amostra. Em 2005, foi desenvolvido para análise taxonômica equipamento para sequenciamento em larga escala ou massivo, com a possibilidade de redução de tempo e custo por amostra. A partir disso, outras tecnologias de sequenciamento foram desenvolvidas com possibilidades de maior cobertura, incluindo o sequenciamento do genoma completo em única reação, além das análises de metagenômica e metatranscriptômica.*

4.1 INTRODUÇÃO

O interesse pelo estudo dos microrganismos de sistemas de tratamento de águas residuárias e esgoto sanitário, apresentados no eixo "Ações Mitigadoras de Impactos Ambientais" deste livro, é cada vez maior, uma vez que tais organismos possuem papel crucial na regulação e funcionamento desses sistemas. Além disso, esses microrganismos também podem apresentar **valor biotecnológico e econômico**, representando fonte de produtos, tais como ácidos orgânicos, polímeros, enzimas, gás metano, gás hidrogênio e muitos outros recursos ainda inexplorados. Existem microrganismos importantes, por exemplo, na produção de ácidos orgânicos e gás hidrogênio (*Clostridium*), enquanto outros, tais como arqueias metanogênicas (*Methanosaeta* e *Methanosarcina*), são responsáveis pela produção de metano. Há, também, aqueles responsáveis pela conversão metabólica de nitrogênio amoniacal e nitrito em gás dinitrogênio, como as bactérias *Anammox* (oxidação anaeróbia da amônia – ver Capítulo 19).

Portanto, em função da variabilidade nutricional, diretamente relacionada com as características físicas e químicas da água residuária, o reator biológico é ambiente favorável para crescimento de ampla variedade genética de microrganismos confinados nos **biofilmes, grânulos e flocos**. O tratamento de água residuária resulta na estabilização dos compostos orgânicos poluentes pela ação de microrganismos e emprega reatores com diferentes configurações, constituindo verdadeiros **ecossistemas microbianos**. O principal produto dos processos biológicos de tratamento de rejeitos é a despoluição ambiental. Por isso, o termo **biotecnologia ambiental** se refere aos métodos da engenharia sanitária que utilizam microrganismos ou que conduzam ao desenvolvimento dos microrganismos em meio, cuja finalidade é a obtenção de produto que propicie benefícios ao homem.

Biofilme. Coleção de microrganismos e produtos extracelulares associados a superfície sólida, viva ou inanimada. As populações microbianas estão presas a matrizes de polissacarídeos, nas quais os microrganismos podem aderir uns aos outros e/ou às superfícies ou interfaces. De acordo com esta definição, consórcios microbianos na forma de grânulos encontrados em reatores anaeróbios (UASB, EGSB), flocos em sistema de lodos ativados e biomassa aderida a suportes podem ser considerados biofilmes. Você ficará familiarizado com termos como "UASB" ou "sistema de lodos ativados" ao ler os capítulos do eixo "Ações Mitigadoras de Impactos Ambientais" do livro.

Grânulo. Possui estrutura constituída de 1% a 4% de polímero extracelular (PEC) do total de sólidos presentes. A quantidade produzida depende do tipo de microrganismo que constitui os grânulos. A distribuição das populações de microrganismos no grânulo afeta diretamente a quantidade de PEC produzido. O fenômeno da granulação (formação de grânulos) parece se restringir aos reatores UASB e EGSB, em menor escala, aos filtros anaeróbios, geralmente associados ao tratamento de despejos ricos em carboidratos e ácidos voláteis. A organização interna de grupos tróficos nos grânulos parece depender da composição da água residuária e dos passos catabólicos dominantes. Os mecanismos que controlam a seleção e formação de grânulos estão relacionados com fatores físicos, químicos e biológicos.

Floco. Agregado microbiano de sistema de tratamento por lodos ativados, cuja estrutura heterogênea contém material orgânico adsorvido, material inerte do esgoto, material microbiano produzido para a matriz, células vivas e mortas. O tamanho do floco é regulado pelo balanço entre as forças de coesão e as tensões de cisalhamento causadas pela aeração artificial e agitação. Dentre os microrganismos componentes do floco, podem ser encontrados, além de bactérias e protozoários, fungos, rotíferos, nematoides e, ocasionalmente, até larvas de insetos.

Os microrganismos dos reatores biológicos constituem a parte viva e mais ativa da matéria orgânica, podendo atuar como indicadores capazes de refletir mudanças sutis nas propriedades de reatores de tratamento, bem antes que alterações nos teores de matéria orgânica possam ser observadas. Portanto, sabendo que os microrganismos são parte integrante da qualidade desse tratamento, é necessário um melhor entendimento da dinâmica e estrutura das comunidades microbianas.

Os estudos no campo da ciência e tecnologia da degradação de resíduos orgânicos são aqueles que reúnem o conjunto de informações geradas pelas pesquisas e resultados de um simples cultivo de uma célula microbiana (seja metanogênica, sulfetogênica, fotossintetizante, desnitrificante ou aeróbia), com as informações originadas do processo que deu origem a essa célula (seja em biorreator UASB, de leito fixo, leito fluidificado, ou mesmo em aquífero sujeito a biorremediação, sob condições anaeróbias, anóxicas ou aeróbias). As ações mitigadoras de impactos ambientais, como as citadas anteriormente, nas quais se inserem reatores de tratamento de águas residuárias e métodos de remediação, serão exploradas em capítulos adiante.

Microrganismos aeróbios. São aqueles cujas reações de respiração necessitam do oxigênio, que atuam como aceptores finais dos elétrons gerados durante a oxidação da matéria orgânica. Isso exige que a célula possua sistema ou cadeia de transporte de elétrons que possibilite a geração de energia no processo acoplado de quimiosmose. Exemplos: protozoários, fungos e bactérias.

Microrganismos anaeróbios. São aqueles nos quais a oxidação da matéria orgânica ocorre na ausência do oxigênio, porém na presença de cadeias de elétrons específicas para cada microrganismo, com diferentes aceptores finais destes elétrons, tais como, sulfato, dióxido de carbono, fumarato, entre outros. Exemplos: bactérias redutoras de sulfato e arqueias metanogênicas.

Microrganismos anóxicos. São aqueles cuja respiração ocorre na presença de nitrato e nitrito como aceptores de elétrons provenientes da matéria orgânica. Exemplos: bactérias desnitrificantes.

Microrganismos fermentativos. São aqueles cujas reações de respiração ocorrem na ausência do oxigênio e cadeia transportadora de elétrons, e a energia gerada é normalmente originada diretamente do substrato. Exemplos: bactérias fermentativas acidogênicas.

As comunidades microbianas diferem na composição qualitativa e quantitativa. A composição da comunidade microbiana está sujeita às mudanças físicas e químicas do ambiente, bem como às alterações fisiológicas e metabólicas dos próprios microrganismos que a compõem. Esse quadro complexo de inter-relações tem limitado o avanço no conhecimento sobre a composição das comunidades microbianas e sobre sua dinâmica em reatores biológicos. As limitações desses conhecimentos podem ser parcialmente atribuídas às técnicas tradicionais de isolamento, como cultivo em placas e Número Mais Provável (NMP), as quais, por serem seletivas, não fornecem elementos precisos que permitam a representação da comunidade microbiana em toda a sua complexidade.

Técnica dos Tubos Múltiplos. Usada para estimar o número mais provável (NMP) de células em diluições da amostra. É baseada na distribuição estatística dos microrganismos na suspensão, expresso em NMP/100 mL ou NMP/g SSV (Sólidos Suspensos Voláteis).

Várias metodologias são propostas para estudos que envolvem a ecologia microbiana de reatores biológicos. A diversidade biológica é utilizada como índice que reflete a eficiência de tratamento de diferentes águas residuárias, de modo que as metodologias que possibilitam o estudo dessa diversidade auxiliam na constatação de diferenças entre os sistemas, tanto com respeito às suas populações, quanto às suas funções. Por isso, ao acessar a biodiversidade, importantes considerações devem ser feitas, não apenas no que se refere ao número e distribuição das espécies, mas também quanto a sua diversidade funcional. Pode-se dizer que, indiscutivelmente, o maior celeiro de genes no planeta reside na biodiversidade da fração microbiana. As limitações dos métodos tradicionais, aliadas ao avanço tecnológico na área de biologia molecular, fazem com que os últimos sejam usados para o estudo da diversidade microbiana (Vazoller & Varesche, 2000).

O estudo de reatores limitado à avaliação das respostas aos estímulos a que são submetidos não é suficiente para a compreensão dos fundamentos que norteiam o processo; ou seja, deve-se associar o conhecimento do processo a seus agentes biológicos. Os agentes microbianos encontrados nos sistemas de tratamento de resíduos possuem representantes nos três **domínios**, definidos pela mais recente organização taxonômica e filogenética dos seres vivos. No **Domínio *Archaea***, estão incluídos representantes produtores de metano, as arqueias metanogênicas. O **Domínio *Bacteria*** engloba a maioria dos organismos responsáveis pela degradação aeróbia e anaeróbia dos diferentes compostos orgânicos; e no **Domínio *Eucarya***, estão incluídos fungos, algas e protozoários.

Filogenia. A história evolucionária de um grupo de organismos; as relações filogenéticas são relações evolutivas.

Domínio. Refere-se à categoria taxonômica mais alta, superior à categoria reino. Os seres **procariontes** são suficientemente diferentes para serem separados em dois grandes domínios (*Archaea* e *Bacteria*). Os seres **eucariontes** estão incluídos em único domínio, o *Eucarya*.

Domínio *Bacteria*. Grupo de microrganismos de ocorrência cosmopolita nos mais diversos habitats. Apresenta enorme diversidade de vias metabólicas, reunindo organismos especializados na utilização de compostos orgânicos (heterótrofos) ou inorgânicos como fonte de energia (autótrofos),

e aqueles capazes de utilizar a luz como fonte de energia no metabolismo (fototróficos) (Figura 4.1).

Domínio *Archaea*. É caracterizado por microrganismos procarióticos evolutivamente distintos dos organismos alocados no domínio *Bacteria*. Ampla variedade de *Archaea* possui metabolismo anaeróbio obrigatório, enquanto outros representantes são encontrados em ambientes extremos (fontes geotermais, habitats com elevada salinidade, solos, ambiente aquático altamente ácido ou alcalino) (Figura 4.1).

Domínio *Eucarya*. Engloba todos os organismos eucariontes – animais, plantas, fungos e protozoários (Figura 4.1).

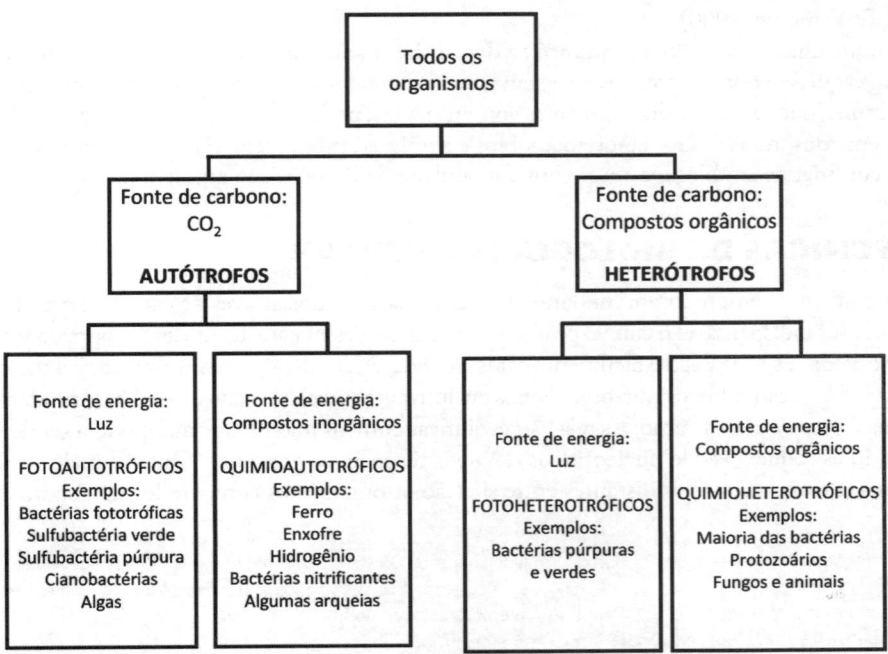

FIGURA 4.1 Principais possibilidades metabólicas. *Fonte: Adaptado de Black (2002).*

Organismos procariontes. Seres unicelulares que não apresentam seu material genético delimitado por membrana. Todos os organismos dos domínios *Bacteria* (exemplos: bactérias nitrificantes e desnitrificantes) e *Archaea* (exemplo: arqueias metanogênicas) são procariontes.

Organismos eucariontes. Seres vivos que possuem células eucarióticas, com núcleo celular circundado por membrana (carioteca) e separado do citoplasma. No núcleo, está contida a maior parte do material genético. Todos os organismos do domínio *Eucarya* (fungos, protozoários e algas) são eucariontes

Apesar do sucesso na identificação de culturas microbianas, as dificuldades no isolamento, caracterização e classificação dessas culturas são históricas. As técnicas tradicionais de cultivo e seleção de populações anaeróbias em meios de cultura, apesar de eficientes, são trabalhosas, acrescentando-se a isso o crescimento lento dos anaeróbios. O desenvolvimento de técnicas moleculares que auxiliam a identificação de microrganismos tem facilitado o reconhecimento de grupos microbianos, gêneros e espécies, notadamente aquelas mais exigentes no cultivo em laboratório, como as arqueias metanogênicas. Tem-se consolidado a eficiência das técnicas moleculares utilizadas para caracterizar e classificar tipos microbianos relevantes na estrutura da comunidade microbiana anaeróbia, tanto no tratamento das águas residuárias quanto dos resíduos sólidos, ou até mesmo em sítios com solos ou aquíferos contaminados com organoclorados para fins de biorremediação (Capítulo 23).

Os estudos sobre a biodiversidade ganham ainda mais relevância ao se considerar o número crescente de ecossistemas impactados por atividades antropogênicas. Alterando-se o ambiente, informações sobre espécies ou relações ecológicas delicadas se perdem antes mesmo de serem conhecidas, ou antes que se possa perceber seu potencial futuro de utilização. Por outro lado, ao se pesquisar a biodiversidade em um ambiente já alterado pelo homem, surgem informações sobre as formas como os organismos se adaptam às novas condições ambientais, o que nos permite desenvolver tecnologias para prever, evitar ou mesmo remediar acidentes futuros.

Estudar a diversidade de microrganismos, no entanto, não é tarefa simples. No caso de organismos superiores, é fácil distingui-los e separá-los visualmente em táxons distintos. Já no caso dos microrganismos, em especial os procariontes, as espécies nem sempre podem ser facilmente determinadas e, até recentemente, a obtenção das informações limitava-se apenas às espécies cultivadas em laboratório. Mais uma vez, por meio das técnicas moleculares, é possível analisar diretamente a diversidade microbiana em amostras ambientais, o que representa um importante avanço no conhecimento taxonômico das diferentes comunidades. Outro aspecto que deve ser considerado nesse contexto é o estudo da diversidade funcional dos microrganismos, pois as unidades funcionais e nichos formados são mais facilmente distinguidos que os estabelecidos por organismos superiores. Além disso, o enfoque funcional da diversidade abre novos horizontes para o entendimento das relações e papéis exercidos pelas diferentes comunidades microbianas nos ecossistemas e nos permite ver além da simples diversidade de espécies entre microrganismos (Vazoller & Varesche, 2000).

O fato que chama atenção é o **quanto se desconhece sobre a diversidade microbiana** dentro dos ecossistemas que são operados visando à estabilização da matéria orgânica poluente. Em países tropicais, ainda há muito que se conhecer, e, em áreas contaminadas, pode-se presumir sobre a possibilidade de se encontrarem consórcios microbianos anaeróbios e aeróbios aptos à degradação de compostos e passíveis de serem confinados em biodigestores com a finalidade de despoluição ambiental.

4.2 TÉCNICAS DE BIOLOGIA MOLECULAR

Os microrganismos sempre foram fundamentalmente classificados através de características **fenotípicas**. Em razão de ser indispensável o cultivo celular para o exame dessas características e propriedades microbianas, a maioria das espécies não é facilmente caracterizada. Além disso, a análise fenotípica das células não resulta em informação sobre os microrganismos evolutivamente relacionados, que é base fundamental para um sistema lógico de classificação. As relações evolutivas entre os microrganismos podem ser determinadas comparando as sequências de nucleotídeos dos seus respectivos **genomas**. Quanto maior o número de diferenças entre os genes, mais distantes entre si estão os organismos comparados no quadro evolutivo.

Análise genotípica. Análise das informações hereditárias de um organismo contidas em seu genoma.

Genoma. Informação genética em um organismo ou vírus.

Análise fenotípica. Análise das características observáveis de um organismo como, por exemplo: morfologia, desenvolvimento, propriedades bioquímicas ou fisiológicas e comportamento. O fenótipo resulta da expressão dos genes do organismo, da influência de fatores ambientais e da possível interação entre os dois.

Genótipo + Ambiente = Fenótipo

As técnicas de biologia molecular para visualização direta da presença de microrganismos em seu habitat vêm sendo desenvolvidas e utilizadas para auxiliar na compreensão do comportamento microbiano, sem as alterações provocadas pelos cultivos celulares em laboratório. Por exemplo, aquelas baseadas em análises de DNA e RNA ribossomal (RNAr) podem complementar a abordagem microbiana convencional na determinação da presença e distribuição de espécies individuais em comunidades complexas.

As combinações dessas técnicas com exames microscópicos e determinações de atividades metabólicas podem servir para o melhor entendimento entre a estrutura microbiana e sua função fisiológica.

ÁCIDOS NUCLEICOS

DNA (*Deoxyribonucleic acid*), em português, **á**cido **d**esoxirribo**n**ucleico — ADN: é um composto orgânico cujas moléculas contêm as **instruções genéticas** que coordenam o desenvolvimento e funcionamento de todos os seres vivos e alguns vírus. Corresponde a uma dupla fita de **nucleotídeos** (uma base nitrogenada + um açúcar de cinco átomos de carbono + um ou mais grupos fosfatos). O DNA total de uma célula é chamado **genoma**.

Bases nitrogenadas
Púricas: **A**denina e **G**uanina
Pirimídicas: **T**imina, **C**itosina e **U**racila
Gene. Unidade básica da hereditariedade. É uma sequência linear de nucleotídeos do DNA que formam uma unidade funcional de um cromossomo ou de um plasmídeo.

RNA (*Ribonucleic acid*), em português, **á**cido **r**ibonucleico — ARN: existem três tipos de RNA — *RNA ribossomal, RNA mensageiro* e *RNA transportador*. Estão envolvidos na síntese de proteínas. Cada RNA é formado por única fita de nucleotídeos e é sintetizado por transcrição, usando o DNA como um molde.

Importante: Uma célula procariótica típica contém único cromossomo circular, composto primordialmente de única molécula de DNA, com cerca de 1 mm de comprimento quando completamente esticada. Esta imensa molécula molda-se compactamente no interior da célula, onde forma o nucleoide.

No intuito de se obter maiores informações sobre os microrganismos e suas inter-relações, alguns métodos comuns à biologia molecular foram desenvolvidos e utilizados, propiciando aplicação em ampla diversidade de amostras, com as seguintes perspectivas:

i) Sequenciar o DNAr e RNAr para identificar, isolar e caracterizar novos organismos, com respeito a estudos de filogenia e fisiologia;
ii) Auxiliar no cultivo de bactérias não cultiváveis;
iii) Estudar os microrganismos nos próprios nichos, possibilitando correlacionar a composição da comunidade com a relação espacial de membros diferentes e com funcionamento das populações.

Essas informações são importantes para o entendimento das relações fisiológicas e ecológicas e, consequentemente, para inferir sobre as possíveis rotas metabólicas nos diferentes sistemas.

Os avanços nas metodologias de biologia molecular para os estudos taxonômicos permitem a análise comparativa de sequências de RNA ribossomal (RNAr), presentes em todos os organismos vivos, cuja estrutura primária do gene 16S e 23S contém sequências de alta e baixa conservação evolutiva. Desse modo, algumas regiões da molécula do RNAr possuem sequências de nucleotídeos que permaneceram inalteradas ao longo do processo evolutivo e outras que sofreram alterações, sendo justamente essas que permitem diferenciar um organismo do outro, desde o nível de reino até subespécie. Além disso, estão presentes naturalmente em grande número em cada célula, facilitando a sensibilidade de detecção dessas moléculas.

RNAr 16S. É um fragmento do DNA encontrado em todas as bactérias e arqueias. A técnica de sequenciamento do gene RNAr 16S é uma ferramenta comumente utilizada para a identificação de bactérias, pois técnicas tradicionais de caracterização dependem de cultivo. Taxonomistas consideram a análise do DNA mais confiável do que a classificação baseada unicamente no fenótipo do organismo. O sequenciamento do gene que codifica o RNAr 16S permite proceder a elaboração de **árvores filogenéticas**, nas quais se podem colocar vários grupos evolutivos de bactérias próximos e observar as suas relações de ancestralidade.

O RNAr 16S (± 1.500 nucleotídeos) gera grande quantidade de informações úteis para inferências filogenéticas. Apesar do RNAr 23S (± 3 mil nucleotídeos) conter duas vezes mais informações e, portanto, gerar maior acurácia nas inferências filogenéticas, a molécula menor (RNAr 16S), por causa da maior facilidade de sequenciamento, tornou-se referência. Porém, o RNAr 23S tem sido utilizado como suplemento para os dados gerados do RNAr 16S em estudos de organismos intimamente relacionados.

A maioria das técnicas moleculares inicia-se com a extração dos ácidos nucleicos, (DNA e RNA) da comunidade microbiana. O DNA microbiano extraído é amplificado por meio da reação de polimerização em cadeia (PCR, do inglês *Polymerase Chain Reaction*). O resultado é a mistura de fragmentos de DNA de membros de comunidades diferentes, com possibilidade de detectar genótipos de menor abundância nesta mistura complexa.

A extração do DNA ocorre através da lise (ruptura) celular. Para esta etapa, já estão descritos vários protocolos, os quais devem ser cuidadosamente avaliados para aplicação em uma determinada amostra. Por exemplo, em alguns casos, o tratamento deve ser diferenciado para não fragmentar ácidos nucleicos de células gram-negativas, quando da aplicação de protocolo vigoroso para extração de células gram-positivas.

Coloração de **Gram.** Coloração diferencial que usa cristal violeta, iodo, álcool e safranina para diferenciar a parede celular das bactérias (ver Tabelas 4.1 e 4.2).

Bactérias Gram-positivas. Coram-se de roxo escuro.
Bactérias Gram-negativas. Coram-se de rosa/vermelho.

TABELA 4.1   Características das paredes celulares das bactérias Gram-positivas (Gram +) e Gram-negativas (Gram –)

Característica	Gram +	Gram –
Peptidoglicano	Espessa	Fina
Ácido teicóico	Presente	Ausente
Lipídios	Escassos	Lipopolissacarídeos
Membrana externa	Ausente	Presente
Espaço periplasmático	Ausente	Presente
Forma da célula	Rígida	Rígida ou flexível
Resultado digestão enzimática	Protoplasto	Esferoplasto
Sensibilidade a antibióticos e corantes	Mais sensível	Moderada

Fonte: Adaptado de Black (2002).

TABELA 4.2   Características das exotoxinas e endotoxinas das bactérias

Exotoxinas	Endotoxinas
Secretadas em altas concentrações no meio de cultura	Parte integrante da parede das Gram – (liberadas quando morrem)
Produzidas por Gram + e Gram –	Exclusivamente nas Gram –
Polipeptídeos	Lipopolissacarídeos
Altamente tóxicas	Toxicidade moderada
Instáveis (toxidez é destruída a 60 °C)	Mais estáveis – resistem ao aquecimento
Não causam febre	Causam febre – liberação de substâncias ativas no organismo infectado

Fonte: Adaptado de Black (2002).

Entretanto, se a lise celular for insuficiente ou preferencial, poderá influenciar na composição da diversidade microbiana. Além disso, quando se pretende trabalhar com amostras de comunidades complexas, podem ocorrer dificuldades na amplificação do *template* (molde), devido à presença de substâncias inorgânicas, húmicas, inertes e de polímeros, necessitando etapa de purificação. Nessa etapa de purificação do DNA, geralmente é utilizado um *kit* adquirido comercialmente, com a finalidade de eliminar tais substâncias.

***Template* ou Molde.** Determina a estrutura ou sequência de outra molécula. Por exemplo, a sequência de nucleotídeos do DNA atua como um molde para controlar a sequência de nucleotídeos do RNA durante a transcrição.

Os métodos baseados na reação de polimerização em cadeia (PCR) são aplicados em vários campos da biologia molecular, destacando-se pela sensibilidade para pequenas quantidades de DNA. Na sistemática microbiana, é o método básico para clonagem e sequenciamento de genes utilizados na caracterização e identificação de microrganismos. Em genética de populações e ecologia microbiana, a PCR gera dados para estudos da distribuição natural dos organismos no ambiente.

A PCR é método enzimático que resulta na rápida e eficiente amplificação de uma sequência específica do DNA. Na aplicação do método, é utilizada a enzima *Taq DNA polimerase* como catalisadora da reação de amplificação, na etapa de extensão das novas fitas do DNA, com adição de desoxinucleotídeos trifosfato (dATP, dTTP, dCTP, dGTP). Os iniciadores para amplificação são oligonucleotídeos sintéticos de 20-30 bases nitrogenadas de extensão (Tabela 4.3) e relativamente específicos para seus sítios de ligação nas extremidades flanqueadoras do DNA alvo. Quando um dos iniciadores ou ambos não são específicos ou não **hibridizam** com a fita simples de DNA, não ocorre a formação dos produtos de PCR. Os iniciadores são configurados a partir de sequências de DNA presentes em bancos de dados (Figura 4.2).

TABELA 4.3 Iniciadores usados para PCR

Iniciadores	Sequência (5′ – 3′)	Especificidade	Referência
27 F	AGAGTTTGATC(A/C)TGGCTCAG	*Bacteria*	Heuer et al. (1997)
1492 R	TACGG(C/T)TACCTTGTTACGACTT	*Bacteria*	Heuer et al. (1997)
968 FGC	CGC CCG GGG CGC GCC CCG GGC GGG GCG GGG GCA CGG GGG GAA CGC GAA GAA CCT TAC	*Bacteria*	Nubel et al. (1996)
1401 R	CGG TGT GTA CAA GAC CC	*Bacteria*	Nubel et al. (1996)
1100 FCG	CGC CCG CCG CGC GCG GCG GGC GGG GCG GGG GCA CGG GGGG AAC CGT CGA CAG TCA GGY AAC GAG CGAG.	*Archaea*	Kudo et al. (1997)
1400 R	CGG CGA ATT CGT GCA AGG AGC AGG GAC	*Archaea*	Kudo et al. (1997)

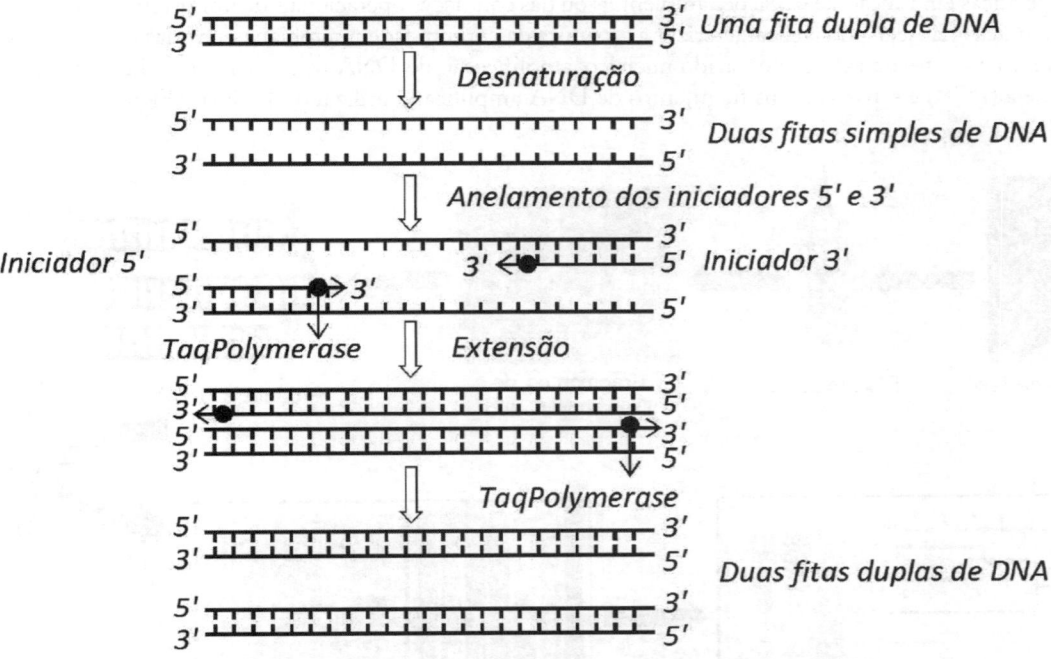

FIGURA 4.2 Esquema da PCR convencional. *Fonte: Modificado de Brown (2016).*

Oligonucleotídeo. Fragmento curto de uma cadeia simples de ácido nucleico (DNA ou RNA).

Hibridização. Processo pelo qual duas cadeias complementares de ácidos nucleicos formam uma dupla hélice.

Enzimas. Tipos específicos de proteínas que têm função catalisadora, ou seja, aceleram reações químicas que dificilmente ocorreriam em sua ausência. Realizam atividades intra e extracelular.
Iniciadores. Segmentos de ácidos nucleicos necessários para o início da replicação do DNA. Exemplos: 27F *(iniciador 5′)* e 1492R *(iniciador 3′).*

Taq DNA polimerase. A DNA polimerase é uma enzima termoestável, utilizada na amplificação de fragmentos de DNA através da técnica de PCR. Foi identificada pela primeira vez na bactéria *Thermus aquaticus*, uma extremófila encontrada em fontes hidrotermais.

Importante: A enzima DNA polimerase pode adicionar nucleotídeos somente na extremidade 3′ de uma fita de DNA nascente. Consequentemente, somente uma das fitas, a **fita líder** do DNA original (3′ → 5′), pode servir como molde para a síntese de uma nova fita de forma contínua, indo na direção 5′ para 3′ (5′ → 3′).

Ao longo da outra fita, a **fita lenta**, que ocorre na direção 5′ para 3′ (em relação à forquilha), a síntese do novo DNA deve ser de forma descontínua, isto é, a polimerase deve continuamente adiantar e recuar, produzindo uma série de pequenos segmentos de DNA, chamados fragmentos de Okazaki. Os fragmentos são então unidos por outra enzima, chamada **ligase**.

A técnica da PCR é composta por 25 a 35 ciclos, e cada ciclo é composto por três etapas: desnaturação, anelamento dos iniciadores e extensão das novas fitas de DNA. Antes de iniciar os ciclos, realiza-se a pré--desnaturação a 94-95°C por 3-10 min; na desnaturação, o DNA é aquecido a aproximadamente 94-95°C, por 30-90 s, até que ocorra a separação da dupla fita em duas fitas simples de DNA. No anelamento, as fitas simples de DNA são submetidas à redução de temperatura, entre 35-69°C, por 30-90 s, para que um par de iniciadores se anele as suas sequências complementares. Na extensão, a temperatura é aumentada novamente, a aproximadamente 72 °C, por 30-90 s, para que a enzima *Taq DNA polymerase* se anexe ao sítio de reação de cada iniciador e ocorra a síntese de nova fita de DNA. Após o final dos ciclos (25 – 35), é realizada novamente a extensão a 72 °C por 3-10 min. Em seguida, ocorre o resfriamento a 4 °C.

4.2.1 DGGE

Outra estratégia para análise da diversidade genética das comunidades microbianas é baseada na eletroforese em gel com gradiente desnaturante (DGGE, do inglês *Denaturing Gradient Gel Electrophoresis*) de fragmentos de DNAr 16S, amplificados pela reação da polimerização em cadeia (PCR). Por meio do DGGE é possível caracterizar comunidades complexas, como também inferir na afiliação filogenética dos membros da comunidade, testar pureza de linhagens bacterianas, monitorar o isolamento de bactérias e arqueias obtidas de amostras ambientais ou de reatores biológicos, e estudar a dinâmica de populações específicas em função de variações ambientais ou das condições operacionais de um sistema. Além disso, em única análise, é possível caracterizar a estrutura da comunidade microbiana de várias amostras. Essa técnica consiste na extração do ácido nucleico, amplificação do DNA pela reação de polimerização em cadeia (PCR) e separação dos fragmentos de DNA amplificado utilizando DGGE (Figura 4.3).

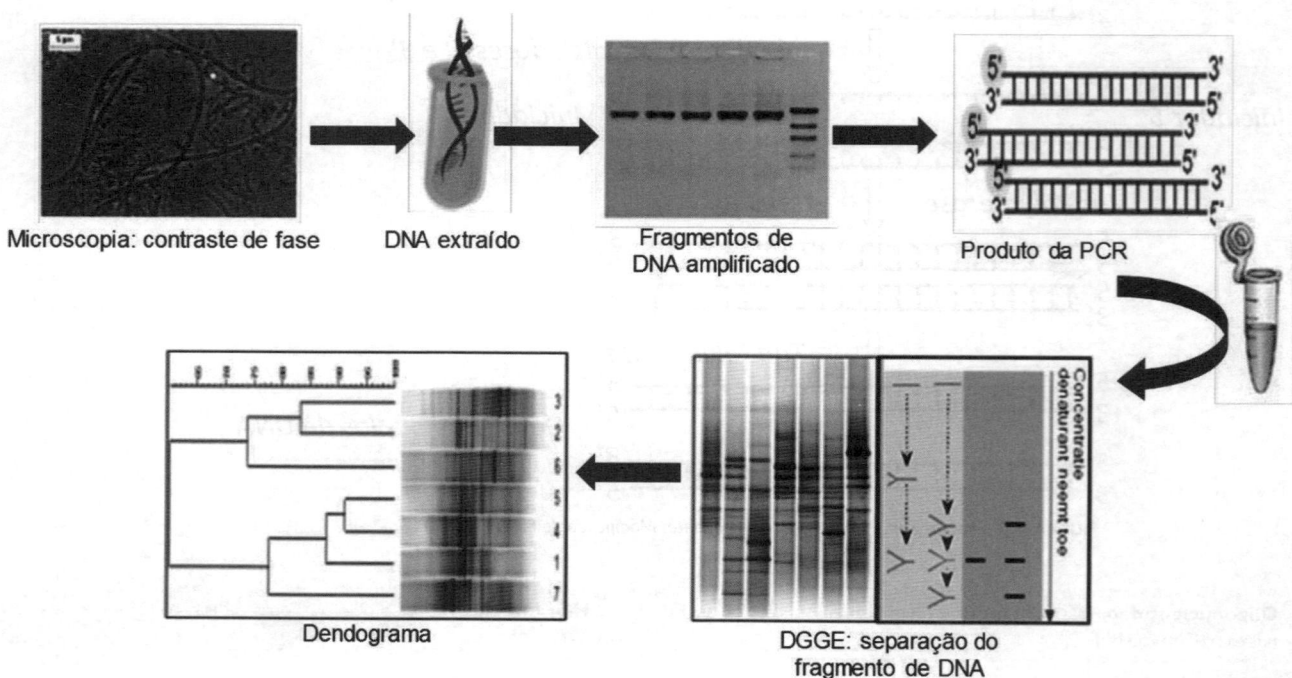

Figura 4.3 Esquema da separação dos fragmentos de DNA na técnica de PCR/DGGE. *Fonte: Adaptado de Muyzer (1999).*

Por meio da técnica de DGGE, tem-se a **separação** dos fragmentos do DNA de **mesmo comprimento,** mas com **sequências de pares de bases diferentes**. A separação no DGGE é baseada na mobilidade eletroforética da dupla hélice do fragmento de DNA parcialmente dissociado em gel de poliacrilamida contendo gradiente linear de desnaturantes (mistura de ureia e formamida). A desnaturação parcial causa a migração pela metade em única posição, formando uma discreta banda no gel. Cada banda pode representar uma população microbiana.

A aplicação da técnica do PCR/DGGE, no entanto, apresenta algumas limitações em relação a amostras complexas. Componentes bióticos e abióticos, tais como partículas inorgânicas ou matéria orgânica, podem dificultar a eficiência da lise celular e muitos acabam interferindo nas etapas subsequentes da purificação do DNA e nas reações enzimáticas.

A aplicação da técnica do PCR/DGGE requer alguns cuidados, desde a extração dos ácidos nucleicos até a separação dos fragmentos do DNA. Para isso, é necessário padronizar a técnica para a amostra em estudo de acordo com os seguintes passos:

i) adequar o protocolo da extração dos ácidos nucleicos e, se necessário, realizar a purificação;

ii) escolher os iniciadores específicos, sendo em um deles com **GC clamp** (Tabela 4.3) para evitar a desnaturação completa do DNA em fita simples, assim como estabelecer as condições de amplificação e o número de ciclos na reação de PCR;

iii) determinar a concentração de desnaturantes (formamida e ureia), que pode ser de 30% a 80%, e o tempo de corrida (5-18 h), que depende da voltagem aplicada (75-200 V) na separação dos fragmentos de DNA pelo DGGE.

MOBILIDADE ELETROFORÉTICA

Eletroforese é uma das técnicas fundamentais da biologia molecular. Essa técnica é baseada no movimento de partículas carregadas em um campo elétrico, em direção a um eletrodo de carga contrária. O movimento de uma molécula carregada em um campo elétrico depende da razão entre sua carga e sua massa.

Uma amostra é aplicada em algum suporte (por exemplo, gel polimérico, agarose e poliacrilamida), e com o uso de eletrodos, uma corrente elétrica passa através desse meio para induzir a separação que se deseja. O meio suporte forma poros, e a escolha de determinado gel está relacionada com o tamanho das moléculas a serem separadas. Desse modo, utiliza-se agarose para fragmentos maiores (milhares de oligonucleotídeos) e poliacrilamida para os menores (centenas de oligonucleotídeos).

A carga das moléculas a serem separadas faz com que elas se movam através do gel, na direção de um eletrodo de carga contrária. O eletrodo negativo fica em uma extremidade do gel e o positivo, na extremidade oposta. Os ácidos nucleicos e fragmentos de oligonucleotídeos estão carregados nega-

tivamente, e consequentemente, migram na direção do polo positivo. Como resultado, acontece a separação, primordialmente, em função do tamanho da molécula determinado pela ação da "peneira molecular" imposta pelo gel.

Em amostra contendo mistura de oligonucleotídeos pode-se verificar que, decorrido certo intervalo de tempo, os oligonucleotídeos menores se deslocam mais do que os maiores, após a separação eletroforética. Os oligonucleotídeos movem-se no campo elétrico em função de suas cargas. A distância que eles percorrem, em certo espaço de tempo, depende de seus tamanhos.

Existe espaço para várias amostras em cada gel, as quais são aplicadas em poços individuais localizados na extremidade e perto do eletrodo negativo. A corrente elétrica passa através do gel até que a separação esteja completa. Os oligonucleotídeos menores estarão posicionados na outra extremidade do gel e, consequentemente, perto do eletrodo positivo.

GC clamp (grampo de GC). Fragmento de DNA rico em GC (bases nitrogenadas **G**uanina e **C**itosina).

A técnica da PCR seguida pelo DGGE permite obter as seguintes informações:

i) estimar a diversidade microbiana, inclusive os grupos não cultiváveis;

ii) analisar a composição e diversidade genética, sem a necessidade do cultivo individual;

iii) identificar o grupo da bactéria (pelo recorte e posterior sequenciamento da banda);

iv) verificar o perfil da estrutura da comunidade bacteriana da amostra ambiental;

v) comparar a diversidade microbiana de várias amostras no mesmo gel, facilitando, assim, a análise.

Portanto, por meio da técnica de PCR/DGGE, não é possível realizar a identificação dos microrganismos, mas é viável escolher, dentre os fragmentos obtidos em determinada amostra, aquele de maior interesse que, posteriormente, pode ser reamplificado e sequenciado. A partir do recorte de bandas do gel de DGGE, seguido do sequenciamento dos fragmentos de DNA, o qual possibilita a identificação de grupos de microrganismos, é possível realizar estudos filogenéticos mais elucidativos. A comparação da comunidade microbiana pode ser realizada a partir da imagem do perfil das bandas padrões do DGGE com a construção das matrizes por meio do programa *Bionumerics®*, para servir como base para os cálculos de coeficiente de similaridade. Para tanto, pode ser utilizada a correlação de Pearson, que considera a posição das bandas e sua intensidade (curvas densiométrica), ou coeficiente de Jaccard e Dice, que considera somente a posição das bandas. O agrupamento do dendograma é realizado, por exemplo, por UPGMA (*Unweighted Pair Group Method with Arithmetic Averages*) (Figura 4.4).

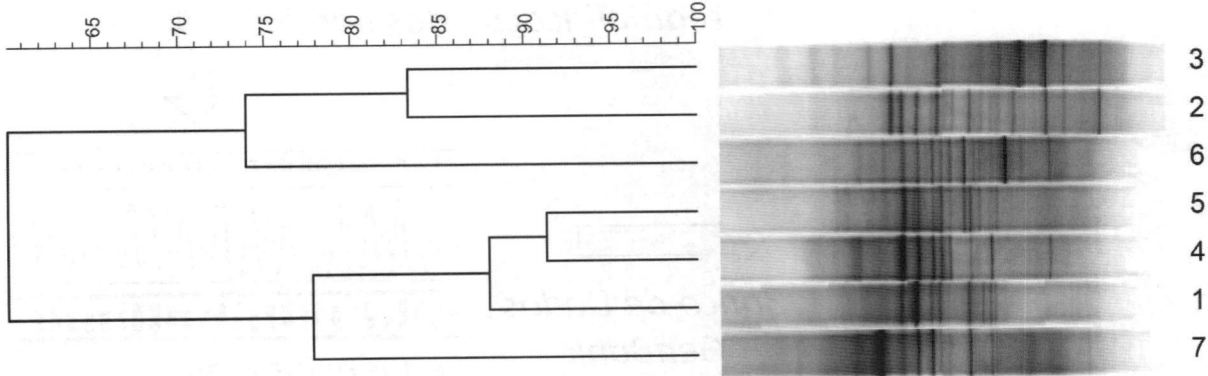

FIGURA 4.4 Dendograma baseado no UPGMA e coeficiente de similaridade com correlação de Pearson, a partir dos padrões de bandas do DGGE com iniciadores para o Domínio *Archaea* (1100 FGC – 1400R). *Fonte: Sakamoto & Varesche (2011).*

Desse modo, por meio do sequenciamento do RNAr 16S, é possível obter detalhes sobre a composição da estrutura da comunidade microbiana, apontando, inclusive, a existência e atuação de vários organismos ainda não descritos em literatura. A técnica de sequenciamento para a identificação e classificação dos microrganismos começou a ser amplamente utilizada no final da década de 1980 e é, atualmente, indispensável para a caracterização da comunidade microbiana. Essa técnica é de fundamental importância, principalmente em vista do fato da maioria dos microrganismos não ser cultivável.

A técnica de identificação baseada em RNAr baseia-se na extração e ampliação de cópias desse RNA de microrganismos do solo, sedimento, coluna de água de reservatórios e lagos, ou de qualquer material biológico como, por exemplo, culturas puras e biofilmes. A técnica consiste na utilização de marcadores fluorescentes diferentes para cada uma das quatro bases do DNA, o que interrompe o processo de replicação e produz nucleotídeos de tamanhos variáveis.

O **ribossomo** é encontrado em todos os seres vivos, está relacionado com a produção de proteínas funcionais e estruturais e, por isso, é considerado altamente conservado e específico.

Cultura pura. Refere-se a uma cultura de determinado microrganismo cujas células são genética e morfologicamente idênticas.

Os nucleotídeos resultantes, que variam de uma base até toda a extensão na qual está sendo ampliado (não excedendo, geralmente, 1.500 pares de bases), são separados em gel ou coluna capilar de acordo com seu tamanho molecular, sendo feita, então, a leitura da sequência de bases. A sequência dos nucleotídeos do ribossomo 16S é específica para cada gênero e para quase todas as espécies. Essas sequências são depositadas em bancos de dados internacionais e, à medida que vão sendo finalizadas, ficam à disposição dos pesquisadores, que podem comparar com as sequências de seus isolados na tentativa de, assim, identificá-los (Figura 4.5). Dessa forma, é possível caracterizar a comunidade microbiana em espécies e encontrar outras citações sobre a atividade metabólica e ecologia dos microrganismos em questão, contribuindo para estudo dos fatores que direcionam a operação dos sistemas biológicos de tratamento.

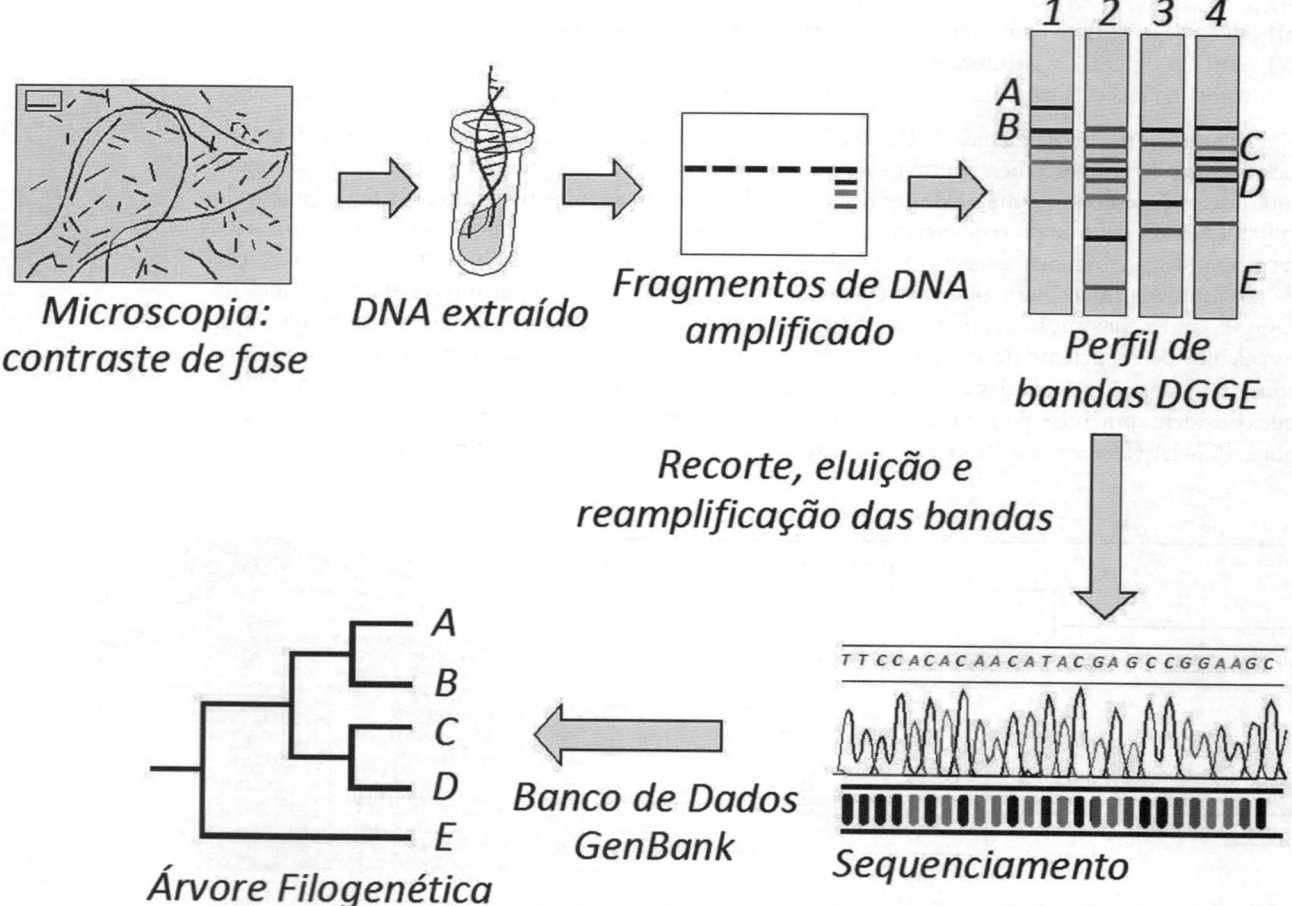

FIGURA 4.5 Etapas de construção da árvore filogenética por meio de sequências parciais de RNAr 16S obtidas das bandas de DGGE. Fonte: Adaptado de Muyzer (1999).

4.2.2 Clonagem e Sequenciamento Sanger

O método de clonagem e sequenciamento do gene RNAr 16S foi considerado o mais poderoso para a exploração da diversidade microbiana em amostras de diferentes ambientes (Figura 4.6). Fragmentos do gene RNAr 16S presentes em amostras complexas (por exemplo, grânulos, flocos e biofilmes de material suporte) podem ser seletivamente amplificados com a utilização da PCR (reação da polimerização em cadeia). Biblioteca genômica derivada da amplificação dessas amostras é produzida pelo método de clonagem, que consiste na transferência do produto da PCR (mistura de fragmentos de DNA de diferentes microrganismos) para um vetor, que pode ser um plasmídeo. O plasmídeo é um DNA circular extra cromossômico e de replicação autônoma que pode ser encontrado em alguns microrganismos, por exemplo, em *Escherichia coli*. A clonagem é utilizada para realizar cópias fiéis dos fragmentos de DNA de interesse *in vivo* (devido a inserção do fragmento da bactéria de interesse no plasmídeo da *Escherichia coli*), individualizando a diversidade microbiana em colônias denominadas clones. Esses clones contêm fragmentos definidos e que podem ser rapidamente sequenciados.

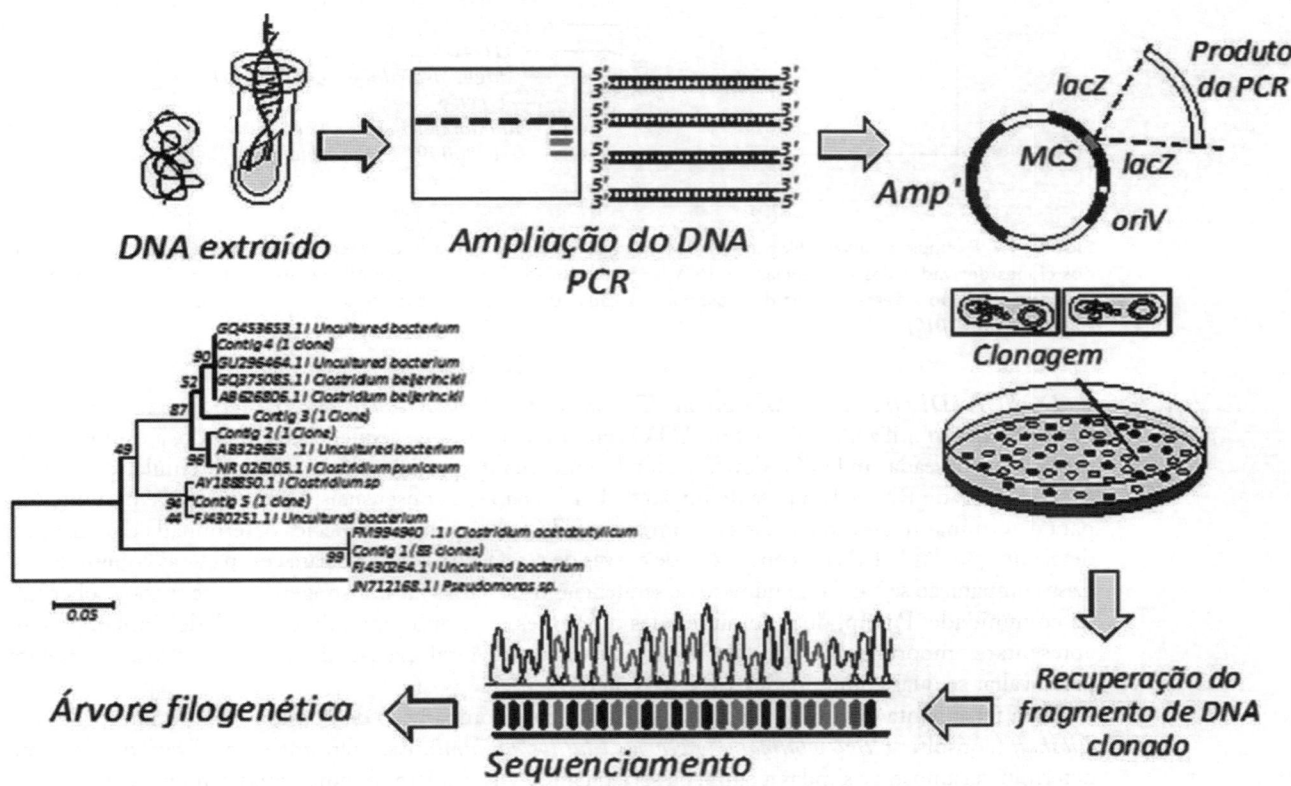

FIGURA 4.6 Etapas de clonagem e sequenciamento. *Fonte: Adaptado de Brown (2016).*

As sequências geradas a partir do sequenciamento do gene RNAr 16S representam grande quantidade de dados que precisam ser processados com auxílio de algoritmos específicos. Informações geradas a partir do sequenciamento de genes do RNAr 16S podem ser comparadas com sequências depositadas em banco de dados público (*GenBank* do NCBI, consulte: *www.ncbi.nlm.nih.org*) para determinação do organismo com sequência mais similar, ou na base de dados *Ribossomal Database Project II* (*RDP*, consulte: *http://rdp. cme.msu.edu/*}), a qual permite a determinação das relações filogenéticas das sequências de RNAr 16S obtidas com as sequências depositadas. O RDP obtém as sequências de RNAr depositadas mensalmente a partir do Banco de Dados de Sequência Internacional (*GenBank*/NCBI). Essas sequências são alinhadas com sequências gerais de RNAr através de um modelo que incorpora informações sobre a estrutura secundária da molécula, aumentando a sua confiabilidade. O RDP possui, também, um sistema de classificação taxonômica (*RDP Hierarchy*), que segue a proposta do manual Bergey's, no qual os principais níveis taxonômicos, em ordem decrescente (do mais geral para o mais específico), são os seguintes: domínio, filo, classe, ordem, família, gênero e espécie.

A diversidade e estrutura de comunidades microbianas são normalmente analisadas com base no grau de similaridade entre sequências de RNAr 16S, as quais são agrupadas em unidades taxonômicas operacionais (UTOs). Normalmente, sequências de RNAr 16S com similaridades maiores do que 99% são consideradas da mesma espécie, maiores que 95%, do mesmo gênero e maiores que 80%, do mesmo filo (Figura 4.7).

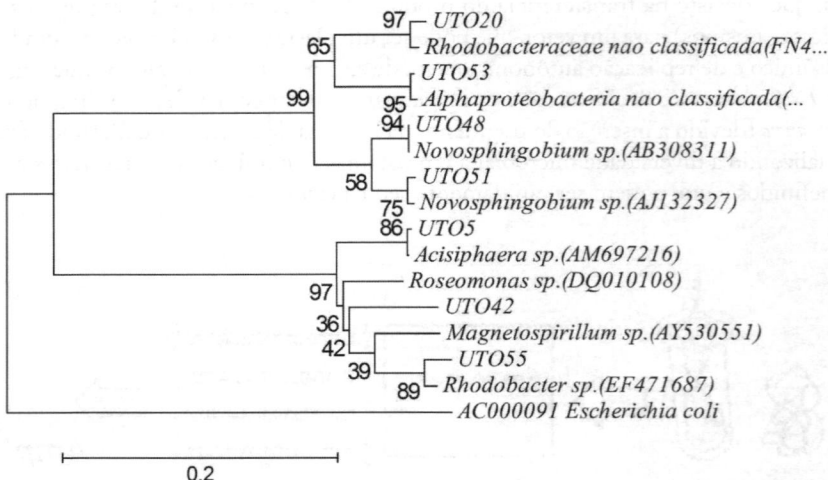

FIGURA 4.7 Exemplo de árvore filogenética de amostra de biofilme de reator em escala de bancada e indicação da posição dos clones derivados das sequências do RNAr 16S relacionados com a Classe *Alphaproteobacteria*. *Escherichia coli* foi usada como grupo externo. A taxa de substituição a cada 100 nucleotídeos foi de 0,2, como indicado na barra de escala. *Fonte: Oliveira (2010).*

*DOTUR (**D**istance-Based **O**peratoinal **T**axonomic **U**nit and **R**ichness Determination)* é um programa de alinhamento utilizado para definir UTOs em um conjunto de sequências. Contudo, a estimativa da diversidade baseada em UTOs deve ser cautelosamente interpretada, pois os níveis de similaridade entre as sequências de RNAr 16S para definição de UTOs não são consensuais. Esse software é bastante útil para determinar quais sequências são da mesma UTO. A riqueza de espécies determinada com base na determinação das UTOs e a construção de curvas de rarefação são usadas para comparar as comunidades. Essa comparação se baseia no número de sequências necessárias na amostragem para se ter boa cobertura da comunidade. Porém, duas comunidades diferentes, mas apresentando diversidade similar, podem apresentar comportamento semelhante em suas curvas de rarefação, sendo necessária outra ferramenta para avaliar se duas comunidades são iguais ou diferentes.

Uma ferramenta desenvolvida especificamente para comparação de duas ou mais comunidades é o *Libshuff* (consulte: *http://whitman.myweb.uga.edu/libshuff.html*). Essa ferramenta analisa o quanto uma determinada amostra é similar a outra, ou seja, quanto mais similares forem as duas comunidades, melhor elas se representam. A análise de bibliotecas de clones de amostras de reatores biológicos é hoje uma metodologia padrão nos estudos de microbiologia ambiental.

4.2.3 Sequenciamento Massivo

O sequenciamento tem como finalidade determinar a ordem das bases nitrogenadas; adenina (A), guanina (G), citosina (C) e timina (T) da molécula de DNA.

O método de sequenciamento automatizado descrito por Sanger et al. (1977) é considerado como tecnologia de "primeira geração". No entanto, tem-se as seguintes limitações para o sequenciamento Sanger: custo elevado, longo tempo de preparação da amostra e o fato de que ele pode não ser representativo para amostras complexas, ou seja, com alta diversidade. Em 2005, foi desenvolvido equipamento de sequenciamento (454-*Life Science*-Pirosequenciamento) para análise taxonômica, em larga escala ou massivo, que possibilitou a análise com maior cobertura e representatividade, redução de tempo e custo por amostra. Esses métodos mais recentes são referidos como sequenciamento de próxima geração (NGS, do inglês *Next-Generation Sequencing*). As tecnologias NGS constituem de várias estratégias que dependem das seguintes combinações: preparação da amostra, modelo dos equipamentos, sequenciamento, métodos de alinhamento e montagem do genoma. (Metzker, 2010).

O equipamento comercialmente bem-sucedido do sequenciamento de próxima geração (NGS) foi o sequenciador Roche 454, que usa a tecnologia de pirosequenciamento, lançado em 2005. A tecnologia depende da detecção de pirofosfato liberado durante a incorporação de nucleotídeos (Liu et al., 2012).

A SOLiD (*Sequencing by Oligo Ligation Detection*) foi adquirida pela Applied Biosystems em 2006, baseado no sequenciamento de ligação via leitura de duas bases. O sinal fluorescente é gravado durante as sondas complementares à cadeia molde e depois desaparece pela clivagem das 3 últimas bases das sondas (Liu et al., 2012).

O sequenciador Solexa/Illumina, lançado em 2006, adota a tecnologia de sequenciamento por síntese. A biblioteca com adaptadores fixos é desnaturada em fitas simples e posteriormente ocorre a inserção na célula de fluxo, seguido da amplificação da ponte para a formação de agrupamento de fragmentos de DNA clonados (Liu et al., 2012).

Ion PGM foi lançado pela Ion Torrent no final de 2010. A PGM usa tecnologia de sequenciamento de semicondutores. Quando um nucleotídeo é incorporado nas moléculas de DNA pela polimerase, um próton é liberado. Ao detectar a mudança de pH, PGM reconhece se o nucleotídeo foi ou não adicionado a molécula de DNA (Liu et al., 2012).

O surgimento do sequenciamento NGS tornou possível realizar as análises meta-ômicas (metagenômicas, metatranscriptômica, metaproteômica e metabolômica) em amostras complexas.

A análise **metagenômica** é o estudo de metagenomas (material genético) extraído diretamente de amostras ambientais. Esse estudo pode ser realizado usando o gene ribossomal 16S para estudo taxonômico, ou de todo o DNA extraído da amostra, nesse caso as sequências fragmentadas na análise consistem na montagem do metagenoma, para identificação de novos genes, além de estimar a diversidade dos genomas na amostra.

Metatranscriptômica permite a investigação do RNA ribossômico e mensageiro transcritos ativamente de uma comunidade. A análise metatranscriptômica pode revelar a composição taxonômica e as funções bioquímicas ativas de uma comunidade microbiana complexa. Do ponto de vista metabólico, pode identificar um núcleo comum de enzimas envolvido no aminoácido, no metabolismo energético, além de identificar caminhos específicos do microbioma (Jiang et al., 2016).

A **metaproteômica** é uma ferramenta usada na caracterização do conjunto de proteínas expresso por uma comunidade microbiana em uma amostra ambiental. Essa análise é realizada por espectrometria de massas de alto desempenho. A proteômica representa a identificação dos produtos do gene funcional, fornecendo informações das atividades metabólicas que ocorrem em uma comunidade no momento da amostragem (Hettich, et al., 2013).

A **metabolômica** é usada para a identificação dos metabólitos que caracterizam cada estado do organismo e a medição de sua dinâmica em diferentes situações (fatores bióticos e abióticos; por exemplo, condições patológicas) ambientais. O conhecimento sobre os metabolitos é importante para a compreensão da maioria dos fenômenos celulares, mas essa informação por si só não é suficiente para obter visão abrangente de todos os processos biológicos envolvidos (Cambiaghi et al., 2017).

Metagenômica permite estudar o genoma total de todos os microrganismos de determinada amostra ambiental sem a necessidade de realizar cultivos individuais.

Metatranscriptômica é análoga a metagenômica, e permite estudar as sequências de RNA dos microrganismos ao invés do DNA. O RNA isolado é convertido em DNA complementar por transcrição reversa.

Metabolômica permite identificar e quantificar os metabólitos das reações bioquímicas.

Metaproteômica permite estudar a diversidade e abundância de diferentes proteínas de uma comunidade microbiana.

As abordagens meta-ômicas (metagenômicas, metatranscriptômica, metaproteômica e metabolômica) fornecem evidências para vincular populações microbianas a processos metabólicos específicos que ocorrem em ambientes naturais e artificiais. As informações integradas permitem o entendimento dos processos biológicos envolvidos em amostras ambientais complexas (Figura 4.8). Ao usar a combinação dessas abordagens, pode-se determinar a filogenia, reconstrução dos caminhos metabólicos, identificar novos genes e enzimas, e visualizar as células metabolicamente ativas.

Os dados brutos gerados dessas plataformas diferentes de sequenciamento massivo contêm características próprias quanto ao método que é usado para a identificação das bases, o tamanho dos fragmentos que são sequenciados e os tipos de bibliotecas dos clones. Para a análise desses dados brutos, é necessário utilizar uma plataforma computacional robusta, com o auxílio de programas relacionados com o mapeamento e montagem dos genomas; além de um banco de dados com informações taxonômicas e funcionais.

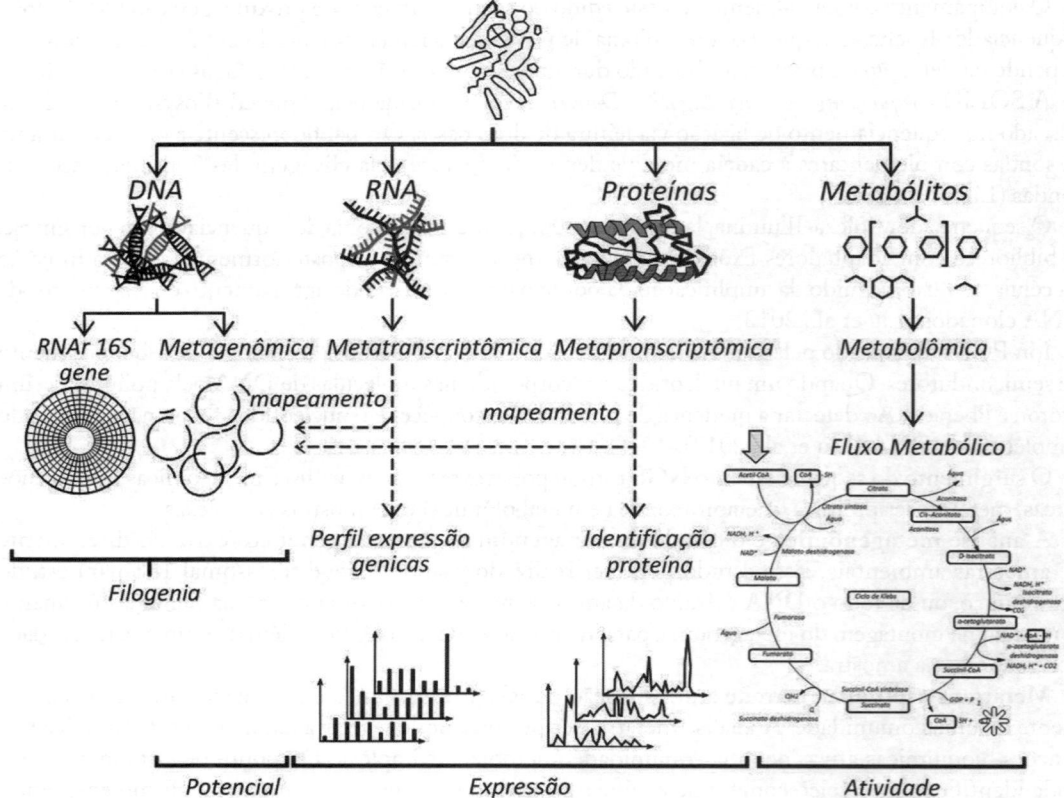

FIGURA 4.8 Esquema das abordagens meta-ômicas. *Fonte: Modificado de Vanwonterghem et al., 2014.*

Apesar do surgimento da técnica do sequenciamento de próxima geração (NGS, do inglês *Next Generation Sequencing*), ainda se aplica o sequenciamento Sanger na identificação de microrganismos isolados e no desenho de oligonucleotídeos que são complementares para grupos-alvo, em nível taxonômico de domínio a gênero, ou seja, iniciadores e/ou finalizadores para a técnica do DGGE e sonda, com oligonucleotídeos marcados com fluorescência para a técnica do FISH.

4.2.4 FISH (*Fluorescence In Situ Hybridization*)

Outra metodologia amplamente utilizada em processos biológicos está relacionada com hibridização *in situ* fluorescente (FISH, do inglês *Fluorescence In Situ Hybridization*), que combina a precisão da genética molecular com a informação visual a partir da microscopia, possibilitando a visualização e identificação de células microbianas individuais no seu habitat natural ou artificial, como em reatores biológicos. Por meio dessa técnica, é possível identificar sequência alvo de ácido ribonucleico mediante o uso de uma sonda (uma sequência complementar à primeira) marcada com **fluorocromo** (substância que absorve luz ultravioleta e emite luz visível, ou seja, fica fluorescente).

A partir de sequências específicas de nucleotídeos de um determinado grupo de microrganismos conhecidos, sondas genéticas podem ser construídas e, assim, pode-se detectar o grupo alvo em ambientes complexos. Em outras palavras, através da fixação das células íntegras (no caso do FISH), caracteriza-se o tipo microbiano em questão (Figura 4.9).

Na metodologia de hibridização fluorescente *in situ*, as moléculas de RNAr das células de bactérias e arqueias fixadas com paraformaldeído são hibridizadas com oligonucleotídeos fluorescentes, as quais contêm sequências de bases nitrogenadas complementares a estas da amostra ambiental. As sondas de oligonucleotídeos são sequências curtas de DNA contendo cerca de 17 a 34 bases nitrogenadas (Tabela 4.4). Essas sequências são sintetizadas quimicamente e estão ligadas a um fluorocromo. Em função do pequeno tamanho dos oligonucleotídeos, estes permeiam a parede celular do microrganismo e, sendo complementares às sequências de bases das moléculas de RNAr dispersas no citoplasma, sofrem hibridização, marcando-as. As células hibridizadas são visualizadas em microscópio de epifluorescência utilizando filtros especiais e distinguidas das demais através da contagem do número total pela coloração com DAPI (4,6-diamidino-2-phenylindole). Esse método é adequado para enumerar populações microbianas específicas e determinar sua distribuição temporal em biofilmes, grânulos, lodos ativados, solo e sedimentos (Figura 4.10).

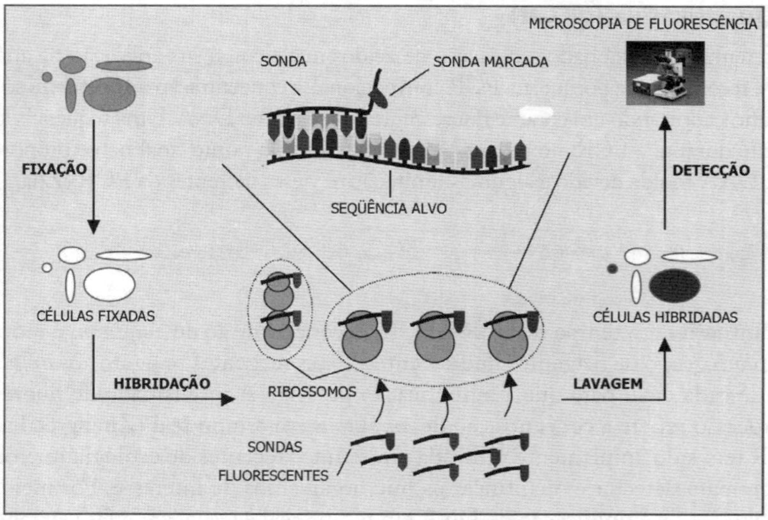

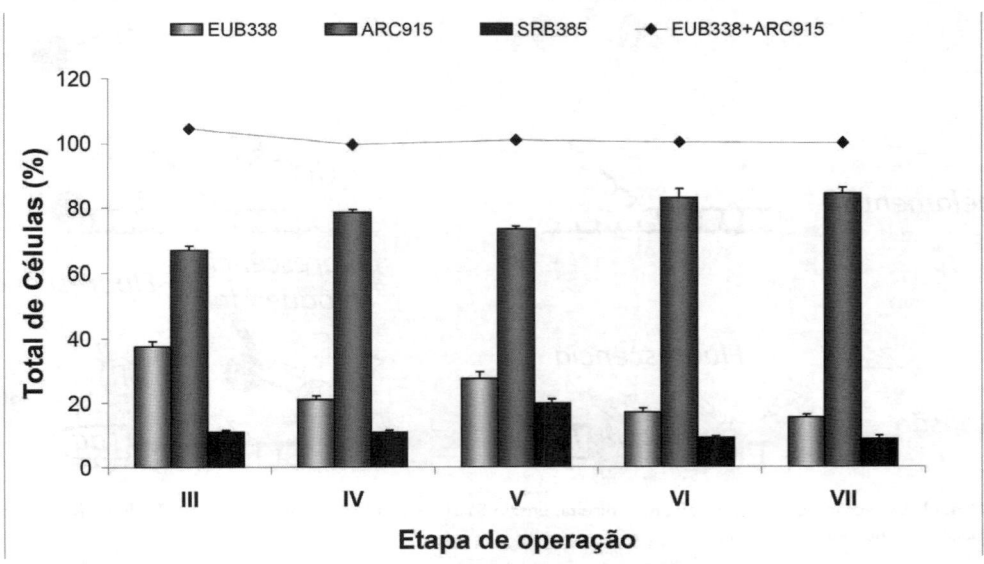

FIGURA 4.9 Etapas de execução da hibridização *in situ* com sondas fluorescentes. *Fonte: Modificado de Abe (1998).*

TABELA 4.4 Sondas de oligonucleotídeos para hibridização *in situ* fluorescente

Sonda	Especificidade	Sequência (5′ → 3′)	Sítio do RNAr 16S*	Referência
NON338	Controle Negativo	ACT CCT ACG GGA GGC AGC	338-355	Manz et al., 1992
EUB338	Domínio *Bacteria*	GCT GCC TCC CGT AGG AGT	338-355	Amann et al., 1990
ARC915	Domínio *Archaea*	GTG CTC CCC CGC CAA TTC CT	915-934	Stahl & Amann, 1991

*Posição RNAr 16S de acordo com a numeração de Escherichia coli

FIGURA 4.10 Composição da comunidade microbiana do reator UASB representadas pela quantidade de RNAr 16S microbiano para os membros do Domínio *Bacteria* (EUB338), bactérias redutoras do íon sulfato (BRS) da subdivisão delta de *Proteobacteria* (SRB385), Domínio *Archaea* (ARC915) e a soma dos dois domínios (EUB338 + ARC915). As barras indicam o erro padrão. A linha contínua foi traçada apenas para melhor visualização. As etapas de III a VII se diferem quanto à relação DQO/sulfato. *Fonte: Hirasawa (2007).*

4.2.5 PCR Quantitativa (qPCR)

Embora a PCR tenha revolucionado a detecção de ácidos nucleicos, a sua aplicação na análise quantitativa geralmente não é recomendada porque, na PCR convencional, a concentração de *amplicons* só pode ser medida no final da amplificação, usando um corante fluorescente que se liga ao DNA. Uma sequência alvo é amplificada exponencialmente durante a PCR; no entanto, a concentração do ponto final não é proporcional à concentração inicial de DNA molde devido a algumas limitações e vieses inerentes da PCR (Zhang & Fang, 2006).

Amplicon é um fragmento de DNA sintetizado pela PCR e o tamanho desse fragmento é definido pelos iniciadores 5′ e 3′.

Na PCR quantitativa em tempo real (qRT-PCR), a concentração de *amplicons* é monitorada durante os ciclos usando um grupo de reagentes fluorescentes. Estes reagentes se ligam aos *amplicons* sem causar danos ao final de cada ciclo para que a amplificação prossiga A intensidade de fluorescência emitida durante este processo reflete a concentração de *amplicons* em tempo real (Zhang & Fang., 2006).

A qRT-PCR tem sido amplamente utilizada em estudos recentes de ecologia microbiana ambiental como ferramenta para detectar e quantificar os microrganismos de interesse. Por meio dela, é possível monitorar o progresso de amplificação de DNA em tempo real e visualizar a fase exponencial da amplificação (Heid et al., 1996). Este monitoramento em tempo real, denominado quantificação absoluta das sequências alvo, é conseguido medindo continuamente a fluorescência emitida à medida que os *amplicons* se acumulam. Entre as várias detecções químicas fluorescentes, os métodos mais usados nos estudos com amostras ambientais são: (1) a adição de corantes fluorescentes intercalantes (por exemplo, SYBR Green I), que emite fluorescência somente quando se liga ao DNA de cadeia dupla ou, (2) sondas de oligonucleotídeos (complementares a uma sequência interna) marcadas com fluoróforo denominado de repórter (R) e com uma molécula conhecida de *quencher* (Q) (TaqMan) (Kim et al., 2013). No processo da amplificação, ocorre a separação do fluoróforo repórter do *quencher* e resulta em aumento da intensidade da fluorescência (Figura 4.11).

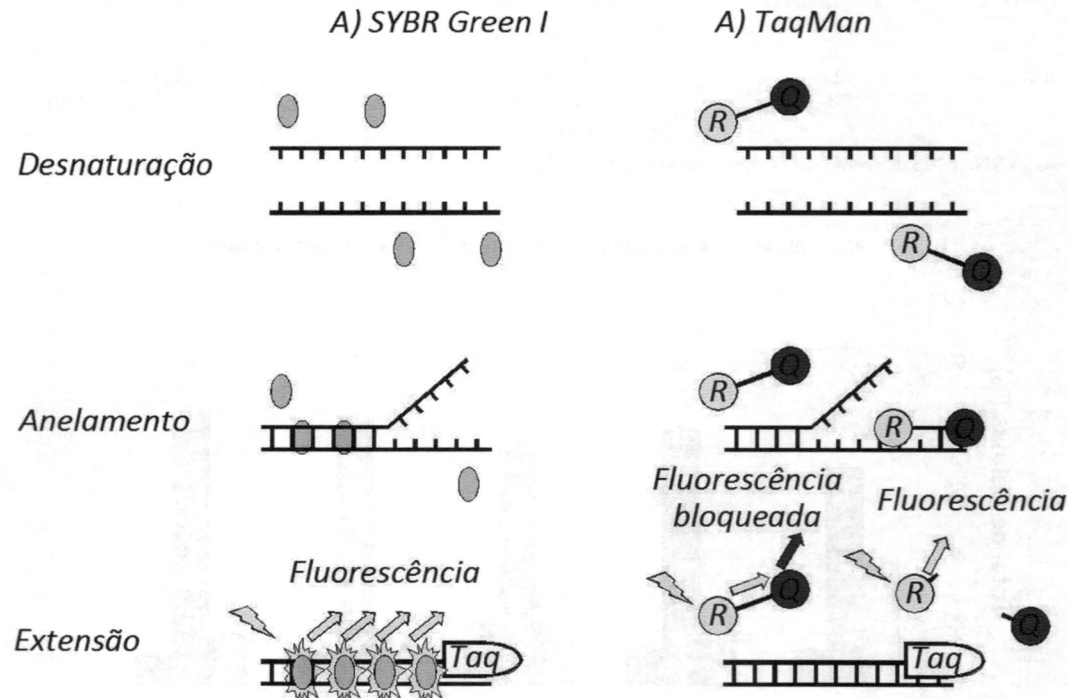

FIGURA 4.11 Detecção química para qPCR: À direita, ensaio SYBR Green I, e à esquerda, ensaio TaqMan: R = repórter e Q = *quencher*. Fonte: *Kim et al., 2013.*

TaqMan é uma sonda fluorescente linear com especificidade para uma sequência de DNA alvo. Essa sonda é constituída de um fluoróforo ligado na extremidade 5′, denominado de **repórter** (R), o qual é responsável pela emissão da fluorescência quando ocorre a amplificação, e de uma molécula conhecida como **quencher** (Q) localizada na extremidade 3′ que impede a emissão da fluorescência do repórter quando não ocorre a amplificação.

4.3 CONCLUSÃO

No processo de tratamento de resíduos por reatores biológicos, a avaliação da diversidade microbiana é tão importante no entendimento dos processos quanto a avaliação das variáveis operacionais como sólidos suspensos, sólidos voláteis, demanda química de oxigênio, consumo de fontes de carbono, produção de gás, entre outros. No entanto, aspectos relacionados com a transformação de compostos orgânicos tóxicos e/ou recalcitrantes em reatores biológicos são, também, importantes no entendimento da fisiologia da biodegradação. O grau e a velocidade com que essa transformação acontece dependem de vários fatores biológicos e das características de cada reator. Na maioria dos casos, avalia-se a biodegradação em diferentes reatores por meio do desaparecimento do substrato e/ou a partir da concentração do aceptor final de elétrons.

Destaca-se que os microrganismos predominantemente isolados em meio de cultura provenientes de amostras ambientais não correspondem àqueles mais frequentemente identificados depois da PCR e sequenciamento do gene RNAr 16S. Portanto, pode-se concluir que os microrganismos provenientes do isolamento por métodos tradicionais que utilizam meio de cultura podem não representar os microrganismos que estão realmente presentes em maior número nessas amostras. Todavia, apesar das ferramentas moleculares fornecerem novas perspectivas para a avaliação da diversidade microbiana dos reatores biológicos, elas não possibilitam que organismos com potencial biotecnológico sejam cultivados e trabalhados, mostrando a necessidade de desenvolver técnicas de cultivo que permitam o estudo e utilização desses microrganismos para propósitos biotecnológicos. Desse modo, para avaliação dos microrganismos de reatores biológicos, é pertinente a aplicação de métodos tradicionais de microbiologia e de biologia molecular para o conhecimento da diversidade microbiana presente nestes ambientes complexos.

REVISÃO DOS CONCEITOS APRESENTADOS

- A biotecnologia ambiental refere-se à obtenção de um produto que propicie benefícios ao Homem por meio de microrganismos.
- Significativa diversidade de possibilidades metabólicas é observada entre os microrganismos, os quais podem ser autótrofos ou heterótrofos e se desenvolver em ambientes aeróbios, anaeróbios ou anóxicos.
- A avaliação da diversidade microbiana é fundamental para a análise da eficiência de sistemas projetados para mitigação de impactos ambientais, como, por exemplo, estações de tratamento de esgoto sanitário e água residuária ou estruturas para remediação de solos ou aquíferos contaminados.
- Algumas dificuldades e limitações são observadas na aplicação das técnicas tradicionais de microbiologia (isolamento, cultivo em placas e NMP). O desenvolvimento de técnicas moleculares (biologia molecular) é importante para auxiliar a identificação de microrganismos e o reconhecimento de grupos microbianos, gêneros e espécies, notadamente aquelas mais exigentes no cultivo em laboratório.
- Dentre as técnicas de biologia molecular mais comumente empregadas, estão FISH, PCR, DGGE, clonagem e sequenciamento, que constituem ferramentas com significativa variedade de aplicações para caracterização da dinâmica e estrutura de ecossistemas microbianos.

SUGESTÕES DE LEITURA COMPLEMENTAR

- ZEHNDER, A.J.B. (1988) *Biology of anaerobic microorganisms.* Wiley-Interscience Publication, John Wiley & Sons, 872p.
- WATSON, J.D., BERRY, A. (2005) *DNA: o segredo da vida.* Trad. Carlos Afonso Malferrari. São Paulo: Companhia das Letras, 470p.
- MIR, L. (2004) *Genômica.* Rio de Janeiro: Atheneu, 1.114p.
- MADIGAN, M.T., MARTINKO, J.M., PARKER, J. (2004) *Microbiologia de Brock.* Pearson Prentice Hall, 608p.
- BLACK, J.G. (2002) *Microbiologia – fundamentos e perspectivas.* Rio de Janeiro: Guanabara Koogan, 829p.
- BROWN, T.A. (1999) *Genética – Um enfoque molecular.* Rio de Janeiro: Guanabara Koogan, 336p.
- ROWN, T.A. (2016) *Gene cloning and DNA analysis: an introduction.* John Wiley & Sons, 320p.
- CAMPBELL, M.K., FARRELL, S.O. (2007) *Bioquímica. Biologia Nolecular 2.* Estados Unidos: Thomson Learning, 509p.
- GRIFFITHS, A.J.F., MILLER, J.H., SUZUKI, D.T., LEWONTIN, R.C., GELBART, W.M. (2002) *Introdução à Genética.* Rio de Janeiro: Guanabara Koogan, 794p.
- INGRAHAM, J.L., INGRAHAM, C.A. *Introdução à Microbiologia – Uma abordagem baseada em estudos de casos.* São Paulo: Cengage Learning, 2010. 723p.
- JENKINS, D., RICHARD, M.G., DAIGGER, G.T. (2004) *Manual on the causes and control of activated sludge bulking, foaming, and other solids separation problems.* Lewis Publishers, 190p.

- JOLY, C.A., BICUDO, C.E.M., CANHOS, V.P., VAZOLLER, R.F. (1999) *Biodiversidade do Estado de São Paulo, Brasil: síntese do conhecimento ao final do século XX.* São Paulo: FAPESP, 118p.
- MADIGAN, M.T., MARTINKO, J.M., DUNLAP, P.V., CLARK, D.P. (2009) *Brock biology of microorganisms.* Pearson Prentice Hall, 1.061p.
- MUYZER, G., DE WAAL, E.C., UITTERLINDEN, A.G. (1993) Profiling of complex microbial populations by denaturing gradient gel electrophoresis analysis of polymerase chain reaction-amplified genes coding for 16S rRNA. *Applied and Environmental Microbiology,* v. 59, n. 3, p. 695-700.
- PELCZAR J.R., M.J., CHAN, E.C.S., KRIEG, N.R. (1996) *Microbiologia conceitos e aplicações.* São Paulo: Makron Books, 524 p.
- TORTORA, G.J., FUNKE, B.R., CASE, C.L. (2005) *Microbiologia.* Porto Alegre: Artmed, 894p.

Referências

ABE, D.S. (1998) *Desnitrificação e caracterização filogenética das bactérias de vida livre e bactérias aderidas às partículas do hipolímnio do lago Kizaki, Japão.* Tese de Doutorado. Escola de Engenharia de São Carlos, Universidade de São Paulo (EESC-USP). 106 p.

AMANN, R.I., BINDER, B.J., OLSON, R.J. (1990) Combination of 16S rRNA-targeted oligonucleotide probes with flow cytometry for analysing mixed microbial populations. *Applied and Environmental Microbiology,* v. 56, p. 1919-1925.

BLACK, J.G. (2002) *Microbiologia: fundamentos e perspectivas.* Rio de Janeiro: Guanabara Koogan.

CAMBIAGHI, A., FERRARIO, M., MASSEROLI, M. (2017) Analysis of metabolomic data: tools, current strategies and future challenges for omics data integration. *Briefings in bioinformatics,* v.18, n.3, p. 498-510.

HEID, C.A., STEVENS, J., LIVAK, K.J., WILLIAMS, P.M. (1996) Real time quantitative PCR. *Genome research,* v.6, n.10, p. 986-994.

HETTICH, R.L., PAN, C., CHOUREY, K., GIANNONE, R.J. (2013) Metaproteomics: harnessing the power of high performance mass spectrometry to identify the suite of proteins that control metabolic activities in microbial communities. *Analytical Chemistry,* v. 85, p.4203-4214.

HEUER, H., KRSEK, M., BAKER, P., SMALLA, K., WELLINGTON, E.M.H. (1997) Analysis of Actinomycete Communities by Specific Amplification of Genes Encoding 16S rRNA and Gel-Electrophoretic Separation in Denaturing Gradients. *Applied and Environmental Microbiology,* v. 63, p. 3233-3241.

HIRASAWA, J.S. (2007) *Avaliação da metanogênese e sulfetogênese na presença de oxigênio, sob diferentes relações etanol/sulfato, utilizando técnicas de biologia molecular.* Tese (Doutorado). Escola de Engenharia de São Carlos, Universidade de São Paulo (EESC-USP). 134p.

JIANG, Y., XIONG, X., DANSKA, J., PARKINSON, J. (2016) Metatranscriptomic analysis of diverse microbial communities reveals core metabolic pathways and microbiome-specific functionality. *Microbiome,* v. 4, n. 1, p. 2.

KAKSONEN, A. (2004) *The performance, kinetics and microbiology of sulfidogenic fluidized-bed reactors treating acidic metal– and sulfate-containing wastewater.* Tese (Doutorado). Tampere: Tampere University of Technology. 151p.

KIM, J., LIM, J., LEE, C. (2013) Quantitative real-time PCR approaches for microbial community studies in wastewater treatment systems: applications and considerations. *Biotechnology advances,* v. 31, n. 8, p. 1358-1373.

KUDO, Y., NAKAJIMA, T., MIYAKI, T., OYAIZU, H. (1997) Methanogen flora of paddy soils in Japan. *FEMS Microbiology Ecology,* v. 22, p. 39-48.

LIU, L., LI, Y., LI, S., HU, N., HE, Y., PONG, R., LU, L., LAW, M. (2012) Comparison of next-generation sequencing systems. *BioMed Research International.*

MANZ, W., AMANN, R., LUDWIG, W., WAGNER, M., SCHLEIFER, K.H. (1992) Phylogenetic oligodeoxynucleotide probes for the major subclasses of Proteobacteria: problems and solutions. *Systematic and Applied Environmental Microbiology,* v. 15, p. 593-600.

METZKER, M.L. (2010). Sequencing technologies – the next generation. Nature reviews genetics, v. 11, n. 1, p. 31.

MUYZER, G. (1999) DGGE/TGGE a method for identifying genes from natural ecosystems. Current opinion in microbiology, v. 2, n. 3, p. 317-322.

NUBEL, U., ENGELEN, B., FELSKE, A. et al. (1996) Sequence Heterogeneities of Genes Encoding 16S rRNAs in Paenibacillus polymyxa Detected by Temperature Gradient Gel Electrophoresis. *Journal of Bacteriology,* v. 178, n. 19, p. 5636-5643.

OLIVEIRA, L.L. (2010) *Remoção de Alquilbenzeno Linear Sulfonado (LAS) e Caracterização Microbiana em Reator Anaeróbio de Leito Fluidificado.* Tese de Doutorado. Escola de Engenharia de São Carlos, Universidade de São Paulo (EESC-USP), 178p.

SAKAMOTO, I.K., VARESCHE, M.B.A. (2011) *Análise filogenética da comunidade de arqueias metanogênicas de lodo anaeróbio.* In: X Oficina e Seminário Latino Americano de Digestão Anaeróbia (DAAL): Ouro Preto (MG).

SANGER, F., NICKLEN, S., COULSON, A.R. (1977) DNA sequencing with chain-terminating inhibitors. *Proceedings of the national academy of sciences,* v. 74, n. 12, p. 5463-5467.

STAHL, D.A., AMANN, R.I. (1991) *Development and application of nucleic acid techniques in bacterial systematics.* Londres: John Wiley & Sons.

VANWONTERGHEM, I., JENSEN, P.D., HO, D.P., BATSTONE, D.J., TYSON, G.W. (2014) Linking microbial community structure, interactions and function in anaerobic digesters using new molecular techniques. *Current opinion in biotechnology,* v. 27, p. 55-64.

VAZOLLER, R.F., VARESCHE, M.B.A. (2000) *Uso Ampliado da Digestão Anaeróbia – Ambientes Extremos (Halofílicos, Psicrofílicos, Termofílicos), Bioremediação, Compostos Recalcitantes, Sulfetos.* In: VI Oficina e Seminário Latino-Americano de Digestão Anaeróbia: Recife.

ZHANG, T., FANG, H.H. (2006) Applications of real-time polymerase chain reaction for quantification of microorganisms in environmental samples. *Applied Microbiology and Biotechnology,* v. 70, n. 3, p. 281-289.

MEIO AMBIENTE E SAÚDE PÚBLICA

Luiz Antonio Daniel

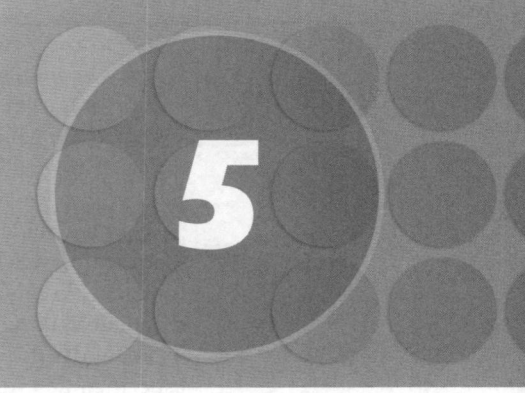

As alterações no ambiente pela ação do homem podem resultar, além do desequilíbrio das relações ambientais, em doenças que estão relacionadas com poluição e contaminação da água, do solo e do ar. A invasão de ambientes pelo homem o expõe ao contato com organismos patogênicos antes restritos a estes ambientes ou devido à supressão de vegetação ou destruição do habitat de animais e insetos, que os força a se adaptarem e reproduzirem próximos às casas. Isso torna o homem parte do ciclo reprodutivo do organismo patogênico que tem como hospedeiro animais silvestres e insetos. A poluição e a contaminação do ambiente deve ser, inicialmente, evitada por meio da implantação de medidas preventivas, seguidas de medidas minimizadoras e, finalmente, por medidas mitigadoras, ou seja, uso de tecnologias para remover os poluentes e inativar os organismos patogênicos nas diferentes rotas de transmissão.

5.1 INTRODUÇÃO

As ações do homem sobre a natureza, seja pelo lançamento de excretas, por alterações das condições naturais do ambiente, pela ocupação do solo com a supressão da vegetação ou pelo lançamento de resíduos líquidos, sólidos ou gasosos de origem doméstica ou industrial, têm como consequência, além dos danos ao ambiente, efeitos prejudiciais à saúde que, dependendo do grau de exposição e concentração dos poluentes, podem ser agudos, crônicos ou resultar em óbitos.

Paradoxalmente, o ambiente que mantém a vida de todos os organismos pode provocar enfermidades a esses seres vivos, sejam oriundas de interferências naturais ou causadas pela ação do homem. As interferências de causas naturais contribuem para o equilíbrio do ambiente e as de origem antrópica advêm de atividades relacionadas com o aumento da população, intensificação da atividade agrícola para produção de mais alimentos com consequente substituição de ambientes naturais por cultivares e expansão industrial. Algumas das consequências dessa interferência são a alteração climática em escala global, a poluição do ar e da água, a geração contínua e crescente de resíduos sólidos sem destino adequado e a contaminação das águas superficial e subterrânea por micropoluentes (por exemplo, perturbadores endócrinos). Essas alterações resultam em malefícios à saúde e ao bem-estar dos organismos vivos.

Conforme introduzido no Capítulo 1, a transformação social ou de comportamento do nomadismo para a **fixação em aglomerados urbanos** resultou em algo antes desprezível: a contaminação e a poluição da água pelo lançamento de dejetos, a contaminação do solo e o acúmulo de resíduos. Ao se aglomerarem mais e mais pessoas, os problemas ambientais e de saúde pública se avolumaram. O maior contato entre as pessoas da mesma comunidade e entre comunidades pela necessidade de trocas – comércio – contribuiu para a disseminação de doenças. Todavia, o conjunto de medidas preventivas, minimizadoras e curativas possibilita o controle da incidência de casos em nível que se aproxima da erradicação ou ocorrência rara dessas doenças.

Tomando inicialmente as doenças relacionadas com a água, percebe-se claramente a relação direta entre **deficiência dos serviços de saneamento** e maior número de pessoas doentes. O nível de contaminação do meio, o grau de exposição dos indivíduos, a dose infectante do microrganismo patogênico, a suscetibilidade do hospedeiro e a sobrevivência do parasita ou agente infectante no ambiente externo ao hospedeiro são fatores que influenciam a ocorrência de doenças.

No sentido médico, o ambiente inclui o entorno, condições ou influências que afetam o organismo (Davis, 1989). Nessa mesma linha, Porta (2008) definiu o ambiente como *"tudo o que é externo ao hospedeiro humano. Pode ser dividido em físico, biológico, social, cultural etc., em que qualquer ou todas dessas divisões pode influenciar o estado de saúde da população". "O ambiente fornece às pessoas os alimentos que comem, a água que bebem, o ar que respiram, a energia que utilizam, as pragas e pestes que combatem e as montanhas, mares, lagos, rios, plantas e animais que apreciam e de quem dependem"* (Cohen, 1995 citado por Porta, 2008). Para a Organização Mundial da Saúde – OMS (WHO, 2006), *"o ambiente são todos os fatores físicos, químicos e biológicos externos ao hospedeiro humano, e todos relacionados com o comportamento, porém excluindo os ambientes naturais que não podem ser razoavelmente alterados".*

Como a saúde das pessoas pode ser afetada pelo ambiente? Parece difícil responder a esta pergunta. Entretanto, a OMS dispõe de dados que auxiliam a entender os efeitos dos impactos ambientais na saúde humana. No contexto deste capítulo, são abordadas as doenças relacionadas com os impactos ambientais da poluição da água, do solo e do ar.

Além das doenças relacionadas com a água, há aquelas decorrentes da poluição do ar, que será alvo específico de estudo nos Capítulos 15 e 21. Os poluentes atmosféricos, gases ou partículas, causam doenças respiratórias, cardiovasculares ou outras relacionadas com a absorção de substâncias tóxicas presentes no ar. As fontes de emissão de poluição do ar são móveis, representadas pelos automóveis, trens, barcos, navios, e fixas, provenientes de atividades industriais ou da queima de vegetação.

Há também as doenças decorrentes da alteração do ambiente que causa desequilíbrio ou destrói o habitat natural de alguns animais, favorecendo o contato destes com o homem, por exemplo, a doença de Chagas. Por esse motivo, é importante entender as interações entre ambiente e saúde pública. Quanto maior a exposição do indivíduo a situações de perigo, maior o risco de contrair doenças que podem resultar em óbitos, enfermidades ou incapacitação para desenvolver as atividades normais, impedindo, inclusive, a atuação profissional (trabalho).

A incidência de doenças relacionadas com o ambiente é variável com o local e com o tempo. Por exemplo, no final do século XIX e início do século XX, a pneumonia e a tuberculose eram as duas principais causas de morte em muitos países. Com o advento de melhorias no saneamento e procedimentos relacionados com a saúde pública, conjuntamente com os avanços da medicina, a tuberculose e outras doenças contagiosas foram controladas ou erradicadas. Outras doenças mais complexas e com causas múltiplas passaram a prevalecer, dentre elas as doenças cardíacas e respiratórias crônicas, além de neoplasmas malignos ou cânceres. As possíveis causas dessas mudanças são atribuídas à poluição ambiental que afeta todos os seres vivos, incluindo o homem. Os poluentes estão dispersos nos diferentes compartimentos ambientais e podem contaminar os alimentos, a água e o ar. Algumas das substâncias constituintes de efluentes industriais são reconhecidamente cancerígenas.

As doenças ocupacionais estão relacionadas com o ambiente de trabalho. Entretanto, efeito semelhante é observado devido à poluição em ambiente externo ao trabalho. Exemplos dessas doenças são cânceres, doenças respiratórias, má formação de fetos, envenenamento por metais tóxicos e lesões no sistema reprodutivo.

Dados da OMS (WHO, 2006) indicam que 24% das doenças notificadas em âmbito mundial e 23% de todos os óbitos podem ser atribuídos a fatores ambientais. De acordo com a OMS (WHO, 2002), os fatores de risco ambiental contribuíram em 85 categorias das 102 doenças de maior prevalência em âmbito mundial. Entre as crianças de 0 a 14 anos, a proporção de mortes atribuídas ao ambiente é de 36%. Há grandes diferenças regionais referentes às causas ambientais devido à variabilidade à exposição e acesso aos serviços de saúde. Por exemplo, enquanto 25% dos casos de morte (por todas as causas) em regiões em desenvolvimento são atribuídas a causas ambientais, somente 17% das mortes são atribuídas a tais causas em regiões desenvolvidas. Algumas das doenças que têm como origem as alterações ambientais são (WHO, 2006):

Diarreia. Dos casos de diarreia, 94% são atribuídos ao ambiente e estão associados a fatores de risco, tais como água não potável ou de qualidade suspeita e saneamento e higiene pessoal insatisfatórios;

Infecções no trato respiratório inferior. São doenças associadas à poluição do ar – interna e externa às edificações. Em países desenvolvidos, estima-se que 20% das infecções têm origem ambiental e, nos países em desenvolvimento, essa porcentagem passa a 42%;

Malária. Um total de 42% dos casos de malária estão relacionados com as alterações ambientais, as quais estão associadas a políticas e práticas de uso da terra, desflorestamento, gestão dos recursos hídricos e assentamentos humanos. As modificações das edificações, por exemplo, e melhorias da drenagem para controle da proliferação do mosquito transmissor da doença contribuem para a redução de casos positivos.

Há outras doenças ou lesões de cunho ocupacional que não são objeto deste capítulo, e ressalta-se que os índices anteriores incluem essas causas.

Muitas das intervenções no ambiente para melhoria da saúde são economicamente competitivas com a maioria das intervenções curativas. A facilitação ao acesso a fontes de água de melhor qualidade reduz consideravelmente o tempo despendido pelo usuário para obtenção de água, o qual pode ser usado em outras atividades. A disponibilização de melhores condições de saneamento e a prática de boa higiene pessoal auxiliam no rompimento do **ciclo da contaminação fecal oral de patogênicos veiculados pela água**, resultando em benefícios à saúde, redução de pobreza, promoção de bem-estar e desenvolvimento econômico. O ciclo das doenças veiculadas pela água é interrompido em ações conjuntas que envolvem o fornecimento de água de qualidade segura (Capítulo 17) a toda a população (índice de atendimento de 100% – embora o fornecimento em menor parcela represente avanço onde não há fornecimento de água tratada), a coleta e o tratamento de todo o esgoto sanitário gerado (Capítulo 18), em nível compatível e sanitariamente seguro em relação aos usos da água, o tratamento de efluentes industriais (Capítulo 19), a coleta e disposição ou tratamento dos resíduos sólidos domiciliares e industriais (Capítulo 22). Em conjunto, esses procedimentos diminuem os riscos à saúde pública (Capítulo 31).

5.2 POLUIÇÃO DA ÁGUA

A poluição da água decorre do lançamento direto ou indireto de resíduos gerados pela atividade humana no ambiente. O lançamento direto é aquele em que o esgoto doméstico ou os efluentes industriais são despejados sem tratamento nos corpos de água ou o lançamento de efluentes de sistemas de tratamento que ainda contêm matéria orgânica que não foi removida (a eficiência de remoção é menor que 100%). A poluição, nesse caso, pode ser também decorrente do lançamento de resíduos sólidos. A via indireta provém da disposição desses resíduos no solo, que são posteriormente carreados, lixiviados ou solubilizados pela água pluvial atingindo os corpos de água superficiais ou as águas subterrâneas, ou seja, pela poluição difusa. Outra fonte provém da poluição do ar mediante a chuva, que captura partículas e gases, caracterizando a deposição atmosférica úmida.

Nos países em que a poluição da água está controlada, a preocupação com riscos à saúde humana não é mais prioritária e o enfoque passou a ser a conservação dos recursos hídricos, os aspectos estéticos e a preservação da beleza cênica. Entretanto, nos países ainda deficitários em controle de poluição da água, a ênfase em saúde é prioritária.

A poluição pode ser classificada como **química** – orgânica ou inorgânica –, **térmica** e **biológica**. Como exemplo de poluição química, têm-se o lançamento de compostos derivados do petróleo, esgoto doméstico, efluentes industriais, despejos de origem agrícola contendo agrotóxicos e nutrientes (nitrogênio e fósforo, principalmente) e a drenagem ácida de minas. A poluição térmica está relacionada com o lançamento de águas de sistemas de troca de calor em termelétricas e indústrias. A poluição biológica provém do lançamento de microrganismos prejudiciais ao homem e ao ambiente, por exemplo, os microrganismos patogênicos presentes nas fezes humanas e de animais.

A preocupação do homem com a qualidade da água é antiga (milenar) e remonta a épocas em que o sistema sensorial humano era o critério de escolha e avaliação de qualidade. Naquela época, a qualidade da água para consumo humano recaía em cor, turbidez, sabor e odor, não havendo conhecimento sobre a relação das doenças com a presença de microrganismos patogênicos e/ou substâncias químicas. O controle de qualidade da água é baseado em normas que evoluem continuamente e acompanham os avanços da química analítica, dos procedimentos de identificação, quantificação e avaliação do potencial de infecção ou viabilidade dos organismos patogênicos e da relação desses agentes com aspectos epidemiológicos e de saúde pública. Em relação às doenças, há que se diferenciar entre aquelas causadas por **microrganismos ou organismos patogênicos** e as causadas por **produtos químicos**.

5.3 DOENÇAS DE CAUSA BIOLÓGICA RELACIONADAS COM A ÁGUA

As doenças relacionadas com a água podem ser de veiculação hídrica, em que a água é o veículo de condução e dispersão do microrganismo patogênico, e as doenças em que a água é usada para a reprodução de vetores como, o mosquito *Aedes aegypti*, transmissor da febre amarela e da dengue, e os mosquitos do gênero *Anopheles*, transmissores da malária.

A ausência de serviços adequados de abastecimento de água e de coleta de esgoto em áreas urbanas propiciou a ocorrência de doenças em escala massiva (Chadwick, 1842). A quantidade de água disponível usada para a higiene pessoal e doméstica é mais importante que a qualidade da água na redução da incidência de doenças de origem feco-oral (Mara, 2003). As demais rotas feco-orais são ainda a principal causa de morte. Em termos gerais, doenças vinculadas às deficiências de suprimento de água, de coleta e tratamento de esgoto e de higiene pessoal são responsáveis por 7% do total de mortes e 8% do total de incapacidades em países em desenvolvimento (Mara, 2003). O *DALYS (Disability Adjusted Life Years)* é um índice que considera a soma dos dias de vida perdidos devido à mortalidade prematura e os anos perdidos devido à incapacidade pelas condições de saúde.

O custo macroeconômico das doenças relacionadas com a água e excretas é elevado. Dados de 1979, embora desatualizados, mostraram que, naquele ano, de 360 a 400 bilhões de dias de trabalho foram perdidos nos países em desenvolvimento devido a doenças relacionadas com a água e excretas que mantiveram os trabalhadores afastados do serviço (WHO, 2000).

Os **investimentos em saneamento** melhoram a qualidade de vida, aumentam a expectativa de vida e resultam em economia ao diminuir o número de internações e gastos com medicamentos. Outro aspecto extremamente relevante é a redução do número de mortes. Para se ter ideia da dimensão e importância dos serviços de saneamento, de acordo com dados do DataSUS, coletados pelo governo brasileiro, em 2009 foram notificadas 462.367 internações por infecções gastrointestinais em todo o país, com 2.101 mortes. Se toda a população tivesse acesso ao saneamento, o número de óbitos poderia ser reduzido para 724, o que indica redução de 65% na mortalidade. Do total de notificações, aproximadamente 206 mil casos foram classificados como diarreia e gastroenterite de origem infecciosa presumível, 10 mil como amebíase, shigelose ou cólera e 246 mil como outras doenças infecciosas intestinais. A maior quantidade de internações foi de crianças e jovens até a idade de 14 anos (Garcia et al., 2010). As doenças gastrointestinais pela classificação CID-10 são: shigelose, amebíase, diarreia e gastroenterite de origem infecciosa presumível, cólera e outras doenças intestinais. A CID-10 (Classificação Estatística Internacional de Doenças e Problemas Relacionados com a Saúde) foi conceituada para padronizar e catalogar as doenças e problemas relacionados com a saúde, tendo como referência a Nomenclatura Internacional de Doenças, estabelecida pela Organização Mundial de Saúde (Brasil, 2012).

A ampliação do acesso à coleta de esgoto está associada à redução no número de internações, como demonstram os dados do período de 2003 a 2008 quando, no âmbito nacional, a população atendida passou de 34% para 40%, resultando em redução de 360 mil para 280 mil internações de jovens até 14 anos. Em 2009, o custo médio nacional de uma internação por infecção gastrointestinal no Sistema Único de Saúde (SUS) foi de cerca de R$350,00, resultando em despesas de aproximadamente R$ 161 milhões ao ano para tratamento no hospital das pessoas infectadas. Nesse valor, não estão consideradas as despesas para tratamento pós-hospitalização ou despesa com retorno ao médico (Garcia et al., 2010).

As doenças causadas pelo consumo de água contaminada estão presentes na história da humanidade. Mesmo com os avanços tecnológicos da engenharia, da medicina e da indústria farmacêutica, embora menos frequentes e de menor amplitude na população em países que dispõem de bons serviços de saneamento, há registros de surtos de doenças com consequências algumas vezes severas que resultam em internações, sequelas permanentes e óbitos.

Os microrganismos podem ser benéficos ao homem, seja na produção de alimentos, na indústria ou no próprio corpo (por exemplo, as bactérias que auxiliam na digestão dos alimentos). No passado, era consenso que as doenças fossem causadas pela respiração de miasmas ou causas sobrenaturais. Miasmas são a emanação de substâncias provenientes da decomposição de matéria orgânica animal e vegetal à qual, no passado, era atribuída a causa de doenças infecciosas e epidemias. O trabalho pioneiro de John Snow, em 1853 (Snow, 1855), comprovou que a cólera, incidente nas proximidades de um poço de água que abastecia a população do entorno, tinha como origem a água contaminada.

Casadeval e Pirofski (1999) discutiram a **patogenicidade**, afirmando que a propriedade primordial dos patogênicos é que eles danificam o organismo hospedeiro. Os microrganismos patogênicos são capazes de causar doenças após vencerem o sistema de defesa do hospedeiro e nele se multiplicarem (Post et al., 2010). Várias características e circunstâncias determinam se o microrganismo é patogênico, inofensivo ou constituinte da comunidade de microrganismos benéficos (Falkow, 1997).

Os microrganismos patogênicos podem ser **vírus**, **bactérias**, **protozoários** e **helmintos**, provenientes de hospedeiros infectados, humanos e animais (zoonose). Doenças infecciosas emergentes ou microrganismos patogênicos emergentes são definidos, pelo *CDC (Centers for Disease Control and Prevention)*, como aqueles em que "*a incidência em humanos tem aumentado nas últimas duas décadas ou ameaçado aumentar em futuro próximo*" (CDC, 2012). As doenças emergentes incluem aquelas resultantes de (Post et al., 2010):

- novo microrganismo patogênico causadas pelas alterações ou evolução de um microrganismo existente;
- microrganismo patogênico conhecido que se espalha para outra região ou população;

- microrganismo patogênico anteriormente não reconhecido como patogênico, incluindo aqueles que surgem em áreas que passaram por transformações ecológicas;
- infecções previamente controladas, mas reemergentes como resultado de resistência a antibióticos ou de falhas das ações de saúde pública.

A patogenicidade é um fenômeno complexo, pois a infecção pelo organismo patogênico não se traduz automaticamente em danos ao hospedeiro. A infecção significa que o organismo patogênico está tendo sucesso em se reproduzir no hospedeiro. Dependendo do organismo patogênico e do hospedeiro, a infecção pode resultar em **infecção assintomática** – sem sintomas e sem danos ao hospedeiro; **enfermidade branda** – sintomas brandos e danos não permanentes ao hospedeiro; **enfermidade aguda** – sintomas severos, frequentemente algum dano permanente ao hospedeiro; **óbito** do hospedeiro (Harza, 2005).

O **desenvolvimento da doença** depende de vários fatores, dentre os quais podem ser destacados: as **características do microrganismo e do hospedeiro**, a **dose infectante**, o **estado imunológico do hospedeiro**, a **virulência do microrganismo** e a **sobrevivência do microrganismo no ambiente**. Embora todos os organismos patogênicos apresentem riscos, os que têm maior probabilidade de efeitos fatais despertam maior atenção. A efetividade do organismo patogênico em causar danos ao seu hospedeiro é referida como virulência sendo normalmente avaliada pela taxa de mortalidade.

A água contaminada pode rapidamente expor grande número de pessoas. A rota de transmissão de doenças de origem hídrica pode ser interrompida pela remoção ou inativação do organismo patogênico na estação de tratamento de água para abastecimento e/ou pela remoção ou inativação do organismo patogênico na estação de tratamento de esgoto (Harza, 2005).

A eliminação da rota fecal-oral é difícil, pois as doenças se espalham pela contaminação de alimentos, atividades em creches e outras transmissões por portadores assintomáticos. A eliminação da rota pela água de abastecimento resulta na eliminação de surtos em larga escala. É, também, muito mais difícil para o organismo sobreviver se ele produz sintomas que incapacitam o hospedeiro ao ponto de ser forçado a permanecer em casa logo após contrair a doença, afastando-o do contato com outras pessoas. O tratamento da água e as boas práticas de saneamento são também necessários para o sucesso da aplicação de antibióticos e vacinas para doenças gastrointestinais.

Diarreia

A diarreia tem como agentes infecciosos várias espécies de bactérias, vírus e protozoários. A **rota fecal-oral** está relacionada com grande parte dos casos de diarreia. As interações entre infraestrutura física e o comportamento humano afetam a rota de transmissão da diarreia. A deficiência de saneamento e os maus hábitos de higiene pessoal contribuem para a transmissão por meio da contaminação de alimentos e de outras pessoas pelas mãos contaminadas com fezes (transmissão pessoa-pessoa).

Os microrganismos patogênicos expelidos nas excretas chegam às águas superficiais e subterrâneas pelo esgoto não tratado (a coleta sem o tratamento afasta o risco para outro local, mantendo a contaminação). A inexistência de coleta do esgoto pode contaminar o solo e o escoamento superficial da água da chuva pode carrear os microrganismos patogênicos para os corpos de água, contaminando-os. O solo contaminado também representa risco pelo contato direto, pela contaminação de alimentos ou pelo transporte por vetores (por exemplo, moscas que podem contaminar alimentos). Os animais também podem transmitir doenças por suas excretas, as quais são conhecidas como zoonoses. Por essas rotas, a água de consumo (teoricamente potável), a recreacional e os alimentos podem ser contaminados e causarem doenças diarréicas após a ingestão.

Xistossomíase

A xistossomíase, ou **esquistossomose**, é causada pelo trematódeo *Shistosoma*. A maioria dos hospedeiros intermediários são os caramujos *Bionphalaria* e *Bulinus* – aquáticos – e *Oncomelaria* – anfíbio. A transmissão ocorre pelo contato direto com a água contendo formas larvais livre-natantes, que penetram pela pele. A água é contaminada com fezes humanas ou urina de indivíduos portadores da xistossomíase que excretam ovos de *Shistosoma*.

Infecções Intestinais por Bactérias

Várias doenças veiculadas pela água têm como agentes infecciosos as bactérias. Relacionam-se, a seguir, algumas das bactérias que causam as doenças mais comuns.

VIBRIO CHOLERAE. São bactérias anaeróbias facultativas comuns em águas superficiais contaminadas com fezes provenientes de pessoas doentes ou hospedeiras da *Vibrio cholerae*. Essa bactéria não é invasiva e ataca o intestino delgado pela reação de toxinas. A bactéria causa diarreia forte, sem febre e vômitos. Os sintomas iniciais se manifestam em 2 a 3 dias após o contágio. O indivíduo infectado, se não tratado, fica desidratado, com pressão arterial baixa e queda de temperatura, cãibras, choque, coma e, eventualmente, pode morrer. A taxa de mortalidade de indivíduos infectados e não tratados é de 50% a 60%.

SALMONELLA. As bactérias *Salmonella* são bacilos não esporulados, geralmente móveis e Gram-negativas. Várias espécies de *Salmonella* causam doenças gastrointestinais. Há várias espécies de *Salmonella*, sendo a de maior interesse para a saúde humana a *Salmonella typhi*, que causa a febre tifoide. O período de incubação é de 10 a 14 dias e os sintomas iniciais são febre (39°C a 40°C), dor de cabeça, mal-estar e dor abdominal. A diarreia é comum, mas alguns indivíduos apresentam constipação. A *Salmonella paratyphi*, agente infeccioso da febre paratifoide, produz sintomas semelhantes aos da *Salmonela typhi*. As outras espécies de *Salmonella* causam gastroenterite, porém sem febre.

SHIGELLA. As *Shigella* são bactérias Gram-negativas, bastonetes, não móveis, não esporuladas. As espécies de maior interesse para a saúde humana são *Shigella dysenteriae*, *Shigella sonnei*, *Shigella boydii* e *Shiguella flexnei*. A *Shigella dysenteriae* é responsável pela disenteria bacilar, doença associada a condições sanitárias inadequadas. Outras espécies de *Shigella* causam diarreias brandas. A maioria dos infectados desenvolve diarreia (frequentemente contendo sangue) e dores de estômago, sintomas que se iniciam normalmente de 2 a 3 dias após o contágio.

ESCHERICHIA COLI PATOGÊNICA. A bactéria *Escherichia coli* é anaeróbia facultativa, Gram-negativa, do tipo bastonete e vive no trato intestinal de animais de sangue quente. A *Escherichia coli* normalmente não é patogênica, sendo benéfica ao homem e auxiliando na síntese de vitaminas e no combate a bactérias patogênicas. A patogenicidade advém de fatores de virulência que a bactéria adquire, tornando-a capaz de causar doenças. As *Escherichia coli* patogênicas são reunidas em cinco grupos:

Escherichia coli oxigênica: causadora da diarreia em pessoas que, por viverem em áreas nas quais essa bactéria não ocorre, ao viajarem para locais em que a bactéria está presente, desenvolvem a doença, normalmente conhecida como diarreia dos viajantes.
Escherichia coli enteroinvasiva: causadora de diarreia em crianças.
Escherichia coli enteroemorrágica: provoca diarreia contendo sangue nas fezes e, ocasionalmente, a síndrome hemolítica urêmica.
Escherichia coli enteropatogênica: causadora da diarreia dos viajantes.
Escherichia coli enteroagregativa: causadora de diarreia em crianças e em imunocomprometidos.

CAMPYLOBACTER JEJUNI. A bactéria *Campylobacter jejuni* é Gram-negativa, delgada, do tipo bastonete, tanto curvos quanto espiralados, móvel e com flagelo monopolar e microaerófila (preferência por ambientes com pouco oxigênio). A presença de *Campylobacter* não está claramente associada com a presença de microrganismos indicadores de contaminação fecal (*Escherichia coli*, por exemplo). Está normalmente presente no trato gastrointestinal de animais saudáveis, por exemplo, bovinos, porcos, galinha, perus, patos, gansos e pode, ocasionalmente, ocorrer isolada em águas de rios e lagos. Os sintomas típicos são forte dor abdominal, diarreia, febre, náuseas, dor de cabeça e dores musculares. A doença é raramente fatal, com menos de uma morte por mil casos. Os grupos mais suscetíveis são crianças com menos de 5 anos e jovens de 15 a 29 anos.

YERSINA ENTEROCOLITICA. A *Yersina enterocolitica* é um patogênico invasivo que penetra o revestimento intestinal e entra nas glândulas linfáticas, causando infecção sistêmica. Provoca inflamação no intestino pela liberação de toxina que causa dor severa semelhante à de apendicite. Quatro sintomas estão associados à *Yersina enterocolitica*:

Enterocolite – diarreia, febre baixa, cãibras abdominais.
Pseudoapendicite – dor na mesma área do apêndice, juntamente com leucocitose.
Infecção focal intestinal – infecção no trato urinário, pneumonia, faringite.
Bacteremia – dispersão dos microrganismos para a corrente sanguínea.

Infecções Intestinais por Vírus

Os vírus entéricos são encontrados em fezes de humanos e animais, e são onipresentes em águas superficiais que recebem esgoto não tratado ou mesmo tratado, pois os processos de tratamento normalmente não retêm ou inativam os vírus por completo. Em algumas situações, é possível detectar vírus em água tratada. Destacam-se os vírus da poliomielite, e das hepatites A, B, C, D, E e G, sendo que os da hepatite A e E são veiculados pela água. Há vírus que causam gastroenterite, incluindo os rotavírus, calicivírus, astrovírus e adenovírus.

Infecções Intestinais por Protozoários

Os protozoários de interesse em doenças veiculadas pela água são *Entamoeba histolytica*, *Entamoeba dispar*, *Giardia lamblia* e *Cryptosporidium parvum*. Seis ou mais espécies de *Entamoeba* têm o homem como hospedeiro. Entretanto, somente a *Entamoeba histolytica* causa doença grave. A infecção é frequentemente assintomática. A maioria das infecções ocorre no trato digestivo, embora outros tecidos possam ser atacados.

A *Giardia* existe na forma de esporozoíto (cisto) e trofozoíto (forma vegetativa). A infecção com *Giardia lamblia*, ou seja, giardiose, causa diarreia e dor abdominal e está relacionada com a síndrome da fadiga crônica, que é de difícil diagnóstico.

O *Cryptosporidium* infecta o trato gastrointestinal de animais e do homem. A criptosporidiose humana é causada pelo *Cryptosporidium parvum* e pelo *Cryptosporidium hominis*. Entretanto, outras espécies de *Cryptosporidium* podem infectar tanto indivíduos imunocomprometidos quanto imunoeficientes. A rota de transmissão pode ser pelo contato direto com animais infectados, contato pessoa-pessoa ou pela ingestão de alimentos ou água contaminados. A rota de transmissão pela água (veiculação hídrica) foi identificada pela primeira vez nos Estados Unidos e no Reino Unido em meados dos anos 1980 e, desde então, são registrados surtos de criptosporidiose em âmbito mundial (Le Goff et al., 2009). A dose infectante é pequena, o que facilita a transmissão mesmo em pequenas concentrações na água ou nos alimentos. Os indivíduos infectados excretam em suas fezes grande quantidade de oocistos de *Cryptosporidium*. Durante as infecções sintomáticas, são excretados de 10^5 a 10^7 oocistos por grama de fezes. Nos processos de tratamento de esgoto, ocorre a remoção dos oocistos que são transferidos para o lodo em concentração que varia de 10^5 a 10^6 oocistos por grama de sólidos. O uso desse lodo para fins agrícolas, se não for higienizado, poderá contaminar o solo e a água superficial, colocando em risco a saúde pública. Os processos de tratamento de água para abastecimento removem os oocistos, principalmente na operação de filtração. Entretanto, os oocistos que transpassam são muito resistentes aos desinfetantes, o que tem despertado preocupações dos órgãos relacionados com a saúde pública.

Infecções Intestinais por Helmintos

As infecções causadas por helmintos representam problema de saúde pública em âmbito mundial, principalmente nas regiões tropical e subtropical da África, Ásia, América Central e do Sul (Asaolu e Ofoezie, 2003).

As infecções de maior incidência são causadas por cestoides – por exemplo, *Taenia solium*, *Taenia saginata* e *Echinococcus granulosus* – e nematoides intestinais – por exemplo, *Ascaris lumbricoides*, *Acylostoma duodenale*, *Strongyloides stercoralis*, *Enterobios vermicularis*, *Trichuris trichiura* –, e tramatoides – por exemplo, *Shistosoma mansoni*. A transmissão é decorrente da contaminação do ambiente por ovos ou larvas infectantes, havendo duas rotas – a transmitida pelo solo e a transmitida pela água.

As doenças causadas por nematódeos – **ascaridíase**, **tricuríase** e **ancilostomíase** – são transmitidas pelas fezes que contaminam o solo, a água ou outros meios. A contaminação pode ser pelos ovos ou larvas e a transmissão pode ocorrer nas proximidades de residências ou de áreas comuns (públicas) com instalações sanitárias inadequadas e que estejam poluídas com fezes. A transmissão ocorre quando alimentos contaminados com ovos infectivos são ingeridos sem cocção adequada e, no caso da ancilostomíase, também quando larvas penetram pela pele. A infecção por nematódeos pode ser considerada totalmente atribuída ao ambiente quando há falta de saneamento e aos maus hábitos de higiene (Prüss-Üstün et al., 2004).

A sobrevivência no meio externo ao hospedeiro é variável entre os microrganismos patogênicos, assim como a resistência aos desinfetantes usados para inativar esses organismos em concentrações que reduzam o risco de infecções (comparar com a dose infectante). Na Tabela 5.1, estão apresentados exemplos de algumas doenças veiculadas pela água. Destaca-se que, nessa tabela, estão apresentadas as doses infectantes dos agentes etiológicos, ou seja, os causadores da doença. A dose infectante é amplamente variável entre os microrganismos patogênicos. Informações sobre a origem, a resistência à desinfecção e a sobrevivência no ambiente externo ao hospedeiro estão apresentados na Tabela 5.2 para alguns microrganismos patogênicos. As possíveis rotas de transmissão dos microrganismos patogênicos para o homem estão apresentadas na Tabela 5.3.

TABELA 5.1 Exemplos de algumas doenças de veiculação hídrica relacionadas com os microrganismos patogênicos presentes na água contaminada

Organismo	Doença	Quantidade excretada por indivíduo infectado/g fezes	Máxima sobrevivência na água (dias)	Dose Infectante[a]	Principais Sintomas
Bactérias					
Escherichia coli	Gastroenterite	10^8	90	10^2-10^9	Diarreia
Salmonella typhi	Febre tifoide	10^6	–	–	Febre alta, diarreia, úlcera no intestino delgado
Vibrio cholerae	Cólera	10^6	30	10^8	Diarreias extremamente fortes e desidratação
Salmonella	Salmonelose	10^6	60-90	10^6-10^7	Infecção alimentar
Protozoários					
Cryptosporidium	Cryptosporidiose	10^2	–	1-30	Diarreia
Entamoeba histolytica	Disenteria amebiana	10^7	25	10-100	Diarreia prolongada com hemorragia, abscesso no fígado e no intestino delgado
Giardia lamblia	Giardíase	10^5	25	1-10	Diarreia fraca, náuseas, indigestão
Vírus					
Adenovírus (31 tipos)	Doenças respiratórias	10^6	–	–	Vários[c]
Enterovírus (71 tipos – polio, echo, coxsackie)	Gastroenterite, anomalias no coração, meningite	10^7	90	1-72	Vários[c]
Hepatite A	Hepatite infecciosa	10^6	5-27	1-10	Icterícia, febre
Rotavírus	Gastroenterite	10^6	5-27	1-10	Vários[c]
Helmintos					
Ascaris lumbricoides[b]	Ascaridíase	10-10^4	365	2-5	Vômito, larvas ou vermes vivos nas fezes
Taenia solium (solitária)	Cisticercose	10^3	270	1	Dor abdominal, distúrbios digestivos, perda de peso
Schistosoma mansoni	Esquistossomose	–	–	–	Infecção no fígado e na vesícula

Fonte: Adaptado de CRAUN (1996) e USEPA (1999) por Dantas (2001). [a]Dose infectante que provoca sintomas clínicos em 50% dos indivíduos testados. [b]Modo de infecção: ingestão de ovos infectados, em água ou solo contaminado por fezes humanas ou ingestão de produtos crus contaminados. [c]Pelo fato de existirem várias espécies desses vírus, as doenças apresentam diversos sintomas.

TABELA 5.2 Origem de alguns microrganismos patogênicos, resistência à desinfecção e tempo de sobrevivência no solo e na superfície das plantas

Organismo	Fontes de origem	Resistência à desinfecção	Tempo de sobrevivência (dias) No solo	Nas plantas
Bactéria	Humana e animal, água e comida contaminada	Bactérias específicas do tipo esporuladas têm alta resistência enquanto as do tipo vegetativas têm baixa resistência	60-365	30-180
Vírus	Humana e animal, água poluída e comida contaminada	Geralmente são mais resistentes do que as bactérias vegetativas	90-365	30-60
Protozoários[a]	Humana e animal, esgoto, vegetação deteriorada e água	Mais resistentes que os vírus e as bactérias vegetativas	2-10	2-5
Helmintos[b]	Humana e animal, esgoto, comida e água contaminada	Mais resistentes que os vírus e as bactérias vegetativas e alguns protozoários	730-2.555	30-150

Fonte: Adaptado de WEF (1996), USEPA (1999) e Geldreich (1996) por Dantas (2001). [a]O tempo de sobrevivência refere-se aos cistos de protozoários (cistos de giárdia e oocistos de protozoários). [b]O tempo de sobrevivência refere-se aos ovos de helmintos.

TABELA 5.3 Rotas de transmissão de patogênicos	
Tipo de contato	**Fonte de contaminação**
Indireto (ingestão)[a]	Comida, bebida, ou ingestão acidental dos organismos patogênicos (por exemplo, hepatite A)
Direto (inalação)	Respiração de aerossóis ou de mistura contendo microrganismos patogênicos (por exemplo, um simples resfriado)
Acidental (contato com a pele)	Entrada dos microrganismos patogênicos pelo contato com a pele (por exemplo, o tétano)

Fonte: Adaptado de WEF (1996) por Dantas (2001). [a]A ingestão é geralmente a rota mais importante de transmissão de patogênicos.

Algumas doenças não são veiculadas pela água, ou seja, o agente etiológico não está na água, mas a água é usada para reprodução de vetores que transportam o agente etiológico e infectam o homem. Os exemplos de algumas dessas doenças são descritos a seguir (WHO, 2006).

Malária

A malária é causada por um dos quatro parasitas pertencentes ao gênero *Plasmodium*. O parasita é transmitido pela picada de mosquito fêmea infectado do gênero *Anopheles*. O estádio larval do mosquito ocorre em vários habitats, embora a maioria das espécies tenha preferência por água doce limpa, não poluída, estagnada ou com escoamento lento.

Filariose Linfática

A filariose linfática, também conhecida popularmente como elefantíase, que ocorre no Brasil é causada por helmintos das espécies *Wuchereria brancofti*, *Onchocerca valvulus* e *Masonella ozzardi*. Em outros países, pode ser causada, também, pelas espécies *Brugia malayi*, *Brugia timori*, *Dipetalonema perstans*, *Loa loa* e *Dracunculus medinensis*. É transmitida, principalmente, pelo mosquito *Culex quinquefasciatus* (Neves et al., 1995).

As causas de origem ambiental variam com o local e com o vetor. No sudeste da Ásia e Pacífico Oriental, a incidência por origem ambiental é de 82% (50% a 98%), enquanto nas Américas é de 70% (60% a 80%). Na África, a parcela é de 40% (20% a 48%), e a média mundial é de 66% (35% a 86%).

Leishmaniose

A leishmaniose tegumentar americana tem como agente etiológico parasitas do gênero *Leishmania*. O ciclo biológico do parasita é realizado em dois hospedeiros – um vertebrado (roedores, tatu, tamanduá, preguiça, gambá, canídeos ou primatas) e um invertebrado (insetos hematófagos pertencentes ao gênero *Lutzomyia* – conhecidos, no Brasil, por biriqui, mosquito palha e tatuquira, Neves et al., 1995).

A leishmania visceral americana é causada pelo protozoário *Leishmania chagasi*, que tem ciclo biológico semelhante ao do parasita que causa a leishmania tegumentar. A parcela de doença atribuída ao ambiente é de 27% (11% a 40%) na África e Ásia (reprodução dos vetores nas habitações). Na América Central e do Sul, os vetores reproduzem principalmente em ambientes naturais, embora o aumento de transmissão a humanos ocorra próximo às casas. A parcela global é de 12% (1% a 30%).

Dengue

A dengue e a dengue hemorrágica podem ser quase totalmente prevenidas pela boa gestão dos corpos de água no entorno e nas casas, que são locais de reprodução do mosquito vetor – *Aedes aegypti*. A contribuição ou origem ambiental média mundial é de 95% (90% a 99%).

5.4 DOENÇAS RELACIONADAS COM A ÁGUA CAUSADAS POR SUBSTÂNCIAS INORGÂNICAS E ORGÂNICAS

Com o aprimoramento de técnicas analíticas, é possível identificar e quantificar substâncias dissolvidas na água que causam alterações na saúde humana e nos outros seres vivos que utilizam ou entram em contato com essa água. As substâncias podem ser orgânicas ou inorgânicas. A preocupação mais recente está relacionada com a presença de **micropoluentes** ou **microcontaminantes** que devido à prolongada exposição, embora em pequena concentração, podem resultar em alterações prejudiciais ao organismo humano e de outros animais. Entre os compostos de interesse, estão incluídos os hormônios naturais e sintéticos, os produtos farmacêuticos e os produtos de cuidados pessoais. A tendência é de aumento de concentração dessas substâncias devido à aglomeração de pessoas em áreas urbanas e ao lançamento de efluentes ou esgoto sanitário nos corpos de água por essa população. As consequências englobam ampla variedade de doenças agudas ou crônicas, como diferentes tipos de câncer, alterações da atividade hormonal (perturbadores endócrinos) por ação de estrógenos.

O solo, como a água e o ar, está vulnerável à poluição pela disposição de resíduos domésticos, industriais e agrícolas. A variabilidade da composição desses poluentes é grande e os efeitos de longa duração em pequenas concentrações não são completamente conhecidos. Há vários compostos químicos tóxicos persistentes que podem contaminar a água e os alimentos. Os efeitos adversos à saúde não se manifestam necessariamente no entorno da área contaminada, mas podem ser transferidos para áreas distantes.

Os **metais** estão presentes no solo e a alteração da concentração natural está relacionada com o uso do solo, incluindo as atividades agrícolas, mineração, ocupação urbana e industrial e o lançamento de resíduos. O intemperismo contribui para a disponibilização dos metais pela fragmentação das rochas, lixiviação e solubilização pela água de chuva.

Alguns metais são essenciais ao metabolismo e outros são tóxicos, os quais incluem os metais pesados, com densidade maior que 5 g/cm^3 (USNRC, 1980) e massa atômica maior que a do cálcio ($\sim$ 40 U). A toxicidade dos metais pesados é maior quando estão na forma de íons ou combinados com alguns compostos que aumentam sua solubilidade na água e favorecem a absorção pelos vegetais e animais. Após a absorção, os metais tendem a se ligar a biomoléculas, tais como proteínas e ácidos nucléicos, prejudicando suas funções (inibição).

Chumbo

O chumbo pode estar presente nas emissões industriais – fundições, refinarias, incineradores, termelétricas (carvão) e operações de manufatura e reciclagem. O chumbo acumulado nos vegetais é proveniente do ar e do solo. A toxicidade do chumbo aos vegetais varia com a espécie e presença de outros metais. Uma das principais consequências do acúmulo de chumbo é a inibição da germinação de sementes. A toxicidade do chumbo é maior em animais jovens. Em ambientes aquáticos, a acidificação da água é fator importante na toxicidade do chumbo, pois a absorção e acúmulo aumenta com a diminuição do pH. Aproximadamente de 5% a 15% do chumbo inorgânico ingerido e 20% a 50% do que é inalado são, de fato, absorvidos pelo organismo humano. Em relação ao chumbo orgânico, 80% do que é inalado é absorvido e tudo ou grande parte do que é ingerido é rapidamente absorvido.

Cádmio

O cádmio não é um elemento essencial ao metabolismo e à constituição dos tecidos dos seres vivos. Está presente no ar, na água e nos alimentos. Não é encontrado no estado metálico na natureza, estando combinado nos minerais do solo. É obtido como subproduto da indústria metalúrgica de produção de zinco, chumbo e cobre. O cádmio é usado na indústria metalúrgica para proteger os metais contra a corrosão. É utilizado também na produção de soldas e componentes elétricos, baterias de Ni-Cd, pigmentos, plásticos, borrachas, pesticidas e aço galvanizado. O cádmio é persistente no ambiente e tem meia-vida biológica de 10 a 25 anos (Yu, 2005).

O cádmio é altamente tóxico aos vegetais, tendo como consequência o impedimento do crescimento, a clorose, necrose, murchamento e redução da fotossíntese. As fontes de cádmio provêm da poluição do ar e uso dos resíduos sólidos, geralmente lodos de sistemas de tratamento de efluentes, como fertilizantes. Nos animais, o cádmio pode causar emagrecimento, andar cambaleante, salivação pegajosa (pastosa), olhos lacrimejantes, alterações na estrutura celular da traqueia, rumem e baço e atrofiamento do tecido epitelial dos brônquios e bronquíolos. A exposição do homem ao cádmio ocorre pelo ar, ingestão de água e alimentos contaminados e, individualmente, pelo hábito de fumar. Os efeitos do cádmio ao organismo humano são a disfunção renal tubular devido à significativa excreção de cádmio pela urina, aumento da pressão arterial, lesões e câncer nos pulmões.

Mercúrio

O mercúrio é usado extensivamente na produção de baterias e outros equipamentos elétricos e em equipamentos de laboratório. Os compostos de acetato, óxido, cloreto, sulfato e fosfato de mercúrio são usados como catalisadores na indústria química. É usado na indústria de joias, pesticidas e na produção de lâmpadas fluorescentes e germicidas (vapor de mercúrio). No Brasil, é usado para separação de ouro em atividades de garimpo e na mineração, o que ocasiona sérios problemas ambientais e de saúde aos trabalhadores, às populações locais e às margens dos rios a jusante do local de uso.

Várias formas de mercúrio estão presentes no ambiente. A transformação de uma forma em outra ocorre no ar, na água, nos sedimentos e é catalisada por atividade biológica. Os microrganismos convertem o mercúrio em metil mercúrio, CH_3Hg^{+2} (MeHg). O MeHg é transportado pela cadeia alimentar. Concentrações muito pequenas de mercúrio podem ser letais ou afetar o crescimento das algas. O mercúrio pode se acumular nos vegetais e animais e, consequentemente, nos alimentos consumidos pelo homem.

A toxicidade do mercúrio depende da formação do cátion Hg^{2+}. O $HgCl_2$ mais tóxico e os compostos orgânicos ligados ao mercúrio que não estejam ionizados são relativamente seguros (Yu, 2005). Portanto, a toxicidade está relacionada com o Hg^{2+}. O arilmercúrio causa queimadura na pele em altas concentrações, enquanto pequenas concentrações causam dermatite irritativa. Entretanto, o alquilmercúrio acumula nos tecidos do sistema nervoso. A inalação de vapor de mercúrio provoca alterações na coordenação motora por se difundir nas membranas alveolares e atingir o cérebro. A meia-vida biológica do mercúrio é estimada em 70 dias.

Níquel

O níquel é usado em processamento de aço (ligas metálicas), niquelação de metais e em baterias Ni-Cd. O níquel presente no ambiente pode ser de origem natural – vulcões, poeira do solo e incêndios florestais – e de origem antrópica pela mineração, fundição e refino de níquel.

A contaminação com níquel ocorre em atividades de galvanização pelo contato direto do trabalhador com o níquel. O gás $Ni(CO)_4$ é extremamente tóxico e é gerado no processo de produção do metal a partir do minério. Os sintomas imediatos são dor de cabeça, náusea, debilidade (fraqueza), tontura, vômitos e dor epigástrica.

As formas insolúveis, tais como óxidos de níquel, dissulfeto de níquel e níquel metálico, estão relacionadas com cânceres que podem se desenvolver 20 a 35 anos após a exposição inicial e contínua. O consumo de água contendo sulfato de níquel ou cloreto de níquel pode causar vômitos e dor de cabeça por até cinco dias e o metal pode atravessar a placenta humana, afetando o feto. No corpo humano, o níquel é inibidor de enzimas, como a urease e a monóxido de carbono desidrogenase. Indivíduos sensíveis ao níquel podem desenvolver dermatite de contato pelo uso de acessórios de metal – alianças, anéis, colares, brincos – contendo níquel.

Arsênio

O arsênio é raramente encontrado na natureza na forma metálica. Está presente como impureza em minerais de outros metais e é geralmente produzido na forma de trióxido de arsênio como subproduto da fundição desses metais, particularmente cobre. O arsênio é usado na produção de inseticidas, herbicidas, larvicidas, pesticidas, pigmentos, fabricação de vidro, estampagem de tecidos, curtimento de couro, antimofo e em óleo lubrificante (Key et al., 1977).

Os compostos de arsênio trivalente atacam a pele e, em contato prolongado, desenvolvem a hiperemia local (congestão sanguínea) e, em sequência, a erupção em vesícula ou pústula. As membranas mucosas úmidas são mais sensíveis ao arsênio, que ataca a conjuntiva, as pálpebras, as extremidades das orelhas, nariz, boca e as membranas do trato respiratório. A dermatite nos pulsos é comum, assim como na genitália, se a higiene pessoal for precária. Esses sintomas e doenças estão, em sua maioria, relacionados com as doenças ocupacionais (Key et al., 1977), podendo também ocorrer pela exposição à água contendo arsênio. Nesse caso, o arsênio pode ser de origem natural ou proveniente do lançamento de águas residuárias.

Os efeitos da exposição crônica do homem ao arsênio, em pequenas concentrações, são a toxicidade sistêmica (não cancerígena, mas que envolve todo ou parte do organismo) e câncer. Os efeitos sistêmicos incluem toxicidade dermatológica, doença vascular periférica e aumento do risco de doenças cardiovasculares, diabetes e doenças gastroenterológicas. O arsênio é reconhecido pela USEPA (*United States Environmental Protection Agency*) como cancerígeno do Grupo A e este grupo é utilizado apenas quando há evidências suficientes, baseadas em estudos epidemiológicos, para apoiar uma associação causal entre exposição a agentes e câncer. O câncer, devido ao consumo de água contaminada com arsênio, pode se manifestar na bexiga, pulmões, fígado e rins (Post et al., 2010).

Microcontaminantes

Os animais e as plantas dispõem de sistemas mensageiros químicos que controlam várias funções básicas, tais como reprodução, crescimento e manutenção. Nos animais, estes sistemas utilizam várias glândulas que produzem os compostos químicos mensageiros (hormônios) que são transportados aos órgãos alvo (Birkett & Lester, 2003).

É sabido que alguns produtos químicos podem interferir no sistema endócrino de várias maneiras e produzir efeitos prejudiciais ao organismo ou interromper a função de hormônios. Assim, podem ocorrer prejuízos à saúde, ao crescimento e à reprodução dos animais e do homem. Essas substâncias são coletivamente referidas como perturbadores endócrinos.

Nos organismos multicelulares, é necessário regular e integrar a funcionalidade das diferentes células. Os dois sistemas empregados para executar essa função são o sistema nervoso e o sistema endócrino. O sistema endócrino é crucial tanto para as plantas quanto para os animais, porque é responsável pelo crescimento, reprodução, manutenção, homeostase e metabolismo (USEPA, 1997). O sistema endócrino produz hormônios com diferentes funções e consiste de várias glândulas, incluindo o pâncreas, a tireoide, os órgãos reprodutores (ovários e testículos), o hipotálamo, a pituitária (hipófise), a paratireoide e a suprarrenal em diferentes áreas.

As moléculas de hormônio são geralmente de vida curta no corpo, de minutos a algumas horas, devido ao mecanismo natural de limpeza – inativação pelo fígado e rins. Entretanto, quando os perturbadores endócrinos estão presentes, esses mecanismos podem não se aplicar, conduzindo à persistência e acumulação dessas substâncias no corpo. Os sítios receptores têm alta afinidade pelo hormônio específico, portanto, para a ativação da resposta é necessária concentração muito pequena de hormônio. Embora haja essa especificidade, os sítios receptores podem se ligar com compostos químicos. Isto significa que qualquer perturbador endócrino presente em pequena concentração pode causar efeitos e deflagrar uma resposta. A ruptura endócrina ocorre quando o perturbador endócrino interage com o receptor do hormônio, alterando o padrão de resposta natural do sistema endócrino. O produto químico pode se ligar ao receptor e ativar a resposta, atuando como imitador do hormônio. Este efeito é definido como agonístico. Se o composto químico (bloqueador do hormônio) se liga ao receptor, mas nenhuma resposta é produzida, isto impede o hormônio de interagir e é denominado efeito antagonístico. Outros efeitos que podem ocorrer no sistema endócrino são a ruptura da síntese e remoção dos hormônios e seus receptores, e a interação com múltiplos sistemas de hormônios. Portanto, o processo é complexo.

Os mecanismos de ação dos perturbadores endócrinos são:

- **Imitador.** O perturbador endócrino é capaz de se ajustar precisamente ao receptor do hormônio e passar a enviar mensagens em tempo não adequado ou em superprodução, afetando as atividades biológicas.
- **Estimulador.** Alguns perturbadores endócrinos são capazes de estimular a formação de mais receptores de hormônios nas células, multiplicando os sinais do hormônio.
- **Bloqueador.** Os perturbadores endócrinos são capazes de bloquear os hormônios naturais, ocupando os sítios dos receptores.
- **Estimulador endócrino.** Alguns perturbadores endócrinos aceleram a degradação dos hormônios e os eliminam do corpo, levando à deficiência.
- **Estimulador de enzima.** Os perturbadores endócrinos podem interferir em enzimas que são necessárias para a degradação dos hormônios no sistema, resultando em mais hormônio do que o necessário (ou do que é saudável).
- **Desintegrador.** Os perturbadores endócrinos podem destruir o hormônio ou a habilidade do hormônio em realizar a função.

Os perturbadores endócrinos são constituídos por vários compostos, muitos denominados micropoluentes. Dentre esses compostos, estão os alquilfenóis, alquilfenóis polietoxilatos, hidrocarbonetos poliaromáticos, bifenilas policloradas (PCB), ftalatos, bisfenol A, retardantes de combustão polibrominados, dioxinas, furanos, herbicidas, pesticidas e hormônios esteroides.

5.5 POLUIÇÃO DO AR

Para informações detalhadas sobre a influência da poluição do ar sobre a saúde humana, sugere-se a leitura do Capítulo 15. Quando se discute o impacto dos poluentes atmosféricos no ambiente, a **questão da escala** torna-se importante (Boubel et al., 1994). A presença de poluentes no ar ambiente é somente um dos aspectos que determina os impactos nos seres humanos. A poluição do ar pode ocorrer em ambientes **internos** e **externos** e há grande variedade de substâncias, por exemplo, dióxido de enxofre (SO_2), óxidos de nitrogênio (NO_x), monóxido de carbono (CO), ozônio (O_3), oxidantes fotoquímicos, partículas de diferentes dimensões e composição química, metais e compostos orgânicos voláteis. A poluição do ar tem como principal origem a queima de combustíveis fósseis para geração de energia elétrica, calor e transporte, processos industriais e cocção de alimentos.

A população receptora em áreas urbanas inclui amplo espectro de características demográficas com relação à idade, sexo e condições de saúde. Alguns grupos sensitivos têm sido identificados: crianças muito novas, cujos sistemas respiratórios e circulatórios estão em maturação; os idosos, cujos sistemas respiratórios e circulatórios funcionam com deficiências; pessoas que têm doenças preexistentes tais como asma, enfisema e doenças cardíacas. Estes grupos exibem mais respostas adversas à exposição aos poluentes do ar do que a população em geral (Boubel et al., 1994).

Os efeitos adversos ao ambiente e aos organismos vivos por substâncias dissolvidas ou suspensas no ar dependem da concentração, duração e frequência da exposição do receptor a essas substâncias, denominadas poluentes do ar. Os instrumentos podem medir a concentração dos poluentes no ambiente, a qual pode ou não estar relacionada com sua interação com os indivíduos. Descrições mais detalhadas sobre onde e por quanto tempo o receptor permanece em um ar poluído fornecem informações de maior utilidade sobre a dose, o órgão ou sistema do corpo que será afetado. Como as técnicas analíticas têm avançado, concentrações cada vez menores de compostos químicos têm sido detectadas em várias partes do corpo humano e de animais. Alguns desses compostos químicos entram no corpo pela inalação e podem se acumular no sangue, na urina, nos tecidos moles, no cabelo, nos dentes e nos ossos. A eliminação de materiais tóxicos do sangue e da urina é mais rápida do que dos tecidos moles, cabelo e ossos. O acúmulo resulta quando as substâncias são armazenadas mais rapidamente do que podem ser eliminadas, o que pode ser revertido quando a fonte de material tóxico é reduzida. O corpo pode eliminar essas substâncias em período de algumas horas a dias, ou pode levar tempo maior – frequentemente anos.

Os efeitos do acúmulo em vários sistemas do organismo humano dependem grandemente da quantidade de poluentes envolvidos. A poluição do ar afeta principalmente os sistemas respiratório, circulatório e olfativo. O sistema respiratório é a principal rota de entrada dos poluentes, alguns dos quais podem alterar a função dos pulmões.

Dióxido de Enxofre

Os óxidos de enxofre são poluentes do ar, destacando-se o dióxido (SO_2) e o trióxido de enxofre (SO_3). O dióxido de enxofre provém de fontes naturais – vulcões, decomposição da matéria orgânica (H_2S, principalmente) e aerossóis marinhos – e antropogênicas – queima de combustíveis fósseis, sejam derivados de petróleo ou de carvão mineral e fundição de metais não ferrosos –, correspondendo, em média, a 95% das emissões de enxofre para a atmosfera.

O teor de enxofre no carvão varia de 0,3% a 7% e no óleo derivado de petróleo, de 0,2% a 1,7%. No processo de fundição de metais não ferrosos, o enxofre é oxidado a dióxido de enxofre. A solubilidade do dióxido de enxofre em água é alta (11,3 g/100 mL) e a reação deste com a água forma ácido sulfuroso (H_2SO_3), que é rapidamente oxidado pelo oxigênio molecular a ácido sulfúrico (H_2SO_4).

O dióxido de enxofre é absorvido nos estômatos das folhas dos vegetais por meio de difusão gasosa. A quantidade de dióxido de enxofre absorvida depende da quantidade de estômatos, dimensão da abertura dos estômatos e fatores que influenciam a turgescência das células estomáticas (células guardas), tais como quantidade de luz, umidade, temperatura e velocidade do vento. O dióxido de enxofre, mesmo em pequena quantidade, pode lesionar as células epidérmicas e guardas, aumentando a condutância estomatal, que favorece maior entrada de dióxido de enxofre.

O dióxido de enxofre afeta a fotossíntese, a transpiração e a respiração, principais funções das folhas dos vegetais. Em pequena quantidade e exposição por período curto, pode aumentar a fotossíntese e a transpiração. Concentrações elevadas induzem a redução de ambos os processos. No interior dos vegetais, o dióxido de enxofre reage com a água intracelular formando bissulfito (HSO_3^-), sulfito (SO_3^{2-}) e outras espécies iônicas, que são fitotóxicas e afetam vários processos fisiológicos e bioquímicos dos vegetais.

O dióxido de enxofre administrado a animais em testes em concentrações de até 50 vezes maiores que as normalmente presentes no ambiente não causou lesões. Entretanto, o dióxido de enxofre irrita os olhos e o trato respiratório superior. Concentrações maiores que 100 vezes às normalmente presentes no ambiente são suficientes para matar pequenos animais. A mortalidade está associada à congestão e hemorragia nos pulmões, edema pulmonar, espessamento do septo intra-alveolar e outras alterações relativamente não específicas dos pulmões, tais como hemorragia pulmonar e hiperinflação.

Os efeitos prejudiciais da exposição ao dióxido de enxofre no organismo humano podem ocorrer a partir de concentração de 0,19 ppm (média de 24 h de exposição) em combinação com concentrações elevadas de partículas. Os efeitos da exposição de curta duração em concentrações de 0,10 ppm a 0,18 ppm são reversíveis. Esses efeitos podem ser causados pelo dióxido de enxofre ou por produtos de reação com a água – ácido sulfúrico ou outros aerossóis irritantes. O ácido sulfúrico e os sulfetos influenciam as funções sensorial e respiratória, aumentando a taxa de respiração e o volume aspirado e retardando a limpeza do muco.

Os efeitos do dióxido de enxofre sobre a saúde humana dependem das condições de saúde e atividade dos indivíduos. O dióxido de enxofre inicia ou potencializa as crises de asma em concentrações de 0,25 ppm a 0,50 ppm. A taxa de limpeza traqueobronquial e alveolar em seres humanos é aumentada quando os indivíduos são expostos a aerossóis de ácido sulfúrico de tamanho submicrométrico. A alteração dessas taxas é a resposta adaptativa do sistema mucociliar à exposição a ácidos, porém pode ser também o estágio inicial de disfunções mais sérias (por exemplo, bronquite crônica).

Dióxido de Nitrogênio

Os óxidos de nitrogênio ocorrem na atmosfera em seis formas: óxido nitroso (NO_2), óxido nítrico (NO), dióxido de nitrogênio (N_2O), trióxido de nitrogênio (N_2O_3), tetraóxido de nitrogênio (N_2O_4) e pentaóxido de nitrogênio (N_2O_5). Desses, o óxido nitroso é o mais importante para a poluição do ar devido a sua relativa toxicidade, onipresença na atmosfera, participação em reações fotoquímicas oxidativas (formação de oxidantes) e deposição ácida.

Em presença de radiação ultravioleta, o NO_2 é decomposto em NO e oxigênio atômico, que reagem com o oxigênio molecular para formar ozônio (O_3). O ozônio reage com o NO formando NO_2, fechando o ciclo. Entretanto, há acúmulo de ozônio na atmosfera devido ao consumo de NO por radicais livres. O ácido nítrico, constituinte da chuva ácida, é formado pela reação do NO_2 com o radical hidroxila (•OH) e pela reação secundária que envolve a oxidação do NO_2 a NO_3 pelo ozônio. O NO_3 reage com o NO_2 produzindo N_2O_5, que reage com a água e produz HNO_3, que pode ser precipitado pela chuva (chuva ácida).

A absorção dos óxidos gasosos de nitrogênio (NO_x) pelos vegetais ocorre nos estômatos. A absorção de NO_2 é mais rápida que a de NO por ser mais solúvel na água (o NO é praticamente insolúvel em água). O NO_2 absorvido é convertido a nitrato e, em sequência, a nitrito antes da metabolização pelo vegetal. Os efeitos do NO_2 nos vegetais são semelhantes aos efeitos do SO_2, porém ocorrem em maiores concentrações. A inibição pelo NO_x pode estar associada à competição por NADPH (nicotinamida adenina dinucleotídeo fosfato) entre o processo de redução de nitrato e a assimilação de carbono nos cloroplastos.

O NO_2 atua principalmente no pulmão profundo e vias respiratórias periféricas. O NO_2, em concentrações de 10 ppm a 25 ppm e exposição por 24 h, induz, em animais, a produção de fibrina nas vias respiratórias, aumento do número de macrófagos e alteração da aparência das células nas vias aéreas distais e alvéolos pulmonares adjacentes. Os brônquios terminais apresentam hiperplasia e hipertrofia, perda de cílios e alterações na ciliogênese. A exposição prolongada por vários meses pode produzir espessamento das membranas basais, resultando em estreitamento e fibrose dos brônquios, desenvolvimento de alterações semelhantes a enfisema dos pulmões e morte dos animais. A concentração de NO_2 de 0,1 ppm resulta em significante agravamento de indivíduos asmáticos (Yu, 2005).

Ozônio

O ozônio é formado na baixa atmosfera, majoritariamente, pela reação fotoquímica do NO_2 com oxigênio e radiação ultravioleta ou com hidrocarbonetos, ocorrendo acúmulo pelo rompimento do ciclo NO_2-NO-O_3-NO_2. Os radicais livres formados a partir de hidrocarbonetos e outras espécies presentes na atmosfera urbana reagem e removem o NO, promovendo o acúmulo de ozônio.

O ozônio interfere no metabolismo dos vegetais pela oxidação dos grupos –SH, afeta a atividade enzimática, irrita os olhos e o trato respiratório. O *TLV* (*Threshold Limit Value*) do ozônio em exposição ocupacional é de 0,1 ppm. A permanência por 60 minutos em ambientes contendo de 0,6 ppm a 0,8 ppm de ozônio causa dores de cabeça, náusea, anorexia e aumento da resistência ao fluxo de ar. Tosse, dores no peito e sensação de falta de ar são manifestadas por pessoas que se exercitam nesse ambiente. Outros efeitos fisiológicos incluem secura das vias aéreas superiores, irritação de membranas mucosas do nariz e garganta, irritação dos brônquios, dor de cabeça, fadiga e alterações da resposta visual. A exposição a concentrações relativamente elevadas de ozônio causa edema pulmonar, que é a infiltração de líquidos nas partes em que ocorre a troca de gases nos pulmões.

Monóxido de Carbono

O monóxido de carbono é um gás inodoro, incolor, insípido e potencialmente tóxico encontrado em altas concentrações na atmosfera urbana. No passado, este gás estava associado à queima de madeira e carvão para cocção e aquecimento de ambientes internos às edificações. Atualmente, a queima de combustíveis fósseis, principalmente em automóveis, é a principal fonte de monóxido de carbono. O monóxido de carbono é formado por três processos: combustão incompleta de combustíveis que contêm carbono, reações em altas temperaturas entre dióxido de carbono e materiais que contêm carbono e dissociação do dióxido de carbono em altas temperaturas.

O monóxido de carbono reduz a capacidade das hemácias de transportarem e liberarem o oxigênio aos órgãos e tecidos devido à formação de carboxiemoglobina. A afinidade do monóxido de carbono pela hemoglobina é aproximadamente duzentas vezes maior que a afinidade pelo oxigênio. O monóxido de carbono substitui o oxigênio na molécula hemoglobina-O_2.

A suscetibilidade à toxicidade do monóxido de carbono é maior em pessoas portadoras de doenças cardiovasculares e doenças periféricas vasculares. Os principais sintomas de envenenamento por monóxido de carbono são dor de cabeça e tonturas, que ocorrem em níveis de 3,2% a 4,2% de hemoglobina-CO. Em níveis maiores que 30%, os sintomas são dor de cabeça severa, sintomas cardiovasculares e mal-estar. Acima de 40%, há risco considerável de coma seguido de morte.

Compostos Orgânicos Voláteis

Os compostos orgânicos voláteis têm ponto de ebulição na faixa de 50 a 100 °C e 240 a 260 °C (WHO, 1989). Nesta classe, estão incluídos os principais poluentes atmosféricos emitidos em atividades industriais e não industriais, constituídos de hidrocarbonetos alifáticos e aromáticos, hidrocarbonetos halogenados, alguns álcoois, ésteres e aldeídos.

As fontes naturais incluem petróleo, incêndios florestais e transformação de precursores biogênicos. As fontes antropogênicas incluem queima de combustíveis em alta temperatura, emissões de petróleo cru e refinado, incineração de resíduos sólidos domiciliares, queima de plantações agrícolas antes e após a colheita, entre outros.

A composição química dos hidrocarbonetos derivados do petróleo depende da origem geológica e geográfica do óleo cru e da natureza do processo usado no refino, compreendendo os alcanos, os alcenos e os aromáticos. A contaminação do ambiente provém de fontes estacionárias ou móveis e os hidrocarbonetos compreendem significativa porção da mistura de contaminantes encontrados no solo, água superficial, água subterrânea, áreas costeiras e atmosfera global.

Os alcanos de baixo peso molecular têm baixo ponto de ebulição, são altamente voláteis, pouco solúveis em água e exclusivamente lipófilos. São usados preponderantemente como solvente, desengraxante, *thinner* e diluente de tintas, esmaltes, vernizes e lacas e na extração de compostos orgânicos de tecidos vegetais e animais, solos e sedimentos e na produção de combustível para aviação e gasolina. O uso de solventes, em geral, está sendo substituído por tintas, vernizes e congêneres a base de água.

Os alcanos, em pequena concentração, são irritantes e podem causar inflamação, vermelhidão, prurido, anestesia e narcose no sistema nervoso central e inchaço da pele, membranas mucosas, nariz, traqueia e bronquíolos. Em altas concentrações, podem causar eczema agudo, edema pulmonar, perda de consciência ou morte por asfixia causada pela paralisia da porção do cérebro responsável pela respiração. Os alcanos de alto peso molecular são considerados não tóxicos, embora possam afetar a comunicação química e interferir no processo metabólico. Na atmosfera, os alcanos de baixo peso molecular reagem com o radical hidroxil em processo em que um átomo de hidrogênio é retirado do alcano para formar o radial alquil. Este radical incorpora oxigênio molecular e na presença de alta concentração de óxido nítrico (NO), forma o dióxido de nitrogênio (NO_2).

Os alcenos diferenciam-se dos alcanos por conterem ligações duplas carbono-carbono, caracterizando-os como insaturados em relação ao número total possível de ligações de átomos de hidrogênio. Devido às ligações insaturadas nos átomos de carbono, os alcenos são geralmente mais reativos que os alcanos e menos reativos que os compostos aromáticos. Não são encontrados no petróleo cru, mas estão presentes em alguns produtos refinados, especialmente gasolina e combustíveis para aviação. Os alcenos reagem por adição, formando metabólitos potencialmente mais tóxicos. Podem ser polimerizados para criar cadeias longas de polietileno e halogenados para produção de pesticidas – hidroxicarbonetos clorados e brominados.

Os hidrocarbonetos aromáticos têm como estrutura básica seis átomos de carbono ligados em configuração de anel, com seis átomos de hidrogênio e três ligações duplas. Dependendo dos elementos ligados ao anel e da combinação de anéis e isomeria, os hidrocarbonetos aromáticos de maior interesse à saúde humana e contaminação do ambiente, derivados do petróleo, são benzeno, tolueno e três isômeros do xileno.

O benzeno tem vários usos industriais, tais como intermediário na síntese de produtos farmacêuticos e químicos (por exemplo, estireno, detergentes, pesticidas e ciclohexano); desengraxante e limpante; aditivo antidetonante de combustíveis; solvente para extração de pesticidas de tecidos, solo e sedimentos em aplicações de pesquisa e da indústria; *thinner* e diluente de tintas, lacas e vernizes; solvente na indústria de borracha.

O efeito tóxico do benzeno está relacionado com a narcose que afeta o sistema nervoso central. A inalação de ar contendo aproximadamente 64 g/m^3 de benzeno pode ser fatal em exposição de alguns minutos e 1/10 dessa concentração com exposição por uma hora pode causar envenenamento agudo. O benzeno causa irritação da pele, acúmulo de fluidos nos pulmões (edema), excitação, depressão e pode conduzir, eventualmente, à deficiência respiratória e à morte (Manahan, 2003).

O tolueno é usado principalmente na síntese de benzeno. A toxicidade do tolueno está relacionada com a narcose. Em pequenas concentrações, causa irritação da pele e, em altas concentrações, afeta glóbulos vermelhos, fígado, rins e o sistema nervoso central (Manahan, 2003).

Os xilenos são usados em substituição ao benzeno e tolueno na produção de resinas, tecidos sintéticos, plásticos e aditivos à gasolina, limpantes, solventes e lacas (vernizes). Os efeitos à saúde humana são a narcose no sistema nervoso central, causando dor de cabeça, alteração de coordenação motora, edema e náusea em altas concentrações. Em baixas concentrações e exposição crônica, causa irritação da pele, anemia, danos nas hemácias e redução do número de plaquetas no sangue (Manahan, 2003).

Os hidrocarbonetos aromáticos policíclicos – HAP (em inglês, *PAH – polyciclic-aromatic hydrocarbons*) – são detectados no ar, água, solo, sedimentos e alimentos. Devido a essa onipresença, a exposição é diária. A principal fonte de HAP é a combustão incompleta de matéria orgânica em fontes fixas e móveis (automóveis). A dose que representa potencial cancerígeno em água é de 0,2 ng/dia a 120 ng/dia, com média de 6 ng/dia (USEPA, 1991). Os HAP cancerígenos são encontrados no solo, com maior concentração em áreas urbanas em comparação às rurais e florestais.

Material Particulado

Os materiais particulados, juntamente com os gases, são poluentes atmosféricos cujas dimensões – 0,5 nm a 10^{-7} nm – e propriedades químicas são amplamente variáveis. As partículas são normalmente classificadas em primárias e secundárias. As partículas primárias são maiores – normalmente 1 μm a 20 μm de diâmetro – e lançadas na atmosfera por vários processos químicos e físicos. As partículas secundárias são relativamente menores e formadas por reações químicas que ocorrem na atmosfera. A composição das partículas varia com a origem (fonte geradora), tendo diferentes tamanhos, superfícies e toxicidades (Abelson, 1998).

Os aerossóis de áreas urbanas podem conter materiais potencialmente tóxicos em pequenas concentrações (traços) tais como chumbo, cádmio, níquel, selênio, vanádio, zinco, bromo, cobalto, manganês, sulfetos e benzo[a]pireno.

As fontes naturais são representadas pelas cinzas de vulcões, partículas provenientes de incêndios florestais naturais, poeira, partículas de origem biológica (pólen, esporos de fungos, entre outras) e reações entre gases da atmosfera. As fontes antropogênicas têm origem em vários processos de combustão utilizados em atividades industriais e em motores de automóveis, mineração, calefação doméstica, produção de cerâmica, metalurgia e vários outros processos de manufatura e nas operações agrícolas de limpeza e preparo do solo.

As partículas de origem natural em suspensão normalmente não apresentam riscos à saúde por não conterem substâncias tóxicas ou por se apresentarem em concentração que não causa danos à saúde. Entretanto, quando ocorre a adsorção de substâncias tóxicas ou cancerígenas às partículas, tais como metais e não metais tóxicos – chumbo, cádmio, níquel, mercúrio, arsênio –, substâncias orgânicas e radionuclídeos, os efeitos são potencializados pela penetração das partículas nos pulmões e prolongação do tempo de retenção no trato respiratório. As partículas contribuem como nucleadores de condensação de vapor de água, o que aumenta o seu efeito biológico. Tais partículas saturam o aparelho mucociliar quando em grandes quantidades, acarretando na diminuição da taxa de remoção de substâncias tóxicas dos pulmões.

REVISÃO DOS CONCEITOS APRESENTADOS

- A poluição da água, do solo e do ar causa impactos negativos tanto ao ambiente quanto à saúde do homem. A degradação dos resíduos orgânicos de origem natural pelos microrganismos é geralmente mais fácil que a degradação ou assimilação de substâncias orgânicas sintetizadas pelo homem.
- A poluição do solo e do ar de alguma forma chega à água, seja em curto, médio ou longo prazo. Por isso, o planejamento de uso dos recursos naturais e o de ocupação do espaço devem ser conjuntos e não considerar apenas um compartimento, por exemplo, a água.
- Outro aspecto relevante é a contaminação da água por microrganismos patogênicos e substâncias orgânicas e inorgânicas que causam doenças ao homem. As ações preventivas diminuem os impactos negativos, reduzem os custos curativos e salvam vidas.

SUGESTÕES DE LEITURA COMPLEMENTAR

- BASTOS, R.K.X. (2003) Utilização de esgotos tratados em fertirrigação, hidroponia e piscicultura. Rio de Janeiro: ABES, 253 p.
- BRASIL. (2004) Ministério da Saúde. Organização Pan-Americana da Saúde. Avaliação de impacto na saúde das ações de saneamento: marco conceitual e estratégia metodológica. Brasília: Organização Pan-Americana da Saúde.
- GONÇALVES, R.F. (2003) Desinfecção de efluentes sanitários. Rio de Janeiro: ABES.
- HELLER, L. (1997) Saneamento e Saúde. Brasília: Organização Pan-Americana da Saúde.

Referências

ABELSON, P.H. (1998) *Airborne Particulate Matter*. Science, v. 181, p. 1609.

ASAOLU, S.O., OFOEZIE, I.E. (2003) The role of health education and sanitation in the control of helminth infections. *Acta Tropica*, v. 86, p. 283-294.

BIRKETT, J.W., LESTER, J.N. (2003) *Endocrine disrupters in wastewater and sludge treatment processes*. Londres: IWA Publishing, Lewis Publishers, 312p.

BRASIL (2012) Ministério da Saúde, DATASUS. Disponível em: <http://www2.datasus.gov.br/DATASUS/ index. php?area=040203>. Acesso: abril 2018.

BOUBEL, R.W., FOX, D.L., TURNER, D.B., STENR, A.C. (1994) *Fundamentals of air pollution*. Academic Press. 574p.

CASADEVAL, A., PIROFSKI, L. (1999) Host-pathogen interactions: redefining the basic concepts of virulence and pathogenicity. *Infection and Immunity*, v. 67, n. 8, p. 3703-3713.

CDC (2012) Centers for Disease Control and Prevention. Disponível em: <https://www.cdc.gov>. Acesso: abril 2018.

CHADWICK, E. (1842) Report on the sanitary condition of the labouring population on Great Britain and on the means of its improvement. Londres.

COHEN, J.E. (1995) *How Many People Can the Earth Support?* Nova York: Norton. 13p.

CRAUN, G.F. (2001) Water quality in Latin America: balancing the microbial and chemical risks in drinking water disinfection. Washington: ILSI.

DANTAS, V.D. (2001) Radiação ultravioleta e ozônio aplicados como métodos alternativos de desinfecção de efluentes secundários de esgoto sanitário. Dissertação de Mestrado. Universidade de São Paulo (USP).

DAVIS, F.A. (1989) *Taber's cyclopedic medical dictionary*. Philadelphia: Davis Company.

FALKOW, S. (1997) What is a pathogen? *ASM News*, v. 63, n. 7, p. 792-798.

GARCIA, F., DIAS, E.C., PICHETTI, P. et al. (2010) *Benefícios econômicos da expansão do saneamento brasileiro*. Fundação Getúlio Varvas, IBRE – Instituto Brasileiro de Economia, TrataBrasil. 32p.

GELDREICH, E.E. (1996) The worldwide threat of waterborne pathogens. In: CRAUN, G.F. (editor). *Water quality in Latin America: Balancing the microbial and chemical risks in drinking water disinfection*. Washington: ILSI.

HARZA, M.W. (2005) *Water treatment. Principles and design*. 2. ed. John Wiley & Sons Inc. 1.968p.

KEY, M.M., HENSCHEL, A.F., BUTLER, J., LIGO, R.N., TABERSHAW, I.R. (1977) *Occupational diseases: a guide to their recognition*. U. S. Department of Health, Education, and Welfare. 617p.

LE GOFF, L., KHALDI, S., FAVENNEC, L. et al. (2009) Evaluation of water treatment plant UV reactor efficiency against Cryptosporidium parvum oocyst infectivity in immunocompetent suckling mice. Journal of Applied Microbiology, v. 108, p. 1060-1065.

MARA, D.D. (2003) Water, sanitation and hygiene for the health of developing nations. *Public Health*, v. 117, p. 452-456.

MANAHAN, S.E. (2003) Toxicological Chemistry and Biochemistry. Estados Unidos: Lewis Publishers. 425p.

NEVES, D.P., MELO, A.L., GENARO, O., LINARDI, P.M. (1995) *Parasitologia humana*. São Paulo: Atheneu, 534p.

PORTA. M. (2008) *A dictionary of epidemiology*. Inglaterra: Oxford University, 289p.

POST, G.B., ATHERHOLT, T.B., COHN, P.D. (2010). Health and aesthetic aspects of drinking water. In: EDZWALD, J.K. (editor). *Water quality and treatment. A handbook on drinking water*. Estados Unidos: American Water Works Association. McGraw Hill, 1.696p.

PRÜSS-ÜSTÜN, A., RAPITI, E., HUTIN, Y. (2004) Unsafe water, sanitation and hygiene, 1321-1352, In: EZZATI, M., LOPEZ, A.D., RODGERS, A., MURRAY, C.J.L. (editores). *Comparative quantification of health risks. Global and regional burden of disease attributable to selected major risk factors*. WHO – World Health Organization.

SNOW, J. (1855). *On the mode of communication of cholera*. Londres.

U.S. Environmental Protection Agency (USEPA). (1991) Drinking water criteria document for polycyclic aromatic hydrocarbons. Washington: Environmental Criteria and Assessment Office, ECAO-CIN-D010.

_____. (1997) *Special Report on Environmental Endocrine Disruption: an Effects Assessment and Analysis*. Washington: Report EPA/630/R-96/012.

_____. (1999) *Alternative disinfectants and oxidants. Guidance manual*. Washington: EPA-815/R-99-014.

United States National Research Council (USNRC). (1980) *Lead in the human environment*. Washington: National Academic Press.

Water Environment Federation (WEF). (1996) *Wastewater Disinfection Manual of Practice*. Alexandria: WEF. .

World Health Organization (WHO). (1989) *Indoor air quality: organic pollutants*. Report on a WHO meeting, Euro Reports and Studies 111, Copenhagen: WHO Regional Office for Europe.

_____. (2000) *Global water supply and sanitation assessment*. WHO report, 79p.

_____. (2002) *The World health report. reducing risks, promoting healthy life*. WHO report, 248p.

_____. (2006) *Preventing disease through health environments. Towards an estimate of the environmental burden od disease*. WHO report, 104p.

YU, M.H. (2005). *Environmental Toxicology. Biological and health effects of pollutants*. Estados Unidos: CRC Press, 368p.

ATRIBUIÇÕES DA ENGENHARIA AMBIENTAL E SEU PAPEL PARA A SUSTENTABILIDADE

Davi Gasparini Fernandes Cunha / Maria do Carmo Calijuri / Tiago da Silva Pinto

Este capítulo apresenta um fechamento para o Eixo 1 – Fundamentos e tem como objetivos principais descrever sucintamente as resoluções e portarias que normatizam o curso superior em Engenharia Ambiental no Brasil e enumerar as disciplinas que, normalmente, compõem a grade curricular que deve ser seguida pelo estudante que deseja obter a graduação na área. Além disso, discute o conceito de sustentabilidade ambiental e sua interface com a atividade profissional do graduado em engenharia ambiental. Assim, é abordada a atuação do engenheiro ambiental no sentido de garantir o uso racional dos recursos naturais, manter o equilíbrio ecológico e assegurar, às futuras gerações, a possibilidade de satisfazerem suas próprias necessidades.

6.1 INTRODUÇÃO

Conforme visto no Capítulo 1, a população humana exerce contínua pressão sobre o planeta Terra como resultado da crescente demanda por recursos naturais e energia e da progressiva acentuação dos problemas ambientais advindos de resíduos gerados ou, mais amplamente, de quaisquer coprodutos ou coprocessos das atividades antrópicas. O grande desafio da humanidade no século XXI é garantir a coexistência equilibrada de três elementos: crescimento econômico, equidade social e qualidade ambiental.

O engenheiro ambiental é um dos responsáveis por trabalhar para que essa conciliação se viabilize. O profissional formado na área deve **otimizar o uso dos recursos naturais** de forma a minimizar os impactos e buscar as melhores saídas para os problemas que se dispõe a resolver ao longo de sua carreira. Embora não exista alternativa perfeita e nem risco zero, o engenheiro ambiental deve sempre buscar soluções ambientalmente adequadas (em curto, médio e longo prazos), tecnicamente viáveis e economicamente vantajosas.

6.2 ENGENHARIA AMBIENTAL

No Brasil, a graduação em Engenharia Ambiental normalmente dura cinco anos e está organizada de modo a construir um conhecimento progressivo no decorrer do curso. A Engenharia Ambiental é ainda recente no país e o primeiro curso surgiu em 1992, na Fundação Universidade do Tocantins/UNITINS, ainda sem definição de currículo mínimo pelo MEC (Ministério da Educação). No processo de transição para a federalização da UNITINS, o curso de Engenharia Ambiental foi incorporado à Universidade Federal do Tocantins (UFT). A área de Engenharia Ambiental foi oficialmente criada e reconhecida pelo MEC em 1994, por meio da Portaria n.º 1.693, de 05 de dezembro de 1994. De acordo com o artigo 3º da portaria, além da matéria de Biologia, de Formação Básica, "*as matérias de Formação Profissional Geral, para a área de Engenharia Ambiental, serão ainda:*

- *Geologia*
- *Climatologia*
- *Hidrologia*
- *Ecologia Geral e Aplicada*
- *Hidráulica*
- *Cartografia*
- *Recursos Naturais*
- *Poluição Ambiental*
- *Impactos Ambientais*
- *Sistemas de Tratamento de Água e de Resíduos*

- *Legislação e Direito Ambiental*
- *Saúde Ambiental*
- *Planejamento Ambiental*
- *Sistemas Hidráulicos e Sanitários".*

Em função de sua formação multidisciplinar e do conhecimento aprofundado que desenvolve do meio ambiente, conforme visto no Capítulo 1, o profissional formado em Engenharia Ambiental está apto a atuar em diferentes campos, como na preservação dos recursos hídricos, controle da poluição do ar ou definição de políticas públicas voltadas ao meio ambiente. Por esse motivo, o mercado de trabalho está em franca expansão e existem oportunidades em órgãos públicos (por exemplo, ministérios federais, secretarias estaduais, municipais, agências reguladoras de água e energia elétrica), indústrias de variados ramos e atividades, consultorias (por exemplo, para projetos de estações de tratamento de água e esgoto), empresas privadas, universidades e organizações não governamentais (ONGs).

As disciplinas obrigatórias e optativas do curso de graduação em Engenharia Ambiental da Escola de Engenharia de São Carlos, Universidade de São Paulo (EESC-USP), são listadas na Tabela 6.1. No primeiro ano, são apresentados os conceitos sobre os quais o curso se estrutura. Disciplinas de formação básica, ligadas a Matemática, Física, Química e Biologia, representam a maior parte da grade curricular nos dois primeiros semestres. Nos quatro semestres seguintes, o curso se foca principalmente

TABELA 6.1 Disciplinas obrigatórias ou optativas eletivas do curso de graduação em Engenharia Ambiental da Escola de Engenharia de São Carlos, Universidade de São Paulo (EESC-USP), ao longo dos 10 semestres do curso

Semestre	Disciplinas obrigatórias ou optativas
1º	Introdução à Engenharia Ambiental; Física A para Engenharia Ambiental; Laboratório de Física A para Engenharia Ambiental; Cultura, Ambiente e Sustentabilidade I; Ecossistemas Aquáticos, Terrestres e Interfaces I; Biologia Geral e Aplicada I; Geometria Analítica; Cálculo I; Química para Engenharia Ambiental I; Laboratório de Química para Engenharia Ambiental I.
2º	Desenho Técnico para Engenharia Ambiental; Cultura, Ambiente e Sustentabilidade II; Ecossistemas Aquáticos, Terrestres e Interfaces II; Biologia Geral e Aplicada II; Cálculo II; Química para Engenharia Ambiental II; Laboratório de Química para Engenharia Ambiental II; Introdução à Computação para Engenharia Ambiental.
3º	Física B para Engenharia Ambiental; Laboratório de Física B para Engenharia Ambiental; Geologia e Solos I; Ecologia Geral e Aplicada; Caracterização Ambiental: Bacia Hidrográfica I; Cálculo III; Álgebra Linear e Equações Diferenciais; Química Orgânica.
4º	Técnicas de Representação em Engenharia Ambiental; Geologia e Solos II; Climatologia Aplicada à Engenharia Ambiental; Termodinâmica; Caracterização Ambiental: Bacia Hidrográfica II; Cálculo IV; Métodos Numéricos e Computacionais I; Estatística I.
5º	Economia Aplicada ao Meio Ambiente; Resistência dos Materiais; Sistema de Informações Geográficas Aplicado à Engenharia Ambiental; Microbiologia e Bioquímica Aplicadas; Poluição Ambiental I; Balanços de Massa e de Energia; Fenômenos de Transporte I; Impactos e Adequação Ambiental 1; Métodos Numéricos e Computacionais II.
6º	Adequação Ambiental de Empresas I: Técnicas de Avaliação; Poluição Ambiental II; Fenômenos de Transporte II; Cinética Aplicada e Cálculo de Reatores; Hidrologia; Impactos e Adequação Ambiental 2; Análise de Paisagem.
7º	Trabalho de Graduação; Adequação Ambiental de Empresas II: Sistemas e Programas; Condicionantes Geológico-geotécnicos em Estudos Ambientais; Métodos de Investigação Geológico-geotécnica em Estudos Ambientais; Operações Unitárias e Processos na Engenharia Ambiental; Recursos Hídricos; Hidráulica II; Ações Mitigadoras de Impactos Ambientais I; Gestão de Áreas Protegidas.
8º	Recuperação de Áreas Degradadas: Investigação, Análise e Gestão; Gestão de Resíduos Sólidos; Tratamento da Poluição do Ar; Sistemas de Abastecimento e de Tratamento de Água; Recursos Energéticos e Desenvolvimento; Sistemas de Esgotamento Sanitário e de Tratamento de Águas Residuárias; Ações Mitigadoras de Impactos Ambientais II; Sistemas de Avaliação de Impacto e Licenciamento Ambiental.
9º	Planejamento Ambiental e Urbanismo; Sustentabilidade e Gestão Ambiental; Instrumentos de Política Ambiental; Geossintéticos em Obras de Proteção e Recuperação Ambiental; Concepção e Projeto de Sistemas de Tratamento de Água; Projeto de Sistemas de Tratamento de Águas Residuárias; Monitoramento Ambiental: Casos para Estudo; Modelação Matemática de Processos de Interesse para a Engenharia Ambiental.
10º	Estágio em Engenharia Ambiental

Fonte: JupiterWeb – Sistemas USP (2018).

na apresentação dos impactos existentes nos diversos componentes ambientais, tais como água e solo. A partir do 4º ano (7º e 8º semestres), a ênfase passa a ser o conhecimento de ações preventivas, mitigadoras e remediadoras dos impactos anteriormente abordados. Por fim, os dois últimos semestres reservam uma carga horária para a realização de estágio e as disciplinas se concentram na área de gestão ambiental, com vistas à integração de todos os temas abordados no curso e com amparo em aspectos legais ligados ao meio ambiente. Também compõem a grade as disciplinas optativas, por exemplo, sobre projeto de sistemas de tratamento de água de abastecimento e águas residuárias.

A Resolução nº 447, de 22 de setembro de 2000, do Conselho Federal de Engenharia e Agronomia (CONFEA), dispõe sobre o registro profissional do Engenheiro Ambiental e identifica suas atividades profissionais. Dessa forma, definem-se as competências e atividades possíveis dentro de um campo de atuação profissional, permitindo-se especificar as atribuições a serem concedidas. Essa resolução é composta de seis artigos, dentre os quais se destacam os quatro a seguir:

1. **Artigo 1º.** Resolve que aos Conselhos Regionais de Engenharia e Agronomia (CREA) compete registrar os profissionais formados nos cursos de Engenharia Ambiental, desde que estes cursos estejam devidamente registrados e reconhecidos.
2. **Artigo 2º.** Define as competências do Engenheiro Ambiental. "*Compete ao Engenheiro Ambiental o desempenho das atividades 1 a 14 e 18 do art. 1º da Resolução nº 218, de 29 de junho de 1973, referentes à administração, gestão e ordenamento ambientais e ao monitoramento e mitigação de impactos ambientais, seus serviços afins e correlatos.*"
3. **Artigo 3º.** Estabelece que os profissionais não estão autorizados a desempenhar atividades além das que lhes competem, a não ser atividades e competências que lhes sejam acrescidas após um curso de pós-graduação dentro da mesma modalidade.
4. **Artigo 4º.** Define que os engenheiros ambientais fazem parte do grupo ou categoria da Engenharia (Modalidade Civil).

O referido art. 1º da Resolução CONFEA nº 218/1973, no entanto, foi atualizado pelo art. 5º da Resolução CONFEA nº 1.010, de 22 de agosto de 2005, resolução esta que fora suspensa e, posteriormente, substituída pela Resolução CONFEA nº 1.073 de 19 de abril de 2016, que vigora até a presente data. Esta última define, no §1º de seu art. 5º, a nova redação de cada uma das 18 atividades profissionais existentes no sistema CONFEA/CREA.

Segundo a Resolução CONFEA nº 1.073/2016, das 18 atividades profissionais existentes, 15 podem ser realizadas pelo engenheiro ambiental (1-14 e 18), conforme relacionadas a seguir:

Atividade 01   *Gestão, supervisão, coordenação, orientação técnica.*
Atividade 02   *Coleta de dados, estudo, planejamento, anteprojeto, projeto, detalhamento, dimensionamento e especificação.*
Atividade 03   *Estudo de viabilidade técnico-econômica e ambiental.*
Atividade 04   *Assistência, assessoria, consultoria.*
Atividade 05   *Direção de obra ou serviço técnico.*
Atividade 06   *Vistoria, perícia, inspeção, avaliação, monitoramento, laudo, parecer técnico, auditoria, arbitragem.*
Atividade 07   *Desempenho de cargo ou função técnica.*
Atividade 08   *Treinamento, ensino, pesquisa, desenvolvimento, análise, experimentação, ensaio, divulgação técnica, extensão.*
Atividade 09   *Elaboração de orçamento.*
Atividade 10   *Padronização, mensuração, controle de qualidade.*
Atividade 11   *Execução de obra ou serviço técnico.*
Atividade 12   *Fiscalização de obra ou serviço técnico.*
Atividade 13   *Produção técnica e especializada.*
Atividade 14   *Condução de serviço técnico.*
Atividade 15   *Condução de equipe de produção, fabricação, instalação, montagem, operação, reforma, restauração, reparo ou manutenção.*
Atividade 16   *Execução de produção, fabricação, instalação, montagem, operação, reforma, restauração, reparo ou manutenção.*
Atividade 17   *Operação, manutenção de equipamento ou instalação.*
Atividade 18   *Execução de desenho técnico.*

Em 2009, a Secretaria de Educação Superior (SESU/MEC) fez uma consulta pública visando a uma nova classificação dos cursos de engenharia, reduzindo os títulos acadêmicos para 22 denominações. A medida foi tomada devido ao excesso de denominações, já que são mais de 300 nomes de cursos e muitos com os mesmos conteúdos e a sistematização propostos. Essa consulta subsidiou a elaboração do documento "Referenciais Curriculares Nacionais dos Cursos de Bacharelado e Licenciatura", publicado pelo MEC em 2010, que adota a nomenclatura: "Engenharia Ambiental e Sanitária". Conforme consta na apresentação desse documento, "a convergência deve ser entendida como sugestão de conversão e cabe a cada IES (instituição de ensino superior) adotar a nomenclatura que julgar pertinente". A nomenclatura do curso, por si só, não garante as atribuições aos profissionais, visto que esse é o papel do conselho de classe.

Neste sentido, cursos de Engenharia Ambiental com diferentes nomenclaturas também têm conseguido garantir aos egressos a obtenção das atribuições de **Engenheiro Sanitarista,** pela Resolução CONFEA nº 310 de 23 de julho de 1986, sem prejuízo das atribuições garantidas pela Resolução CONFEA nº 447/2000 para o Engenheiro Ambiental.

Isso pode ser definido durante a criação do curso - através do planejamento e da estruturação do curso em consonância aos requisitos do MEC e do CONFEA - ou em momento posterior, com o curso já regularizado junto ao MEC e ao CONFEA. O curso previamente autorizado e avaliado pode abrir um procedimento administrativo no CREA responsável pela região onde se localiza a IES interessada, buscando assim uma revisão das atribuições concedidas inicialmente.

Dessa forma, os engenheiros ambientais contemplados com essa revisão poderão atuar também nas **atividades 15, 16 e 17 da Resolução CONFEA nº 1.073/2016**, além das atividades 1 a 14 e 18, já estabelecidas pela Resolução CONFEA nº 447/2000.

Essa revisão amplia e valoriza substancialmente o campo de atuação dos engenheiros ambientais, permitindo uma atuação plena do profissional, visto que a Resolução CONFEA nº 310/1986 define as competências para as 18 atividades profissionais, sem exceção, referentes a:

- *sistemas de abastecimento de água, incluindo captação, adução, reservação, distribuição e tratamento de água;*
- *sistemas de distribuição de excretas e de águas residuárias (esgoto) em soluções individuais ou sistemas de esgotos, incluindo tratamento;*
- *coleta, transporte e tratamento de resíduos sólidos (lixo);*
- *controle sanitário do ambiente, incluindo o controle de poluição ambiental;*
- *controle de vetores biológicos transmissores de doenças (artrópodes e roedores de importância para a saúde pública);*
- *instalações prediais hidrossanitárias;*
- *saneamento de edificações e locais públicos, tais como piscinas, parques e áreas de lazer, recreação e esporte em geral;*
- *saneamento dos alimentos.*

É importante ressaltar que a Engenharia Ambiental passou por várias modificações no decorrer da sua história, derivando-se da Engenharia Civil-Sanitária, até se tornar literalmente "Engenharia Ambiental/ Engenharia Ambiental e Sanitária", sendo uma das mais recentes engenharias do Brasil. Dessa forma, o curso ainda busca uma consolidação de sua identidade, respeitando as particularidades regionais e visando à plena atuação dos profissionais formados.

A Resolução CONFEA nº 1.073/2016 aumenta as possibilidades para os engenheiros de diferentes grupos profissionais. Ela manteve vários instrumentos presentes na Resolução CONFEA nº 1.010/2005 e adicionou outros importantes, destacando-se a introdução do termo "atribuição inicial de campo de atuação profissional", que basicamente define atribuições aos profissionais iniciantes de cada curso, com possibilidade de extensão de atribuições em cada modalidade; e a possibilidade de **extensão de atribuição em grupos profissionais distintos** no caso de cursos *stricto sensu* (Mestrado e Doutorado), conforme disposto em seu art. 7º:

(...)

§ 3º A extensão de atribuição de um grupo profissional para o outro é permitida somente no caso dos cursos stricto sensu previstos no inciso VI do art. 3º, devidamente reconhecidos pela Coordenação de Aperfeiçoamento de Pessoal de Nível Superior – CAPES e registrados e cadastrados nos CREAs.

(...)

Dessa forma, é possível (em tese) que um engenheiro ambiental (modalidade Civil) curse mestrado ou doutorado na área de Nutrição de Solos (modalidade Agronomia) e posteriormente solicite extensão de atribuição junto ao CREA da sua região, por exemplo.

Pelo caráter multidisciplinar do curso de graduação em Engenharia Ambiental, existe uma sobreposição entre as competências do engenheiro ambiental e de outros profissionais, como outros engenheiros, geólogos e arquitetos. Porém, a Resolução CONFEA nº 447/2000 busca pacificar essa questão em seu art. 2º (Parágrafo Único): "*As competências e as garantias atribuídas por esta Resolução aos engenheiros ambientais, são concedidas sem prejuízo dos direitos e prerrogativas conferidas aos engenheiros, aos arquitetos, aos engenheiros agrônomos, aos geólogos ou engenheiros geólogos, aos geógrafos e aos meteorologistas, relativamente às suas atribuições na área ambiental*".

O engenheiro ambiental pode, alternativamente, optar pelo registro no Conselho Regional de Química (CRQ). De acordo com o art. 1º da Resolução Normativa nº 198, de 17 de dezembro de 2004 (CFQ – Conselho Federal de Química), "*deverão registrar-se em Conselhos Regionais de Química, os profissionais que desempenharem as suas funções na área da Química (...)*". O art. 2º da mesma resolução confirma que os engenheiros ambientais podem se registrar no conselho de química: "*são consideradas modalidades do campo profissional da Engenharia Química devendo registrarem-se* (sic) *em CRQ's, os engenheiros de Produção, de Armamentos, de Minas, Metalúrgica, de Petróleo, de Petroquímica, Têxtil, de Plásticos, Sanitaristas, Ambientais, de Alimentos, de Segurança do Trabalho, de Materiais, Engenheiros Industriais, modalidade Química, de Papel e Celulose, de Biotecnologia, de Bioquímica, de Explosivos, e outros, sempre que suas atividades se situarem na área da Química ou que lhe sejam correlatas*".

O CFQ publicou, ainda, a Resolução Normativa nº 259, em janeiro de 2015, que definiu as atribuições dos profissionais que trabalham na área de Química do Meio Ambiente e de Saneamento Ambiental. Esta Resolução estabelece 14 atribuições nas quais é possível a atuação dos engenheiros ambientais e sanitaristas (entre outros profissionais) mediante o cumprimento de requisitos curriculares mínimos. Assim, quando o engenheiro ambiental exerce atividades na área da química, o registro profissional no CRQ pode ser conveniente. São essas atribuições:

1. *Vistoriar, emitir relatórios, pareceres periciais, laudos técnicos, e realizar serviços técnicos relacionados com as atividades tecnológicas concernentes às áreas Sanitária, Meio Ambiente e Recursos Naturais.*

2. *Coordenar, orientar, supervisionar, dirigir e assumir a responsabilidade técnica das atividades envolvidas nos processos de Gestão Ambiental, Gerenciamento Ambiental e suas respectivas técnicas.*

3. *Exercer o magistério na Educação de Nível Superior e de Nível Médio, respeitada a legislação específica, e participar do desenvolvimento de pesquisas e extensão, sendo as atividades exercidas nas áreas Sanitária, Meio Ambiente e Recursos Naturais.*

4. *Executar análises químicas, físico-químicas, químico-biológicas e toxicológicas das matérias-primas, dos insumos, dos produtos intermediários e finais resultantes das tecnologias sanitárias e ambientais e no controle de qualidade dos processos químicos envolvidos, utilizando somente os tradicionais métodos gravimétricos e volumétricos.*

5. *Executar análises químicas, físico-químicas, químico-biológicas e toxicológicas das matérias-primas, dos insumos, dos produtos intermediários e finais resultantes das tecnologias sanitárias e ambientais, e controle de qualidade dos processos químicos envolvidos, utilizando as técnicas e métodos instrumentais.*

6. *Gerir as atividades técnicas utilizadas nos processos e operações de tratamento e disposição final de águas, efluentes e resíduos sólidos.*

7. *Planejar, conduzir e efetuar o controle de qualidade de todos os processos químicos, físico-químicos e bioquímicos utilizados nas etapas de tratamento para reuso de água destinada à indústria e abastecimento.*

8. *Planejar, conduzir e efetuar o controle de qualidade de todos os processos químicos, físico-químicos e bioquímicos utilizados nas etapas de tratamento para reuso de efluentes líquidos.*

9. *Planejar, conduzir e efetuar o controle de qualidade de todos os processos químicos, físico-químicos e bioquímicos utilizados nas etapas de tratamento para reuso de efluentes gasosos.*

10. *Efetuar a inspeção das atividades, zelando pelo cumprimento das normas sanitárias e ambientais dos padrões de qualidade.*

11. *Planejar, conduzir e gerenciar as operações unitárias da área de Engenharia Química utilizadas em todas as etapas da Engenharia Sanitária e Ambiental.*

12. *Conduzir a aquisição, montagem e manutenção de máquinas e equipamentos de implementos do Saneamento e Meio Ambiente e supervisionar a instrumentação de controle das máquinas existentes nas instalações do sistema.*

13. *Realizar as atividades de estudo, planejamento, elaboração de projetos, especificações de equipamentos e instalações na área Sanitária e Ambiental, sempre que a Organização Curricular do Curso indicar que o profissional egresso do mesmo, possua os devidos conhecimentos das áreas da Engenharia Química, Sanitária e Ambiental.*

14. *Desempenhar outras atividades e serviços não especificados na presente Resolução e que se situem no domínio de sua capacitação técnico-científica, conforme indicar a natureza da Organização Curricular cumprida pelo profissional, a ser definido pelo Conselho Federal de Química.*

Tanto no âmbito do Sistema CONFEA/CREA quanto no âmbito do Sistema CFQ/CRQ, existem diretrizes e documentos orientadores para a boa conduta moral e ética no exercício da profissão. No CONFEA, pela Resolução nº 1.002, de 28 de novembro de 2002 e no CFQ, pela Resolução Ordinária nº 927, de 11 de novembro de 1970. Apesar de serem sistemas profissionais diferentes, suas orientações são, de certa forma, congruentes. Assim, definem o papel do profissional (no caso, o engenheiro ambiental) frente à sociedade e, em seu código de conduta, estabelecem responsabilidades técnica, administrativa, civil e criminal, bem como as sanções e questões burocráticas envolvidas neste processo.

6.3 SUSTENTABILIDADE

O termo "desenvolvimento sustentável", que será discutido em detalhes no Capítulo 27, foi provavelmente utilizado pela primeira vez em um documento internacional no ano de 1980. Naquele ano, um relatório intitulado "*World Conservation Strategy*", lançado pelas instituições IUCN (*International Union for Conservation of Nature*), Unep (*United Nations Environment Programme*) e WWF, alertara para a necessidade de esforços globais coordenados para um desenvolvimento sustentável, que assegurasse a manutenção dos ecossistemas, promovesse o uso racional dos recursos naturais e preservasse a diversidade genética.

Menos de uma década depois, em 1987, o termo foi consagrado no relatório "*Our Common Future*", da *World Commission on Environment and Development*, da Organização das Nações Unidas (ONU). A definição clássica de desenvolvimento sustentável passou a ser de um modelo de "(...) *desenvolvimento que satisfaz as necessidades do presente, sem comprometer a capacidade das gerações futuras satisfazerem as suas próprias necessidades*". O fundamento de sustentabilidade, portanto, traz consigo a ideia de solidariedade com as gerações vindouras e um compromisso com a garantia de que tais gerações serão capazes de manter condições dignas de vida. A sustentabilidade engloba as dimensões ambiental, social e econômica, esferas indissociáveis que devem ser igualmente preconizadas. Desde 1972, quando ocorreu a Conferência de Estocolmo (ONU), ficou claro o confronto entre as perspectivas e os interesses de países desenvolvidos e em desenvolvimento. Outras reuniões internacionais têm sido realizadas na tentativa de discutir as relações entre o Homem e o Meio Ambiente, dentre elas a Conferência das Nações Unidas sobre o Meio Ambiente e Desenvolvimento (Rio-1992 ou ECO-92), a Rio + 5, a Rio + 10 e a Rio + 20.

Durante a ECO-92, foi assinada a Agenda 21, uma carta de intenções que deveriam compor o ordenamento jurídico dos países signatários e indicar caminhos em relação a diversas questões ambientais. A Agenda 21 constituiu-se de 40 capítulos divididos em quatro seções temáticas (Dimensões Econômicas e Sociais, Conservação e Administração de Recursos, Fortalecimento dos Grupos Sociais e Meios de Implementação). Embora alguns temas polêmicos tenham sido omitidos para que todos os países assinassem consensualmente o documento, a Agenda 21 foi importante à medida que propiciou a reunião de representantes de diferentes nações, trouxe à discussão diversos tópicos ligados ao meio ambiente e apresentou princípios de sustentabilidade.

O presente capítulo apresenta uma definição alternativa para sustentabilidade. Sustentabilidade é um **estado dinâmico** que pressupõe o equilíbrio entre os impactos impostos pelas atividades antrópicas, as perturbações ambientais advindas da própria existência do homem e a capacidade do meio ambiente de se autorregular e de se comportar de maneira **elástica**. O equilíbrio entre os seguintes fatores é fundamental para a sustentabilidade: espacialidade (verificação da capacidade suporte do meio em relação a atributos físicos, biológicos e antrópicos), temporalidade (atendimento das necessidades das presentes e futuras gerações) e participação pública (envolvimento da sociedade no processo decisório sobre o meio ambiente, o que garante legitimidade a esse processo e faz com que os indivíduos sejam corresponsáveis por decisões que, em última instância, interferem em suas próprias vidas). Com base na Figura 6.1, observa-se que após um impacto gerador de uma deformação temporária, o componente ambiental afetado atua continuamente para mitigar os efeitos do impacto e recuperar a condição original ou atingir uma nova condição aceitável de equilíbrio.

O eixo y pode representar quaisquer indicadores ou variáveis ambientais, como a vazão de um rio, os níveis de poluentes na atmosfera ou o número de óbitos em decorrência de doenças de veiculação hídrica. Por exemplo, considere-se que o eixo y do gráfico represente as concentrações de mercúrio na água de um rio. Após o lançamento de um efluente industrial (impacto) no curso de água, as concentrações do metal aumentam continuamente até atingir um pico. Em seguida, mecanismos naturais ou artificiais (por exemplo, de remediação) podem atuar no sentido de minimizar as concentrações de mercúrio e levá-las a um patamar próximo da condição original (Caso A – Comportamento Elástico).

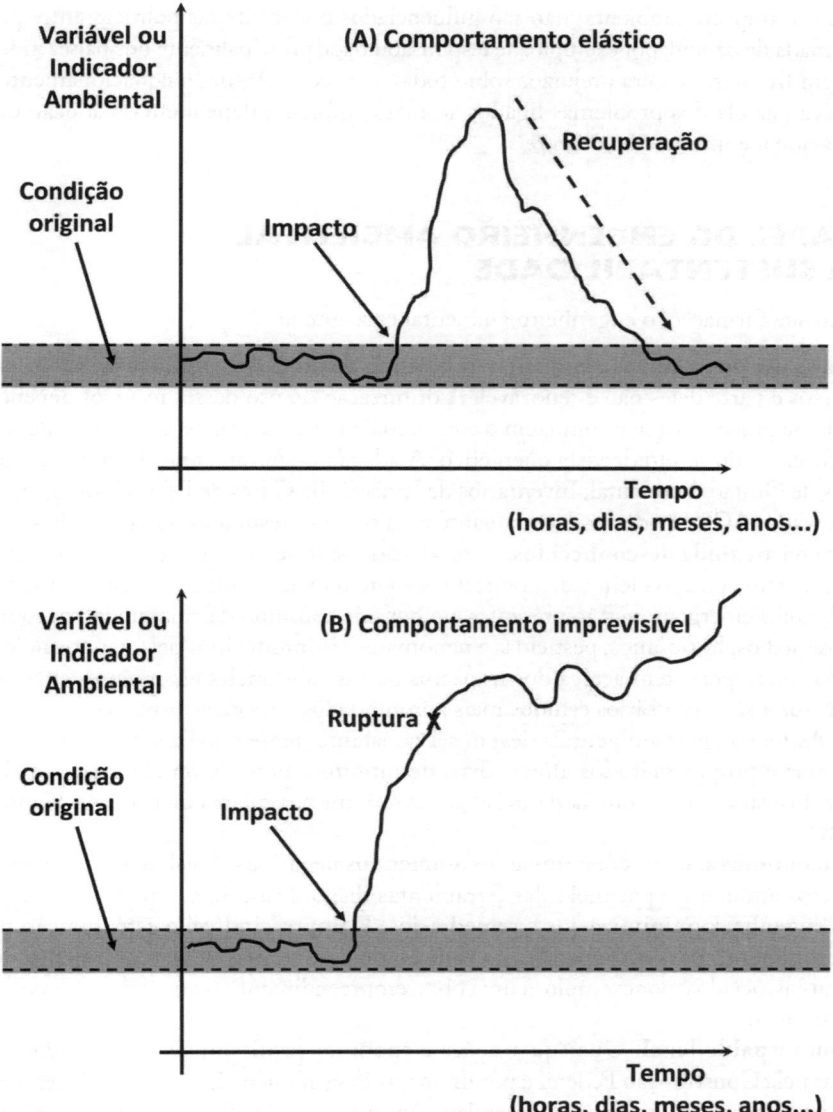

FIGURA 6.1 Representação gráfica do conceito de sustentabilidade: comportamento elástico (A) e comportamento imprevisível (B) dos sistemas ambientais ao longo do tempo em resposta a um impacto.

Entretanto, dependendo da magnitude do impacto, haverá ruptura, o comportamento do sistema ambiental deixará de ser elástico e se tornará imprevisível (Caso B). Efeitos irreversíveis e desconhecidos podem acompanhar essa situação.

Ao se considerar que a sustentabilidade se refere à manutenção, no espaço e no tempo, de condições favoráveis ao adequado funcionamento dos ecossistemas, ao equilíbrio ecológico e à vida humana, entende-se que a conquista de uma sociedade sustentável dependa da adoção das seguintes estratégias:

i) manutenção da biodiversidade e incentivo a princípios éticos de preservação de todas as formas de vida no planeta;

ii) delineamento de planos integrados para conservação ambiental;

iii) alteração dos padrões de produção e mudança nos padrões individuais de consumo;

iv) estímulo ao uso de recursos renováveis e redução ou substituição da utilização de recursos não renováveis;

v) respeito à capacidade de suporte dos ecossistemas aquáticos, terrestres e suas interfaces.

Todas essas diretrizes devem ser abordadas em diferentes escalas (escala individual, local, nacional e internacional). É importante destacar o caráter transfronteiriço dos danos ambientais. Os efeitos deletérios de um impacto ambiental não são influenciados por fronteiras políticas entre países. A destruição da camada de ozônio, por exemplo, de responsabilidade principalmente dos países industrializados, estende-se sem fronteiras e gera prejuízos sobre todas as nações. Assim, o equacionamento e a solução de significativa parcela dos problemas ligados ao meio ambiente dependem da adoção de estratégias integradas nacional e internacionalmente.

6.4 O PAPEL DO ENGENHEIRO AMBIENTAL PARA A SUSTENTABILIDADE

Com base em sua formação, o engenheiro ambiental está apto a:

i) **Otimizar o uso dos recursos e aumentar a eficiência de processos produtivos.** Os recursos naturais são escassos e parte deles não é renovável. A otimização do uso desses recursos depende da implementação de processos que minimizem o consumo de matérias primas e a geração de resíduos e que sejam eficientes do ponto de vista energético. A adoção de ferramentas de gestão ambiental como Sistemas de Gestão Ambiental, Inventários de Emissão de Gases de Efeito Estufa, ou Avaliação de Ciclo de Vida (ACV) pode ser determinante para se obter resultados satisfatórios.

ii) **Estudar efeitos ainda desconhecidos.** A produção e síntese de novos materiais e substâncias pelo Homem trazem consigo efeitos desconhecidos sobre o meio ambiente e a saúde. Os denominados contaminantes emergentes estão presentes em bens de consumo da vida moderna, como protetores solares, remédios, hormônios, pesticidas e nanomateriais (produzidos pela nanotecnologia). Muitas incertezas ainda persistem acerca dos impactos dessas substâncias emergentes em curto, médio e longo prazos e são necessários estudos mais aprofundados para caracterizá-los.

iii) **Inovar.** As tecnologias ambientais devem ser constantemente atualizadas e modernizadas. Criar ferramentas e propor métodos alternativos de monitoramento e remediação são alguns exemplos que ilustram a importância da inovação como um dos pilares da carreira de um engenheiro ambiental.

iv) **Prevenir, minimizar e remediar impactos ambientais negativos.** Idealmente, deve-se buscar evitar os impactos ambientais por meio das ferramentas disponíveis. Se os impactos forem inevitáveis, cabe ao engenheiro minimizá-los e remediá-los. É imprescindível a estruturação de um plano de monitoramento para acompanhar a evolução dos programas de gerenciamento dos impactos ambientais associados, por exemplo, a uma obra, empreendimento ou qualquer intervenção humana sobre o ambiente.

v) **Agir com respaldo legal.** Quaisquer ações e condutas profissionais do engenheiro devem ser norteadas pela Constituição Federal e por inúmeras leis (municipais, estaduais, federais), resoluções, portarias e outras peças jurídicas que regulamentam as questões ligadas ao meio ambiente.

A garantia da sustentabilidade ambiental depende, sem dúvida, da atuação de profissionais oriundos de áreas distintas. O papel do engenheiro ambiental, no entanto, merece destaque. A bagagem adquirida por este profissional lhe garante um conhecimento detalhado dos processos físicos, químicos e biológicos e, assim, uma visão global do meio ambiente. A Engenharia Ambiental, portanto, está a serviço da sustentabilidade.

REVISÃO DOS CONCEITOS APRESENTADOS

- A área de engenharia ambiental é relativamente nova no Brasil. O primeiro curso de graduação surgiu no início da década de 1990.
- O profissional graduado em engenharia ambiental pode optar por se registrar no Conselho Regional de Engenharia e Agronomia (CREA) ou no Conselho Regional de Química (CRQ), conforme sua área de atuação e suas atividades profissionais.
- A sustentabilidade pode ser definida como um estado dinâmico de equilíbrio entre as perturbações impostas ao meio ambiente e a capacidade de autorregulação dos sistemas ambientais, de modo que um impacto é progressivamente minimizado até que seja restaurada a condição original do componente afetado ou atingida uma nova condição aceitável de equilíbrio.
- O conhecimento amplo sobre o meio ambiente e os processos físicos, químicos e biológicos que regem o funcionamento dos ecossistemas faz com que a atuação do engenheiro ambiental seja imprescindível para a garantia da sustentabilidade em seus múltiplos aspectos ambientais, sociais e econômicos.

SUGESTÕES DE LEITURA COMPLEMENTAR

- *Agenda 21*, Organização das Nações Unidas (ONU). Disponível em: <http://www.mma.gov.br/responsabilidade-socioambiental/agenda-21/agenda-21-global>. Acesso: abril 2018.
- CFQ – Conselho Federal de Química. *Resolução Ordinária nº 927, de 11 de novembro de 1970.* Disponível em: <http://www.cfq.org.br/co927.htm>. Acesso: dezembro 2017.
- CFQ – Conselho Federal de Química. Resolução Normativa nº 198, de 17 de dezembro de 2004. Disponível em: <http://www.cfq.org.br/rn/RN198.htm>. Acesso: abril 2018.
- CFQ – Conselho Federal de Química. *Resolução Normativa nº 259, de 16 de janeiro de 2015.* Disponível em: <http://www.cfq.org.br/rn/RN259.htm>. Acesso: dezembro 2017.
- CONFEA – Conselho Federal de Engenharia e Agronomia – Autarquia Pública Federal. *Resolução nº 218, de 29 de junho de 1973.* Disponível em: <http://normativos.confea.org.br/ementas/visualiza.asp?idEmenta=266>. Acesso: abril 2018.
- CONFEA – Conselho Federal de Engenharia e Agronomia – Autarquia Pública Federal. *Resolução no 310, de 23 de julho de 1986.* Disponível em: <http://normativos.confea.org.br/ementas/visualiza.asp?idEmenta=358>. Acesso: janeiro 2018.
- CONFEA – Conselho Federal de Engenharia e Agronomia – Autarquia Pública Federal. *Resolução nº 447, de 22 de setembro de 2000.* Disponível em: <http://normativos.confea.org.br/ementas/visualiza.asp?idEmenta=495>. Acesso: abril 2018.
- CONFEA – Conselho Federal de Engenharia e Agronomia – Autarquia Pública Federal. *Resolução nº 1.002, de 26 de novembro de 2002.* Disponível em: <http://normativos.confea.org.br/downloads/1002-02.pdf>. Acesso: dezembro 2017.
- CONFEA – Conselho Federal de Engenharia e Agronomia – Autarquia Pública Federal. *Resolução n° 1.073, de 19 de abril de 2016.* Disponível em: <http://normativos.confea.org.br/ementas/visualiza.asp?idEmenta=59111>. Acesso: janeiro 2018.
- *Grade Curricular do Curso de Graduação em Engenharia Ambiental da Escola de Engenharia de São Carlos, da Universidade de São Paulo (EESC-USP).* Disponível em: <https://uspdigital.usp.br/jupiterweb/listarGradeCurricular?codcg=18&codcur=18030&codhab=0&tipo=N>. Acesso: abril 2018.
- MEC – Ministério da Educação – Órgão do Governo Federal do Brasil. *Portaria nº 1.693, de 5 de dezembro de 1994.* Disponível em: 8 <http://www.poli.ufrj.br/ambiental/arquivos/PORTMEC1693-94.pdf>. Acesso: abril 2018.
- ONU – Organização das Nações Unidas. *Our Common Future*, Relatório da *World Commission on Environment and Development.* Disponível em: <http://www.un-documents.net/our-common-future.pdf>. Acesso: abril 2018.
- CRUVINEL, K.A., MARÇAL, D.R., & LIMA, Y.C.R. (2014) Evolução da engenharia ambiental no Brasil. In *V Congresso Brasileiro de Gestão Ambiental. Anais. Belo Horizonte, MG: IBEAS*.Disponível em: <http://www.ibeas.org.br/congresso/Trabalhos2014/XI-028.pdf>. Acesso: dezembro 2017.

FUNDAMENTOS ECOLÓGICOS E CICLOS NATURAIS

Maria do Carmo Calijuri / Davi Gasparini Fernandes Cunha /
Juliana Moccellin

Neste capítulo, são apresentados os conceitos fundamentais de ecossistemas ou sistemas ecológicos, seguidos pela abordagem da energia imprescindível para o funcionamento desses sistemas ambientais, a energia solar, e a matéria. Posteriormente, são descritos os ciclos biogeoquímicos (do carbono, do nitrogênio, do fósforo, do enxofre e da água), responsáveis por reger os fluxos de elementos químicos essenciais à vida, os quais percorrem diferentes caminhos nos componentes bióticos e abióticos da biosfera. A noção de fator limitante é introduzida por meio de representação gráfica. Em seguida, discutem-se os conceitos de população e comunidade, hábitat e nicho ecológico, características populacionais (densidade, natalidade, potencial biótico, entre outras), interações ecológicas entre as populações, biodiversidade e ecótono. Por fim, apresenta-se a sucessão ecológica como um mecanismo que busca conciliar a estabilidade e o aumento de produtividade em um ecossistema.

7.1 INTRODUÇÃO

O costume de instalar aquários no século XIX, na Inglaterra, provavelmente contribuiu com a noção de ecossistema, embora como um sistema relativamente fechado, um modelo reduzido de lago. Em 1887, o americano Stephen Alfred Forbes produziu um artigo no qual descreveu o lago como um microcosmo: *"o lago aparece como um sistema orgânico, em equilíbrio entre a síntese e a decomposição, no qual a luta pela existência e a seleção natural produz um equilíbrio, uma continuidade de interesses entre predador e presa"*.

A ideia da unidade dos organismos com o ambiente e, também, do homem com a natureza, remonta à história escrita. Entretanto, apenas em 1935 o termo "ecossistema" foi proposto por Arthur George Tansley. O **sistema ecológico**, ou **ecossistema**, é uma totalidade integrada e sistêmica envolvendo ambiente físico (abiótico) e comunidade (biótico) em sua funcionalidade e processos metabólicos. Segundo Odum (2001), *"o sistema ecológico ou ecossistema é qualquer unidade que inclua todos os organismos (a comunidade) numa dada área, interagindo com o ambiente físico de tal forma que um fluxo de energia conduza a uma estrutura trófica, a uma diversidade biológica e a uma ciclagem de materiais entre as partes vivas e não vivas"*. Os ecossistemas, que variam de tamanho, podem ser naturais ou artificiais (criados pelo homem). Exemplos de ecossistemas artificiais incluem reservatórios, lagoas de estabilização e plantações.

O conceito amplo de **ecossistema** tem como finalidade realçar a junção de componentes para formar unidades funcionais. O ecossistema é a unidade funcional básica da Ecologia e inclui tanto os organismos como o ambiente abiótico. Deve-se, portanto, entendê-lo como nível de organização e não como uma unidade delimitada espacialmente. Todos os ecossistemas são sistemas abertos. Por isso, é importante reconhecer que existe, juntamente com o sistema ecológico propriamente dito, um ambiente de entrada e um de saída, acoplados e essenciais para que o ecossistema funcione e se mantenha. Isso ocorre porque um ecossistema funcional precisa de uma entrada para manter os processos vitais e um meio para exportar a energia e os materiais já processados. Às vistas da termodinâmica, ele é um sistema relativamente estável no tempo e aberto. Os ecossistemas são dotados de autorregulação e capazes de resistir, dentro de certos limites, às modificações do meio ambiente e às bruscas variações da densidade populacional. A maioria deles se formou no curso de uma evolução como resultado de longos processos de adaptação entre as espécies e o meio físico.

As interações entre organismos – e entre os organismos e o ambiente físico – geram um fluxo de energia através dos autótrofos – organismos fotossintetizantes – para heterótrofos; e um ciclo de substâncias inorgânicas (carbono, nitrogênio, fósforo, dióxido de carbono, água) que fluem do ambiente físico aos organismos e retornam ao ambiente. Assim, são produzidos compostos orgânicos que ligam o biótico ao abiótico, como proteínas, carboidratos, lipídios e substâncias húmicas. É importante ressaltar a influência do ambiente atmosférico, hidrológico e do substrato, incluindo o regime climático e outros fatores físicos, que suportam a vida na Terra.

Se quisermos entender a interligação da estrutura e função de um ecossistema, é necessário considerá-lo sob vários ângulos. Do ponto de vista de estrutura trófica, um ecossistema possui dois estratos. O primeiro deles é o autótrofo ("alimenta-se por si só"), em que predominam a fixação de energia luminosa, a utilização de substâncias inorgânicas simples e a síntese de substâncias orgânicas complexas. Fazem parte desse estrato os produtores. O segundo estrato é o heterótrofo ("alimenta-se dos outros"), que utiliza, rearranja e decompõe os materiais complexos e é constituído pelos organismos consumidores e decompositores. Assim, os ecossistemas normalmente incluem produtores primários, consumidores (herbívoros, carnívoros e parasitas), decompositores e detritívoros, certa quantidade de matéria orgânica morta, mais o ambiente físico-químico, que proporciona as condições para a vida e atua como uma fonte e um dreno para energia e matéria. A Tabela 7.1 apresenta a estrutura trófica de alguns ecossistemas da Terra.

TABELA 7.1 Níveis tróficos em vários ecossistemas

Ecossistemas terrestres

Ecossistema	Produtores	Herbívoros	Carnívoros primários	Carnívoros secundários	Supercarnívoros
Floresta decídua	Bordo, faia, carvalho, nogueira, algas, musgos, samambaia, arbustos	Marmota, cervo, lesma, caracol, minhoca, ácaro, inseto	Esquilo, tartaruga, serpente, camundongo, aranha, salamandra, sapo	Raposa, lobo falcão, jaritataca, gambá	Homem
Pântano do Sudeste	Fitoplâncton, capim-d'água	Larvas de insetos, caracol, camarão	Aves aquáticas, pássaros canoros, insetos predadores, peixes, rãs	Garça, serpente, crocodilo, tartaruga	Homem
Floresta africana	Trepadeiras lenhosas. Árvores de folhas largas, arbustos	Macaco, lêmure, camundongo, periquito, formiga, abelha, borboleta	Leopardo, águia, serpente, rã, lagarto	Homem	
Pantanal mato-grossense	Angico, ipê, aroeira, palmeira, plantas aquáticas, gramíneas	Capivara, anta, beija-flor, tucano, cervo-do-pantanal	Anu, coruja, inhambu, mutum, tuiuiú, cachorro-do-mato	Biguá, Onça-pintada, ariranha	Homem
Mata Atlântica	Gravatá, bromélia, orquídea, jequitibá	Gafanhoto, veado, formigas, mico-leão, ouriço	Cobra, tatu, cágado-do-hoge	Coruja, lontra, ariranha, leopardo	Homem
Floresta tropical	Castanheira, seringueira, samambaia	Preguiça-real, caxinguelê, jabuti	Quati, sagui-branco, ariranha, jupará, macaco-aranha	Uacari-branco, irara, cobras, onça-preta	Homem
Cerrado	Fruta-de-lobo, ipê, pequi, tucaneira	Paca, anta, bugio, tucano, cupins	Tamanduá-bandeira, lobo-guará, queixada, teiú	Tatu-canastra, jaguatirica, gato-palheiro, onça-pintada	Homem
Caatinga	Cacto, bromélia, mandacaru, juazeiro, amburana	Preá, veado-catingueiro, capivara	Mico-estrela, mocó, rã-cachorro, sagui, gambá, tatu-peba	Jaguatirica, onça-parda	Homem
Campos sulinos	Capim, cedro, cabreúva, gramíneas	Veado-campeiro, cutia, boi, caxinguelê, sanhaço, araponga	Gambá, guaxinim, quati	Graxaim-do-mato, gato-maracajá, gato-do-mato	Homem
Ecossistemas aquáticos					
Oceano antártico	Fitoplâncton	Crustáceos planctônicos, zooplâncton, peixes	Focas, baleia azul, aves marinhas, peixes pequenos, salmão	Pinguim, procelárias, focas, peixes	Delfins, foca-leopardo, escuas, leão-marinho, morsa, homem
Rios tropicais	Fitoplâncton, macrófitas aquáticas	Peixe-boi, hipopótamo, zooplâncton	Lontra, peixes, Martim-pescador, lambari	Piranha, dourado, tucunaré	Homem
Represa ou lago	Fitoplâncton, macrófitas aquáticas	Zooplâncton, peixes	Mergulhão, peixes, garça, lambari	Piranha, pintado, traíra, pirarucu, surubim	Homem

Como se pode observar, os organismos encontrados em determinada região dependem não só das condições locais, como temperatura e umidade, mas também da situação geográfica. Cada região da Terra, bem como cada extensão oceânica, tem sua fauna e flora peculiar. Por isso, encontram-se cangurus na Austrália e abundância de cactos no México.

Quanto ao hábito alimentar, os ecossistemas possuem espécies que são **especialistas** (ingerem somente determinado alimento) e **não especialistas** (ingerem uma grande variedade de alimentos). Normalmente, os ecossistemas maduros, estáveis, apresentam alta diversidade de espécies. A estabilidade é a persistência da estrutura de um ecossistema no decorrer do tempo. O grau de estabilidade atingido por um ecossistema depende do ambiente externo e da eficiência dos controles internos (homeostase).

A capacidade de um sistema ecológico de suportar perturbações ambientais, mantendo sua estrutura e padrão de comportamento em condição de equilíbrio, é denominada **resiliência**. A resiliência é avaliada pelo tempo necessário para o ecossistema retornar à condição inicial, conforme visto no Capítulo 6. Um ecossistema será menos resiliente quanto maior for o tempo necessário para ele retornar à condição inicial após perturbação. A **sustentabilidade ambiental** ou estabilidade ecológica pode ser proporcionada pela diversidade de espécies, embora não se conheça a biodiversidade necessária para os diferentes ecossistemas e graus de perturbações.

7.2 ENERGIA

A energia é a capacidade de realizar trabalho e transferir calor. A principal fonte de energia do nosso planeta é a radiação solar, que chega na forma de luz e calor. Seu fluxo é unidirecional e obedece às Leis da Termodinâmica, que foram introduzidas no Capítulo 1.

A **Primeira Lei da Termodinâmica**, também conhecida como **Lei da Conservação de Energia**, diz que *"a energia pode ser transformada de um tipo a outro, mas não pode ser criada nem destruída"*. Segundo Teixeira Jr. (1981), se, em algum lugar, a energia que se apresentava sob uma forma tiver desaparecido, uma mesma quantidade de energia terá de surgir sob outra forma e em outro lugar. Assim, dizemos que a energia não é consumida, e sim, utilizada. Como exemplo, podemos citar a queima de gasolina (combustível). Antes de ser queimada, a gasolina possui uma energia química armazenada (também chamada de energia potencial). Após sua queima, essa energia sofre transformações e passa às formas mecânica e térmica (energia cinética). A soma das energias do fim de uma transformação é sempre igual às energias iniciais. Não se pode obter mais energia do sistema do que aquela que é fornecida.

Sendo assim, é possível acreditar que sempre haverá energia suficiente. O que muda entre uma transformação e outra é a qualidade da energia, ou seja, o quanto dessa energia fica disponível para realizar trabalho útil (Miller, 2007). É dessa questão que trata a **Segunda Lei da Termodinâmica**. De acordo com esta lei, todo processo de transformação de energia se dá a partir de uma forma mais concentrada para outra mais dispersa (ou desorganizada). Aplicando esse conceito ao nosso exemplo da queima da gasolina, temos que uma parte de sua energia potencial será convertida em energia mecânica (para fazer o carro andar) e outra parte será perdida em forma de calor, pois esta energia não pode ser aproveitada. Na natureza, nenhuma transformação de energia é 100% eficaz; além disso, é impossível obter energia de melhor qualidade do que aquela disponível inicialmente (Braga et al., 2004).

7.2.1 Radiação Solar

A radiação solar é a principal fonte de energia do nosso planeta. Apenas uma pequena fração da energia incidente atravessa a atmosfera e atinge a superfície da Terra. O restante da energia é refletido ou irradiado para a atmosfera em forma de calor.

A radiação solar possui um espectro de ondas eletromagnéticas que variam desde valores muito pequenos (10^{-14} m – ondas curtas com alta energia, como os raios X) a valores elevados (1 m – ondas longas com baixa energia, como as ondas de rádio). Aproximadamente 99% do total dessa energia se encontra na região do espectro compreendida entre 0,2 μm e 4 mm, a qual engloba o espectro visível e a radiação infravermelha, de grande importância para os seres vivos.

É pelo fenômeno da **absorção** que a energia do Sol é convertida em calor. As moléculas gasosas, ao absorverem radiação, têm sua energia cinética interna aumentada, fazendo com que sua temperatura se eleve. Os gases, principalmente vapor de água e dióxido de carbono, são os melhores absorvedores de radiação da atmosfera, sendo fundamentais para o aquecimento do nosso planeta. Esse fenômeno é conhecido como efeito estufa. Grimm (1999) o descreve da seguinte maneira: os gases atmosféricos absorvem radiação e aumentam a temperatura; o vapor de água absorve quase cinco vezes mais radiação que todos os outros gases combinados, aquecendo mais a região mais baixa da troposfera (próximo à superfície da Terra), onde está mais concentrado; esse calor, quando dissipado, constitui a maior fonte de calor para a atmosfera, que é, portanto, aquecida a partir do calor dissipado pela superfície do planeta. Com o aquecimento da atmosfera, parte da energia é dissipada e absorvida novamente pela Terra. Essa troca entre a superfície da Terra e a atmosfera mantém a temperatura média em aproximadamente 25 °C e permite a vida no planeta.

7.2.2 Energia nos Ecossistemas

A radiação solar que chega aos ecossistemas varia de acordo com a incidência e a intensidade. Na região dos trópicos, tem-se alta incidência, ao contrário das regiões temperadas. A radiação solar atinge o solo em diferentes regiões da Terra com ângulos diferentes. No Equador, ela atinge o solo quase perpendicularmente, enquanto que nos polos o ângulo é menor ou até está sob o horizonte durante a noite. Por isso a luz solar aquece muito mais a Terra em torno do Equador. Devido as diferenças de temperatura causadas pelas diferentes radiações, criam-se condições climáticas recorrentes, tais como inverno e verão. Essa é uma das principais causas das variações climáticas da Terra (temperatura, precipitação, massas de ar), assim como da grande diversidade de biomas existentes.

O Sol é a fonte primária de energia para os seres vivos realizarem suas atividades básicas. A partir da energia solar adquirida e assimilada, os diversos componentes de um ecossistema se relacionam, promovendo o fluxo energético. Conforme mencionado no item anterior, apenas uma pequena fração da radiação solar atravessa a atmosfera e chega à superfície da Terra. Dessa fração, cerca de 1% é assimilada pelos organismos autótrofos, pelo processo da fotossíntese. Essa energia fica armazenada em forma de compostos orgânicos complexos e, quando necessário, transformada em alimento e energia para os próprios seres autótrofos e para os demais, os heterótrofos, que são incapazes de produzir seu alimento e o obtêm pela ingestão de outros organismos. O albedo influencia a reflexão ou absorção de radiação e varia com a superfície (Figura 7.1).

Albedo para algumas superfícies no intervalo visível (%)	
Neve (limpa, seca)	75-95
Neve (molhada e/ou suja)	25-75
Nuvens espessas	70-80
Nuvens finas	25-50
Superfície do mar (pequena altura do sol)	10-70
Areia, deserto	25-40
Grama	15-25
Solo descoberto	10-25
Floresta	10-20
Superfície do mar (sol > 25° acima do horizonte)	<10
Concreto	10-35
Asfalto	5-20

FIGURA 7.1 Variação do albedo com relação à radiação global em diferentes superfícies.

Antes de prosseguir, vamos definir alguns novos termos. Os seres **autótrofos** dos ambientes terrestres compreendem as plantas verdes e algumas bactérias. Em sistemas aquáticos interiores, ambientes costeiros de água doce ou marinha, têm-se algumas plantas (*macrófitas aquáticas*) e organismos fotossintetizantes (*fitoplâncton*, *bacterioplâncton* e *organismos do perifíton*) como os principais produtores. Já em regiões de mar aberto, predomina o fitoplâncton e o bacterioplâncton. Os autótrofos, também chamados de **produtores**, captam a energia luminosa do Sol e assimilam compostos inorgânicos, formando compostos orgânicos complexos, como a glicose ($C_6H_{12}O_6$), pelo processo da **fotossíntese**. A reação geral simplificada da fotossíntese é:

$$6CO_2 + 6H_2O + \text{energia solar} \rightarrow C_6H_{12}O6 + 6O_2$$

A **quimiossíntese**, outro processo de produção de alimento, é realizado por algumas bactérias (chamadas *bactérias quimiossintetizantes*), que também são capazes de converter compostos inorgânicos simples em nutrientes mais complexos, sem a luz solar, utilizando a energia de ligação dos compostos químicos oxidados.

Todos os demais seres vivos de um ecossistema são **heterótrofos** ou **consumidores**, ou seja, são incapazes de produzir seu próprio alimento, obtendo energia pelo consumo de outros organismos ou de restos destes. Os **herbívoros** são consumidores que se alimentam exclusivamente de vegetais e os **carnívoros**, de animais. Os **onívoros** são aqueles que podem se alimentar tanto de vegetais como de animais. Exemplos típicos são os lobos, os ursos e os seres humanos. Há características bem marcantes nesse grupo de organismos, como musculatura facial reduzida, dentes caninos menos desenvolvidos e sistema digestivo adaptado à digestão de diferentes tipos de alimentos.

Há também um grupo de consumidores especializados, que se alimentam de matéria orgânica morta (restos de animais e vegetais dispersos no substrato), os **decompositores**. Estes organismos, geralmente fungos e bactérias, são os responsáveis pela ciclagem da matéria orgânica do planeta, pois metabolizam os compostos complexos e os transformam em substâncias inorgânicas simples, que ficam disponíveis para serem assimiladas novamente pelas plantas.

Produtores, consumidores e decompositores precisam de energia para realizar suas funções vitais básicas, como crescimento, locomoção e reprodução. Para isso, utilizam a energia química dos compostos orgânicos armazenados, como a glicose, no processo de **respiração aeróbia**. Este processo, de forma bem simplificada, pode ser considerado como o oposto da fotossíntese. Os compostos orgânicos são convertidos, na presença de oxigênio, em gás carbônico e água, liberando energia, de acordo com a seguinte reação:

$$C_6H_{12}O_6 + 6O_2 \rightarrow 6CO_2 + 6H_2O + \text{energia}$$

7.2.3 Produtividade primária

A produtividade primária pode ser definida como a taxa de conversão de energia solar em substâncias orgânicas pelos organismos fotossintetizantes por unidade de área e/ou tempo. É expressa em unidade de energia (por exemplo, em $J/m^2.dia$) ou matéria (kg/ha.ano).

Conforme esquematizado na Figura 7.2, a **produtividade primária bruta** (PPB) é a fixação total de energia, pela fotossíntese, na forma de biomassa (quantidade de matéria viva que existe em um ecossistema). Uma parte desse total é continuamente usada na respiração (que inclui também as demais funções básicas, como crescimento, reprodução, entre outras) dos organismos produtores e não pode ser reaproveitada. A porção restante, que fica armazenada na biomassa dos produtores e, portanto, disponível como alimento aos consumidores, é a **produtividade primária líquida** (PPL). Em outras palavras, segundo Miller (2007), a PPL mede a velocidade na qual os produtores podem fornecer o alimento de que os consumidores necessitam.

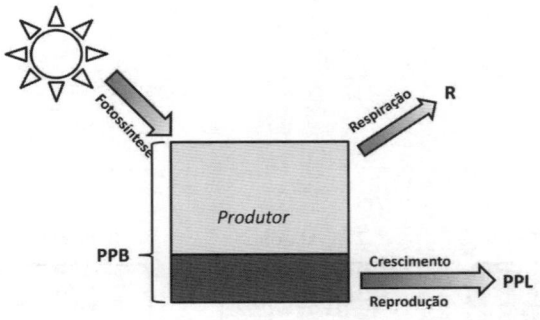

PPL = PPB - R

FIGURA 7.2 Produtividade primária (bruta e líquida) de um organismo autótrofo.

Produtividade secundária é a velocidade de armazenamento de energia referente aos consumidores. Neste caso, não se fala em produção, mas em assimilação, pois estes organismos utilizam o alimento já produzido.

A produtividade primária varia entre diferentes ecossistemas (Tabela 7.2) devido a fatores como diferenças nas taxas de insolação, temperatura, quantidade de chuvas e disponibilidade de luz e nutrientes. Varia também dentro do mesmo ecossistema, de acordo, por exemplo, com a idade dos indivíduos e estação do ano.

TABELA 7.2   Variação das produtividades primárias líquidas (gC/m².ano) de diferentes ecossistemas terrestres e das produções primárias fitoplanctônicas (mgC/m³.h) em ambientes aquáticos. Os valores representam os mínimos e máximos, mostrando a variabilidade dentro de um mesmo ecossistema em consequência dos gradientes de variáveis ambientais

Ambiente terrestre	Produtividade primária líquida (gC/m².ano)
Tundra ártica e alpina	0 – 216
Tundra úmida	34 – 423
Bosque boreal	89 – 420
Floresta boreal	124 – 434
Floresta temperada de coníferas	291 – 1.190
Deserto	0 – 370
Arbustos áridos	6 – 454
Campos	72 – 438
Savana temperada	68 – 785
Floresta temperada mista	231 – 1.066
Floresta temperada decídua	81 – 978
Floresta temperada perene	322 – 1.001
Arbustos mediterrâneos	32 – 634
Savana tropical	88 – 786
Floresta xeromórfica	0 – 992
Floresta tropical decídua	323 – 1.398
Florestas tropicais perenes	170 – 3.150
Ambiente Aquático	**Produção Primária Fitoplanctônica (mgC/m³.h)**
Rio Amazonas e principais tributários	1 – 20
Reservatório Jurumirim	2 – 24
Lagos de Várzea Amazônicos	9 – 83
Estuário de Cananeia (zona costeira)	54 – 206
Baía das Pedras (Pantanal)	0 – 4.530

Fonte: Teixeira (1969); Wissmar et al. (1981); Henry et al. (1998); Bambi & Silva (2000); Clark e colaboradores (2001); Scurlock & Olson (2002) e Mellilo et al. (1993).

7.2.4 Cadeias e Teias Alimentares

O fluxo de energia e as relações alimentares entre os seres vivos (um se alimenta de outro que, por sua vez, servirá de alimento a um terceiro) definem a **cadeia alimentar** (Figura 7.3). Existem dois tipos básicos de cadeias alimentares: aquelas que se iniciam pelos produtores e passam pelos herbívoros e carnívoros

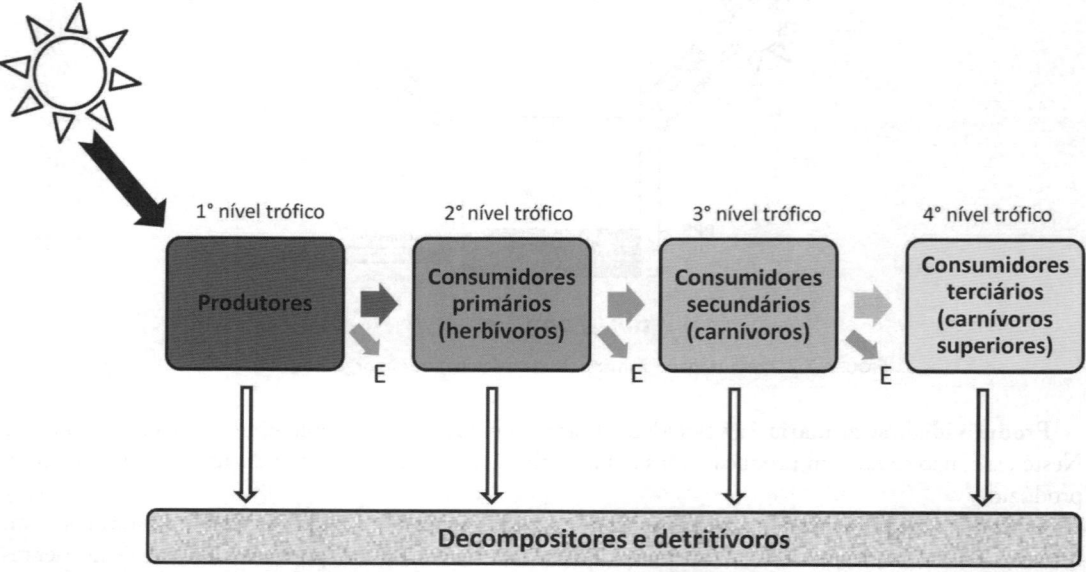

FIGURA 7.3 Esquema de cadeia alimentar, mostrando as transferências de energia de um nível trófico a outro e a parte que é perdida na forma de calor (E). Os decompositores e os detritívoros atuam em todos os níveis tróficos, na matéria morta ou excretada.

(cadeia de pastoreio, segundo Odum, 2001) e aquelas que começam com plantas e animais mortos e seguem pelos microrganismos e organismos detritívoros (cadeia detritívora).

No primeiro caso, as plantas são os produtores e ocupam o primeiro nível trófico, ou seja, a base da cadeia alimentar. Os organismos que se alimentam das plantas (herbívoros) são os consumidores primários e ocupam o segundo nível trófico. Os animais que se alimentam dos herbívoros (carnívoros) ocupam o terceiro nível trófico e são os consumidores secundários e assim por diante.

Nível trófico, portanto, corresponde ao nível alimentar, segundo a ordem do fluxo de energia, no qual ocorrem processos de transporte de energia e de matéria de um organismo a outro. Na natureza, as cadeias alimentares não são sequências únicas e isoladas, mas sim uma complexa rede de interações, na qual um produtor pode ser consumido por vários herbívoros que, por sua vez, podem ser alimento de diferentes carnívoros. A essa rede, denomina-se **teia alimentar**.

Seguindo os princípios da 2ª Lei da Termodinâmica, há perda de energia de um nível trófico ao seguinte. Essa perda corresponde tipicamente a 90%, mas pode variar entre 60% e 98% (Miller Jr., 2007,) de acordo com a espécie e com o ecossistema em que ocorre. A porcentagem que é transferida ao próximo nível trófico em forma de biomassa, ou seja, os 10% restantes, é chamada de **eficiência ecológica**. De acordo com a variação dada, a eficiência ecológica pode variar entre 2% e 40%.

Quando a energia entra em um organismo, ela pode seguir diversos caminhos (Figura 7.4). A maior parte é destinada à manutenção das funções vitais do organismo e é chamada **energia respirada**, geralmente perdida em forma de calor. O que ele consegue digerir e assimilar é a **energia assimilada**, que será usada para crescimento e reprodução, constituindo-se na biomassa desse organismo. O produto dessas energias determinará a eficiência ecológica de um indivíduo.

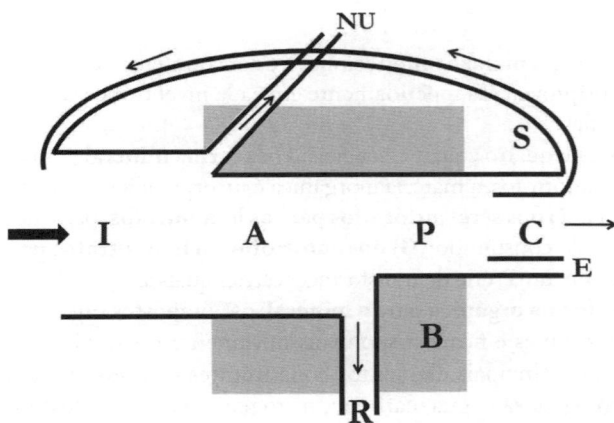

FIGURA 7.4 Modelo universal de fluxo de energia. I – energia ingerida; NU – não utilizada; A – energia assimilada; R – energia respirada; P – produção (primária ou secundária); C – crescimento; S – armazenamento (energia de reserva); E – excreção e B – adições de biomassa. *Fonte: Odum (2001).*

As plantas geralmente gastam de 15% a 70% da energia que produzem para sua própria manutenção. Os animais, por serem mais ativos (locomoção), gastam mais, de 80% a 95%. Sendo assim, quanto mais a cadeia alimentar se afasta dos produtores, maior será a perda acumulada de energia. Essas perdas podem ser representadas na forma de **pirâmides de energia** (Figura 7.5).

Essa informação nos faz refletir sobre os nossos hábitos alimentares. A energia útil decresce em cada nível trófico, portanto, uma alimentação vegetariana tem maior eficiência ecológica que aquela à base de carne. Além disso, nos dias atuais, mais da metade da produção de grãos do mundo é destinada à alimentação de gado, porcos e aves. Essa quantidade seria mais que suficiente para alimentar todas as pessoas do planeta, amenizando o problema da fome. É muito provável que, com o crescimento dos países em desenvolvimento, as pessoas passarão a consumir mais carne, o que aumentará sua produção, havendo a necessidade de destinar maior parcela da produção agrícola à alimentação desses animais e, consequentemente, agravando o problema já existente.

O conhecimento consolidado das cadeias alimentares e suas eficiências ecológicas, aliado a novos estudos, pode incrementar a produção de alimentos, com avanço de técnicas de produção agrícola e melhorias no manejo de pragas, por exemplo.

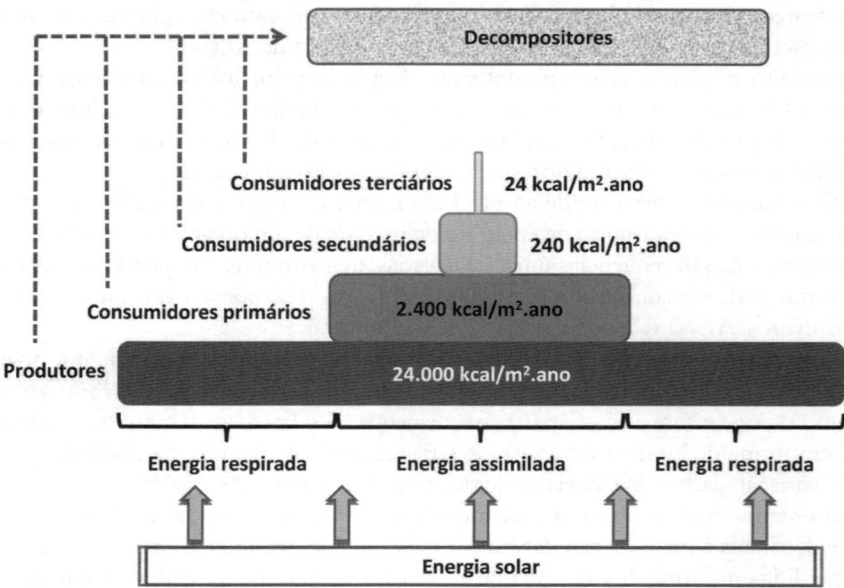

FIGURA 7.5 Esquema da pirâmide de energia representando as perdas de energia em cada nível trófico, supondo-se uma eficiência ecológica de 10% em todos os níveis.

7.3 MATÉRIA

Ao contrário da energia, que tem fluxo unidirecional e é consumida em cada nível trófico, a matéria tem fluxo cíclico e pode ser reaproveitada repetidamente em cada nível trófico devido às mudanças que sofre na forma de suas moléculas.

O ciclo da matéria possui quatro etapas essenciais: **1) da forma mineral para a orgânica**: pelo processo de fotossíntese dos seres autótrofos, a matéria inorgânica é incorporada na biomassa desses organismos na forma de matéria orgânica; **2) dos seres autótrofos para os heterótrofos**: parte dessa matéria é consumida e assimilada na biomassa do consumidor; **3) dos autótrofos ou heterótrofos para os decompositores**: a matéria orgânica morta sofre uma série de transformações, nas quais são gerados compostos quimicamente menos complexos; **4) da forma orgânica para a mineral**: os compostos orgânicos são metabolizados em compostos inorgânicos simples e ficam disponíveis novamente no ambiente para serem reutilizados pelos seres autótrofos. Os principais elementos constituintes dos seres vivos e cujos ciclos possuem grande importância ecológica são água, carbono, nitrogênio, enxofre e fósforo. Esses ciclos recebem o nome de biogeoquímicos, pois envolvem os seres vivos ('bio") nas transformações da matéria, cujas fontes envolvem o meio terrestre ("geo") e os elementos químicos ("químico"). Os ciclos biogeoquímicos podem ser divididos em gasosos, cujo reservatório é a atmosfera (carbono e nitrogênio), e sedimentares, cujo reservatório é a litosfera (enxofre e fósforo). Há ainda o ciclo hidrológico, que se refere não a um elemento químico, mas a um composto químico fundamental: a água. O ciclo hidrológico e do CO_2 são especialmente vulneráveis às perturbações provocadas pelo homem, podendo, como consequência, ocasionar alterações climáticas.

A seguir, cada ciclo será abordado separadamente, começando pelos gasosos, seguidos pelos sedimentares e por fim, o da água.

7.3.1 Ciclo do Carbono

O maior reservatório de carbono é a atmosfera, que retém este elemento na forma de gás carbônico (CO_2). Os organismos produtores terrestres utilizam o CO_2 como fonte de carbono na fotossíntese para formar a glicose ($C_6H_{12}O_6$) e os produtores, consumidores e decompositores o devolvem à atmosfera pela respiração (Figura 7.6). Parte fica retida sob a forma de compostos orgânicos (proteínas, carboidratos, lipídios, entre outros), formando a biomassa dos seres vivos.

Quando morrem, parte da biomassa de plantas e animais é decomposta e incorpora-se à biomassa dos decompositores. A parte excedente vai muito lentamente se acumulando na litosfera e sendo comprimida entre camadas de sedimentos, formando os combustíveis fósseis, como petróleo e carvão. O carbono retido neste compartimento só será liberado quando este combustível for queimado. A formação de

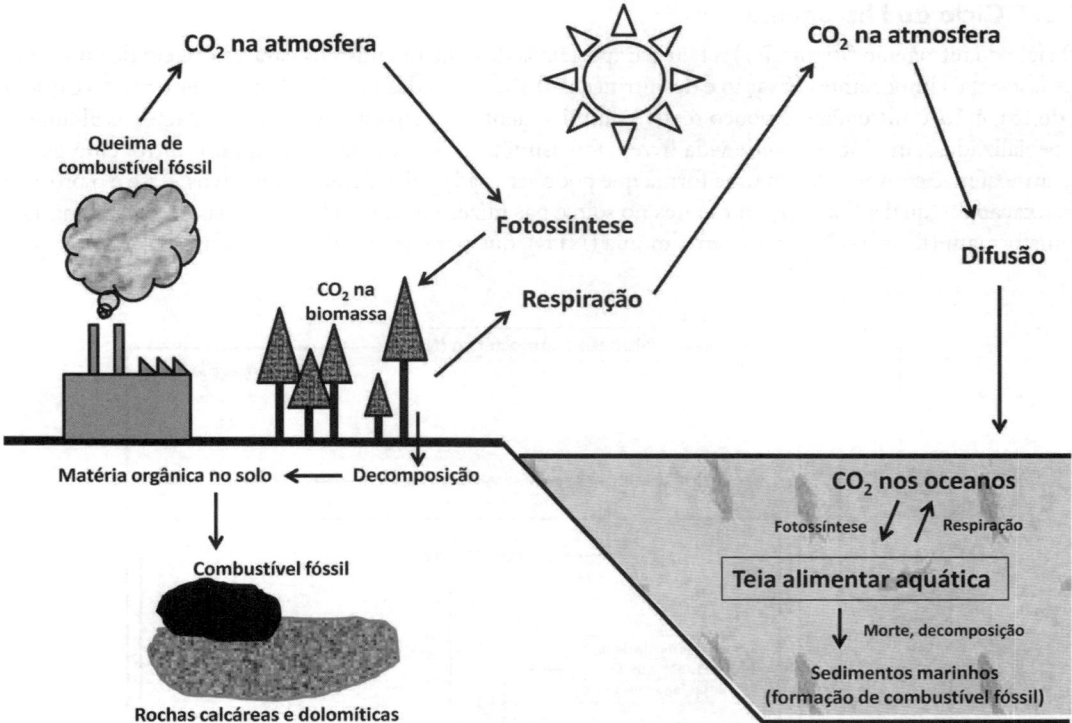

FIGURA 7.6 Esquema simplificado do ciclo do carbono.

combustíveis fósseis torna-se menos importante considerando-se a escala de tempo do ser humano. No entanto, temos queimado todo o estoque de milhões de anos, disponibilizando muito mais carbono que os produtores conseguem absorver. Para agravar ainda mais esta situação, o aumento dos desmatamentos pelo mundo reduz ainda mais a captação do CO_2 da atmosfera.

Segundo Miller Jr. (2007), o CO_2 funciona como regulador da temperatura do planeta. Se no ciclo do carbono houver remoção excessiva de CO_2, a atmosfera esfriará; se houver disponibilidade em excesso, ela esquentará.

No ambiente aquático, o CO_2 atmosférico, por meio de difusão, combina-se com a água e forma o ácido carbônico (H_2CO_3), que é rapidamente dissociado em íons H^+, bicarbonato (HCO_3^-) e carbonato ($CO2_3^{2-}$), segundo a reação a seguir:

$$CO_2 + H_2O \leftrightarrow H_2CO_3 \leftrightarrow H^+ + HCO_3^- \leftrightarrow 2H^+ + CO_3^{2-}$$

Essa reação é reversível e ocorre no sentido do componente mais concentrado para o menos concentrado, tanto na água como no ar, ou seja, a reação indica que, quando houver aumento de concentração de CO_2 na atmosfera, os oceanos absorverão mais CO_2, que ficará dissolvido na água.

Se houver íons cálcio na água, estes também poderão reagir com os íons carbonato e bicarbonato e formar carbonato de cálcio:

$$Ca^{2+} + CO_3^{2-} \leftrightarrow CaCO_3$$

O carbonato de cálcio é pouco solúvel em água e precipita, acumulando-se no sedimento. Em condições ácidas, a formação de ácido carbônico proporciona a remoção de carbonato do sistema. Essa remoção reduz a quantidade de $CaCO_3$, o que, por sua vez, aumenta as taxas de dissolução de rochas calcárias. Quando essas águas ligeiramente ácidas carregadas de cálcio encontram as águas de pH mais elevado do oceano, o $CaCO_3$ pode precipitar novamente e ser armazenado no sedimento.

No ambiente marinho, sob condições neutras, o sistema carbonato mantém uma situação de equilíbrio, o que será visto em mais detalhes no Capítulo 9:

$$CaCO_3 \, (\text{insolúvel}) + CO_2 + H_2O \leftrightarrow Ca(HCO_3)_2 \, (\text{solúvel})$$

A atividade local dos organismos pode afetar essa reação. A remoção de CO_2 pela fotossíntese desloca o equilíbrio para a esquerda, favorecendo a formação e precipitação de carbonato de cálcio.

7.3.2 Ciclo do Nitrogênio

O ciclo do nitrogênio (Figura 7.7) reflete a importância dos microrganismos para a ciclagem de nutrientes. As fases mais importantes (fixação e desnitrificação) são realizadas por eles. Diferentemente do carbono e do oxigênio, o nitrogênio é pouco reativo quimicamente e apenas algumas algas e bactérias altamente especializadas, simbióticas ou de vida livre e fotossintéticas, são capazes de captar o nitrogênio gasoso da atmosfera e convertê-lo em uma forma que pode ser usada pelos demais seres vivos. Esse é o processo de **fixação**, no qual as bactérias presentes no solo e nas raízes de plantas leguminosas ou mesmo na água transformam (fixam) o N_2 gasoso em amônia (NH_3), que pode ser usada pelas plantas.

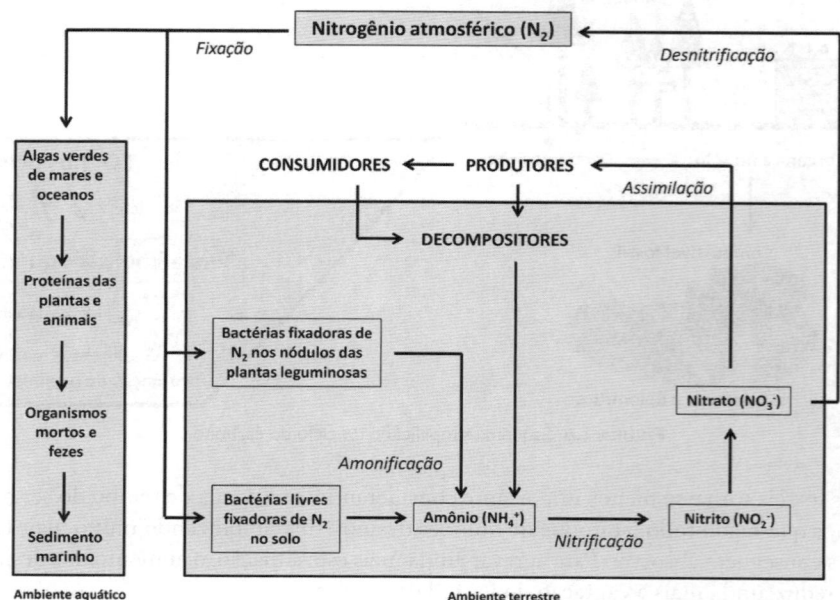

FIGURA 7.7 Esquema simplificado do ciclo do nitrogênio.

A *Rhizobium*, bactéria simbiótica que invade as raízes de leguminosas como ervilha, feijão, alfafa, é uma importante fixadora de nitrogênio. Seus efeitos benéficos são usados até hoje como fonte de nitrogênio, constituindo-se uma alternativa ecológica ao uso de fertilizantes sintéticos. A rotação de culturas é uma prática muito antiga (desde o século III a.C.) e consiste em alternar o cultivo de plantas não leguminosas, como o milho, com plantas leguminosas.

Outro grupo que se destaca na fixação do N_2 gasoso são as bactérias de vida livre aeróbias (como a *Azotobacter*) e anaeróbias (como a *Clostridium*). Em ambientes aquáticos, são as cianobactérias, como *Anabaena* e *Nostoc*, que desempenham este papel. Existem, também, algumas bactérias fotossintetizantes do gênero *Rhodospirillum*.

Uma vez no domínio biológico, o nitrogênio passa por diversas etapas de oxidação. A primeira delas é a **amonificação**. Grande parte do nitrogênio encontrado no solo é proveniente de material orgânico morto, como proteínas, ácidos nucleicos e aminoácidos, que são rapidamente decompostos pelos microrganismos do solo em substâncias mais simples. Parte dessas proteínas e aminoácidos é utilizada como fonte para a construção de suas próprias proteínas e o excesso de nitrogênio é liberado sob a forma de gás amoníaco ou amônia (NH_3), que geralmente é dissolvido na água do solo, combina-se a prótons e forma íons amônio (NH_4^+).

A partir daí, a amônia é oxidada até a forma de nitrato no processo da **nitrificação**. Esse processo consiste de duas etapas: de amônia a nitrito (nitrosação) e de nitrito a nitrato (nitratação). Nesses processos, realizados por bactérias quimiossintetizantes, o nitrogênio libera boa parte de sua energia química potencial, de acordo com as reações a seguir.

A conversão de amônia a nitrito, **nitrosação**, é feita pelas bactérias *Nitrossomonas* e *Nitrosolobus* (no solo) e *Nitrosococus* (em ambientes marinhos):

$$2NH_3 + 3O_2 \rightarrow 2H^+ + 2NO_2^- + 2H_2O + \text{energia}$$

O nitrito é tóxico para as plantas, mas raramente se acumula, sendo rapidamente convertido em nitrato pela bactéria *Nitrobacter* (no solo) e *Nitrococus* (em ambientes marinhos), no processo de **nitratação**:

$$2NO_2^- + O_2 \rightarrow 2NO_3^- + \text{energia}$$

O nitrato é a forma mais usada pelas plantas para a construção de suas proteínas e de seus ácidos nucleicos. A partir daí, o nitrogênio passa aos demais níveis tróficos pela cadeia alimentar. O processo de nitrificação, por ser composto de reações de oxidação, necessita de oxigênio para ocorrer. No caso do solo estar anaeróbio, a nitrificação se reverte:

$$NO_3^- \rightarrow NO_2^- \rightarrow NO$$

Fechando o ciclo, tem-se o processo de **desnitrificação**, que é a conversão de nitrato novamente a nitrogênio gasoso, que é devolvido à atmosfera, equilibrando a quantidade de nitrato no solo. Ele se realiza em solos poucos aerados (respiração anaeróbia) por bactérias dos gêneros *Pseudomonas*, *Achomobacter* e *Bacillus* e pode ser representado pela reação:

$$5C_6H_{12}O_6 + 24NO_3^- + 24H^+ \rightarrow 30CO_2 + 42H_2O + 12N_2 + \text{energia}$$

7.3.3 Ciclo do Fósforo

O fósforo está presente nos seres vivos, principalmente nas moléculas de RNA e DNA, em dentes e ossos, e é considerado um fator limitante à produtividade primária, pois é encontrado naturalmente em pequenas quantidades. Diferentemente dos ciclos do carbono e nitrogênio apresentados anteriormente, o ciclo do fósforo é sedimentar e bastante lento (Figura 7.8). Seu principal reservatório é a litosfera, principalmente as rochas fosfatadas, além dos sedimentos marinhos.

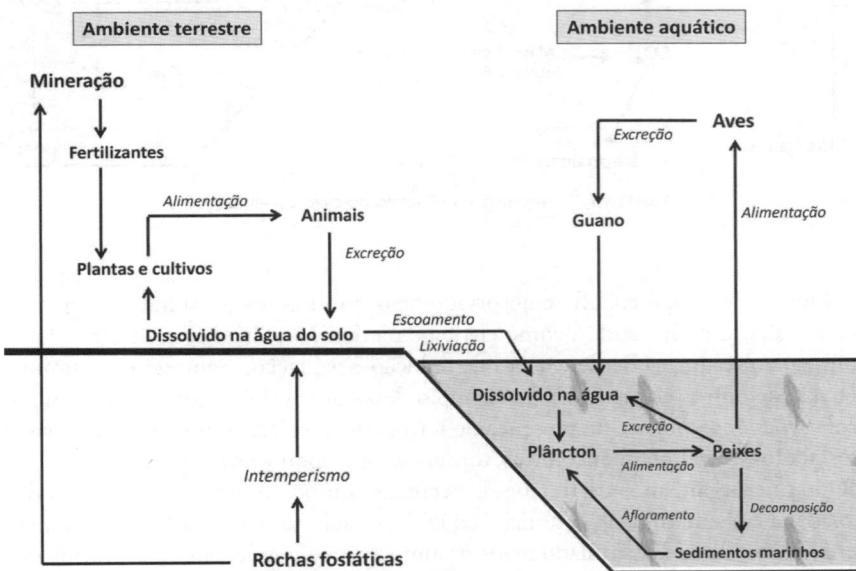

FIGURA 7.8 Esquema simplificado do ciclo do fósforo.

Por meio do intemperismo das rochas, o fósforo é liberado na forma de fosfato (PO_4^{3-}), que é absorvido pelos produtores, entrando na cadeia alimentar terrestre. O excesso que não é aproveitado pode ser carregado aos oceanos, nos quais 1) parte é absorvida pelo fitoplâncton e entra na cadeia alimentar aquática, e 2) parte sedimenta e fica estocada em grandes e profundos reservatórios.

O principal meio de retorno do fósforo do ambiente aquático para o terrestre é feito pela cadeia alimentar (peixes e aves marinhas que se alimentam dos peixes, por exemplo), porém é ineficiente em termos de equilíbrio de entradas e saídas. Existem também depósitos de guano (fosfato de cálcio), que é originário dos excrementos das aves marinhas, na costa do Peru e do Chile. Outro possível retorno seria a elevação do fundo oceânico, porém este fenômeno é imperceptível em escala de tempo humana. Para aumentar ainda mais esse desequilíbrio, o homem acelera a perda de fósforo por meio da mineração, do uso intensivo de fertilizantes e do desmatamento.

7.3.4 Ciclo do Enxofre

O ciclo do enxofre (Figura 7.9) é basicamente sedimentar e seus principais reservatórios são o subsolo, as rochas e os minerais, como sais de sulfato (SO_4^{2-}). Possui uma fase gasosa, proveniente do sulfeto de hidrogênio (H_2S) que é liberado pelos vulcões ativos e pela matéria orgânica em decomposição de brejos, pântanos e mangues e é altamente tóxico para os seres vivos. Há também o dióxido de enxofre (SO_2), liberado pelos vulcões e pela queima de carvão e óleo combustível. Na presença do O_2, forma trióxido de enxofre (SO_3) e a chuva ácida, na forma de gotículas de ácido sulfúrico (H_2SO_4).

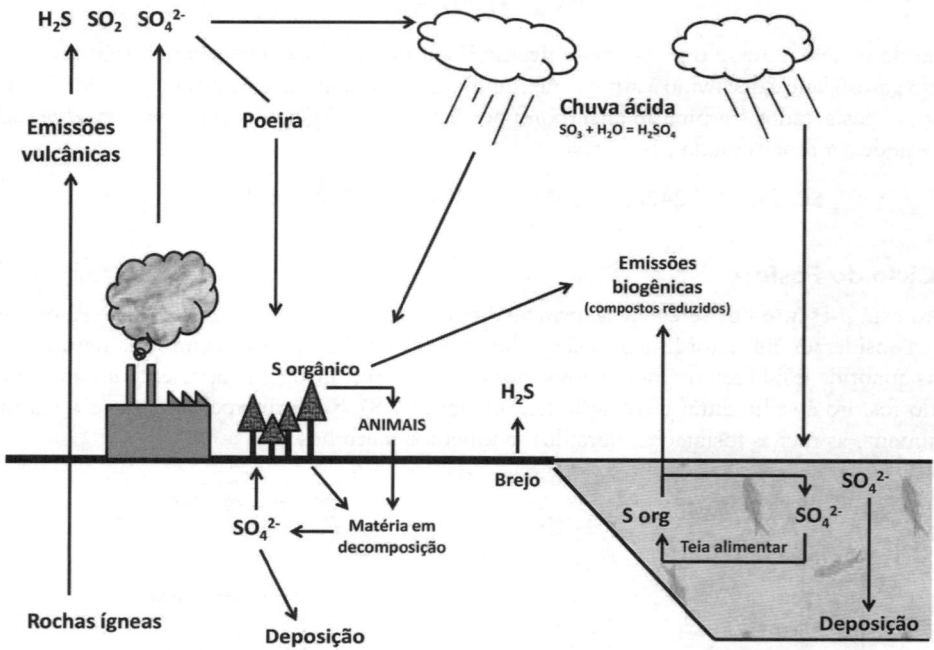

Figura 7.9 Esquema simplificado do ciclo do enxofre.

A principal forma em que o enxofre é absorvido pelos produtores é o sulfato inorgânico. Nos seres vivos, aparece em alguns aminoácidos, como cistina e metionina. Assim como o ciclo do nitrogênio, o ciclo do enxofre envolve uma série de reações de redução e oxidação, seguindo um caminho complexo e que afeta o ciclo de outros elementos. Um exemplo dessa interação é a formação de sulfetos férrico e ferroso em condições anaeróbias e na presença de ferro, que interferem diretamente na solubilidade de compostos fosfatados inicialmente insolúveis, tornando-os disponíveis aos produtores.

Uma série de microrganismos de funções específicas compõe o processo biológico deste ciclo. A forma mais oxidada é o sulfato (SO_4^{2-}), a mais reduzida, os sulfetos (S^{2-}) e a forma orgânica, o tiol. Em condições aeróbias, o sulfato é assimilado pelos produtores, que o reduzem para a forma orgânica:

$$SO_4^{2-} \rightarrow S\,\text{orgânico}$$

O enxofre orgânico presente na excreção dos animais e na decomposição de restos mortais de animais e vegetais é oxidado novamente a sulfato, eventualmente passando pelo sulfito (SO_3^{2-}):

$$S\,\text{orgânico} \rightarrow SO_3^{2-} \rightarrow SO_4^{2-}$$

Em condições anaeróbias, o sulfato pode funcionar como um oxidante. A redução desassimilativa do sulfato é realizada por bactérias redutoras de sulfato (*Desulfotomaculum* e *Desulfovibrio*) e arqueobactérias (*Archaeoglobus fulgidus*) para produção de energia. Nesse caso, o sulfato é o aceptor final de elétrons. Esse processo ocorre mediante uma sequência de reações, resultando na transferência de 8 mols de elétrons do doador (por exemplo, H_2) por mol de sulfato. O produto deste processo é o sulfeto livre (S^{2-}):

$$SO_4^{2-} \rightarrow S^{2-}$$

7.3.5 Ciclo Hidrológico

Conforme visto no Capítulo 3, o ciclo da água é movido principalmente pelos processos físicos de evaporação, transpiração e precipitação. A principal fonte provém dos oceanos; a energia radiante faz o trabalho de evaporação da água para a atmosfera, os ventos a distribuem pelo globo e a precipitação a devolve para a superfície. Na Terra, ela pode ser armazenada nos solos, nos lagos ou em forma de gelo, ou fluir por canais de rios e aquíferos subterrâneos, retornando novamente aos oceanos.

Segundo Begon (2007), a proporção de água em trânsito em qualquer momento do ciclo da água é bastante pequena, cerca de 0,08% do total. Entende-se como em trânsito aquela água que drena através do solo, que flui pelos rios ou aquela que está presente como nuvem e vapor na atmosfera. Apesar de parecer pouco representativa, essa porcentagem desempenha papel fundamental na sobrevivência dos organismos, na produtividade da comunidade e no transporte de muitos nutrientes.

O ciclo hidrológico existiria independentemente da presença da biota. No entanto, a presença da vegetação interfere significativamente em seu fluxo. Parte da água que precipita pode ser interceptada pelo vegetal, seguir para dentro da planta, através das raízes, e sair novamente pela transpiração. Outra parte pode ficar depositada no dossel e sofrer evaporação ou escorrer pelos caules até o solo. Essa interceptação é importante para evitar problemas de erosão do solo ou perda excessiva de sedimentos e nutrientes. Na ausência de vegetação e, principalmente, em solos impermeabilizados, toda a precipitação se transforma em escoamento superficial, ocasionando problemas nas cidades, como enchentes.

O homem altera os ciclos biogeoquímicos, tornando-os imperfeitos ou até mesmo acíclicos. Retira o recurso mais rapidamente do que o ambiente consegue repor ou altera a qualidade do componente em alguma de suas etapas, diminuindo a disponibilidade de uso e/ou aumentando os riscos à saúde dos seres vivos.

7.3.6 Fatores Limitantes

Como já mencionado anteriormente, dos elementos naturais da Terra, os organismos necessitam de carbono, hidrogênio, nitrogênio, oxigênio, fósforo e enxofre em quantidades relativamente grandes e de diversos outros em pequenas quantidades, para cresceram e se multiplicarem.

Em 1840, Justus Liebig afirmou que o *"crescimento de uma planta depende do teor do alimento que lhe é fornecido na quantidade mínima"*. Sua afirmação passou a ser conhecida como a **lei do mínimo** de Liebig e, no início do século XX, Shelford relatou o conceito do efeito limitante do máximo, conhecida como **lei do máximo**.

Portanto, qualquer condição que se aproxime dos limites de tolerância de um organismo em seu meio, ou mesmo os exceda, é uma condição limitante ou um **fator limitante**. Assim, o número de organismos em uma população pode ser limitado não somente pela deficiência, mas também pelo excesso de substâncias necessárias. Como exemplos, pode-se citar a falta de água no deserto (que limita o desenvolvimento dos vegetais) e o excesso ou a falta de água e fertilizantes (que limita a produtividade das culturas). Em sistemas aquáticos de regiões tropicais, a não disponibilidade de nutrientes é um fator limitante à produtividade primária.

Toda espécie possui uma curva característica de fator limitante para cada variável ambiental (macronutrientes, micronutrientes, temperatura, pH, salinidade, radiação solar, entre outras). Os três pontos críticos observados na curva apresentada na Figura 7.10 são o **limite mínimo de tolerância**, a **concentração ótima** e o **limite máximo de tolerância**.

7.4 POPULAÇÕES E COMUNIDADES

7.4.1 Hábitat e Nicho Ecológico

Espécies ecologicamente similares evoluíram em diferentes partes da Terra, onde o ambiente físico é semelhante. As espécies de capim que ocorrem na região temperada semiárida da Austrália são diferentes daquelas de uma região climática similar da América do Norte, porém exercem a mesma função básica de produtores do ecossistema. Da mesma forma, os cangurus que pastam nas campinas da Austrália são equivalentes ecológicos do gado nos campos norte-americanos, uma vez que têm uma mesma posição funcional no ecossistema e um **hábitat** similar. O termo **hábitat** é utilizado para designar o lugar onde o organismo vive, e **nicho ecológico** significa o papel que o organismo exerce no ecossistema, ou seja:

Hábitat *é o "endereço"* e **nicho ecológico** *é a "profissão"*.

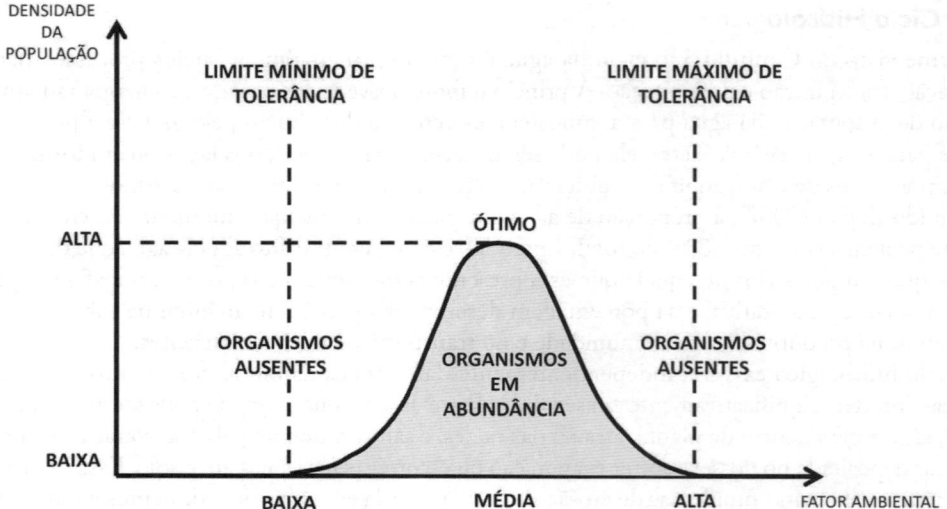

FIGURA 7.10 Princípio dos fatores limitantes. Os pontos críticos da curva são o limite mínimo de tolerância, a concentração ótima e o limite máximo de tolerância.

Mas será que uma mesma espécie pode ocupar diferentes nichos em hábitats diferentes ou regiões geográficas diferentes? A resposta é sim, e o homem constitui um bom exemplo. Em algumas regiões, o nicho alimentar do homem é o de um carnívoro, enquanto em outras é o de um herbívoro; no entanto, na maioria dos casos, como mencionado anteriormente, o homem é onívoro.

*O "nicho" é um dos conceitos básicos em ecologia, mas suas dimensões no mundo real ainda não foram definidas precisamente. Para Odum (1983), o **nicho ecológico** inclui não apenas o espaço físico ocupado por um organismo, como também o seu papel funcional na comunidade (posição trófica) e a sua posição em gradientes ambientais de temperatura, pH, solo e outras condições de existência. Assim, o "nicho ecológico" de um organismo depende do lugar onde ele vive e inclui suas necessidades ambientais.*

Um conceito associado com o de nicho ecológico é o do **Princípio da Exclusão Competitiva,** também chamado de **Princípio de Gause**. A hipótese da exclusão competitiva prevê que somente uma espécie pode ocupar o mesmo nicho ecológico em um dado momento e que, quando duas delas competem pelo mesmo nicho, uma é eliminada. Esse princípio conduz à previsão de que, quando espécies semelhantes **coexistem** na natureza, deve ser possível demonstrar **diferenças nos nichos que ocupam**.

*Gause apoiou sua hipótese com diversos experimentos de laboratório. No mais simples, hoje clássico, usou culturas de laboratório de duas espécies de paramécios, Paramecium aurelia e Paramecium caudatum (Figura 7.11). Quando as duas espécies eram cultivadas em condições idênticas, em **recipientes separados**, o P. aurelia crescia muito mais rapidamente que o P. caudatum, indicando uma maior eficiência do primeiro no uso do alimento disponível. Quando as duas espécies eram **cultivadas juntas**, o P. aurelia multiplicava-se com maior rapidez que o P. caudatum, que logo desaparecia.*

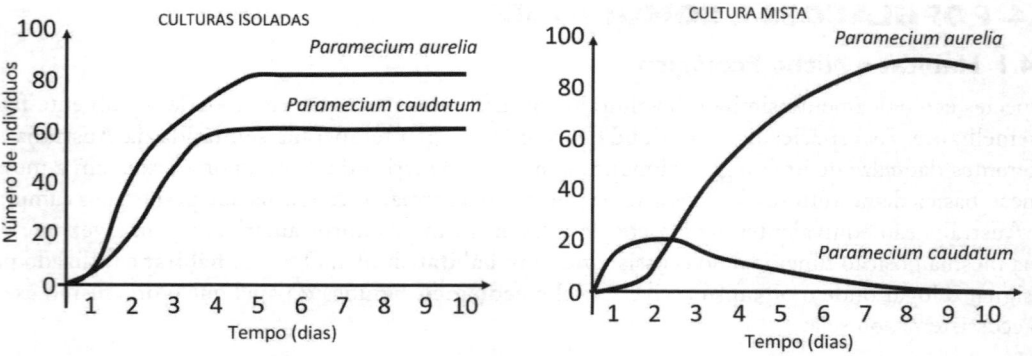

FIGURA 7.11 Princípio de Gause: se duas espécies competem pelo mesmo recurso, uma elimina a outra.

7.4.2 População e seu Dinamismo

Uma **população** pode ser definida como um conjunto de organismos da **mesma espécie** que ocupa um determinado espaço e funciona como uma parte da **comunidade biótica**. A comunidade biótica, por sua vez, é um **conjunto de populações** que funciona como uma **unidade integradora** por meio de transformações metabólicas coevoluídas em uma dada área. As características populacionais mais importantes como atributos do grupo são:

● Densidade. É a relação entre número de indivíduos ou biomassa da população por unidade de área ou volume. Exemplo: 180 árvores por hectare, 6 milhões de diatomáceas por metro cúbico de água, ou 300 quilogramas de peixes por hectare de superfície aquática.

A densidade é regulada pelas taxas migratórias (emigração e imigração) e varia no espaço e no tempo. É influenciada também pela estrutura etária da população. Além disso, o nível trófico que a população ocupa determina sua densidade. Populações dos primeiros níveis tróficos apresentam maiores densidades que aquelas que ocupam o topo da pirâmide alimentar. Quanto maior o tamanho do organismo, e consequentemente, maior a sua biomassa, menor tende a ser a densidade de sua população. Isso foi explicado anteriormente, quando se discutiu o fluxo energético.

O número de indivíduos de uma população é o resultado de diversas forças que agem mutuamente. Ela aumenta com natalidade e imigração e diminui com mortalidade e emigração.

● Natalidade. É a quantidade de novos indivíduos nascidos por unidade de tempo. Indica a tendência de crescimento de uma população e depende de seu potencial biótico.

O **potencial biótico** é a capacidade de reprodução de uma população quando as condições são favoráveis e caso houvesse recursos ilimitados. A maioria das populações cresce abaixo desse valor, pois na natureza há fatores que regulam e limitam esse crescimento sem fim, como luz, água, espaço, alimento, além da presença de competidores e predadores. A esses fatores em conjunto, dá-se o nome de **resistência ambiental**. Juntos, o potencial biótico e a resistência ambiental determinam a **capacidade suporte** do ambiente.

A **curva de crescimento** natural das populações obedece a uma **sigmoide** (em forma de S), na qual se observam cinco fases de crescimento (Figura 7.12): a primeira é lenta, pois os organismos ainda estão em fase de adaptação e há um pequeno número de indivíduos em reprodução; essa fase também é chamada de lag. A seguir, acelera-se o crescimento e a curva assemelha-se à exponencial, também chamada fase log. Em seguida, a população começa a sofrer mais intensamente os limites impostos pela resistência ambiental, desacelerando seu crescimento. Depois, ela se estabiliza e passam a ocorrer oscilações de seu tamanho em torno de uma média. Finalmente, a última fase é a curva teórica de crescimento, na qual não há interferência dos fatores da resistência ambiental.

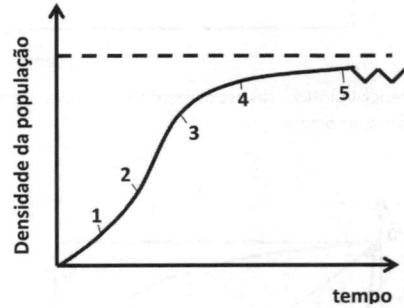

FIGURA 7.12 Curva de crescimento padrão de uma população natural. 1) crescimento lento, fase lag; 2) crescimento acelerado, fase log; 3) ação da resistência ambiental; 4) estabilização do tamanho da população; 5) curva teórica do crescimento, com oscilações em torno de uma média.

A **curva em J** é característica de populações que apresentam um crescimento explosivo **geométrico**, normalmente ocasionado pelo aumento da disponibilidade de alimento no ambiente. É o caso, por exemplo, do aumento expressivo de algas em um lago eutrofizado, cujas características serão exploradas no Capítulo 11. Este crescimento geométrico é seguido de uma queda brusca do número de indivíduos devido ao esgotamento de nutrientes ou à falta de luz (fatores limitantes), o que conduz a uma elevada taxa de mortalidade (Figura 7.13).

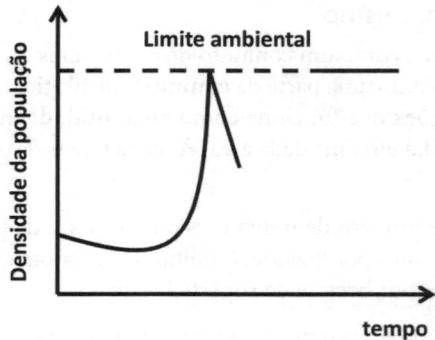

Figura 7.13 Curva exponencial de crescimento. Depois do estabelecimento, a população aumenta em progressão geométrica, até que um fator ambiental cause uma catástrofe.

A espécie humana apresenta crescimento em J, pois, com os avanços tecnológicos na agricultura, medicina, produção de antibióticos, os mecanismos de seleção natural que atuam nas populações naturais não exercem seus efeitos da mesma maneira na espécie humana.

Portanto, quando juntamos esses conceitos em um único gráfico, temos a Figura 7.14.

- **Mortalidade.** É a quantidade de óbitos por unidade de tempo. Indica a tendência de redução da população. Cada espécie apresenta um padrão de mortalidade, que pode variar entre três tipos básicos: taxa de mortalidade extremamente alta em estágios jovens (larvais), taxa de mortalidade igual em todas as idades, ou taxa de mortalidade em estágios senis (Figura 7.15).
- **Imigração.** É a entrada de novos indivíduos em uma população, provenientes de outras áreas.
- **Emigração.** É a saída de indivíduos de uma população, que se movem para outra área. As emigrações ocorrem normalmente quando uma população aumenta muito de tamanho e a resistência ambiental

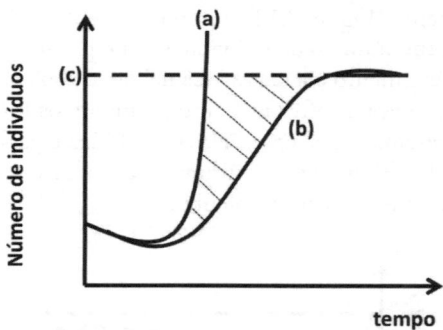

Figura 7.14 Curva (a) representa o potencial biótico; (b) crescimento populacional padrão, (c) capacidade suporte do meio. A área entre (a) e (b) representa a resistência ambiental.

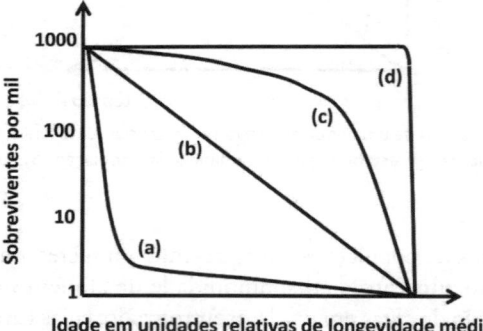

Figura 7.15 Modelos hipotéticos de curva de sobrevivência. (a) mortalidade alta em estágios juvenis; (b) taxa de mortalidade constante em todas as idades; (c) mortalidade alta em estágios senis; (d) curva hipotética: população na qual todos os indivíduos morrem aproximadamente com a mesma idade.

começa a atuar mais severamente. Um exemplo bastante ilustrativo ocorre com os gafanhotos. Quando sua população cresce muito, mudanças hormonais começam a ocorrer nos indivíduos mais jovens, como asas mais longas, corpos mais delgados e cores mais escuras. Estes indivíduos formam os grandes enxames, famosos por seus registros bíblicos, que se mudarão para uma nova área. Os estímulos que causam as emigrações variam entre as espécies, mas o resultado é sempre o mesmo: redução drástica do tamanho da população.

Diferente de emigração e de imigração, a **migração** se refere a movimentos periódicos, sazonais e implica em retorno da população ao hábitat original.

● **Distribuição.** A distribuição das populações pode englobar dois aspectos: geográfico e etário. A distribuição geográfica consiste no alcance geográfico e ecológico da espécie e é definido pela presença ou ausência de hábitats adequados, englobando todas as áreas ocupadas durante o ciclo de vida da população estudada. Por exemplo, aves que migram para alimentação e reprodução e insetos com estágios larvais aquáticos e estágios adultos terrestres. A distribuição etária, por sua vez, é uma característica muito importante, pois determina o potencial de crescimento ou de redução de uma população. Ela pode ser dividida em três idades: **pré-reprodutiva, reprodutiva** e **pós reprodutiva.** Uma população com maior número de indivíduos jovens tende a um crescimento maior, ao contrário daquela que contém maior proporção de indivíduos senis, que tende a diminuir. Já uma população com distribuição uniforme entre todas as faixas etárias pode ser considerada estacionária, em que o número de indivíduos não varia ao longo do tempo, pois a natalidade iguala-se à mortalidade. Essa situação é muito difícil de ocorrer na natureza, sendo considerada hipotética.

● **Dispersão.** Também chamada de distribuição espacial, é o modo como os indivíduos de uma população ocupam determinada área. O padrão de dispersão pode resultar de uma estratégia biológica ou pode ocorrer em função da distribuição dos recursos do ambiente. Os principais padrões encontrados na natureza são: **agregada, aleatória** e **uniforme** (Figura 7.16).

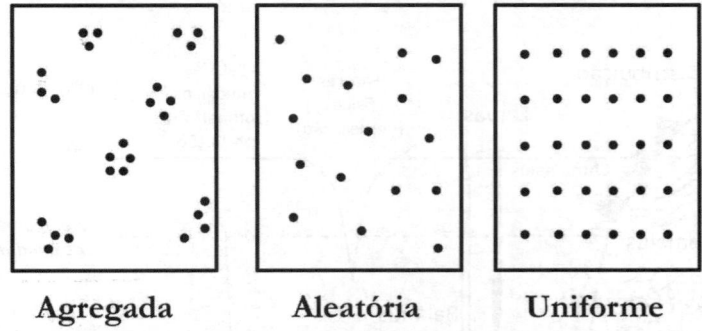

Agregada   **Aleatória**   **Uniforme**

FIGURA 7.16 Padrões básicos de dispersão de uma população.

Na dispersão agregada, vários indivíduos podem ser atraídos para áreas específicas do ambiente ou algum indivíduo pode atrair outros indivíduos, formando grupos. A dispersão aleatória ocorre quando há probabilidade igual de um indivíduo ocorrer em qualquer ponto do espaço, sem que a sua localização dependa da posição de outros indivíduos. Esse caso é pouco comum na natureza, pois plantas e animais se agregam naturalmente, com finalidades reprodutivas. A dispersão uniforme ocorre em locais onde a competição entre indivíduos é severa ou quando há um antagonismo positivo entre indivíduos, promovendo espaçamento homogêneo.

Alguns fatores regulam os padrões de dispersão entre os seres vivos. Os animais, por exemplo, se dispersam quando há falta de recursos e necessidade de sobrevivência ou em função de aspectos associados à reprodução ou a uma adaptabilidade momentânea. Algumas espécies, principalmente de plantas, desenvolveram adaptações morfológicas que favorecem a dispersão, como sementes aladas (por exemplo, semente de jacarandá) ou espinhos que se aderem aos pelos dos animais (por exemplo, carrapicho). A dispersão pode ocorrer de forma **direta**, quando os indivíduos se locomovem por si só; **por outros animais,** por exemplo, na interação parasita-hospedeiro ou quando um inseto carrega o pólen de uma flor; **pelo vento**, comum na dispersão de sementes das plantas; **pela água** ou **pela gravidade**, como a queda das sementes no solo.

7.4.3 As populações interagem

Em uma comunidade, os organismos de uma população podem se alimentar de membros de outra população, competir por alimento, excretar substâncias nocivas ou interagir de alguma forma com a outra população. Igualmente, as populações podem se ajudar de maneira unidirecional ou recíproca. Essas interações classificam-se nas seguintes categorias:

- **Neutralismo.** É a interação na qual nenhuma população é afetada pela associação com a outra. Ninguém se ajuda e ninguém se prejudica.
- **Competição.** Refere-se à interação de dois organismos que procuram a mesma coisa. A competição pode provocar uma separação ecológica entre espécies estreitamente aparentadas (princípio da exclusão competitiva), mas pode, também, provocar muitas adaptações seletivas que favorecem a coexistência de uma diversidade de organismos em uma dada área ou comunidade. A competição pode ser **interespecífica** e **intraespecífica**.

A **interação competitiva**, *muitas vezes, envolve o espaço, o alimento ou nutrientes, a luz, os produtos excretados, entre outros. Os resultados da competição são do máximo interesse, tendo sido estudados como um dos mecanismos de seleção natural.*

A **competição interespecífica** é qualquer interação que afeta adversamente o crescimento e sobrevivência de duas ou mais populações. Ela pode resultar em ajustamentos no equilíbrio pelas duas espécies ou, se ela for intensa, ela pode fazer com que a população de uma espécie substitua a outra ou a force a ocupar outro espaço ou utilizar outro alimento, dependendo da base da ação competitiva. Como exemplo, pode-se citar a competição entre duas espécies de cracas (*Chthamalus stellatus* e *Balanus balanoides*), crustáceos da Escócia. Antes de passar das formas larvais imaturas para a adulta, esses organismos se fixam e secretam uma concha. Os jovens de cada espécie se estabelecem em uma grande faixa da rocha, porém sobrevivem até o estado adulto em uma faixa mais restrita. Fatores físicos, tais como o dessecamento, controlam os limites superiores de *Balanus*, enquanto fatores biológicos, como competição e predação, regulam a distribuição para baixo de *Chthamalus* (Figura 7.17).

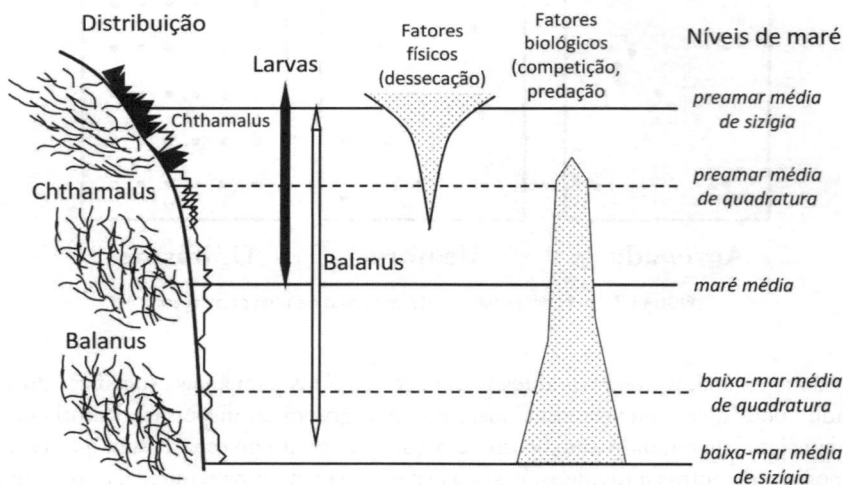

FIGURA 7.17 Fatores que controlam a distribuição de duas espécies de cracas em um ambiente intertidal. *Fonte: Odum (1963).*

Na **competição intraespecífica**, os indivíduos conservam-se solidários entre si porque podem se reproduzir e garantir, assim, a transmissão do patrimônio genético. Esse tipo de competição manifesta-se nos comportamentos territoriais, quando um animal defende seu lugar de nidificação e certa superfície circundante. É o caso de muitas aves, cujos machos, na época da reprodução, delimitam um território e proíbem o acesso a ele por parte de outro indivíduo da sua espécie, exceto sua fêmea.

A competição é um dos fatores dependentes da densidade mais importantes na natureza. Espécies estreitamente aparentadas ou que possuem necessidades muito semelhantes, em geral, ocupam áreas geográficas diferentes ou hábitats diferentes na mesma área, ou evitam a competição por diferenças na atividade diária, sazonal e na alimentação. O fato de espécies estreitamente aparentadas estarem separadas na natureza não significa que a competição esteja atuando o tempo todo para mantê-las separadas, mas elas podem ter desenvolvido necessidades ou preferências diferentes, que impedem a competição.

● Predação. É a relação alimentar entre organismos de espécies diferentes, benéfica para um deles (predador), à custa da morte de outros (presas). Consideram-se três possibilidades:

O **predador é fortemente limitante** a ponto de reduzir a presa à extinção ou quase extinção. Oscilações no tamanho da população de presas e impossibilidade do predador mudar sua dieta alimentar resultarão em oscilações no número de predadores.

O **predador é regulador**, ajudando a manter a população de presas abaixo da exaustão de suas fontes energéticas, ou seja, contribuindo para a manutenção de um estado de equilíbrio na densidade da presa.

O predador pode não ser nem fortemente limitante nem regulador. Nos estados de Michigan e Pensilvânia, nos Estados Unidos, o homem caçou demais e exterminou os veados nativos de grandes áreas. Posteriormente, seguiu-se um período de restrição à caça e de reintrodução e, novamente, os veados se tornaram abundantes. Em certas regiões, eles se tornaram mais abundantes do que eram nas condições primitivas. Com isso, eles passaram a pastar em excesso, chegando, no inverno, a morrer de inanição.

Geralmente, o predador é de vida livre e maior do que a presa que serve como fonte de energia.

● **Parasitismo.** É a interação na qual um hóspede, o **parasita**, se mantém temporária ou permanentemente sobre ou no interior de outro ser vivo, o **hospedeiro**, e o prejudica. Uma população de parasitas, seja ela de bactérias, protozoários, fungos, vermes ou pulgas, pode ser tanto limitante, reguladora, como relativamente sem importância para uma dada população de hospedeiros, de maneira semelhante àquela em que o predador pode afetar sua presa.

O termo parasita é geralmente usado quando o organismo é pequeno e vive dentro ou sobre o hospedeiro, que passa a ser tanto fonte de energia como hábitat.

A predação e o parasitismo são interações entre duas populações que resultam em efeitos negativos no crescimento e sobrevivência de uma população e um efeito positivo ou benéfico na outra.

● **Alelopatia (ou antibiose).** É a interação decorrente de um efeito prejudicial direto ou indireto de um organismo sobre outro, pela produção de substâncias tóxicas que são liberadas no ambiente. Por exemplo, muitos cogumelos e bactérias sintetizam antibióticos que inibem o crescimento de outros organismos.

● **Comensalismo.** É a interação em que uma população é beneficiada e a outra não é afetada em grau mensurável. O comensalismo representa um tipo simples de relação positiva, significando o primeiro passo em direção ao desenvolvimento de interações benéficas. Trata-se de interação comum entre plantas e animais sésseis, por um lado, e organismos móveis, por outro. Bons exemplos de comensalismo encontram-se no oceano. As ostras, às vezes, hospedam um pequeno caranguejo na cavidade do manto. Esses caranguejos são comensais, embora, às vezes, alimentem-se dos tecidos do hospedeiro. Esse conjunto de organismos comensais (peixes, bivalves, poliquetas e caranguejos) vive de alimento excedente ou rejeitado do hospedeiro. Muitos comensais não são específicos do hospedeiro, mas alguns são encontrados em associação com apenas uma espécie de hospedeiro.

● **Protocooperação.** Ocorre quando duas populações são beneficiadas pela interação, embora as relações não sejam obrigatórias para sobrevivência. Os caranguejos e celenterados muitas vezes se associam com benefício mútuo. Os celenterados vivem nas carapaças dos caranguejos, fornecendo camuflagem e proteção e, em troca, eles são transportados de um lugar para outro, obtendo partículas de alimento quando o caranguejo captura e consome outro animal.

● **Mutualismo.** Cada população se torna completamente dependente da outra para o crescimento e sobrevivência. Um exemplo é a associação entre as leguminosas e as bactérias fixadoras de nitrogênio. Os liquens, associação de algas e fungos, constituem outro bom exemplo de mutualismo.

● **Simbiose.** É uma associação íntima e permanente de organismos de espécies diferentes (simbiose = viver junto). Um exemplo é a associação entre o gado e a bactéria do rúmen. Se a relação é benéfica para os dois organismos, tem-se o **mutualismo**; se uma espécie se beneficia e para a outra não há prejuízo nem benefício, a relação recebe o nome de **comensalismo**. Se uma espécie se beneficia e a outra é prejudicada, a relação é chamada de **parasitismo.**

7.5 DIVERSIDADE DE ESPÉCIES

"O desaparecimento das espécies e a consequente perda do seu material genético é um fenômeno quase tão antigo quanto a própria vida. É possível distinguir cinco episódios de extinção em massa com uma fração significativa de biodiversidade extinta. O primeiro caso ocorreu no Ordoviciano (há 440-500 milhões de anos), quando foram quase eliminados os trilobitas, artrópodes marinhos. No Devoniano (há 345-395 milhões de anos), desapareceu a maior parte das espécies de peixes, diminuíram os corais e os crinoides, equinodermos marinhos. Mas a vida na Terra correu perigo no Permiano (há 230-280 milhões de anos), quando mais de 90% das espécies e todos os trilobitas desapareceram. Os sobreviventes abriram caminho para o aparecimento dos dinossauros. No Jurássico (há 136-195 milhões de anos), morreram aproximadamente 75% das espécies de amonites (moluscos marinhos que viviam dentro de uma concha espiralada carbonatada) e de crinoides. A extinção mais comentada foi a dos dinossauros que desapareceram no Cretáceo (há 65-136 milhões de anos) junto com os amonites. Os mamíferos, então, se espalharam pela Terra. Surge o homem moderno" (modificado de Martha San Juan França – Revista Super Interessante, 1990, n° 7). Stephen Jay Gould, em seu livro "O polegar do panda", afirma que *"aquele que se alegra com a diversidade da natureza e sente que aprende com cada animal tende a considerar o Homo sapiens como a maior catástrofe desde a extinção cretácea".*

A **diversidade de espécies** é uma medida biológica que caracteriza o nível de organização ecológica de uma comunidade. A diversidade na composição das espécies está relacionada com o grau de estabilidade da comunidade. Uma comunidade com maior diversidade ou riqueza de espécies possui uma rede trófica mais complexa, na qual podem operar mecanismos de controle de densidade de população, de modo a tornar a comunidade mais estável. A introdução de espécies exóticas tem contribuído significativamente para o declínio e a extinção de algumas populações e para mudanças em ecossistemas.

A diversidade tende a aumentar das altas latitudes em direção ao Equador. O padrão de poucas espécies comuns ou dominantes possuidoras de grande número de indivíduos, associadas com muitas espécies raras de poucos indivíduos, é característico da estrutura das comunidades nas latitudes setentrionais e nos trópicos de estações definidas (épocas úmidas e secas). Porém, nos trópicos úmidos, sem estações marcadas, é normal serem encontradas muitas espécies com abundância relativa baixa.

A comunidade bentônica é excelente bioindicadora da qualidade das águas de rios, conforme será visto no Capítulo 8. A Figura 7.18 mostra o perfil longitudinal de um riacho que, em determinado ponto, recebe esgoto e a resposta da comunidade bentônica, através da diminuição da diversidade de espécies, a jusante do lançamento.

A biodiversidade é o potencial de se multiplicar em miríades de formas adaptadas aos mais variados ambientes. Ela reflete um conjunto de processos locais, regionais e históricos, e eventos que operam em hierarquias de escalas temporais e espaciais.

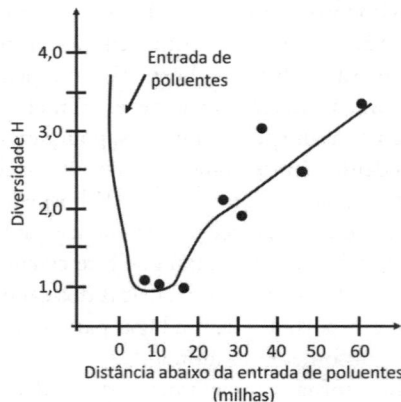

FIGURA 7.18 Mudanças na diversidade de organismos da comunidade bentônica após a entrada de esgotos domésticos e industriais em um riacho. *Fonte: Adaptado de Wilhelm (1967).*

7.6 ECÓTONO

O ecótono é uma região de transição entre duas ou mais comunidades distintas. Essa zona de união ou faixa de tensão pode possuir uma extensão linear considerável, porém é mais estreita que as áreas das próprias comunidades adjacentes.

A comunidade do ecótono contém muitos dos organismos de cada uma das comunidades que se encontram e, além desses, organismos característicos do ecótono que, muitas vezes, estão restritos a ele. Como exemplo, é possível citar as zonas pantanosas situadas entre um sistema aquático e o sistema terrestre circundante; as formações arbustivas que marcam o limite entre a floresta e os campos; e uma região estuarina. Frequentemente, tanto o número de espécies como a densidade populacional de algumas espécies são maiores no ecótono do que nas comunidades vizinhas.

7.7 SUCESSÃO ECOLÓGICA

Em 2005, o escritor norte-americano Stephen J. Spignesi relatou, em seu livro *As 100 maiores catástrofes da História*, o seguinte acontecimento, ocorrido na ilha de Krakatoa:

"Localizada no estreito de Sundra, entre as ilhas de Java e Sumatra, na Indonésia, ao longo da história ela tem permanecido inabitada, apesar de receber frequentemente visitantes ao seu vulcão. (...). Então, ao meio-dia de um domingo 26 de agosto de 1883, uma série de enormes explosões pôde ser ouvida, vinda da direção de Krakatoa.As pessoas escutavam as explosões e a chuva de cinzas e pedra-pomes começou a se depositar sobre casas e barcos no Estreito de Sundra. A chuva de detritos continuou por 24 horas, quando duas enormes explosões literalmente sacudiram o mundo. Essa explosão acordou habitantes do sul da Austrália, a mais de quatro mil quilômetros de distância (...). O efeito combinado dessas explosões aumentou a temperatura do oceano ao redor do estreito em surpreendentes 60 graus. (...). Por fim, o Krakatoa submergiu exausto e acalmado de sua fúria. Em seu lugar, encontramos agora o Anak Krakatoa ("filho de Krakatoa")".

Segundo relatos de cientistas da época, apenas um resquício da antiga ilha permanecia acima do nível da água, coberto por uma camada de mais de 40 m de espessura de pedra-pomes e com temperatura de 300 °C a 850 °C, ou seja, todo e qualquer sinal de vida havia sido extinto.

Após quase um ano do ocorrido, em maio de 1884, na primeira expedição à porção sul remanescente, chamada Rakata, foi encontrada uma aranha. Alguns meses depois, mais duas espécies de gramíneas. Dois anos depois, em 1886, 15 espécies de gramíneas e arbustos foram observadas e, em 1897, já eram 49 espécies, chegando a quase 300 em 1928. Hoje em dia, Rakata é coberta por floresta tropical asiática, porém, apesar de ainda pouco complexa quando comparada à Java ou Sumatra, em pouco mais de um século conseguiu recuperar a diversidade e a aparência das comunidades que lá existiam antes das explosões.

Quando ocorre um fenômeno como este, se o ambiente não for inóspito demais, ele acabará por se cobrir de vegetação e adquirir vida animal correspondente. A vegetação inicial é aos poucos substituída por um segundo tipo, que, por sua vez, poderá dar lugar a um terceiro, em uma **sequência ordenada e previsível**. A este processo, denomina-se **sucessão ecológica**.

A sucessão é resultado da modificação do ambiente físico pela comunidade e culmina no estabelecimento de um ecossistema tão estável quanto seja possível biologicamente no ambiente em questão. Cada conjunto de organismos altera o substrato físico e o microclima, promovendo condições favoráveis a outro conjunto de organismos, e assim sucessivamente.

As espécies envolvidas, o tempo necessário e o grau de estabilidade atingido dependem de geografia, clima, substrato e outros fatores físicos. Esses fatores apenas **determinam** o padrão de sucessão, mas o processo em si é puramente biológico.

Quando se inicia em um ambiente estéril, inabitado, diz-se que a **sucessão** é **primária**. Rochas, areia, substratos profundos do solo recém expostos, lava vulcânica solidificada, estradas abandonadas e reservatórios são áreas comuns de sucessão primária. Os primeiros organismos a se estabelecerem nesses ambientes devem ser pouco exigentes e adaptados às condições desfavoráveis que encontrarão (normalmente altas temperaturas ocasionadas pela exposição direta ao Sol, pouca água, ausência de solo para fixação). Os liquens, associações de fungos e bactérias, conseguem sobreviver apenas com água, luz e uma pequena quantidade de sais minerais e caracterizam uma **comunidade pioneira** ou **ecese**.

Aos poucos, sua atividade metabólica modifica as condições iniciais do terreno. Eles produzem ácidos orgânicos que corroem lentamente a rocha e começam a se formar as primeiras camadas de solo. Camada sobre camada, os liquens vão enriquecendo o solo e retendo umidade, dando condições a plantas de pequeno porte, como briófitas, de se estabelecerem. Novas e constantes modificações ocorrem, permitindo, então, o aparecimento de plantas de porte maior, como os arbustos. Com isso, também começam a aparecer pequenos insetos e moluscos. Assim, etapa após etapa, a comunidade pioneira evolui até que, gradativamente, o processo desacelera e chega a um ponto de equilíbrio, no qual atinge o grau máximo de desenvolvimento compatível com as condições físicas do ambiente, como solo, clima e outras. A esta condição, denominamos **comunidade clímax**. Cada etapa intermediária entre a comunidade pioneira e a clímax é chamada de **sere**.

A estabilidade da comunidade clímax está associada ao aumento da biodiversidade e da complexidade das relações alimentares. É mais fácil contornar as instabilidades geradas quando uma espécie de uma teia alimentar complexa e bem estruturada desaparece do ambiente do que aquela com poucas opções de alimento e, portanto, mais instável. Sabemos, por exemplo, que uma área de monocultura agrícola é mais suscetível ao ataque de pragas que aquela com várias culturas misturadas.

Quando a sucessão ocorre em uma área onde outra comunidade esteve previamente presente e foi destruída, seja por catástrofes naturais ou por perturbações causadas pelo homem, tem-se a **sucessão secundária**. Lugares comuns são fazendas de cultivo abandonadas, florestas queimadas ou desmatadas, rios fortemente poluídos. Normalmente, a sucessão secundária é mais rápida do que a primária, pois alguns microrganismos e um banco de sementes e propágulos que ocupavam previamente a área permanecem no solo, tornando-o mais favorável à recolonização.

Em certas regiões, o **fogo** desempenha importante papel na determinação do caminho da sucessão em uma floresta. Algumas espécies de pinheiros do sudeste norte-americano, por exemplo, são resistentes ao fogo e só abrem os cones que lançam as sementes depois de serem aquecidos. Com isso, disseminam-se rapidamente após um incêndio. No Brasil, o cerrado constitui-se um bom exemplo de bioma que se favorece com queimadas periódicas e controladas.

Segundo Pivello (2011), os grupos indígenas que habitavam os cerrados brasileiros difundiam o uso do fogo para manipular o ambiente e se beneficiarem de diversas maneiras, pois tinham grande conhecimento dos efeitos das queimadas. O fogo estimulava a floração e a frutificação das plantas que lhes eram úteis, espantava animais indesejáveis, como cobras, insetos e ácaros. Sabiam, por exemplo, que se ela fosse anual, poderia prejudicar espécies arbóreas e matar indivíduos jovens, mas se ela ocorresse a cada dois ou três anos, estimulava a frutificação das espécies arbóreas e dava tempo aos indivíduos jovens de desenvolverem mecanismos de proteção, como cortiça mais grossa.

Parte desse conhecimento foi passada pelas gerações aos agricultores e pecuaristas. Mas estes, diante da necessidade de maximizar os efeitos do fogo, não mantinham o sistema de queima em mosaico e muito menos podiam esperar dois ou três anos para voltar a queimar o mesmo local. Com isso, ao invés de beneficiar, eles degradavam o ambiente, com esgotamento de terras, erosão, exclusão do estrato arbóreo, desaparecimento de espécies nativas, infestação por espécies invasoras, entre outros. É preciso que se entenda a necessidade de fazer uso **adequado** e **planejado** do fogo, pois esta pode ser uma estratégia muito boa de manejo e manutenção de pastagens naturais e de áreas de proteção do cerrado, além de ser barata.

7.7.1 Ecossistemas Imaturos e Maduros

Conforme os ecossistemas evoluem, as comunidades vegetais e animais são substituídas por outras diferentes. Segundo Margalef (1981), ecossistemas que não sofrem perturbações têm sua maturidade aumentada progressivamente, enquanto aqueles que sofrem distúrbios frequentes e/ou intensos estão sempre recomeçando sua sucessão (imaturos).

Ecossistemas maduros diferem dos imaturos em relação ao aumento de biomassa, diversidade específica, estratificação e heterogeneidade espacial. Possuem estrutura trófica maior e mais complexa, maior capacidade de reter nutrientes e estrutura da comunidade mais organizada, o que lhes confere maior capacidade de **homeostasia**, ou seja, de se manterem estáveis mediante as contínuas alterações do ambiente. Hoje em dia, o termo **resiliência** tem sido mais usado para descrever esta condição.

A relação produtividade/biomassa diminui com o aumento da maturidade e a PPL chega a ser quase igual à respiração, pois o ecossistema gasta mais energia para se manter do que para gerar novos indivíduos e agregar novos materiais. Os ciclos de nutrientes se tornam mais fechados, ou seja, os nutrientes ficam mais disponíveis no próprio local, fazendo com que o ambiente melhore sua capacidade de capturar e conservar os nutrientes e passá-los lentamente de um organismo a outro (Odum, 1986).

A estrutura da comunidade de ambientes imaturos é composta, em sua maioria, de indivíduos com ciclos de vida mais curtos e **generalistas** em relação à alimentação e à preferência por hábitats, chamados de **pioneiros** ou **oportunistas**. Em ambientes maduros, os organismos possuem ciclos de vida mais longos e necessidades de alimentos e hábitats mais específicos (também chamados **especialistas**) e dividem os recursos disponíveis com seus vizinhos.

A comunidade madura mais diversa, com maior estrutura orgânica e fluxos de energia balanceados, é capaz, muitas vezes, de tamponar melhor o ambiente físico do que uma comunidade mais jovem.

Entretanto, frequentemente, a comunidade jovem é mais produtiva. Sob um ponto de vista evolutivo, essa flutuação entre diversos estágios de maturidade, buscando a estabilidade junto com aumento de produtividade, pode ser o verdadeiro propósito da sucessão ecológica.

O homem precisa dos estágios iniciais da sucessão (com grandes produtividades líquidas) como fonte de alimento e, ao mesmo tempo, necessita de ambientes mais estáveis para controlar forças físicas, como temperatura, por exemplo, pela própria necessidade de sobrevivência. Assegurar uma boa mistura de estágios sucessionais, com trocas mútuas de energia e materiais, é a única maneira de garantir um ambiente tanto produtivo quanto estável. O excesso de alimento produzido em comunidades jovens ajuda a alimentar estágios mais velhos, os quais, em retribuição, fornecem nutrientes regenerados e ajudam a tamponar os extremos climáticos.

REVISÃO DOS CONCEITOS APRESENTADOS

- O ecossistema ou sistema ecológico é qualquer unidade que abranja todos os organismos que funcionam em conjunto em uma dada área, interagindo com o ambiente físico de tal forma que um fluxo de energia produza estruturas bióticas claramente definidas e uma ciclagem de materiais entre as partes vivas e não vivas.
- Os movimentos de carbono, nitrogênio, fósforo, enxofre e minerais através dos ecossistemas são chamados de ciclos biogeoquímicos.
- A energia, ou a capacidade de um sistema em realizar trabalho, é o fator que rege boa parte do comportamento dos ecossistemas. A ciência que estuda a energia e suas transformações chama-se Termodinâmica, e são duas as suas leis básicas: a primeira diz que a energia não pode ser criada ou destruída e a segunda define o fluxo de energia nos ecossistemas.
- Cadeias alimentares, redes alimentares e níveis tróficos constituem a forma de organização dos seres vivos nos sistemas ecológicos. Essa organização pode ser representada esquematicamente pelas pirâmides ecológicas.
- As características populacionais mais importantes são: densidade, natalidade, mortalidade, dispersão da população, forma de crescimento ou taxa de crescimento, distribuição etária e potencial biótico.
- As interações populacionais (ou entre espécies) podem ser resumidas como indica a Tabela 7.3.
- A diversidade de espécies é uma medida biológica que caracteriza o nível de organização ecológica de uma comunidade. Ela está relacionada com o grau de estabilidade da comunidade.
- O ecótono é uma região de transição entre duas ou mais comunidades distintas, por exemplo, uma floresta e um cerrado. Nessa região, a diversidade de espécies é maior que nos sistemas adjacentes.
- Sucessão ecológica é uma sequência ordenada de modificações no tipo de vegetação e de outros organismos de uma determinada região. A sucessão primária ocorre em áreas previamente não ocupadas por organismos vivos, enquanto a secundária ocorre em áreas perturbadas.
- O amadurecimento dos ecossistemas é acompanhado por aumento em biomassa e em número de espécies. O sistema maduro caracteriza-se por maior estabilidade em comparação com o imaturo.

TABELA 7.3   Interações ecológicas. Os tipos de interações de 2 a 4 podem ser classificados como "interações negativas"; os tipos de 7 a 9, como "interações positivas"; e os tipos 5 e 6, como "interações negativas e positivas"

População Tipo de interação	Espécie 1	Espécie 2	Natureza geral da interação
1. Neutralismo	0	0	Nenhuma população afeta a outra
2. Competição: tipo interferência direta	–	–	Inibição direta de cada espécie pela outra
3. Competição: tipo utilização de recursos	–	–	Inibição indireta quando o recurso comum está limitado
4. Alelopatia	–	0	População 1 – inibida; População 2 – não afetada
5. Parasitismo	+	–	População 1 (parasita) geralmente menor que a 2 (hospedeiro)
6. Predação (incluindo herbivoria)	+	–	População 1 (predador) geralmente menor que a 2 (presa)
7. Comensalismo	+	0	População 1 (comensal) é beneficiada, enquanto que a 2 (hospedeiro) não é afetada
8. Protocooperação	+	+	Interação não obrigatória favorável às duas populações
9. Mutualismo	+	+	Interação obrigatória favorável às duas populações

"0" indica nenhuma interação; " + " indica benefício para o crescimento, sobrevivência ou outro atributo populacional; "–" indica inibição do crescimento ou de outro atributo.

SUGESTÕES DE LEITURAS COMPLEMENTAR

- MILLER JR., G.T. (2007) *Ciência ambiental.* São Paulo: Cengage Learning, 501p.
- ODUM, E.P. (2001) *Fundamentos de ecologia.* Lisboa: Fundação Calouste Gulbenkian, 927p.
- RICKLEFS, R.E. (2003) *A economia da natureza.* Rio de Janeiro: Guanabara Koogan, 503p.

Referências

BAMBI, P., SILVA, V.P. (2000) *Produção primária do fitoplâncton e as relações com as principais variáveis limnológicas da Baía das Pedras, Pirizal, Pantanal, MT.* In: III Simpósio sobre Recursos Naturais e Sócioeconômicos do Pantanal. Os desafios do novo milênio, 15p.

BRAGA, B., HESPANHOL, I., CONEJO, J.G.L. et al. (2004) *Introdução à Engenharia Ambiental.* São Paulo: Pearson – Prentice Hall, 336p.

CLARK, D.A., BROWN, S., KICKLIGHTER, D.W. et al. (2001) Net primary production in tropical forests: an evaluation and synthesis of existing field data. *Ecological Applications*, v. 11, p. 371-384.

FORBES, S.A. (1987) *The lake as a microcosm.* Bull. Peoria Scient. Ass., p. 77-87.

GAUSE, G.F. (1934) *The struggle for existence.* Nova York: Hafner. 163 p.

GRIMM, A.M. (1999) *Notas de aula disciplina Meteorologia Básica da UFPR.* Disponível em: <http://fisica.ufpr.br/grimm/apos-meteo>. Acesso: abril 2018.

GOULD, S.J. (1989) *O polegar do panda.* São Paulo: Martins Fontes, 297p.

MARGALEF, R. (1981) *Ecología.* Espanha: Planeta, 253p.

HENRY, R., NUNES, M.A., MITSUKA, P.M., LIMA, N., CASANOVA, S.M.C. (1998) Variação espacial e temporal da produtividade primária pelo fitoplâncton na represa de Jurumirim (rio Paranapanema, SP). *Revista Brasileira de Biologia*, v. 58, n. 4, p. 571-590.

LIEBIG, J. (1840) *Chemistry in its application to agriculture and physiology.* Londres: Taylor and Walton.

MELLILO, J.M., McGUIRE, A.D., KICKLIGHTER, D.W. et al. (1963) Global climate change and terrestrial net primary production. *Nature*, v. 363, p. 234-240, 1993.

ODUM, E. (1963) Primary and secondary energy flow in relation to ecosystem structure. *Proc. XVI Int. Congr. Zool.*, Washington, D.C. p. 336-338.

ODUM, E. (1986) *Ecologia.* Rio de Janeiro: Guanabara, 434p.

ODUM, E. (2001) *Fundamentos de ecologia.* Lisboa: Fundação Calouste Gulbenkian, 927p.

OKE, T.R. (1978) *Boundary layer climates.* Londres: Methuen, 372p.

PIVELLO, V.R. (2011) The Use of Fire in the Cerrado and Amazonian Rainforests of Brazil: Past and Present. *Fire Ecology*, v. 7, p. 24-39.

SCURLOCK, J.M.O., OLSON, R.J. (2002) Terrestrial net primary productivity – a brief history and a new worldwide database. *Environmental Reviews*, v. 10, p. 91-109.

SHELFORD, V.E. (1913) *Animal communities in temperate america.* University of Chicago. Chicago.

TANSLEY, A.G. (1935) The use and abuse of vegetational concepts and terms. *Ecology*, v. 16, p. 284-307.

TEIXEIRA, C. (1969) *Estudo sobre algumas características do fitoplâncton da região de Cananeia e o seu potencial fotossintético.* Tese de Doutorado. Universidade de São Paulo (USP), 82p.

TEIXEIRA JUNIOR, A.S. (1981) *Leis da termodinâmica.* Revista de Ensino de Ciências, FUNBEC/MEC/CNPq.

WILHELM, J.L. (1967) Comparison of some diversity indices applied to populations of benthic macroinvertebrates in a stream receiving organic wastes. *Journal of the Water Pollution Control Federation*, v. 39, n. 10, parte I.

WISSMAR, R.C., RICHEY, J.E., STALLARD, R.F., EDMOND, J.M. (1981) Plankton metabolism and carbon processes in the amazon river, its tributaries, and floodplain waters, Peru-Brazil, May-June 1977. *Ecology*, v. 62, n. 6, p. 1622-1633.

SISTEMAS AQUÁTICOS CONTINENTAIS

Davi Gasparini Fernandes Cunha / Maria do Carmo Calijuri /
Juliano José Corbi

Este capítulo se concentra na apresentação das características dos sistemas aquáticos continentais. Após a contextualização da importância da água doce para as atividades humanas, a descrição sucinta (a título de recordação) dos componentes do ciclo hidrológico, a enumeração das propriedades físicas e químicas fundamentais da água e sua influência sobre o funcionamento dos sistemas aquáticos, apresenta-se uma breve descrição de rios, áreas alagadas, lagos, reservatórios e aquíferos. São abordadas as comunidades de peixes, macrófitas aquáticas, bentos, fitoplâncton, zooplâncton e perifíton. O conhecimento dos fatores intervenientes na estrutura e no funcionamento dos ecossistemas aquáticos continentais e dos elementos que concorrem para a heterogeneidade espacial e variabilidade temporal de suas características físicas, químicas e biológicas é fundamental para o engenheiro ambiental que atua na área de gestão dos recursos hídricos, com vistas à sustentabilidade dos usos da água.

8.1 INTRODUÇÃO

A água doce (água com salinidade igual ou inferior a 0,5%), embora represente apenas 2,5% de todo o volume de água no planeta Terra, é fundamental para a manutenção da vida e do equilíbrio ecológico. Essa restrita parcela se distribui entre rios, lagos, reservatórios, geleiras e aquíferos. Embora o Brasil seja, reconhecidamente, um dos países com maior disponibilidade hídrica, a distribuição espacial da água doce não é homogênea. A Região Norte, que possui as menores densidades demográficas, detém cerca de 70% de toda a água doce do país, enquanto as Regiões Sul e Sudeste, as mais povoadas do território, concentram apenas 7% e 6% das reservas de água, respectivamente. A garantia da qualidade e da quantidade de água disponível em mananciais superficiais ou subterrâneos é imprescindível para as atividades humanas. O conhecimento das propriedades naturais e dos processos esperados nesses sistemas aquáticos é requisito básico para a adequada gestão dos recursos hídricos e a garantia dos usos da água em longo prazo.

A água possui propriedades únicas, que controlam a estrutura e o funcionamento dos ecossistemas e regulam a ocorrência, a distribuição e o metabolismo dos organismos aquáticos. Considerando que os serviços ambientais possibilitam, em última análise, a interação positiva entre os ecossistemas, o bem-estar do homem e a economia, o meio ambiente é capaz de desempenhar funções que garantem e sustentam a vida humana. Nesse sentido, a água é responsável por muitos serviços ambientais, conforme visto no Capítulo 3, entre eles a regulação do clima, o controle dos fluxos da água em diferentes compartimentos (infiltração, escoamento superficial, evapotranspiração e demais rotas do ciclo hidrológico) e a reciclagem de materiais e nutrientes por meio da interação entre todos os componentes dos meios terrestre, aquático e atmosférico.

8.2 PROPRIEDADES FÍSICAS E QUÍMICAS DA ÁGUA DOCE

A água é composta de hidrogênio e oxigênio (H_2O) e possui características que lhe conferem a propriedade de atuar como solvente universal e de apresentar variação anômala da densidade de acordo com a temperatura (a densidade máxima ocorre próxima a 4 °C). As moléculas de água são unidas por ligações de hidrogênio (Figura 8.1), que determinam as faixas de temperatura e pressão nas quais a água é encontrada em sua fase líquida. As ligações de hidrogênio também contribuem para que a água possua elevado calor específico (1,00 cal/g °C a 25 °C), calor latente de fusão (79,7 cal/g) e vaporização (539,6 cal/g), além de significativa tensão superficial (73 dyn/cm).

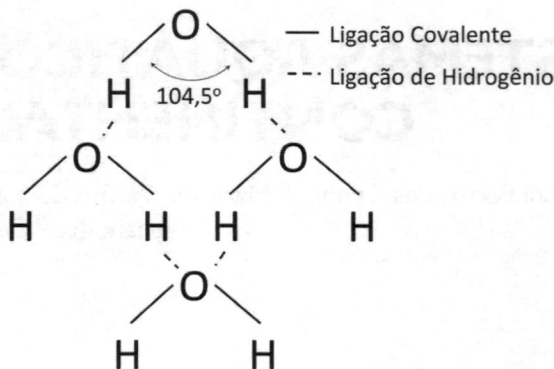

FIGURA 8.1 Representação esquemática bidimensional das moléculas de água unidas pelas ligações de hidrogênio.

Todas essas propriedades físicas e químicas da água geram implicações biológicas importantes. Muitos organismos aquáticos são sensíveis a mudanças térmicas bruscas. O elevado calor específico da água minimiza variações abruptas de temperatura no ambiente aquático, isto é, impede que a água esquente ou esfrie rápido demais. O ângulo entre as ligações covalentes O−H, que é de 104,5°, acarreta o aparecimento de carga ligeiramente positiva nas proximidades dos átomos de hidrogênio. Tal distribuição desigual de cargas elétricas faz com que a molécula H_2O apresente polaridade.

O número de Reynolds (Re), definido pela Equação 8.1, é a razão entre as forças inerciais (F_i, Equação 8.2) e viscosas (F_v, Equação 8.3), e é uma medida da importância relativa das forças atuantes sobre uma parcela de água em uma corrente. A viscosidade é uma propriedade que reflete a resistência de um fluido ao escoamento e à mudança de forma a uma dada temperatura. Por exemplo, a viscosidade do óleo é maior que a da água. A inércia, por sua vez, é uma medida da resistência de um corpo à alteração em sua velocidade.

$$Re = \frac{F_i}{F_v} \qquad\qquad \text{Equação 8.1}$$

$$F_i = \rho S U^2 \qquad\qquad \text{Equação 8.2}$$

$$F_v = \frac{\mu S U}{l} \qquad\qquad \text{Equação 8.3}$$

ρ: densidade do fluido; S: área superficial; U: velocidade de escoamento; μ: viscosidade dinâmica; l: comprimento.

A inércia de um corpo é diretamente proporcional ao seu tamanho, densidade e velocidade. A inércia de um peixe é superior à de uma bactéria, por exemplo. A viscosidade da água também é relevante para a ecologia aquática e influencia a velocidade de natação dos organismos aquáticos, o modo com que eles coletam alimento e a rapidez de sedimentação de partículas na coluna de água. Desse modo, o número de Reynolds descreve como o comportamento dinâmico da água varia de acordo com a escala espacial e com o movimento (velocidade) da água. Os efeitos do Re, portanto, estendem-se a diversas atividades desempenhadas pelos organismos aquáticos, tais como natação, filtração e alimentação. De acordo com Dodds e Whiles (2010), organismos pequenos (menores que 100 μm) possuem baixo Re (força viscosa elevada, força inercial reduzida) e consequentemente requerem mais energia para se movimentarem, embora afundem na coluna de água com menores velocidades. Já organismos grandes (maiores que 1 cm) possuem maior Re, o que demanda menor energia para movimentação, mas gera maiores velocidades de afundamento na coluna de água. Para reforçar os conceitos já apresentados em outros capítulos (Capítulos 3 e 7), o ciclo hidrológico, que se refere à troca contínua de água entre os diferentes compartimentos da hidrosfera e da atmosfera, é novamente abordado, de forma resumida. A precipitação pluviométrica (chuva) determina a quantidade de água que entra nos sistemas aquáticos. A água pode retornar à atmosfera por transpiração pelos vegetais ou por evaporação. Quando computados conjuntamente, os processos de evaporação e transpiração são chamados de evapotranspiração. A água que não é perdida para a atmosfera e que não cai diretamente sobre rios, lagos e reservatórios pode infiltrar no solo ou escoar pela sua superfície ou subsuperfície. Se a água não é armazenada no solo, ela atinge camadas mais profundas e forma os aquíferos e/ou alimenta rios e riachos.

Os mecanismos principais envolvidos no ciclo hidrológico, detalhadamente apresentados no Capítulo 3, variam no espaço e ao longo do tempo. Resumidamente, são eles:

i) **Precipitação.** É a descarga de água na forma líquida ou sólida da atmosfera para a superfície. A maior parte da precipitação cai na forma de chuva.

ii) **Condensação.** É um processo de mudança do estado físico da água (de vapor para líquido). Representa o mecanismo que rege a formação de nuvens.

iii) **Evaporação.** É um processo de mudança do estado físico da água (de líquido para vapor). A energia térmica do sol é uma das responsáveis pela evaporação da água.

iv) **Transpiração.** De toda a água absorvida pelas plantas, apenas uma pequena parcela fica retida no vegetal e o restante é perdido para a atmosfera. Transpiração é o processo de perda de água (na forma de vapor) pelas plantas.

v) **Escoamento superficial.** Em situações em que o solo já se encontra saturado de água ou no caso de superfícies menos permeáveis, a água da chuva pode escoar superficialmente. Em casos extremos, esse excedente pode ocasionar o aumento do nível de água em rios e causar inundações.

vi) **Infiltração.** Refere-se ao movimento vertical da água das camadas superficiais para as camadas mais profundas do solo ou entre rochas porosas.

vii) **Percolação.** É a parcela de água que atinge camadas profundas do solo e alimenta os aquíferos.

viii) **Escoamento subsuperficial.** É o fluxo de água que escoa em subsuperfície, originado da água que penetrou no solo.

O movimento da água e as alterações na sua distribuição espacial e temporal constituem a hidrodinâmica. Esse fluxo permanente oferece suporte ao metabolismo dos seres vivos e atua como um agente modelador da crosta terrestre por permitir a troca e o transporte de materiais entre os diferentes ecossistemas.

8.3 RIOS E CÓRREGOS

Rios e córregos são caracterizados por água corrente (sistemas lóticos) e contínuo transporte de materiais e organismos até a sua foz, que pode ser a desembocadura no mar. A partir de sua nascente e ao longo do eixo longitudinal, observa-se um gradiente de condições físicas que influenciam a distribuição de organismos. De acordo com a **Teoria do Contínuo Fluvial**, postulada por Vannote et al. em 1980, as comunidades biológicas a jusante ("abaixo") de um determinado ponto no rio são fortemente dependentes de materiais e energia não utilizados a montante ("acima") e se estruturam para reduzir as perdas energéticas e maximizar a eficiência de utilização dos recursos. Esse modelo é frequentemente aplicável a ambientes preservados, com nenhuma ou mínima interferência antrópica.

Para sistemas aquáticos impactados, no entanto, existem outras teorias ecológicas que atribuem maior importância aos efeitos das atividades humanas sobre a água dos rios. Como exemplos, destacam-se os conceitos de Descontinuidade Serial e Descontinuidade de Ligação, que agregam elementos como a existência de represamentos artificiais e o lançamento de efluentes para descrever as características longitudinais dos sistemas lóticos.

No caso da **Descontinuidade Serial**, cujos fundamentos foram propostos por Ward & Stanford (1995), admite-se que o represamento de um rio produz um rompimento nos gradientes naturais esperados e gera alterações longitudinais em relação às características ambientais. Tais mudanças ocorrem não apenas a jusante, mas também a montante do represamento. As interações entre um rio e sua respectiva planície de inundação também podem ser descritas com base nesse conceito. As planícies de inundação são definidas como áreas periodicamente inundadas pelo transbordamento lateral de rios ou lagos e/ou pela influência da precipitação pluviométrica ou das águas subterrâneas. Assim, os pulsos de cheia permitem as trocas laterais entre o canal do rio e a planície de inundação e propiciam interações entre a biota, além da ciclagem de nutrientes. Diferentemente do Conceito do Contínuo Fluvial, a **Teoria dos Pulsos de Inundação** (Junk et al., 1989) não admite a influência dos processos a montante sobre aqueles a jusante, uma vez que os pulsos periódicos de inundação são capazes de fornecer material orgânico produzido nas planícies de inundação aos cursos de água. A alternância entre a fase terrestre e a fase aquática requer adaptações e estratégicas específicas da biota que habita essas áreas.

O conceito de **Descontinuidade de Ligação** foi proposto em 2001 por Rice et al., os quais destacaram as entradas de tributários ou efluentes como agentes causadores de modificações na qualidade da água, do sedimento e no volume de água veiculado pelos corpos hídricos. Assim, a organização das comunidades biológicas ao longo do eixo longitudinal dos rios depende desses elementos, aliados a outros fatores como geologia, clima e vegetação, os quais induzem a descontinuidade nos sistemas aquáticos.

A vazão dos rios é uma variável hidráulica que informa o volume de água veiculado pelo canal durante certo período de tempo. A vazão depende diretamente do regime de chuvas das diversas bacias hidrográficas e varia sazonalmente de acordo com a distribuição pluviométrica ao longo do ano. O monitoramento das vazões dos rios (fluviometria) oferece subsídios ao planejamento e à realização das atividades de abastecimento público e industrial, navegação, irrigação e saneamento básico. Os **métodos do molinete** e do **ADCP** (equipamento acústico que se baseia no efeito Doppler, do inglês *Acoustic Doppler Current Profiler*) são os mais utilizados para a medição de vazão em cursos de água. A vazão multiplicada pela concentração de determinado poluente resulta na carga volumétrica daquele poluente que é veiculado pelo corpo hídrico (por exemplo, em mg/s, kg/dia ou t/ano), conforme visto no Capítulo 3.

CONCEITO DO CONTÍNUO FLUVIAL: AS TRÊS ZONAS GEOMORFOLÓGICAS EM UM RIO

Ao longo do eixo longitudinal de um rio, de acordo com o Conceito do Contínuo Fluvial, podem ser reconhecidas três zonas, caracterizadas e ilustradas esquematicamente (Figura 8.2) a seguir:

1. **Nascente.** É formada por cursos de água de ordens 1 a 3. Neste local, o sombreamento da mata ciliar inibe a produção primária, portanto a razão produção/respiração é normalmente inferior a um. A influência do aporte de material alóctone, como folhas e galhos, é significativa, ou seja, essa região depende das contribuições terrestres de matéria orgânica. O substrato é constituído de cascalhos e material grosseiro. A temperatura da água apresenta pequena variação sazonal.

2. **Médio Curso.** É constituído por cursos de água de ordens 4 a 6. Esta região caracteriza-se por ser um local de transferência de materiais e sedimentação de partículas. Destaca-se a produção primária (autotrofia) pelas algas e plantas vasculares. A variação da temperatura e das condições hidráulicas propicia maior diversidade biológica.

3. **Baixo Curso.** É formado por rios com ordens superiores a 6. Nesta zona, a água é mais turva e com maior carga de sedimentos finos, oriundos dos processos que ocorrem a montante. A respiração (heterotrofia) excede a produção primária, apesar de a região já possuir comunidades planctônicas desenvolvidas.

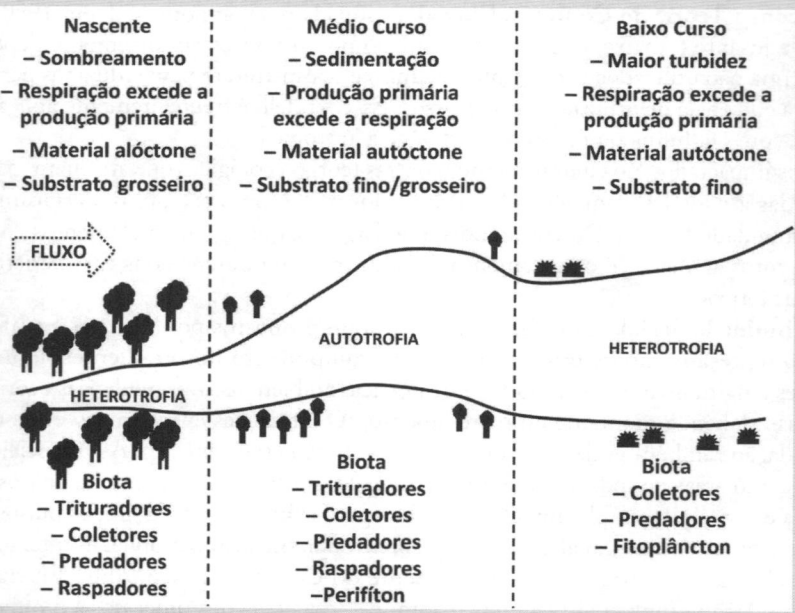

FIGURA 8.2 Representação esquemática das três zonas (nascente, médio curso e baixo curso) que podem ser reconhecidas no eixo longitudinal de um rio de acordo com a Teoria do Contínuo Fluvial. *Fonte: Adaptado de Vanotte et al. (1980).*

Para mais detalhes, sugere-se a leitura complementar de Vannote et al., indicada ao final do capítulo.

MEDIÇÃO DE VAZÃO EM RIOS: O MÉTODO DO MOLINETE

O molinete é um equipamento que possui uma hélice que gira ao ser posicionada no sentido do fluxo da água. A partir do número de voltas da hélice em um determinado período de tempo cronometrado, é possível calcular a velocidade de fluxo da água do rio. Esse princípio é aplicado no método do molinete para medição de vazão, conforme os passos e a Figura 8.3 a seguir:

1. Divide-se a seção transversal do rio em certo número de áreas de influência para levantamento do perfil de velocidades.
2. Determina-se o perfil de velocidades, isto é, as velocidades da água nas diferentes profundidades do rio, com auxílio do molinete.

3. Calcula-se a velocidade média do perfil.
4. Calcula-se a vazão do rio (por exemplo, em L/s ou em m³/s) pelo somatório do produto de cada velocidade média por sua respectiva área de influência.

Para a determinação do perfil de velocidades, é necessário escolher diferentes profundidades para posicionar o molinete. O número de pontos no eixo vertical depende da profundidade total do curso de água estudado. Se o curso de água tiver entre 0,6 m e 1,2 m, por exemplo, é comum aferir as velocidades de fluxo em duas profundidades diferentes, correspondentes a 20% e 80% da profundidade total.

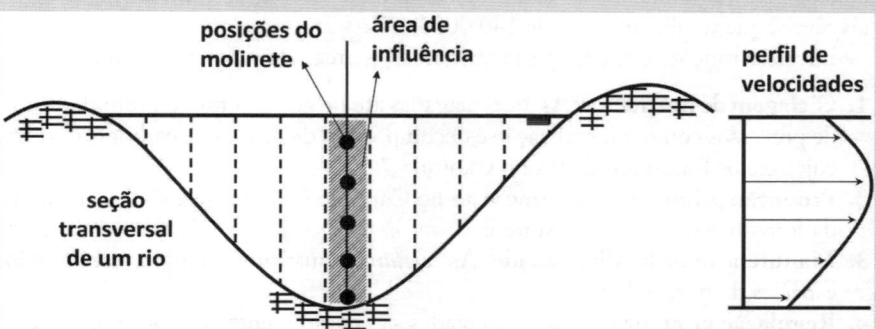

FIGURA 8.3 Seção transversal de um rio, perfil de velocidades e principais variáveis a serem consideradas para medição de vazão com o Método do Molinete.

A **autodepuração** é um processo natural de recuperação progressiva dos corpos de água após a ocorrência de um impacto, seja ele natural ou induzido pelas atividades humanas. Processos químicos (oxidação, redução), físicos (diluição, sedimentação) e biológicos (ação de microrganismos, como algas e bactérias) concorrem para que um determinado curso de água recupere gradativamente sua condição anterior à do impacto ou, ao menos, atinja uma nova situação de equilíbrio. Após o lançamento de esgotos em um rio, os mecanismos supracitados contribuem para que os impactos sejam minimizados e para que ocorra a recuperação da qualidade da água (por exemplo, em relação às concentrações de oxigênio dissolvido). A autodepuração é tradicionalmente estudada em relação à demanda bioquímica de oxigênio, que informa indiretamente o teor de matéria orgânica no sistema aquático. Nos últimos anos, modelos têm sido desenvolvidos para avaliar a autodepuração em relação a outras variáveis, como os nutrientes fósforo e nitrogênio, por exemplo, o TASCC (*Tracer Additions for Spiraling Curve Characterization*). A partir do ponto de descarga de esgotos, são reconhecidos quatro compartimentos teóricos em direção a jusante (Margalef, 1983), zona de degradação, zona de decomposição ativa, zona de recuperação e zona de águas limpas, com predomínio dos seguintes processos:

1. **Zona de degradação**. É a região situada logo após o lançamento de um efluente no rio. É caracterizada por abundância de matéria orgânica que pode ser decomposta. Muitos organismos sensíveis desaparecem e o rio pode adquirir aspecto turvo.
2. **Zona de decomposição ativa**. Essa zona abrange uma região do rio em que os microrganismos já estão adaptados à nova condição (posterior ao lançamento do efluente) e desempenham suas funções de degradação e assimilação da matéria orgânica e de outros compostos. Consequentemente, as concentrações de oxigênio dissolvido normalmente atingem valores mínimos. A biota se restringe a organismos decompositores, como bactérias e fungos.
3. **Zona de recuperação**. Após o intenso consumo de oxigênio na zona anterior, essa região se caracteriza por uma recuperação gradativa da qualidade da água, inclusive com o reaparecimento de algas e, em seguida, de organismos heterotróficos.
4. **Zona de águas limpas**. As condições originais (ou próximas às originais) são atingidas nas águas do rio. Os teores de oxigênio dissolvido, matéria orgânica e número de bactérias retornam a patamares próximos daqueles anteriores ao lançamento do efluente. As concentrações de nutrientes favorecem maior crescimento de algas.

O processo de autodepuração natural, portanto, requer um espaço físico e um intervalo de tempo para ocorrer. Ao longo das quatro regiões descritas, a autodepuração se processa e ocorre contínua decomposição da matéria orgânica e recuperação da qualidade da água em relação a variáveis físicas, químicas e biológicas. Trata-se de um processo que visa à garantia da estabilidade do sistema aquático e à manutenção do seu equilíbrio dinâmico.

8.4 ÁREAS ALAGADAS (*WETLANDS*)

As áreas alagadas (em inglês, *wetlands*) são regiões inundadas ou saturadas por água advinda de fontes superficiais (rios e lagos) e/ou subterrâneas. A frequência e a duração das inundações favorecem o domínio de vegetação adaptada às condições saturadas do solo. Os pulsos de cheia alteram significativamente o ambiente em suas características físicas, químicas e biológicas, de modo a induzir adaptações morfológicas e fisiológicas na biota. No Brasil, o Pantanal mato-grossense é um exemplo de vasta extensão de áreas alagáveis, que totalizam cerca de 140.000 km^2.

Diversas funções ecológicas são atribuídas às áreas alagadas, tais como:

1. **Ciclagem de nutrientes**. As áreas alagadas atuam como fontes ou sumidouros de nutrientes por meio de processos como mineralização e decomposição de formas de carbono, enxofre, nitrogênio e fósforo, cujos ciclos foram estudados no Capítulo 7.
2. **Produção primária**. Conforme visto no Capítulo 7, refere-se à síntese de matéria orgânica por meio da fotossíntese ou quimiossíntese.
3. **Manutenção de biodiversidade**. As *wetlands* constituem refúgio, hábitat e local de reprodução de espécies da flora e da fauna.
4. **Regulação climática**. As áreas alagadas são componentes importantes do ciclo hidrológico e contribuem para o fluxo de água entre os diferentes compartimentos da hidrosfera e atmosfera, o que influencia diretamente o clima.
5. **Controle do fluxo hidrológico**. As áreas alagadas regulam a recarga e descarga de aquíferos, além de contribuir para a retenção de sedimentos, o armazenamento de água e o controle de enchentes nas bacias hidrográficas.

O suporte a atividades agrícolas, a recreação e o tratamento de esgotos são funções alternativas para as áreas alagadas. No caso do tratamento de efluentes domésticos, as áreas alagadas, ao aprisionarem e reprocessarem nutrientes e demais contaminantes, por meio de reações de oxirredução, precipitação, dissolução, complexação e assimilação biológica, podem servir como sistemas redutores de cargas poluidoras e contribuir para a melhoria da qualidade da água. As *wetlands* artificiais (construídas) são, portanto, consideradas uma possibilidade de tratamento de esgotos e de remoção de nutrientes de efluentes. A utilização de *wetlands* construídas para a remediação de sistemas aquáticos contaminados é apresentada no Capítulo 24.

8.5 LAGOS E RESERVATÓRIOS

Diferentemente dos rios e demais sistemas lóticos, lagos e reservatórios possuem caráter lêntico, uma vez que a reduzida velocidade da água diminui o fluxo e favorece a ocorrência de mecanismos que não se processariam em ambientes turbulentos. Lagos e reservatórios são sinônimos? Não. Em geral, existem diferenças significativas, principalmente associadas aos seguintes fatores:

1. **Tempo**. Os lagos geralmente possuem origem natural, ou seja, foram criados há milhares de anos, segundo uma escala geológica de tempo. Lagos vulcânicos e tectônicos, por exemplo, originaram-se a partir do acúmulo de água em deformações geradas na crosta terrestre por movimentações das placas tectônicas ou em crateras de vulcões extintos, respectivamente. Já os reservatórios são sistemas aquáticos artificiais, construídos pelo homem para armazenar água para diversos fins, dentre eles abastecimento de água potável, irrigação, geração de energia, controle de inundações, navegação e lazer. Os reservatórios são ambientes aquáticos mais recentes, segundo uma escala temporal antrópica.
2. **Processos físicos, químicos e biológicos**. Uma diferença significativa entre lagos e reservatórios diz respeito à distribuição de água que entra nos sistemas aquáticos. Os lagos podem ter uma distribuição equitativa da água afluente ao longo de seu perímetro (por meio de diversos rios e riachos que os alimentam). Os reservatórios, por sua vez, normalmente recebem a maior parte do seu volume de água a partir de apenas um ou dois tributários principais. Essas particularidades, vinculadas às diferentes

bacias de contribuição, determinam a ocorrência de processos físicos, químicos e biológicos em magnitudes singulares e com respostas diferenciadas em lagos e reservatórios. No caso dos reservatórios, por exemplo, a influência dos rios tributários normalmente se restringe à porção inicial (cabeceira) do sistema aquático, denominada, por essa razão, de **zona de rio**. Ao longo do eixo longitudinal do sistema aquático, a influência do fluxo de água que entra no reservatório diminui e ele adquire características de transição rio-reservatório (**zona de transição**) e, em seguida, atributos típicos de um lago (**zona de lago**).

COMPARTIMENTOS EM RESERVATÓRIOS: ZONA DE RIO, ZONA DE TRANSIÇÃO E ZONA DE LAGO

De acordo com a configuração do reservatório, podem ser reconhecidas três zonas (ou compartimentos) principais ao longo do seu eixo longitudinal, segundo o esquema de um reservatório hipotético apresentado a seguir (Figura 8.4).

Em cada um desses compartimentos, ocorrem diferentes processos físicos, químicos e biológicos. Para maior aprofundamento, sugere-se a leitura complementar do livro de Thornton et al., referenciada no fim do capítulo.

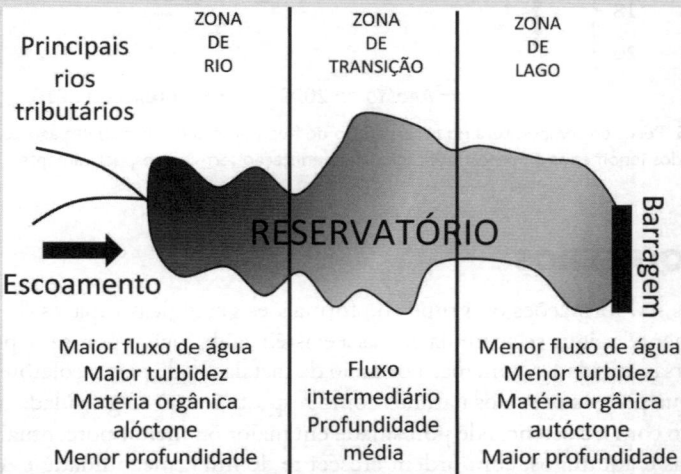

FIGURA 8.4 Compartimentalização no eixo longitudinal de reservatórios artificiais de acordo com o modelo de Thornton et al. (1990): Zona de Rio, Zona de Transição e Zona de Lago.

A estratificação térmica, um processo importante que ocorre nos sistemas aquáticos lênticos, é um gradiente na coluna de água em relação à temperatura. Em regiões de clima tropical e subtropical, a estratificação normalmente ocorre no verão. As elevadas temperaturas e as menores intensidades dos ventos propiciam o aquecimento desigual da água. As camadas superiores da coluna de água possuem temperaturas elevadas e ocorre, a partir de determinada profundidade, um gradiente de temperatura, que é denominada termoclina (ver exemplo gráfico na Figura 8.5). No caso do reservatório de Itupararanga (SP, Brasil), houve homogeneidade térmica em agosto de 2009. Entretanto, em fevereiro de 2010, observa-se que entre as profundidades de 4 m e 8 m, a temperatura se reduziu de 26,9 °C para 24,1 °C, o que caracteriza a estratificação térmica. A estratificação traz implicações significativas para a distribuição de nutrientes, gases e organismos na coluna de água. No outono e no inverno, as diferentes densidades das camadas de água e a ação dos ventos podem propiciar a mistura completa da coluna e evitar a estratificação, de modo a garantir a homogeneidade térmica. Já em regiões de clima temperado, é possível observar a circulação primaveril e outonal. Além disso, pode ocorrer a estratificação térmica no verão e no inverno em tais regiões.

A produção primária via fotossíntese, conforme discutido no Capítulo 7, é um processo vital para a síntese de matéria orgânica nos ecossistemas aquáticos. A fotossíntese depende principalmente de dois fatores básicos, luz e nutrientes. A disponibilidade de luz em lagos e reservatórios é influenciada por diversas variáveis, entre elas a turbidez da água e a taxa de sedimentação, que depende da velocidade com a qual as partículas sedimentam no ambiente aquático. As fontes de carbono e nutrientes (principalmente fósforo e nitrogênio) podem ser autóctones, quando as fontes são internas, ou alóctones, quando o aporte de nutrientes ao corpo de água se dá a partir de fontes externas, por exemplo, a partir de tributários ou de fontes difusas.

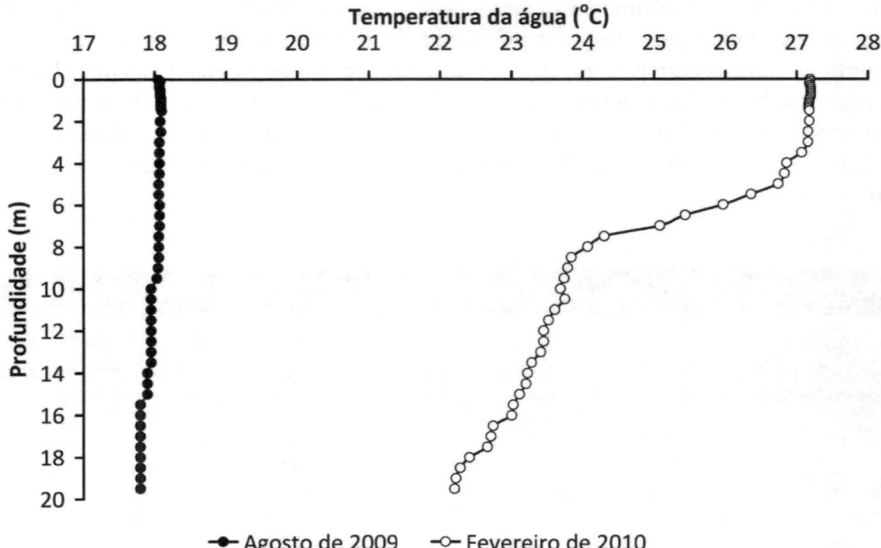

FIGURA 8.5 Perfis de temperatura no reservatório de Itupararanga (SP, Brasil) em agosto de 2009 e fevereiro de 2010 como ilustrações dos fenômenos de desestratificação e estratificação térmica, respectivamente.

8.6 AQUÍFEROS

Aquíferos são formações ou grupos de formações geológicas capazes de armazenar e transmitir água. Normalmente, a água se acumula graças à existência de rochas porosas e permeáveis e pode ser utilizada para diversas atividades humanas por meio da instalação de poços coletores. Água gravitacional ou água livre é a que percola os meios naturais como resposta à ação da gravidade ou de outras pressões externas. De acordo com a existência de porosidade em maior ou menor porcentual, existem ainda os aquicludes, aquitardos e aquífugos, com ordem crescente de impermeabilidade e decrescente de habilidade em transmitir água.

AQUÍFERO GUARANI: A IMPORTÂNCIA ESTRATÉGICA DE UMA DAS MAIORES RESERVAS DE ÁGUA SUBTERRÂNEA DO MUNDO

Dois terços do Aquífero Guarani, considerado um dos maiores mananciais subterrâneos de água doce do mundo, situam-se em território brasileiro, cerca de 840.000 km². O aquífero também se estende por outros países, como Paraguai (58.500 km²), Uruguai (58.500 km²) e Argentina (255.000 km²). No Brasil, o Aquífero Guarani abrange os seguintes estados: Mato Grosso do Sul, Rio Grande do Sul, São Paulo, Paraná, Goiás, Minas Gerais, Santa Catarina e Mato Grosso. A reserva de água do Aquífero Guarani é estimada em 45.000 km³, o que equivale ao volume que poderia ser armazenado por 18 bilhões de piscinas olímpicas com 2 m de profundidade cada uma. Trata-se de um manancial de importância estratégica para os países que se situam sobre o aquífero por armazenar água com qualidade adequada para o abastecimento público e outros usos. O mapeamento de outro aquífero em território brasileiro, denominado Alter do Chão, tem demonstrado que ele pode superar as reservas do Aquífero Guarani. Estimativas sugeriram que o Alter do Chão pode armazenar 86.000 km³ sob os estados do Amazonas, Pará e Amapá.

Desprezando-se as perdas de energia devido ao atrito, a energia total de um fluido (H), admitindo-se viscosidade nula e fluxo subterrâneo permanente, mantém-se constante, de acordo com a equação de Bernoulli (Equação 8.4).

$$H = z + \frac{p}{\gamma a} + \frac{v_p^2}{2g}$$

Equação 8.4

H: energia total (carga total); z: energia potencial gravitacional (carga de posição); $p/\gamma a$: energia de pressão do fluido (carga de pressão); $vp^2/2g$: energia cinética (carga de energia cinética); p: pressão no fluido; γ_a: massa específica do fluido; v_p: velocidade do fluido; g: aceleração da gravidade.

As propriedades mais importantes dos aquíferos, que regem o escoamento subterrâneo, são porosidade, permeabilidade (equacionada pela Lei de Darcy), transmissividade e armazenamento. A porosidade dos materiais na natureza é classificada em **granular ou de interstícios** (sedimentos e solos), **de fraturas**

ou fissuras (rochas duras e compactas) ou **cárstica** (oriunda da dissolução de rochas). De acordo com a pressão a que o nível de água subterrânea está submetido, os aquíferos são denominados **freáticos ou livres** (pressões iguais à pressão atmosférica) e **confinados ou artesianos** (pressões superiores à pressão atmosférica). A dinâmica de poluentes e plumas de contaminação em águas subterrâneas é abordada no Capítulo 12.

8.7 COMUNIDADES BIOLÓGICAS

8.7.1 Peixes

Os peixes são animais vertebrados aquáticos dotados de brânquias que lhes permitem aproveitar o oxigênio dissolvido na água. Algumas espécies mais raras, especialmente um grupo de peixes "dipnoicos", possuem a possibilidade de respiração pulmonar, além da branquial. Eles são chamados de peixes pulmonados. A principal característica é a respiração por meio de uma estrutura que funciona como um "pulmão" primitivo. Essa estrutura é altamente vascularizada e é ligada ao esôfago. No Brasil, especialmente na bacia amazônica, há uma espécie de peixe dipnoico conhecido popularmente como piramboia.

Os peixes possuem, em geral, o corpo fusiforme e os seus membros são representados por barbatanas ou nadadeiras. As nadadeiras são estruturas externas utilizadas para natação e equilíbrio. Um peixe apresenta um par de nadadeiras peitorais, um par de nadadeiras pélvicas, uma nadadeira anal, nadadeiras dorsais e a nadadeira caudal. As nadadeiras podem auxiliar também no reconhecimento dos grupos de peixes, sendo que estes apresentam diferentes tipos de nadadeiras de diferentes formatos e tamanhos. No caso da nadadeira caudal, podem ser observados três tipos: a heterocerca, a dificerca e a homocerca. Por exemplo, o tipo de nadadeira caudal heretocerca é observada nos peixes cartilaginosos (conhecidos como Chondrichthyes). Já os outros dois tipos de nadadeiras são observados nos peixes ósseos (os Osteichthyes).

De acordo com o seu hábitat, os peixes são divididos em fluviais, quando ocorrem em ambientes lóticos como os rios e córregos, ou lacustres, quando vivem em sistemas lênticos. Os peixes fluviais estão adaptados à natação em água corrente e exigem meios relativamente mais oxigenados. Por essa razão, a construção de reservatórios artificiais pode ter efeitos sobre a comunidade de peixes por gerar condições ambientais muito diferentes daquelas encontradas em rios e córregos, especialmente, pela influência nos processos de migração rio acima, pelo comportamento conhecido como a "piracema". A piracema é o período em que os peixes sobem para a cabeceira dos rios para realizar sua reprodução. A construção de represas para diferentes fins (recreação, fornecimento de energia) sem um planejamento adequado, como por exemplo, sem escadas para a subida de peixes, pode alterar significativamente a quantidade e a riqueza de espécies a montante como também a jusante. Por outro lado, em ambientes aquáticos como os córregos, que apresentam menor quantidade de água, os represamentos podem apresentar menor influência para essa comunidade, em virtude da existência de espécies menores, que não são grandes migradores. O reconhecimento simples dessas situações ambientais pode auxiliar o engenheiro ambiental para a tomada de decisões acertadas para minimizar impactos ambientais.

A comunidade de peixes, também denominada ictiofauna, possui importância econômica (para alimentação humana) e ecológica, como elo das cadeias alimentares. As populações de peixes respondem às características ambientais e desenvolvem adaptações para explorar de maneira mais adequada os recursos. Em casos de diminuição das concentrações de oxigênio dissolvido na água (hipoxia ou anoxia), os peixes podem apresentar adaptações morfológicas e/ou fisiológicas. Em situações críticas, por exemplo, o pacu (nome científico: *Colossoma bidens*) pode desenvolver, em curto período de tempo (cerca de três horas), uma extensão da derme constituinte de seu maxilar inferior, o que lhe permite aproveitar de maneira mais eficiente o oxigênio dissolvido na superfície da coluna de água.

8.7.2 Macrófitas Aquáticas

As macrófitas são vegetais vasculares que habitam áreas alagadas e sistemas tipicamente aquáticos, sobretudo a região litorânea (mais rasa) de lagos naturais e de represas construídas pelo homem. Há também espécies que habitam áreas mais profundas que recebem luminosidade adequada para sua sobrevivência. Esse fato pode ser observado especialmente em ambientes lênticos ricos em nutrientes como nitrogênio, fósforo e potássio.

Durante sua evolução, as macrófitas retornaram do ambiente terrestre para o ambiente aquático, o que faz com que muitas espécies apresentem modificações anatômicas e adaptações fisiológicas, além de elevada capacidade de adaptação a diferentes condições ambientais. Existem, em geral, cinco grupos ecológicos de macrófitas aquáticas, de acordo com seu modo de vida:

1. **Emersas.** Possuem raízes fixadas no sedimento de fundo e folhas para fora da água. Exemplos: *Eleocharis* sp. e *Typha* sp. (nome popular: taboa), *Myriophyllum* sp.
2. **Com folhas flutuantes.** Possuem raízes fixadas no sedimento e folhas flutuando na superfície da água. Exemplos: *Nymphaea* sp. *Nymphoides* sp. e *Vitoria* sp.
3. **Submersas enraizadas.** Possuem raízes fixadas no sedimento e crescem submersas na coluna de água. Seu desenvolvimento depende da disponibilidade de luz subaquática. Exemplos: *Egeria* sp. e *Cabomba* sp.
4. **Submersas livres.** Flutuam submersas na água em locais com pequena turbulência. Exemplos: *Utricularia* sp. e *Ceratophyllum* sp. *Salvinia* sp. (nome popular: orelha de rato).
5. **Flutuantes.** Flutuam na superfície da água. Exemplos: *Pistia* sp. (nome popular: Alface d'água) e *Eichhornia* sp. (nome popular: aguapé).

As macrófitas influenciam o metabolismo dos ecossistemas aquáticos. Por se tratarem de uma comunidade biológica com elevada produtividade, servem de alimento, oferecem nichos ecológicos e abrigam grande diversidade de organismos, como por exemplo, diferentes larvas de insetos aquáticos, especialmente as larvas de insetos da família Chironomidae (Diptera) e também de anelídeos da Classe Oligochaeta (Corbi & Trivinho-Strixino, 2002). Além disso, promovem a redução da turbulência da água e amortecem sua velocidade, o que favorece a sedimentação de partículas e sólidos suspensos. Por essa razão, são conhecidas como "filtros naturais". As plantas enraizadas possuem papel de destaque na ciclagem de materiais ao bombearem nutrientes do sedimento e os liberarem para a coluna de água por excreção ou por decomposição após sua morte. As macrófitas também são responsáveis por fornecer matéria orgânica para todo o ecossistema aquático via produção primária, além de constituírem substrato para o desenvolvimento de microrganismos que atuam na absorção de nutrientes e na mineralização da matéria orgânica. Elas abrigam, por exemplo, bactérias e algas perifíticas que fixam o nitrogênio atmosférico e o tornam disponível para assimilação por outras comunidades.

Apesar da grande importância ecológica das macrófitas aquáticas, a proliferação acentuada dessas plantas constitui-se, nos dias atuais, em um problema de repercussão não apenas ambiental, mas que abrange também as áreas econômica e social, como por exemplo as atividades de pesca, o lazer e a navegação (Negrisoli et al., 2003). Em casos especiais, há necessidade de se realizar o controle do crescimento dessas plantas em ambientes aquáticos continentais, para se evitar processos relacionados com eutrofização. Em geral, o controle de crescimento pode ser realizado de forma mecânica, química ou biológica. Desses controles, o mecânico é em geral o mais indicado, por causar menor impacto ambiental e ser considerado de menor custo financeiro. Por outro lado, algumas espécies de macrófitas se beneficiam do controle mecânico, que pode facilitar sua disseminação espalhando as suas sementes no ambiente. Os métodos de controle químico, especialmente pela aplicação de herbicidas, apesar de alcançar bons resultados, devem ser evitados em virtude de não serem seletivos e causarem contaminações e bioacumulação em espécies da biota aquática, podendo também atingir o meio terrestre. O controle biológico, geralmente realizado pela introdução de espécies de peixes que se alimentam das plantas, também tem sido questionado, uma vez que algumas espécies de peixes não nativas introduzidas podem se tornar mais problemáticas aos ambientes aquáticos do que a própria macrófita aquática. O reconhecimento desses processos também pode ser importante para a tomada de decisão pelos profissionais envolvidos na área de Engenharia Ambiental.

8.7.3 Bentos

A comunidade bentônica é formada por animais (zoobentos) e vegetais (fitobentos) que habitam os sedimentos aquáticos de fundo de rios, córregos e lagos. A ocorrência dos fitobentos se restringe a áreas que recebem luz (por exemplo, em sedimentos de lagos rasos com águas com elevada transparência). A distribuição dos zoobentos, por sua vez, está vinculada a fatores como tipo de sedimento (orgânico, inorgânico, arenoso), temperatura da água, concentração de oxigênio dissolvido e outros gases, qualidade e quantidade do alimento disponível. Em geral, o principal alimento para os zoobentos são os detritos orgânicos, sejam de fontes alóctones ou autóctones. Vale ressaltar que algumas espécies de plantas apresentam menor contribuição para a dieta de invertebrados aquáticos. Como exemplo, pode-se citar um estudo realizado por Clapcoot & Bunn (2003), que observaram maior quantidade de insetos fragmentadores em córregos localizados em áreas com plantas do tipo C3 (vegetações de matas ciliares, por exemplo) quando comparado com córregos situados em áreas com plantas do tipo C4 (e.g. cana-de-açúcar e gramíneas). As plantas C3 são assim denominadas por conta do ácido 3-fosfoglicérico, produto da fotossíntese. Tais vegetais compreendem a maioria das espécies terrestres, ocorrendo principalmente em regiões tropicais úmidas. As taxas de fotossíntese das plantas C3 são elevadas, mesmo sob intensidades de radiação solar relativamente baixas. O grupo C3 é bastante produtivo e contribui significativamente para o equilíbrio da biodiversidade terrestre. Por outro lado, as plantas C4 são conhecidas como "plantas de sol" e possuem alta afinidade com o CO_2. Elas recebem este nome pela presença do ácido oxalacético, que possui quatro moléculas de carbono e é produzido pelo processo de fixação de carbono. Devido à significativa afinidade com o CO_2, as plantas C4 exibem vantagem em relação às plantas C3. Os autores Clapcoot & Bunn (2003) sugerem que plantas do tipo C4 apresentam um baixo valor nutricional para os invertebrados aquáticos. Essa observação torna-se de ampla importância para o planejamento adequado em atividades de restauração de áreas do entorno de rios e córregos. Por outro lado, há espécies de zoobentos que são predadoras, como por exemplo, algumas larvas de insetos das ordens Odonata (libélulas), Megaloptera e alguns Diptera. Estas espécies, em teoria, dependem menos das fontes alóctones, mas também acabam sendo afetadas indiretamente pela perda de diversidade em áreas impactadas.

Os zoobentos podem ser animais invertebrados ou vertebrados e são classificados, de acordo com suas dimensões, em microbentos, mesobentos e macrobentos. Entre os invertebrados bentônicos, destacam-se: protozoários, esponjas, rotíferos, platelmintos, nematoides, briozoários, anelídeos (minhocas aquáticas), crustáceos, moluscos (Gastropoda e Bivalvia) e insetos. Nessa diversificada comunidade de invertebrados, os insetos podem ser considerados os organismos dominantes, correspondendo a cerca de 95% de toda essa fauna bentônica. Entre os insetos aquáticos dominantes em águas continentais brasileiras, destacam-se as espécies pertencentes a ordem Diptera (especialmente organismos da família Chironomidae), assim como outras ordens como Odonata, Ephemeroptera, Trichoptera, Coleoptera, Plecoptera e Megaloptera (Corbi & Trivinho-Strixino, 2008; Corbi & Trivinho-Strixino, 2017). Em geral, os invertebrados aquáticos podem ser classificados de acordo com seu tamanho, sendo aqueles retidos em redes com malhas de 200 a 500 micrômetros classificados em micro (<1 mm) ou macroinvertebrados (>1 mm) e de acordo com seu habitat/local de ocupação na coluna de água (bentônicos, nectônicos ou pleustônicos) (Mugnai et al., 2010). A amostragem de invertebrados aquáticos em análises ambientais tem sido normalmente realizada utilizando-se redes em "D" para coletas em córregos e riachos de baixa ordem, com profundidades inferiores a 1,5 m e Surber para amostragem em locais com profundidade ainda menor (inferiores a 0, 5m). Geralmente sugere-se que essas redes de coleta apresentem abertura de malha de 0,21 e 0,25 mm. Para ambientes mais profundos, como lagos e reservatórios, as coletas são realizadas com auxílio de pequenas dragas. As dragas mais comumente utilizadas são as de Eckman e Van Veen. Em geral, as redes em "D", Surbers e dragas são ótimos amostradores e há algumas discussões sobre esse tema na literatura realizando análises comparativas apontando a rede em "D" como um melhor método de amostragem da comunidade de invertebrados aquáticos em córregos.

Os invertebrados bentônicos têm sido utilizados como bioindicadores da qualidade da água e do habitat, uma vez que podem refletir impactos negativos advindos das atividades antrópicas. Nos Estados Unidos, por exemplo, a Agência de Proteção Ambiental dos Estados Unidos (*Environmental Protection Agency* – EPA) recomenda o emprego de critérios biológicos que utilizam a condição de um organismo ou conjunto de organismos para analisar a integridade ecológica de uma área severamente impactada, relativamente pouco impactada, ou de referência, para agregar as informações sobre qualidade de água. Outros países como a Inglaterra propuseram a utilização de um índice de qualidade da água, o BMWP (*Biomonitoring Working Party System*). O BMWP é um procedimento para medir a qualidade da água utilizando famílias de macroinvertebrados como indicadores biológicos. De uma forma geral, o método leva em consideração que diferentes invertebrados aquáticos possuem tolerâncias diferentes aos poluentes. Este é um índice de fácil aplicação e bastante utilizado para avaliação da qualidade ambiental de rios e córregos.

No Brasil, os estudos sobre impactos antrópicos na estrutura da comunidade macrobentônica de ambientes lóticos têm sido realizados considerando-se diferentes situações, tais como: desmatamentos, assoreamento e impactos da agricultura (Corbi et al. 2008; Corbi et al. 2013; Corbi & Trivinho-Strixino, 2017), mineração (Callisto & Esteves, 1998), enriquecimento orgânico e metais pesados (Corbi et al. 2008; 2017) e represamento (Saulino et al., 2014). Muitas alternativas de utilização dessa comunidade em atividades de monitoramento ambiental têm sido propostas (Callisto et al., 2004; Corbi e Trivinho-Strixino, 2008) e, no estado de São Paulo, a Companhia Ambiental do Estado de São Paulo (CETESB), a agência responsável pelo controle, fiscalização, monitoramento e licenciamento de atividades geradoras de poluição, tem utilizado essa comunidade aquática em atividades rotineiras para avaliações ambientais de águas superficiais.

Um exemplo gráfico da utilização desses organismos como bioindicadores foi apresentado no Capítulo 7. Muitos macroinvertebrados bentônicos possuem atributos desejáveis a um bom bioindicador, entre eles:

1. **Significativa diversidade taxonômica.** Em função da elevada diversidade de grupos taxonômicos, podem ser encontrados macroinvertebrados bentônicos sensíveis ou tolerantes aos impactos humanos. Entre os organismos sensíveis à poluição, destacam-se organismos das ordens Ephemeroptera, Plecoptera e Trichoptera (EPT), e entre os organismos tolerantes, destacam-se os Diptera (Chironomidae, e.g. *Chironomus* spp.) e Oligochaeta (por exemplo, os gêneros *Branchiura*, *Tubifex* e *Limnodrilus*). Portanto, tais organismos oferecem um significativo espectro de respostas às alterações ambientais.
2. **Abundância.** Os organismos são relativamente comuns e de ocorrência generalizada na maioria dos sistemas aquáticos.
3. **Sedentarismo.** Os macroinvertebrados bentônicos não se deslocam por grandes distâncias, o que impede a migração quando as características do meio aquático não lhes são favoráveis.
4. **Ciclo de vida.** Possuem ciclo de vida extenso, o que torna possível a sua utilização contínua como bioindicador ao longo do tempo.
5. **Facilidade de coleta.** Os macroinvertebrados são facilmente coletados e os principais métodos para avaliação da qualidade da água são o levantamento de alterações na riqueza de espécies encontradas e a análise do nível de perda de espécies sensíveis.
6. **Aptidão para uso em laboratório.** Algumas espécies são de fácil cultivo em laboratório. Dessa forma, muitas espécies dessa fauna aquática têm sido utilizadas em ensaios ecotoxicológicos laboratoriais utilizando o sedimento e a água de rios e córregos contaminados. Entre essas espécies, destacam-se as larvas de *Chironomus sancticaroli* (Diptera, Chironomidae), *Allonais inaequalis* e *Branchiura sowerbyi* (Oligochaeta, Naididae).

A importância da comunidade bentônica para os ecossistemas aquáticos também está associada ao fluxo de energia e nutrientes. Além de participarem ativamente da decomposição da matéria orgânica e de integrarem a cadeia alimentar (servem de alimento para os peixes, anfíbios e répteis), diversas espécies bentônicas favorecem as trocas de materiais entre o sedimento e a coluna de água por ação mecânica. Muitas espécies também fragmentam folhas de macrófitas aquáticas (como por exemplo, os moluscos gastrópodes) disponibilizando grande quantidade de nutrientes para as espécies que dependem de partículas menores para a aquisição do alimento, como algumas pequenas larvas de Diptera. Muitos organismos promovem o revolvimento do sedimento e propiciam a disponibilização de nutrientes para a coluna de água. Além disso, algumas espécies filtram grandes quantidades de água diariamente, atuando como verdadeiros "filtros" que "limpam" as águas, como por exemplo, as espécies de moluscos bivalves.

8.7.4 Fitoplâncton

A comunidade fitoplanctônica é composta de organismos aquáticos microscópicos que realizam a fotossíntese e vivem dispersos na coluna de água. Conforme visto no Capítulo 7, o fitoplâncton é responsável por parcela significativa da produção de matéria orgânica e oxigênio nos ecossistemas aquáticos. O desenvolvimento da comunidade é regulado, principalmente, pela disponibilidade de luz e nutrientes.

Os principais grupos fitoplanctônicos, suas características básicas e peculiaridades são destacados a seguir.

1. **Bacillariophyceae.** Também chamadas de diatomáceas, são algas que possuem parede celular constituída principalmente por compostos de sílica. Exemplos: *Navicula* sp., *Pinnularia* sp., *Stauroneis* sp., *Sellaphora* sp., *Nitzschia* sp. e *Luticola* sp.
2. **Chlorophyceae.** São algas com coloração esverdeada e que possuem amido como substância de reserva. Exemplos: *Monoraphidium* sp., *Chlorella* sp., *Pediastrum* sp., *Ankistrodesmus* sp., *Crucigenia* sp.
3. **Chrysophyceae.** Reservam crisolaminarina e possuem coloração dourada. Exemplos: *Dinobryon* sp., *Rhipidodendron* sp., *Pseudokephyrion* sp., *Mallomonas* sp., *Actinomonas* sp. e *Synura* sp.

4. **Cryptophyceae**. São algas relativamente pouco estudadas. São normalmente assimétricas e com dois flagelos desiguais. Exemplos: *Chilomonas* sp., *Cryptomonas* sp., *Protocryptomonas* sp., *Pseudocryptomonas* sp., *Rhodomonas* sp. e *Cyathomonas* sp.

5. **Cyanobacteria**. São organismos procariontes (não possuem núcleo envolvido por carioteca) com coloração azul-esverdeada e possuem características de algas e bactérias. Em determinadas condições, algumas espécies podem produzir toxinas e representar uma ameaça à saúde pública. Possuem elevada capacidade adaptativa (por exemplo, vacúolos gasosos que possibilitam flutuação) e estão distribuídas em grande diversidade de ambientes e condições ambientais. Exemplos: *Microcystis* sp., *Lyngbya* sp., *Oscillatoria* sp., *Aphanocapsa* sp. e *Cylindrospermopsis* sp.

6. **Dynophyceae**. São algas que reservam amido e podem ter a parede celular composta de celulose. Exemplos: *Ceratium* sp., *Peridinium* sp., *Tetradinium* sp., *Phytodinium* sp., *Peridiniopsis* sp. e *Cystodinium* sp.

7. **Euglenophyceae**. São algas frequentemente incolores e heterotróficas, que reservam paramido. Entretanto, também existem representantes pigmentados e autotróficos. Exemplos: *Euglena* sp., *Lepocinclis* sp., *Phacus* sp., *Trachelomonas* sp., *Strombomonas* sp., *Colacium* sp.

CIANOBACTÉRIAS: O RISCO DAS CIANOTOXINAS

As cianotoxinas estão associadas a classes químicas distintas: peptídeos cíclicos, alcaloides ou lipopolissacarídeos. Essas substâncias são sintetizadas no interior das células das cianobactérias e podem ser liberadas para a água em caso de ruptura da parede celular. A exposição aguda ou crônica de seres humanos e animais a essas toxinas pode ocorrer por meio do contato ou ingestão com a água contaminada. De acordo com a região do corpo humano que é mais afetada, as cianotoxinas são classificadas em hepatotoxinas (tóxicas ao fígado), neurotoxinas (tóxicas ao cérebro) e dermatotoxinas (tóxicas à pele). A microcistina, por exemplo, toxina que pode ser produzida por cianobactérias de gêneros como *Microcystis*, pode provocar sintomas de diarreia, vômito,

fraqueza, palidez e, em casos extremos, morte por choque hemorrágico. A saxitoxina, que pode ser produzida pelo gênero *Cylindrospermopsis*, pode gerar paralisia dos músculos, inibição dos movimentos, convulsões, parada respiratória e morte. No Brasil, mais especificamente em Caruaru (PE), 123 pacientes com insuficiência renal submetidos à hemodiálise passaram a apresentar sintomas de contaminação por hepatotoxinas em 1996. Ao todo, 54 pacientes faleceram. Foi detectada microcistina na água que abastecia a clínica de hemodiálise.

Para maiores detalhes, sugerem-se duas leituras complementares no fim do capítulo: Sant'Anna et al. (2006) e Calijuri et al. (2006).

O fitoplâncton sustenta as cadeias alimentares aquáticas e contribui para o sequestro de gás carbônico da atmosfera. Os organismos fitoplanctônicos também podem ser empregados como bioindicadores, uma vez que estão presentes na maioria dos ecossistemas de água doce e respondem, em maior ou em menor grau, à poluição.

8.7.5 Zooplâncton

O zooplâncton é uma comunidade formada por grupos de organismos de diferentes categorias sistemáticas que habitam a coluna de água. Tais organismos representam um importante elo das cadeias alimentares. Alimentam-se, frequentemente, de fitoplâncton e bactérias e servem de alimento para organismos maiores, como as larvas de insetos e de peixes.

Os principais representantes da comunidade zooplanctônica nas águas continentais são apresentados e sucintamente descritos a seguir.

1. **Protozoários.** Normalmente medem entre 0,01 mm e 0,05 mm. São grupos muito diversificados, sendo considerados originários de diferentes ancestrais (grupo polifilético). São muito bem adaptados, podendo, em alguns casos, sobreviver em uma fase latente por um longo tempo. Apresentam hábito alimentar diversificado (podem ser bacteriófagos, detritívoros, herbívoros ou carnívoros). Destacam-se, nesse grupo, flagelados, sarcodinas, ciliados e ainda as espécies que não se locomovem, geralmente vivendo como parasitas (Sporozoa), podendo transmitir doenças ao homem. Os protozoários planctônicos ciliados possuem função ambiental importante pelo fato de se alimentarem de partículas pequenas, não assimiladas por outros grupos zooplanctônicos. Dessa forma, os ciliados, ao serem ingeridos por organismos maiores, representantes do macrozooplâncton, contribuem para a transferência de matéria orgânica e fluxo de energia ao longo da cadeia alimentar. Exemplos: *Arcella* sp., *Difflugia* sp., *Vorticella* sp., *Stentor* sp., *Paramecium* sp. *Giardia* sp. e as Amebas. Entre esses organismos, muitos podem ser encontrados inclusive nas águas de torneira que chegam após o tratamento por ciclo completo nas ETAs.

2. **Rotíferos.** Podem ser herbívoros, carnívoros ou onívoros e normalmente são pequenos (<0,5 mm). Entre os rotíferos, é comum se observar uma significativa variação de formas e dimensões dos organismos de uma mesma espécie, causada por um fenômeno denominado ciclomorfose. Fatores ambientais, como temperatura e predação, induzem tal variação. Embora os rotíferos possuam uma porcentagem elevada de água constituinte de seu corpo (aproximadamente 90%), a sua biomassa possui elevado valor nutritivo e é importante para a alimentação dos peixes em seu estágio larval e de invertebrados aquáticos Exemplos: *Keratella* sp. e *Brachionus* sp.

3. **Cladóceros.** São organismos que medem entre 0,2 mm e 3,0 mm e apresentam ciclomorfose, assim como os rotíferos. Alimentam-se de fitoplâncton e outros detritos por meio de filtração. Os fatores intervenientes no procedimento utilizado por organismos filtradores como os cladóceros são o tamanho do indivíduo, as dimensões da partícula a ser ingerida, a qualidade do alimento e a temperatura da água. Exemplos: *Daphnia* sp. e *Ceriodaphnia* sp.

4. **Copépodos.** Organismos normalmente menores que 1 mm, com capacidade de filtração (alimentando-se de fitoplâncton) ou de predação (ingerindo microcrustáceos, por exemplo). Também são importantes para o fluxo de energia no ecossistema aquático ao se alimentarem, durante seus diversos estágios de desenvolvimento (larvais ou adultos), de produtores primários e possibilitarem, assim, a transferência energética para níveis tróficos superiores. Exemplos: *Argyrodiaptomus* sp. e *Thermocyclops* sp.

5. **Larvas de Dípteros (insetos).** Os insetos planctônicos são relativamente raros em comparação a outros grupos. Seus representantes no zooplâncton são certos grupos de Diptera em sua fase larval, como a larva do inseto *Chaoborus* sp, também conhecidos como "*phantom midge*" em virtude da sua transparência. Essas larvas são capazes de se movimentar verticalmente na coluna de água, desenvolvendo migração vertical diária, buscando evitar a predação por peixes. Alguns estudos têm demostrado que a amplitude da migração vertical dessas larvas cresce de acordo com o estágio larval.

Alguns integrantes da comunidade zooplanctônica podem migrar verticalmente na coluna de água, conforme for conveniente, por meio de sistemas motores simples, tais como cílios e flagelos. Outro mecanismo utilizado para movimentação é a alteração da sua densidade em relação à da água. Os organismos zooplanctônicos exploram a possibilidade de migrar na coluna de água para fugirem de predadores (por exemplo, afundam para águas profundas e mais escuras), para se alimentarem (durante o dia, sobem à superfície onde existe maior disponibilidade de alimento, como o fitoplâncton) e buscarem correntes na coluna de água por meio das quais possam se deslocar em busca de condições ambientais mais favoráveis.

O zooplâncton, assim como os peixes, o fitoplâncton e os bentos, pode ser empregado em análises ecotoxicológicas. A ecotoxicologia aquática estuda os efeitos tóxicos causados por agentes físicos ou químicos sobre os constituintes vivos dos ecossistemas. Os testes ecotoxicológicos, ou bioensaios, utilizam organismos-teste (por exemplo, uma espécie zooplanctônica) que são submetidos ao contato com um agente físico ou químico por determinado período de tempo. Dependendo da duração desse período de exposição, os bioensaios podem ser agudos (menores intervalos de tempo) ou crônicos (maiores intervalos). É possível avaliar, por exemplo, se uma substância pode gerar danos e efeitos adversos às células ou se um agrotóxico, com determinada concentração, é capaz de provocar a morte dos indivíduos testados.

8.7.6 Perifíton

O perifíton é representado por um complexo conjunto de organismos e seus detritos (biofilme) que se encontram aderidos a superfícies naturais ou artificiais, tais como rochas, macrófitas aquáticas e cascos de barcos e navios. A comunidade perifítica contribui para a síntese de matéria orgânica por meio da produção primária e constitui, assim como o fitoplâncton e as macrófitas aquáticas, um recurso energético importante para os níveis tróficos superiores da cadeia alimentar. Durante o processo de colonização do perifíton sobre um determinado substrato, normalmente são reconhecidas três fases: inicial (ocorre rápido crescimento da biomassa sobre o substrato), estacionária (o biofilme para de crescer e atinge um nível constante) e secundária (verifica-se declínio e diminuição da biomassa). O desenvolvimento do perifíton depende de diversos fatores bióticos e abióticos, como a presença de predadores (por exemplo, animais, protozoários, metazoários), disponibilidade de luz e nutrientes e tipo de substrato.

O perifíton também é um bioindicador eficiente e possui a propriedade de acumular agrotóxicos, metais e outros compostos persistentes. Tal comunidade pode indicar, portanto, a magnitude dos impactos humanos e a influência dos padrões de uso e ocupação do solo sobre os sistemas aquáticos.

REVISÃO DOS CONCEITOS APRESENTADOS

- A água doce possui propriedades físicas e químicas diferenciadas em relação a outros compostos químicos. Tais propriedades, entre elas o elevado calor específico, a presença de ligações de hidrogênio e a sua polaridade tornam a água fundamental para a existência de vida no planeta Terra e para a regulação dos processos ecológicos.
- O ciclo hidrológico é composto de mecanismos de transferência de água entre os componentes da hidrosfera e da atmosfera. A contínua movimentação da água nesses componentes é um agente moldador permanente da crosta terrestre.
- Rios e córregos são sistemas lóticos, isto é, ambientes aquáticos caracterizados por água corrente. Diversas teorias ecológicas foram postuladas para caracterizar a variação das características físicas e químicas da água no eixo longitudinal e a dinâmica das comunidades biológicas nesses sistemas, dentre elas a Teoria do Contínuo Fluvial, da Descontinuidade Serial, dos Pulsos de Inundação e da Descontinuidade de Ligação. A autodepuração é um processo vital de resposta natural dos ambientes aquáticos a perturbações ao seu equilíbrio (por exemplo, após o lançamento de esgotos domésticos) na tentativa de recuperar a condição original e restabelecer a estabilidade do sistema.
- Áreas alagadas são influenciadas pela existência periódica de água e consequente saturação do solo. Possuem diversas funções ambientais, como ciclagem de nutrientes, elevada produção primária e secundária de matéria orgânica, abrigo de biodiversidade e participação no fluxo hidrológico.
- Lagos e reservatórios são ecossistemas aquáticos lênticos (baixa velocidade da água) e, sobretudo por essa razão, apresentam processos diferentes em relação a rios e córregos, por exemplo, a ocorrência de estratificação térmica.
- Os aquíferos ocorrem em formações geológicas capazes de armazenar e transmitir água. As águas subterrâneas possuem importância estratégica por acumularem água com qualidade adequada para usos nobres, como o abastecimento público.
- Diferentes comunidades biológicas estão distribuídas nos sistemas de água doce, tais como, peixes, macrófitas aquáticas, bentos, fitoplâncton, bacterioplâncton, zooplâncton e perifíton. Essas comunidades possuem papel importante na ciclagem de nutrientes, na produção primária, na decomposição, na transferência de energia nas cadeias alimentares e na alimentação humana.
- O conhecimento dos sistemas aquáticos continentais, incluindo os processos físicos, químicos e biológicos dominantes, a diversidade de organismos e seu papel nos ecossistemas, é fundamental para que se garanta o uso racional da água, que é um bem mineral escasso, limitado e imprescindível para a vida. O manejo dos recursos hídricos, em seus aspectos qualitativos e quantitativos, é um passo importante para a sustentabilidade ambiental.

SUGESTÕES DE LEITURA COMPLEMENTAR

- CALIJURI, M.C.; CUNHA, D.G.F.; POVINELLI, J. (2010) *Sustentabilidade: um desafio na gestão dos recursos hídricos.* São Carlos: EESC/USP, 80p.
- CALIJURI, M.C., ALVES, M.S.A., SANTOS, A.C.A. (2006) *Cianobactérias e cianotoxinas em águas continentais.* São Carlos: RiMa, 118p.
- CORBI, J.J., FROEHLICH, C.G., TRIVINHO-STRIXINO, S., DOS SANTOS, A. (2010) Bioaccumulation of metals in aquatic insects of streams located in areas with sugar cane cultivation. Química Nova, 33(3), 644-648.
- CORBI, J.J., FROEHLICH, C.G., TRIVINHO-STRIXINO, S., DOS SANTOS, A. (2011) Evaluating the use of predatory insects as bioindicators of metals contamination due to sugarcane cultivation in Neotropical streams. Environmental Monitoring and Assessment, (175), 545-554.
- CORBI, J.J., KLEINE, P., TRIVINHO-STRIXINO, S. (2013) Are aquatic insect species sensitive to banana plant cultivation? Ecological Indicators, 25: 156-161.
- DODDS, W.K., WHILES, M. (2010) *Freshwater ecology: concepts & environmental applications of limnology.* Estados Unidos: Academic Press, 829p.
- ESTEVES, F.A. (1998) *Fundamentos de limnologia.* Interciência, 601p.
- MERRIT R.W., CUMMINS K.W. (1996) An introduction to aquatic insects of North America. Kendall-hunt, Dubuque, Iowa, USA.
- MITSCH, W.J., GOSSELINK, J.G. (2000) *Wetlands.* Estados Unidos: Van Nostrand Reinhold, 920p.
- SANT'ANNA, C.L., AZEVEDO, M.T.P., AGUJARO, L.F. et al. (2006) *Manual ilustrado para identificação e contagem de cianobactérias planctônicas de águas continentais brasileiras.* Interciência, 58p.
- THORNTON, K.W., KIMMEL, B.L., PAYNE, F.E. (1990) *Reservoir limnology: ecological perspectives.* Estados Unidos: Wiley-Interscience Publication, 246p.
- VANNOTE, R.L., MINSHALL, G.W., CUMMINS, K.W., SEDELL, J.R., CUSHING, C.E. (1980) The River Continuum Concept. *Canadian Journal of Fisheries and Aquatic Sciences*, v. 37, n. 1, p. 130-137.
- WETZEL, R.G. (1983) *Limnology.* Estados Unidos: Saunders College Publishing, 767p.

Referências

CALLISTO, M., GONÇALVES, Jr., J.F., MORENO, P. (2004) Invertebrados aquáticos como bioindicadores. In: *Navegando o Rio das Velhas das Minas aos Gerais*. Belo Horizonte: UFMG. v. 1, p. 1-12.

CLAPCOTT J.E., BUNN S.E. (2003) Can C4 plants contribute to aquatic food webs of subtropical streams? *Freshwater Biology*, 48, p. 1105-1116.

CORBI, J.J., TRIVINHO-STRIXINO, S. (2008) Relationship between sugar cane cultivation and stream macroinvertebrate communities: a study developed in the Southeast of Brazil. *Brazilian Archives of Biology and Technology*, 52(4), p. 769-779.

CORBI, J.J., TRIVINHO-STRIXINO, S. (2017) Chironomid species are sensitive to sugarcane cultivation. *Hydrobiologia*, vol. 785, p. 91-99.

JUNK, W.J., BAYLEY, P.B., SPARKS, R.E. (1989) The flood pulse concept in river-floodplain systems. *Canadian Special Publication of Fisheries and Aquatic Sciences*, v. 106, p. 160-168.

MARGALEF, R. (1983). Limnologia. Espanha: Omega, 1010p.

MUGNAI, R., NESSIMIAN, J.L., BAPTISTA, D.F. (2010) *Manual de identificação de macroinvertebrados aquáticos do estado do Rio de Janeiro*. Technical Books Editora, 174p.

NEGRISOLI, E., TOFOLI, G.R., VELINI, E.D., MARTINS, D., CAVENAGHI, A.L. (2003) Uso de diferentes herbicidas no controle de *Myriophyllum aquaticum*. *Planta Daninha*, v. 21, p. 89-92.

RICE, S.P., GREENWOOD, M.T., JOYCE, C.B. (2001) Tributaries, sediment sources and the longitudinal organization of macroinvertebrate fauna along river systems. *Canadian Journal of Fisheries and Aquatic Sciences*, v. 58, n. 4, p. 824-840.

SAULINO, H., CORBI, J.J., TRIVINHO-STRIXINO, S. (2014) Aquatic insect community structure under the influence of small dams in a stream of the Mogi-Guaçu river basin, state of São Paulo. *Brazilian Journal of Biology*, v. 74, p. 79-88.

WARD, J.V., STANFORD, J.A. (1983) The Serial Discontinuity Concept in lotic ecosystems. In: FONTANE, T.D., BARTHELL, S.M. (editores). *Dynamics of lotic ecosystems*. Estados Unidos: Ann Arbor Science, 494p.

OCEANOS E ÁREAS COSTEIRAS

9

Sônia Maria Flores Gianesella / Flávia Marisa Prado Saldanha-Corrêa

Os oceanos recobrem 71% da superfície da Terra e contêm aproximadamente 98% de toda a água da hidrosfera. Por esses números, já se pode inferir a sua importância para o sistema terrestre. Contudo, apesar de sua vastidão, muito pouco se conhece sobre os oceanos em comparação aos continentes. A compreensão do "sistema oceano" e de como ele atua no sistema planetário demanda o conhecimento de algumas características fundamentais, a saber: como são os oceanos em termos de estrutura e dinâmica? Quem são os habitantes dos oceanos? Como estão estruturados seus ecossistemas e quais seus papéis no sistema global? Quais são as principais interações oceano-atmosfera e oceano-continentes e qual a importância desses processos? Quais os recursos vivos e não vivos, serviços ambientais e ecossistêmicos que os oceanos oferecem ao homem? O entendimento desses aspectos, ainda que parcial, é essencial para o planejamento e gerenciamento das ações em áreas costeiras ou oceânicas. A despeito de suas particularidades locais, os oceanos constituem um vasto sistema interligado que funciona como um sistema único em macroescala espaço-temporal. Assim, interferências ou perturbações locais podem se reverter em impactos globalizados em maior ou menor escala temporal.

9.1 INTRODUÇÃO

Apesar de interligados, os oceanos são divididos em cinco grandes compartimentos – os oceanos Pacífico, Atlântico, Índico, Ártico e Antártico. Algumas porções mais costeiras ou isoladas do corpo principal dos oceanos são chamadas de mares, golfos ou estreitos, tais como: o mar do Norte e Mediterrâneo, golfo do México e Pérsico, estreitos de Bering e de Drake, por exemplo.

A relação do homem com os oceanos data dos primórdios das civilizações. As áreas costeiras e principalmente os estuários têm sido ambientes mais favoráveis à ocupação humana, pois reúnem a disponibilidade de água doce, a riqueza e a produtividade dos ambientes costeiros com a facilidade de transporte e comunicação. As áreas costeiras abrigam atualmente a maioria das 28 megacidades com mais de 10 milhões de habitantes (UN, 2014). Como consequência direta desta ocupação histórica, os oceanos foram, até poucas décadas, tratados como uma zona natural de descarte de dejetos. Por sua vastidão, acreditava-se que esses sistemas aquáticos tivessem um infinito poder de autodepuração. Hoje, os efeitos da poluição e de outras ações do homem nos mares são cada vez mais evidentes e conhecidos, conforme será visto no Capítulo 13.

Vistos do espaço, os oceanos representam uma feição predominante no ambiente terrestre: abrangem uma área equivalente a 361.841 milhões de km² com profundidade média de 3.682 m (Charrete & Smith, 2010), de um intenso azul, dado pelas características ópticas da água que refletem a luz do Sol na faixa do azul. Entretanto, a luz do Sol penetra, em média, apenas até uma profundidade de 150 m na coluna de água. Esta porção iluminada é chamada **zona eufótica** e seu volume representa tão somente cerca de 2,7% do volume do oceano que, portanto, é um ambiente predominantemente escuro. Entretanto, é na zona eufótica que os principais processos de produção de matéria orgânica nas redes tróficas marinhas se processam, sobretudo pela atividade dos organismos fotossintetizantes. Cerca de 50% de todo o carbono orgânico fixado na Terra diariamente resulta da fotossíntese realizada pelo fitoplâncton marinho, como será visto mais adiante. Assim, os processos biológicos e químicos que ocorrem no ambiente marinho afetam a composição de gases na atmosfera, os ciclos biogeoquímicos e, em última instância, o clima da Terra.

Em função do elevado calor específico da água (Capítulo 8), os oceanos atuam como reservatórios de calor, uma vez que se aquecem e se resfriam de forma mais lenta que a atmosfera. Essa característica é fundamental para que as temperaturas no planeta sejam amenas, com variações pequenas entre o dia e a noite em comparação às verificadas em Marte, por exemplo. Isso permite a existência da vida na Terra, tal como ela é. A interação oceano-atmosfera atua como um sistema de distribuição de calor pelo planeta, fazendo com que as variações latitudinais de temperatura também não sejam muito extremas.

Além desses importantes serviços ambientais, os oceanos também são ricos em recursos biológicos, minerais e energéticos que estão sendo cada vez mais explorados pelo homem.

Por conta das baixas temperaturas, da escuridão, da pressão, das correntes marinhas e outras condições extremas, o conhecimento das profundezas marinhas envolve diversos desafios tecnológicos, logísticos e econômicos (e, muitas vezes, políticos também). Como todo o sistema está inter-relacionado e seus componentes (sejam eles físicos, químicos ou biológicos) são interdependentes, os oceanos ainda guardam muitos segredos, o que aumenta sua vulnerabilidade diante dos diversos impactos que vêm sofrendo pelas atividades humanas. Entretanto, a busca pela compreensão dos processos que ocorrem nos oceanos é fundamental para atingir o uso e manejo sustentável desses ambientes tão fundamentais para o equilíbrio global da Terra e sobrevivência do ser humano.

9.2 OCEANO: ESTRUTURA E PROCESSOS

9.2.1 Origem e Composição da Água do Mar

Acredita-se que a maior parte da água presente na Terra tenha se originado no processo de resfriamento da nuvem de gás que deu origem ao planeta, iniciado, aproximadamente, há 4,5 bilhões de anos, conforme visto no Capítulo 2. Contudo, sabe-se que cometas e meteoritos que se chocaram com a superfície do planeta, especialmente nos primórdios de sua formação, também foram fontes de água para a Terra. Além disso, após o surgimento da vida, os próprios organismos primitivos também contribuíram para a formação de água: a reação metabólica dos organismos quimiossintetizantes para produção de matéria orgânica utiliza gás sulfídrico e gás carbônico e libera água e enxofre como produtos finais. No entanto, a contribuição de cada uma dessas fontes para a formação da hidrosfera não está elucidada.

Durante o período de formação da Terra, a água que se acumulava na superfície do planeta ajudou no processo de resfriamento da crosta e fluía para as depressões do terreno, dando origem aos oceanos primitivos. Nesse processo de escoamento, a água carreava consigo minerais das rochas (principalmente os cátions, como Na^+, Ca^{2+}, Mg^{2+} e K^+) e materiais provenientes do manto, liberados sob forma de gases pela atividade vulcânica (principalmente ânions dos elementos Cl, Br, N e S), conforme também apresentado no Capítulo 2. A dissolução desses materiais na água tornou-a "salgada", e essa é a origem da salinidade da água do mar.

Até hoje, os rios, os ventos e a chuva transportam materiais para os oceanos, bem como fontes hidrotermais, que ocorrem em regiões particulares dos oceanos, contribuem para a introdução de novos materiais. Entretanto, a quantidade desses aportes é balanceada por processos de reciclagem do sal de forma que a salinidade média dos oceanos tem permanecido constante por milhões de anos. Os principais sumidouros de sal são os processos de formação de sedimentos, remoção biológica e maresia (aerossóis). Além disso, apesar de a salinidade variar entre oceanos, em função das chuvas e evaporação, a proporção entre seus principais sais não varia, demonstrando a mistura que ocorre entre as águas através dos tempos geológicos.

Praticamente todos os elementos químicos que existem podem ser encontrados na água do mar, ainda que em ínfimas quantidades. Os elementos inorgânicos constituintes da água do mar são divididos em: conservativos, elementos-traço, nutrientes e gases dissolvidos. Os **elementos conservativos** (cujos principais representantes são Na^+, Cl^-, K^+, Mg^{2+}, Ca^{2+} e SO_4^{2-}) sofrem pouca variação relativa e representam 99,9% do total de sais dissolvidos na água (o cloreto de sódio, NaCl, corresponde a pouco mais de 85% do total). Os **elementos-traço** são aqueles presentes em quantidades da ordem de partes por milhão (ppm) ou bilhão (ppb), mas que têm papel essencial na química dos oceanos e em vários processos biológicos (por exemplo, ferro, cobre, cobalto, zinco, vanádio e selênio). Os **nutrientes** são substâncias fundamentais às atividades biológicas, principalmente para o fitoplâncton, base da rede trófica marinha. Entre os principais nutrientes, estão: nitratos, nitritos, amônia, fosfatos e silicatos. Como tendem a ser rapidamente absorvidos pelo fitoplâncton, a composição relativa desses compostos varia muito em função da atividade biológica sendo, portanto, denominados **elementos não conservativos**.

Além desses constituintes inorgânicos, a água do mar também apresenta matéria orgânica dissolvida (MOD) e particulada (MOP). Esta última é considerada a fração maior que 0,45 μm e engloba tanto organismos do plâncton quanto macromoléculas orgânicas. O carbono orgânico dissolvido (COD) é o componente de carbono da MOD e representa um dos maiores reservatórios de carbono reduzido da biosfera (Hopkinson & Vallino, 2005).

A camada superficial do oceano exporta cerca de 20% do fluxo total de COD para águas profundas (Six & Maier-Reimer, 1996), em função principalmente da fixação de gás carbônico e excreção de carbono orgânico pelo fitoplâncton. Esses processos representam um controle primário sobre os níveis de gás carbônico da atmosfera (Sarmiento & Siegenthaler, 1992). Por consequência, a quantificação acurada do reservatório de COD, seus fluxos e controles são fundamentais para o entendimento da ciclagem do carbono no oceano.

Finalmente, a água do mar também contém todos os gases presentes na atmosfera, porém não nas mesmas proporções. De um modo geral, a solubilidade dos gases é maior em baixas temperaturas e altas pressões, de forma que as águas mais profundas tendem a ter maior quantidade de gases dissolvidos. Os principais **gases dissolvidos** nos oceanos são o nitrogênio, oxigênio, argônio e gás carbônico. O nitrogênio (N_2) é o gás mais abundante, porém os organismos não são capazes de utilizá-lo desta forma, com exceção das cianobactérias e de algumas bactérias. Estes microrganismos são capazes de fixar o nitrogênio gasoso e convertê-lo em amônia (NH_3), processo mediado pela enzima nitrogenase. A amônia pode, então, ser assimilada por outros organismos e entrar na rede trófica. Como o nitrogênio é um elemento estrutural essencial para todas as células vivas, fica evidente a importância das cianobactérias no ambiente marinho, especialmente nas regiões oceânicas, uma vez que a maioria dos nutrientes chega às áreas costeiras por drenagem continental.

O oxigênio é bastante abundante em águas frias e profundas, enquanto nas camadas superficiais dos oceanos, as concentrações são muito variáveis em decorrência do balanço entre os processos biológicos de produção (fotossíntese) e remoção (respiração, decomposição de matéria orgânica, oxidação e outras reações químicas não biológicas). Além disso, os padrões de circulação, mistura de águas e trocas com a atmosfera pela superfície ar-mar, interferem nas concentrações do oxigênio na água do mar.

O gás carbônico (CO_2) apresenta alta solubilidade na água do mar, na qual se dissolve na forma de ácido carbônico (H_2CO_3), que se dissocia formando íons H^+, bicarbonato (HCO_3^-) e carbonato (CO_3^{-2}). Na presença de luz, o gás carbônico é absorvido pelos organismos fotossintetizantes e transformado em carbono orgânico, o qual é transferido para a rede trófica a partir do consumo desses organismos (produtores primários) pelos herbívoros. O processo de fixação biológica de carbono a partir de substratos inorgânicos em moléculas orgânicas por meio da foto ou quimiossíntese é chamado **produção primária,** conforme já foi visto no Capítulo 7. Cerca de 1/3 da produção primária marinha total é exportada anualmente para regiões profundas dos oceanos, sustentando a rede trófica destes ambientes. Esse processo é conhecido como **Bomba Biológica** (Longhurst & Harrison, 1989). Com a morte e decomposição dos organismos, o carbono volta à sua forma inorgânica, mas permanece retido nas camadas mais profundas e frias por cerca de 500 a 1.000 anos, que é o tempo de residência das águas profundas nos oceanos, ou seja, uma porção de água que acabou de sofrer afundamento pode levar este tempo para voltar à superfície. Dessa maneira, os oceanos são considerados sorvedouros naturais de gás carbônico e esses processos interferem no clima da Terra em escalas temporais geológicas.

As espécies químicas – gás carbônico, ácido carbônico, bicarbonato e carbonato – compõem o chamado **sistema carbonato**, que atua como um sistema tampão na água do mar, ou seja, tendem a permanecer em equilíbrio, de modo que, se a concentração de uma delas diminuir ou aumentar, as reações ocorrerão no sentido de restabelecer o equilíbrio. Este processo impede variações no pH da água do mar, que normalmente situa-se entre 7,5 a 8,4 (levemente alcalino). Contudo, em alguns ambientes, tais como regiões mais interiores dos estuários, o pH pode atingir valores de 6 ou até 5, denotando características ácidas. Isso ocorre em função da elevada quantidade de gás carbônico dissolvido na água resultante dos processos de respiração dos organismos e decomposição de matéria orgânica (predominância de processos heterotróficos em relação aos autotróficos). A baixa salinidade das regiões internas dos estuários também favorece a redução do pH.

Assim, o aumento do gás carbônico atmosférico desloca o equilíbrio do sistema carbonato no sentido de dissolver maiores quantidades deste gás na água aumentando sua acidez, fenômeno conhecido como acidificação dos oceanos, que pode afetar principalmente organismos que possuem carapaças calcárias. Também podem causar efeitos surpreendentes, como os relatados por Nilsson et al. (2012), que verificaram indícios de alteração nos sentidos de orientação de peixes de corais, fato que pode ter consequências devastadoras para o ecossistema.

A grande capacidade dos oceanos em absorver e sequestrar gás carbônico da atmosfera (por meio da bomba biológica e na incorporação nos esqueletos carbonáticos, por exemplo) tem colaborado para que as concentrações de gás carbônico atmosférico não sejam tão elevadas como estava previsto após a Revolução Industrial (IPCC, 2007) e com o uso disseminado de combustíveis fósseis. Entretanto, essa capacidade é limitada, e já há alguns indícios de redução na atividade da bomba biológica (Boyce et al., 2010).

9.2.2 Estrutura Geomorfológica dos Oceanos

As placas litosféricas que constituem a crosta terrestre são estruturas rígidas que flutuam sobre a astenosfera (camada superior do manto) apresentando movimentos laterais e alguns pequenos movimentos verticais. Como visto no Capítulo 2, as zonas de contato dessas placas podem ser do tipo convergente (quando uma se move em direção à outra) ou divergente (quando se afastam). As junções convergentes geram uma zona de subducção, onde há o afundamento de uma placa sob a outra e reabsorção do material rochoso (processo chamado de **destilação**). Nessas regiões, são encontradas as fossas submarinas. A fossa das Marianas, no Pacífico Norte, é a maior depressão da crosta terrestre, com 11.034 m de profundidade, seguida pela fossa de Mindanao, nas Filipinas, com 10.830 m.

As cordilheiras oceânicas (bem visíveis com o auxílio do *software Google Earth*®) são feições que se formam nas zonas de divergência das placas litosféricas. São cadeias de montanhas de origem vulcânica que atingem altitudes de 2.000 m a 4.000 m acima do assoalho oceânico, podendo mesmo aflorar em alguns pontos formando as ilhas oceânicas (como Trindade e Martin Vaz, que pertencem ao território brasileiro). No topo dessas cordilheiras, há áreas de fratura onde ocorre extrusão de material magmático. Desse modo a crosta terrestre está permanentemente sendo formada, causando a expansão do assoalho oceânico a uma taxa que varia de 1 cm/ano a 10 cm/ano. Nos oceanos Atlântico e Índico, a expansão do assoalho empurra os continentes adjacentes para direções opostas a partir das cordilheiras meso-oceânicas. De uma maneira simplificada, pode-se dizer que os oceanos Atlântico e Índico estão se ampliando, enquanto o Pacífico está sendo comprimido.

A região oceânica pode ser dividida em três grandes compartimentos em função da profundidade e características de relevo que apresentam: a margem continental, a bacia oceânica e as cordilheiras oceânicas (Figura 9.1).

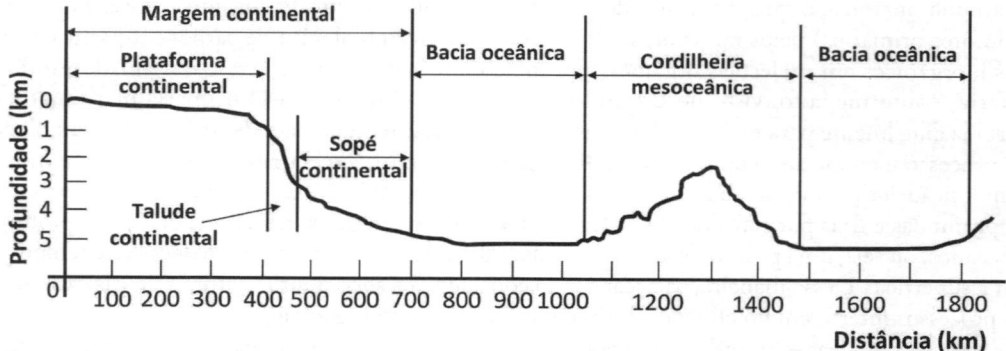

FIGURA 9.1 Representação das principais províncias do relevo submarino (com exagero vertical de cerca de 50 vezes). *Fonte: Adaptado de Schmiegelow (2004).*

A **margem continental** é a porção adjacente ao continente e apresenta três porções distintas: a plataforma continental, o talude e o sopé continental.

É na margem continental que são estabelecidas as divisões políticas de soberania nacional a partir de uma linha de base predefinida (UN, 1982).

- Mar Territorial: 12 milhas náuticas (mn) ou 22 km
- Zona Econômica Exclusiva – ZEE: até 200 mn ou 370 km

A **plataforma continental** corresponde ao prolongamento do continente na área submersa. O pequeno declive do terreno é a sua principal característica e a extensão das plataformas pode variar de zero a 1.500 km. As plataformas representam cerca de 7,5% da superfície do oceano e as águas sobre estas regiões, menos de 0,15% de seu volume (Postma, 1988). Apesar disso, são áreas de grande interesse econômico e biológico porque apresentam a maior abundância e diversidade de organismos em relação a outras áreas dos oceanos. Várias espécies marinhas têm todo o seu ciclo de vida associado a essas regiões.

Por sua estreita relação com os continentes, as plataformas também estão mais sujeitas aos efeitos das ações antrópicas por meio de atividades diretamente ligadas a essas regiões, tais como: pesca, exploração de óleo, gás e minerais, bem como a urbanização de áreas costeiras e introdução de poluentes por meio de rios ou emissários submarinos (para maiores detalhes, consulte o Capítulo 13).

O ponto de transição entre a plataforma e o talude é evidenciado por uma abrupta diferença na inclinação do terreno, a **quebra de plataforma**, cuja profundidade média é de 150 m e apresenta características oceanográficas peculiares e importantes. O **talude** continental tem alta declividade e relevo acidentado, caracterizado pela presença de cânions, geralmente relacionados com áreas de desembocadura de grandes rios, atuais ou pretéritos, por onde fluem grandes quantidades de sedimentos que se depositam na base do talude, formando um leque aluvial. Na base do talude se depositam os sedimentos transportados da plataforma e do próprio talude, formando uma região de declive mais suave, conhecida como **sopé continental** (ou colina), feição que define o limite da margem continental e é encontrada em profundidades entre 1.500 m e 9.000 m.

O leito, ou bacia oceânica, constitui a porção do assoalho oceânico que se estende de uma margem continental à outra. O relevo da bacia oceânica apresenta diversas feições, como as já citadas fossas e cordilheiras submarinas, além das planícies abissais, platôs submarinos, ilhas vulcânicas, montes marinhos e atóis (de origem coralina, como o Atol das Rocas).

9.2.3 Domínios Oceânicos

No ambiente oceânico, podemos identificar dois grandes domínios: o **pelagial**, relacionado com a coluna de água, e o **bentônico**, relacionado com os substratos, ao fundo. Esses dois domínios apresentam fortes interações, especialmente em áreas rasas, que se processam em várias escalas espaço-temporais.

Domínio Pelagial

Horizontalmente, o domínio pelagial divide-se nas regiões **nerítica** (até o limite da plataforma continental) e **oceânica** (Figura 9.1). Em termos de profundidade, a coluna de água é subdividida nas **zonas epipelágica** (da superfície até os 200 m de profundidade), **mesopelágica** (de 200 m a 1.000 m), **batipelágica** (de 1.000 m a 4.000 m), e **abissopelágica** (dos 4.000 m até o fundo). O ambiente **hadal** refere-se às fossas submarinas.

As características e a dinâmica do ambiente pelágico são dependentes de vários fatores, dentre os quais podemos citar: a incidência de radiação solar (que ilumina e aquece as camadas superficiais de água), temperatura, salinidade, densidade, nutrientes dissolvidos e padrões de movimentos da água (correntes marinhas, ressurgências). A ação conjunta desses fatores determina condições diferentes das que seriam observadas isoladamente. Essa ação sinergística propicia o estabelecimento de diversos habitats, que são explorados pelos organismos de acordo com suas características e capacidade de adaptação.

Variáveis Físicas

Conforme apresentado no Capítulo 7, a radiação solar não incide de modo homogêneo sobre a superfície terrestre. Além de variar com a latitude, depende também da estação do ano, da hora do dia e do albedo local. Em média, essa taxa é igual a 42 cal/m^2 ou 175 W/m^2. A quantidade de energia solar que atinge as regiões polares por unidade de área é da ordem de 75% a 50% inferior àquela que atinge a região equatorial, em consequência da maior inclinação dos raios solares nas altas latitudes. Isso gera diferenças latitudinais na distribuição de temperatura da atmosfera e dos oceanos que, por sua vez, geram o padrão principal de circulação dos ventos e das correntes oceânicas superficiais.

Parte da radiação solar que atinge a superfície da água é refletida de volta para a atmosfera e outra parcela penetra na água. Ao penetrar na água, a luz tem sua intensidade atenuada exponencialmente e sofre modificações em sua composição espectral, devido aos processos de absorção e dispersão causados pelas substâncias dissolvidas e em suspensão no meio líquido. A cor da superfície do mar varia de acordo com a quantidade e o tipo de material dissolvido e em suspensão que nela se encontra. Assim, águas oceânicas, que possuem pouco material em suspensão, apresentam o característico tom azul-marinho, justamente pelo fato de ser essa a faixa de radiação menos absorvida pela água. As águas costeiras, que apresentam maior concentração de fitoplâncton, detritos e sedimentos, podem apresentar diversas colorações desde azul, passando pelo esverdeado, amarelado, marrom e até preta. Essas tonalidades mais escuras são comuns nas regiões próximas aos estuários, devido à presença de sedimentos e ácidos húmicos. A cor da água do mar é uma variável muito utilizada nos estudos oceanográficos para estimativas sinóticas de produtividade dos oceanos via sensoriamento remoto (Ciotti, 2005).

A **zona eufótica** é definida empiricamente como a porção da coluna de água em que há incidência de até 1% da luz que chega à superfície da água. Em zonas costeiras de águas turvas, como em estuários, ela pode ser restrita a apenas alguns centímetros. Nas águas oceânicas límpidas, pode chegar a 200 m. O limite da zona eufótica é considerado como o ponto em que a produção primária se equipara às perdas respiratórias dos autótrofos, não havendo mais produção excedente (ou **produção primária líquida**). Abaixo da zona eufótica, encontram-se a **zona disfótica** (em que ainda há luz em pequeníssima quantidade) e a **zona afótica**, que é absolutamente escura e predominante nos oceanos. Nessa região, há produção de matéria orgânica apenas por processos quimiossintéticos, como será visto adiante.

A radiação infravermelha é o componente do espectro solar responsável pela condução de calor (radiação térmica), sendo absorvida nos primeiros centímetros da água. Essa radiação é retida na atmosfera principalmente por moléculas de gás carbônico e água, mas também de outros gases como metano (CH_4) e óxidos nitrosos (NO_x), provocando o que se conhece por **efeito estufa** – calor não dissipado para o espaço que causa o aumento da temperatura na atmosfera inferior (Capítulo 7). O efeito estufa é um processo natural na Terra e também é responsável pela manutenção do clima. Entretanto, no último século, verificou-se uma elevação das concentrações dos gases de efeito estufa (GEEs) na atmosfera que pode estar promovendo uma amplificação desse fenômeno e gerando alterações climáticas (para uma discussão aprofundada, consulte o Capítulo 16). Por sofrerem aquecimento tanto pela penetração da radiação solar, quanto pela condução de calor pela atmosfera na interface ar-mar, as camadas superficiais dos oceanos estão diretamente sujeitas à ação do efeito estufa.

Em virtude do aquecimento das camadas superficiais da coluna de água pela ação direta do Sol e condução de calor da atmosfera, a estrutura térmica vertical dos oceanos apresenta três camadas básicas. A **camada de mistura**, rasa e superficial (50 m a 150 m de profundidade), possui temperaturas mais altas e distribuição de temperatura geralmente uniforme, decorrente da mistura pela ação dos ventos, ondas, correntes e marés. Uma **camada profunda** e fria, com temperaturas entre 0°C e 4°C, domina os fundos oceânicos. Finalmente, uma **camada intermediária**, entre 100 m e 500 m, em que ocorre uma rápida redução da temperatura em função da profundidade, é denominada **termoclina permanente**.

Nas regiões polares, onde toda a coluna de água é fria, não há termoclina permanente. Em regiões tropicais e subtropicais, nos períodos mais quentes do ano, ocorre a formação de uma **termoclina sazonal** entre os primeiros 100 m da coluna de água. As características dessa termoclina variam em curtas escalas de tempo e espaço (por exemplo, há diferenças entre dia e noite) e determinam o grau de mistura entre as massas de água superficiais, geralmente pobres em nutrientes, com as águas abaixo desta barreira física, que têm maior concentração de nutrientes. Esses processos de mistura são fundamentais para a manutenção da produtividade marinha (que será discutida mais adiante).

Nas regiões equatoriais, as temperaturas das águas superficiais apresentam pequena variação anual, da ordem de 1 °C, e têm médias entre 26°C e 30°C. A 40° de latitude, essa variação pode chegar até 10 °C, voltando a diminuir em direção aos polos, cuja variação geralmente é inferior a 4 °C. A temperatura da superfície do mar pode ser determinada por sensoriamento remoto e constitui um parâmetro essencial para estudos oceanográficos, como por exemplo, dos padrões de circulação de águas superficiais.

A água do mar congela a temperaturas mais baixas que a água pura e, como o gelo tem densidade menor que a da água, a superfície do mar nas regiões polares se congela, mas a coluna de água abaixo permanece no estado líquido, permitindo a sobrevivência dos organismos aquáticos, que compõem uma rica fauna.

A temperatura da água pode ser alterada, também, por evaporação (que é o principal mecanismo de remoção de calor da água), formação ou dissolução do gelo, mistura com fontes de água doce com temperaturas diferentes, precipitação atmosférica e misturas verticais de massas de água. A diminuição da temperatura aumenta a densidade da água e a solubilidade dos gases.

No ambiente oceânico, um fator muito importante é a **pressão hidrostática** (peso que a coluna de água exerce por unidade de área), que é função da profundidade (altura da coluna de água) e, em menor escala, da densidade da água. Em média, a pressão hidrostática aumenta 1 atm a cada 10 m de aumento na profundidade. Por este motivo, os organismos que habitam grandes profundidades exibem adaptações morfológicas e fisiológicas que permitem sua sobrevivência nestes ambientes de alta pressão.

O aumento da pressão também induz o aumento da solubilidade dos gases e da densidade da água. No entanto, os principais moduladores da densidade da água são a temperatura e a salinidade. As águas mais densas são as mais frias e mais salinas. A densidade da água do mar varia geralmente entre 1,021 g/cm³ e 1,028 g/cm³. Utiliza-se como parâmetro indicador da densidade da água do mar, por convenção, o sigma-t (σt), que corresponde ao valor da densidade, do qual se subtrai 1,0 g/cm³ e multiplica-se por 1.000. Por exemplo: uma densidade de 1,02537 g/cm³ corresponde a um sigma-t de 25,37 g/cm³.

As águas menos densas tendem a se manter nas camadas superficiais enquanto as mais densas sofrem afundamento até encontrarem seu ponto de equilíbrio hidrostático. A porção da coluna de água na qual ocorre um gradiente de densidade é conhecida como **picnoclina**. Nos oceanos, geralmente a picnoclina coincide com a termoclina. De maneira análoga, observa-se também a formação de uma picnoclina sazonal, acompanhando a termoclina sazonal na camada de mistura. Em regiões estuarinas, onde ocorre mistura entre água doce dos rios e salgada, a salinidade é o principal fator determinante da densidade da água. A diferença de densidade entre as águas é um fator que gera movimento, a circulação termoalina, que será apresentada mais adiante.

Apesar de constituírem um meio fluido contínuo, os oceanos apresentam grandes porções de água com características particulares que as individualizam, são as chamadas **massas de água**. São identificadas por suas características termoalinas (valores médios e faixa de variação da temperatura, salinidade e densidade). Como os volumes de água nas massas de água são muito grandes e as misturas entre massas adjacentes são lentas, o padrão geral é a manutenção das suas características termoalinas. As massas de água são denominadas basicamente de acordo com a região de sua formação e a profundidade em que ocorrem. O litoral brasileiro é banhado pela **Água Costeira**, que domina a área costeira e tem as características termoalinas mais variáveis em função das descargas continentais; pela **Água Tropical**, quente e salina, que flui nas camadas superficiais mais ao largo da costa, e pela **Água Central do Atlântico Sul**, fria e menos salina, que flui abaixo da camada de mistura (Castro et al., 1987). A distribuição e dinâmica das massas de água são fatores fundamentais na estrutura do ambiente pelágico.

Variáveis Químicas

Como apresentado anteriormente, os sais nutrientes são essenciais aos organismos e se encontram em pequenas concentrações na água do mar, podendo eventualmente ser exauridos do meio ao serem assimilados pelos organismos. Os nutrientes são utilizados nos processos metabólicos e na produção de biomassa para o crescimento e a reprodução, sendo assim incorporados à matéria orgânica. Através da alimentação, os nutrientes incorporados à matéria orgânica são repassados aos demais níveis da cadeia trófica e voltam ao ambiente por meio da excreção e morte dos indivíduos e decomposição dos detritos orgânicos, principalmente por ação bacteriana. A escassez de um nutriente na água atua como um fator limitante ao crescimento dos produtores primários e, consequentemente, aos demais organismos presentes no meio, até que o estoque deste nutriente em questão seja reposto. Portanto, os aspectos principais na caracterização do ambiente pelágico são a avaliação da disponibilidade de nutrientes na camada de mistura e os mecanismos de reabastecimento.

A distribuição de nutrientes nos oceanos como um todo é determinada por fatores como: circulação oceânica, processos biológicos de absorção e remineralização, afundamento de fragmentos orgânicos ao longo da coluna de água e subsequente regeneração de nutrientes, migrações dos animais e suprimento terrígeno alóctone (Postma, 1971). De modo geral, as concentrações de nutrientes são menores nas camadas superficiais da coluna de água, onde são rapidamente absorvidos, e aumentam em direção ao fundo. O gradiente de concentrações muitas vezes segue um padrão semelhante ao da termoclina e é denominado **nutriclina**. As águas mais profundas são mais ricas em nutrientes, já que o consumo é menor (ou nulo) e em função do aporte contínuo de material orgânico que sedimenta e sofre decomposição na coluna de água e no sedimento.

Em relação à distribuição horizontal, as regiões neríticas têm maior disponibilidade de nutrientes do que as áreas oceânicas em função da drenagem continental e menor profundidade, que favorecem as interações da coluna de água com o sedimento.

Alguns compostos orgânicos presentes na MOD podem ser utilizados como fonte de nutrientes para os produtores primários, por exemplo: a ureia e aminoácidos como fonte de nitrogênio, além das vitaminas, que são cofatores de crescimento. Os elementos-traço, apesar de serem necessários em quantidades bem menores, são igualmente importantes para os organismos e sua carência pode limitar o desenvolvimento. Na região oceânica antártica, ou mesmo no nordeste do Pacífico, a biomassa dos produtores primários poderia ser maior em vista da disponibilidade de nutrientes (Martin & Fitzwater, 1988). Contudo, a carência de ferro, que é um elemento-traço, atua como fator limitante primário ao desenvolvimento da biomassa do fitoplâncton.

Uma região ou massa de água pode ser classificada como **oligotrófica**, **mesotrófica** ou **eutrófica**, de acordo com a disponibilidade nutricional que apresenta. Os giros centrais dos oceanos são áreas tipicamente oligotróficas (pobres em nutrientes), ao passo que os estuários e áreas de ressurgência são ambientes naturalmente eutróficos (com alta disponibilidade nutricional).

O acúmulo de matéria orgânica particulada acelera a atividade microbiana e o consumo de oxigênio nas águas. Em estágios avançados de eutrofização, especialmente em regiões de circulação mais restrita, como estuários e baías que recebem poluentes orgânicos, ocorre a diminuição dos teores de oxigênio dissolvido (**hipóxia**), com possibilidade de exaustão (**anóxia**), culminando com a morte dos organismos aeróbicos (Nixon, 1992).

Dinâmica Oceano-Atmosfera

A circulação atmosférica tem efeito direto sobre a circulação superficial oceânica. Os oceanos, principalmente em sua camada superficial, funcionam como gigantescas células de convecção, levando calor de regiões quentes para regiões frias. Esse trabalho é completado pelos movimentos das massas de ar e das grandes correntes oceânicas, que atuam em conjunto e modulam o clima da Terra (Capítulo 16). Os efeitos dos gradientes de temperatura entre o equador e os polos, gerados pela diferença de energia radiante do Sol que chega a essas regiões, criam centros de alta pressão nos polos e trópicos, ao passo que, nas regiões equatoriais e temperadas, formam-se centros de baixa pressão. Essas diferenças induzem a formação de três sistemas principais de ventos: os ventos alísios, os ventos de oeste e os ventos do leste (Figura 9.2).

Pelo fato de a Terra apresentar o movimento de rotação (de oeste para leste em torno de seu eixo), os ventos no hemisfério sul são defletidos para a esquerda em relação ao seu ponto de origem, enquanto no hemisfério norte, esse desvio se faz para o lado direito da origem. Esse fenômeno é conhecido como **Efeito de Coriolis**, que tem importantes implicações na geração de correntes marinhas superficiais, causadas pelo atrito do vento com a superfície livre da água.

PRINCIPAIS SISTEMAS DE VENTOS

Os principais sistemas de vento são gerados pela formação de três grandes células de convecção a partir da ascensão da massa de ar quente sobre o Equador, criando aí um centro de baixa pressão. Nesse deslocamento, o ar perde calor dirigindo-se para os polos norte e sul. Entre as latitudes 20° e 35°, sua densidade aumenta pelo resfriamento e o ar desce para camadas inferiores da atmosfera. Parte do ar completa o giro, retornando para o norte, no hemisfério sul, e para sul no hemisfério norte, formando a primeira célula de convecção. Esses são os ventos alísios, que sopram desde 30° de latitude em direção ao Equador. A outra porção de ar continua seu movimento em direção aos polos, gerando os ventos de oeste (entre 30° e 60°). Por volta dos 60° de latitude, esses ventos formam uma nova célula de ar em elevação que se ramifica, parte voltando para o equador e outra seguindo em direção aos polos, formando nova célula de convecção. Na região polar, o ar desce novamente e retorna em sentido ao Equador, gerando os ventos de leste.

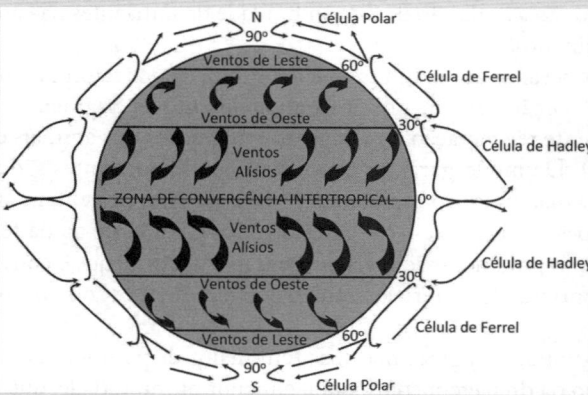

FIGURA 9.2 Principais sistemas de ventos. *Fonte: Adaptado de Gianesella & Saldanha-Corrêa (2010).*

Os fenômenos *El Niño* e *La Niña*, de forte impacto sobre o clima do planeta, são resultantes da interação oceano-atmosfera que ocorre no Pacífico equatorial. A ação dos ventos alísios origina um fenômeno conhecido por ressurgência (que será explicado mais adiante) na costa do Peru, que traz águas ricas em nutrientes para a camada eufótica, aumentando a produção pesqueira da área. Quando os ventos alísios enfraquecem, a ressurgência também enfraquece ou não ocorre, causando queda na produção pesqueira. Este fenômeno é conhecido por *El Niño* (Oliveira, 2001). O fenômeno *La Niña* ocorre pelo aumento da intensidade dos ventos alísios, que provocam ressurgências de maiores intensidades e, portanto, a temperatura da superfície do mar fica mais fria do que a média. Em ambos os processos, o padrão de formação de nuvens e a incidência de chuvas sobre toda a região do Pacífico tropical são alterados, mas os efeitos são perceptíveis também em outras regiões do planeta, como o efeito ENSO (*El Niño Southern Oscillation*) no Atlântico Sul Subtropical (Rodrigues et al., 2015).

O atrito dos ventos sobre a superfície do mar transfere energia cinética para as águas. A partir da interação dos três grandes sistemas de ventos com a superfície do mar, ocorre a formação das principais correntes marinhas superficiais (Figura 9.3), que contribuem de forma fundamental para a distribuição de calor nos oceanos.

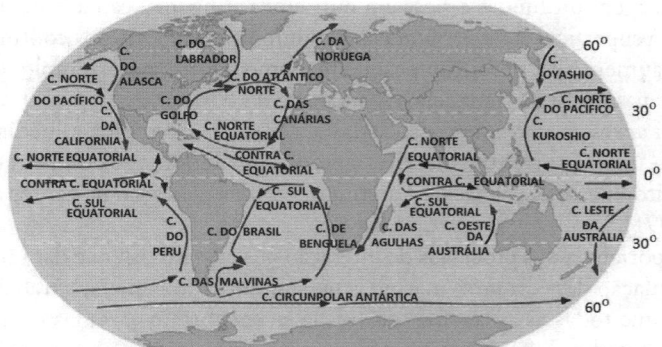

FIGURA 9.3 Principais correntes oceânicas superficiais. *Fonte: Gianesella & Saldanha-Corrêa (2010).*

Os ventos alísios geram nos oceanos as correntes equatoriais que, ao se defrontarem com os continentes, são desviadas para norte e sul, movendo-se paralelamente aos continentes. Além disso, os ventos alísios empilham as águas superficiais no lado oeste dos oceanos. Esse empilhamento, sob a ação da força da gravidade, gera as **contracorrentes equatoriais**, presentes também em todos os oceanos. Os ventos de oeste induzem a formação de correntes marinhas que retornam à região equatorial pelo lado leste dos oceanos, fechando os **giros subtropicais** (pois a água descreve um movimento circular nessa porção dos oceanos). De maneira análoga, ocorrem os **giros subpolares** na porção norte do Atlântico e do Pacífico. A exceção é a corrente circumpolar antártica que, por não ser interceptada por barreiras continentais, flui em torno do continente antártico. Essas correntes constituem a circulação superficial de grande escala. Em virtude de um fenômeno conhecido como **Transporte de Ekman**, a ação do vento sobre a superfície da água gera um fluxo médio da porção de água deslocada perpendicular à direção do vento, para a esquerda no hemisfério sul e para a direita no hemisfério norte.

As correntes superficiais podem formar meandros, que ocasionalmente se separam da corrente principal, girando em sentido horário ou anti-horário. No hemisfério sul, essas feições correspondem, respectivamente, aos chamados **vórtices ciclônicos e anticiclônicos**. No núcleo dos vórtices ciclônicos, ocorre uma ascensão de água subsuperficial ao passo que nos vórtices anticiclônicos, ocorre subsidência (afundamento). Esses fluxos verticais têm importantes implicações biológicas, especialmente em áreas sobre a plataforma continental.

As zonas de contato entre as principais correntes podem formar **convergências** (quando ambas correntes fluem uma de encontro à outra) ou **divergências** (quando fluem em sentidos opostos). Nas áreas de convergência, ocorre a subsidência da água, enquanto nas áreas de divergência, ocorre o afloramento da água subsuperficial. Esses processos são muito importantes para as trocas de calor e para a distribuição de sais nutrientes e organismos no ambiente pelagial. Um exemplo bem conhecido é o da Divergência Antártica, que, por trazer águas ricas em nutrientes para a superfície, gera um grande desenvolvimento do fitoplâncton, que sustenta grandes biomassas de krill, um pequeno crustáceo planctônico que serve de alimento a baleias, pinguins, focas e alguns invertebrados.

Além das correntes geradas pela ação do vento na superfície do mar, há outros padrões de circulação muito importantes no ambiente oceânico. Por causa do efeito de Coriolis e do Transporte de Ekman, ocorre empilhamento da água nas porções centrais dos giros oceânicos, criando uma elevação do nível do mar nesses locais. Pela própria ação da força de gravidade, a água "escoa" dessas elevações, sendo também defletida para a direita ou para a esquerda (dependendo do hemisfério) pelo efeito de Coriolis. Essas correntes são chamadas **correntes geostróficas** e constituem importantes sistemas de circulação superficial de água nos oceanos.

Existem também correntes marinhas profundas causadas pela diferença de densidade da água do mar. Como as águas mais frias são mais densas, forma-se um gradiente de densidade entre as águas quentes equatoriais e as águas frias polares. A circulação gerada pelos gradientes de densidade é conhecida como **circulação termoalina**, que induz movimentos horizontais e verticais das massas de água. Como padrão geral, as águas frias e densas de altas latitudes afundam e dirigem-se ao equador pelas áreas mais profundas do oceano. Essas correntes são lentas, com velocidades de cerca de 1 cm/s.

As **ressurgências** são um tipo de movimentação de massas de água geradas pela ação do vento e pelo transporte de Ekman. Nesse caso, as águas costeiras superficiais são empurradas para o oceano aberto gerando um movimento ascendente das águas subsuperficiais, que ocupam essas camadas superficiais junto à costa. Desse modo, águas profundas e ricas em nutrientes atingem a camada de mistura podendo, em alguns casos, chegar à superfície. Esse fenômeno é comum na costa leste dos continentes e é de extrema importância para o aumento da produção pesqueira, como ocorre, por exemplo, na costa do Peru, na costa da Califórnia e na região de Benguela, no sudoeste da África.

As correntes aqui apresentadas estão associadas a processos de grande e média escala espacial. No entanto, há também outras correntes menores geradas por fenômenos de pequena escala, como as correntes de deriva litorânea e as células de Langmuir, geradas pela ação de ventos de baixa intensidade (Mann & Lazier, 1991).

Para ilustrar a importância dos processos de interação oceano-atmosfera e dar uma ideia da dimensão de influência da circulação das correntes marinhas no equilíbrio do planeta, o trabalho de Halpern et al. (2008) demonstrou que todas as áreas dos oceanos já se encontram afetadas pela influência humana, ainda que sejam desabitadas. Isso ocorre porque as circulações atmosférica e oceânica são capazes de dispersar impactos locais para áreas muito distantes em escalas temporais variáveis. Essa importante constatação deve ser mantida sempre em mente ao se pensar em gerenciamento e exploração sustentável de recursos oceânicos e costeiros.

As **marés** são um fenômeno resultante da interação das forças gravitacionais do Sol, Terra e Lua e da força centrífuga gerada pelo movimento da Terra e da Lua em torno de um centro de massa comum. Esses movimentos são evidentes principalmente nas praias, pela elevação e o rebaixamento do nível da água (preamar e baixa-mar, respectivamente), que ocorrem, em geral, duas vezes ao dia. Existem dois padrões típicos de maré: as marés de **sizígia** e as de **quadratura**. Nas marés de sizígia, a posição do Sol está em conjunção com a da Lua (luas nova e cheia) e a força de atração conjugada desses astros gera marés de grande alcance (diferença entre o nível da água na preamar e na baixa-mar), que podem chegar a mais de 10 m de variação em algumas regiões do globo. Nas marés de quadratura, o Sol e a Lua formam um ângulo reto em relação à Terra (luas crescente e minguante), de modo que suas forças de atração se contrapõem, gerando marés de pequeno alcance. De acordo com o alcance, as marés podem ser classificadas em macromarés (maiores que 4 m), mesomarés (entre 2 e 4 m) e micromarés (abaixo de 2 m).

Embora as marés sejam um fenômeno periódico, de um dia para o outro elas ocorrem com um atraso de 50 min pelo fato de o dia lunar ser equivalente a **1/27** do dia terrestre. Por meio de cálculos baseados em longas séries de registros de maré de uma localidade, é possível fazer a previsão do horário e a altura das preamares e baixa-mares. No Brasil, as **Tábuas de Maré** são elaboradas e disponibilizadas pela Diretoria de Hidrografia e Navegação (DHN), do Ministério da Marinha, para os principais portos do país e outros locais estratégicos para a navegação. O deslocamento horizontal das massas de água proporcionado pela ação das marés gera as **correntes de maré**, cujos efeitos são importantes nas regiões mais rasas.

Outros fatores, como o vento (que provoca o recuo ou empilhamento de água), pressão atmosférica e ondas internas, podem causar variações no nível do mar. Nos últimos anos, tem-se discutido muito sobre os impactos da elevação do nível do mar em virtude do aquecimento global. Contudo, as medições para constatação desse fato não são triviais: dependem, fundamentalmente, de longas séries de observações sistemáticas e padronizadas da altura da coluna de água em localidades precisamente georreferenciadas. Dessas séries, extraem-se as tendências, que são as ferramentas básicas para fazer as previsões.

A ação do vento na superfície da água, além de produzir correntes, gera as ondas. As **ondas** são mecanismos de transferência de energia através da água (não há transporte de matéria) e, portanto, também podem ser geradas por forças como as deflagradas por abalos sísmicos. As ondas são caracterizadas por sua amplitude (altura) e comprimento (distância de uma crista a outra). Ambas as características dependem da energia que transportam e da distância do seu ponto de origem. A altura das ondas pode variar de centímetros a vários metros (ondas de tempestades). As ondas de maiores comprimentos são as mais velozes e podem percorrer longas distâncias em períodos relativamente curtos de tempo, como é o caso dos *tsunamis*. A energia liberada pelas ondas quando se espraiam na zona de arrebentação é um fator importante na distribuição e seleção de sedimentos e na definição do perfil das praias.

Domínio Bentônico

O fundo dos oceanos é recoberto por uma camada de sedimentos que pode variar desde poucos centímetros até alguns quilômetros, dependendo de a região ter uma dinâmica de deposição ou de erosão. A espessura média do "solo" marinho é de 300 m.

Os sedimentos podem ser do tipo **consolidados** (quando formam agregados) ou **não consolidados**, quando os constituintes do sedimento estão individualizados. Com relação à origem, os sedimentos podem ser classificados como **litogênicos** (de origem mineral, derivados das rochas e aporte continental) ou **biogênicos** (de detritos orgânicos). Os principais depósitos de sedimentos biogênicos são de composição calcária (originados de conchas de moluscos, de foraminíferos ou de microalgas do grupo dos cocolitoforídeos, entre outros) ou de sílica (de radiolários, diatomáceas ou silicoflagelados). Esses depósitos são chamados de **vasas**, indicando material de origem pelágica com mais de 30% de material biogênico. A ocorrência das vasas é maior nas bacias oceânicas, uma vez que, nas margens continentais, o aporte de material litogênico é muito maior do que o biogênico.

Há também os sedimentos **autigênicos**, resultantes de precipitação de material decorrente de reações químicas ocorridas no ambiente próximo ao local de deposição. São exemplos de sedimentos autigênicos os nódulos metálicos e as fosforitas (que serão discutidos mais adiante). Finalmente, os sedimentos **cosmogênicos** são aqueles oriundos de meteoritos que atingiram a superfície terrestre. São conhecidos dois tipos: os sideritos (em que predominam ferro e níquel) e os meteoritos rochosos (ricos em silicatos).

O tamanho médio das partículas sedimentares é um indicador do grau de exposição à ação de ondas e correntes. A presença de areias, por exemplo, indica um ambiente mais dinâmico, enquanto a presença de silte e argila (partículas mais finas) indica ambientes deposicionais.

Vários processos que ocorrem no ambiente pelagial são modulados por processos que ocorrem nos sedimentos e vice-versa. Nas zonas mais rasas, esses processos são mais intensos e dinâmicos, pela maior proximidade do sedimento com a camada de mistura da coluna de água. Porém, em termos globais, as interações oceano-sedimento determinam os ciclos da maioria dos elementos químicos presentes na água, controlando, também, sua disponibilidade na atmosfera (como é o caso do gás carbônico).

9.3 OS HABITANTES DOS OCEANOS

Considerando a ampla variedade de feições e características do ambiente oceânico, é natural que os organismos apresentem uma significativa diversidade de características morfológicas e fisiológicas, de acordo com o ambiente físico que habitam. A divisão em domínios pelágico e bentônico, utilizada para o ambiente físico, também é válida para a biocenose marinha. No **domínio pelágico**, encontram-se os organismos que vivem exclusiva ou principalmente na coluna de água, enquanto no **domínio bentônico**, encontram-se os que vivem associados (exclusiva ou principalmente) ao sedimento ou a substratos (rochas, corais, objetos submersos), podendo viver sobre o sedimento ou nele enterrados. Em ambos os domínios, são válidas as subdivisões: **nerítica** (até o limite da plataforma continental) e **oceânica** (Figura 9.1).

De acordo com a profundidade que habitam, os organismos acompanham a mesma classificação adotada para o ambiente físico (epipelágicos, mesopelágicos, batipelágicos e abissopelágicos) abrangendo mais duas categorias: o **plêuston**, organismos nos quais parte do corpo fica fora da água e que se deslocam com o auxílio dos ventos, como as colônias de medusas *Physalia* e *Vellela*, e o **nêuston**, comunidade que ocupa a microcamada superficial até 10 mm de profundidade, composta basicamente por ovos e larvas de peixes. Sob um enfoque funcional, a classificação baseada no padrão de nutrição divide os organismos em **autotróficos** (foto e quimiossintetizantes), **heterotróficos** (consumidores de matéria orgânica) e **mixotróficos** (apresentam hábitos autotróficos ou heterotróficos, de acordo com as condições do meio).

Em comparação com a biomassa vegetal terrestre, a biomassa autótrofa aquática é muito menor. Isso porque, no ambiente terrestre, muitas partes dos vegetais são destinadas à sustentação para a busca de luz, sem função fotossintética, como galhos, troncos e raízes. No oceano, os principais organismos fotossintetizantes são unicelulares e têm a sustentação fornecida pela própria água, de modo que praticamente toda a biomassa é fotossintetizante e os gastos com processos respiratórios são mínimos, em contraste com os terrestres. Esse fato, associado ao curto ciclo de vida do fitoplâncton e contínua renovação dos seus estoques de biomassa, permite que a produção primária líquida nos oceanos seja equivalente à terrestre (Behrenfeld et al., 2006). Nas passagens de um nível trófico para outro, sempre há perda de energia, conforme destacado no Capítulo 7. Dessa forma, em cadeias tróficas curtas, o consumidor final recebe mais energia do que nas cadeias com mais níveis intermediários (Ryther, 1969). Este fato tem implicações importantes na produção pesqueira de um ecossistema e também no manejo dos ecossistemas.

A luz e a disponibilidade nutricional são os fatores controladores mais importantes da produção primária oceânica. A taxa de reposição dos nutrientes na zona eufótica afeta diretamente a produtividade da região. Ao morrerem, os organismos pelágicos afundam na coluna de água enquanto ocorre a decomposição da biomassa e reciclagem dos nutrientes que enriquecerão camadas mais profundas do oceano. Assim, a zona eufótica tende a ser continuamente exaurida em seus nutrientes e o aporte de novos nutrientes é proporcionado principalmente pelos movimentos advectivos que trazem águas profundas à superfície. Por esse motivo, as regiões de ressurgência, onde essas taxas de reposição são elevadas, são as mais produtivas dos oceanos. As cadeias tróficas que se estabelecem nessas áreas são geralmente curtas, maximizando a transferência de energia aos consumidores finais. Por isso, a produtividade pesqueira dessas áreas é significativamente mais alta do que em outras regiões costeiras e nas oceânicas.

O controle da biomassa das populações que compõem a cadeia trófica pode ser exercido a partir dos níveis tróficos inferiores para os superiores, o que se conhece como **controle ascendente** (*bottom-up*), ou dos níveis superiores da cadeia para baixo, o chamado **controle descendente** (*top-down*). Um exemplo de controle ascendente é o exercido pela disponibilidade de nutrientes, que controla a população dos produtores primários e, em última instância, dos predadores de topo. A entrada de nutrientes na coluna de água por meio da ressuspensão de sedimentos por ação das correntes junto ao fundo é um exemplo desse controle baseado na interação oceano-sedimento. Um exemplo de controle descendente é dado pela pressão de predação que organismos de um nível trófico superior exercem sobre suas presas.

Um critério importante de classificação das comunidades, muito utilizado em oceanografia, está relacionado com seu habitat no ambiente aquático. São divididos em plâncton, nécton e bentos. Algumas dessas comunidades já foram brevemente descritas para sistemas aquáticos continentais (Capítulo 8) e são apresentadas, a seguir, com enfoque em ambientes marinhos.

9.3.1 Comunidades do pelagial

Plâncton

O **plâncton** constitui uma comunidade de organismos que vive em suspensão na coluna de água e que apresenta poder de locomoção limitado ou inexistente, sendo, portanto, levados pelas massas de água nas quais se encontram. O termo plâncton é originário do grego (*planktos*) que significa "errante". A maioria dos organismos que compõe o plâncton tem tamanho da ordem de micrômetros (1 µm = 0,001 mm), embora existam algumas formas visíveis a olho nu (Figura 9.4).

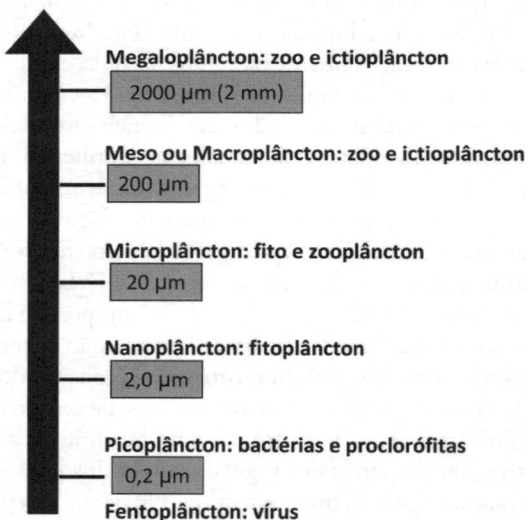

Megaplâncton: zoo e ictioplâncton
2000 µm (2 mm)

Meso ou Macroplâncton: zoo e ictioplâncton
200 µm

Microplâncton: fito e zooplâncton
20 µm

Nanoplâncton: fitoplâncton
2,0 µm

Picoplâncton: bactérias e proclorófitas
0,2 µm

Fentoplâncton: vírus

FIGURA 9.4 Classificação do plâncton de acordo com o tamanho do organismo (de acordo com Sieburth et al., 1978) e seus principais representantes.

Com relação ao tempo de permanência no habitat planctônico, os organismos são divididos entre: **holoplâncton**, aqueles cujo ciclo de vida ocorre todo no plâncton; **meroplâncton**, aqueles nos quais apenas uma parte do ciclo de vida é planctônico, como os ovos e as fases larvais de alguns organismos, e **ticoplâncton** ou **pseudoplâncton**, que são organismos de hábito bentônico ou perifítico (que vivem aderidos a substratos submersos, formando um biofilme) que são levados ocasionalmente para o plâncton.

Os organismos planctônicos apresentam uma grande diversidade de formas e possuem estruturas delicadas, sendo muitos deles transparentes. Como são ligeiramente mais densos que a água do mar, apresentam tendência ao afundamento. Portanto é comum a presença de estruturas e adaptações fisiológicas que aumentam a flutuabilidade, tais como: setas, vacúolos e gotículas de lipídios no citoplasma e pequeno tamanho do corpo, o que aumenta a razão superfície/volume.

Por ser uma comunidade muito diversificada e heterogênea, os organismos planctônicos também recebem outra classificação, que tem caráter ecológico-funcional, a saber:

i) **Virioplâncton**. É composto pelos vírus que habitam o ambiente marinho, compondo o fentoplâncton. É um grupo ainda pouco estudado tendo em vista que só foram descobertos na década de 1980, graças à aplicação de técnicas de biologia molecular aos estudos de oceanografia. A grande diversidade e patogenicidade de alguns vírus em organismos marinhos já foi identificada (Fuhrman et al., 2002).

ii) **Bacterioplâncton**. É composto por organismos procariotos (sem membrana nuclear) como as cianobactérias (antigas algas azuis), bactérias e arqueias. São organismos picoplanctônicos, abundantes nos oceanos (da ordem de milhões de células/mL), especialmente em águas oligotróficas (pobres em nutrientes) como as regiões oceânicas. Podem ser autótrofos ou heterótrofos. Esses últimos desempenham um importante papel na ciclagem de nutrientes nos oceanos por atuarem na decomposição de matéria orgânica dissolvida e particulada. Nesse processo, chamado de regeneração, os sais nutrientes retidos na matéria orgânica são disponibilizados novamente para o ambiente. As cianobactérias são importantes por serem capazes de fixar o nitrogênio atmosférico, disponibilizando-o para a rede trófica marinha, além de realizar fotossíntese. Além disso, muitas cianobactérias podem apresentar florações (crescimento rápido e demasiado da biomassa), algumas nocivas à biota marinha pela produção de toxinas ou por causarem entupimento de brânquias de peixes e outros organismos marinhos. As arqueias são especialmente abundantes nos ambientes extremos, como as fontes termais e os respiradouros frios.

iii) **Fitoplâncton**. É uma comunidade constituída de uma grande variedade de protistas (organismos unicelulares e eucariontes), livres ou coloniais, autótrofos e alguns mixotróficos. Dentre eles, podemos destacar as diatomáceas, dinoflagelados, fitoflagelados, cocolitoforídeos e silicoflagelados, apresentados com mais detalhes no Capítulo 8. O fitoplâncton é popularmente conhecido pelo termo **microalgas**, que não tem valor taxonômico. Nos vários grupos que compõem o fitoplâncton, podem ser encontradas espécies autótrofas, heterótrofas e mixotróficas, tornando sua classificação um assunto bastante complexo. O fitoplâncton apresenta organismos predominantemente nas classes do nano e microplâncton; contudo, alguns organismos podem atingir comprimentos da ordem de 600 μm ou mais.

A importância do fitoplâncton nos oceanos é primordial porque ele representa a principal base da rede trófica marinha. A produção primária fitoplanctônica representa 98% da produção nos ambientes aquáticos e 48% da produção global (Field et al., 1998), apesar de o fitoplâncton representar apenas 1% da biomassa fotossintetizante do planeta. Os limites superiores de captura pesqueira sustentável em áreas oceânicas são estabelecidos pela produção primária fitoplanctônica.

Estima-se que 45 Gt (10^9 t) de carbono orgânico particulado sejam produzidas anualmente pelo fitoplâncton nos oceanos. Desse total, cerca de 16 Gt são exportadas para as camadas mais profundas do oceano (a bomba biológica) servindo de alimento para organismos que habitam essas regiões (Berger et al., 1989).

iv) **Zooplâncton**. É uma comunidade extremamente variada, composta por organismos holo e meroplanctônicos, que compreende representantes de quase todos os filos de animais invertebrados marinhos (especialmente as fases larvais), além dos protistas heterótrofos, como as amebas, os radiolários e os ciliados. Contudo, o grupo mais abundante no zooplâncton é o dos crustáceos, particularmente os copépodos (que correspondem, em média, a 70% da biomassa total). O zooplâncton pode apresentar hábitos herbívoros, carnívoros, onívoros e detritívoros. Assim, o zooplâncton compõe vários níveis da cadeia alimentar aquática, o que lhe confere uma grande importância ecológica, uma vez que tem papel fundamental na transferência de energia química para animais de níveis tróficos superiores.

A maioria dos organismos zooplanctônicos apresenta apêndices natatórios que lhes permite deslocamentos na coluna de água, porém não fortes o suficiente para vencer correntes. Muitos deles também apresentam um movimento vertical diário na coluna de água, conhecido como **migração vertical**. Basicamente, durante o dia, procuram as águas profundas para evitar a predação e, à noite, migram para as águas superficiais, onde se alimentam. Esse processo também é importante no transporte de material orgânico para as camadas profundas, por meio das pelotas fecais excretadas pelo zooplâncton.

v) **Ictioplâncton**. É a comunidade constituída por ovos e larvas de peixes. Seu estudo é de suma importância para a avaliação dos estoques pesqueiros, ciclos reprodutivos e variações espaciais e temporais nas comunidades de peixes, bem como para os estudos de impactos ambientais sobre a biota marinha. Por viverem na película superficial da água (hábito neustônico), os organismos do ictioplâncton são submetidos à forte ação da radiação UV e, para isso, apresentam adaptações específicas para sobreviver nessas condições, como produção de gotas de óleo e coloração iridescente.

A comunidade planctônica, além de abrigar os principais produtores primários para as teias tróficas marinhas, também constitui o "berçário" de grande parte da fauna oceânica. Seus organismos respondem de maneira mais imediata a variações no ambiente, fato pelo qual muitos deles são usados como espécies-teste em estudos ecotoxicológicos. Processos deletérios sobre essas comunidades podem comprometer, imediata e diretamente, os estoques de peixes e outros animais marinhos. Sendo assim, apesar de constituir uma comunidade predominantemente microscópica, o plâncton é absolutamente fundamental para o equilíbrio da vida nos oceanos e na Terra.

Nécton

Os organismos nectônicos são os habitantes livre-natantes do ambiente pelágico, capazes de vencer as correntes de água. O formato hidrodinâmico do corpo e a força propulsora produzida pelas nadadeiras ou pelas ondulações do corpo são as bases da natação.

O ambiente nectônico é caracterizado pela ausência de substrato sólido. Os animais ficam suspensos na água que, por sua densidade, oferece algum suporte. A locomoção é uma habilidade fundamental para esses organismos, seja para buscar alimento, refúgio, fugir de predadores e até mesmo para respiração, como é o caso de alguns tubarões. Os organismos nectônicos apresentam ampla variação de tamanho: desde pequenos peixes habitantes de recifes de corais, que têm cerca de 2 cm, até os tubarões-baleia que alcançam 20 m de comprimento e as baleias azuis que podem chegar a 33 m.

Os peixes são os seres mais abundantes do nécton. Existem cerca de 25 mil espécies de peixes já identificadas, sendo cerca de 15 mil espécies marinhas. Os peixes são encontrados em todos os ambientes pelágicos, desde os recifes de corais até cânions e profundezas abissais. Apresentam uma grande diversidade morfológica e tipos de ciclos de vida, de acordo com seu habitat. Os peixes que habitam a coluna de água são ditos **pelágicos** e os que vivem em relação com o fundo, como o linguado, são os **demersais**.

Os hábitos alimentares dos peixes são muito variados: há representantes herbívoros, carnívoros de vários níveis (até os predadores de topo, como os tubarões), parasitas e até sapróvoros (que se alimentam de organismos mortos). Em função disto, são capazes de explorar todos os recursos alimentares dos oceanos e participar de redes alimentares de quaisquer ecossistemas marinhos.

Alguns peixes apresentam adaptações especiais que lhes conferem capacidade de explorar melhor os recursos do ambiente que habitam ou suportar condições extremas desses ambientes. Por exemplo: os peixes-lanterna, que habitam a zona mesopelágica, apresentam bioluminescência, que é utilizada para localização de presas e reconhecimento sexual na escuridão do ambiente. Alguns peixes antárticos apresentam substâncias anticongelantes no sangue para garantir a circulação sob as baixas temperaturas em que vivem.

As lulas e os polvos são considerados seres nectônicos pelo seu poder de locomoção, obtido graças ao formato hidrodinâmico do corpo aliado ao nado tipo jato-propulsão. As lulas vivem em cardumes e são predadoras vorazes de zooplâncton, pequenos peixes e até de outras lulas e, em decorrência de seu hábito predador, apresentam a visão muito desenvolvida. Representam um recurso significativo: a captura destes organismos em 2015 foi da ordem de 4,7 milhões de toneladas (FAO, 2017).

Dentre os répteis marinhos nectônicos, as tartarugas são as mais abundantes, porém, com apenas oito espécies descritas. São animais ameaçados de extinção, por serem muito predados por outros organismos, e pelo homem, em todas as fases de seu ciclo de vida. Além disso, muitas tartarugas ainda morrem presas a redes de pesca por acidente. As serpentes marinhas geralmente habitam estuários e mares interiores que apresentam fundo lodoso, principalmente em áreas rasas e mangues. Outros reptilianos marinhos são as iguanas das ilhas Galápagos e crocodilos de regiões costeiras.

São consideradas aves marinhas aquelas que se alimentam e passam boa parte do tempo na água do mar, como é o caso dos pinguins. Embora a maioria das aves marinhas não seja realmente nectônica, por descansar e nidificar em terra, exercem uma grande pressão de predação sobre os organismos nectônicos e estão bastante adaptadas a esse meio. Por exemplo, apresentam bicos modificados e glândulas de sal que excretam o excesso de sal ingerido durante os mergulhos. Estima-se que haja 270 espécies de aves marinhas, como petréis, fragatas, albatrozes, trinta-réis, atobás, gaivotas e pelicanos. Muitas delas costumam depositar seus excrementos em rochas isoladas no meio do oceano, formando o guano, composto muito rico em fosfato que pode ser explorado comercialmente, além de ser uma fonte natural de fósforo para as águas por ocasião da lavagem das rochas pelas chuvas.

Os mamíferos marinhos diferem bastante dos terrestres pelas adaptações morfológicas e fisiológicas que os habilitam a viver nesse ambiente. As baleias constituem o grupo de maior diversidade, com 90 espécies. Muitas realizam longos movimentos migratórios pelo planeta, associados a padrões sazonais. Os cetáceos utilizam ondas sonoras para percepção do ambiente e comunicação entre os indivíduos. O grupo dos leões-marinhos, focas e morsas também apresenta hábitos terrestres, mas a alimentação ocorre no ambiente pelagial. Os peixes-boi se alimentam de macroalgas encontradas nos estuários e nas baías que habitam.

Como visto, a comunidade nectônica constitui um grupo muito diversificado em termos filogenéticos e apresenta uma riqueza intrínseca em termos de biodiversidade. No âmbito do sistema oceano, os organismos nectônicos desempenham um papel importantíssimo no fluxo de energia entre os níveis tróficos, uma vez que ocupam vários níveis das teias alimentares marinhas, mas também no fluxo de energia e materiais entre os diferentes ambientes oceânicos, graças aos deslocamentos verticais e horizontais que são capazes de realizar. Quando um peixe ou uma lula se alimenta nas camadas superficiais do oceano e elimina seus excrementos em camadas mais profundas, está contribuindo para entrada de energia nesses ambientes, que será aproveitada por bactérias, micro-heterótrofos e diversos organismos que compõem outras cadeias alimentares, formando elos entre partes muitas vezes distantes no ambiente oceânico.

9.3.2 Comunidades Bentônicas

Os organismos bentônicos são os que habitam ou estão associados a algum substrato (natural ou artificial) ou ao próprio fundo marinho. A maioria apresenta locomoção (**vágeis**), como as estrelas-do-mar, as raias bentônicas e os ermitões, mas outros são fixos (**sésseis**), como as cracas e os corais.

A comunidade bentônica (**bentos**) é composta de uma ampla gama de organismos invertebrados, alguns vertebrados, bactérias, fungos, protistas (inclusive microalgas), macroalgas e vegetais superiores (como a *Spartina* e as árvores de mangue). Tendo essa composição, fica óbvio que a faixa de variação de tamanho entre esses organismos é muito grande e que é um habitat riquíssimo em termos de biodiversidade. Os organismos bentônicos que vivem sobre o substrato constituem a **epifauna**, podendo ser sésseis ou vágeis. Aqueles que se enterram no sedimento ou constroem tubos ou galerias, compõem a **infauna**.

Dentre os heterótrofos bentônicos, são observadas diferentes estratégias de alimentação: os filtradores da água do mar, que se alimentam de plâncton e partículas em suspensão (por exemplo, as cracas e os mexilhões); os herbívoros, que se alimentam dos vegetais, microalgas e algas (como alguns moluscos e crustáceos); os depositívoros, que se alimentam de partículas depositadas no sedimento (por exemplo, os poliquetos); e os predadores e/ou necrófagos, que geralmente apresentam os dois hábitos (como camarões e estrelas-do-mar).

O tipo de substrato é um fator determinante para a ocupação da comunidade bentônica em um local. De acordo com a composição do fundo (rocha, cascalho, areia grossa, areia fina, lama), ocorre uma seleção de organismos capazes de habitá-lo.

9.4 AMBIENTES COSTEIROS

As áreas compreendidas desde a costa até o limite da plataforma continental são consideradas ambientes costeiros. Nessas áreas, observa-se uma ampla variedade de ambientes de acordo com as características fisiográficas da região, sua hidrodinâmica, tipo do substrato, entre outros fatores. O Brasil possui 7,4 mil km de costa, mas, consideradas as saliências e reentrâncias, esta extensão chega a 9,2 mil km. A área marítima brasileira é de 3,6 milhões de km² e poderá ser ampliada para 4,5 milhões de km², caso a ONU delibere a favor de uma reinvindicação do país. Esta área será equivalente à metade da área continental brasileira.

Os ecossistemas da região nerítica incluem-se entre os mais produtivos do mundo. Contribui para isso o fato de as interações entre as comunidades pelágica e bentônica serem intensas, em função da proximidade entre superfície e fundo, o que favorece a ciclagem mais rápida de nutrientes, estimulando a produtividade biológica. As condições ambientais que definem o tipo de ocupação biológica nessas regiões estão relacionadas com fatores como o tipo de sedimento que recobre o fundo, o relevo submarino, a profundidade local, a distribuição vertical da temperatura da água, a distância da costa, o tipo de ambiente costeiro adjacente, a eventual presença de estuários próximos, a transparência da água e a latitude (que determina a disponibilidade de luz, variação de temperatura e os ciclos sazonais destas variáveis). Esses fatores determinam os padrões de circulação e a estrutura da coluna de água que atuam diretamente na estrutura e composição da comunidade biótica que ocupa o ambiente e na rede trófica que se estabelece.

Nessas áreas, em função da profundidade relativamente pequena (em geral, até cerca de 200 m), os organismos do plâncton, nécton e bentos apresentam estreitas relações nutricionais, compondo teias tróficas com a participação de representantes de cada categoria. Os organismos bentônicos podem se alimentar de organismos planctônicos e depois servirem de alimento para peixes que se alimentam junto ao fundo, por exemplo. A fauna bentônica dominante nessas regiões é constituída por anelídeos, poliquetas, vários grupos de crustáceos, ascídeas, equinodermos e moluscos. A fauna sempre é mais rica e diversificada em regiões de fundos consolidados, onde são frequentes organismos sésseis ou de baixa mobilidade pelo fato de que estas regiões normalmente apresentam macroalgas que servem de alimento e abrigo aos animais.

A **zona litoral** é a região de transição entre o continente e o oceano que sofre a influência das marés. Este bioma pode ser dividido em **supralitoral**, faixa situada acima da linha da maior preamar, **mediolitoral** ou **zona entremarés**, compreendida entre os limites das marés extremas. Abaixo do limite da maré mínima e até a região da quebra de plataforma, situa-se o **infralitoral**, permanentemente coberto pelas águas. O **circalitoral** corresponde à faixa do infralitoral até onde há incidência de luz no substrato.

A zona entremarés é caracterizada pela variação das condições ambientais de acordo com a amplitude e fase da maré. Os habitantes dessas zonas nas praias, nos costões rochosos, mangues, dentre outros, são submetidos a períodos de exposição ao ar. Sendo assim, os organismos que aí habitam apresentam várias adaptações para evitar o dessecamento nos períodos de exposição. A força das ondas que atinge a zona entremarés também constitui um fator de seleção adaptativa da comunidade. Normalmente, as áreas mais protegidas apresentam uma comunidade mais abundante e diversificada do que as mais expostas. Dessa maneira, nessas zonas, os organismos se distribuem espacialmente de acordo com o grau de adaptabilidade às pressões externas. Essa distribuição é chamada de **zonação**.

9.4.1 Praias

As **praias** são regiões de pequena declividade constituídas de sedimentos não consolidados, cuja morfologia e granulometria dependem de vários fatores como: fisiografia da planície costeira e da plataforma continental, distância e tipo da fonte de origem dos sedimentos e atuação das ondas sobre a área. Em praias com menor hidrodinamismo, os sedimentos tendem a ser mais finos, e a mobilidade dos organismos tende a ser menor, isto é, são mais frequentes organismos construtores de tubos, por exemplo. Em condições de maior hidrodinamismo, os sedimentos são mais grossos e a tendência é a maior presença de organismos com maior mobilidade, como caranguejos e siris.

A praia é considerada como a área compreendida desde a zona de arrebentação das ondas até o limite alcançado pelas ondas de ressaca. As características físicas e o perfil de uma praia mudam sazonalmente e muitos organismos fazem migração mareal ou sazonal em resposta às mudanças no padrão de ondas. Nas praias, podem ser observadas três zonas distintas: a região superior, raramente atingida pelas ondas, onde vivem crustáceos cavadores de galerias; uma região mediana, exposta ao fluxo e refluxo das ondas (zona de surfe), em que ocorrem, com frequência, pequenos crustáceos macroscópicos, anelídeos construtores de tubos, moluscos bivalves, entre outros; e uma região inferior, que se mantém, em geral, submersa, onde frequentemente se encontram, por exemplo, bolachas-do-mar (equinodermos), renilas, entre outros.

9.4.2 Estuários

Os **estuários** são regiões costeiras parcialmente fechadas que recebem o aporte de água doce de rios, a qual se mistura significativamente com a água salgada do mar, criando uma massa de água salobra. Os estuários são considerados sistemas complexos, de diversidade elevada e alta produtividade biológica, especialmente em regiões intertropicais, onde estão associados à presença de mangues e marismas. Esses ambientes são considerados berçários marinhos, dada a grande quantidade de animais que os buscam para reprodução e alimentação. Isso se deve principalmente à abundância de alimento que é característica dos estuários. Os rios que deságuam nessas regiões transportam muitos nutrientes e sedimentos, que são retidos pela vegetação. Os nutrientes são assimilados pelo fitoplâncton, permitindo o desenvolvimento de uma grande biomassa quando a penetração da luz não é muito limitada pela turbidez da água. Essa abundância de fitoplâncton sustenta uma significativa biomassa de zooplâncton (incluindo as larvas de futuros seres bentônicos ou nectônicos) e peixes herbívoros que, por sua vez, servem de alimento a organismos maiores. As marés costumam impor ampla variação de salinidade aos estuários ao longo do dia, o que limita seu povoamento por espécies sensíveis à variação halina. Por esse motivo, a diversidade nos estuários é alta se consideradas as populações visitantes, mas baixa se consideradas apenas as populações residentes.

9.4.3 Manguezais

Os **manguezais** são ecossistemas de transição entre o mar e o continente, característicos de costas abrigadas, com sedimento fino, pouco oxigenado e sob a ação das marés. São constituídos por uma vegetação característica, o mangue, composto por árvores lenhosas e halófitas. No Brasil, os mangues são encontrados desde o Amapá (4°20'N) até a cidade de Laguna (28°30'S) em Santa Catarina (Schaeffer-Novelli, 1989). No Sudeste, as espécies arbóreas mais comuns são *Rhizophora mangle* (mangue vermelho), *Avicennia schaueriana* (mangue preto) e *Laguncularia racemosa* (mangue branco). Além das árvores, há uma rica flora bentônica constituída por micro e macroalgas. A alta produtividade primária sustenta uma grande e diversificada fauna bentônica. Os manguezais são ambientes extremamente importantes ecologicamente por constituírem regiões de berçário para organismos estuarinos e costeiros (contribuindo para a manutenção da biodiversidade), têm um importante papel na ciclagem dos nutrientes, além de protegerem a linha de costa, por atuarem na redução da velocidade e intensidade das ondas.

9.4.4 Costões Rochosos

Costões rochosos são ambientes localizados na região entremarés, com feições variando desde falésias até rochas baixas espalhadas em extensões relativamente planas. Os fatores abióticos como: exposição ao ar (relacionado com a variação das marés), batimento de ondas, temperatura, insolação, ventos e chuva, tanto contribuem para erosão das rochas do costão, quanto também atuam na criação de micro-habitats muito heterogêneos que determinam padrões distintos de distribuição dos organismos em faixas horizontais, a chamada **zonação**. Estas faixas são paralelas à linha d'água e apresentam padrões e colorações diferentes de acordo com a biota que nela reside. Os costões são áreas de grande biodiversidade e intensas interações biológicas. Muitas espécies de interesse comercial (como ostras, mexilhões e peixes) são encontradas nestes locais (Nybakken, 1997).

Os costões mais expostos à ação de ondas têm geralmente menor diversidade, pois representam um ambiente muito seletivo. Muitos dos seus habitantes apresentam formato hidrodinâmico e tamanho reduzido se comparados às mesmas espécies habitantes dos costões protegidos. As algas que ocupam estes ambientes são favorecidas pela movimentação das águas que aumenta o fluxo de nutrientes e a exposição à luz e, ao mesmo tempo, restringe a herbivoria. Esse conjunto de fatores favorece altas taxas de produção primária. Por outro lado, os costões protegidos apresentam maior nível de complexidade biológica, com uma grande riqueza de espécies associadas. São frequentes organismos maiores que os de costões expostos, como algas com talos bem desenvolvidos e com abundante biota epífita principalmente de organismos sésseis (algas, briozoários, esponjas, poliquetos), mas também vágeis (crustáceos e equinodermos). Apesar do baixo hidrodinamismo colaborar com a fixação e estabelecimento de organismos, verifica-se um baixo fluxo de nutrientes, o que tende a limitar a produtividade primária.

9.4.5 Marismas

Marismas são formações encontradas nas regiões entremarés de baixa energia, em regiões subtropicais, temperadas e frias, em áreas planas ou com inclinação suave, com predominância de angiospermas herbáceas, adaptadas a grandes variações de salinidade e temperatura. Essas formações são frequentes em regiões lagunares, estuários e baías e podem apresentar zonação em função da distância da água e do tempo de inundação a que estão submetidas (Seeliger et al., 1998). Em geral, nas regiões mais inundadas, ocorre a gramínea conhecida como macega-mol (*Spartina alterniflora*), seguida de macega (*Spartina densiflora*) e finalmente o junco (*Juncus effusus*), nas regiões inundadas com menor frequência. As marismas tendem a reduzir a velocidade das ondas e da correnteza dos rios em regiões estuarinas, em função do atrito da água com as hastes das plantas. Essa redução na velocidade propicia um maior contato entre a água e as raízes das plantas, aumentando a absorção de nutrientes e a produtividade primária, além de ter um importante papel no controle da erosão e proteção da linha de costa. Existem inúmeros organismos associados a essas gramíneas, como bactérias, microalgas bentônicas, **perifíton** (algas epífitas sobre as gramíneas), crustáceos, moluscos e peixes, que se utilizam desse ambiente para reprodução e abrigo, além de inúmeras aves migratórias que aí buscam seu alimento e o utilizam para nidificação e reprodução.

9.4.6 Planícies de Maré

As **planícies de maré** são constituídas de sedimentos marinhos que são expostos e submersos regularmente pela ação de marés. Representam uma zona de transição entre o ambiente terrestre e o marinho com um relevo suave, formando faixas estreitas entre a marisma ou manguezal e o mar (Reise, 1985). As comunidades são representadas principalmente por organismos do microfitobentos e bactérias, que formam filmes sobre o sedimento (biofilme) e têm um papel essencial na ciclagem de nutrientes, pois atuam, alternadamente, em ambiente oxidado ou anóxico, dependendo do recobrimento pela água sob ação das marés. Essas comunidades, portanto, são adaptadas a variações muito amplas no teor de umidade, na temperatura e radiação solar. As microalgas bentônicas dessas regiões realizam migrações verticais entre os grãos do sedimento para escapar da dessecação ou em busca de luz para realizar a fotossíntese assim que o sedimento é coberto pelas águas. São regiões muito produtivas que abrigam uma grande comunidade de moluscos, poliquetos, crustáceos, peixes e aves.

9.4.7 Recifes Biológicos

Os **recifes** constituem sistemas muito ricos e diversificados, característicos de águas claras, quentes e limpas, que permitem alta incidência luminosa. Geralmente, ocorrem nas plataformas dos mares tropicais, nas quais a temperatura média é superior a 22°C. Os recifes cobrem cerca de 600 mil km² ou 0,2% da área oceânica (Villaça, 2002). Essas formações podem ser coralíneas, de algas calcárias ou ainda detríticas (estromatólitos ou de arenito). Os recifes de coral abrangem cerca de 284.300 km² das águas (Spalding et al., 2001), o que corresponde a menos de 0,08% da superfície oceânica. Podem atingir mais de 2.000 km de extensão, como na grande barreira de corais da Austrália (De'ath et al., 2009). Há espécies de corais que apresentam simbiose com microalgas, as zooxantelas, que se incubem da produção primária nesses ecossistemas. Há outros corais que não apresentam zooxantelas, que normalmente localizam-se em áreas mais profundas, com menor penetração de luz.

Uma excepcional diversidade de organismos está associada a esses ecossistemas, sendo que mais de quatro mil espécies de organismos podem ser encontradas em um único recife. Cerca de metade das espécies de peixes conhecidas vivem nesses ambientes, formando verdadeiros oásis de vida nas regiões tropicais. Também são muito importantes no ciclo do carbono, uma vez que retiram CO_2 da água do mar na construção dos recifes carbonáticos. Os recifes também auxiliam na proteção da costa contra a ação das ondas, uma vez que formam barreiras paralelas à linha de costa. O fenômeno de acidificação das águas dos oceanos vem ameaçando substancialmente esses ecossistemas.

9.4.8 Florestas de Macroalgas

As **florestas de macroalgas** (em inglês, *kelps*), são formações que ocorrem em regiões de águas frias, ricas em nutrientes e relativamente rasas da plataforma continental. São constituídas por macroalgas do grupo Phaeophyceae (algas pardas), que podem atingir até 80 m de altura sob a água. O crescimento dessas algas é extremamente rápido, podendo atingir 1 m por dia. Essas macroalgas apresentam formações laminares semelhantes a folhas, alongadas, muitas vezes com estruturas de flutuação cheias de gás, de forma a manter as lâminas próximas à superfície. As lâminas são fixadas ao fundo por uma estrutura semelhante a um caule. Essas florestas de macroalgas criam uma série de microambientes que são habitados por diversos grupos de organismos, como crustáceos, peixes herbívoros e carnívoros, aves marinhas, entre outros. A sobrepesca pode gerar desequilíbrios nos *kelps* ao retirar os predadores de topo, o que pode levar a um aumento relativo dos herbívoros e à subsequente redução da biomassa total das macroalgas (o que constitui um exemplo de controle descendente, *top-down*, como visto anteriormente).

As macroalgas dos *kelps* foram muito utilizadas comercialmente no século XIX para a produção de cinzas cáusticas utilizadas na confecção de sabão e vidro, ou mesmo como fertilizantes. Atualmente, seu potencial nutracêutico tem sido explorado para produção de alginatos e mesmo para produção de energia, uma vez que sua biomassa se decompõe facilmente, produzindo metano e álcool.

9.5 AMBIENTES OCEÂNICOS

As províncias oceânicas caracterizam-se principalmente pela pequena região iluminada em relação à profundidade total da coluna de água e à pouca disponibilidade de nutrientes na zona eufótica. O pelagial das províncias oceânicas é, portanto, constituído de ambientes oligotróficos, com produtores primários primordialmente picoplanctônicos e com longas cadeias tróficas. A entrada de energia na rede trófica nesses ambientes ocorre por sedimentação de material orgânico (vivo ou morto) das camadas superficiais para as mais profundas e sem luz do oceano – a denominada bomba biológica. As fezes dos organismos que eventualmente se alimentam na zona eufótica e migram para as camadas de fundo também são importante fonte de carbono aproveitada pela rede microbiana de decompositores. Os ambientes oceânicos profundos, caracteristicamente escuros e frios (temperatura média de 4°C), apresentam alta pressão hidrostática e pouca variação das condições ambientais. Entretanto, podem abrigar uma rica vida marinha, especialmente nas regiões dos respiradouros frios e das fontes termais, com a produção primária baseada na quimiossíntese, que utiliza compostos de enxofre ou metano como fonte de energia em lugar da luz usada no processo fotossintético.

9.5.1 Giros Centrais

Os giros centrais são regiões delimitadas pelas correntes de contorno dos continentes, localizadas no centro dos oceanos em latitudes subtropicais e tropicais. São ambientes extremamente oligotróficos pois não há aporte de material continental e a presença da termoclina permanente nessas regiões dificulta a mistura com águas profundas, ricas em nutrientes. A produção primária é baseada quase exclusivamente na regeneração de nutrientes na camada de mistura. Portanto, são regiões de biomassa extremamente baixa, com organismos do picoplâncton (principalmente dos gêneros *Synechococcus* e *Prochlorococcus, que são cianobactérias*) e pequenos flagelados nanoplanctônicos como principais organismos fotossintetizantes. A sílica é um nutriente bastante limitado nestes ambientes, portanto as diatomáceas são raras, havendo predomínio de formas que fixam carbonato de cálcio, como os cocolitoforídeos.

9.5.2 Fontes Hidrotermais

As **fontes hidrotermais** (do inglês *hydrotermal vents)* foram descobertas em 1977 na Fenda de Galápagos, no Pacífico Oriental e, desde então, estes ecossistemas extremamente complexos e singulares têm sido estudados. Cerca de 600 espécies novas para a ciência foram descritas (Baker et al., 2010), incluindo desde arqueias, bactérias, crustáceos, enormes mexilhões e vermes, caranguejos e peixes. Inúmeras outras espécies ainda estão para ser identificadas. O metabolismo destes organismos está adaptado a ambientes extremamente ácidos e quentes, pois as temperaturas nessas regiões chegam a quase 400°C. As fumarolas liberam compostos reduzidos, especialmente H_2S e CH_4, que fornecem energia química para a produção de carbono orgânico (quimiossíntese), que sustenta uma elevada biomassa. De acordo com Sarrazin & Juniper (1999), a biomassa da fauna das fontes termais pode atingir 500 a 1.000 vezes o valor da biomassa na circunvizinhança, alcançando valores similares aos dos ecossistemas marinhos ou terrestres mais produtivos, representando verdadeiros oásis no fundo do oceano.

A biodiversidade e a densidade da fauna dos sítios termais estão intimamente ligadas à taxa de expansão do fundo marinho (Juniper & Tunnicliffe, 1997; Tunnicliffe et al., 2003). Existem evidências de que a vida na Terra surgiu em ambientes semelhantes aos das fontes termais. Nesse sentido, estes ambientes são propícios para se investigar a origem da vida na Terra (Corliss et al., 1981), além de representarem condições extremas que podem ser encontradas até mesmo em outros planetas.

9.5.3 Respiradouros Frios

Outro tipo de ambiente de ampla distribuição nas regiões dos taludes continentais são os **respiradouros frios** (em inglês, *cold seeps* ou *cold vents*). Tanto nos taludes quato nos sopés continentais, podem ocorrer afloramentos de gases (como sulfeto de hidrogênio, metano e outros hidrocarbonetos) e mesmo petróleo, que percolam os sedimentos e escapam para a coluna de água. Quando abaixo de 600 m de profundidade, o metano permanece congelado com as baixas temperaturas e altas pressões do fundo. Quando acima de 600 m de profundidade, o metano sai do fundo na forma de uma torrente de bolhas e o ambiente passa a ser chamado de respiradouro frio. Em torno dessas regiões, desenvolvem-se comunidades biológicas compostas por diversos grupos faunísticos, inúmeros exclusivamente associados a essas formações, como tapetes bacterianos, vários grupos de moluscos bivalves, gastrópodes, lapas, poliquetas, anêmonas, caranguejos e corais moles cuja nutrição depende da quimiossíntese bacteriana. Cerca de 600 novas espécies foram descritas nestes ambientes (Baker et al., 2010). Os respiradouros frios acabam desenvolvendo uma topografia própria, em função das reações químicas entre metano e água do mar e atividade bacteriana, que criam formações calcárias características (Sibuet & Olu, 1988, Sibuet & Olu, 1988).

9.5.4 Lagos Salgados Profundos

Lagos salgados profundos (em inglês, *brine pools*) são regiões onde ocorrem afloramentos tectônicos de sal que podem atingir concentrações de três a cinco vezes mais elevadas do que no oceano circundante. Em função da alta salinidade, essas regiões apresentam águas muito densas, o que faz com que as mesmas permaneçam no fundo sem se misturar com as águas adjacentes. Os lagos salgados profundos frequentemente contêm elevadas concentrações de metano. Este gás é utilizado pelas bactérias quimiossintetizantes, que formam extensos tapetes em suas margens e acabam fornecendo alimento para todo um ecossistema de base quimiotrófica (Sellanes et al., 2010; Barrie et al., 2010), de forma semelhante aos respiradouros frios. Os lagos salgados profundos são comuns no oceano Antártico (Griffiths, 2010), pois surgem durante a exclusão de sal que ocorre com a formação de gelo no inverno.

9.6 RECURSOS OCEÂNICOS

Os oceanos sempre foram fonte de recursos para a humanidade e a dependência do homem pelos recursos naturais marinhos é evidenciada pelo desenvolvimento de grandes civilizações nas áreas costeiras ou nos deltas de grandes rios como o Nilo, Tigre e Eufrates. Atualmente, os oceanos são os grandes corredores do intercâmbio global de mercadorias: cerca de 90% dos bens comercializados no mundo circulam por navios. Por esse motivo, e por abrigarem recursos minerais e biológicos diversificados, os espaços marítimos têm sido objeto de crescente competição internacional e, consequentemente, de tratados internacionais para disciplinar a sua exploração e explotação.

Os fundos das bacias oceânicas correspondem a 65% da área ocupada pelos oceanos e, até algumas décadas atrás, eram uma área utilizada apenas para a colocação de cabos submarinos para transmissão de dados, disposição de rejeitos e algumas pesquisas. Entretanto, a evolução tecnológica já permite a investigação destas áreas de difícil acesso, representando a última fronteira para exploração de recursos naturais do planeta. Essas ações de exploração oceânica, voltadas tanto aos recursos vivos quanto aos não vivos (**abióticos**), repercutiram de modo significativo na organização econômica e social mundial nas últimas décadas (Vallega, 2001).

A Convenção das Nações Unidas sobre o Direito do Mar (UN, 1982) estabeleceu uma estrutura administrativa internacional, constituída de sistemas normativos destinados a regular o exercício das atividades no oceano com a finalidade de estabelecer uma gestão racional e equitativa de seus recursos. Ficou estabelecido que o fundo do mar, fora da jurisdição dos estados costeiros, passaria a ser considerado patrimônio comum da humanidade, em função deste interesse global. Entretanto, as tentativas de aplicação da legislação sobre as águas internacionais e controle dos recursos marinhos geraram muitas controvérsias e alguns países, como os Estados Unidos, rejeitaram a Convenção.

9.6.1 Recursos Minerais

O **sal** é o recurso mineral cuja exploração é a mais antiga. A extração do sal em grande escala permite também a exploração comercial do sódio, do cloro e do bromo.

O **petróleo** é um importantíssimo mineral, cuja exploração a partir de ambientes oceânicos é significativa. Cerca de 30% da produção provém de jazidas localizadas em áreas de plataforma continental. Hoje, o desenvolvimento tecnológico permite que reservas em locais inóspitos sejam exploradas, como é o caso do petróleo do pré-sal. Os oceanos também são ricos em jazidas de **hidratos de metano** (Souza & Martins, 2008) e constituem as maiores reservas de carbono do planeta, mas ainda não estão sendo exploradas por dificuldades tecnológicas e logísticas.

Os oceanos são fontes de vários recursos minerais, alguns já amplamente explorados e outros que podem representar um importante recurso a médio e longo prazos. O documento "Mar e Ambientes Costeiros" (CGEE, 2007) discute os principais recursos minerais marinhos e suas principais reservas, que são resumidamente apresentados a seguir.

Os **nódulos de manganês** são formações que contêm vários outros metais associados (cobre, níquel, cobalto, ferro, chumbo), por isso também são chamados de nódulos polimetálicos. Esses nódulos ocorrem nas regiões abissais em áreas marinhas internacionais (para além das ZEEs), e seu alto valor econômico se deve à abundância desses metais nessas formações, em comparação ao que se encontra em suas jazidas terrestres, justificando o oneroso processo de exploração.

Nas regiões das fontes termais submarinas, ocorrem depósitos de **sulfetos polimetálicos**, ricos em metais como cobre, zinco, alumínio, ouro e prata. Sua formação se dá pela liberação de fluidos termais quentes (400 °C), carregados de metais e gases dissolvidos como o metano e o ácido sulfúrico, em fissuras da crosta nas cordilheiras ou no assoalho oceânico. Em contato com a água fria do mar profundo, esses materiais se precipitam e originam jazidas à flor dos sedimentos.

As **crostas cobaltíferas**, depósitos ricos em cobalto e possivelmente também em cádmio e molibdênio, são encontradas nos montes submarinos a profundidades que variam de 400 m a 4.000 m.

Areias, cascalhos e argilas, depósitos rasos de glauconita (silicato hidratado de potássio e ferro), depósitos de sedimentos biogênicos como lamas orgânicas, vasas organogênicas, carbonáticas, silicosas, de globigerina e concheiros são materiais abundantes nas áreas de plataforma continental, utilizados na indústria de construção civil, de fertilizantes, para uso em estações de tratamento de água, indústrias de cosméticos, material dentário, entre outros. Sua extração é feita por dragagens em áreas acima de 45 m de profundidade. Essas atividades podem ter impactos importantes sobre a biota bentônica do local de extração, tais como aumento da turbidez da água, soterramento de espécies e destruição de habitats.

Depósitos de minerais de alta resistência química e física como ouro, platina, estanho, titânio, ferro, zircônio, tungstênio, cromo, vanádio, cério e tório, além de pedras preciosas, são chamados conjuntamente de **depósitos de pláceres**. Esses minerais são erodidos das rochas continentais e carregados pelos rios, acumulando-se, ao final de um longo processo, em praias e áreas de plataforma de todo o mundo. Esses depósitos, em geral, não se formam muito além da linha de costa.

Depósitos de sais de potássio, magnésio, gipsita e sal-gema podem ser encontrados em áreas de plataforma denominadas **bacias evaporíticas**, às quais podem estar associados depósitos de enxofre.

Jazidas de carvão são encontradas nas áreas de plataforma normalmente como extensão de jazidas continentais. No Japão, 30% da produção de carvão provêm dessas fontes, que permitem exploração em longo prazo. Jazidas mais distantes da costa poderão ser exploradas, no futuro, com a implantação de ilhas artificiais e técnicas de gaseificação.

A água do mar é utilizada como fonte de água potável em muitos lugares do planeta. Os principais processos empregados nas usinas de dessalinização da água são a destilação, a osmose reversa e o uso de resinas de troca iônica. O Capítulo 17 aborda brevemente algumas destas técnicas. O custo desse tratamento é elevado, mas, em muitos casos, como ocorre em alguns países árabes desérticos, a dessalinização da água do mar utilizando a energia do petróleo é uma alternativa necessária para suprir a população com água potável.

Os oceanos também têm um importante papel como fonte de energia que pode ser transformada em energia elétrica. Os processos mais importantes de exploração baseiam-se na energia de marés, energia de ondas e energia térmica oceânica.

9.6.2 Recursos vivos

Pesca

A pesca é, sem dúvida, um dos mais importantes e populares recursos marinhos. De acordo com o relatório da FAO (2017), em 2015, foram produzidas 169,2 milhões de toneladas de pescado marinho (peixes, crustáceos, moluscos e outros organismos), das quais 92,6 milhões de toneladas foram provenientes da pesca por captura e 20,1 milhões de toneladas provenientes de aquicultura. O rendimento da pesca marinha por captura nos últimos anos tem se mantido acima dos 80 milhões de toneladas. A China é, de longe, o maior produtor de pescados no mundo. Em 2013, os peixes foram responsáveis por 17% da ingestão de proteínas da população global. Em 2015, cerca de 56,5 milhões de pessoas estavam engajadas no setor de pesca sendo que 33% em aquicultura. Por esses números, tem-se a dimensão deste mercado.

A base de dados da FAO inclui estatísticas dos 1.650 gêneros ou espécies marinhas mais coletadas. As vinte e cinco mais capturadas contribuem com 42% da pesca total, sendo que a maioria destas espécies é representada por pequenos seres pelágicos sujeitos a flutuações no estoque devido a fatores ambientais. É o caso, por exemplo, da anchoveta, cujos estoques são muito influenciados pelos fenômenos *El Niño* e *La Niña*.

O Código de Conduta de Pesca Responsável (FAO, 1995) preconiza a manutenção da qualidade, diversidade e disponibilidade de recursos pesqueiros em quantidades suficientes para gerações futuras. Para que isso seja garantido, ações de controle e fiscalização das atividades de pesca têm que ser aplicadas para exploração racional e sustentável dos recursos pesqueiros e o impedimento da sobre-exploração. O estabelecimento de Áreas de Proteção Ambiental é outra ação muito importante, uma vez que, nestes locais, é possível verificar a recuperação de estoques pesqueiros e aumento da biodiversidade. O Capítulo 28 aborda, especificamente, as áreas protegidas e seus principais propósitos.

Aquicultura

Os avanços nos conhecimentos biológicos e de técnicas de bioengenharia permitiram um grande impulso na aquicultura. A partir do início da década de 1980, a aquicultura passou a produzir uma parte significativa do pescado consumido mundialmente pela população humana. De acordo com o relatório da FAO (2017), a contribuição da aquicultura para o pescado total passou de 26%, em 2000, para 45%, em 2015, com uma produção de 76,6 milhões de toneladas, sendo a China o maior produtor (47,6 milhões de toneladas), seguido pela Índia, Indonésia, Vietnã, Bangladesh, Noruega, Egito, Chile, Myanmar e Tailândia (FAO, 2017). Dentre os principais produtos, estão peixes (68%), moluscos (21%), crustáceos (10%) e outras espécies (1%). A produção mundial de plantas aquáticas, por sua vez, principalmente algas marinhas, atingiu 30,5 milhões de toneladas em 2015, dos quais 96% por cento foram colhidas da aquicultura (FAO, 2017).

Apesar do grande desenvolvimento biotecnológico da aquicultura, esse tipo de empreendimento pode ter um elevado custo ambiental. Cerca de 60% dos peixes cultivados são criados em áreas costeiras e marinhas e as práticas adotadas têm causado impactos tais como: eutrofização, destruição de manguezais, poluição em larga escala pelo uso de antibióticos e outros produtos químicos e deslocamento de pesqueiros tradicionais. Para mais detalhes, consulte o Capítulo 13.

Alternativas para minimizar esses impactos seriam o deslocamento dos cultivos para áreas oceânicas (que envolve problemas logísticos e aumento dos custos) ou a implantação de sistemas de Aquicultura Multitrófica Integrada, nos quais o resíduo do cultivo de um organismo pode servir de alimento para outros cultivos de forma interligada. Essa abordagem mais sustentável tem sido praticada na China, Chile, Estados Unidos, Canadá e outros países.

Produtos Naturais Marinhos

Os organismos marinhos constituem uma imensa fonte de produtos naturais. O desenvolvimento da biotecnologia possibilitou o descobrimento e a exploração comercial de uma ampla gama de compostos e biomateriais produzidos por estes organismos (ou acumulados na sua biomassa), além de possibilitar a obtenção de fontes alternativas de compostos já existentes. Estes produtos têm aplicação nas indústrias química, alimentícia, farmacêutica e cosmética.

As macroalgas são amplamente utilizadas desde a antiguidade como fonte de alimento, de iodo, vitamina C ou como vermífugo. Atualmente, cerca de cem espécies de macroalgas são consumidas como alimento. Dentre os produtos obtidos a partir de organismos marinhos, encontram-se: agaranas, alginatos, carragenanas, fitocoloides (usados como estabilizantes, aglutinantes, gelificantes, suspensores, emulsificantes e clarificantes na indústria alimentícia), ácidos graxos poli-insaturados (lipídios), carotenoides e ficobilinas (pigmentos), polissacarídeos (açúcares), vitaminas, proteínas, enzimas, esteróis, micosporinas e diversos compostos bioativos naturais com propriedades antioxidantes, redutoras do colesterol, fotoprotetoras, antifúngicas, analgésicas, antibióticas, antivirais e antitumorais (Teixeira, 2004 e 2009).

A biomassa algácea também é utilizada como ração para a pecuária, produção de fertilizantes para agricultura ou aditivos para correção de pH de solos, no caso de algas calcárias. Outro uso mais recente das algas tem sido sua aplicação em processos de biorremediação de áreas degradadas e na redução das cargas de nutrientes de esgotos em estações de tratamento.

As microalgas têm sido objeto de intensas pesquisas ao redor do globo visando à utilização de sua biomassa para produção de biocombustíveis (Capítulo 26).

Estudos com bactérias extremófilas (isoladas de fontes termais) dos gêneros *Psychorophiles*, *Mesophiles* e *Termophiles* revelaram que elas são capazes de produzir bioativos com aplicação muito variada: enzimas, exopolissacarídeos e metabólitos secundários, que são utilizados na produção de detergentes, papel, cremes e rações, que têm movimentado um mercado bilionário (Nisbet & Fowler, 1996; CGEE, 2007).

9.7 SERVIÇOS ECOSSISTÊMICOS DOS OCEANOS

Os serviços ecossistêmicos oceânicos se referem a benefícios que o homem obtém dos ecossistemas marinhos, incluindo o mar aberto, mares costeiros, estuários, entre outros. Eles podem ser classificados em quatro categorias: serviços de regulação, serviços de provisão (ou de abastecimento), serviços culturais e serviços de suporte (Agardy & Alder, 2005).

Dentre os principais serviços oferecidos pelos oceanos, sem elencar ordem de importância, podemos citar: manutenção da biodiversidade, fonte de alimentos e produtos (como fibras, madeira, medicamentos, bioativos), regulação biológica, estoque de água doce, balanço hídrico e dos ciclos dos nutrientes, regulação climática e atmosférica, controle de doenças, processamento de resíduos, controle de erosão e proteção contra enchentes e tempestades, cultura, lazer, estética, educação e pesquisa (UNEP, 2006). A ampla diversidade de usos e funções a que se prestam os oceanos fornece indícios sobre os vários conflitos que podem ser gerados pelas demandas das diferentes atividades e a complexidade do seu gerenciamento integrado.

Em termos globais, os serviços de regulação são dos mais importantes exercidos pelos oceanos, pois incluem a regulação climática. Como visto anteriormente, a interação oceano-atmosfera influencia diretamente o clima da Terra. Alterações nesses serviços podem trazer consequências imprevisíveis para o sistema terrestre. As regiões úmidas costeiras, isto é, os manguezais, marismas, lagunas e lagoas salinas, zonas entremarés lodosas, também exibem importante papel regulador da qualidade da água, capturando sedimentos e resíduos orgânicos em trânsito entre continente e o mar. A regulação biológica também é exercida por outros ecossistemas costeiros e oceânicos, como zonas entremarés rochosas, praias e dunas, sistemas de recifes de corais, marismas, florestas de macroalgas, ilhas costeiras, mares semifechados e águas costeiras próximas, fontes termais, respiradouros frios dos taludes, entre outros. Vários desses sistemas costeiros e oceânicos são altamente produtivos, contribuindo para a manutenção da biodiversidade.

Os mecanismos de autodepuração podem ser considerados outros serviços de regulação: inúmeras substâncias e diversos microrganismos patogênicos que são lançados nos oceanos (através dos estuários, drenagem continental e emissários submarinos) podem ser diluídos e degradados química ou biologicamente. O óleo derramado por acidentes em regiões costeiras e oceânicas acaba sofrendo diluição e degradação bacteriana ao longo de períodos variáveis de tempo, contribuindo, assim, com processos de limpeza e contenção realizados pelo homem nos casos de acidentes. Em função dessa capacidade de diluição e autodepuração muito grande, os oceanos já foram considerados como receptor universal de efluentes. Hoje, sabe-se que existem limites para esta ação. Da mesma forma que acontece com corpos de água continentais, quando as perturbações externas excedem o limiar de resiliência (Capítulo 6), as teias tróficas começam a sofrer modificações, podendo atingir novo equilíbrio, em uma estrutura diferente, ou entrar em colapso e serem destruídas. Constata-se que as alterações nos ecossistemas marinhos e serviços por eles oferecidos ocorrem principalmente como reflexo das atividades em terra (uso da terra e da água doce) mais do que das atividades exercidas no próprio mar, como será visto no Capítulo 13.

Os serviços de suporte incluem a ciclagem de nutrientes por meio da manutenção de ecossistemas saudáveis, da produção primária realizada pelo fitoplâncton, macroalgas e vegetais superiores marinhos. Os habitats costeiros, como manguezais, marismas, bancos de macroalgas, entre outros, atuam como berçários para estágios jovens de peixes e invertebrados que fazem parte das comunidades marinhas costeiras e oceânicas, sustentam a pesca comercial e recreativa e outros bens e serviços utilizados diretamente pelo homem.

Os serviços de provisão (ou abastecimento) incluem o fornecimento de alimentos e outros bens de interesse. Mais de um bilhão de pessoas ao redor do mundo dependem de alimentos extraídos do mar. Parte considerável dessas pessoas, principalmente aquelas que vivem em pequenas ilhas, tira praticamente todo o seu sustento dos oceanos. Outros serviços de provisão incluem materiais para construção civil, minerais utilizados nas mais diversas atividades, produção de compostos nutracêuticos derivados de organismos marinhos, principalmente algas e invertebrados, como visto anteriormente.

Não menos importante é o papel dos oceanos como via de transporte, uma vez que os transportes marítimos estão entre os de menor custo. Em termos de comunicação transcontinental, também tiveram (e ainda têm) um papel importante através de cabos submarinos telefônicos e de fibra óptica instalados no fundo dos oceanos. Há alguns anos, cerca de 70% do tráfego mundial de comunicações (telefone, fax, internet) ocorria via cabos submarinos, em função dos custos de transmissão via fibra óptica serem menores que os sistemas de comunicação por satélite (Vallega, 2001), mas hoje essa via representa uma pequena fração da comunicação.

O espaço oceânico tem sido usado para implantação de usinas eólicas, aproveitamento da energia de ondas ou da variação do nível da maré para produção de energia limpa. Há também projetos de instalações de tanques flutuantes nos oceanos para cultivos de microalgas destinados à produção de biocombustíveis. Construções que avançam sobre territórios marinhos, como alternativa para ampliação da área terrestre, são observadas em várias partes do mundo, como no Japão e Holanda, mas têm atingido seu apogeu nas ilhas artificiais construídas em Dubai.

As águas dos oceanos, além de serem meio para a aquicultura e fonte de água potável, como já discutido, também podem ser usadas como elemento de refrigeração ou aquecimento de máquinas ou equipamentos em instalações em áreas costeiras. Esse uso se processa em usinas nucleares, resfriadores de caldeiras de navios e de indústrias e em processos de regaseificação de gás natural liquefeito transportado por navios, para ser transferido aos gasodutos em terra.

Os serviços culturais são representados pelos benefícios obtidos por meio dos oceanos para recreação, pelos valores estéticos, religiosos e espirituais. Os oceanos fazem parte da herança cultural de inúmeros povos ao redor do mundo. Inúmeras tradições e hábitos culturais de muitos povos costeiros estão intimamente associados aos ecossistemas marinhos dos quais dependem. O turismo costeiro representa uma importante fonte econômica para vários países, especialmente nas regiões tropicais e insulares.

De todos os subtipos de ecossistemas costeiros, os estuários e mangues comportam as mais amplas variedades de serviços ambientais. Um dos mais importantes é a mistura de nutrientes provenientes dos rios com as águas marinhas, tornando esses sistemas dos mais férteis ambientes marinhos. Há mais espécies estuarino-dependentes do que estuarino-residentes e os estuários fornecem uma ampla variedade de habitats que sustentam flora e fauna diversas. Isso demonstra o alto grau de conectividade que os estuários têm com os ecossistemas oceânicos (Agardy & Alder, 2005). Organismos que têm amplas distribuições ou que realizam amplos deslocamentos verticais ou horizontais (migrações sazonais) são elementos de conexão entre os ecossistemas. Os recifes de corais também são exemplos de ecossistemas com alto grau de conectividade com outros ecossistemas marinhos. Isso denota a necessidade de enfoques holísticos no gerenciamento de sistemas costeiros e marinhos.

Com base no apresentado, fica evidente a grande importância dos oceanos como fonte de recursos bióticos e abióticos e de serviços de naturezas variadas, com aplicações ainda mais diversificadas. Com o desenvolvimento tecnológico, a expectativa é que essa imensa fonte de riqueza seja cada vez mais utilizada pelo homem. Contudo, a tecnologia precisa também fornecer subsídios para uma exploração mais cuidadosa, consciente e responsável, baseada em estudos integrados que avaliem a capacidade suporte dos ecossistemas oceânicos, sua resiliência e seu grau de conectividade com os sistemas adjacentes, requisitos fundamentais para práticas que tenham por filosofia a sustentabilidade.

REVISÃO DOS CONCEITOS APRESENTADOS

- Os oceanos recobrem 71% da superfície da Terra, contêm aproximadamente 98% de toda a água da hidrosfera e 75% da biota do planeta.
- Em função do alto calor específico da água, os oceanos atuam como reservatórios de calor, uma vez que se aquecem e se resfriam de forma mais lenta que a atmosfera e continentes. Por meio das correntes marinhas e das interações com a atmosfera, redistribuem calor e amenizam o clima, permitindo a existência da vida na Terra como a conhecemos.
- A água que se acumulou na superfície do planeta durante seu processo de resfriamento ocupou as depressões da crosta. Os minerais provenientes da crosta e aqueles provenientes do manto se dissolveram na água, deixando-a salgada. Praticamente todos os elementos químicos que existem podem ser encontrados na água do mar, ainda que em quantidades ínfimas. Os gases presentes na atmosfera também se difundem na água do mar, em proporções variáveis.
- As propriedades físicas mais importantes na estrutura e dinâmica das águas nos oceanos são a temperatura, a salinidade e a densidade. Estes três fatores caracterizam grandes volumes de água, as massas de água. A temperatura da superfície do mar é um fator essencial na interação oceano-atmosfera e nos padrões de circulação do oceano. Uma das consequências do possível aquecimento global é a alteração destes padrões.
- O ambiente oceânico pode ser dividido em dois grandes compartimentos: o nerítico e o oceânico. As áreas neríticas abrigam a maior diversidade de biota e também correspondem às regiões onde a maior parte dos recursos marinhos é explorada e explotada. Portanto, são as áreas mais vulneráveis às pressões antrópicas.
- Em comparação com a biomassa vegetal terrestre, a biomassa autótrofa aquática é muito menor, constituída principalmente de organismos unicelulares com altas taxas de duplicação da biomassa e sustentação dada pela própria água, reduzindo os gastos com processos respiratórios. Essas características permitem que a produção primária líquida nos oceanos seja equivalente à terrestre.
- A cor da água do mar é função da qualidade e quantidade de material dissolvido e em suspensão (inclusive o fitoplâncton) que ela contém. Esta variável é muito utilizada para estudos oceanográficos baseados em sensoriamento remoto.
- Uma característica importante dos oceanos é a conectividade que existe entre os seus diferentes ecossistemas, de forma que ações sobre um dado ecossistema interferem, em maior ou menor escala espacial e/ou temporal, no equilíbrio de outros ecossistemas.
- Os ambientes costeiros podem apresentar características muito diversas em termos de estrutura geomorfológica, física, química e, consequentemente, biológica. Entre os diversos ecossistemas costeiros, os estuários, recifes, as marismas e os manguezais situam-se entre os mais produtivos do mundo. Isso se deve, em grande parte, à contribuição da água doce proveniente principalmente dos rios, que carreia nutrientes. Os recifes de coral, por sua vez, são dos ambientes marinhos que apresentam a maior biodiversidade.
- Aproximadamente 98% do volume dos oceanos é predominantemente frio e escuro. Grande parte da entrada de matéria orgânica para estas regiões se faz por meio da sedimentação de materiais da zona eufótica para o fundo, a bomba biológica.

- Os ambientes oceânicos, principalmente o mar profundo, são os mais desconhecidos. Entretanto, sua importância para o sistema terrestre é fundamental: mesmo no caso dos giros centrais, com biomassa das mais baixas entre os ecossistemas conhecidos, seu papel no ciclo de carbono e balanço de gases é muito relevante em função da alta taxa de duplicação dos pequenos organismos do fitoplâncton dessas regiões oligotróficas. Nos mares profundos, as fontes termais são ecossistemas altamente produtivos, com a síntese de matéria orgânica baseada na quimiossíntese.
- Os oceanos são importantes fontes de recursos minerais. Cerca de 50% do petróleo produzido atualmente é proveniente de exploração de jazidas oceânicas. Além do sal, inúmeros outros minerais podem ser extraídos dos oceanos, como por exemplo, dos nódulos polimetálicos.
- A aquicultura atualmente está contribuindo com 45% do total de pescado. Os peixes representam cerca de 17% da ingestão de proteínas da população mundial, mas para muitas populações insulares esse valor pode se aproximar de 100%.
- Os oceanos também apresentam grande potencial de exploração de fontes de energia, pela transformação da energia de marés, de ondas e dos gradientes de temperatura da água, bem como pela implantação de campos de energia eólica.
- Os oceanos são responsáveis por inúmeros e insubstituíveis serviços ambientais. Os serviços de modulação e regulação do clima são essenciais para a existência de vida na Terra. Os serviços de abastecimento incluem fornecimento de alimento, energia, minerais e como meio de transporte (cerca de 90% do transporte mundial de cargas). Os serviços de suporte incluem a ciclagem de nutrientes e a produção primária. Outros serviços ambientais importantes dos oceanos e áreas costeiras envolvem aspectos ecológicos, que dizem respeito à resiliência dos ecossistemas (por exemplo, biodiversidade). Não menos importantes são os serviços culturais e espirituais, uma vez que os oceanos sempre estiveram presentes na evolução da cultura e da espiritualidade humanas.

SUGESTÕES DE CONSULTA E LEITURA COMPLEMENTAR

- CARSON, R. (2010) *Beira mar*. São Paulo: Gaia, 259p.
- Centro de gestão e estudos estratégicos (CGEE). (2007) *Mar e ambientes costeiros*. Brasília: CGEE/MCT. 323p. Disponível em: <http://www.cgee.org.br/publicacoes/mar_amb_cost.php>. Acesso: janeiro de 2018.
- GARRISON, T. (2017) *Fundamentos de oceanografia*. Tradução da 7ª ed. norte-americana. São Paulo: Cengage Learning, 45p.
- GIANESELLA, S.M.F., SALDANHA-CORRÊA, F.M.P. (2010) *Sustentabilidade dos oceanos*. Série Sustentabilidade, Volume 7. São Paulo: Blucher, 199p.
- Instituto Nacional de Pesquisas Espaciais (INPE), para consulta a dados de temperatura, concentração de clorofila e ventos de superfície do mar. http://satelite.cptec.inpe.br/tsm/. Acesso em fevereiro de 2018.
- INSTITUTO RUMAR em parceria com a Marinha do Brasil- para consulta sobre informações gerais sobre o mar brasileiro. http://rumoaomar.org.br/meteorologia-oceanografia. Acesso fevereiro de 2018.
- MAR SEM FIM. Portal especializado no mar e costa brasileira. https://marsemfim.com.br/. Acesso em fevereiro de 2018.
- MINISTÉRIO DO MEIO AMBIENTE. (2009) *Informe sobre as espécies exóticas invasoras marinhas no Brasil*. Série Biodiversidade 33. LOPES, R. M.(ed.) Brasília: – Secretaria de Biodiversidade e Florestas, 439p.
- SCHMIEGELOW, J.M.M. (2004) *O planeta azul: uma introdução às ciências marinhas*. Rio de Janeiro: Interciência, 202p.
- SCIENTIFIC AMERICAN BRASIL, *Série Oceanos*, Números 1-4. Ano: 2009.
- SEGAL, B., FREIRE, A.S., LINDNER, A., KRAJEWSKI, J.P., SOLDATELI, M. (2017) Monitoramento Ambiental da Reserva Biológica Marinha do Arvoredo e Entorno (MAARe). Florinópolis: Universidade Federal de Santa Catarina, 268p.
- SHAEFFER-NOVELLI, Y. (1989) Perfil dos ecossistemas litorâneos brasileiros, com especial ênfase sobre o ecossistema manguezal. *Publicação Especial do Instituto Oceanográfico*, 7:1-16
- VALLEGA, A. (2001) *Sustainable ocean governance: a geographical perspective*. Nova York: Routledge, 274p.

Referências

AGARDY, T., ALDER, J. (2005) Coastal Systems. In: HASSAN, R., SHOLES, R., ASH, N. (eds). *Ecosystems and human well-being. Current state and trends: findings of the condition and trends working group*. Washington: Island Press, 917p.

BAKER, M.C., RAMIREZ-LLODRA, E., GERMAN, C., TYLER, P. (2010) ChEssBase: an online information system on species distribution from deep-sea chemosynthetic ecosystems. http://www.coml.org/projects/biography-deep-water-chemosynthetic-ecosystems-chess.html. Acesso em fevereiro de 2018.

BARRIE, J.V., COOK, S., CONWAY, K.W. (2010) Cold seeps and benthic habitat on the Pacific margin of Canada. *Continental Shelf Research*, v. 31, n. 2, p. S85-S92.

BEHRENFELD, M.J., O'MALLEY, R.T., SIEGEL, D.A. et al. (2006) Climate-driven trends in contemporary ocean productivity. Nature, 444(7):752-755.

BERGER, W.H., SMETACEK, V.S., WEFER, G. (1989) Ocean productivity and paleoproductivity: an overview. In: BERGER, W. H., SMETACEK, V. S., WEFER, G. (eds.). *Productivity of the ocean: present and past*. Berlim: Wiley-Interscience, 471p.

BOYCE, D.G., LEWIS, M.R., WORM, B. (2010) Global phytoplankton decline over the past century. *Nature*, n. 466, p. 591-596.

CASTRO FILHO, B.M., MIRANDA, L.B., MIYAO, S.Y. (1987) Condições hidrográficas na plataforma continental ao Largo de Ubatuba: variações sazonais e em média escala. *Boletim do Instituto Oceanográfico*, v. 35, n. 2, p. 135-151.

Centro de Gestão e Estudos Estratégicos (CGEE). (2007) *Mar e ambientes costeiros*. Brasília: CGEE/MCT. 323p.

CHARRETE, M.A., SMITH, W.H.F. (2010) The volume of earth's ocean. *Oceanography*, v. 23, n. 2, p. 112-114.

CIOTTI, A.M. (2005) Fundamentos e aplicações de dados bio-ópticos em oceanografia biológica. In: Ronald Buss de Souza. (organizador). Oceanografia por satélites. São Paulo: Oficina de Textos, 336p.

CORLISS, J.B., BAROSS, J.A., HOFFMAN, S.E. (1981) An hypothesis concerning the relationship between submarine hot springs and the origin of life on earth. *Oceanological Acta*, n. 1, p. 59-69.

DE'ATH, G., LOUGH, J.M., FABRICIOUS, K.E. (2009) Declining coral calcification on the Great Barrier Reef. *Science*, v. 323, n. 5910, p. 116-119.

Food and Agriculture Organization of the United Nations (FAO). (1995) *Código de conduta para uma pesca responsável*. Conferência FAO 28. Disponível em: http://www.fao.org/3/a-v9878s.pdf. Acesso em janeiro de 2018.

_____ (2017) Fisheries and Aquaculture Statistics 2015- Year book. Rome, 107p.

FIELD, C.B., BEHRENFELD, M.J., RANDERSON, J.T., FALKOWSKI, P. (1998) Primary production of the biosphere: integrating terrestrial and oceanic components. *Science*, v. 281, n. 10, p. 237-240.

FUHRMAN, J.A., GRIFFITH, J.F., SCHWALBACH, M.S. (2002) Prokaryotic and viral diversity patterns in marine plankton. *Ecological Research*, v. 17, p. 183-194.

GIANESELLA, S.M.F., SALDANHA-CORRÊA, F.M.P. (2010) *Sustentabilidade dos oceanos*. Série Sustentabilidade, Volume 7 (Coordenador: José Goldemberg). São Paulo: Blucher, 199p.

GRIFFITHS, H.J. (2010) Antarctic Marine Biodiversity – What Do We Know About the Distribution of Life in the Southern Ocean? *PloS ONE*, v. 5, n. 8, e11683, p. 1-11.

HALPERN, B.S., WALBRIDGE, S., SELKOE, K.A. et al. (2008) A global map of human impact on marine ecosystems. *Science*, v. 319, p. 948-952.

HOPKINSON, C.S., VALLINO, J.J. (2005) Efficient export of carbon to the deep ocean through dissolved organic matter. Nature, v.433:142-145.

Intergovernmental Panel on Climate Change (IPCC). (2008) *Climate Change 2007: Synthesis Report*. Contribution of Working Groups I, II and III to the Fourth Assessment Report of the Intergovernmental Panel on Climate Change [Core Writing Team, Pachauri, R.K and Reisinger, A. (eds.)]. IPCC, Geneva, Switzerland, 104 pp. Disponível em <https://www.ipcc.ch/pdf/assessment-report/ar4/syr/ar4_syr_full_report.pdf> Acesso em janeiro de 2018.

JUNIPER, S.K., TUNNICLIFFE, V. (1997) Crustal accretion and the hot vent ecosystem. In: CANN, J.R., ELDERFIELD, H., LAUGHTON, A. (ed.). *Mid-ocean ridges: dynamics of processes associated with creation of new ocean crust. Philos. Transactions of the Royal Society of London Series, A*, n. 355, p.459-474.

LONGHURST, A.R., HARRISON, W.G. (1989) The biological pump: profiles of plankton production and consumption in the upper ocean. *Progress in Oceanography*, n. 22, p. 47-123.

MANN, K.H., LAZIER, J.R.N. (1991) *Dynamics of marine ecosystems. Biological-Physical interactions in the oceans*. Oxford: Blackwell Scientific Publications, 466p.

MARTIN, J.H., FITZWATER, S.E. (1988) Iron-deficiency limits phytoplankton growth in the Northeast Pacific Subarctic. Nature, v. 331, n. 6154, p. 341-343.

NILSSON, G.E., DIXSON, D.L., DOMENICI, P. et al. (2012) Near-future carbon dioxide levels alter fish behavior by interfering with neurotransmitter function. *Nature Climate Change*, v. 2, n. 2, p.1-4.

NISBET, E.G., FOWLER, C.M.R. (1996) The hydrothermal imprint on life: Did heatshock proteins, metalloproteins and photosynthesis begin around hydrothermal vents? In: MacLeod, C. J., Tyler, P., Walker, C. L. (eds.). *Tectonic, Magmatic and Hydrothermal Segmentation of Mid-Ocean Ridges*. V. 118. London: Geological Society of London, p. 239-251.

NIXON, W.F. (1992) Nutrients, primary production and fisheries yields in coastal lagoons. *Oceanologica Acta*, n. 5, p. 357-371.

NYBAKKEN, J.W. (1997) *Marine Biology: an ecological approach*, 4. ed., Califórnia: Addison Wesley, Longman, 481p.

OLIVEIRA, G.O. (2001) *El Niño e você: o fenômeno climático*. São José dos Campos: Transtec, 116p.

POSTMA, H. (1971) Distribution of nutrients in the sea and the oceanic nutrient cycle. In: COSTLOW, J.D. (editor). *Fertility of the sea*. Londres: Gordon and Breach Science Publishers, 622p.

POSTMA, H. (1988) Physical and chemical oceanographic aspects of continental shelves. In: POSTMA, H., ZIJLTRA, J.J. (eds.). *Ecosystems of the World 27: Continental Shelves*. Nova York: Elsevier, 421p.

REISE, K. (1985) *Tidal flat ecology*. Berlim, Alemanha: Spring-Verlag, 191p.

RODRIGUES, R.R., CAMPOS, E.J.D., HAARSMA, R. (2015) The impact of ENSO on the South Atlantic Subtropical Dipole Mode., v.28 p. 2691-2705.

RYTHER, J.H. (1969) Photosynthesis and fish production in the sea. *Science*, v. 166, p. 72-76.

SARRAZIN, J., JUNIPER, S.K. (1999) Biological characteristics of a hydrothermal edifice mosaic community. *Marine Ecology Progress Series*, v. 185, p. 1-19.

SARMIENTO, J., SIEGENTHALER, U. (1992) New production and the global carbon cycle. In: *Primary Productivity and Biogeochemical Cycles in the Sea* (eds Falkowski, P. & Woodhead, A.) Nova York: Plenum, p. 317–332.

SCHMIEGELOW, J.M.M. (2004) *O planeta azul: uma introdução às ciências marinhas*. Rio de Janeiro: Interciência, 202p.

SEELIGER, U., ODEBRECHT, C., CASTELLO, J.P. (1998) *Os Ecossistemas Costeiro e Marinho do Extremo Sul do Brasil*. Rio Grande: Ecoscientia, 326p.

SELLANES, J., NEIRA, C., QUIROGA, E., TEIXIDO, N. (2010) Diversity patterns along and across the Chilean margin: a continental slope encompassing oxygen gradients and methane seep benthic habitats. *Marine Ecology*, v. 31, n. 1, p. 111-124.

SIBUET, M., OLU, K. (1988) Biogeography, biodiversity and fluid dependence of deep-sea cold-seep communities at active and passive margins. *Deep Sea Research Part II: Tropical Studies in Oceanography*, v. 45, n. 1-3, p. 517-567.

SIEBURTH, J.M.C.N., SMETACEK, V., LENZ, J. (1978) Pelagic ecosystem structure: heterotrophic compartments of the plankton and their relationship to plankton size fraction. *Limnology and Oceanography*, v. 23, n. 6, p. 1256-1263.

Six, K., Maier-Reimer, E. (1996) *Effect of plankton dynamics on the seasonal carbon fluxes in an ocean general circulation model. Global Biogeochemical Cycles* 10, 559–583.

SOUZA, K.G., MARTINS, L.R. (2008) Recursos minerais marinhos: pesquisa, lavra e beneficiamento. *Gravel*, v. 6, n. 1, p. 99-124.

SPALDING, M., RAVILIOUS, C., GREEN, E. (2001) *World Atlas of coral reefs*. Califórnia: University of California Press, 416p.

TEIXEIRA, V.L. (2009) A cura que vem do mar. Oceanos. *Scientific American Brasil*, v. 4, p. 78-82.

TEIXEIRA, V.L. (2002) Produtos Naturais Marinhos. In: PEREIRA, R. C., CRESPO-SOARES, A. (organizadores). *Biologia marinha*. Rio de Janeiro: Interciência, 382p.

TUNNICLIFFE, V., JUNIPER; S.K., SIBUET, M. (2003) Reducing environments of the deepsea floor. In: TYLER, P. A. (ed.). *Ecosystems of the Deep Oceans vol.28 from the series Ecosystems of the World*, Amsterdam, Elsevier Press, 1st Edition, 582p.

Organização das Nações Unidas (ONU). (1982) *Convention on the law of the sea*. Disponível em: http://www.un.org/depts/los/convention_agreements/texts/unclos/unclos_e.pdf: janeiro de 2018.

_____ (2014) *World Urbanization Prospects. The 2014 revision. Highlights*. United Nations, New York, 32p.

UNEP. (2006) *Marine and coastal ecosystems and human wellbeing: A synthesis report based on the findings of the Millennium Ecosystem Assessment*. Kenya: Unep, 76p.

VALLEGA, A. (2001) *Sustainable ocean governance: a geographical perspective*. Nova York: Routledge, 274p.

World meteorological organization (WMO). (2010). *Climate, carbons and coral reefs*. WNO-1063. Genebra: Convention on Biological Diversity, 28p.

VILLAÇA, R. (2002) Recifes Biológicos. In: PEREIRA, R. C., CRESPO-SOARES, A. (organizadores). *Biologia marinha*. Rio de Janeiro: Interciência, 382p.

INTERAÇÕES BIÓTICAS E ABIÓTICAS NA PAISAGEM: UMA PERSPECTIVA ECO-HIDROLÓGICA

Walter de Paula Lima / Silvio Frosini de Barros Ferraz / Kátia Maria
Paschoaletto Micchi de Barros Ferraz

O presente capítulo tem por objetivo apresentar elementos para o entendimento de como a alteração antrópica da paisagem pode afetar o ciclo hidrológico, os processos ecológicos e os serviços ambientais proporcionados pelos ecossistemas, que são fundamentais para a manutenção da vida. Como corolário, espera-se, também, contribuir para a análise consistente dos possíveis impactos ambientais resultantes do uso dos recursos naturais e da alteração da paisagem, fornecer elementos para o estabelecimento de estratégias sustentáveis de manejo e uso, bem como de medidas e ações corretivas ou de minimização de impactos ambientais.

10.1 INTRODUÇÃO

Com frequência, observa-se que a análise ambiental dos ecossistemas terrestres é realizada seguindo a **estrutura cartesiana convencional** de estudos separados do meio físico, biológico e socioeconômico, sem muita preocupação de imprimir um **enfoque interdisciplinar** ou, pelo menos, multidisciplinar ao estudo. A verdade, todavia, é que esses componentes não se encontram isolados na paisagem, mas se integram e desempenham funções que os definem. De fato, a vida depende do meio físico. Ou seja, o meio físico proporciona o contexto e os limites de funcionamento do meio biológico, assim como controla a produtividade dos sistemas ecológicos. A forma e o funcionamento de todos os organismos biológicos, animais e vegetais, evoluíram em resposta às condições prevalecentes no meio físico, em termos de clima, geologia e geomorfologia.

Por sua vez, os organismos vivos também afetam o meio físico. A maioria dos vegetais terrestres, por exemplo, absorve a água do solo. Por sua vez, a quantidade de água que um determinado tipo de solo pode armazenar, principalmente em termos de sua disponibilidade para as plantas, depende de sua estrutura, a qual está condicionada ao tamanho e arranjo de suas partículas. As plantas também requerem significativa variedade de nutrientes, além do carbono e do oxigênio, disponíveis no solo. A quantidade e a disponibilidade desses nutrientes, que são absorvidos pelas raízes das plantas, variam muito na paisagem.

As plantas e os animais também se encontram em permanente interação com o meio físico na paisagem, por meio do processo de trocas gasosas, como é o caso da transpiração. A taxa de transpiração depende da disponibilidade de água, da temperatura relativa entre a superfície e o ar, assim como da pressão de vapor da atmosfera. Outros fatores climáticos, tais como a temperatura do ar, umidade relativa, chuvas, ventos e insolação afetam de forma interativa o meio biológico. A evaporação direta do solo e a transpiração das plantas, juntas denominadas como evapotranspiração, constituem processos que retiram a água armazenada no solo, que, por sua vez, é recomposta pelas chuvas. As chuvas, por sua vez, têm origem na água evapotranspirada pela superfície, assim fechando o ciclo hidrológico (Capítulo 3). O processo de evapotranspiração se relaciona de forma direta com o crescimento das plantas, ou seja, com a produtividade dos sistemas biológicos.

A dinâmica da paisagem, representada pelas interações entre os **componentes bióticos e abióticos** dos sistemas terrestres, depende fundamentalmente da água, em termos da regularidade e intensidade dos processos hidrológicos que compõem o ciclo da água na natureza. Estamos, indiretamente, nos referindo, desta maneira, à Ecohidrologia, que pode ser definida como a ciência que procura descrever os mecanismos hidrológicos que dão suporte aos processos e padrões ecológicos (Rodriguez-Iturbe, 2000; Zalewski, 2000). Por essa razão, o enfoque ecohidrológico de análise dos sistemas terrestres, que tem na conservação da água o seu elemento basilar, proporciona uma metodologia consistente para o entendimento da dinâmica da paisagem, do funcionamento dos sistemas terrestres e dos impactos ambientais do uso dos recursos naturais pelo homem. Esse enfoque é, por isso, fundamental para o planejamento sustentável do uso da terra, assim como para o correto entendimento das mudanças dos processos hidrológicos decorrentes das alterações da paisagem.

A aparente harmonia espontânea da natureza se caracteriza, na realidade, por mudanças constantes, em respostas aos padrões naturais de flutuações, assim como à ocorrência de ciclos ocasionais de perturbações. Dentro de um dado conjunto de condições do meio físico, podem ser distinguidas diferentes zonas climáticas. E dentro de cada zona climática, por sua vez, fatores geológicos e topográficos subdividem esse meio físico em porções ainda menores. As variações da rocha mãe são responsáveis pela diferenciação dos tipos de solos, fortalecendo, desta maneira, a heterogeneidade biótica. Este mosaico de heterogeneidade caracteriza a paisagem (Ricklefs, 1996).

A caracterização dos atributos do meio físico, assim como de sua variabilidade na paisagem, é fundamental para o estabelecimento de estratégias sustentáveis de uso dos recursos naturais e de conservação ambiental. Trata-se de um desafio enorme, mas é nesta complexidade natural que se encontra a chave para o entendimento e o estabelecimento de estratégias para a conservação ambiental. A análise de elementos isolados desse contexto, sem levar em conta as interações e inter-relações multitudinárias características dos ecossistemas terrestres, tende a ser, no mínimo, incompleta, quando não tendenciosa. Essas interações e inter-relações não se restringem apenas aos processos ecológicos e hidrológicos do ecossistema, mas permeiam, também, os aspectos culturais, sociais e políticos envolvidos na conservação e no uso sustentável dos recursos naturais.

O conhecimento da diversidade natural do meio físico, assim como de suas intricadas relações com o meio biológico, constitui a ferramenta básica para o planejamento adequado da ocupação dos espaços produtivos da paisagem, seja para a agricultura, pecuária ou produção florestal, pois garante a proteção das áreas sensíveis da paisagem e dos atributos e processos ecológicos relacionados com a permanência dos serviços ambientais e a resiliência ecológica.

10.2 FLORESTAS E CICLO HIDROLÓGICO

10.2.1 Perspectiva Histórica

As discussões sobre a relação entre a **floresta** e o **ciclo hidrológico**, incluindo aqui a influência sobre o escoamento dos rios e riachos, a proteção de mananciais, o eventual efeito sobre as chuvas e, enfim, seu papel na regulação climática, são bastante antigas, controversas, recorrentes e ainda não totalmente resolvidas.

Por exemplo, o possível efeito das florestas sobre as chuvas, forte componente do folclore criado em torno das interações entre a floresta e a água (Andreassian, 2004), embora tenha sido objeto de algumas tentativas de verificação experimental no passado, há muito tempo foi descartado pela ciência, conforme colocado por Hewlett (1967), quando relator da sessão "Floresta e Precipitação" do Simpósio Internacional de Hidrologia Florestal realizado nos Estados Unidos em 1965:

Os participantes, aparentemente, concordam com as conclusões de Penman (1963), de que na ausência de dados científicos convincentes devemos considerar que a mera presença da floresta em um dado local não afeta necessariamente a ocorrência de chuvas nessa área.

Trabalhos recentes, todavia, vêm acumulando evidências suficientes para mostrar que a histórica suposição popular de que as florestas atraem as chuvas foi, aparentemente, desprezada muito cedo pela ciência (Van Dijk & Keenan, 2007).

Outro aspecto histórico muito interessante reside na semelhança entre o raciocínio leigo da antiguidade com o enfoque de estudos modernos sobre estas relações. Em 1801, Rauch, em seu livro *Harmonia Hidrovegetal*, já descrevia que "*a floresta pode ser considerada como sifão localizado entre as nuvens e a superfície terrestre, atraindo as chuvas sobre elas para alimentar as nascentes e o escoamento dos riachos*". Evidentemente, devido às dificuldades inerentes de poder ser comprovada de modo experimental, esta afirmação faria sempre parte da crendice popular. Todavia, evidências baseadas não na comprovação experimental dessa possível atração, mas sim na análise indireta de mecanismos físicos da dinâmica da atmosfera, mostram que as florestas naturais podem sim ser responsáveis por um processo de bombeamento biótico da umidade atmosférica, ou seja, de atração das chuvas (Makarieva & Gorshkov, 2007).

Essas evidências, ademais de sua importância inerente para o avanço do conhecimento e para a solução da polêmica histórica, podem, também, resolver outro paradoxo histórico nas relações entre a floresta e a água. Trata-se de um fato conhecido de que a floresta é a superfície de maior evaporação, maior do que todos os demais tipos de vegetação, e também maior do que a evaporação de uma superfície líquida. Na escala terrestre de uma bacia hidrográfica, a Equação 10.1 do balanço hídrico pode se resumir a:

$$P = E + Q$$

Equação 10.1

P: precipitação; E: evaporação; Q: escoamento gravitacional.

Ora, se a floresta apresenta alta taxa de evaporação, então o que se espera é que o escoamento gravitacional (Q) deveria ser menor, pelo simples fato de satisfazer esta equação do balanço hídrico. Mas o que se observa, na realidade, é exatamente o contrário, ou seja, áreas com florestas apresentam, também, elevado escoamento gravitacional (vazão de riachos e rios) (Neary t al., 2009; Creed et al., 2011). Isso mostra que as florestas desempenham também outras funções importantes, além da maior evaporação, no controle da fase terrestre do ciclo da água, capazes de, no conjunto, fazer com que haja sempre água em abundância para atender as elevadas taxas de evaporação, armazenamento de água no solo e escoamento gravitacional.

Por essa mesma razão, desenvolveu-se no passado a crença de que as florestas aumentam a vazão dos rios, o que desencadeou controvérsia ainda maior. Bernardin de Saint Pierre, em seu livro *Estudos da Natureza*, publicado entre 1784 e 1788, propôs o reflorestamento das terras altas da França a fim de resgatar rios e riachos que secaram em consequência do desmatamento. Por outro lado, Belgrand, um famoso engenheiro civil francês, afirmava que *"a floresta diminui, ao invés de aumentar, a vazão dos rios"* (Andreassian, 2004).

Este debate data de mais de dois séculos atrás, mas não deixa de ser interessante observar que ele ainda perdura nos dias atuais, em que pese o acúmulo de resultados experimentais de estudos que se iniciaram por volta de 1900 e que deram início ao estabelecimento da ciência denominada Hidrologia Florestal, como ramo da Hidrologia que se preocupa com as relações entre a floresta e a água. Mais do que apenas produzir o embasamento científico para o esclarecimento do mito entre a floresta e a água, a Hidrologia Florestal, na realidade, desenvolveu ferramentas poderosas para o manejo racional dos recursos naturais. Todavia, o que se observa é que o tema ainda é polêmico no mundo todo, principalmente no que diz respeito ao estabelecimento de políticas públicas de conservação da água e de incentivo ao uso sustentável dos recursos naturais. Nesse sentido, a proteção dos remanescentes florestais e a restauração florestal continuam sendo a base de políticas públicas voltadas para a melhoria ambiental e a conservação da água, como se somente isso bastasse. Na realidade, essa percepção pública generalizada de que as florestas naturais, em todas as circunstâncias e em qualquer situação, são sempre benéficas para os recursos hídricos – no sentido de que elas fazem chover, aumentam a vazão dos rios, reduzem as enchentes e mantêm a qualidade da água – é questionável e deve dar lugar às evidências acumuladas da experimentação científica. Trata-se, na realidade, de uma relação muito mais complexa, cujos resultados esperados vão depender da interação de vários fatores e não apenas da presença ou ausência da floresta.

Outro aspecto interessante dessa controvertida relação entre a floresta e a água diz respeito às plantações florestais, ou florestas plantadas. Desde seu advento, mas principalmente devido à expansão atual das áreas com plantações florestais no mundo todo, resultado do crescimento de sua importância econômica, a percepção generalizada é de que estas florestas plantadas, ao contrário das florestas naturais, seriam prejudiciais (e mesmo antagônicas) aos recursos hídricos. E os argumentos contidos nesse mito são mais ou menos uma repetição do debate histórico sobre a relação entre a floresta e a água, só que ao contrário, a começar pelo estigma da palavra "eucalipto", tais como: plantações florestais "consomem muita água", "secam o solo", "suas raízes furam o lençol freático", "inibem a formação de nuvens" ou "desestabilizam o ciclo hidrológico". Da mesma forma, a opinião generalizada de que as plantações florestais são sempre prejudiciais aos recursos hídricos não passa pelo escrutínio da experimentação científica. É preciso analisar todo o contexto, já que os possíveis efeitos serão sempre decorrência de interações entre vários fatores, e não apenas resultado da presença ou ausência de plantações florestais.

No caso da percepção de se estabelecerem plantios florestais para a recuperação de áreas degradadas, por exemplo, os resultados são realmente muito promissores em algumas situações, inclusive no que diz respeito ao retorno de serviços ambientais. Todavia, dependendo da extensão da degradação ou em situações em que o solo já perdeu sua resiliência ou capacidade de autorrenovação, os resultados serão nulos. Já no caso de plantações florestais em larga escala visando ao abastecimento industrial, a pressão da sociedade é frequentemente rebatida por aqueles que são responsáveis pelo seu manejo, com a alegação de que as florestas plantadas, em toda e qualquer circunstância e em qualquer situação, são benéficas para o meio ambiente. Na realidade, por se constituírem produto da engenharia humana, em termos de tecnologia silvicultural de formação e manejo de talhões homogêneos visando a maximizar a produtividade, os benefícios ambientais dependerão do plano de manejo. Tal plano deve garantir a interação dos plantios florestais com os demais elementos da paisagem e contribuir para a manutenção da biodiversidade e a proteção de áreas hidrologicamente sensíveis.

O que essa breve perspectiva histórica mostra é que a relação entre a floresta e o ciclo hidrológico é um tema antigo, polêmico, carregado de juízo de valor, recorrente e ainda não totalmente resolvido, a despeito de contarmos, atualmente, com enorme volume de evidências experimentais acumuladas. Por exemplo, a questão das mudanças climáticas é um dos problemas ambientais globais da atualidade, cujo enfrentamento está sendo baseado em diversas medidas, entre as quais o sequestro de carbono atmosférico. O reflorestamento, supostamente, contribui para a captura de CO_2. Todavia, essa medida pode causar impactos sobre a disponibilidade de água se não for devidamente planejada (Jackson et al., 2005). Evidentemente não se trata de um dilema, mas apenas de mais uma indicação de que a análise ambiental de ecossistemas terrestres, visando ao diagnóstico de possíveis impactos, assim como ao planejamento de medidas mitigadoras, deve ser feita a partir das interações bióticas e abióticas da paisagem, tendo como base as evidências disponíveis.

10.2.2 Evidências Experimentais

Por volta do ano de 1900, pesquisadores da Suíça conseguiram estabelecer uma modalidade experimental consistente para a obtenção de evidências sobre a relação entre a floresta e a água por meio da instalação de um par de **microbacias experimentais** na região de Bernese Emmental daquele país (McCulloch & Robinson, 1993). O princípio experimental envolvido foi, na realidade, relativamente simples: duas microbacias adjacentes foram selecionadas de tal maneira a garantir similaridade em termos de tamanho (área), morfologia, geologia e clima. Quanto ao uso da terra, neste experimento original, uma delas estava inteiramente coberta por floresta, enquanto a outra possuía 69% de pastagem e 31% de floresta. Assim, a comparação dos componentes do balanço hídrico entre as duas microbacias pareadas, supostamente similar em todos esses fatores, menos o uso da terra, permitiria atribuir a diferença de balanço hídrico entre elas ao fator uso da terra, no caso, entre uma bacia totalmente florestada e a que continha pastagem. A validação estatística desta comparação é obtida pelo estabelecimento de um período pré-tratamento, referido como calibragem, visando a estabelecer um modelo de predição do comportamento de uma delas com base nos resultados obtidos na outra.

De acordo com Andreassian (2004), os primeiros trabalhos em microbacias experimentais foram realizados na França, por volta de 1860. De qualquer maneira, a despeito da disputa em torno da primazia desse método experimental, parece haver consenso de que o trabalho pioneiro nessa modalidade experimental foi o par de microbacias referidas como Whagon Whell Gap, localizadas nas montanhas do Colorado, Estados Unidos, cujos resultados foram publicados por Bates & Henry (1928). A partir desta publicação, a metodologia ganhou aceitação generalizada e diversos outros trabalhos similares foram estabelecidos no mundo, tendo permitido o acúmulo de informações valiosas para o entendimento das relações entre a floresta e o ciclo da água.

Muito do que se conhece hoje a respeito da relação entre a floresta e a água, ou sobre os impactos ambientais das atividades de manejo florestal, resultou do acúmulo desses estudos, como os efeitos do desmatamento e do reflorestamento sobre o balanço hídrico na escala da microbacia, sobre a erosão e a sedimentação dos cursos de água, os efeitos da adubação florestal sobre a qualidade da água e os efeitos do preparo do solo sobre as perdas por erosão.

Com o devido tempo, as pesquisas em microbacias experimentais proporcionaram o estabelecimento dos chamados **princípios hidrológicos**, os quais são essenciais para a correta interpretação dos efeitos das práticas de manejo, assim como o entendimento do funcionamento hidrológico das microbacias, que inclui, por exemplo, os mecanismos de geração do escoamento direto (o aumento repentino da vazão provocado pelas chuvas), que é, por sua vez, importante para o conhecimento que temos hoje sobre o ecossistema ripário.

Todavia, é precisamente este conceito atual e ecossistêmico da microbacia que mais de perto se relaciona com a estratégia de avaliação dos impactos ambientais. Como bem esclarecido por Swank & Johnson (1994), desde que o desenho experimental esteja adequadamente fundamentado em termos metodológicos, os impactos hidrológicos observados podem ser relacionados com seus fatores causativos, o que, sem dúvida, é fundamental para o processo de previsão e extrapolação dos resultados, bem como para a melhoria das práticas de manejo (manejo adaptativo), conforme esquematizado na Figura 10.1.

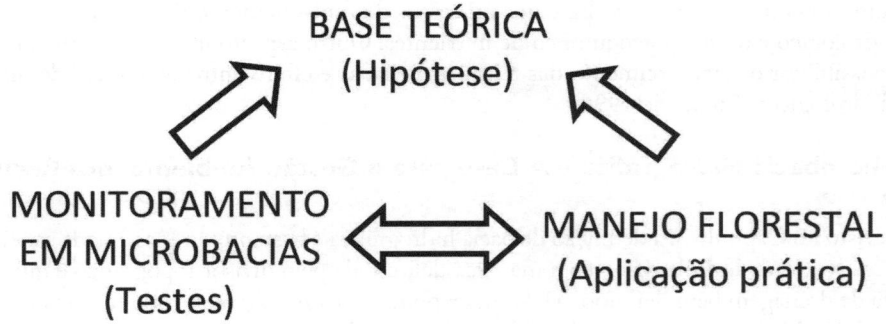

FIGURA 10.1 Os resultados obtidos em microbacias experimentais podem servir para o avanço do conhecimento teórico e para a melhoria contínua das práticas de manejo florestal. *Fonte: Adaptado de Swank & Johnson (1994).*

HIDROLOGIA FLORESTAL

Calder (2007) sintetizou o conjunto de resultados disponíveis obtidos desde os trabalhos pioneiros iniciados em 1900, de acordo com o que ele chamou de princípios estabelecidos ao longo do desenvolvimento da Hidrologia Florestal, a saber:

1. A evapotranspiração de florestas é, em geral, maior do que a de vegetação de menor porte e de culturas agrícolas não irrigadas;
2. A qualidade da água que emana de microbacias cobertas com floresta é geralmente boa. Todavia, práticas não sustentáveis de manejo florestal podem causar erosão, perdas de sedimentos e de nutrientes, contribuin-

do para gerar impactos a jusante, assim como a degradação hidrológica dos solos e, eventualmente, da própria microbacia;
3. Na escala de microbacias, a cobertura florestal pode mitigar os efeitos de enchentes. Todavia, isso geralmente não ocorre na escala de bacias hidrográficas de maior porte;
4. Ainda não foi possível evidenciar efeitos benéficos da floresta sobre a vazão mínima, mesmo que se possa admitir, em tese, que a maior taxa de infiltração proporcionada pela floresta seja suficiente para contrabalancear o maior consumo de água, resultando em maior recarga do aquífero, o que contribuiria para manter a vazão mínima.

Com base em resultados obtidos em mais de 90 microbacias experimentais em várias partes do mundo, pode-se afirmar que o desmatamento diminui a evapotranspiração, o que resulta em uma quantidade maior de água disponível no solo e na vazão dos riachos. Por outro lado, o reflorestamento diminui a vazão na escala da microbacia. Muito importante, todavia, é o fato de que estes resultados variam de lugar para lugar e são, às vezes, imprevisíveis (Bosch & Hewlett, 1982; Brown et al., 2005).

Outros trabalhos em microbacias experimentais também evidenciaram que as atividades de manejo florestal podem afetar o balanço hídrico e a qualidade da água, principalmente em termos da carga de sedimentos em suspensão e de nutrientes dissolvidos. A colheita florestal representa uma ruptura no processo natural de ciclagem de nutrientes, resultando, desta forma, em um aumento na concentração de nutrientes no deflúvio da microbacia, aumento esse que se mostra proporcional à intensidade do corte. O aumento na concentração de nutrientes na água, além de representar impacto sobre a qualidade da água a jusante, implica em perdas do capital natural de nutrientes do solo, o que gera prejuízos para a produtividade florestal no médio e longo prazo.

Uma característica hidrológica que distingue uma microbacia é sua sensibilidade a chuvas de alta intensidade, que resulta no aumento imediato da vazão causado pelo escoamento direto provocado pelas chuvas (hidrograma). Paralelamente a esta elevação da vazão durante e após uma chuva, ocorre também alteração na composição química da água. Em geral, o pH, a alcalinidade e a concentração de alguns nutrientes como cálcio, magnésio e sódio tendem a diminuir ao longo da fase de ascensão do hidrograma, enquanto a concentração do carbono orgânico, do potássio, do ferro e do alumínio tende a aumentar. Essas alterações têm a ver com a dinâmica das áreas ripárias da microbacia, que normalmente se expandem com o prolongamento das chuvas, e que desempenham papel crucial no processo de geração do escoamento direto nas microbacias. As alterações de curto prazo, desta maneira, são governadas por processos hidrológicos de superfície na escala das microbacias, incluindo as mudanças da cobertura vegetal. Já as variações de médio e longo prazo são influenciadas, predominantemente, por alterações gradativas que ocorrem nas propriedades químicas, físicas e biológicas do solo.

Dessa forma, a metodologia de microbacias experimentais acabou também sendo reconhecida como muito adequada para fornecer informações cruciais para o manejo racional dos recursos naturais (Likens, 1985; McCulloch & Robinson, 1993; Moldan & Cerny, 1994; Swank & Johnson, 1994). Além de constituir na escala natural de avaliação e conservação da água, a microbacia possibilita, também, que o monitoramento seja feito com base nos processos de funcionamento do ecossistema, em termos do ciclo hidrológico e do fluxo geoquímico de nutrientes. Outro aspecto importante dessa estratégia é o fato de possibilitar o estabelecimento das relações de causa e efeito entre as práticas de manejo e os impactos hidrológicos (Stednick, 1996).

10.2.3 Microbacia Hidrográfica – A Base para a Gestão Ambiental dos Recursos Hídricos

Conforme visto no Capítulo 3, a definição de bacia hidrográfica é bastante simples e pode ser encontrada em inúmeros textos de hidrologia e geografia: área delimitada pelo divisor topográfico e que apresenta um sistema de drenagem bem definido. Mas, então, pode-se perguntar: o que isso tem a ver com a água e com o meio ambiente? Portanto, melhor do que apenas definir, talvez seja muito mais interessante discorrer conceitualmente sobre o papel das bacias hidrográficas no desenvolvimento sustentável.

Falar da bacia hidrográfica significa, basicamente, falar da água na natureza. Parece uma conceituação simplista, ou mesmo nebulosa, do que vem a ser uma bacia hidrográfica, mas na realidade essa afirmação contém a essência mesmo do conceito, da origem e do seu funcionamento. As bacias hidrográficas foram formadas, na evolução do tempo geológico, pela interação das chuvas com a superfície, no sentido de desenvolver condições para o armazenamento e a drenagem da água das chuvas ao longo da paisagem. Assim, cada bacia hidrográfica é única, pois é o resultado da interação do clima e da geologia ao longo do processo evolutivo de formação da paisagem.

A **bacia hidrográfica** constitui a manifestação bem definida de um sistema natural aberto e pode ser vista, assim, como a **unidade ecossistêmica da paisagem**, porque nela ocorre a integração dos ciclos naturais de energia, de nutrientes e, principalmente, da água. A bacia pode ser vista como uma condição singular e conveniente da definição espacial do ecossistema, dentro da qual é possível estudar e, principalmente, medir os efeitos e as interações entre o uso da terra e a quantidade e a qualidade da água (Falkenmark & Folke, 2002; Tetzlaff et al., 2007).

Existem as grandes bacias hidrográficas dos rios e as infinitas bacias de menor tamanho, as bacias dos ribeirões, assim como as chamadas microbacias dos riachos e córregos. A eficácia das medidas de restauração ambiental e revitalização dos rios decresce das microbacias para as macrobacias. Ou seja, o foco de um programa de revitalização ambiental de um rio tem que estar voltado para as microbacias que o formam. Da mesma maneira, a eficácia das medidas de conservação de uma dada microbacia hidrográfica decresce da mata ciliar para a proteção da superfície mesma do solo. Em outras palavras, a restauração da mata ciliar nas microbacias é uma medida necessária, mas não suficiente para o alcance do objetivo de conservação da água. É preciso também estabelecer medidas que conservam o aparentemente mais insignificante, mas na realidade o mais importante de todos os processos hidrológicos de funcionamento das microbacias, que é a infiltração de água. Quando o solo se compacta, a infiltração da água diminui, afetando assim a recarga da água subterrânea.

É na escala das microbacias hidrográficas que ocorrem as práticas de manejo – o homem planta, colhe, destrói, desmata, compacta o solo, constrói estradas ruins que atravessam áreas ripárias, pavimenta, impermeabiliza, sistematiza o terreno, soterra nascentes, põe fogo, ara, gradeia, faz monoculturas extensas, planta até na beira do riacho, às vezes até dentro da água, queima a mata ciliar, não cuida das pastagens, confina o gado em cima de áreas ripárias, constrói açudes, instala pivô central, irriga e aduba. Estas ações ocorrem na escala das propriedades rurais, onde estão também as microbacias hidrográficas. E é na escala das microbacias hidrográficas que o foco principal das práticas de manejo sustentável dos recursos hídricos tem que estar centrado, pois as microbacias são as grandes alimentadoras dos rios e dos grandes sistemas fluviais.

O conceito chave é o que se encontra embutido na expressão **manejo integrado de microbacias**, que significa o planejamento das ações de manejo (florestal, agrícola), resguardando os valores da microbacia hidrográfica, isto é, os processos hidrológicos, a ciclagem geoquímica de nutrientes, a biodiversidade, a proteção de suas partes hidrologicamente sensíveis e sua resiliência. Um dos fatores mais importantes para a permanência desta capacidade é a integridade do ecossistema ripário, traduzido pela pujança da mata ciliar protegendo as áreas ripárias das microbacias, que não se limita aos 30 m em ambas as margens dos cursos de água, mas inclui as cabeceiras de drenagem dos riachos, assim como outras partes da microbacia, às vezes situadas até mesmo na meia encosta, cuja característica principal é a permanência de condições saturadas de água na maior parte do tempo. É por isso que estas áreas são consideradas de preservação permanente (Capítulo 28), no sentido de que sua preservação em boas condições proporciona serviços ambientais importantes. Quando as microbacias perdem estas características naturais, elas se tornam vulneráveis a perturbações que, de outra forma, seriam normalmente absorvidas. É por isso que a água é o reflexo daquilo que fazemos com a bacia hidrográfica. A escala maior do rio, da macrobacia hidrográfica, é o resultado final de tudo o que ocorre em escalas menores.

Os processos que determinam a sustentabilidade operam em várias escalas, e é fundamental que a conservação da água e do meio ambiente seja equacionada em todas essas escalas. Caso contrário, o resultado obtido será, sem dúvida, incompleto. A microbacia hidrográfica representa uma das escalas mais importantes para o alcance da conservação ambiental (Figura 10.2).

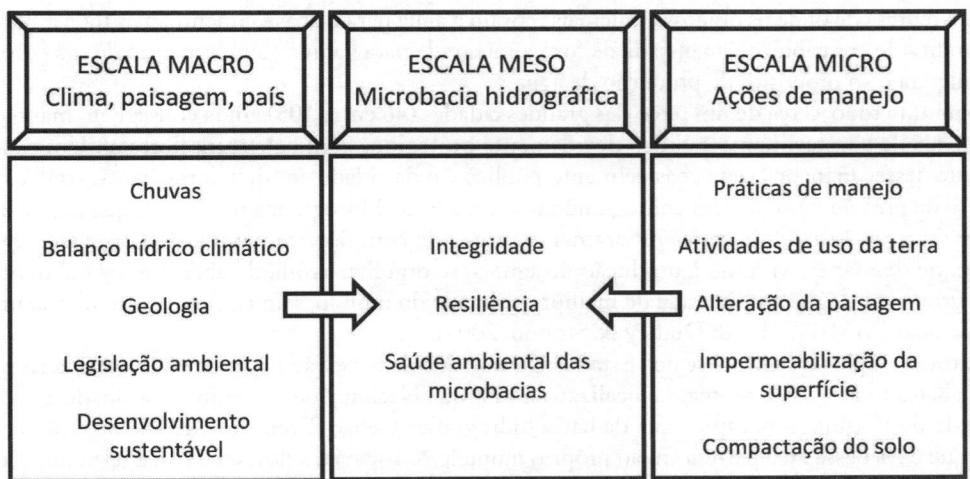

FIGURA 10.2 Ilustração da questão das diferentes escalas da sustentabilidade ambiental e da importância da microbacia hidrográfica como escala sistêmica de aferição tanto de sua integridade, resultado da interação evolutiva do clima com a geologia, quanto de sua resiliência ou saúde ambiental, que pode ser afetada pelas ações inadequadas de manejo.

A Figura 10.2 ilustra a incoerência do conflito entre os assim chamados "ambientalistas" e "ruralistas". Quando a legislação ambiental estabelece suas normas, como é o caso da proteção das áreas de preservação permanente, o que ela busca, enquanto imposições legais que operam na escala macro, é manter a estabilidade hidrológica, a saúde ambiental e os serviços ambientais proporcionados por essa condição. Mas, aparentemente, do lado de cá, ou seja, na escala micro, as pessoas acham que com isso elas vão "perder áreas produtivas" ou pagar por um crime que não cometeram. Trata-se de uma disputa insólita, que não leva a nada. Tampouco resolve afirmar que os "ambientalistas" são financiados por países ricos, que querem produzir e deixar a missão de proteção ambiental apenas para o Brasil. Assim, essa conceituação de bacias hidrográficas acaba também facilitando o entendimento das nossas dificuldades de encontrar o caminho da sustentabilidade.

10.2.4 Proteção de Mananciais

O abastecimento de água para a crescente população mundial é um dos problemas ambientais mais importantes que a humanidade vai ter que enfrentar. Atualmente, mais da metade da população mundial vive nas cidades, e esta proporção tende a crescer paralelamente ao crescimento da população mundial. Dessa população urbana, estima-se que cerca de um bilhão de pessoas vivem sem o fornecimento de água de boa qualidade (Dudley & Stolton, 2003).

Entretanto, essa demanda de água para abastecimento da população representa menos de um décimo do consumo total de água, em que pese, evidentemente, o aspecto crítico e vital desta demanda. Em geral, o maior consumo de água para atender a sobrevivência da humanidade é para a irrigação, principalmente onde a agricultura é feita em condições de déficit hídrico ou em regiões semiáridas, assim como nos campos inundados para a produção de arroz.

Mais especificamente, pode-se afirmar que a floresta desempenha importante papel na hidrologia de uma bacia hidrográfica, não apenas pelo papel regulador das transferências de água entre os vários compartimentos do sistema, pelos processos de interceptação e de evapotranspiração, mas também por fornecer a matéria orgânica que protege e melhora as condições hidrológicas do solo. Os solos florestais, devido à camada orgânica que se acumula sobre a superfície (serapilheira), assim como a fauna associada a essas condições de alto conteúdo de matéria orgânica, possuem condições que são vitais para a hidrologia das microbacias, assim como ao ecossistema aquático, resultando nas normalmente boas condições de qualidade da água dos riachos (Neary et al., 2009).

A despeito das dificuldades de se estabelecerem teorias generalizadas sobre estas relações, parece claro que a melhor fonte de água doce de boa qualidade para o abastecimento humano são os ecossistemas florestais (Dudley & Stolton, 2003; Neary et al., 2009). O aspecto utilitário dessa relação foi, desde cedo, reconhecido e implementado em muitos países, pelo estabelecimento das chamadas "bacias hidrográficas municipais", ou seja, os mananciais de abastecimento de água da população das cidades, que incluem não apenas a represa de onde os órgãos municipais retiram a água para o abastecimento, mas toda a sua bacia hidrográfica de contribuição, manejada de forma integrada para garantir a preservação de sua cobertura florestal para o só propósito de produção de água.

No mundo todo, cerca de um terço das grandes cidades (46 entre 105) ainda conseguem manter seus mananciais de abastecimento público devidamente protegidos com cobertura florestal. Um exemplo marcante desses mananciais de abastecimento público é o da cidade de Melbourne, na Austrália, que, a despeito de pressão natural, vem conseguindo manter a bacia hidrográfica municipal, que engloba uma área de cerca de 120.000 hectares inteiramente protegida com floresta natural de *Eucalyptus regnans*, sob regime de manejo visando à produção de água, e se orgulha, assim, de abastecer os habitantes de Melbourne com a água considerada de melhor qualidade do mundo, sem nenhum gasto de tratamento convencional (MMBW, 1980; Dudley & Stolton, 2003).

Outros exemplos localizam-se nos Estados Unidos. A cidade de São Francisco é abastecida com água de uma bacia hidrográfica protegida localizada no Parque Nacional de Yosemite. Já a cidade de Seattle, no estado de Washington, capta água da bacia hidrográfica Cedar River, com área de 36.650 hectares, sendo que 64% dessa área pertencem ao próprio município. Todavia, a floresta da área restante, que é de terceiros, é manejada de forma sustentável mediante um acordo com o poder público municipal. A água desse manancial também é distribuída aos 1,2 milhões de habitantes da cidade de Seattle sem nenhum tratamento, nem mesmo filtração (Dudley & Stolton, 2003).

Há também o famoso exemplo do manancial da cidade de Nova York, a bacia hidrográfica referida como Catskill/Delaware, fama esta derivada não apenas do desafio que é manter o abastecimento de água desta megalópole, mas também pelo discernimento dos técnicos envolvidos em seu manejo. Essa bacia hidrográfica municipal localiza-se a cerca de 160 km da cidade de Nova York e fornece 90% da água que abastece a população. Possui uma área de cerca de 2.500 km², dos quais 75% são cobertos com floresta (apenas 10% desta área são de domínio do município, sendo o restante, propriedade de terceiros). Existem, por exemplo, cerca de 400 fazendas de pecuária, assim como muitas outras áreas de agricultura, que, sem dúvida, constituem fontes potenciais de contaminação biológica e química da água. Em função disso, em 1989, a Agência de Proteção Ambiental americana (EPA) impôs uma condicionante maior ao órgão responsável pelo abastecimento de água da cidade, que promoveu, então, estudos visando a resolver o problema, tendo chegado a duas alternativas: a) construir nova unidade de estação de tratamento da água, a um custo estimado entre 6 e 8 bilhões de dólares, mais custo anual de manutenção estimado entre 300 e 500 milhões de dólares; b) estabelecer um amplo programa de manejo de bacias hidrográficas envolvendo todos os atores sociais da bacia, a um custo estimado de 1,0 a 1,5 bilhão de dólares ao longo de 10 anos. Esta segunda alternativa foi a escolhida e a fonte de seu financiamento foi a aprovação, pela população de Nova York, de um aumento em sua conta de água. De comum acordo com os donos das propriedades rurais da bacia hidrográfica, este financiamento foi aplicado em programas de subsídios ou de pagamento de serviços ambientais, para todos aqueles que concordassem em melhorar as práticas de manejo e restaurar as matas ciliares.

No nosso país, infelizmente, há poucos mananciais ainda inteiramente protegidos, destacando-se o do Parque Estadual da Cantareira e a Reserva Estadual de Morro Grande, que fazem parte do sistema de abastecimento de água da grande São Paulo. O valor econômico desses mananciais protegidos por florestas naturais é, em geral, subestimado, ou mesmo não reconhecido, nem pela população e tampouco pelo poder público. O atual Aeroporto Internacional de Guarulhos, em São Paulo, por pouco não foi construído justamente na área do manancial da Reserva Estadual de Morro Grande. Sem dúvida, esta dificuldade de entendimento do valor socioeconômico e ambiental de mananciais protegidos por florestas naturais faz parte das frequentes crises de abastecimento de água, que só tenderão a aumentar com o incremento populacional e com o desmatamento.

10.2.5 Regulação Climática

Conforme já explicado, o papel das florestas no clima, principalmente em termos de sua influência sobre a fase terrestre do ciclo hidrológico, é tema antigo, recorrente e não totalmente resolvido. Devido às dificuldades naturais para a sua medição, o avanço nesse conhecimento corria o risco de ficar entre as especulações do passado e os resultados de modelos climatológicos complexos e, por isso mesmo, também de difícil validação. De concreto, a única constatação consolidada é a de que a evaporação, ou seja, o fornecimento de vapor de água para a atmosfera, é sempre maior em florestas do que em qualquer outro tipo de superfície, inclusive dos oceanos. Mas trabalhos recentes de Makarieva et al. (2006), Makarieva & Gorshkov (2007) e Makarieva et al. (2009) abriram uma linha consistente e muito interessante de análise do papel das florestas na regulação climática, através de medições e análise de fatores indiretos e de mecanismos físicos envolvidos na dinâmica atmosférica.

Sabe-se, por exemplo, que a precipitação anual, na escala continental, tende a diminuir na medida em que se distancia do oceano. Makarieva et al. (2009), no entanto, verificaram que a relação entre a precipitação anual e a distância do oceano é muito diferente quando se comparam regiões florestadas com regiões desprovidas de florestas, também em escala continental. Nas regiões onde não há florestas, a precipitação anual diminuiu exponencialmente à medida que se distancia do oceano. Em contraste, nas regiões com florestas naturais, a precipitação anual não diminuiu (ou até mesmo aumentou) com o aumento da distância do oceano. A explicação dada pelos autores está baseada em mecanismo físico que envolve a distribuição do vapor atmosférico em condições de não equilíbrio, a que deram o nome de "força evaporativa biótica", que não havia sido incluída na teoria geral de circulação atmosférica. Resumidamente, a alta taxa de evapotranspiração das florestas pode ser o fator responsável pelo bombeamento do vapor atmosférico emanado dos oceanos em qualquer distância. Ou seja, as florestas desempenham papel crucial na circulação atmosférica e na fase terrestre do ciclo hidrológico.

Outra maneira de explicar esse mesmo fenômeno foi apresentada por Makarieva et al. (2006). Na escala global, pode-se escrever a Equação 10.2 do ciclo hidrológico da seguinte forma:

$$Q = A^+ - A^- \qquad \text{Equação 10.2}$$

Q: escoamento global de água superficial dos continentes para os oceanos; A^+: fluxo de vapor atmosférico dos oceanos para os continentes; A^-: fluxo de vapor atmosférico dos continentes para os oceanos.

O "Q" representa a água azul, ou seja, a água superficial da qual a humanidade depende. Entretanto, o fluxo A^- depende significativamente da presença da floresta. Primeiro, pelo processo de bombeamento biogênico do vapor atmosférico, a floresta retira, localmente, a umidade do ar, fazendo chover ali mesmo, aumentando o "Q" e evitando a fuga de massas úmidas (A^+) para outras regiões. Outra evidência, por exemplo, reside no processo de facilitação da condensação do vapor atmosférico pelo mecanismo de controle biótico dos núcleos de condensação, conforme observado por Andreae et al. (2004). Portanto, fica fácil entender que o desmatamento em larga escala deve reduzir as chuvas e a vazão dos rios, assim como a produtividade biológica.

FORÇA EVAPORATIVA BIÓTICA

A explicação física desse mecanismo de bombeamento do vapor atmosférico pelas florestas pode ser descrita, de forma bem resumida, de acordo com as seguintes constatações: o ar atmosférico encontra-se em equilíbrio hidrostático, significando que a qualquer altura "z", a pressão do ar é balanceada pelo peso da coluna atmosférica acima de "z". Em contraste, o vapor atmosférico não se encontra em equilíbrio e tende sempre a subir, em função da diferença entre o gradiente vertical de pressão parcial de vapor e a temperatura, governada pela Lei de Clausius-Clapeyron. Por exemplo, debaixo do dossel fechado de uma floresta natural, em função da inexistência de gradiente térmico, assim como de velocidade de vento, o vapor permanece em equilíbrio aerostático, assim como todos os demais componentes gasosos do ar, o que previne, bioticamente, a evaporação da água do solo sob o dossel fechado da floresta.

Assim, na superfície, o volume de ar que subiu deve ser reposto pelo fluxo horizontal de ar proveniente da vizinhança onde prevalecem forças mais fracas de ascensão. Ou seja, fluxos horizontais de ar e vapor devem provir de áreas de baixas taxas de evaporação, portanto de poder evaporativo fraco, para áreas de alta evaporação, ou de alto poder evaporativo.

As florestas apresentam características marcantes que as diferenciam de outros tipos de superfície: extensão, altura, expressivo índice de área foliar. Sua distribuição vertical ao longo do dossel explica fisicamente sua alta taxa de evapotranspiração, maior inclusive do que a da superfície líquida dos oceanos, considerando condições normais de disponibilidade de radiação solar. Assim, a força evaporativa da floresta é maior do que a dos oceanos. Portanto, isso vale dizer que o ar úmido sobre os oceanos tende a fluir para regiões florestadas, de alto poder evaporativo. Esse padrão de circulação atmosférica induzida pela floresta constitui a essência do processo de bombeamento biótico da umidade atmosférica.

Já no extremo oposto, em condições de completa ausência de florestas, como nos desertos, a evaporação da superfície é praticamente nula. Ou seja, neste caso, a força evaporativa ascendente é sempre maior sobre os oceanos e, por causa disto, a direção do fluxo de ar é do deserto para os oceanos, para repor o ar úmido ascendente.

No deserto, ainda que exista algum fluxo A⁺ de umidade atmosférica proveniente dos oceanos, não há chuva. A explicação pode envolver dois fenômenos: a) a normalmente enorme quantidade de poeira, característica de áreas desprovidas de vegetação, age no sentido de suprimir a precipitação; b) A ausência de evaporação da superfície desértica esquenta a superfície, o que também previne a condensação do vapor de água. Ou seja, no deserto a umidade atmosférica passa por sobre a superfície sem que ocorra nenhuma interação e vai embora.

As áreas florestadas também recebem fluxos de ar úmido proveniente dos oceanos, mas conseguem extrair esta umidade do ar, ou seja, fazer chover, o que está relacionado com os seguintes fenômenos: a) inexistência de poeira; b) liberação de núcleos biogênicos de condensação; c) diminuição da temperatura do dossel causada pela transpiração, assim como outros mecanismos ainda não totalmente esclarecidos. Isto diminui o A⁻, ou seja, a perda de umidade das áreas florestadas. Dessa forma, é possível esclarecer o aparente paradoxo de que áreas florestadas, com alta evaporação, apresentam também elevados "Q", ou seja, fluxos de água superficial em maior quantidade e com maior regularidade.

Mas é preciso tomar cuidado com a conclusão imediata de que basta aumentar a evaporação para, consequentemente, aumentar a precipitação. Como se sabe, o aumento da evaporação significa aumento da taxa de transferência de vapor da superfície para a atmosfera e este vapor pode migrar da região onde se originou pela dinâmica atmosférica. Como explicaram Makarieva & Gorshkov (2007), este mecanismo biótico de bombeamento do vapor atmosférico ocorre apenas em ecossistemas florestais naturais e não perturbados.

10.2.6 Plantações Florestais e Água

As florestas plantadas sempre estiveram na mira de discussões acaloradas em vários países, relacionadas com seus possíveis efeitos sobre os recursos hídricos, principalmente no que diz respeito ao elevado consumo de água. Tais discussões, longe de terminarem, atingiram presentemente uma dimensão nova e muito significativa. Em primeiro lugar, em razão do total de área plantada, que atinge aproximadamente 50 milhões de hectares nas regiões tropicais, com uma taxa de novos plantios de cerca de 3 milhões de hectares por ano (Stape et al., 2004). Entretanto, torna-se cada vez mais evidente o fato de que a disponibilidade natural de água constitui hoje um dos mais importantes temas relacionados com o manejo dos recursos naturais (Zalewski, 2000; Wagner et al., 2002). Desta forma, considerando que a floresta e a água são inseparáveis, estas evidências estão exigindo, cada vez mais, que o manejo das florestas plantadas incorpore a análise dos impactos hidrológicos potenciais de forma mais sistêmica.

As relações entre as florestas plantadas e a água vêm sendo estudadas em diversos países, usando diferentes enfoques de pesquisa, como mostram, entre outros, os trabalhos de Calder et al. (1992), Almeida et al. (2007), Lima et al. (1990), Lima et al. (2003), Lesch & Scott (1997), Vital et al. (1999) e Rodriguez-Suarez et al. (2011). Por outro lado, a literatura especializada conta com alguns trabalhos de revisão sobre o assunto, tais como Bosch & Hewlett (1982), Calder (1992), Lima (1993), Whitehead & Beadle (2004), Brown et al. (2005), Farley et al. (2005), Van Dijk & Keenan (2007). Em termos dos aspectos fisiológicos do consumo de água pelo eucalipto, talvez um dos pontos mais polêmicos destas discussões, o trabalho de Whitehead & Beadle (2004) analisa praticamente todos os aspectos que devem ser considerados na análise objetiva do consumo de água. Uma das principais conclusões é a de que o eucalipto não consome mais água por unidade de biomassa produzida do que qualquer outra espécie florestal.

Todavia, a despeito dessas recentes evidências, as campanhas antieucalipto e as dúvidas a respeito de seu impacto sobre a umidade do solo continuam muito comuns tanto no Brasil quanto em outros países (ACIAR, 1992; Camino & Budowski, 1998; Cossalter & Pye-Smith, 2003). Não há dúvida de que esta situação paradoxal indica a necessidade de se avaliarem as relações entre florestas plantadas e a água de uma forma diferente, de maneira a avaliar como as florestas plantadas utilizam a água disponível e afetam a qualidade da água como consequência das práticas de manejo. Em outras palavras, a questão fundamental a ser abordada na relação florestas plantadas e água deve envolver sim o consumo da água, mas também, mais do que isso, incluir outras considerações, tais como a qualidade da água, a sedimentação, a qualidade do ecossistema aquático, a hidrologia da microbacia, a permanência dos fluxos de base, o controle dos picos de vazão, assim como o princípio fundamental de equidade ao acesso à água (Nambiar & Brown, 1997; Lima, 2004). Esta nova percepção da sociedade para com o uso racional dos recursos naturais, sem dúvida, está claramente implícita no conceito multidimensional do manejo florestal sustentável (Nambiar, 1999; Gayoso et al., 2001; Nardelli & Griffith, 2003; Wang, 2004).

Como parte dessa polêmica, existe a percepção de que as florestas plantadas em larga escala para o abastecimento industrial não devem fazer parte do conceito de manejo florestal sustentável, com o argumento de que são, na realidade, culturas de árvores, caracterizada pela homogeneidade e pelo objetivo primário de produção de madeira, semelhante ao sistema convencional de produção agrícola (Saa & Vaglio, 1997). Este argumento, além de não contribuir em nada para o equacionamento da dimensão ambiental, já que a agricultura causa impactos hidrológicos significativos, tampouco encontra respaldo no conhecimento contemporâneo dos sistemas biológicos. De fato, como bem argumenta Perry (1998), a estratégia de manejo visando à produção de madeira e a estratégia de manejo florestal sustentável não são antagônicas. Muito pelo contrário, a manutenção da produtividade florestal ao longo do tempo depende crucialmente de sua integração com a manutenção dos aspectos ecológicos e hidrológicos ao longo da paisagem.

Assim, um aspecto importante para o entendimento das relações entre as florestas plantadas e a água é a questão da escala do uso da terra. A busca do manejo florestal sustentável das florestas plantadas tem que considerar sua característica inerente de múltiplas dimensões e escalas. Esta estratégia incorpora a noção da microbacia hidrográfica como unidade sistêmica da paisagem e como escala natural dos processos hidrológicos envolvidos no balanço hídrico, na qualidade da água, no regime de vazão e na saúde do ecossistema aquático. Ela possibilita, também, uma visão mais abrangente das relações entre o uso da terra – seja para a produção florestal e agrícola, a abertura de estradas, a urbanização, enfim, toda e qualquer alteração antrópica da paisagem – e a conservação dos recursos hídricos. Quem sabe, assim, a sociedade acabará percebendo que o problema da diminuição da água e da deterioração de sua qualidade não está apenas nas florestas plantadas, mas em uma infinidade de outras ações antrópicas e em práticas inadequadas de manejo (Lima, 2004).

O clássico trabalho de revisão de Hibbert (1967) já afirmava claramente que o desmatamento aumenta a produção de água nas microbacias, assim como o reflorestamento diminui esta produção de água. Mas este autor foi também muito cuidadoso em sua revisão, alertando para o fato de que a análise dos inúmeros resultados disponíveis mostrava claramente que estes efeitos eram altamente variáveis de lugar para lugar e, em alguns casos, imprevisíveis.

Assim, levando em conta os trabalhos de revisão mais recentes, que incluíram um número maior de resultados e de condições experimentais, o que se tem de entender é que existe, de fato, a possibilidade de que as florestas plantadas e o manejo florestal influenciem a quantidade de água na escala da microbacia. Como afirmado por Versfeld (1996), parece ser uma política sensata ter em conta que não se precisa de outras pesquisas para provar que as florestas consomem água, ou que as florestas plantadas têm um consumo da mesma ordem de grandeza das florestas naturais. O que se deve agora é direcionar os esforços em busca de soluções para os conflitos que decorrem tanto do aumento da demanda pela água quanto do reconhecimento, pela sociedade e por outros usuários desse recurso natural escasso que antes não eram levados em conta, da questão da vazão ecológica e da qualidade do ecossistema aquático.

Com relação à variabilidade dos resultados, Andreassian (2004) esclarece a respeito de alguns dos pré-requisitos para a ocorrência de impactos significativos da floresta sobre a quantidade de água na microbacia. Um destes requisitos seria o solo, principalmente em termos de sua profundidade. Em solos rasos, as diferenças no consumo de água entre a floresta e uma vegetação de menor porte, como as gramíneas, seriam restritas apenas à diferença nas perdas por interceptação entre as duas coberturas vegetais. O outro requisito são as condições climáticas, principalmente em termos do regime de chuvas. Quando a distribuição das chuvas ao longo do ano possibilita que a evapotranspiração ocorra sempre à taxa potencial, as condições de rugosidade aerodinâmica do dossel florestal podem aumentar o consumo de água, principalmente em decorrência da maior quantidade de energia advectiva disponível, comparativamente a uma vegetação de menor porte. E existe, ainda, o requisito fisiológico relacionado com a espécie florestal, com a eficiência de uso da água e com as mudanças proporcionais dos componentes do balanço hídrico ao longo da idade do talhão.

Esses aspectos podem fornecer as bases para o entendimento de alguns resultados experimentais, como os de Swank & Miner (1968), que observaram uma redução no deflúvio anual de uma microbacia experimental que teve sua floresta natural substituída por uma floresta plantada de *Pinus strobus*, redução esta que atingiu cerca de 94 mm quando a plantação atingiu a idade de 10 anos.

Na Austrália, na bacia hidrográfica que abastece a cidade de Melbourne, um incêndio florestal queimou enormes áreas da floresta natural de *Eucalyptus regnans*. A germinação do banco de sementes foi vigorosa após este episódio, permitindo uma regeneração de elevada quantidade de mudas por hectare.

Esse crescimento vigoroso, que pode ser entendido como similar à substituição da floresta natural por plantação mencionado anteriormente, foi também acompanhado de uma redução significativa (300 a 400 mm) na produção anual de água nas microbacias experimentais instaladas na área. Vários trabalhos foram publicados a respeito dessa transformação. Kuczera (1987), por exemplo, acompanhando os dados do monitoramento ao longo do crescimento da nova floresta, apresentou uma hipótese a respeito da variação do consumo de água à medida que a floresta regenerada em alta densidade avança em idade, conforme ilustrado na Figura 10.3. O que esta figura mostra é que existe, na fase de crescimento rápido da floresta regenerada, uma sensível redução na produção de água na microbacia, a qual provavelmente atinge o seu máximo à idade de 15 anos, tendendo a diminuir com a maturação da floresta.

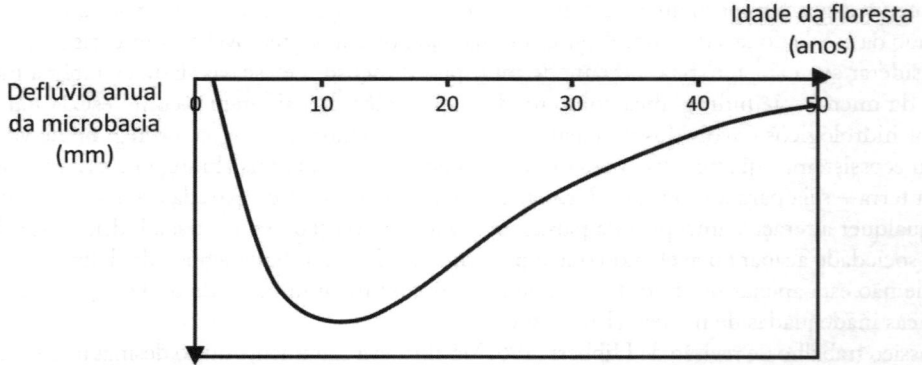

FIGURA 10.3 Variação do deflúvio anual da microbacia ao longo do crescimento vigoroso da floresta regenerada após um incêndio que eliminou a floresta natural de *Eucalyptus regnans* localizada na bacia hidrográfica de abastecimento de água da cidade de Melbourne, na Austrália. *Fonte: Kuczera (1987).*

Vertessy et al. (2001), por meio da medição criteriosa do índice de área foliar, da área basal e de vários componentes do balanço hídrico em floresta de *Eucalyptus regnans* com diferentes idades (15, 30, 60, 120 e 240 anos) na mesma região, encontraram mudanças significativas nos componentes do balanço hídrico, cujos resultados globais podem ser observados na Figura 10.4. Observa-se, nesta figura, que à medida que aumentou a idade do talhão, ocorreu alteração na proporção e na preponderância dos componentes do balanço hídrico, que resultou no aumento ou na diminuição do deflúvio da microbacia.

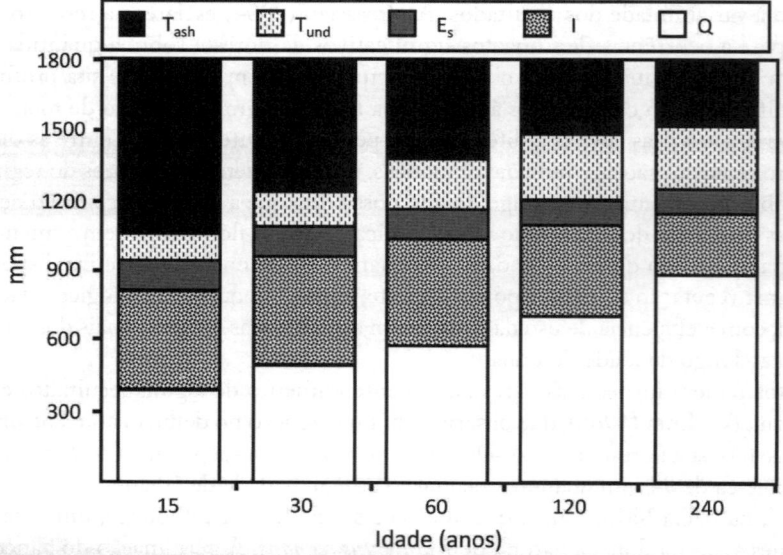

FIGURA 10.4 Componentes do balanço hídrico medido em florestas de *Eucalyptus regnans* de diferentes idades. T_{ash} – transpiração média anual; T_{und} – transpiração média anual do sub-bosque; E_s – evaporação direta média do solo; I – perda média anual por interceptação e Q – deflúvio médio anual da microbacia. *Fonte: Adaptado de Vertessy et al. (2001).*

Whitehead & Kelliher (1991), na Nova Zelândia, Lesch & Scott (1997), na África do Sul, e Huber et al. (1998), no Chile, também encontraram diferenças nos componentes do balanço hídrico e consequentemente na vazão da microbacia após a realização de desbastes em plantações de *Pinus radiata, Pinus patula* e *Eucalyptus grandis* e *Pseudotsuga menziesii*, respectivamente. Tais resultados indicaram que as práticas de manejo também influenciam a quantidade de água na microbacia.

Em nosso país, alguns dos poucos trabalhos nessa linha também confirmam estas evidências experimentais. Lima et al. (1990), por exemplo, mediram o balanço hídrico comparativo entre o cerrado, plantação de *Eucalyptus grandis* e plantação de *Pinus caribaea* no Vale do Jequitinhonha, através do método do balanço hídrico do solo, cujos resultados se encontram resumidos na Figura 10.5.

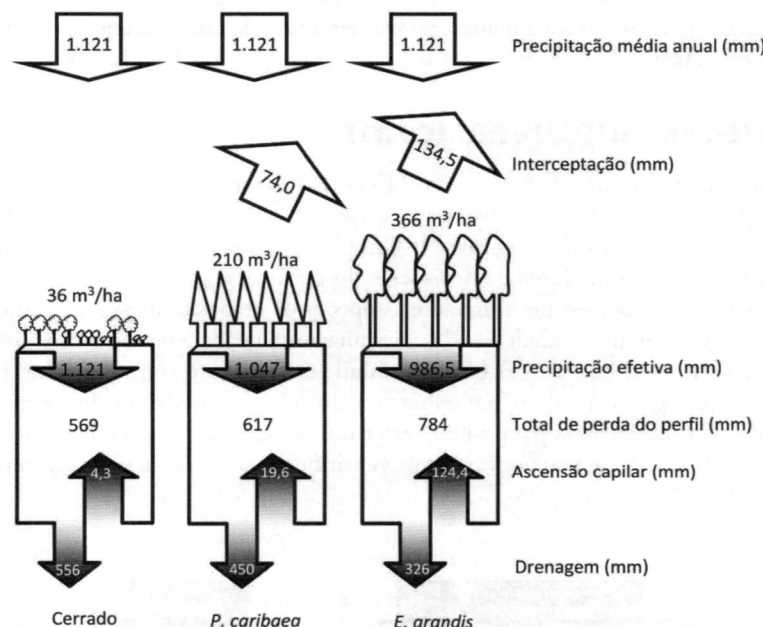

Figura 10.5 Representação esquemática dos resultados das medições dos componentes do balanço hídrico comparativamente entre a vegetação natural de Cerrado e florestas plantadas de *Eucalyptus grandis* e *Pinus caribaea*, ambas com 5 anos de idade, no Vale do Jequitinhonha, região norte de Minas Gerais (16°34'S, 42°54'W). Os valores representam médias anuais para um período experimental de dois anos. A precipitação foi medida em área aberta adjacente às parcelas. A umidade do solo foi medida gravimetricamente a cada 15 dias durante todo o período experimental, com três repetições em cada parcela e às profundidades de 30 cm, 60 cm, 90 cm, 120 cm e 180 cm do perfil do solo. A percolação da água para além dos dois metros de profundidade foi monitorada por um par de tensiômetros instalados às profundidades de 160 cm e 180 cm em cada parcela e as leituras de cada tensiômetro foram feitas diariamente. Os valores das perdas por interceptação na figura não foram medidos localmente, mas representam estimativas baseadas em trabalhos sobre interceptação em plantações semelhantes às do estudo, apenas para ilustração da influência deste processo na avaliação do consumo de água. *Fonte: Adaptado de Lima et al. (1990).*

Com relação aos possíveis impactos hidrológicos sobre a qualidade da água, a literatura mostra vários trabalhos, principalmente em termos das atividades mais intensivas do manejo florestal, como é o caso da colheita. Esses trabalhos sugerem que estas atividades, por exemplo, o corte raso da floresta plantada, podem causar aumentos significativos na concentração de sedimentos em suspensão no riacho, assim como perdas de solo e nutrientes, o que pode ser prejudicial tanto à qualidade da água quanto à qualidade do ecossistema aquático (Stott et al., 2001; Sikka et al., 2003; Dias Jr. et al., 2003; Fernandez et al., 2004; Pennington & Laffan, 2004).

Portanto, essa estratégia aponta para a necessidade da reestruturação das práticas convencionais de manejo, com o objetivo de adaptá-lo às condições regionais prevalecentes, bem como aos processos ecológicos e às potencialidades da paisagem. Ela evidencia a necessidade de monitoramento nas diferentes escalas da sustentabilidade. Representa, portanto, uma mudança conceitual fundamental de manejo baseado na unidade de manejo florestal para manejo baseado no ecossistema. Isso, sem dúvida, agrega valor e possibilita inovações tecnológicas e novas estratégias de manejo que incorporam a questão da água, envolvendo as seguintes premissas: a) as decisões de manejo são baseadas na capacidade natural de suporte da paisagem; b) o manejo incorpora a manutenção da hidrologia da microbacia e, consequentemente, a conservação da água; c) o plano de manejo é continuamente melhorado com base nos resultados do monitoramento; d) o plano possui maior flexibilidade e interatividade, incorpora o aspecto crucial das escalas de sustentabilidade e proporciona transparência às decisões de manejo.

Todavia, a despeito dessas evidências, a necessidade de incorporação dessas premissas em políticas de manejo integrado das microbacias ainda não se encontra totalmente consolidada, tanto no Brasil quanto em outros países da América Latina. E as consequências aparecem diversas vezes na forma de pressões ambientalistas, de dúvidas e reclamações de proprietários rurais ou mesmo de artigos e opiniões na imprensa, sempre reiterando a noção falsa de que as florestas plantadas são necessariamente incompatíveis com a conservação ambiental e com a manutenção dos recursos hídricos. Integrar os objetivos de manutenção e conservação da água no plano de manejo das florestas plantadas, em termos de hidrologia da microbacia, balanço hídrico, qualidade da água, regime de vazão (fluxo de base e pico de vazão) e qualidade do ecossistema aquático, parece ser a resposta mais adequada a essas inquietudes (Twery & Hornbeck, 2001).

10.3 O PAPEL DA BIODIVERSIDADE

O que é biodiversidade? Onde está? Para que serve? Essas são algumas das questões chave do documento *Ecossystem and Human Well-being – A Biodiversity Synthesis* (Millennium Ecosystem Assessment, 2005), lançado em 2001 com o apoio das Nações Unidas, cujo objetivo foi atender às necessidades de informações científicas dos tomadores de decisões e do público sobre os impactos que as mudanças nos ecossistemas causam ao bem-estar humano e as opções de respostas a essas mudanças. A resposta para tais questões é que a biodiversidade é a base de uma ampla cadeia de serviços ecossistêmicos que contribuem para o bem-estar humano. A **biodiversidade** é vista tanto como uma **variável resposta** – afetada pelas mudanças globais e de uso e cobertura do solo –, quanto um **fator modificador** dos processos e serviços do ecossistema para o bem-estar humano. Modificações antrópicas na paisagem podem afetar a biodiversidade, a qual pode, por sua vez, influenciar os serviços ecossistêmicos na escala da microbacia (Figura 10.6).

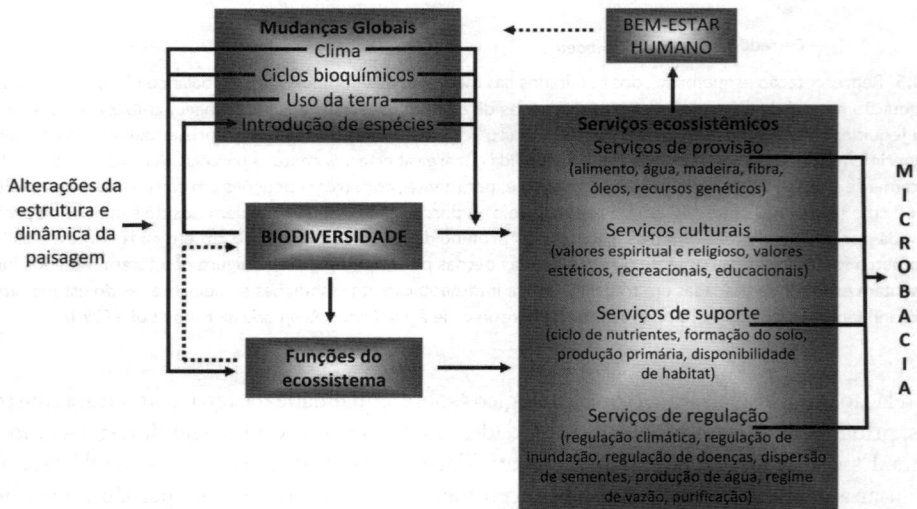

FIGURA 10.6 Biodiversidade, funcionamento do ecossistema e serviços ambientais. *Fonte: Adaptado de Millennium Ecosystem Assessment, 2005.*

Apesar do reconhecido valor que a conservação da biodiversidade tem para a manutenção dos serviços ecossistêmicos e bem-estar humano, inúmeros são os impactos ocasionados por ações humanas na biota. Fragmentação e perda de hábitats, caça, fogo, agricultura e introdução de espécies são apenas alguns exemplos de intervenções que podem desencadear cadeias de impactos, algumas com efeito acumulativo ou mesmo sinérgico, atingindo vários níveis do ecossistema. Ripple & Beschta (2006) mostraram uma interessante cadeia de impactos que atingiram diferentes níveis do ecossistema decorrentes do aumento da visitação humana em um parque nacional nos Estados Unidos (Zion Canyon, Utah). Este aumento reduziu imediatamente a densidade de pumas (*Puma concolor*), o que levou a um subsequente aumento da densidade de veados (*Odocoileus hemionus*), acarretando aumento na intensidade de pastejo e redução do recrutamento de árvores ripárias de algodão (*Populus fremontii*), aumento da erosão, e, por fim, redução da abundância das espécies aquáticas e terrestres. Esse exemplo ilustra apenas uma situação de desequilíbrio ambiental, mas pode representar outras situações que acontecem com certa frequência em paisagens dominadas pelo homem.

Redford (1992) lembra que a influência humana nas florestas tropicais era considerada pelos ecologistas, no passado, como de baixo impacto. Sabe-se, hoje, que as consequências destas intervenções nos ecossistemas naturais (hoje, já não tão naturais assim) são incomensuráveis. Ecossistemas naturais têm sido substituídos por ecossistemas antrópicos – agrícolas ou urbanos –, cuja estrutura e funcionamento são profundamente diferenciados dos naturais. Fragmentos inseridos em ambientes degradados ou antrópicos, por exemplo, apresentam forte tendência ao aumento do número de espécies onívoras e, possivelmente, insetívoras menos especializadas em detrimento à redução ou perda das espécies frugívoras (Motta-Junior, 1990). Modificando-se a composição das comunidades bióticas, alteram-se, também, as relações inter e intraespecíficas. Por exemplo, as interações entre plantas e animais frugívoros são fortemente afetadas pela fragmentação e perda de hábitats (Jordano et al., 2006), já que uma das primeiras consequências é a redução drástica (ou eliminação completa) das espécies frugívoras, as quais representam boa parte da biomassa de vertebrados em florestas tropicais (Eisenberg, 1980). Frugívoros são agentes essenciais na dispersão de sementes e, consequentemente, na regeneração natural da floresta.

Manter a diversidade biológica em uma paisagem antrópica significa incluir, além dos componentes agrícolas e urbanos, remanescentes florestais (remanescentes em áreas de preservação permanente e na forma de reserva legal). Manter os remanescentes naturais não significa somente tê-los inseridos estruturalmente na paisagem, como é o caso de várias regiões agrícolas altamente impactadas do estado de São Paulo, mas sim tê-los desempenhando satisfatoriamente suas funções ecológicas, dentre elas a de manutenção e retenção de biodiversidade. Em seu estudo denominado "*The empty forest*", Redford (1992) descreve alterações profundas da estrutura e funcionamento de florestas tropicais sob efeito intenso de exploração humana (caça). A perda da diversidade biológica implica em nada menos do que a perda das funções ecológicas desempenhadas pela floresta, o que inclui não somente a perda de relações bióticas, mas também nas interações entre a biota e o meio físico. Florestas vazias ou defaunadas[1] apresentam, por exemplo, redução na intensidade do processo de dispersão de sementes, alterando o sucesso reprodutivo de certas espécies vegetais e comprometendo a integridade do ecossistema. Destaca-se que a dispersão de sementes é responsável pela manutenção da diversidade tropical. Isso significa que uma floresta sem dispersores, por exemplo, é uma floresta que possivelmente se degrada (ao invés de se manter) ao longo do tempo. Esse processo de degradação compromete, em maior ou menor escala, a qualidade e disponibilidade da água, bem como outros serviços ecossistêmicos.

O processo de alteração da paisagem influencia fortemente o hábitat local e a diversidade biológica de riachos e rios em múltiplas escalas (Allan, 2004). Cullen (2007) destaca alguns impactos das alterações do uso da terra na saúde de rios, tais como alteração de padrões de vazão, aumento no aporte de matéria orgânica, nutrientes e contaminantes, perda de hábitats para a biota aquática, deposição de areia e alteração da temperatura da água. Esses impactos exemplificam o que chamamos de cadeias de impactos, as quais confirmam o fato de que os componentes do ecossistema não se encontram isolados na paisagem. Quando árvores são removidas da zona ripária, a entrada de troncos e galhos no riacho é reduzida. Assim, a disponibilidade de hábitat para a biota aquática diminui, a temperatura do riacho aumenta devido à falta de sombreamento e os níveis de luz e nutrientes na coluna de água podem aumentar, o que, por sua vez, pode desencadear a proliferação de algas e, na sequência, o aumento dos macroinvertebrados pelo aporte de matéria orgânica disponível.

Assim, a biodiversidade exerce um importante papel nas funções do ecossistema. Os produtos da biodiversidade incluem muitos dos serviços produzidos pelos ecossistemas (como alimento e recursos genéticos). Além do papel importante da biodiversidade no fornecimento dos serviços dos ecossistemas, a diversidade de espécies vivas tem um valor intrínseco independente de qualquer interesse humano (Millennium Ecosystem Assessment, 2005).

---

[1]Defaunação rápida (em tempo ecológico): remoção de alta biomassa ou de diversas espécies da fauna de um ecossistema (Jordano et al., 2006).

10.4 MANEJO ECO-HIDROLÓGICO DA PAISAGEM

10.4.1 Conceitos

A **paisagem**, que também é alvo de estudo no Capítulo 28, é uma extensa área formada por um aglomerado de ecossistemas, ou **um mosaico de áreas distintas (manchas) que interagem funcionalmente** (Turner, 1989). Entende-se por mancha uma unidade espacial que representa uma área contígua, espacialmente definida, que tenha características espaciais e não espaciais distintas da sua vizinhança. A definição é ampla, dinâmica e varia de acordo com as escalas temporal e espacial e com o fenômeno de interesse (Wiens, 1976). Com o avanço tecnológico, as paisagens naturais foram substituídas por áreas urbanas e rurais. As alterações em áreas naturais têm sido muito drásticas desde a revolução industrial, causando problemas ecológicos que podem ser avaliados pelas alterações na estrutura e função da paisagem, as quais são objetos de estudo da Ecologia da Paisagem.

A **Ecologia da Paisagem** enfoca três características da paisagem: a *estrutura*, relação espacial entre os distintos ecossistemas presentes; *a função*, interações entre os elementos espaciais; e a *mudança*, alteração na estrutura e função do mosaico ecológico ao longo do tempo (Forman & Godron, 1986). A paisagem pode ser descrita pela sua estrutura, que se refere ao arranjo espacial relativo de seus elementos e às conexões entre eles. Ela representa tanto características espaciais (arranjo geográfico, por exemplo), quanto não espaciais (composição, por exemplo) de seus elementos (Turner, 1989).

A origem do termo "Ecologia da Paisagem" teve suas raízes na região centro-leste europeia, onde geógrafos começaram a ver a paisagem não somente pelo seu componente estético (como os paisagistas), mas como a entidade espacial e visual do espaço humano. A concepção de Ecologia da Paisagem nos Estados Unidos foi inicialmente influenciada por cientistas naturais, preocupados com a relação do padrão de distribuição de plantas e animais (biogeografia) com o meio físico e antrópico (Naveh & Lieberman, 1993). Mais tarde, engenheiros florestais, agrônomos e arquitetos, preocupados com o planejamento do uso da terra, interessaram-se pela Ecologia da Paisagem. O conceito de "manejo de paisagem" surgiu da aplicação dos conceitos da Ecologia da Paisagem ao manejo de ecossistemas naturais. O Capítulo 28 aborda a Ecologia da Paisagem sob uma ótica aplicada ao gerenciamento de unidades de conservação, tais como reservas biológicas, parques nacionais e áreas de proteção ambiental.

Para a aplicação prática dos conceitos da Ecologia da Paisagem, deve-se considerar que, como uma proposta holística e integrada de manejar recursos, o manejo dessas paisagens envolve decisões com base em complexas interações de fatores bióticos e abióticos (Lachowski, 1994). As facilidades que o sensoriamento remoto e os sistemas de informações geográficas oferecem para processamento e análise de dados espaciais tornam essas técnicas fundamentais para o diagnóstico, análise e modelagem da paisagem (Lucier, 1994), conforme será visto em detalhes no Capítulo 25. Os avanços recentes dessas técnicas têm tornado possível o processamento de dados para grandes áreas e, por isso, elas têm sido amplamente utilizadas em estudos de paisagens florestais (Sachs et al., 1998).

A heterogeneidade espaço-temporal dos ecossistemas influencia os processos ecológicos. Os fluxos de nutrientes e sedimentos, por exemplo, são os processos mais evidentes influenciados pela paisagem. Rios e córregos expressam a variância local e a heterogeneidade da paisagem em que estão inseridos (Wiens, 2002). O conhecimento da relação da influência sobre os ecossistemas terrestres nos ecossistemas aquáticos é crucial para o manejo dos sistemas aquáticos (Likens & Bormann, 1974). A relação paisagem-água tem ganhado importância ultimamente, fazendo com que a heterogeneidade presente em torno dos rios seja vista como "paisagem ribeirinha" e que os conceitos da ecologia da paisagem sejam aplicados aos ecossistemas aquáticos (Wiens, 2002).

Nessa mesma linha, a preocupação com os fatores bióticos que afetam os processos hidrológicos resultou no surgimento do termo Ecohidrologia, que pode ser definido, conforme já mencionado, como o estudo das inter-relações funcionais entre a hidrologia e a biota na escala de microbacia (Zalewski, 2000). Considerando-se que o componente biótico de maior interferência hidrológica é a vegetação, o manejo ecohidrológico da paisagem pode ser entendido como o próprio manejo da vegetação. Assim, este manejo se preocupa em entender como o tipo de vegetação, condição, posicionamento e suas interações com o meio físico podem interferir nos processos hidrológicos nos ambientes terrestre (paisagem) e aquático (riachos, por exemplo). Para descrever o papel da floresta nos processos hidrológicos, é necessário entender os serviços que esta pode oferecer em termos hidrológicos, os quais fazem parte do conjunto de seus serviços ecossistêmicos.

10.4.2 Serviços Ecossistêmicos da Floresta

O termo "serviço ecossistêmico" é mais atual e substitui o termo "serviço ambiental", ainda amplamente utilizado como referência às funções ecológicas desempenhadas pelos ecossistemas. Ele pode ser definido como a capacidade que a natureza tem de fornecer benefícios para a qualidade de vida e saúde humana. Os serviços ecossistêmicos são classificados em quatro categorias: produção, regulação, suporte e culturais. Eles incluem produção de alimentos, combustíveis, fibras, regulação do clima, controle de pragas, benefícios espirituais, entre outros (Millenium Ecosystem Assessment, 2005). As florestas oferecem serviços nas quatro categorias, sendo que os de suporte e regulação são os mais relevantes para o ciclo hidrológico.

Conforme observado na Figura 10.7, a floresta contribui para o processo de infiltração da água no solo (I), já que a cobertura florestal intercepta a água da chuva, diminui sua velocidade, mantém a umidade do solo e permite que o processo de infiltração ocorra de forma lenta. Este processo é particularmente mais importante em partes altas do terreno com solos mais profundos, pois permite maior armazenamento de água no solo. Estas áreas são protegidas pelo Código Florestal Brasileiro, que determina que sejam preservadas áreas localizadas em topos de morros, enquadradas na categoria de Áreas de Preservação Permanente (APP), conforme será visto no Capítulo 28.

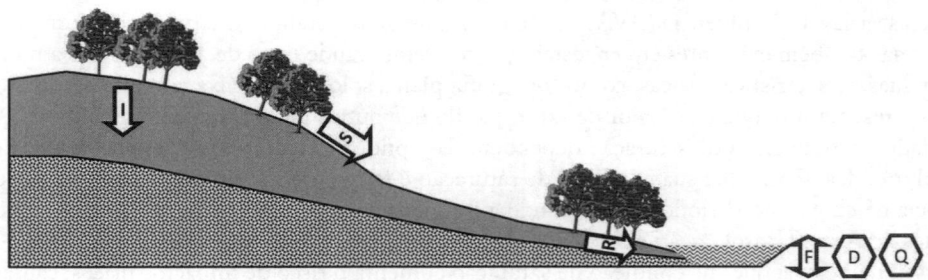

FIGURA 10.7 Serviços ecossistêmicos beneficiados pela cobertura florestal (I – infiltração; S – proteção do solo; R – proteção ripária) e processos hidrológicos influenciados (F – regulação de fluxo; D – produção de água; Q – qualidade da água).

No entanto, a efetividade deste serviço depende das condições do ambiente florestal como estrutura da floresta, altura das copas, sub-bosque, teor de matéria orgânica do solo, interferência antrópica (no caso de vegetação nativa) ou tipo de manejo (no caso de plantios florestais). Portanto, a simples presença da floresta não garante a infiltração da água no solo, já que florestas degradadas podem não apresentar todas as condições citadas anteriormente. Fica claro, também, que o plantio de áreas com espécies arbóreas com técnicas adequadas não resulta imediatamente na prestação de serviço, o qual tende a ser mais efetivo gradualmente com o desenvolvimento da floresta até sua maturação e o estabelecimento de novo equilíbrio.

A proteção do solo (S) é particularmente importante em áreas mais declivosas, nas quais a força da gravidade dificulta o processo de infiltração e direciona a água para o escoamento superficial, que causa impactos de diversas ordens, com destaque para os processos erosivos. A cobertura florestal exerce função de proteção do solo, reduzindo o escoamento superficial e beneficiando a infiltração. A função de proteção do solo também depende das características da floresta e de suas condições de conservação.

Embora outras coberturas vegetais possam desempenhar a função de proteção do solo, a floresta nativa conservada é a cobertura mais indicada por suas características de interceptação, sub-bosque, serapilheira, raízes e baixa intervenção humana, as quais contribuem para menores taxas de erosão e, consequentemente, menor produção de sedimentos que causam assoreamento e alterações diversas nos ecossistemas aquáticos. As áreas de alta declividade não são propícias ao desenvolvimento da agricultura pela declividade em si e pela presença de solos normalmente rasos, pedregosos e de baixa fertilidade. Estas áreas apresentam vocação natural para a cobertura florestal.

É importante observar que durante eventos extremos de chuva, em algumas situações, mesmo a proteção oferecida pelas florestas naturais não é suficiente para conter deslizamentos em áreas declivosas e enchentes nas áreas mais baixas. O volume de água destes eventos em um curto período, as características geológicas, os solos rasos e a alta declividade são elementos que tornam inevitáveis tais ocorrências (FAO, 2005). Mesmo assim, deve-se ressaltar que a floresta nativa é a cobertura mais indicada e distúrbios como desmatamento, ocupações e modificações em sua estrutura aumentam a probabilidade de catástrofes desta natureza.

Outra importante função diz respeito à proteção ripária (R) oferecida pela vegetação florestal. Essa proteção envolve aspectos físicos relacionados com o sombreamento do canal, criação de microclima adequado para manutenção da temperatura da água, entre outros. A floresta nativa é responsável, também, por importantes interações com o ecossistema aquático, incluindo a entrada de material vegetal, fornecimento de alimento e estruturação do hábitat aquático (Naiman et al., 2005). Este papel da floresta somente pode ser exercido de maneira apropriada se esta contiver a estrutura e composição de espécies nativas da região, motivo pelo qual não é recomendado o uso de florestas exóticas na zona ripária.

No Brasil, as áreas ripárias são protegidas pela Lei de Proteção da Vegetação Nativa, que estabelece diferentes larguras de faixas de proteção (APP), em função da largura do canal considerado. Segundo a referida lei, as APPs têm a função de proteger os corpos de água e também devem servir como corredores ecológicos (Capítulo 28). O estabelecimento da largura ideal de proteção que garanta os serviços ecossistêmicos citados é motivo de discussão técnica e política atual em torno das alterações implementadas nesta lei em relação ao antigo Código Florestal brasileiro. Discussões a parte, dois fatos importantes devem ser considerados em planejamento ambiental: 1) essas áreas abrigam trechos hidrologicamente sensíveis; 2) a faixa que garante a efetividade dos serviços ecossistêmicos é variável, o que explica a dificuldade técnica de estabelecimento de uma regra geral válida para todo o país.

As áreas variáveis de afluência (AVA) são áreas da paisagem, geralmente situadas em torno de corpos de água, mas também existentes em encostas, que recebem grande fluxo de água de áreas a montante e que, por suas características físicas, como topografia plana, solo raso e baixa condutividade hidráulica do solo, apresentam frequência maior de saturação do que outras áreas (Hewlett & Hibbert, 1967). A intensidade e a frequência de saturação dependem das condições citadas e do regime de chuvas a que estão submetidas, sendo que sua condição de saturação é frequente no período chuvoso e depende da ocorrência de chuvas no período seco. Quando a frequência de saturação é muito alta, elas podem ser chamadas de Áreas Hidrologicamente Sensíveis (AHS), termo que conota uma preocupação adicional sobre o seu manejo, já que sua condição de saturação aumenta o risco de impactos físicos, causados por máquinas e manejo do solo, e químicos, já que poluentes são conduzidos diretamente para o corpo de água por escoamento direto (Agnew et al., 2006).

Essas áreas apresentam funções específicas que são potencializadas pela proteção florestal, podendo-se dizer que esta associação entre a biota e o meio abiótico forma um ecossistema intermediário (ou ecótono), também conhecido como ecossistema ripário. Dentre as funções hidrológicas deste ecossistema, pode-se citar: 1) a retenção de nutrientes e sedimentos provenientes da encosta, o que melhora a qualidade da água (Q), 2) a regulação do fluxo de água no canal (F) pela atenuação dos fluxos superficiais e subsuperficiais e 3) alimentação do fluxo base após o término do evento de chuva, contribuindo para a vazão de base do riacho (D).

Embora essas áreas apresentem características importantes para a proteção do corpo hídrico, é um equívoco atribuir-se a elas toda a responsabilidade de "filtrar" ou corrigir o manejo inadequado do solo nas áreas a montante da microbacia. Ou seja, a existência destas áreas não exime a responsabilidade de um manejo correto do solo e de práticas agrícolas adequadas nas demais áreas, pelo contrário, conforme já mencionado, a importância do manejo do solo na área produtiva é maior pois esta representa a fonte dos distúrbios.

Os processos de infiltração e escoamento superficial dependem, portanto, da capacidade da vegetação em facilitar ou dificultar estes processos, principalmente em eventos de chuva, estabelecendo uma relação chuva-vazão que é característica da interação do meio abiótico e biótico na microbacia. Vários modelos vêm sendo utilizados para predição desta relação e estes são particularmente importantes para o dimensionamento de estruturas hidráulicas como canais, pontes e tubulações. No entanto, a maior parte dos modelos é baseada em equações empíricas que consideram a proporção de cada uso do solo na área de contribuição (ou bacia) a montante da posição da estrutura no terreno. Essa abordagem simplificada, que considera somente a proporção de floresta e não sua posição, pode não ser adequada para uma avaliação correta da função hidrológica da cobertura florestal, embora seja útil para o dimensionamento de estruturas.

Para ilustrar o efeito da posição da floresta em relação à rede de drenagem, na Figura 10.8 são exemplificadas duas bacias compostas por pastagem e floresta. Supondo que as bacias tenham as mesmas características físicas, composição e disposições distintas de seus componentes, provavelmente os serviços ecossistêmicos prestados pelas florestas nas bacias são diferentes nos dois casos. Na bacia A, o componente

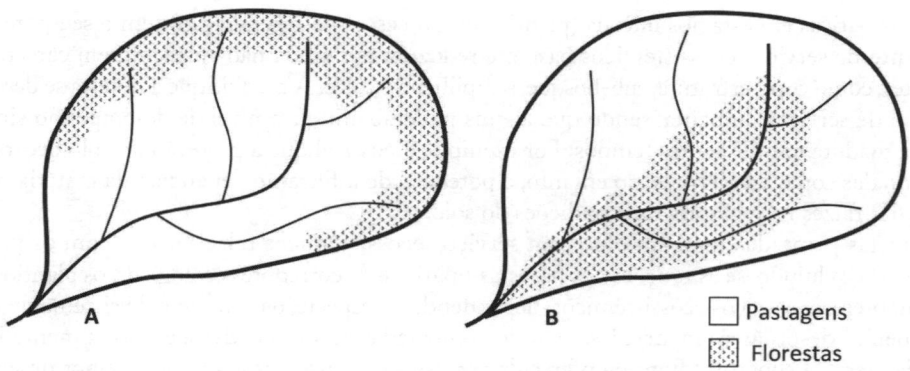

FIGURA 10.8 Exemplo ilustrativo de diferentes configurações espaciais dos componentes da paisagem em relação à rede de drenagem em uma bacia hidrográfica.

floresta poderá garantir maior proteção à região das cabeceiras (nascentes). Na bacia B, a maior proteção estará diretamente ligada ao canal principal. Portanto, é possível que uma mesma proporção de floresta (área ocupada) em uma bacia hidrográfica esteja desempenhando diferentes serviços ecossistêmicos, de acordo com sua posição da paisagem.

Para todos os serviços ecossistêmicos citados anteriormente, fica claro que o desempenho da floresta depende de suas condições estruturais e de manejo. Desse modo, em ecossistemas antropizados como os agroecossistemas que dominam a paisagem brasileira (excluindo-se a Amazônia), a crescente demanda por tais serviços vem levando a ações de restauração e uso de plantios florestais como forma de recuperar parte dos serviços ecossistêmicos prejudicados pela ação antrópica.

As ações de restauração são benéficas e devem ser conduzidas em áreas antropizadas com vistas a melhorar suas condições ambientais. No entanto, é preciso entender claramente em que condições a floresta poderá contribuir para os serviços ecossistêmicos, evitando-se falsas expectativas sobre seu desempenho. Na Figura 10.9, são apresentados os potenciais teóricos de desempenho de diferentes coberturas florestais em relação aos principais serviços ecossistêmicos citados. Nota-se que a floresta nativa madura e sem interferência antrópica apresenta os potenciais máximos de desempenho em todos os serviços ecossistêmicos considerados. A presença de floresta degradada apresenta potencial reduzido de exercer funções hidrológicas, dependendo de sua proporção na bacia e de seu posicionamento, conforme comentado anteriormente.

COBERTURA FLORESTAL		I	S	R	D	F	Q
Nativa madura		MA	MA	MA	MA	MA	MA
Nativa (inicial/intermediária)		B-M	B-M	MB-B	B	B	B
Plantio florestal (rápido crescimento)		M-A	M-A	MB	B-M	M	A
Plantio florestal (rápido lento)		A	M-A	MB	M-A	A	A
Plantio florestal + floresta nativa		A	A	M-A	B-M	A	A

FIGURA 10.9 Comparação do potencial de serviços ecossistêmicos oferecidos por diferentes coberturas florestais sob manejo (MB – muito baixo, B – baixo, M – médio, A – alto e MA – muito alto).

Florestas nativas em estágios iniciais (plantios ou processos de regeneração) têm o seu potencial de oferecimento de serviços ecossistêmicos bastante reduzido por ainda não apresentarem características importantes, como copa, estrutura, sub-bosque, serapilheira e solos. À medida que a floresta se desenvolve, o potencial de serviços aumenta, sendo que alguns poderão atingir o nível de desempenho similar ao da floresta madura em diferentes tempos. Por exemplo, é possível que a proteção do solo ocorra com o fechamento das copas das árvores, no entanto, o potencial de infiltração dependerá da matéria orgânica e da ação das raízes na melhoria das condições do solo.

As florestas plantadas também oferecem serviços ecossistêmicos relacionados com os processos hidrológicos. Excluindo-se as funções das florestas ripárias e de corredores ecológicos, os plantios florestais podem oferecer serviços ecossistêmicos, dependendo da espécie, da rotação e do sistema de manejo. O desempenho destas áreas manejadas, quando comparadas às áreas nativas, é normalmente inferior, mas, ainda assim, a cobertura florestal oferecida por estes ecossistemas apresenta melhor desempenho em funções hidrológicas em comparação a outras coberturas agrícolas.

As florestas plantadas com espécies de rápido crescimento, como *Eucalyptus* sp., normalmente são manejadas em curtas rotações (6-7 anos) e oferecem, a partir do fechamento das copas (2-3 anos), serviços de interceptação e proteção do solo, não tão eficientes quanto a vegetação nativa, mas com vantagens em relação às coberturas de menor porte. Os serviços de provisão de água e regulação do regime de vazão geralmente apresentam baixo desempenho neste tipo de floresta, em função da grande demanda de água ocorrida nas rotações curtas, reduzindo o deflúvio na microbacia e alterando o regime de vazão em função da demanda de água e outras interferências causadas pela retirada da floresta a cada rotação (Lima, 2010).

O desempenho dos plantios florestais nestes serviços dependerá da espécie e do tipo de manejo empregado, da disponibilidade hídrica regional e das características físicas locais, sendo que manejos mais intensivos normalmente reduzem o potencial de funções hidrológicas. Em função disso, o manejo de longa duração de florestas plantadas, como menor intervenção e possibilidade de maturação do ambiente florestal, apresenta melhor desempenho em todas as funções hidrológicas, inclusive na produção de água e regulação do regime de vazão dos riachos.

O aumento da cobertura florestal nativa na paisagem aumenta o potencial de oferecimento de serviços ecossistêmicos, independentemente da cobertura dominante (matriz). Desse modo, plantios florestais entremeados a áreas de vegetação nativa conseguem obter melhores desempenhos em todos os serviços ecossistêmicos, pois a floresta nativa complementa as funções desempenhadas pelos plantios florestais, melhorando o desempenho deste ecossistema também na proteção ripária (quando a vegetação nativa ocupa as áreas ripárias), produção de água e regulação do regime de vazão (pela menor demanda de água, maior potencial de armazenamento e maior efeito tampão nas áreas ripárias).

O manejo da paisagem visando à conservação da água deve estar baseado no planejamento do uso da terra com a preocupação de garantir a melhor ocupação de áreas específicas importantes para os processos de infiltração, proteção do solo e interação com o ambiente aquático. A floresta nativa (madura) exerce reconhecidamente um papel importante para garantir tais processos, sendo a melhor opção para tais áreas. No entanto, florestas em diferentes estágios de conservação, de desenvolvimento ou mesmo de plantios florestais podem não desempenhar integralmente os serviços ecossistêmicos. Neste caso, o manejo destas florestas deverá ter como objetivo a recuperação das funções hidrológicas. Embora as florestas desempenhem papel fundamental nos processos hidrológicos, elas ocupam pequenas proporções da paisagem em áreas agrícolas. Neste caso, somente o manejo adequado do solo e da área agrícola será capaz de fazer com que os benefícios gerados pelas áreas florestais não sejam suprimidos pelos impactos causados pela agricultura.

REVISÃO DOS CONCEITOS APRESENTADOS

- As florestas e a água estão intimamente relacionadas na natureza, e esta relação se manifesta na forma de impactos hidrológicos decorrentes do desmatamento ou do manejo inadequado das florestas. Inúmeros serviços ecossistêmicos são proporcionados pelas florestas, principalmente em termos de regulação climática e produção de água de boa qualidade.
- O entendimento destas relações e o estabelecimento de ações pró-ativas de manejo integrado e sustentável da paisagem para a manutenção da biodiversidade compõem o conceito contemporâneo da Eco-hidrologia, que é a ciência que descreve os mecanismos hidrológicos que dão suporte aos processos e padrões ecológicos da paisagem.

SUGESTÕES DE LEITURA COMPLEMENTAR

- BEDIENT, P.B., HUBER, W.C., VIEUX, B.E. (2008) *Hydrology and Floodplain Analysis*. Upper Saddle River: Prentice Hall, 794p.
- CHANG, M. (2006) *Forest hydrology: an introduction to water and forests*. Boca Raton: Taylor & Francis, 474p.
- CROOKS, K.R., SANJAYAN, M.A. (2006) *Connectivity Conservation*. Cambridge University, 2006. 732p.
- GORDON, N.D., McMAHON, T.A., FINLAYSON, B.L., GIPPEL, C.J., NATHAN, R.J. (2004) *Stream hydrology: an introduction for ecologists*. West Sussex: John Wiley & Sons, 429p.
- KAGEYAMA, P.Y., OLIVEIRA, R.E., MORAES, L.F.D., ENGEL, V.L., GANDARA, F.B. (2005) *Restauração ecológica de ecossistemas naturais*. Botucatu: Fundação de Estudos e Pesquisas Agrícolas e Florestais, 2005. 340p.
- LINDENMAYER, D., HOBBS, R. (2007) *Managing and designing landscapes for conservation: moving from perspectives to principles*. Malden: Wiley-Blackwell, 608p.
- SRIVASTAVA, D.S., VELLEND, M. (2005) Biodiversity-ecosystem function research: is it relevant to conservation? *Annual Review of Ecology and Systematics*, v. 36, p. 267-294.
- TURNER, M.G., GARDNER, R.H., O'NEILL, R.V. (2001) *Landscape ecology in theory and practice*. Nova York: Springer-Verlag, 416p.

Referências

ACIAR (1992) *Eucalypts: curse or cure?* Australian Centre for International Agricultural Research. Canbera. 6p.

AGNEW, L.J., LYON, S., GÉRARD-MARCHANT, P., COLLINS, V.B., LEMBO, A.J., STEENHUIS, T.S., WALTER, M.T. (2006) Identifying hydrologically sensitive areas: bridging the gap between science and application. *Journal of Environmental Management*, v. 78, p. 63-76.

ALLAN, J.D. (2004) Landscapes and riverscapes: the influence of land use on stream ecosystems. *Annual Review of Ecology, Evolution and Systematics*, v. 35, p. 257-284.

ALMEIDA, A.C., SOARES, J.V., LANDSBERG, J.J., REZENDE, G.D. (2007) Growth and water balance of *Eucalyptus grandis* hybrid plantations in Brazil during a rotation for pulp production. *Forest Ecology and Management*, v. 251, p. 10-21.

ANDREAE, M.O., ROSENFELD, D., ARTAXO, P., COSTA, A.A., FRANK, G.P., LONGO, K.M., SILVA-DIAS, M.A.F. (2004) Smoking rain clouds over the Amazon. *Science*, v. 303, p. 1337-1342.

ANDREASSIAN, V. (2004) Water and forests: from historical controversy to scientific debate. *Journal of Hydrology*, v. 291, p. 1-27.

BATES, C.G., HENRY, A.J. (1928) Forest and streamflow experiment at Wagon Wheel Gap, Colorado. *Monthly Weather Review*, v. 30, p. 1-79.

BOSCH, J.M., HEWLETT, J.D. (1982) A review of catchment experiments to determine the effect of vegetation changes on water yield and evapotranspiration. *Journal of Hydrology*, v. 55, p. 3-23.

BROWN, A.E., ZHANG, L., McMAHON, T., WESTERN, A.W., VERTESSY, R.A. (2005) A review of paired catchment studies for determining change in water yield resulting from alterations in vegetation. *Journal of Hydrology*, v. 310, p. 28-61.

CALDER, I.R. (1992) Water use of Eucalypts – a review. In: CALDER, I.R., HALL, R.L., ADLARD, P.G. (editores). *Growth and Water Use of Forest Plantations*. Chichester: John-Wiley. 381p.

CALDER, I R., HALL, R.L., ADLARD, P.G. (1992) *Growth and Water Use of Forest Plantations*. Chichester: John-Wiley. 381p.

CAMINO, R., BUDOWSKI, G. (1998) Impactos ambientales de las plantaciones forestales y medidas correctivas de caráter silvicultura. *Revista Forestal Centroamericana*, v. 22, p. 6-12.

COSSALTER, C., PYE-SMITH, C. (2003) *Fast-Wood Forestry – Myths and Realities*. CIFOR, Jakarta. 50p.

CREED, I.F., SASS, G.Z., BUTTLE, J.M., JONES, J.A. (2011) Hydrological principles for sustainable management of forest ecosystems. *Hydrological Processes*, v. 25, p. 2152-2160.

CULLEN, P. (2007). Water in the landscape: the coupling of aquatic ecosystems and their catchments. In: LINDENMAYER, D.B., HOBBS, R.J. (editores). *Managing and Designing Landscapes for Conservation. Moving from Perspectives to Principles. (Conservation science and practice series)*. Oxford: Blackwell Publishing. 608p.

DIAS JR., M.S., FERREIRA, M.M., FONSECA, S., SILVA, A.R., FERREIRA, D.F. (1999) Avaliação quantitativa da sustentabilidade estrutural dos solos em sistemas florestais na região de Aracruz, ES. *Revista Árvore*, v. 23, p. 371-380.

DUDLEY, N., STOLTON, S. (2003) *Running pure: the importance of forest protected areas to drinking water*. World Bank/WWF Alliance for Forest Conservation and Sustainable Use, UK. 89p.

EISENBERG, J.F. (1980) The density and biomass of tropical mammals. In: SOULE, M.E., WILCOX, A.B. (editores). *Conservation Biology. An evolutionary – ecological perspective*. Massachusetts: Sinauer Associates, Inc. 395p.

FALKENMARK, M., FOLKE, C. (2002) The ethics of socio-ecohydrological catchment management: towards hydrosolidarity. Hydrology and Earth System Sciences, v. 6, n. 1, p. 1-9.

FAO–CIFOR (2005) Forests and Floods: Drowning in Fiction or Thriving on Facts? Bangkok: FAO–CIFOR 2005.

FARLEY, K.A., JOBBAGY, E.G., JACKSON, R.B. (2005) Effects of afforestation on water yield: a global synthesis. Global Change Biology, v. 11, p. 1565-1576.

FERNANDEZ, C., VEGA, J.A.; GRAS, J.M., FONTURBEL, T., CUINAS, P., DAMBRINE, E., ALONSO, M. (2004) Soil erosion after *Eucalyptus globulus* clearcutting: differences between logging slash disposal treatments. *Forest Ecology and Management*, v. 195, p. 85-95.

FORMAN, R.T.T., GODRON, M. (1986) *Landscape ecology*. Nova York: John Wiley. 619p.

GAYOSO, J., ACUNA, M., MUNOZ, R. (2001) Gestión sustentable de ecosistemas forestales: caso predio San Pablo de Tregua, Chile. *Bosque*, v. 22, p. 75-84.

HARDING, R.J., HALL, R.L., SWAMINATH, M.H., SRINIVASA MURTHY, K.V. (1992) The soil moisture regimes beneath forest and an agricultural crop in southern India – measurements and modeling. In: CALDER, I.R., HALL, R.L., ADLARD, P.G. (editores). *Growth and Water Use of Forest Plantations*. Chichester: John-Wiley. 381p.

HEWLETT, J.D., HIBBERT, A.R. (1967) Factors affecting the response of small watersheds to precipitation in humid regions. In: SOPPER, W.E., LULL, H.W. (editores). *International Symposium on Forest Hydrology*. Oxford: Pergamon Press. 813p.

HEWLETT, J.D. (1967) Summary of Forests and Precipitation Session". In: Sopper & Lull (editores). In: SOPPER, W.E., LULL, H.W. (editores). *International Symposium on Forest Hydrology*. Oxford: Pergamon Press. 813p.

HIBBERT, A.R. (1967) Forest treatment effects on water yield. In: SOPPER, W.E., LULL, H.W. (editores). *International Symposium on Forest Hydrology*. Oxford: Pergamon. 813p.

HUBER, A., BARRIGA, P., TRECAMAN, R. (1998) Efecto de la densidad de plantaciones de *Eucalyptus nitens* sobre el balance hídrico en la zona de Collipulli, IX Región (Chile). *Bosque*, v. 19, p. 61-69.

JACKSON, R.B., JOBBAGY, E.S., AVISSAR, R. et al. (2005) Trading water for carbon with biological carbon sequestration. *Science*, v. 310, p. 1944-1947.

JORDANO, P., GALETTI, M., PIZO, M.A., SILVA, W.R. (2006) Ligando frugivoria e dispersão de sementes à biologia da conservação. In: DUARTE, C.F., BERGALLO, H.G., DOS SANTOS, M.A., VA, A.E. (organizadores). Biologia da conservação: essências. São Paulo: Rima. 582p.

KUCZERA, G. (1987) Prediction of water yield reductions following a bushfire in ash-mixed species eucalypt forest. *Journal of Hydrology*, v. 94, p. 215-236.

LACHOWSKI, H.M., WIRTH, T., MAUS, P., AVERS, P. (1994) Remote Sensing and GIS: their role in ecosystem management. *Journal of Forestry*, v. 92, n. 8, p. 39-40.

LESCH, W., SCOTT, D.F. (1997) The response in water yield to the thinning of *Pinus radiata, Pinus patula* and *Eucalyptus grandis* plantations. *Forest Ecology and Management*, v. 99, p. 295-307.

LIKENS, G.E. (1985) An experimental approach for the study of ecosystems. *Journal of Ecology*, v. 73, p. 381-396.

LIKENS, G.H., BORMANN, H. (1974) Linkages between terrestrial and aquatic ecosystems. *Bioscience*, v. 24, n. 8, p. 447-455.

LIMA, W.P. (1990) Overland flow and soil and nutrient losses from *Eucalyptus* plantations. *IPEF International*, v. 1, p. 35-44.

_____ (1993) *Impacto Ambiental do Eucalipto*. São Paulo: EDUSP, 301p.

_____ (2004) O eucalipto seca o solo? *Boletim Informativo da Sociedade Brasileira de Ciência do Solo*, v. 29, p. 13-17.

_____ (2010) *A silvicultura e a água: ciência, dogmas, desafios*. Rio de Janeiro: Instituto BioAtlântica, 64p.

LIMA, W.P., JARVIS, P., RIZOPOULOU, S. (2003) Stomatal responses of *Eucalyptus* species to elevated CO_2 concentration and drought stress. *Scientia Agricola*, v. 60, p. 231-238.

LIMA, W.P., ZAKIA, M.J.B., LIBARDI, P.L., SOUZA FILHO, A.P. (1990) Comparative evapotranspiration of Eucalyptus, Pine and natural cerrado vegetation measured by the soil water balance method. *IPEF International*, v. 1, p. 5-11.

LUCIER, A.A. (1994) Criteria for success in managing: forest landscapes. Journal of Forestry, v. 92, n. 7, p. 20-24.

MAKARIEVA, A.M., GORSHKOV, V.G. (2007) Biotic pump of atmospheric moisture as driver of the hydrological cycle on land. Hydrology and Earth System Sciences, v. 11, p. 1013-1033.

MAKARIEVA, A.M., GORSHKOV, V.G., LI, B.L. (2006) Conservation of water cycle on land via restoration of natural closed-canopy forests: implications for regional landscape planning. *Ecological Research*, v. 21, p. 897-906.

MAKARIEVA, A.M., GORSHKOV, V.G., LI, B.L. (2009) Precipitation on land versus distance from the ocean: evidence for a forest pump of atmospheric moisture. *Ecological Complexity*, v. 6, p. 302-30.

McCULLOCH, J.S.G., ROBINSON, M. (1993) History of forest hydrology. *Journal of Hydrology*, v. 150, p. 189--216.

MILLENNIUM. (2005) Ecosystem Assessment. *Ecosystems and human well-being: biodiversity synthesis*. Washington, DC: World Resources Institute.

MMBW. (1980) Water supply catchment hydrology research: summary of technical conclusions. Report MMBW-W-0012. 41p.

MOLDAN, B., CERNY, J. (1994) Small catchment research. In: MOLDAN, B., CERNY, J. (editores). Biogeochemistry of Small Catchment: a Tool for Environmental Research. John Wiley & Sons. 448p.

MOTTA-JÚNIOR, J.C. (1990) Estrutura trófica e composição de três habitats terrestres na região central do Estado de São Paulo. *Ararajuba*, v. 1, p. 65-71.

NAIMAN, R.J., DÉCAMPS, H., McCLAIN, M.E. (2005) *Ecology, Conservation and Management of Streamside Communities*. Londres: Elsevier Academic, 448p.

NAMBIAR, E.K.S., BROWN, A.G. (1997) Towards sustained productivity of tropical plantations: science and practice. In: NAMBIAR, E.K.S., BROWN, A.G. (editores). (1997) Management of soil, nutrients and water in tropical plantation forests. 571p.

NAMBIAR, E.K.S. (1999) Productivity and sustainability of plantation forests. *Bosque*, v. 20, p. 9-21.

NARDELLI, A.M.B., GRIFFITH, J.J. (2003) Mapeamento conceitual da visão de sustentabilidade de diferentes atores do setor florestal brasileiro. *Revista Árvore*, v. 27, p. 241-256.

NAVEH, Z., LIEBERMAN, A.S. (1993) *Landscape ecology, theory and application*. New-York: Springer-Verlag, 360p.

NEARY, D.G., ICE, G.G., JACKSON, C.R. (2009) Linkages between forest soils and water quality and quantity. *Forest Ecology and Management*, v. 258, p. 2269-2281.

PENMAN, H.L. (1963) *Vegetation and hydrology*. Commonwealth Bureau of Soil Science. Technical Communication 53, 54p.

PENNINGTON, P.I., LAFFAN, M. (2004) Evaluation of the use of preand post-harvest bulk density measurements in wet *Eucalyptus oblique* forest in Southern Tasmania. *Ecological Indicators*, v. 4, p. 39-54.

PERRY, D.A. (1998) The scientific basis of forestry. *Annual Review of Ecology and Systematics*, v. 29, p. 435-466.

REDFORD, K. (1992) The empty forest. *Bioscience*, v. 42, p. 412-422.

RICKLEFS, R.E. (1996) *Economia da Natureza*. Rio de Janeiro: Guanabara, 470p.

RIPPLE, W.J., BESCHTA, R.L. (2006) Linking a cougar decline, trophic cascade, and catastrophic regime shift in Zion National Park. *Biological Conservation*, v. 133, p. 397-408.

RODRIGUEZ-ITURBE, I. (2000) Ecohydrology: a hydrologic perspective of climate-soil-vegetation dynamics. *Water Resources Research*, v. 36, n. 1, p. 3-9,.

RODRIGUEZ-SUÁREZ, J.A., SOTO, B., PEREZ, R., DIAZ-FIERROS, F. (2011) Influence of *Eucalyptus globulus* plantation growth on water table levels and low flows in a small catchment. *Journal of Hydrology*, v. 396, p. 321-326.

SAA, H.J., VAGLIO, E.A. (1997) Plantar árboles no es reforestar – la confusión de términos genera serios errores. *Revista Forestal Centroamericana*, v. 21, p. 6-10.

SACHS, D.L., SOLLINS, P., COHEN, W.B. (1998) Detecting landscape changes in the interior of British Columbia from 1975 to 1992 using satellite imagery. *Canadian Journal of Forest Research*, v. 28, n. 1, p. 23-36.

SIKKA, A.K., SAMRA, J.S., SHARDA, V.N., SAMRAJ, P., LAKSHMANAN, V. (2003) Low flow and high flow responses to converting natural grassland into bluegum (*Eucalyptus globules*) in Nilgiris watersheds of South India. *Journal of Hydrology*, v. 270, p. 12-26.

STAPE, J.L., BINKLEY, D., RYAN, M.G. (2004) Eucalyptus production and the supply, use and efficiency of use of water, light and nitrogen across a geographic gradient in Brazil. *Forest Ecology and Management*, v. 193, p. 17-31.

STEDNICK, J.D. (2006) Monitoring the effects of timber harvest on annual water yield. *Journal of Hydrology*, v. 176, p. 79-95.

STOTT, T., LEES, G., MARKS, S., SAWYER, A. (2001) Environmentally sensitive plot-scale timber harvesting: impacts on suspended sediment, bedload and bank erosion dynamics. *Journal of Environmental Management*, v. 63, p. 3-25.

SWANK, W.T., JOHNSON, C.E. (1994) Small catchment research in the evaluation and development of forest management practices. In: MOLDAN, B., CERNY, J. (editores). *Biogeochemistry of small catchment: a tool for environmental research*. John Wiley & Sons, 448p.

SWANK, W.T., MINER, N.H. (1968) Conversion of hardwood-covered watersheds to White Pine reduces water yield. *Water Resources Research*, v. 4, p. 947-954.

TETZLAFF, D., SOULSBY, C., BACON, P.J., YOUNGSON, A.F., GIBBINS, C., MALCOLM, I.A. (2007) Con-nectivity between landscapes and riverscapes: a unifying theme in integrating hydrology and ecology in catchment science. *Hydrological Processes*, v. 21, p. 1385-1389.

TURNER, M.G. (1989) Landscape ecology: the effect of pattern on process. *Annual Review of Ecology, Evolution, and Systematics*, v. 20, p. 171-197.

TWERY, M.J., HORNBECK, J.W. (2001) Incorporating water goals into forest management decisions at a local level. *Forest Ecology and Management*, v. 143, p. 87-93.

VAN DIJK, A.I.J.M., KEENAN, R.J. (2007) Planted forests and water in perspective. *Forest Ecology and Management*, v. 251, p. 1-9.

VERSFELD, D.B. (1996) Forestry and water resources – policy development for equitable solutions. *South African Forestry Journal*, v. 176, p. 55-59.

VERTESSY, R.A., WATSON, F.G.R., O'SULLIVAN, S.K. (2001) Factors determining relations between stand age and catchment water balance in mountain ash forests. *Forest Ecology and Management*, v. 143, p. 13-26.

VITAL, A.R.T., LIMA, W.P., CAMARGO, F.R.A. (1999) Efeitos do corte raso de uma plantação de Eucalyptus sobre o balanço hídrico, a qualidade da água e as perdas de solo e de nutrientes em uma microbacia no Vale do Paraíba, SP. *Scientia Forestalis*, v. 55, p. 5-16.

WAGNER, W., GAWEL, J., FURUMAI, H. et al. (2002) Sustainable watershed management: an international multi-watershed case study. *Ambio*, v. 31, p. 2-13.

WANG, S. (2004) One hundred faces of sustainable forest management. *Forest Policy and Economics*, v. 6, p. 205-213.

WHITEHEAD, D., BEADLE, C.L. (2004) Physiological regulation of productivity and water use in *Eucalyptus*: a review. *Forest Ecology and Management*, v. 193, p. 113-140.

WHITEHEAD, D., KELLIHER, F.M. (1991) A canopy water balance model for a *Pinus radiata* stand before and after thinning. *Agricultural and Forest Meteorology*, v. 55, p. 109-126.

WIENS, J.A. (1976) Population response to patch environments. *Annual Review of Ecology, Evolution and Systematics*, v. 7, p. 81-129.

WIENS, J.A. (2002) Riverine landscapes: taking landscape ecology into the water. *Freshwater Biology*, v. 47, p. 501-515.

ZALEWSKI, M. (2000) Ecohydrology – the scientific background to use ecosystem properties as management tools toward sustainability of water resources. *Ecological Engineering*, v. 16, p. 1-8.

IMPACTOS AMBIENTAIS SOBRE RIOS E RESERVATÓRIOS

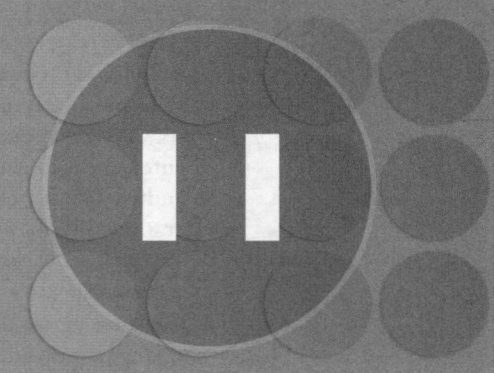

Luisa Fernanda Ribeiro Reis / João Luiz Boccia Brandão (*in memorian*)

O presente capítulo aborda diversos conceitos que buscam colocar o leitor em contato com os principais impactos ambientais provocados pelas atividades humanas sobre os corpos de água. A partir da avaliação quantitativa da disponibilidade hídrica nos vários reservatórios integrantes do ciclo hidrológico, é mostrado um panorama geral sobre os múltiplos usos que a água pode ter para suprir diversas demandas, tais como: abastecimento doméstico e industrial, irrigação de lavouras, geração de energia, navegação, recreação e lazer. Em seguida, são discutidos os impactos que alteram o equilíbrio geomorfológico natural dos cursos de água, os impactos decorrentes da implantação de reservatórios artificiais, as fontes de poluição hídrica e a questão dos efluentes urbanos.

11.1 INTRODUÇÃO

Conforme visto em detalhes no Capítulo 3, a água desenvolve um ciclo completo de transformação de estado no planeta, percorrendo os três grandes reservatórios da natureza – atmosfera, continentes e oceanos – através das diversas fases do ciclo hidrológico. Ao longo delas, elementos químicos e sedimentos são incorporados à água, determinando a sua qualidade.

Diante da possibilidade de aproveitamento de suas águas, os rios, historicamente, atraíram comunidades que se fixaram em suas margens, utilizando suas águas para o desenvolvimento das atividades mais diversas. Assim, as grandes civilizações da antiguidade, também denominadas "civilizações de vale de rios", promoveram os primeiros usos coletivos da água (irrigação, abastecimento de núcleos populacionais e controle de cheias), gerando os primeiros impactos ambientais de que se têm notícia: a salinização do solo devido à irrigação excessiva e a desertificação de áreas desmatadas.

O fato de as vazões dos rios sofrerem oscilações ao longo do tempo sempre constituiu uma dificuldade ao desenvolvimento de atividades que necessitam da **água como elemento mantenedor e/ou propulsor**. Dessa maneira, a construção de barramentos aos cursos de água e a consequente criação de reservatórios de armazenamento de água, com o propósito de promover a regularização de vazões, vêm ocorrendo há muito tempo. Durante um longo período, as barragens foram construídas com a finalidade de controle de cheias, irrigação e suprimento de água para abastecimento doméstico. Achados históricos sugerem que a primeira barragem da história, Sadd El-Kafara, no Egito, construída sobre o rio Nilo para controlar as cheias em torno de 2600 a.C. (Janberg, 2005 apud Agostinho et al., 2007), ruiu após o primeiro evento chuvoso que ocorreu após a sua implantação.

Ao longo da história, surgiram outros **usos coletivos para a água** (geração de energia elétrica, navegação, resfriamento, recreação e diluição de efluentes), com exigências variáveis em termos de quantidade e qualidade, atreladas a fatores como o crescimento populacional e econômico, a urbanização, assim como as mudanças tecnológicas e dos padrões de consumo. Tais usos vieram a reforçar a necessidade de se reservarem as águas dos rios nos períodos chuvosos para consumo nas épocas mais secas. Assim, as estratégias de exploração de mananciais subterrâneos, transporte da água e construção de barragens, com a consequente criação de reservatórios nos cursos de água naturais, disseminaram-se pelo mundo todo ao longo da história. O relatório apresentado pela Comissão Mundial de Barragens (*World Commission on Dams*, WCD) estima (WCD, 2000) que cerca de 60% dos 227 maiores rios do mundo foram fragmentados por represas, desviados ou canalizados, causando efeitos sobre os respectivos ecossistemas de água doce e adjacências. A publicação apontou, também, a existência de mais de 800 mil reservatórios ao redor do mundo, dos quais 45 mil foram classificados como de grande porte. De acordo com o Banco de Informações da Agência Nacional de Energia Elétrica (ANEEL, 2018), o Brasil possui atualmente, em operação, 667 CGH (Centrais Geradoras Hidrelétricas), 428 PCH (Pequenas Centrais Hidrelétricas) e 218 UHE (Usinas Hidrelétricas); em construção, sete CGH, 26 PCH e seis UHE; e em construção não iniciada, uma CGH, 127 PCH e sete UHE.

Outra questão muito importante é a da poluição hídrica, decorrente do crescimento populacional e da intensificação das atividades antrópicas, ao longo das últimas décadas, como consequência da revolução industrial. A poluição hídrica tem aumentado significativamente, uma vez que, em nível global, o tratamento dos efluentes gerados por essas atividades ainda não é satisfatório.

O presente texto aborda os impactos promovidos pelas ações humanas sobre os cursos de água naturais e suas respectivas bacias hidrográficas, alterando a sua **morfologia**, o seu **regime fluvial** e a **qualidade das suas águas**, através da construção de reservatórios, retificação de cursos de água, desmatamentos e lançamentos de cargas poluidoras. Considerando-se que existe uma relação entre disponibilidade e demanda e que o uso da água pelo homem afeta sua qualidade, há que se fazer uso da água com certa reponsabilidade, de forma que esta esteja disponível para as gerações futuras na quantidade e qualidade exigidas. A utilização da água para atendimento das demandas crescentes vem provocando alterações nos cursos de água naturais e instigando competição e conflitos entre os diversos setores usuários, como resultado da escassez agravada pela degradação da sua qualidade, conforme será visto na sequência deste capítulo.

11.2 DISPONIBILIDADE HÍDRICA

De acordo com FAO (2003), a disponibilidade total de **recursos hídricos** no mundo, estimada em 43.750 km³/ano, é distribuída de **maneira desigual** como consequência da heterogeneidade espacial de diferentes climas e estruturas fisiográficas características do planeta. A América detém a maior parte dos recursos de água doce do mundo (45%), seguida da Ásia (28%), Europa (15,5%) e África (9%), correspondentes às disponibilidades hídricas *per capita* de 24.000 m³/hab.ano, 34.000 m³/hab.ano, 9.300 m³/hab.ano e 5.000 m³/hab.ano, respectivamente. Entre os países, essa variabilidade é extrema (por exemplo, de 10 m³/hab.ano no Kwait a mais de 100.000 m³/hab.ano no Canadá, Islândia, Gabão e Suriname). Há, entretanto, 19 países ou territórios com uma disponibilidade hídrica inferior a 500 m³/hab.ano e 29 com menos de 1.000 m³/hab. ano. O Brasil figura dentre as nações mais ricas em água do mundo, com um total de 8.225 km³/hab.ano. Entretanto, a exemplo de outros países com grandes extensões territoriais, possui os seus recursos hídricos concentrados em regiões pouco habitadas. A disponibilidade hídrica nas diversas regiões hidrográficas do Brasil pode ser verificada na Tabela 11.1 (ANA, 2011), em que se pode notar a discrepância em termos espaciais.

TABELA 11.1 Disponibilidade hídrica e vazões médias e de estiagem nas regiões hidrográficas do Brasil

Região hidrográfica	Vazão média (m³/s)	Disponibilidade hídrica (m³/s)	Estiagem Q⁹⁵ (m³/s)
Amazônica	132.145	73.748	73.748
Tocantins-Araguaia	13.799	5.447	2.696
Atlântico Nordeste Ocidental	2.608	320	320
Parnaíba	767	379	294
Atlântico Nordeste Oriental	774	91	32
São Francisco	2.846	1.886	852
Atlântico Leste	1.484	305	252
Atlântico Sudeste	3.162	1.109	986
Atlântico Sul	4.055	647	647
Paraná	11.414	5.792	3.901
Uruguai	4.103	565	394
Paraguai	2.359	782	782

Fonte: ANA (2011).

Observa-se que a disponibilidade hídrica diz respeito à vazão de permanência 95% (Q_{95}) e, no caso de reservatórios, à vazão regularizada acrescida do incremental de Q_{95}. As bacias Amazônica e dos rios Uruguai e Paraguai possuem área em territórios estrangeiros, que lhes adicionam 86.321 m³/s, 878 m³/s e 595 m³/s em termos da vazão média, respectivamente.

11.3 OS USOS MÚLTIPLOS DA ÁGUA

As discrepâncias em termos de disponibilidade da água são agravadas pelos usos múltiplos, cujas **demandas** geralmente são **desconexas com as ofertas**, tanto em nível **espacial** quanto **temporal**. Além disso, aspectos de qualidade das águas atuam como fatores restritivos aos usos múltiplos. Mas, antes de abordar os usos múltiplos da água, é conveniente estabelecer a terminologia básica para o desenvolvimento do texto correlato. Assim, o presente tópico foi organizado de maneira a introduzir a terminologia básica e falar sobre os usos da água, acrescentando-lhes valores estimativos em níveis global e nacional.

11.3.1 Terminologia Básica

Define-se como **uso do recurso hídrico** qualquer atividade humana que altere as condições naturais das águas superficiais ou subterrâneas. **Retirada hídrica** é a quantidade bruta de água extraída a partir de qualquer manancial (fonte) do ambiente natural para fins humanos. **Demanda hídrica** é o volume de água necessário para uma determinada atividade de maneira que, se a oferta é irrestrita, pode-se retirar mais água do que a quantidade demandada.

Consumo hídrico ou uso consuntivo refere-se ao uso da água captada que é evaporada, transpirada, incorporada no produto ou cultivo, consumida por seres humanos ou pecuária, ou removida do ambiente hídrico imediato, de maneira a inviabilizar sua total devolução ao corpo hídrico do qual foi subtraída. O consumo de água é especialmente elevado na agricultura devido à evapotranspiração das culturas. Já os usos não consuntivos permitem a devolução total da quantidade de água retirada.

A **escassez** de água ocorre quando tanta água é retirada de mananciais superficiais e subterrâneos que os suprimentos não podem mais satisfazer adequadamente todos os requisitos humanos e dos ecossistemas, resultando em concorrência entre os potenciais usuários.

A **vazão de retorno** corresponde à parcela de água retirada que pode ser restaurada para o sistema hídrico, como águas subterrâneas infiltradas através de solos permeáveis ou drenadas diretamente para os rios ou outros corpos hídricos.

Os Usos Múltiplos da Água em Termos Globais

De acordo com UNESCO (2009), nosso conhecimento sobre o uso da água é tão limitado como aquele sobre os recursos hídricos. A informação é incompleta, particularmente no que se refere à agricultura, setor que apresenta o maior uso da água. Muitas vezes, estão disponíveis apenas informações desagregadas, com deficiências de validade e homogeneidade pelas seguintes razões:

- as estatísticas sobre as magnitudes das demandas e retiradas muitas vezes são estimadas e não embasadas em dados medidos ou compilados a partir de censos; assim, o nível de incerteza das estatísticas varia, mas é particularmente elevado no que diz respeito à agricultura;
- os setores de uso não são definidos homogeneamente e não são bem individualizados;
- conjuntos de dados históricos adequados são raros e as datas dos dados estatísticos disponíveis nem sempre são explicitadas;
- a falta de padronização na terminologia conduz a discrepâncias na compilação e análise de dados.

Pode-se dizer, portanto, que os dados de que se dispõem são estimativas grosseiras, que evidenciam o fato de que a retirada hídrica para o atendimento dos diversos usos vem crescendo muito rapidamente, de maneira a promover a exploração de novos mananciais (superficiais e subterrâneos), a competição entre os usos e a geração de conflitos pelo uso da água.

De acordo com o relatório da UNESCO (2009), atualmente, a maioria (99%) dos 4.10^{12} m^3 de água retirados por ano (126,8 m^3/s) para usos *offstream* (que promovem a retirada da água) – irrigação, doméstico, indústria e energia – é proveniente de fontes renováveis superficiais e subterrâneas. Menos de 1% (atualmente estimada em 3.10^{10} m^3 por ano) provém de aquíferos não renováveis (fósseis), principalmente em três países: Argélia, parte da Líbia e Arábia Saudita. Cerca de 20% do total de água é retirado de fontes subterrâneas (renováveis ou não), e essa percentagem vem crescendo rapidamente, estimulada pelo desenvolvimento de bombas de baixo custo e pelo investimento individual para irrigação e usos urbanos. O investimento privado no autoabastecimento das águas subterrâneas – majoritariamente descontrolado e não monitorado – tem crescido rapidamente em resposta a serviços públicos inadequados. Como resultado, a retirada de água subterrânea quintuplicou durante o século XX, levando a um rápido rebaixamento de aquíferos em algumas áreas e colocando em risco a sustentabilidade dos usos que dependem dele (Capítulo 12). Em áreas de recursos hídricos escassos, água salobra e águas residuárias são frequentemente utilizadas para atender à demanda.

Em nível global, a retirada de água para agricultura, abastecimento industrial e doméstico é estimada em aproximadamente 70%, 20% e 10%, respectivamente. A retirada de água para a geração de energia (hidrelétrica e termorresfriamento) vem crescendo, mas a energia é um dos setores da economia que consomem o mínimo de água, retornando cerca de 95% da retirada para o sistema hídrico. Observa-se que os usos *instream* tais como a navegação (transporte), a pesca e a manutenção de ecossistemas, geralmente não consuntivos, dependem de certo nível de vazão e qualidade da água para funcionar e, como não podem ser medidos volumetricamente, não são contabilizados nas estatísticas de uso da água.

Na África, na maior parte da Ásia, na Oceania, na América Latina e no Caribe, a irrigação é o principal uso da água, enquanto na Europa e na América do Norte, o abastecimento industrial e a geração de energia constituem os usos preponderantes. As retiradas de água para beber, higiene e banho continuam sendo menores para ambos os grupos de países mencionados.

Os Usos Múltiplos da Água no Brasil

No Brasil, o relatório da Agência Nacional das Águas (ANA, 2011) revela que:

- Com relação às **retiradas** de água dos mananciais, ou seja, vazão de água captada, a **irrigação** e o **abastecimento urbano** figuram como os usos consuntivos mais expressivos, seguidos das retiradas para consumo industrial, animal e rural.
- Em termos do **consumo efetivo**, ou seja, da parte da vazão retirada que não retorna ao corpo hídrico, o quadro é ligeiramente diferente. Em ordem decrescente, estão os consumos para irrigação, criação de animais, urbano, industrial e rural.
- Entre os usos não consuntivos mais intensivos no país, destacam-se a geração de energia (hidroeletricidade) e o transporte. Para um panorama sobre a matriz energética nacional, consulte o Capítulo 26.

Prevê-se (UNESCO, 2009) que a população mundial salte de 6 bilhões em 2000 para 9 bilhões em 2050. No Brasil, ANA (2010) indica um crescimento populacional de 2005 para 2025 (196 milhões de habitantes) de aproximadamente 45 milhões de habitantes, o que deve exigir um aporte adicional de 137 m³/s somente para o abastecimento urbano. A demanda média esperada para abastecimento humano nos anos de 2015 e 2025 é apresentada na Tabela 11.2. A transferência de vazões entre bacias vem ocorrendo no Brasil para o abastecimento das regiões metropolitanas do Rio de Janeiro (rio Paraíba do Sul), São Paulo (PCJ – rios Piracicaba, Capivari e Jundiaí), Salvador (rio Paraguaçu) e Fortaleza (rio Jaguaribe), sendo as maiores reversões a partir do Paraíba do Sul e do PCJ, que totalizam 115 m³/s.

TABELA 11.2 Demanda média projetada para abastecimento urbano (m³/s)						
Ano	Região Norte	Região Nordeste	Região Centro-Oeste	Região Sudeste	Região Sul	Brasil
2005	34	115	33	247	65	494
2015	45	136	39	275	75	570
2025	54	151	44	298	83	630

Fonte: ANA (2010).

Classificando-se a relação demanda/disponibilidade como excelente (0-5), confortável (>5-10), preocupante (>10-20), crítica (>20-40) e muito crítica/demanda (>40), ANA (2010) aponta cursos de água em condição crítica e muito crítica em bacias do semiárido, devido a sua baixa disponibilidade hídrica, na bacia do rio Tietê, devido à elevada demanda para abastecimento urbano, e nas sub-bacias do rio Uruguai e região hidrográfica do Atlântico Sul, devido à elevada demanda da irrigação.

11.4 ALTERAÇÕES NA DINÂMICA DO RIO

Conforme visto no Capítulo 8, os rios são elementos vivos do ponto de vista geomorfológico e estão sujeitos a certa dinâmica fluvial, cuja força motora é a energia do escoamento da água. A água desempenha um papel importante na transformação da paisagem de qualquer bacia hidrográfica, movendo grandes quantidades de solo, na forma de sedimentos. O sedimento proveniente da erosão da superfície do solo é transportado pelos cursos de água e, eventualmente, depositado em lagos, reservatórios ou no mar.

O fluxo em um dado curso de água é chamado de bifásico, pois coexistem o escoamento da água e o transporte de sedimentos que ela carrega. Assim, ficam definidas duas componentes de fluxo: a **vazão líquida** e a **vazão sólida**. O **equilíbrio geomorfológico** de um curso de água é função do balanço entre a capacidade de transporte do fluxo de água (vazão líquida) e o transporte de sedimentos (vazão sólida). Quando ocorre uma diminuição na vazão sólida e/ou um aumento na vazão líquida, tende a ocorrer erosão do leito e margens, conforme será visto em detalhes no Capítulo 14. No caso contrário, ou seja, quando ocorre um aumento da vazão sólida e/ou diminuição da descarga líquida, tende a haver deposição, também conhecida como assoreamento.

A supressão da mata ciliar ou da cobertura vegetal da bacia pode resultar em um aumento da erosão e consequente aumento da descarga sólida. Como cada curso de água tem uma capacidade limite de transporte de sedimentos, é possível que ocorra aumento da deposição de sedimentos, ou seja, assoreamento. Já obras hidráulicas, como cortes de meandros ou canalizações, tendem a aumentar a velocidade do escoamento, facilitando a ocorrência de erosões no leito e nas margens dos rios.

Da mesma forma, a construção de uma barragem altera o transporte de sedimentos do curso de água. No reservatório, ocorre a deposição dos sedimentos e, com isso, o fluxo destes para jusante é interrompido. Assim, aumentam as possibilidades de erosão do leito do rio, uma vez que o equilíbrio entre deposição e o transporte é alterado, e diminui o fluxo de nutrientes, pois estes ficam retidos no reservatório.

A seguir, são apresentados alguns problemas decorrentes do **desequilíbrio no transporte de sedimentos**.

● **Compostos químicos tóxicos**. Os sedimentos desempenham um papel importante no transporte e destino de poluentes. Produtos químicos tóxicos podem ser aderidos ou absorvidos pelas partículas de sedimentos e transportados para outras áreas e nelas depositados. Estes poluentes podem, mais tarde, ser liberados para a coluna de água. Ao estudar a quantidade, a qualidade e as características dos sedimentos no fluxo de água, é possível determinar as fontes e avaliar o impacto dos poluentes no ambiente aquático.

● **Navegação**. A deposição de sedimentos em rios e lagos pode diminuir sua profundidade, tornando a navegação difícil ou impossível. Para garantir o tráfego de embarcações, parte dos sedimentos pode ser dragada, mas isso pode liberar produtos químicos tóxicos ao meio ambiente (Capítulo 24). Para determinar o quanto de dragagem precisa ser feito e com que frequência, níveis de água devem ser monitorados e as taxas de transporte de sedimentos e deposição, estimadas.

● **Pesca e hábitats aquáticos**. Os sedimentos em excesso podem afetar diretamente e indiretamente as populações de peixes de várias maneiras:

a) os sedimentos em suspensão tendem a diminuir a penetração da luz na água; isso pode afetar os hábitos alimentares e outras habilidades dos peixes, o que pode levá-los a uma menor sobrevida;

b) os sedimentos em suspensão, em elevadas concentrações, irritam as brânquias dos peixes e podem causar a sua morte;

c) os sedimentos podem destruir a mucosa protetora que cobre os olhos e escamas dos peixes, tornando-os mais suscetíveis a infecções e doenças;

d) as partículas de sedimentos absorvem o calor do sol, o que pode elevar a temperatura da água. Isto tende a causar estresse a algumas espécies de peixes;

e) sedimentos em suspensão em concentrações elevadas podem provocar a extinção de plantas, invertebrados e insetos do leito dos cursos de água. Isso afeta a fonte de alimento dos peixes e pode resultar em diminuição das populações;

f) a deposição de sedimentos pode enterrar e sufocar as ovas dos peixes;

g) as partículas de sedimentos podem transportar compostos tóxicos agrícolas e industriais; se estes são liberados no hábitat aquático, podem causar anormalidades ou morte de peixes.

● **Silvicultura**. Algumas práticas florestais têm impactos negativos sobre o meio ambiente. Para um aprofundamento a respeito dessas questões, sugere-se a leitura do Capítulo 10. O corte extensivo de árvores em uma área pode não só destruir os hábitats naturais, mas aumentar o escoamento da água e acelerar a erosão do solo, se não houver manejo adequado. Como resultado, pode ocorrer o aumento da carga de sedimentos em córregos próximos. O corte intensivo também pode liberar substâncias químicas que ocorrem naturalmente em solos florestais e, dessa forma, contaminar rios ou lagos e prejudicar os peixes e outros organismos aquáticos.

● **Abastecimento de água**. Os sedimentos podem afetar a captação e o tratamento da água. Quando a água é retirada de rios e lagos para uso doméstico, industrial e agrícola, a presença de sedimentos em excesso pode desgastar as bombas e demais equipamentos do sistema. Com isso, aumentam os custos de manutenção e, dessa forma, é importante conhecer a quantidade de sedimentos na água a ser captada, para que o equipamento adequado possa ser escolhido ao se projetar uma instalação de abastecimento. Além disso, maiores quantidades de produtos químicos devem ser adicionadas ao longo do tratamento para a coagulação, floculação e sedimentação das partículas, etapas que serão detalhadamente descritas no Capítulo 17.

- **Produção de energia**. A quantidade de sedimentos transportados afeta a expectativa de vida dos reservatórios criados para geração de energia. A barragem retém a maior parte dos sedimentos, que normalmente seriam descarregados a jusante, o que reduz o volume útil do reservatório. Esse efeito impacta a geração de energia hidrelétrica, uma vez que, com a redução do volume, diminui a capacidade do reservatório em regularizar vazões e, dessa forma, reduz-se a possibilidade de geração plena nas estiagens. Portanto, é necessário conhecer a quantidade de sedimentos para garantir a utilidade efetiva dos reservatórios em longo prazo.
- **Agricultura**. Algumas práticas agrícolas aumentam a erosão do solo e despejam produtos químicos tóxicos no meio ambiente. Assim, o solo produtivo é perdido e transportado para os córregos, rios e ribeirões, poluentes são adicionados à água e os custos de manutenção de sistemas de irrigação aumentam devido à maior quantidade de sedimentos na água. Torna-se necessário coletar e conhecer dados e informações sobre o transporte de sedimentos para uma adequada avaliação das melhores práticas agrícolas e seus efeitos ambientais.
- **Dragagens**. A dragagem pode perturbar o equilíbrio ecológico natural através da remoção direta da vida aquática. Por exemplo, em estuários, bancos de ostras podem ser destruídos; no ambiente de água doce, os organismos que habitam o fundo, e que alimentam os peixes, podem ser eliminados da cadeia alimentar. Algumas substâncias tóxicas presentes nos sedimentos (por exemplo, mercúrio) podem reentrar no sistema hídrico quando estes são dragados. Nutrientes também podem ser liberados pela dragagem, podendo causar a eutrofização artificial, resultando em depleção de oxigênio e, possivelmente, na morte de peixes e outros organismos aquáticos.

11.5 OS IMPACTOS PROMOVIDOS POR RESERVATÓRIOS E SUA CLASSIFICAÇÃO

Sabe-se que os barramentos e os reservatórios, sendo estes últimos formados como resultado da implantação dos primeiros, interferem no ciclo hidrológico, rompendo o equilíbrio original e induzindo rearranjos na busca de sua retomada. Segundo De Jorge (1984) apud Albuquerque Filho (2010), "(...) *a implantação de um reservatório causa maior interferência sobre as condições naturais do meio físico do que qualquer outro tipo de obra civil de grande porte. Essas interferências são responsáveis por reações do próprio meio físico procurando se adaptar às novas condições existentes. As reações podem variar, ao longo do tempo, em intensidade e forma, impondo uma série de mudanças, convencionalmente chamadas de impactos*".

Segundo McCully (1996) apud Viana (2003), "(...) *assim como todo rio é único nas características de sua vazão, da região que ele percorre e das espécies que ele sustenta, assim também o é o design e o modelo de operação das barragens e os efeitos nos rios e ecossistemas que dela decorrem (...)*".

Viana (2003), ao comentar essa frase em seu trabalho, salientou seu significado por contemplar duas questões importantes: a impossibilidade de dar tratamento a todos os impactos ambientais decorrentes da construção de barragens e a impossibilidade da ciência (e dos cientistas), até aquela data, de avaliar com precisão e exatidão a extensão da fragmentação dos ecossistemas decorrentes de empreendimentos desta natureza. Observa-se que o levantamento em nível internacional realizado pela WCD (*Wolrd Commission on Dams*) não levou em conta as especificidades e os efeitos de todas as barragens até hoje construídas ou em construção nos diversos países.

O relatório da WCD (2000) enfocou as grandes barragens, apesar da afirmação de McCully (1996) de que a distinção entre pequenas e grandes barragens está longe de ser simples, a partir da própria definição do que é uma pequena e/ou uma grande barragem. De acordo com a Comissão Internacional de Grandes Barragens (ICOLD), uma grande barragem tem altura de 15 m ou mais desde a fundação. Barragens entre 5-15 m de altura e com reservatório de volume superior a 3 milhões de m³ também são classificadas como grandes barragens. É com base nesta definição que se diz que há mais de 45 mil grandes barragens em todo o mundo.

Há duas principais categorias de grandes barragens: com **reservatório de armazenamento** ou a **fio de água**, que muitas vezes podem ter limitada reservação diária. Dentro dessas classificações gerais, há uma considerável diversidade em escala, concepção, exploração e potencial de efeitos adversos. Barragens com reservatório podem promover o armazenamento de água intra-anual, interanual, anual ou, ainda, plurianual. As barragens a fio de água limitam-se a criar uma carga hidráulica no rio para desviar uma parte da vazão do rio para um canal ou estação de geração de energia.

Sabe-se que a construção de uma barragem seguida da inundação da área do reservatório promove efeitos abióticos (clima, geologia e quantidade e qualidade das águas) e bióticos (vegetação e faunas terrestre e aquática) diversos.

A WCD (2000) classificou os impactos sobre os ecossistemas como sendo (tradução dos autores):

"(...) de primeira ordem: impactos que envolvem as consequências físicas, químicas e geomorfológicas do bloqueio de um rio e alteram a distribuição natural e temporal das vazões;

● *de segunda ordem: impactos que envolvem mudanças na produtividade biológica primária de ecossistemas, incluindo efeitos sobre a vida vegetal ripária e ribeirinha e sobre habitats de jusante, tais como alagados; ou*

● *de terceira ordem: impactos que envolvem alterações sobre a fauna (como peixes) causadas por um efeito de primeira ordem (como bloqueio da migração) ou um de segunda ordem (como diminuição na disponibilidade de plâncton).*

Além disso, modificando o ecossistema, altera-se o ciclo bioquímico no sistema fluvial natural. Reservatórios interrompem o fluxo do carbono orgânico para jusante, conduzindo às emissões de gases de efeito estufa como o metano e o dióxido de carbono".

O presente texto não tem o propósito de esgotar o assunto, mas sim apontar aspectos importantes relacionados com os impactos de primeira, segunda e terceira ordens. Apresentam-se, inclusive, dados sintetizados a partir do próprio texto apresentado pela WCD (2000), cuja tradução é de responsabilidade dos autores.

11.5.1 Inundação da Área do Reservatório

Com a construção de uma barragem e consequente **inundação da área do reservatório**, os fatores que caracterizam o clima (temperatura, umidade relativa do ar, insolação e ventos) podem sofrer alterações. Assim, a temperatura pode variar especialmente se as condições originais corresponderem às de uma região naturalmente protegida de ventos, tais como os vales. A evaporação que se processa a partir da superfície líquida do reservatório criado em regiões secas tende a aumentar, fazendo crescer a umidade relativa do ar. Em zonas de densa cobertura vegetal (caso de Itaipu), o efeito é contrário. A superfície livre da evaporação do lago é forçosamente menor que a soma da superfície das folhas através das quais se dá a transpiração vegetal, promovendo consequente decréscimo da umidade relativa. As superfícies líquidas construídas em substituição a áreas com obstáculos ao vento podem fazer com que os ventos sejam intensificados. A neblina resultante do processo de evaporação intensificado pode alterar as condições de insolação locais.

O enchimento do reservatório e sua presença produzem uma curva de remanso de influências profundas sobre as adjacências. Tipicamente, ocorre a formação de um delta na entrada do reservatório formado pela redução de velocidade da água, que propicia o depósito de materiais transportados. Esse fenômeno gera a elevação do lençol freático na área de influência do reservatório, podendo causar danos às áreas cultivadas no entorno do reservatório. O acúmulo de sedimentos no reservatório, por sua vez, produz a perda gradual do volume do mesmo, com influências tanto sobre a vida útil da obra quanto sobre a qualidade da água do reservatório.

A inundação mata plantas terrestres e florestas; animais são, na melhor das hipóteses, deslocados. Como muitas espécies são adaptadas às condições de fundos de vale, o represamento pode eliminar hábitats únicos da vida selvagem e afetar as populações de espécies ameaçadas. Além disso, a consequente perda de cobertura vegetal na área do reservatório promove o aumento do fluxo de sedimentos, a degradação da qualidade da água e a variação no regime de vazões. Observa-se que a simples alteração de ambientes inicialmente lóticos (rios) para lênticos (lagos) pode promover a diminuição do oxigênio dissolvido na água por reduzir a agitação das águas, que constitui um mecanismo natural de aeração.

As pressões da coluna de água formada no reservatório e da própria barragem atuam de maneira a possibilitar a infiltração da água através das fraturas de rochas com potencial para reduzir a resistência das rochas, reativar falhas geológicas, quebrar camadas rochosas, alterando, portanto, a resistência do substrato. Dessa maneira, têm-se observado deslizamentos e tremores de terra no raio de influência dos reservatórios, variáveis de acordo como as características geológicas do local, a velocidade de enchimento da represa e o tamanho da coluna de água formada, cujos efeitos geralmente são sentidos tempos depois de o reservatório ter atingido a sua cota máxima. De acordo com Fioravante (2010), *"(...) no mundo todo, há registros de cerca de 100 terremotos que os especialistas atribuem a alterações que os reservatórios provocam no solo – o mais sério, associado à construção da barragem de Zipingpu, na China, atingiu 7,9 graus e matou 80 mil pessoas em maio de 2008. Um grupo do IAG e da Universidade de Brasília (UnB) identificou 16 hidrelétricas que induziram tremores de terra no Brasil (...)".*

A pressão hidrostática dos reservatórios também pode ter efeitos sobre a epidemiologia (criação de brejos com a proliferação de mosquitos e outros insetos transmissores de doenças).

Além dos aspectos já mencionados, a construção de reservatórios pode inundar áreas férteis para a agricultura e pecuária, estradas, sítios arqueológicos e obras arquitetônicas de valor histórico e propiciar o desaparecimento de recursos naturais, inclusive de valor paisagístico, tais como: florestas, rios, lagos, cavernas, quedas de água (exemplo: Sete Quedas, no rio Paraná, que desapareceram em 1982 por ocasião do fechamento do canal de desvio de Itaipu).

11.5.2 Emissão de Gases de Efeito Estufa (GEE)

Os reservatórios têm sido apontados como potenciais fontes de emissão de gases de efeito estufa (GEE), **metano** (CH_4) e **dióxido de carbono** (CO_2), para a atmosfera, diferentemente da compreensão de que as hidrelétricas são fontes limpas de energia, por produzirem apenas efeitos atmosféricos positivos, como a redução das emissões de dióxido de carbono, óxidos nitrosos, óxidos sulfúricos e material particulado, quando comparadas com o poder poluidor de outras fontes de geração que queimam combustíveis fósseis (Kelly et al., 1994; Rudd et al., 1993).

De acordo com Fearnside (2011), as quantidades de GEE emitidas pelo reservatório variam de acordo com a sua localização geográfica, a sua idade, o aporte de carbono e nutrientes e características como vazões, tempo de detenção, área, profundidade, flutuações de nível de água e a posição das turbinas e vertedores. O autor afirma ainda que as emissões ocorrem de maneiras diferentes ao longo da vida dos reservatórios, sendo que, durante a construção da barragem, as emissões podem ser atribuídas ao concreto, aço e combustível usados.

A decomposição da biomassa inundada representa a principal fonte de emissão de gases nos primeiros anos de operação de uma usina hidrelétrica. O processo de enchimento de um reservatório artificial é acompanhado por intensa atividade bacteriana, responsável pela decomposição da fração orgânica do carbono e sua conversão em formas inorgânicas e dissolvidas, como dióxido de carbono e metano (Galy-Lacaux et al., 1999). Assim, as hidrelétricas produzem emissões antes mesmo de qualquer eletricidade ter sido gerada, com picos de emissão nos primeiros anos (Fearnside, 2011). Os baixos níveis de oxigênio nas camadas profundas do reservatório, próximas ao sedimento, também favorecem a geração de metano (Lima 2005; Utsumi et al., 1998).

Posteriormente à liberação do carbono orgânico "inundado", o metabolismo dos reservatórios passa a ter as respectivas bacias de drenagem como fontes de carbono, o qual é carreado pelos rios e águas superficiais e fixado pela produção primária (estudada no Capítulo 7).

Os gases produzidos nos reservatórios podem ser estocados permanentemente no sedimento destes sistemas. Estimativas recentes sugerem que os sedimentos dos reservatórios estocam mais carbono que todos os lagos naturais combinados (Cole et al., 2007). Apesar de as superfícies dos reservatórios serem responsáveis pelas principais trocas gasosas com a atmosfera, emissões significativas também podem acontecer ainda após a passagem da água pelas turbinas e vertedores (Kemenes et al., 2007).

Até o momento, não se têm experiências de minimização, mitigação ou compensação desses impactos. A remoção de vegetação pré-inundação constitui uma alternativa, cujos efeitos ainda não são bem compreendidos.

11.5.3 Ecossistema Aquático de Jusante

Por um lado, os reservatórios são construídos com o propósito de controlar a distribuição temporal de vazões. Por outro, rios, seus habitats e espécies dependem da vazão, em termos da quantidade e características dos sedimentos em movimento através do curso de água, bem como das características e dos materiais que compõem o leito e as margens do canal.

Assim, os reservatórios acabam por comprometer a dinâmica característica dos rios, que envolve ciclos naturais de altas e de baixas vazões, e que determina a base física de vazões que garante a integridade dos ecossistemas. A extensão dos impactos promovidos pelas condições operacionais médias de barragens controladas depende de diversos fatores, entre eles o fato de a água ser extraída ou desviada para consumo, ou ecologicamente mantida. A introdução de espécies não nativas e de água de qualidade modificada em relação a características tais como temperatura, concentração de oxigênio e nutrientes, a alteração da dinâmica do sistema e a perda da capacidade de sustentação de um ecossistema resultam em um **rio ecologicamente modificado**. Dessa maneira, a nova dinâmica tem efeitos positivos sobre algumas espécies e negativos sobre outras, podendo operar transformações radicais sobre o ecossistema natural.

11.5.4 Impactos das Mudanças no Regime de Escoamento

Regimes de escoamento são variáveis-chave para a manutenção de ecossistemas aquáticos de jusante. Tanto a duração quanto a frequência das inundações são aspectos críticos para a sobrevivência de comunidades de plantas e animais que vivem a jusante. Assim, cheias pequenas podem atuar como estímulos biológicos para a migração de peixes e invertebrados e cheias maiores criam e mantêm hábitats por lavagem ou transporte de sedimentos. A variabilidade natural da maioria dos sistemas fluviais, caracterizado por pulsos de vazão, sustenta comunidades biológicas complexas que podem ser muito diferentes daquelas adaptadas às vazões estáveis, nas condições de um rio controlado. A temperatura da água e as suas características químicas também são alteradas como consequência do armazenamento de água e do regime das descargas para jusante. Dessa maneira, o crescimento de algas pode ocorrer no reservatório e no canal imediatamente a jusante de barragens como resposta à carga de nutrientes descarregada do reservatório, cujo efeito pode ser reduzido para jusante pelos processos de autodepuração.

Reservatórios de armazenamento, especialmente aqueles de usinas hidrelétricas de ponta (projetadas para operar nos períodos de picos de consumo de energia), podem perturbar significativamente todo o **regime de vazões**, promovendo grandes flutuações sazonais e diárias, muito distintas dos níveis de fluxo natural. Esforços têm sido empenhados para minimizar os impactos das mudanças no regime de vazões com vistas à restauração do regime de vazões, através da definição de **vazões ecológicas**, cujo conceito foi abordado no Capítulo 3. Acredita-se, no entanto, que esse tema mereça ainda investigações mais aprofundadas.

11.5.5 Impactos Decorrentes do Aprisionamento de Sedimentos e Nutrientes no Reservatório

A **redução no transporte de sedimentos** e nutrientes nos rios para jusante das barragens tem impactos sobre a **morfologia do canal, várzeas e deltas costeiros** e provoca a **perda de hábitat aquático** para peixes e outras espécies. Mudanças na turbidez da água do rio podem afetar diretamente a biota. A redução da turbidez devida ao represamento das águas pode estimular a produção planctônica e inclusive a sua ocorrência em novas seções do rio. A redução de sedimentos a jusante da barragem leva à degradação do canal de jusante. Praias podem desaparecer, assim como remansos, que constituem hábitat de peixes nativos. Além disso, pode acontecer a redução ou eliminação de vegetação ripária que fornece nutrientes e hábitat para espécies aquáticas e aves. O represamento de rios resulta, invariavelmente, na crescente degradação de deltas costeiros devido à redução no aporte de sedimentos. Medidas para mitigar os impactos de retenção de sedimentos e nutrientes são limitadas, mas a lavagem de sedimentos pode constituir parte de um programa de inundações controladas.

11.5.6 Impactos sobre Organismos Aquáticos e Bloqueio à Migração

O reservatório formado a montante da barragem caracteriza-se por camadas estratificadas por temperatura e concentração de oxigênio. Essa estratificação (Capítulo 8) atua de maneira a selecionar os seres característicos de determinadas camadas de estratificação, epilímnio, metalímnio e hipolímnio.

Além disso, na condição de barreira física, a barragem quebra a sistemática de movimento de espécies e gera mudanças na composição de organismos de montante e de jusante e até mesmo a perda de algumas espécies. De acordo com os seus padrões migratórios, as espécies ribeirinhas classificam-se em peixes anádromas (como o salmão) e catádromas (como as enguias). Os adultos do primeiro grupo migram rio acima para desovar e os jovens descem, enquanto o inverso ocorre com o segundo grupo. Muitos outros peixes de água doce sobem os rios ou seus afluentes para desovar, enquanto larvas de mexilhões de água doce são transportadas por peixes hospedeiros. Para ajudar a combater a deriva de suas larvas para jusante, insetos aquáticos, tais como *mayflies* e *stoneflies*, movem-se para montante para desovar. As barragens bloqueiam esses movimentos migratórios em diferentes graus. Peixes migratórios requerem diferentes ambientes para as principais fases do seu ciclo de vida: reprodução, produção de juvenis, crescimento e maturação sexual. Assim, muitas populações de peixes anádromas têm morrido como resultado de bloqueio por barragens a suas rotas migratórias. Estudos detalhados na América do Norte indicam que a construção de uma barragem é uma das principais causas da extinção de espécies de água doce (WCD, 2000). Os exemplos mais bem documentados da interrupção migratória de peixes são do rio Columbia nos Estados Unidos, onde muitas espécies de salmão foram perdidas. Passagens para peixes são normalmente utilizadas como esforços para mitigar o efeito das barragens em bloquear a migração de peixes.

11.5.7 Impactos sobre a vegetação ripária

A **zona ripária** tem importante papel na manutenção da integridade da bacia hidrográfica, por atuar sobre processos que lhe conferem estabilidade, possibilitar a **manutenção da qualidade e da quantidade de água** e dar sustentação ao ecossistema aquático (alimentos e abrigo à fauna).

Entretanto, as características da zona ripária estão intimamente relacionadas com a dinâmica dos cursos de água, a qual atua de maneira a delimitar as planícies de inundação e a possibilitar a deposição de sedimentos. Nos ambientes naturais, essa dinâmica inclui tanto cheias anuais quanto de períodos de retorno maiores, forçando que a vegetação dessas áreas (mata ciliar) apresente diversificação no que se refere a suas características estruturais (altura, diâmetro, área basal, densidade, distribuição por classe etária e padrões de distribuição espacial das espécies componentes), de composição e de distribuição espacial (longitudinal e transversalmente aos cursos de água).

O controle de águas de cheia pelas grandes barragens reduz a vazão durante períodos de cheia naturais e aumenta a vazão durante períodos naturalmente secos. Isso, associado à perda de hábitats de planícies de inundação, normalmente tem um impacto negativo sobre a diversidade de peixes e sua produtividade. A conexão entre o rio, a planície de inundação e os hábitats é essencial na história de vida de muitos peixes fluviais que evoluíram para tirar vantagem das inundações sazonais e usar as áreas inundadas para desova e alimentação. A perda dessa conexão pode levar a um rápido declínio na produtividade da pesca local e à extinção de algumas espécies. Além disso, a drenagem de canais de fluxo imediatamente a jusante de barragens pode ser um grave problema. As perdas diretas de silte e de reposição de nutrientes como consequência do represamento a montante contribuiu para a perda gradual de fertilidade de solos de várzea produtivos. O exemplo clássico é o rio Nilo, na África. Em vez de contar com a deposição natural de silte fértil em suas margens como no passado, o represamento fez com que a agricultura hoje praticada no local seja totalmente dependente de fertilizantes.

A drástica redução de espécies de pássaros foi também verificada especialmente em planícies de inundação a jusante de reservatórios e deltas, em que áreas alagadas não puderam ser preenchidas com água e nutrientes após a instalação da barragem. Finalmente, a recarga de água subterrânea em planícies de inundação também é drasticamente reduzida em função da eliminação das cheias.

Esforços para restaurar as **funções do ecossistema de várzea** dependem da reversão dos efeitos da barragem através de um programa de inundações planejadas para simular as enchentes que ocorreram anteriormente à construção da barragem.

11.5.8 Impactos sobre a pesca

O bloqueio de sedimentos e nutrientes, a regularização de vazões e a consequente eliminação do regime natural de cheias também podem ter efeitos negativos significativos sobre a pesca a jusante dos reservatórios. A pesca marinha ou de estuários também pode ser negativamente afetada quando as barragens alteram ou desviam fluxos de água doce. **Perdas substanciais na produção pesqueira** a jusante são relatadas em todo o mundo como resultado da construção de barragens.

A água doce auxilia a produção de peixes marinhos em estuários ou deltas. Assim, a diminuição do fluxo de água doce e do fluxo de nutrientes devido à construção de barragens afeta as áreas do berçário de várias maneiras, incluindo o aumento da salinidade, permitindo a invasão de peixes marinhos predatórios e reduzindo o abastecimento de alimentos disponíveis.

Barragens podem melhorar especialmente pescarias ribeirinhas imediatamente abaixo de barragens, que se beneficiam de descarga de nutrientes do reservatório de montante. Se a descarga se der a partir de camadas profundas do reservatório, a redução das temperaturas do curso de água receptor pode reduzir ou eliminar as espécies de água morna e promover a proliferação de espécies exóticas de água fria como salmonídeos, caso a água seja suficientemente oxigenada. Pescarias dirigidas a estes peixes de água fria podem resultar produtivas, mas geralmente exigem programas suplementares de incubação e introdução de invertebrados de água fria para servir como alimento para esses peixes.

Medidas de mitigação ou compensação têm sido usadas para reduzir esses impactos sobre a pesca. As passagens de peixes são as medidas mais usuais, apesar da sua utilidade limitada. Medidas de compensação consistem em incubadoras de peixes e programas de estocagem projetados para reproduzir a produtividade da pescaria.

11.5.9 Conclusão

Experiências levantadas e reportadas pela WCD (2000) mostram que, no passado, a previsão dos impactos sobre os ecossistemas era limitada, em parte devido à falta de base de dados confiáveis, à incerteza científica relacionada com a natureza das interações, à inadequada atenção a estas questões e à capacidade limitada para modelar sistemas complexos. Apesar das melhorias na medição, compreensão científica e capacidade de modelagem que vem ocorrendo ao longo do tempo, a maioria dos impactos sobre os ecossistemas permanecem específicos em nível local. Assim, sua natureza exata não pode ser prevista na ausência de estudos de campo apropriados de sistemas fluviais individuais. Todos os impactos aqui apontados podem ser potencializados à medida que maior número de barragens é construído em uma mesma bacia hidrográfica. De acordo com a WCD: "(...) *Dentro de uma bacia, quanto maior o número de barragens, mais fragmentados os ecossistemas do rio* (...)."

Deve-se dizer ainda que, além dos impactos ambientais explorados neste capítulo, devem-se considerar outras dimensões importantes do problema, como a dimensão social. Segundo a WCD, "*A construção de grandes barragens tem levado ao desalojamento de 40 a 80 milhões de pessoas ao redor do mundo*".

11.5.10 A Desativação de Barragens

De acordo com a WCD, a partir do final do século XX, observa-se a tendência de **desmantelamento de barragens** de manutenção dispendiosa ou de níveis de impacto inaceitáveis à visão atual, especialmente nos Estados Unidos, onde cerca de 500 barragens de pequeno porte e relativamente antigas foram descomissionadas.

Ainda segundo a WCD, experiências na Europa e Estados Unidos têm mostrado que o descomissionamento de represas permite a **restauração da pesca e dos processos ecológicos ribeirinhos**. No entanto, a remoção de barragem sem estudos adequados e as cabíveis ações mitigadoras causam preocupações e impactos negativos sobre a vida aquática de jusante devido à descarga súbita de sedimentos acumulados no reservatório, especialmente se acumuladores de resíduos de atividades industriais ou de mineração. Reconhece-se, no entanto, que a experiência relativa à remoção de grandes barragens é muito limitada e acredita-se que estudos sejam necessários para enfrentar os custos, benefícios e impactos decorrentes da remoção de grandes barragens. As escolhas devem ser feitas entre a renovação e a remoção.

Oponentes de projetos de grandes barragens algumas vezes sugerem, como alternativa energética, as pequenas barragens, ou, para utilizar o termo técnico atualmente em uso no Brasil, as Pequenas Centrais Hidrelétricas (PCHs), que serão alvo de estudo no Capítulo 26.

11.6 FONTES DE POLUIÇÃO HÍDRICA

Poluição da água é a contaminação dos corpos de água naturais ou artificiais por **substâncias químicas, elementos radioativos ou organismos patogênicos**. A poluição altera significativamente as características físicas, químicas e biológicas da água, podendo inviabilizar o seu uso para diversas finalidades, provocar prejuízo aos ecossistemas aquáticos e transmitir doenças às populações, como estudado no Capítulo 5.

As principais fontes de poluição da água são: **esgotos domésticos e industriais**; **águas pluviais** (carreando impurezas da superfície do solo ou contendo esgotos lançados nas galerias de drenagem); **resíduos sólidos**; **agrotóxicos**; **fertilizantes**; **detergentes**; **precipitação de poluentes atmosféricos** (sobre o solo ou a água); **sedimentos** oriundos das margens dos cursos de água ou da superfície da bacia hidrográfica, decorrentes de processos erosivos, e **dejetos de animais**, provenientes de criadouros.

Os poluentes podem contaminar as águas superficiais através do lançamento direto, da precipitação, ou do escoamento da água pela superfície do solo. As **fontes de poluição** da água podem ser **localizadas (pontuais)**, quando o lançamento da carga poluidora é feito de forma concentrada, em determinado local, ou **não localizadas (difusas)**, quando os poluentes alcançam um corpo de água de modo disperso, não havendo um ponto específico para a entrada do poluente no sistema hídrico.

11.6.1 Poluição pontual

A Agência de Proteção Ambiental dos Estados Unidos (USEPA) considera como poluição pontual qualquer fonte única identificável a partir da qual os poluentes são descarregados através de tubulações, valas e drenos. Uma fonte também é chamada de pontual porque, em modelagem matemática, pode ser aproximada como um ponto geométrico para simplificar a análise.

As cargas brutas ou remanescentes de esgotos domésticos e industriais são os tipos mais comuns de fontes pontuais. Os esgotos domésticos, normalmente caracterizados por um elevado teor de matéria orgânica, são tratados em estações de tratamento específicas para esse fim. As indústrias, incluindo as refinarias de petróleo, fábricas de celulose e papel, de produtos químicos, de equipamentos eletrônicos e montadoras de automóveis, descarregam um ou mais poluentes (cargas orgânicas e produtos químicos) em seus efluentes. Algumas indústrias liberam seus efluentes tratados ou não diretamente nos corpos de água. Outras enviam seus resíduos para estações especiais de tratamento. Os aspectos relacionados com o tratamento de efluentes domésticos e industriais são apresentados nos Capítulos 18 e 19. Outra forma comum de cargas pontuais são os lançamentos *in natura* de dejetos de criadouros de animais referentes à pecuária, avicultura e suinocultura.

As descargas não controladas a partir de fontes pontuais podem resultar em poluição hídrica e consequentemente inviabilizar o uso da água para consumo, restringir atividades como a pesca e a natação e, ainda, ser foco de doenças de veiculação hídrica. Alguns dos produtos químicos descarregados por fontes pontuais são inofensivos, mas outros são tóxicos para as pessoas e para os ecossistemas aquáticos. O grau de severidade da contaminação por um produto químico depende da sua composição, da sua concentração, do momento de seu lançamento, das condições meteorológicas e dos organismos que habitam a área.

As **cargas pontuais** são geralmente mais fáceis de gerenciar, uma vez que são **mais facilmente identificáveis** e sua caracterização é mais direta e objetiva. Ou seja, uma vez identificado um ponto de lançamento de poluentes, faz-se a avaliação do seu volume e dos contaminantes presentes. Na sequência, passa-se para a adoção de medidas corretivas como o tratamento do efluente ou até mesmo, preferencialmente, a redução ou a interrupção do lançamento.

11.6.2 Poluição Difusa

Cargas difusas são cargas de contaminantes que aportam aos cursos de água **sem que se possa identificar precisamente o seu ponto de entrada** no sistema hídrico. São normalmente geradas em áreas extensas e associadas às precipitações e, portanto, chegam aos corpos de água superficiais de forma intermitente e eventual. Uma vez que sobre a superfície do terreno (rural ou urbano) se encontra uma série de contaminantes (como sedimentos, dejetos animais, agrotóxicos, nutrientes, resíduos sólidos, resíduos de combustível, óleo, borracha e produtos químicos, poeira, entre outros), o escoamento superficial direto carrega essa carga de poluentes para os cursos de água da bacia hidrográfica. Outra forma de poluição difusa se dá por meio da lavagem da atmosfera pela chuva. Nesse processo, uma parte da poluição atmosférica é levada pela chuva e atinge os corpos de água através do escoamento superficial direto.

Em áreas urbanas, a poluição difusa tem composição complexa: sedimentos erodíveis, metais, poeira, resíduos sólidos, resíduos de óleos, combustíveis, borracha e materiais de construção. É uma fonte de poluição importante e seu controle está associado à coleta de lixo, limpeza pública (varrição e lavagem de ruas) e gestão sobre o uso e ocupação do solo. Nas áreas rurais, a poluição difusa é devida em grande parte ao escoamento superficial direto sobre os solos agrícolas e ao fluxo de retorno da irrigação, sendo associada aos sedimentos (carreados quando há erosão do solo), aos nutrientes (nitrogênio e fósforo), aos defensivos agrícolas e aos resíduos da criação animal. A deposição atmosférica de poluentes, especialmente nitrogênio, provenientes de emanações industriais e queimadas de matas e da cana-de--açúcar, e o arraste de partículas e gases da atmosfera por águas pluviais, também são considerados fontes de poluição difusa.

As concentrações dos poluentes decorrentes das cargas difusas variam significativamente entre diferentes bacias hidrográficas e ao longo de uma mesma bacia hidrográfica. A poluição difusa está associada ao uso, à ocupação e às práticas de manejo do solo, à limpeza das ruas, às estações do ano e às características hidrológicas locais e da topografia, como mencionado anteriormente. A poluição difusa também varia temporalmente, de acordo com os diferentes eventos de chuva. As chuvas antecedentes também têm um peso significativo sobre essa variação temporal. As chuvas de alguns dias atrás lavam a superfície do terreno, diminuindo a carga difusa posterior. Esse mesmo efeito acontece ao longo de um mesmo episódio chuvoso, pois durante os primeiros minutos de chuva, ocorre também a "lavagem" dos contaminantes depositados sobre o solo. Dessa forma, é frequente observar elevadas concentrações de poluentes no início da chuva.

Segundo Novotny (1991), cinco condições caracterizam as fontes difusas de poluição:

1. o lançamento da carga de poluição é intermitente e está relacionado com a precipitação;
2. os poluentes são transportados por extensas áreas;
3. as cargas de poluição não podem ser monitoradas a partir de seu ponto de origem, já que não é possível identificar exatamente sua origem;

4. o controle da poluição difusa deve, de maneira obrigatória, incluir ações de planejamento sobre a área geradora da poluição, em vez de apenas controlar o efluente quando do seu lançamento;

5. dificuldade em se estabelecerem padrões de qualidade para o lançamento, já que a carga poluidora varia de acordo com a intensidade e duração do evento de precipitação, extensão da bacia hidrográfica, padrão de uso e ocupação do solo, tornando a correlação vazão *versus* carga poluidora praticamente impossível de ser estabelecida.

Até a primeira metade do século passado, buscou-se a manutenção da qualidade dos recursos hídricos pelo desenvolvimento e aplicação de tecnologias focadas tão somente no controle das fontes pontuais de poluição. Foi a partir da década de 1970 que as cargas difusas de poluição se tornaram objeto de estudos mais aprofundados, devido à percepção da dificuldade em manter os recursos hídricos em nível aceitável de qualidade controlando apenas as fontes pontuais. Isso provocou mudanças nas políticas de controle da poluição da água, nos Estados Unidos e na Europa, que se voltaram para uma regulação com foco na qualidade dos corpos receptores. Esse fato foi marcado pela aplicação, em diversas bacias hidrográficas nos Estados Unidos, do conceito de Carga Diária Máxima Total (em inglês, *Total Maximum Daily Load*, ou TDML), preconizada pela lei de despoluição hídrica dos Estados Unidos de 1972 (em inglês, *Clean Water Act*) e, posteriormente, pela diretiva europeia em relação à água (em inglês, *Water Framework Directive*). Esses dispositivos legais colocaram em evidência a necessidade de se considerarem todas as fontes de poluição, bem como a necessidade de modelagens mais precisas, principalmente das fontes difusas de poluição.

O controle da poluição difusa deve ser feito, principalmente, a partir do fator gerador da poluição, ou seja, nas fontes que estão dispersas sobre o solo ou na atmosfera. Deve-se reduzir a carga poluidora antes que esta atinja o curso de água receptor. Isto requer ações sobre a ocupação da bacia hidrográfica como a gestão do uso e ocupação do solo, limpeza de ruas, coleta adequada de resíduos sólidos, disposição de resíduos inertes, disposição de resíduos tóxicos, controle de emissão de poluentes atmosféricos e controle da erosão. Essas são ações denominadas de **medidas não estruturais**. Como **medidas estruturais**, têm-se as obras e as intervenções que procuram diminuir o volume do escoamento superficial direto e/ou remover os poluentes antes que estes atinjam o corpo de água. São exemplos de medidas estruturais, as bacias de detenção (em que seja possível a sedimentação dos poluentes), aplicação de pavimento poroso (que diminui o volume do escoamento), obras de retenção de sedimentos e a criação de alagadiços ou banhados com vegetação para tratamento e sedimentação dos poluentes.

11.7 EFLUENTES URBANOS

O aumento da demanda da água nos núcleos urbanos para atendimento de diversas atividades humanas e econômicas tem provocado a deterioração dos corpos de água. A água perde qualidade quando utilizada em nossas casas, nos edifícios públicos e comerciais, nos processos industriais, entre outros. Essas atividades geram efluentes contaminados que são geralmente chamados de águas servidas ou residuárias. Em muitos casos, quando o tratamento dessas águas servidas é inadequado, ou simplesmente inexiste, o corpo receptor, seja superficial ou subterrâneo, torna-se poluído. Considerando esse panorama, quanto maior o consumo de água, maior será a poluição dos mananciais. Dentro de uma mesma bacia, as cidades situadas a montante tendem a poluir as águas que serão utilizadas pelas cidades a jusante, gerando um intenso conflito de uso dos recursos hídricos.

Desde a intensificação do **processo de urbanização**, as cidades têm contribuído significativamente para a degradação dos recursos hídricos. Esses mesmos recursos que abastecem as cidades, transformam-se, a jusante, nos receptores de toda a espécie de descarte das atividades humanas. A lógica para uma utilização racional e adequada dos recursos hídricos em áreas urbanas é o tratamento eficaz dos efluentes líquidos gerados. Uma cidade produz uma grande quantidade de efluentes líquidos que, normalmente, são subdivididos em dois tipos: os efluentes sanitários e os efluentes industriais.

Os efluentes ou esgotos sanitários, que incluem a vazão de infiltração na rede coletora de esgoto, são as águas servidas provenientes das residências, dos edifícios residenciais, comerciais e públicos, dos clubes esportivos, dos restaurantes, dos hospitais e de instalações sanitárias das indústrias. São originados a partir do uso da água para higiene pessoal, cocção de alimentos, lavagem de utensílios, roupas, pisos e limpeza em geral. Apresentam uma composição pouco variável e predomínio de matéria orgânica biodegradável. Outros componentes comumente encontrados nos esgotos sanitários são os microrganismos, como vírus e bactérias, nutrientes (nitrogênio e fósforo), óleos, graxas e detergentes, conforme será visto no Capítulo 18.

Os efluentes industriais são gerados a partir das atividades industriais, salientando-se que uma indústria, na qual seja consumida água no processamento de sua produção, gera um tipo de efluente com características inerentes ao tipo de atividade industrial e um efluente sanitário originado nas suas instalações sanitárias, ou seja, gerado pelos banheiros, lavatórios, vestiários e restaurantes. Em princípio, distinguem-se as seguintes formas principais de uso da água na indústria: i) água de processo, que tem contato direto com a matéria-prima utilizada na produção; ii) água de refrigeração e de produção de vapor; iii) água de lavagem, utilizada na limpeza de produtos, peças, pisos e equipamentos; iv) água como solvente de sólidos, líquidos e gasosos. As águas servidas industrialmente apresentam uma composição bastante variável (Capítulo 19). Essa variação é função dos processos utilizados em cada indústria. Os compostos mais comumente encontrados são os orgânicos fenólicos, provenientes das indústrias químicas e farmacêuticas, os detergentes, utilizados na limpeza de equipamentos, e os inorgânicos, nos quais se destacam os metais, gerados pelas indústrias químicas, farmacêuticas e siderurgias. Além disso, alguns tipos de indústria, como os curtumes e as de produtos alimentícios, podem gerar efluentes com elevado teor orgânico.

A disposição desses efluentes, tanto sanitários quanto industriais, nos corpos de água, sem o devido tratamento, provoca a deterioração do recurso hídrico, inviabilizando seu uso para outros fins. Além disso, pode colocar em risco a saúde da população e impactar negativamente os ecossistemas aquáticos.

A elevada concentração de matéria orgânica tende a provocar a diminuição do oxigênio dissolvido na água, uma vez que parte desse oxigênio é consumida na estabilização da matéria orgânica. Este fato é o principal causador da mortandade de peixes e, além disso, afeta significativamente os ecossistemas aquáticos. Os compostos orgânicos fenólicos podem inviabilizar o uso da água para consumo humano, uma vez que esses compostos produzem gosto e odor desagradáveis. Elementos tóxicos e metais, como cianetos, arsênio, selênio, mercúrio e cromo, são perigosos ao meio ambiente e à saúde humana, como visto no Capítulo 5, mesmo que em baixas concentrações. Eles podem ser ingeridos pelos organismos aquáticos e, dessa forma, contaminar a cadeia trófica superior. O excesso de materiais em suspensão altera a cor e a turbidez da água, o que pode comprometer a sua potabilização. Elevadas concentrações de nutrientes contribuem para a **eutrofização artificial** dos corpos de água, principalmente em lagos e reservatórios. A **poluição térmica** (aumento da temperatura da água) altera as taxas das reações bioquímicas e afeta os valores de saturação e dispersão de gases, dentre eles o oxigênio. Compostos orgânicos não removidos com tratamentos convencionais, como pesticidas clorados, solventes, inorgânicos, poliaromáticos nucleados e metanos halogenados, podem provocar graves problemas de saúde. Mesmo em baixas concentrações, por serem cumulativos, podem ser responsáveis por problemas mutagênicos e carcinogênicos.

REVISÃO DOS CONCEITOS APRESENTADOS

Para se ter uma compreensão mínima dos impactos ambientais sobre rios e reservatórios, é necessário solidificar os seguintes conceitos:

- **Disponibilidade hídrica do planeta**. Os recursos hídricos do planeta são distribuídos de maneira desigual como consequência da variação espacial de diferentes climas e estruturas fisiográficas. A América tem a maior parte dos recursos de água doce do mundo (45%), seguida de Ásia (28%), Europa (15,5%) e África (9%).
- **Diversidade de usos que podem ser atribuídos à água**. A água está presente na nossa vida e faz parte dos insumos essenciais a uma série de atividades humanas. Os principais usos da água são: abastecimento doméstico, abastecimento industrial, irrigação, dessedentação de animais, recreação e lazer, diluição de efluentes líquidos, geração de energia elétrica e navegação. Além disso, ao se tratar da gestão dos recursos hídricos, não se pode deixar de mencionar a questão das enchentes, fenômeno cujo controle deve ser exercido pela sociedade para evitar seus efeitos deletérios.
- **Como o homem pode afetar o equilíbrio geomorfológico fluvial**. A supressão da mata ciliar ou da cobertura vegetal da bacia pode resultar em um aumento da erosão e consequente aumento da descarga sólida. Como cada curso de água tem uma capacidade limite de transportar sedimentos, é possível que ocorra aumento da deposição de sedimentos, ou seja, assoreamento. Por outro lado, obras hidráulicas, como cortes de meandros ou canalizações, tendem a aumentar a velocidade do escoamento, facilitando a ocorrência de erosões no leito e nas margens dos rios. A construção de uma barragem altera o transporte de sedimentos do curso de água. No reservatório, ocorre a deposição dos sedimentos e, com isso, o fluxo destes para jusante é interrompido. Assim, aumentam as possibilidades de erosão do leito do rio, uma vez que o equilíbrio entre deposição e o transporte é alterado e diminui o fluxo de nutrientes, pois estes ficam retidos no reservatório.

● **Os impactos potenciais provocados pela construção de reservatórios (barragens)**. Vários são os impactos decorrentes da construção de reservatórios para a formação de represas. Muitos estão associados com a inundação de uma determinada área que deixará de ser utilizada para outros fins. Ocorrem alterações na fauna e na flora, principalmente no que se refere à fauna ictiológica (com prejuízos à piracema), interrupção do transporte de sedimentos e nutrientes, prejuízo às atividades pesqueiras e aumento da emissão de gases de efeito estufa.

● **As características das fontes de poluição hídrica**. As fontes de poluição hídrica podem ser classificadas em pontuais e difusas. As primeiras são facilmente identificadas pelo ponto de lançamento. As outras são carregadas para o curso de água por meio do escoamento superficial. Os principais poluentes hídricos são os esgotos domésticos e industriais e as cargas dispostas sobre a superfície dos terrenos, como resíduos sólidos, dejetos de animais, compostos orgânicos e inorgânicos, entre outros. Além disso, muitos poluentes atmosféricos podem atingir os cursos de água durantes as chuvas devido ao efeito de "lavagem" da atmosfera.

● **Como a qualidade da água pode se deteriorar a partir dos efluentes gerados pelos núcleos urbanos**. Os recursos hídricos que abastecem as cidades frequentemente se transformam, a jusante, nos receptores de toda a espécie de descarte das atividades humanas. A lógica para uma utilização racional e adequada dos recursos hídricos em áreas urbanas é o tratamento eficaz dos efluentes líquidos gerados.

SUGESTÕES DE LEITURA COMPLEMENTAR

● BERGA, L. (1998) *Dam safety*. In: Proceedings of the international symposium on new trends and guidelines on dam safety. Barcelona, v. 1, n. 17-19, p. 383-385.

● BRAGA, B. et al. (2005) *Introdução à engenharia ambiental: o desafio do desenvolvimento sustentável*. São Paulo: Pearson-Prentice Hall, 318p.

● CARVALHO, N.O. (2008) *Hidrossedimentologia prática*. Rio de Janeiro: Interciência, 599p.

● CORWIN, D.L., LOAGUE, K. (2005) Multi-disciplinary assessment of non-point source pollution. In: ALVAREZ-BENEDI, J., MUNOZ-CARPENA, R. (editores). *Soil–water–solute process characterization: an integrated approach*. CRC Press, p. 1-58.

● DALCANALE, F. (2001) *Simulação de cargas difusas em bacias rurais*. Dissertação de Mestrado. Escola Politécnica, Universidade de São Paulo (POLI-USP), 110p.

● GALY-LACAUX, C., DELMAS, R., JAMBERT, C., DUMESTRE, J.F., LABROUE, L., RICHARD, S., GOSSE, P. (1997) Gaseous emissions and oxygen consumption in hydroelectric dams: a case study in French Guyana. *Global Biogeochemical Cycles*, v. 11, n. 4, p. 471-483.

● GEVENTMAN, L.H. (1999) Solubility of selected gases in water. In: LIDE, D. R. (editor). *CRC Handbook of Chemistry and Physics*. Boca Raton: CRC Press.

● MACLEOD, C., HAYGARTH. P. (2003) *A review of the significance of non-point source agricultural phosphorus to surface water*. In: SCOPE Newsletter. Centre Européen d'Études des Polyphosphates, Bruxelas, Bélgica, n. 51, p. 1-10.

● MANSOR, M.T.C., TEIXEIRA FILHO, J., ROSTON, D.M. (2006) Avaliação preliminar das cargas difusas de origem rural, em uma sub-bacia do Rio Jaguari, SP. *Revista Brasileira Engenharia Agrícola Ambiente*, v. 10, n. 3., p. 715-723.

● MARTINELLI, L.A., VICTORIA, R.L., FERRAZ, E.S. et al. (2002) Hydrology and water quality in the Piracicaba River basin, São Paulo. In: MCCLAIN, M.E. (editor). *The ecohydrology of South American Rivers and Wetlands*. Inglaterra: IAHS, 210p.

● MARTINS, R.H.O. (1998) *Carga difusa em ambientes urbanos: A bacia representativa do córrego do Mandaqui*. Tese de Doutorado. Escola Politécnica, Universidade de São Paulo (POLI-USP), 207p.

● NOVOTNY, V. (1992) Unit pollutant loads: their fit in abatement strategies. *Water Environment & Technology*, v. 4, n. 1, p. 40-43.

● NOVOTNY, V., CHESTERS, G. (1981) *Handbook of Non-point Pollution: Sources and Management*. Nova York: Van Nostrand-Reinhold, 555p.

● NOVOTNY, V., OLEM, H. (1993) *Water quality: Prevention, identification and management of diffuse pollution*. Nova York: Van Nostrand Reinhold, 458p.

● PORTO, M.F.A. (1995) Aspectos qualitativos do escoamento superficial em áreas urbanas. In: TUCCI,C.E.M., PORTO, R.L.L., BARROS, M.T (editores). *Drenagem urbana*. Associação Brasileira de Recursos Hídricos (ABRH), 428p.

● PORTO, R.L.L. (organizador). (1991) *Hidrologia ambiental*. Coleção da Associação Brasileira de Recursos Hídricos 3 (ABRH), edição XVI. São Paulo: EDUSP, 414p.

● REBOUÇAS, A.C., BRAGA, B., TUNDISI, J.G. (2006) *Águas Doces no Brasil: Capital Ecológico, Uso e Conservação*. São Paulo: Escrituras, 748p.

- RICHARD, S., GOSSE, P., GRÉGOIRE, A., DELMAS, R., GALY-LACAUX, C. (2004) Impact of methaneoxidation in tropical reservoirs on greenhouse gases fluxes and water quality. In: TREMBLAY, A., VARFALVY, L., ROEHM, C., GARNEAU, M. (editores). *Greenhouse gas emissions: fluxes and processes. hydroelectric reservoirs and natural environments.* environmental science series, Nova York: Springer-Verlag, 762p.
- RICHARD, S., GUÉRIN, F., ABRIL, G., GALY-LACAUX, C., DELON, C., GRÉGOIRE, A. (2002) *Utilização de sistemas automáticos de monitoramento e medição de emissões de gases de efeito estufa da qualidade da água em reservatórios de hidrelétricas.* In: Workshop Centro de Gestão de Estudos Estratégicos do Ministério da Ciência e Tecnologia, Brasília – DF. Disponível em: <http://www.mct.gov. br/clima/brasil/doc/workad.doc.Delmas>. Acesso: fevereiro 2002.
- RIGHETTO, A.M. (1998) *Hidrologia e recursos hídricos.* São Carlos: EESC, USP, 819p.
- ROSA L.P., SANTOS, M.A., MATVIENKO, B., SANTOS, E.O., SIKAR, E. (2004) Greenhouse gasesemissions by hydroelectric reservoirs in tropical regions. *Climatic Change,* v. 66, n. 1-2, p. 9-21.
- ROSA, L.P., SCHAEFFER, R. (1995) Global warming potentials: The case of emissions from dams. *Energy Policy,* v. 23, n. 2, p. 149-158.
- SEVA FILHO, A.O. (2005) *Tenotã-mõ: alertas sobre as consequências dos projetos hidrelétricos no rio Xingu, Pará, Brasil.* São Paulo: International Rivers Network, 344p.
- TREMBLAY, A., VARFALVY, L. (2004) Long term greenhouse gas emissions from the hydroelectric reservoir of Petit Saut (French Guiana) and potential impacts. In: ROEHM, C., GARNEAU, M. (editores). *Greenhouse gas emissions: fluxes and processes. hydroelectric reservoirs and natural environments.* Nova York: Environmental Science Series, Springer-Verlag, 762p.
- TUCCI C.E.M. (2009) *Hidrologia: ciência e aplicação.* Coleção ABRH de Recursos Hídricos 4. Porto Alegre: UFRGS, ABRH, 943p.

Referências

Agência Nacional de Águas (ANA). (2010) *Atlas Brasil: abastecimento de água.* Panorama Nacional/ Agência Nacional de Águas; Engecorps/Cobrape– Brasília: ANA: Engecorps/Cobrape, vol. 1. Disponível em: <http://atlas.ana.gov.br/Atlas/forms/Download.aspx>. Acesso: abril 2018.

_____. (2011) *Conjuntura dos recursos hídricos no Brasil: informe 2011.* Brasília: ANA, 112 p. Disponível em: <http://conjuntura.ana.gov.br/conjuntura/download.aspx>. Acesso: abril 2018.

Agência Nacional de Energia Elétrica (ANEEL). (2018) Banco de Informações de Geração. Capacidade de Geração do Brasil. Disponível em: http://www2.aneel.gov.br/aplicacoes/capacidadebrasil/capacidadebrasil.cfm> Acesso: março 2018.

AGOSTINHO A.A., GOMES L.C., PELICICE F.M. (2007) *Ecologia e manejo de recursos pesqueiros em reservatórios do Brasil.* Maringá: EDUEM, 501p.

ALBUQUERQUE FILHO, J.L., SAAD, A.R., ALVARENGA, M.C. (2010) Considerações acerca dos impactos ambientais decorrentes da implantação de reservatórios hidrelétricos com ênfase nos efeitos ocorrentes em aquíferos livres e suas consequências. *Geociências,* v. 29, n. 3, p. 355-367.

COLE, J.J., PRAIRIE, Y.T. CARACO, N.F., MCDOWELL, W.H. et al. (2007) *Plum-bing the global carbon cycle: Integrating inland waters into the terrestrial carbon budget. Ecosystems,* v. 10, p. 171-184.

DE JORGE, F.N. (1984) Mecanismos dos escorregamentos em encostas marginais de reservatórios. Dissertação de Mestrado. Escola de Engenharia de São Carlos, Universidade de São Paulo (EESC-USP), 146p.

FAO (2003) *Water reports 23: review of world water resources by country.* Food and Agriculture Organization of The United Nations (FAO). Roma, 110p. Disponível em: <http://www.fao.org/tempref/agl/AGLW/ESPIM/CD-ROM/documents/5C_e.pdf>. Acesso: abril 2018.

FEARNSIDE, P.M. (2011) Greenhouse gas emissions from hydroelectric dams in tropical forests. In: *The Encyclopedia of Energy,* Nova York: John Wiley & Sons Publishers.

FIORAVANTI, C. (2010) *Quando os homens fazem a terra tremer – Poços de água causam dezenas de tremores por dia no interior paulista.* Pesquisa Fapesp online, Edição Impressa 170 – Abril 2010, Disponível em: http://revistapesquisa.fapesp.br/2010/04/06/quando-os-homens-fazem-a-terra-tremer/ Acesso: abril 2018.

GALY-LACAUX, C., DELMAS, R., KOUADIO, J., RICHARD, S., GOSSE, P. (1999) Long-term greenhouse gas emissions from hydroelectric reservoirs in tropical forest regions. *Global Biogeochemical Cycles,* v. 13, n. 2, p. 503-517.

JANBERG, N. (2005) *International database and gallery of structures. Version 5.1.* Disponível em: <https://structurae.net/>. Acesso: abril 2018.

KELLY, C.A., RUDD, J.W.M., St. LOUIS, V.L., MOORE, T. (1994) Turning attention to reservoir surfaces, a neglected area in greenhouse studies. *EOS, Transactions, American Geophysical Union,* v. 75 n. 29, p. 332-334.

KEMENES, A., FORSBERG, B.R., MELACK, J.M. (2007) Methane release below a tropical hydroelectric dam. *Geophysical Research Letters,* v. 34, art. L12809, doi:10.1029/2007GL029479. 55.

LIMA, I.B.T., STECH, J.L., MAZZI, A.M., RAMOS, F.M. et al. (2005) Linking telemetric climatic-limnologic data and online CH4 and CO_2 flux dynamics. In: seminar on greenhouse fluxes from hydro reservoir and workshop on modeling greenhouse gas emissions from reservoir at watershed level, Rio de Janeiro. Proceedings: Rio de Janeiro: Eletrobras, COPPE/UFRJ.

MCCULLY, P. (1996) Silenced Rivers: the ecology and politics of large dams. Londres: Zed Books, 350p.

NOVOTNY, V. (1991) Urban diffuse pollution: sources and abatement. *Water Environment & Technology,* v.3, n. 12, p. 60-65.

RUDD, J.W.M., HARRIS, R., KELLY, C.A., HECKY, R.E. (1993) Are hydroelectric reservoir significant sources of greenhouse gases? *Ambio,* n. 22, p. 246-248.

United Nations Educational, Scientific and Cultural Organization (Unesco). (2009) *The United Nations World Water Development Report 3. Water in a changing world.*, Earthscan, Paris 318p. Disponível em: <http://unesdoc.unesco.org/images/0018/001819/181993e.pdf>. Acesso: abril 2018.

UTSUMI, M., NOJIRI, Y., NAKAMURA, T. et al. (1998) Dymanics of Dissolved Methane and Methane Oxidation in Dimict Lake Nojiri During Winter. *Limnology and Oceanography*, v. 43, n. 1, p. 10-17.

VIANA, R.M. (2003) *Grandes barragens impactos e reparações: um estudo de caso sobre a Barragem de Itá.* Dissertação de Mestrado. Instituto de Pesquisa e Planejamento Urbano e Regional, Universidade Federal do Rio de Janeiro (UFRJ), 191p.

World Commission on Dams (WCD). (2000) *Dams and Development: a New Framework For Decision-Making, The Report of the World Commission on Dams.* Earthscan Publications Ltd, London and Sterling, VA. 404p. Disponível em: <https://www.internationalrivers.org/sites/default/files/attached-files/world_commission_on_dams_final_report.pdf>. Acesso: abril 2012.

CONTAMINAÇÃO DE ÁGUAS SUBTERRÂNEAS

12

Edson Wendland / Ivan Silvestre Paganini Marin

O desenvolvimento histórico do tema de contaminação de águas subterrâneas começou no início do século XX, acompanhando os esforços para evitar a contaminação dos aquíferos por organismos patogênicos. Desde os anos 1960, a poluição por compostos orgânicos, devido a acidentes ou vazamentos de tanques, vem ocorrendo com maior frequência. Nos últimos anos, o risco representado por organoclorados voláteis tem crescido continuamente. Neste caso, o risco potencial é especialmente elevado, uma vez que esses produtos são intensamente utilizados como diluentes, apresentam grande mobilidade quando dissolvidos e são altamente tóxicos, mesmo em pequenas concentrações. Associados a esses, também se destacam os componentes intensamente utilizados em atividades agrícolas, como nitrato, pesticidas, herbicidas, entre outros.

12.1 INTRODUÇÃO

Atualmente, o uso da água subterrânea para fins de abastecimento domiciliar e industrial é significativo e mostra uma nítida tendência de crescimento. Os custos de produção de água subterrânea ainda são reconhecidamente menores do que os de águas superficiais, tendo em vista a menor necessidade de construção de infraestrutura e tratamento (Rebouças, 2006).

Entretanto, existe uma crescente preocupação com relação aos riscos de contaminação provocada por poluentes de fontes urbanas, industriais e agrícolas. A contínua produção de resíduos pela sociedade industrializada tem provocado sua disposição inadequada. Após acidentes em que produtos tóxicos, orgânicos e inorgânicos, foram observados em estações de captação de água para abastecimento, os problemas de contaminação tornaram-se aparentes. Atividades de remediação de aquíferos são extremamente caras e podem levar décadas ou mesmo séculos para a recuperação da qualidade original.

A evolução da contaminação de águas subterrâneas depende da geologia local, dos padrões de escoamento da água subterrânea, de processos físicos, químicos e biológicos em escala de poro e de molécula. A contaminação pode migrar rapidamente em solos arenosos, de alta condutividade, ou difundir lentamente em solos argilosos, de baixa condutividade. Alguns contaminantes são adsorvidos na superfície de partículas sólidas, deslocando-se pouco em relação à fonte de contaminação, enquanto outros, dissolvidos na água, podem migrar e afastar-se quilômetros da fonte, especialmente em aquíferos fraturados. Reações químicas ao longo do percurso podem remover um contaminante da água ou aumentar a concentração, de acordo com as condições geoquímicas do meio.

Contaminação de água subterrânea significa a adição de solutos dissolvidos em concentrações que tornem a água imprópria para consumo humano ou para qualquer ecossistema que dependa dessa água. A maioria das águas naturais contém alguma quantidade de substâncias geralmente reconhecidas como contaminantes. Por exemplo, um copo de água que bebemos contém pequenas concentrações de chumbo, arsênio ou alumínio. Na maioria dos casos, essas substâncias estão presentes em concentrações muito baixas, às vezes não detectáveis, e não representam um risco significativo.

Existe um consenso de que os profissionais responsáveis pelo gerenciamento e proteção dos recursos naturais, especialmente os engenheiros ambientais, devem estar conscientes dos problemas potenciais relacionados com o uso da água subterrânea. O conhecimento das fontes de contaminação da água subterrânea e dos principais mecanismos de transporte de contaminantes são pré-requisitos imprescindíveis na consecução desse treinamento.

12.2 FONTES DE CONTAMINAÇÃO

Conforme visto no Capítulo 11, as fontes de contaminação apresentam-se em diferentes formas e dimensões, sendo divididas em pontuais ou difusas. A título de recordação, **fontes pontuais** são relativamente pequenas e localizadas, mas podem dar origem a contaminações com elevadas concentrações de poluentes. Exemplos de fontes pontuais são vazamentos de tanques ou tubulações subterrâneos, fossas sépticas, lagoas de tratamento, aterros sanitários, drenos de indústrias ou de tanques de armazenamento de produtos químicos. Por outro lado, **fontes difusas** são maiores e distribuídas espacialmente. Exemplos de fontes difusas são pesticidas aplicados em áreas agrícolas, precipitação contaminada (chuva ácida) e escoamento superficial de rodovias ou áreas de estacionamento.

Frequentemente, os contaminantes são introduzidos no subsolo na forma de soluções aquosas, como os efluentes de fossas sépticas ou o chorume de aterros sanitários. Em alguns casos, a fonte de contaminação pode formar uma fase líquida imiscível em água, como gasolina ou solvente de limpeza. Esses líquidos, geralmente orgânicos, são conhecidos pelo acrônimo NAPL (*nonaqueous-phase liquid*, em português, fase líquida não miscível). NAPLs podem ser persistentes em subsuperfície e se dissolver lentamente na água subterrânea, agindo como uma fonte pontual contínua durante vários anos.

A Tabela 12.1 apresenta a lista dos 20 contaminantes mais encontrados na água subterrânea próxima a áreas contaminadas.

TABELA 12.1	Contaminantes mais encontrados em água subterrânea	
Posição	**Composto**	**Fonte de contaminação**
1	Tricloroetileno	Limpeza a seco, desengraxantes
2	Chumbo	Gasolina, mineração, manufatura
3	Tetracloroetileno	Limpeza a seco, desengraxantes
4	Benzeno	Gasolina, manufatura
5	Tolueno	Gasolina, manufatura
6	Cromo	Chapeamento de metal
7	Cloreto de metileno	Desengraxantes, solventes, removedores
8	Zinco	Manufatura, mineração
9	1,1,1-Tricloroetano	Limpeza de plástico e metal
10	Arsênio	Mineração, manufatura
11	Clorofórmio	Solventes
12	1,1-Dicloroetano	Desengraxantes, solventes
13	1,2-Dicloroeteno, trans-	Subproduto de 1,1,1-Tricloroetano
14	Cádmio	Mineração, chapeamento
15	Manganês	Manufatura, mineração
16	Cobre	Manufatura, mineração
17	1,1-Dicloroeteno	Manufatura
18	Cloreto de vinil	Manufatura de plásticos
19	Bário	Manufatura, produção de energia
20	1,2-Dicloroetano	Desengraxantes, removedores

Fonte: Masters & Ela (2008).

12.2.1 Sistemas Sépticos

Sistemas sépticos são unidades de tratamento primário e disposição subsuperficial de águas residuárias largamente utilizadas em áreas rurais e aglomerações urbanas desprovidas de rede de coleta de esgoto. As águas residuárias contêm matéria orgânica, que alimenta a atividade microbiana presente no sistema. As reações de oxirredução nos tanques sépticos geralmente são anaeróbias, incluindo fermentação, geração de metano e redução de sulfato. Após a remoção de sólidos por sedimentação e tratamento anaeróbio no tanque séptico, o efluente é direcionado a sumidouros que promovem a infiltração na zona não saturada do solo (Figura 12.1).

O efluente do sistema séptico contém vírus e bactérias que podem tornar a água subterrânea uma importante via de disseminação de doenças provocadas por microrganismos patogênicos (Rohden et al., 2009). Dependendo das condições hidrogeológicas, esses microrganismos podem se mover a grandes velocidades, atingindo distâncias significativas do ponto de lançamento. Durante o transporte de microrganismos no meio poroso, eles são filtrados e adsorvidos, e o seu avanço é retardado em relação ao fluxo advectivo da água subterrânea. Em sedimentos finos (siltosos e argilosos), os microrganismos conseguem penetrar apenas alguns metros antes de sua degradação, apesar de poderem sobreviver por muitos dias (ou até meses) abaixo do nível freático. Em sedimentos grosseiros (areias e cascalhos), os microrganismos oriundos de tanques sépticos podem ser transportados por dezenas ou centenas de metros. Nos meios fraturados, a velocidade de escoamento da água subterrânea é elevada e as distâncias de transporte podem atingir vários quilômetros. Esse aspecto é fundamental na delimitação das zonas de proteção de poços usados para o abastecimento público e que se situam nas proximidades de áreas contaminadas. Em geral, procura-se delimitar a zona de proteção de poços a partir da determinação das isócronas de 50 dias, que correspondem ao período médio de sobrevida de bactérias na água subterrânea.

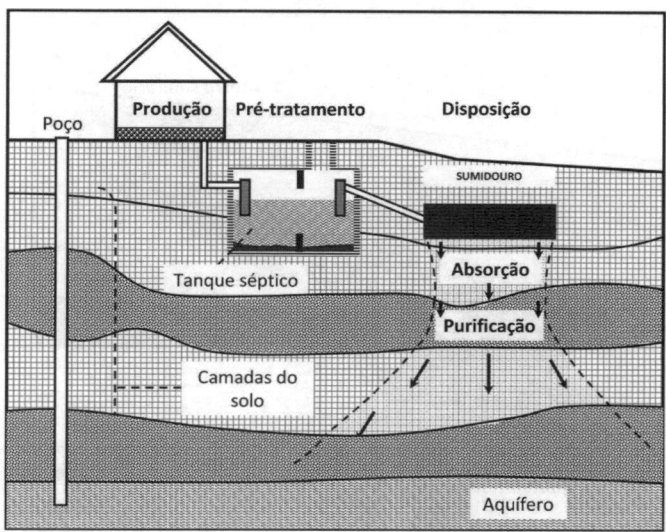

FIGURA 12.1 Esquema típico de fossa séptica, com o efluente infiltrado em sumidouro. *Fonte: Adaptado de http://www.aero-stream. com/septic-system-owners-manual.html.*

O efluente infiltrado apresenta significativas concentrações de compostos orgânicos, CO_2 e amônio (NH_4^+). Na zona não saturada, existe oxigênio disponível e a respiração aeróbia e a nitrificação são os principais processos de tratamento complementar. As concentrações de compostos orgânicos e de amônio diminuem e a concentração de nitrato (NO_3^-) aumenta. Efluentes de sistemas sépticos podem facilmente apresentar concentrações na faixa de 20 mg/L a 70 mg/L (Fitts, 2002), excedendo o valor máximo permitido pela Portaria de Consolidação Nº 5 de 28/09/2017 do Ministério da Saúde (MS) (Brasil, 2017), que é de 10 mg/L para N-NO_3^-. Em vários sistemas sépticos, o nitrato é o contaminante mais preocupante, devido à sua mobilidade e estabilidade nos sistemas de águas subterrâneas. O exemplo mais conhecido no Brasil ocorre em Natal (RN). Devido à incipiente rede coletora na área urbana da cidade, fossas sépticas foram usadas como receptores de águas residuárias. Por causa da elevada condutividade hidráulica dos sedimentos arenosos, os efluentes com elevadas concentrações de nitrato foram transportados a grandes profundidades, contaminando as reservas de água subterrânea usadas para abastecimento público (Cabral et al., 2009).

Sistemas sépticos podem se tornar fontes de contaminação em áreas em que: 1) existe grande densidade de residências com sistemas sépticos; 2) a distância entre o sumidouro e a zona saturada é pequena; 3) o solo é altamente permeável (como cascalho ou areia grossa); 4) a superfície livre do aquífero livre encontra-se próxima à superfície do terreno. Áreas com alta densidade populacional não devem ser servidas por sistemas sépticos. Áreas com finas camadas de solo altamente permeável e aquífero livre também devem ser evitadas.

12.2.2 Disposição de Resíduos

A disposição de **resíduos domésticos, industriais e agrícolas** representa uma séria ameaça à qualidade das águas subterrâneas. A forma mais comum de remoção de resíduos urbanos, cinzas, resíduos de construção e demolição, lodos de estações de tratamento de água e esgotos é a disposição em aterros sanitários. O Capítulo 22 dedica-se integralmente à apresentação dos conceitos relacionados com o tratamento e à disposição final de resíduos sólidos. No passado, resíduos perigosos, tóxicos e radioativos eram dispostos sem controle no subsolo. Áreas de baixo valor econômico, como cavas de mineração, brejos e voçorocas, eram usadas para a disposição de resíduos sólidos. Até recentemente, resíduos urbanos eram dispostos em lixões ou aterros controlados, representando um grande risco de contaminação das águas subterrâneas. A precipitação que infiltra através do corpo de resíduos pode entrar em contato com líquidos presentes no resíduo ou solubilizar componentes dos resíduos sólidos. O resultado dessa mistura é um líquido conhecido como chorume. O chorume pode escoar verticalmente, atingindo a superfície livre do aquífero e originando a contaminação das águas subterrâneas. Se os resíduos são depositados abaixo da superfície livre, a água subterrânea em movimento pode solubilizar os contaminantes presentes, promovendo a contaminação.

Quando o chorume de um sistema de disposição de resíduos atinge o aquífero, forma uma pluma de contaminação que se espalha na direção de escoamento da água subterrânea. Em sedimentos mais permeáveis, a pluma de contaminação pode atingir alguns quilômetros de extensão. No entanto, afastando-se da fonte de contaminação, a concentração de contaminantes diminui devido aos mecanismos de diluição, dispersão e retardamento. A Figura 12.2 apresenta o esquema de uma pluma de contaminação de água

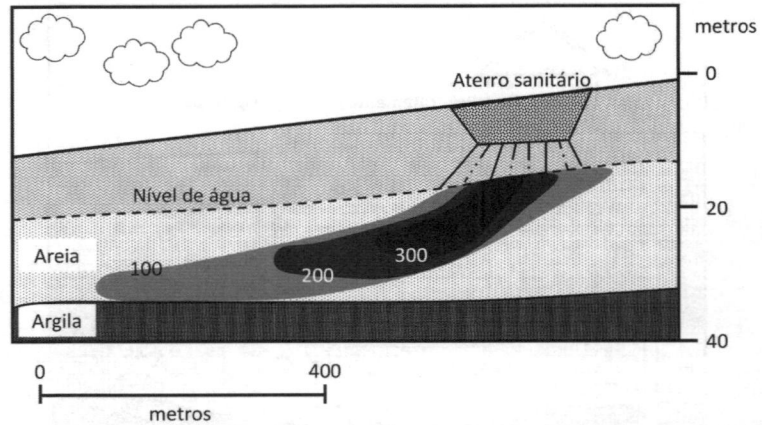

FIGURA 12.2 Pluma de contaminação em água subterrânea originada por chorume de aterro sanitário. *Fonte: Adaptado de http://www.groundwateruk.org/.*

subterrânea originada pelo chorume produzido em aterro sanitário. As isolinhas representam patamares de contaminação (por exemplo, em 100 ppm, 200 ppm e 300 ppm ou em 100 mg/L, 200 mg/L e 300 mg/L).

O volume de chorume produzido por um aterro depende da quantidade de água que percola através dos resíduos. Consequentemente, aterros localizados em regiões áridas produzem menos chorume que aqueles localizados em regiões úmidas. A escolha do local de instalação de um aterro sanitário exige detalhados estudos hidrogeológicos e análise de várias áreas alternativas, com o objetivo de determinar a área com menor probabilidade de provocar a contaminação de águas subterrâneas. Os aterros devem ser projetados para minimizar a formação e o vazamento de chorume. O chorume também deve ser coletado e tratado.

É desejável que o aterro seja construído acima da superfície livre do aquífero. Quando o chorume percola através da zona não saturada, a contaminação sofre alguma atenuação, por atividade microbiana. Aterros operados por atenuação natural são aqueles baseados totalmente em processos naturais para eliminação do chorume produzido. Esses aterros são instalados muito acima da superfície livre do aquífero, promovendo máxima atenuação na zona não saturada do solo. Solos argilosos têm o maior potencial de atenuação porque apresentam maior capacidade de troca iônica e superfície de adsorção. Infelizmente, em regiões úmidas, a superfície livre do aquífero está próxima da superfície do terreno e a zona não saturada não é espessa, o que aumenta a vulnerabilidade à contaminação.

Aterros modernos apresentam coberturas de baixa permeabilidade para limitar a infiltração, além de drenos coletores para coletar e tratar o chorume produzido. A cobertura do aterro é feita com uma camada de argila (em torno de 1,0 m) ou com uma manta geossintética. Aterros atuais são operados em células descobertas pequenas, para minimizar a área exposta à infiltração. Essa estratégia reduz a quantidade de chorume produzido. Para maiores detalhes sobre a questão do chorume nos aterros sanitários, sugere-se a leitura do Capítulo 14.

12.2.3 Tanques de Armazenamento

Tanques de armazenamento são utilizados para estocar combustíveis e produtos químicos. A contaminação de água subterrânea por diferentes compostos orgânicos e inorgânicos tem resultado de **derramamentos e vazamentos de produtos químicos tóxicos**. Essas descargas de contaminantes têm ocorrido de forma abrupta, como em tombamentos de veículos, ou de forma lenta, como vazamento de tanques no subsolo. Geralmente, mais de uma substância é derramada. A fonte mais comum de contaminantes são tanques de postos de combustíveis e de armazenamento de solventes em plantas industriais.

A maioria dos tanques do século passado era construída de ferro, com possibilidade de corrosão. Muitos desses tanques e a tubulação associada sofriam vazamentos quando a corrosão avança. Atualmente, tanques subterrâneos devem ser equipados com sistemas de detecção de vazamento e proteção anticorrosão. Vários postos de combustível têm passado por reformas, sendo temporariamente fechados para a escavação e substituição dos tanques corroídos. Novos tanques são construídos em aço com proteção catódica, com reforços de fibra de vidro ou, ainda, com uma combinação desses dois materiais. Esse novo tipo de tanque tem sido usado nos Estados Unidos por mais de 30 anos, com muitos poucos relatos de falha (EPA, 1988).

Conforme apresentado na Tabela 12.1, grande parte dos casos de contaminação de água subterrânea envolve contaminantes orgânicos. Usamos grandes quantidades de combustíveis, solventes e outros compostos orgânicos líquidos e não é surpresa que eles frequentemente sejam derramados no solo. Há algumas décadas, poucas pessoas tinham consciência de que compostos orgânicos derramados na superfície podem infiltrar até a superfície livre do aquífero, dissolver na água subterrânea e percorrer grandes distâncias. Compostos orgânicos podem ser transportados como fase não miscível, dissolvidos em água ou na fase gasosa.

A maioria dos contaminantes orgânicos percola no subsolo na forma de fase livre não miscível em água (NAPL). Isso não significa que inexiste mistura. Na realidade, as moléculas do composto orgânico dissolvem fracamente na água, com baixas concentrações. Quando um líquido orgânico é derramado, devido à ação da gravidade, tende a migrar verticalmente através da zona não saturada do solo. Dependendo do volume derramado, a migração pode ocorrer por uma pequena distância da fonte ou até grandes profundidades. Durante a migração através do meio poroso, o NAPL deixa um rastro de pequenas bolhas de líquido que são aprisionadas pelos poros maiores. Para que o NAPL seja mobilizado, deve haver pressão suficiente em um poro grande, de forma a ser empurrado para outros poros. Quanto maior o derramamento, maior a distância percorrida antes que todo o líquido seja imobilizado nos poros. O contaminante ocupa apenas uma parte do poro, dividindo o espaço com ar na zona não saturada e água na zona saturada.

Quando o volume de NAPL derramado é suficiente para atingir a superfície livre do aquífero, seu comportamento vai depender de sua densidade. Se o contaminante dissolve em água, será transportado com a água subterrânea. Contudo, se a massa específica do líquido derramado for menor que a da água, o contaminante poderá boiar sobre a superfície livre. Nesse caso, o líquido é denominado LNAPL (*light nonaqueous-phase liquid*). A Figura 12.3 apresenta esquematicamente uma pluma de gasolina se movendo sobre a superfície livre. A gasolina pode escoar em direção contrária à direção da água subterrânea, devido ao acúmulo do contaminante. Compostos solúveis da gasolina, como o benzeno, podem dissolver na água subterrânea e ser transportados.

Líquidos mais densos que a água percolam até o fundo do aquífero e se acumulam sobre camadas impermeáveis, formando "piscinas" de contaminantes. Esse tipo de líquido é denominado DNAPL (*dense nonaqueous-phase liquid*). Parte do líquido também pode solubilizar em água durante o percurso, formando uma pluma de contaminação, conforme apresentado esquematicamente na Figura 12.4. Em geral, compostos orgânicos clorados são mais densos que a água. A Tabela 12.2 apresenta a massa específica e solubilidade em água de alguns compostos orgânicos.

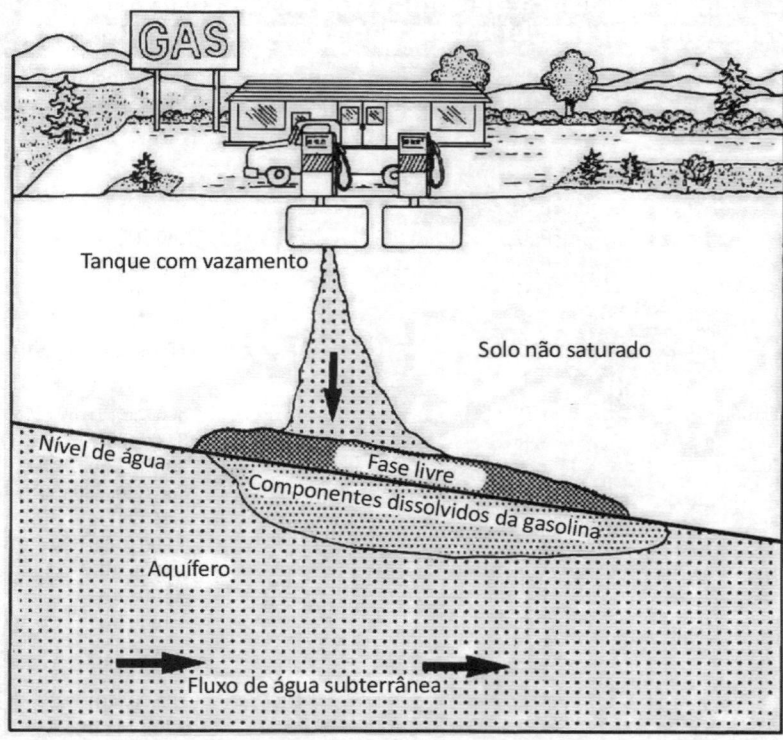

FIGURA 12.3 Compostos orgânicos, como a gasolina, que são menos densos que a água e pouco solúveis, tendem a boiar sobre a superfície livre. *Fonte: Adaptado de Fetter (1988).*

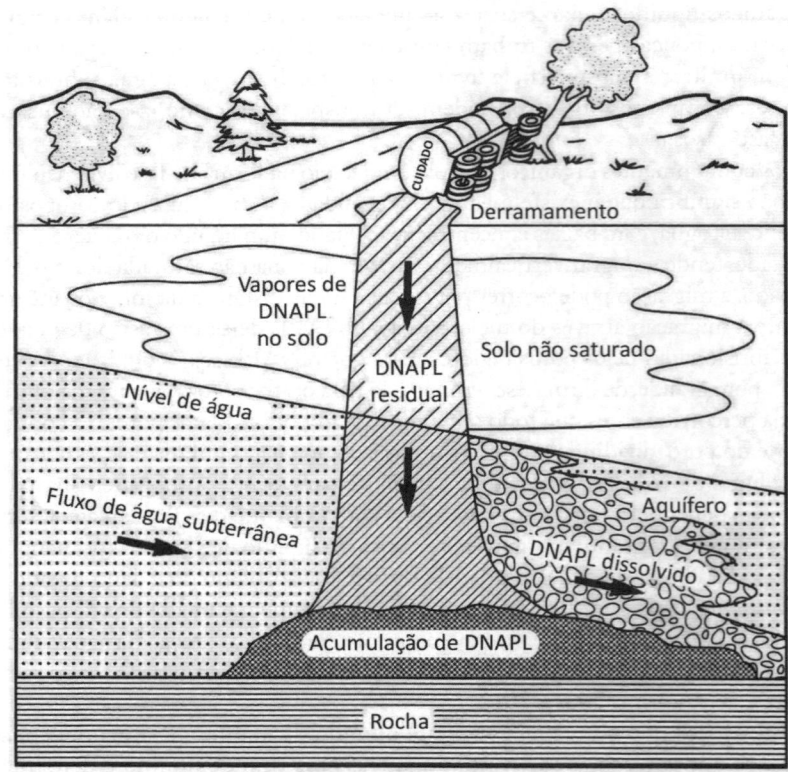

FIGURA 12.4 Compostos orgânicos, como o tricloroetileno, mais densos que a água e pouco solúveis, tendem a percolar até a base do aquífero, formando "piscinas" de contaminante. *Fonte: Adaptado de Fetter (1988).*

TABELA 12.2 Massa específica de compostos orgânicos (g/cm³) e solubilidade em água (mg/L) a uma dada temperatura

Composto	Massa específica (g/cm³)	Solubilidade em água (mg/L [temperatura °C])
LNAPL		
Acetona	0,79	Infinita
Benzeno	0,88	1.780 (20)
Etilbenzeno	0,87	140 (15), 152 (20)
Cloreto de vinila	0,91	1,1 (25)
Metiletilcetona	0,81	353 (10)
Tolueno	0,87	470 (16), 515 (20)
p-Xileno	0,86	198
DNAPL		
Tetracloreto de carbono	1,59	800 (20), 1.160 (25)
Clorofórmio	1,48	8.000 (20), 9.300 (25)
Cloreto de metileno	1,33	20.000 (20), 16.700 (25)
Clorobenzeno	1,11	500 (20), 488 (30)
Hexaclorobenzeno	1,60	0,11 (24)
Cloreto de etileno	1,24	9.200 (0), 8.690 (20)
1,1,1-Tricloroetano	1,34	4.400 (20)
1,1,2-Tricloroetano	1,44	4.500 (20)
Tricloroetileno	1,46	1.100 (25)
Tetracloroetileno	1,62	150 (25)
Fenol	1,07	82.000 (15)
2-Clorofenol	1,26	28.500 (20)
Pentaclorofenol	1,98	5 (0), 14 (20)
Naftaleno	1,03	32 (25)

Fonte: Fetter (1988).

12.2.4 Mineração

A água em movimento através de rochas mineralizadas pode conter metais em elevada concentração, como resultado de processos de solubilização. Quanto mais tempo a água fica no subsolo, maior o tempo de contato e maior a probabilidade de ocorrer a mineralização. Nesse contexto, a extração e o processamento de carvão e de minérios representam uma fonte potencial de contaminação de água subterrânea. Embora importante para a economia, a mineração pode provocar danos ambientais graves, incluindo vazamentos e rompimentos de barragens acumuladoras de resíduos, como o caso ocorrido na região de Mariana (MG), em 2015. No Brasil, existem cerca de 1.400 empresas de mineração que extraem em torno de 80 substâncias, dentre elas manganês, ouro, amianto, cobre, ferro e zinco.

No processo de mineração a céu aberto em faixas, o minério é extraído somente após a remoção do solo e dos estéreis, compostos pelas camadas geológicas sobrejacentes ou intercaladas à camada de minério, conforme apresentado esquematicamente na Figura 12.5 (Wisotzky & Obermann, 2001). Para realizar essa operação, o subsolo deve ser drenado. As camadas sobrejacentes devem ser escavadas e estocadas na pilha de estéreis e rejeitos da mina.

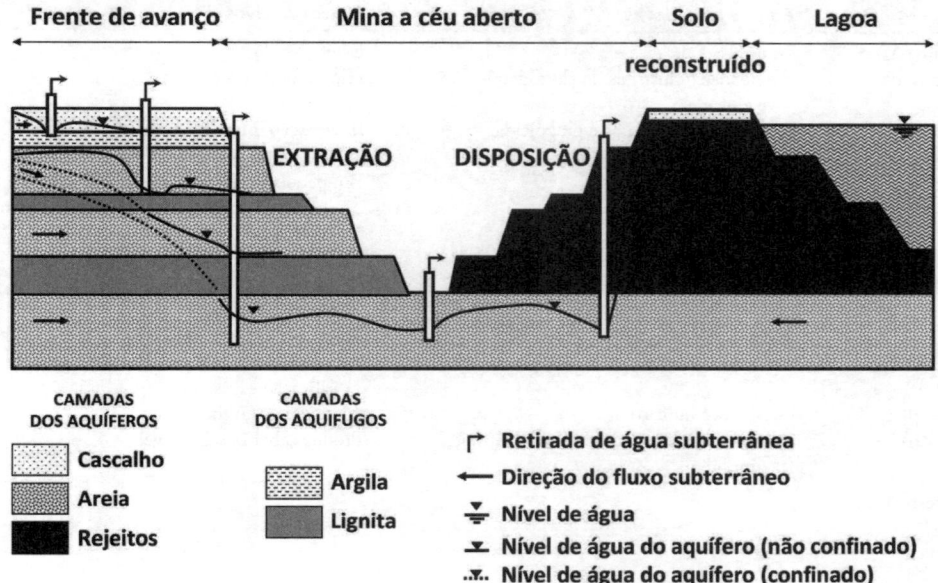

FIGURA 12.5 Corte esquemático através de uma mina a céu aberto, com os diferentes estágios de mineração. *Fonte: Adaptado de Wisotzky & Obermann (2001).*

Durante as **diferentes etapas do processo de mineração** (extração, disposição de rejeitos, reconstituição de solos, entre outras), a pirita (FeS_2) presente nos sedimentos sofre oxidação em diferentes intensidades. Em consequência do contato direto da pirita com o oxigênio da atmosfera, intensa oxidação inicial ocorre nos diferentes níveis e taludes da superfície da mina nos lados de extração e disposição. Uma segunda etapa de oxidação ocorre na superfície de solos reconstituídos sobre a pilha de rejeitos, aumentando a concentração de hidróxido de ferro (Fe_2OH_3) e sulfato (H_2SO_4) nos sedimentos não saturados. A precipitação que infiltra através da superfície e o fluxo subterrâneo lateral, após o encerramento das atividades de mineração, saturam a pilha de estéreis. Consequentemente, os produtos da oxidação de pirita (Fe^{2+}, H^+, SO_4^{2-}) são solubilizados dos sedimentos, resultando em aumento da mineralização e acidificação da água subterrânea. Dependendo das condições hidrogeológicas, a água subterrânea pode ser drenada por cursos de água, provocando também a acidificação de águas superficiais. No Brasil, esse tipo de impacto ocorre, principalmente, em minerações de carvão a céu aberto no Rio Grande do Sul (Inda Junior et al., 2010) e em Santa Catarina (Campos et al., 2003), e em mineração de urânio na Bahia (Cardoso et al., 2009) e em Minas Gerais (Nóbrega et al., 2008).

A intensa acidificação produzida, caracterizada por valores de pH inferiores a 3,5, altera as condições hidrogeoquímicas do meio poroso e promove a mobilização de metais, bem como a formação de novas fases minerais a partir dos produtos dessa dissolução. Em condições naturais, a mobilidade dos elementos traços metálicos é baixa nas águas subterrâneas, principalmente dos metais cujas concentrações máximas foram estabelecidas para os padrões de água potável (Ag, Cd, Cr, Cu, Hg, Fe, Mn, Sb e Zn). Esses contaminantes, invariavelmente, aparecem na água subterrânea em concentrações inferiores a 1 mg/L, com exceção do ferro. As concentrações são menores por causa dos baixos valores de solubilidade dos metais e pela adsorção em argilominerais ou matéria orgânica. Além do pH, a mobilidade dos metais é influenciada pelo potencial de oxirredução do meio, como resultado das mudanças no estado de oxidação dos metais ou elementos não metais, com os quais são formados os compostos complexos (Freeze & Cherry, 1979). A química dos metais no meio poroso é muito complexa, sendo difícil prever o transporte desses elementos nos corpos de águas subterrâneas. Tendo em vista sua importância como contaminante ambiental, a Tabela 12.3 apresenta um resumo dos principais metais encontrados na água subterrânea, com as respectivas fontes e efeitos nocivos ao homem (Cetesb, 1977). Os efeitos de alguns desses metais sobre a saúde pública são explorados no Capítulo 5.

TABELA 12.3 Principais metais, fontes poluidoras e efeitos nocivos ao homem

Metal	Fontes poluidoras	Efeitos nocivos
Alumínio (Al)	Natural	Estético
Cádmio (Cd)	Atividades industriais de eletrodeposição e zincagem	Hipertensão arterial
Chumbo (Pb)	Antidetonantes, tintas e praguicidas	Inflamação intestinal, anorexia, anemia e convulsões
Cobre (Cu)	Natural e galvanoplastias	Em pequenas doses, é essencial à vida; em altas doses, afeta o fígado e produz sabor desagradável
Cromo (Cr)	Galvanoplastias e águas de refrigeração	Tumores nos pulmões e irritação de pele
Ferro (Fe)	Natural, siderúrgicas, aterros sanitários	Gosto, manchas em roupas, depósitos em canalizações
Manganês (Mn)	Natural	Produz sabor desagradável
Mercúrio (Hg)	Produção de cloro, garimpos, praguicidas	Afeta o sistema nervoso, os rins, e provoca salivação excessiva
Prata (Ag)	Atividades industriais	Afeta a pele (argiria)
Zinco (Zn)	Aterros sanitários, atividades industriais, zincagem	Produz sabor desagradável

Fonte: Cetesb (1977).

12.2.5 Atividade Agrícola

Pesticidas, fertilizantes, herbicidas e resíduos animais são os principais tipos de contaminantes de origem agrícola. Pesticidas e herbicidas, usualmente, são compostos orgânicos aplicados sobre as plantações em soluções aquosas. Muitos desses componentes são biodegradáveis e desaparecem rapidamente. No entanto, alguns são persistentes e podem contaminar a água subterrânea de forma difusa. As fontes de contaminação pontual são variadas: estocagem de agrotóxicos, derramamento de fertilizantes e pesticidas durante o manejo, limpeza de equipamentos de aplicação de pesticidas, manipulação de produtos químicos a montante de poços, entre outras. Em algumas instalações agrícolas, são construídas curvas de nível ou canais de drenagem conectados a poços de infiltração para reduzir as perdas de água (e erosão) por escoamento superficial. Essas linhas podem acumular escoamento superficial contaminado por produtos químicos ou óleos e combustíveis, contaminando a água subterrânea diretamente através de valas de infiltração.

A aplicação de fertilizantes de origem industrial ou animal pode resultar em elevadas concentrações de contaminantes inorgânicos. Os três principais nutrientes requeridos para o desenvolvimento de plantas são o nitrogênio (N), o fósforo (P) e o potássio (K). Visando a aumentar a produtividade agrícola, alguns produtores rurais aplicam quantidades excessivas de nutrientes, que acabam não sendo aproveitados totalmente pelas culturas, principalmente em anos de quebra de produção por condições climáticas adversas. Esses excessos de nutrientes podem percolar através do subsolo e atingir o nível freático, gerando um caso de contaminação difusa da água subterrânea. O principal contaminante encontrado na água subterrânea é o N dissolvido na forma de nitrato (NO_3^-). O N dissolvido também é encontrado na forma de amônio (NH_4^+), amônia (NH_3), nitrito (NO_2^-) nitrogênio (N_2), oxido nítrico (N_2O) e nitrogênio orgânico (incorporado a substâncias orgânicas). As concentrações de NO_3^- detectadas em água subterrânea não são restritas por limites de solubilidade. Em ambientes oxidantes, o nitrato é a forma estável do nitrogênio dissolvido. Por causa de sua forma iônica, o nitrato é muito móvel em água subterrânea, não sofre transformação, além de pouco ou nenhum retardamento. Águas subterrâneas pouco profundas em sedimentos altamente permeáveis ou em rochas fraturadas apresentam consideráveis concentrações de O_2. Nesse ambiente hidrogeoquímico, o nitrato pode migrar a grandes distâncias da fonte de contaminação e atingir poços de captação de água para abastecimento (Freeze & Cherry, 1979). Casos de contaminação por nitrato no Brasil têm sido pesquisados em ambientes governamentais (Resende, 2002) e acadêmicos (Mantovani et al., 2005, Fernandes et al., 2006). Em áreas irrigadas pode ocorrer, também, o fenômeno de salinização da água subterrânea (Andrade et al., 2010).

12.2.6 Outras Fontes

Poços

Alguns tipos de resíduos líquidos são dispostos no subsolo em **poços de injeção**. Eles funcionam como um poço de bombeamento reverso e forçam o fluido a infiltrar nas formações geológicas. Esses poços são projetados para injetar líquidos em formações isoladas de aquíferos ou ecossistemas superficiais, de forma a evitar a contaminação desses recursos naturais. Os tipos de resíduos mais comumente injetados são água salinizada e outros fluidos recuperados em campos petrolíferos, fluidos de mineração e água residuária tratada. Atualmente, são também projetados poços para injeção de CO_2, relacionados com os processos de sequestro de carbono da atmosfera (Baines e Worden, 2004). Poços de produção de água subterrânea inadequadamente construídos ou abandonados podem servir de via para a contaminação involuntária do aquífero, principalmente em áreas urbanas.

Resíduos Radioativos

A utilização de **material radioativo** como combustível para a geração de energia apresentou grande expansão a partir dos anos 1970. Atualmente, existem grandes incertezas inerentes às atividades associadas à geração de energia elétrica por centrais nucleares e o potencial risco de contaminação de ecossistemas naturais, especialmente das águas subterrâneas. O risco de contaminação está associado a todos os estágios em que o combustível nuclear é produzido e usado, gerando resíduos radioativos e tóxicos. Esses estágios incluem a mineração de urânio, moagem, refinamento, enriquecimento, fabricação do combustível, consumo em reatores, reprocessamento, solidificação de resíduos e armazenamento final de combustíveis usados em repositórios geológicos (Freeze & Cherry, 1979).

Nas etapas de mineração e moagem, surgem como subprodutos as pilhas de armazenamento de rejeitos, representando a maior parte dos resíduos radioativos. Além dos problemas de drenagem ácida, isótopos radioativos podem ser encontrados em pequenas concentrações nos sedimentos, representando um risco de contaminação da água subterrânea através da percolação de água infiltrada pela superfície. Durante o refinamento e enriquecimento de urânio, são geradas pequenas quantidades de resíduos tóxicos, que devem ser dispostos de forma segura. Como em aterros sanitários, existe o risco de vazamentos. As etapas seguintes consistem na utilização do combustível nuclear em reatores para a geração de energia e o reprocessamento. Nessas etapas, materiais originalmente não radioativos (ferramentas, roupas e equipamentos utilizados na operação do reator) geram resíduos sólidos contaminados, com emissão de radiação de baixa intensidade, o que também exige armazenamento adequado.

A última etapa consiste na disposição final do combustível usado e dos resíduos provenientes de reprocessamento. Essa etapa é a mais crítica, pois o resíduo gerado contém uma grande variedade de isótopos radioativos tóxicos produzidos por decaimento da cadeia do urânio e outros elementos. A disposição final dos resíduos de alta atividade radioativa tornou-se a questão crucial para a continuidade da indústria de produção de energia por centrais nucleares. Numerosas soluções foram propostas visando a isolar os radionuclídeos da biosfera durante seu período de atividade radioativa, incluindo disposição extraterrestre, transmutação em outros elementos menos tóxicos, submersão de contêineres no mar, na Antártida ou em áreas de subducção da crosta (Kubo & Rose, 1973). As soluções presentemente em uso são estocagem seca nos sítios das usinas, estocagem em piscinas de resfriamento dentro do próprio reator, e repositórios geológicos. Atualmente, a expectativa é que uma solução satisfatória de longo prazo possa ser obtida armazenando o material radioativo em repositórios projetados em formações geológicas, isolados de zonas de escoamento de água subterrânea. No Brasil, o órgão responsável pela fiscalização de instalações e gerenciamento dos resíduos nucleares é a Comissão Nacional de Energia Nuclear (CNEN, 1989; CNEN, 2010).

12.3 TRANSPORTE DE CONTAMINANTES

Para compreender o transporte de contaminantes dissolvidos na água subterrânea é necessário conhecer os mecanismos físicos responsáveis pela movimentação desses solutos no meio poroso. Como forças indutoras do deslocamento, podem ser consideradas diferenças de carga hidráulica, de densidade do fluido ou de concentração de solutos. Enquanto os dois primeiros casos provocam a movimentação do fluido no qual o soluto está dissolvido, no último caso, o espalhamento de solutos pode se processar sem movimentação de fluido (no caso, água).

12.3.1 Advecção

O transporte de solutos pelo fluido em movimento é denominado **advecção**. A expressão **convecção**, geralmente utilizada como sinônimo, não será utilizada neste texto de forma a evitar confusão, uma vez que o termo convecção é utilizado em Termodinâmica somente para descrever processos de deslocamento provocados por diferença de temperatura.

O transporte puramente advectivo provoca o deslocamento de partículas de soluto com a velocidade real (v_a) do fluido na direção do escoamento. Neste caso, não é considerado o caminho real percorrido pelo fluido (Figura 12.6). Uma injeção instantânea em um aquífero no instante $t = t_0$ é deslocada por advecção em um intervalo de tempo Δt para uma nova posição, sem alterar a geometria do pulso (Figura 12.6c). Seguindo esse raciocínio, sem fluxo de fluido, o deslocamento de soluto não é possível. Esse processo é reversível, o que significa que, invertendo-se o sentido do vetor de velocidade, as partículas de soluto retornam à posição inicial.

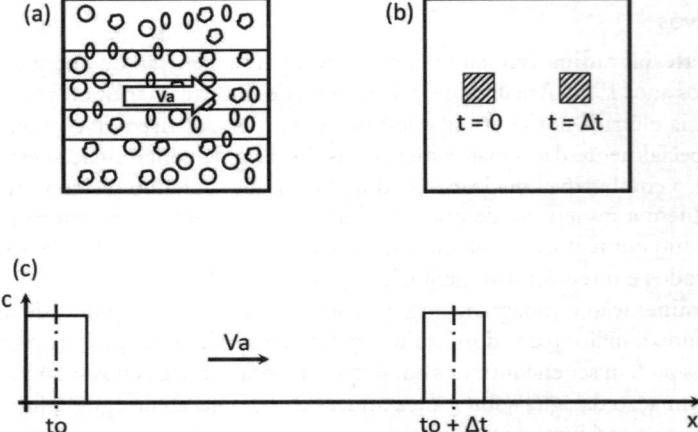

FIGURA 12.6 Esquema idealizado do transporte puramente advectivo, considerando a velocidade real média (va) e o caminho percorrido médio (a); deslocamento sofrido por um pulso de soluto no tempo (b); relação entre concentração e posição (c). *Fonte: Kinzelbach (1987).*

Analisando somente a componente **advectiva** do transporte de solutos em água subterrânea, fica claro que as partículas de soluto são transportadas com a velocidade do campo de fluxo, acompanhando as partículas de fluido. A velocidade de escoamento pode ser descrita, em cada ponto do campo de fluxo, através das componentes do vetor de velocidade (Figura 12.7).

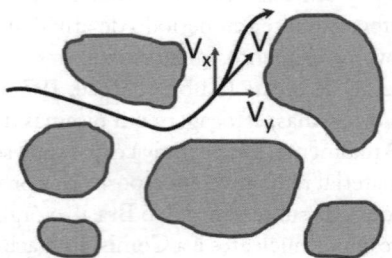

FIGURA 12.7 Componentes do vetor de velocidade em campo de fluxo horizontal em escala microscópica (poro).

Aqui, como no decorrer da seção, é mostrado somente o caso bidimensional (campo de fluxo horizontal), sendo que a extrapolação para o caso 3D pode facilmente ser obtida através da introdução da componente v_z.

O fluxo de massa resultante do processo de advecção pode ser descrito em escala de poro pela Equação 12.1.

$$\vec{J}'_{adv} = C\vec{v}$$
Equação 12.1

Ou, em forma de componentes, temos as Equações 12.2 e 12.3.

$$J'_x = Cv_x$$
Equação 12.2

$$J'_y = Cv_y$$
Equação 12.3

C: concentração de soluto dissolvido na água.

Em uma análise microscópica, v pode ser vista como a velocidade real das partículas de água nos poros. Na prática, no entanto, o transporte de solutos é analisado em escala macroscópica e o percurso percorrido pode ser considerado grande, em comparação com a dimensão dos grãos da matriz porosa. Nesse caso, a velocidade de deslocamento (v_a) representa uma velocidade média entre dois pontos no aquífero e pode ser utilizada para a estimativa do transporte advectivo. A velocidade v_a é determinada em campo mediante experimentos com traçadores, que apresentam comportamento ideal. Assim, a componente advectiva do transporte de solutos em escala macroscópica resulta na Equação 12.4.

$$J_{adv} = C\vec{v}_a$$
Equação 12.4

12.3.2 Difusão Molecular

Outro processo físico é a **difusão molecular**, que pode ocorrer sem deslocamento de fluido no aquífero. Esta resulta do movimento térmico das moléculas (movimento Browniano) e conduz ao equilíbrio de concentração em um meio. Somente quando a concentração de um determinado soluto é a mesma em todos os pontos do meio, a difusão deixa de ocorrer.

A difusão molecular provoca a redução de um pico de concentração no aquífero, independentemente de o fluido estar em repouso (Figura 12.8a) ou em movimento (Figura 12.8b). Sem introdução de energia, o processo é irreversível.

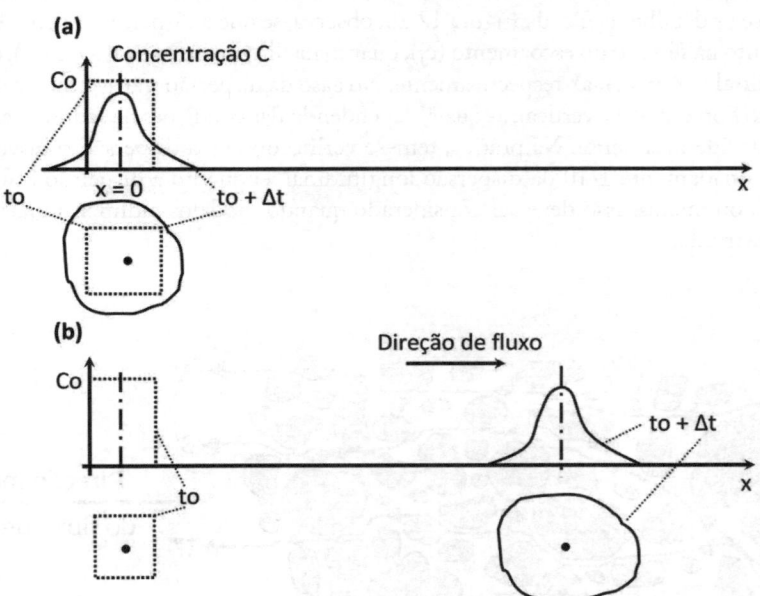

FIGURA 12.8 Variação temporal de um pico de concentração no aquífero devido à difusão molecular sem (a) e com (b) deslocamento do fluido. *Fonte: Kinzelbach (1986).*

A parcela do transporte de solutos resultante da difusão molecular é descrito, como na Física de processos difusivos, pela Lei de Fick (Equação 12.5 ou 12.6).

$$\vec{J}_{dif} = -D_m gradC \qquad \text{Equação 12.5}$$

$$\vec{J}_{dif} = -D_m \vec{v} C \qquad \text{Equação 12.6}$$

D_m representa o coeficiente de difusão, com unidade de m^2/s. Sob condições normais de temperatura (ambiente), a difusão de solutos em aquíferos apresenta valores da ordem de $10^{-9} m^2/s$, sendo que a tortuosidade (τ) do esqueleto poroso já está incluída (Equação 12.7, Bear, 1972).

$$D_m = \tau D'_m \qquad \text{Equação 12.7}$$

D'_m: coeficiente de difusão molecular do soluto em água (m^2/s). O sinal negativo surge, analogamente à Lei de Darcy, pelo fato que o fluxo de massa ocorre sempre no sentido da menor concentração, ou seja, contrário ao sentido do gradiente.

Em componentes, a Lei de Fick resulta nas Equações 12.8 e 12.9.

$$J_{x(dif)} = -D_m \frac{\partial c}{\partial x} \qquad \text{Equação 12.8}$$

$$J_{y(dif)} = -D_m \frac{\partial c}{\partial y} \qquad \text{Equação 12.9}$$

12.3.3 Dispersão Mecânica

O terceiro fenômeno físico que provoca o espalhamento de solutos no aquífero é a **dispersão mecânica**. Diferentemente da difusão, ela não existe sem movimento de fluido (advecção). A dispersão resulta do fato de que o fluido no aquífero não se desloca em linhas retas, com velocidade de deslocamento média, como adotado na análise da advecção. Na verdade, o fluido contorna os grãos da matriz porosa, de forma que partículas que partem de um ponto comum acabam percorrendo caminhos distintos (Figura 12.9).

Além disso, a velocidade de escoamento no interior de um poro não é constante. No centro entre dois grãos da matriz, a velocidade é máxima, reduzindo-se a zero junto às paredes (Figura 12.10a). O fluido escoa nos diferentes poros, com velocidades distintas (Figura 12.10b). Devido a essas diferenças no escoamento, as partículas são transportadas com diferentes velocidades. O caminho a ser percorrido também varia e depende da linha de fluxo em que a partícula é transportada (Figura 12.10c).

Analisando-se os detalhes c_1 e c_2 da Figura 12.10, observa-se que a dispersão provoca o espalhamento das partículas tanto na direção do escoamento (c_1), quanto na direção ortogonal a ele (c_2), definindo a dispersão **longitudinal** e **transversal**, respectivamente. No caso da dispersão transversal, deve-se diferenciar, ainda, a dispersão horizontal e a vertical, as quais, dependendo das condições de sedimentação do aquífero, podem variar consideravelmente. Na prática, tem-se verificado que a dispersão transversal/horizontal equivale a aproximadamente 1/10 da dispersão longitudinal, enquanto a dispersão transversal vertical equivale a 1/100 ou menos. Isso deve ser considerado quando modelos bidimensionais horizontais ou verticais são construídos.

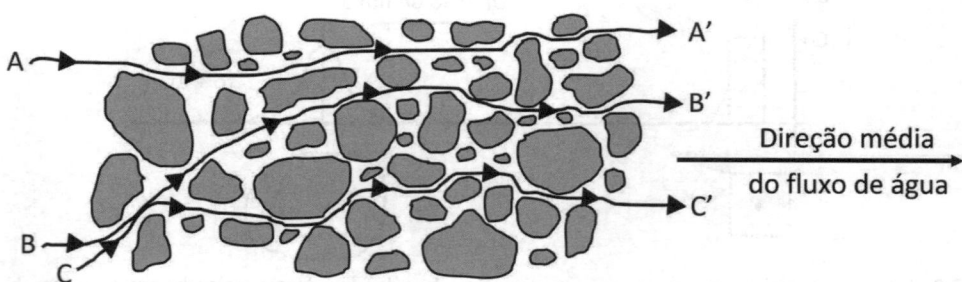

FIGURA 12.9 Fenômeno de dispersão mecânica. *Fonte: Adaptado de Hemond & Fechner (1994).*

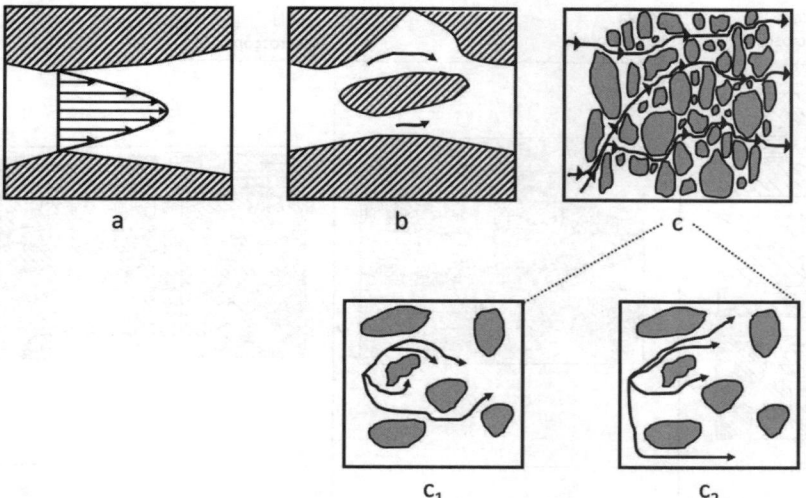

FIGURA 12.10 Diferentes fatores que conduzem ao surgimento de dispersão mecânica em direção longitudinal e transversal. *Fonte: Adaptado de DVWK (1989).*

Um pulso de soluto transportado ao longo de uma linha de fluxo sofre espalhamento contínuo, formando uma elipse de concentração (como na Figura 12.8b). Deve-se observar que aqui sempre ocorre uma combinação dos processos de dispersão e advecção, uma vez que a dispersão não ocorre sem deslocamento do fluido.

Comparando-se experimentos de laboratório e de campo para um mesmo sedimento, observa-se que, além da dependência da velocidade (V_a), os valores de dispersão (D_l) obtidos divergem consideravelmente (Figura 12.11). Isso se deve ao efeito de escala do processo de dispersão (Figura 12.12). Até aqui, os processos de fluxo foram analisados somente na escala da estrutura porosa, caracterizando a chamada **dispersão na estrutura porosa**. Ao se analisar um aquífero a partir de diferentes distâncias, observam-se pequenas heterogeneidades na estrutura do sedimento, o que provoca variações na velocidade de escoamento e, em consequência, a **macrodispersão de pequena escala**. De uma distância maior, verifica-se a presença de lentes ou até mesmo camadas com diferentes velocidades de escoamento, provocando a **macrodispersão de grande escala**.

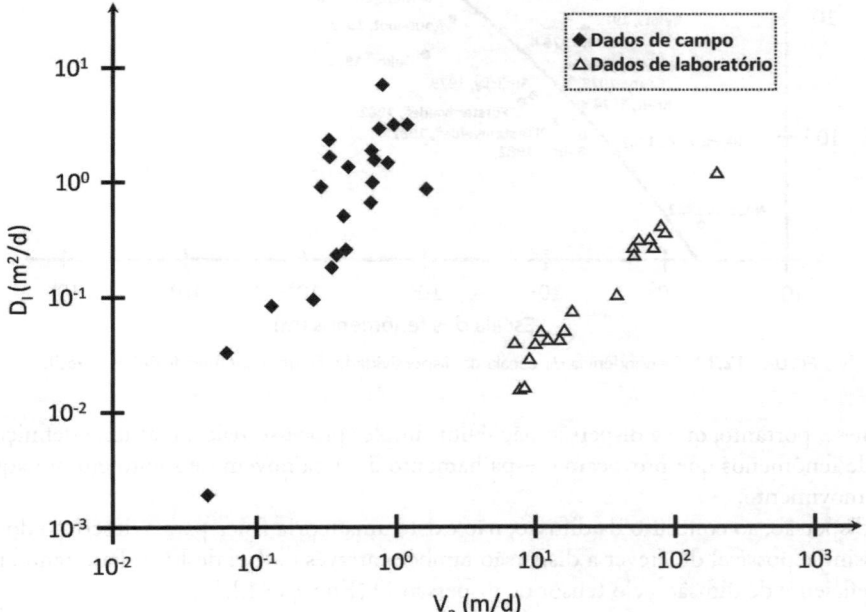

FIGURA 12.11 Comparação de medições de dispersão em campo e em laboratório. *Fonte: Matthess et al. (1985).*

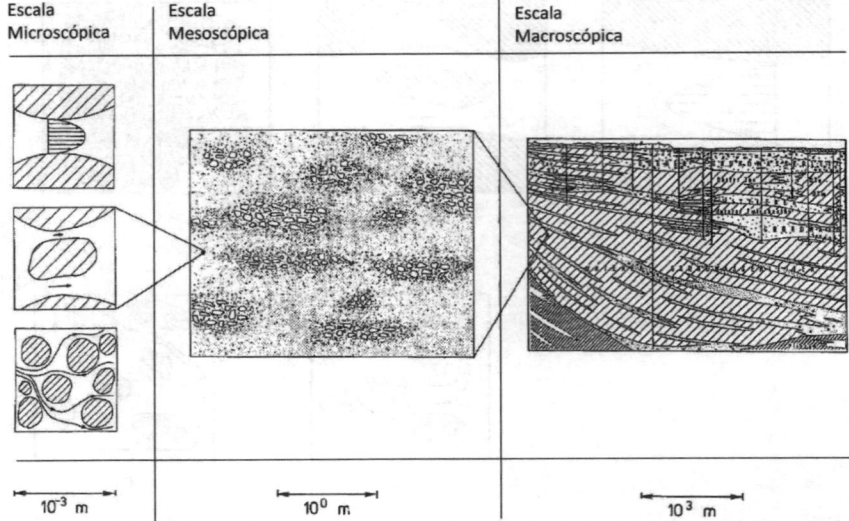

FIGURA 12.12 Dependência de escala no processo de dispersão. *Fonte: Kinzelbach (1987).*

Assim, podem-se compreender os valores de dispersão relativamente pequenos observados em experimentos em laboratório, pois somente a dispersão em escala de poros ocorre. Em experimentos de campo, dependendo da distância percorrida, a macrodispersão tem uma influência cada vez maior. Beims (1983) mostrou essa relação em um diagrama, que relaciona os coeficientes de dispersividade adotados em diferentes modelos numéricos apresentados na literatura com as respectivas distâncias percorridas (Figura 12.13).

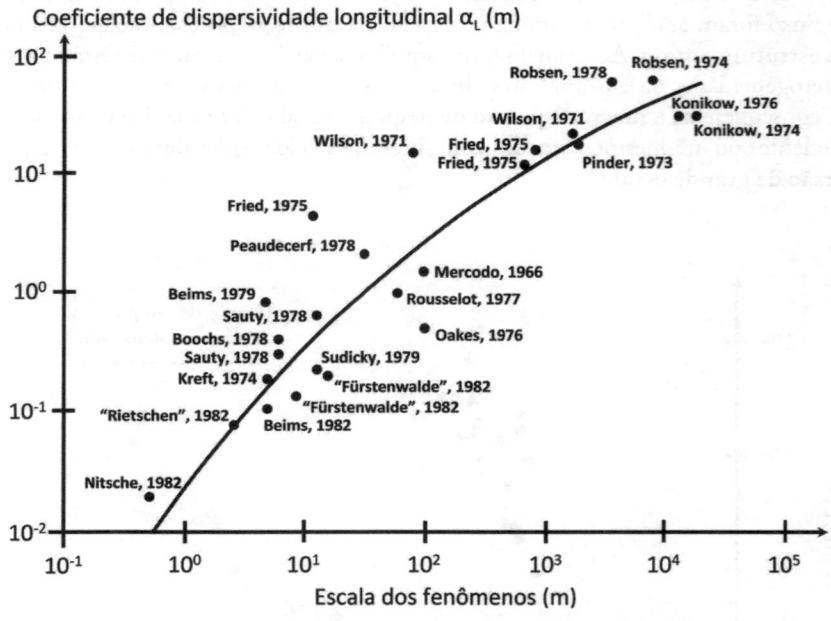

FIGURA 12.13 Dependência de escala da dispersividade. *Fonte: Adaptado de Beims (1983).*

Conclui-se, portanto, que a dispersão não é um simples processo físico, mas uma definição para um conjunto de fenômenos que provocam o espalhamento de uma nuvem de soluto em um aquífero com fluido em movimento.

Para a dispersão, ao contrário da difusão, não existe uma teoria física para a descrição do fenômeno. Mesmo assim, é possível descrever a dispersão também através da Lei de Fick. Para tanto, basta substituir o coeficiente de difusão pelo tensor de dispersão D (Equação 12.10).

$$J_{disp)} = -\underline{D}\bar{v}C$$

Equação 12.10

O tensor de dispersão também tem a unidade de m²/s, no entanto, é dependente da direção. A notação para o caso bidimensional é representada pela Equação 12.11.

$$\underline{D} = \begin{pmatrix} D_{xx} & D_{yx} \\ D_{xy} & D_{yy} \end{pmatrix}$$

Equação 12.11

No caso tridimensional, em que os eixos principais de escoamento são paralelos aos eixos do sistema cartesiano, D_L representa o coeficiente de difusão longitudinal (paralelo à direção do escoamento) e D_T, o coeficiente transversal. Na prática, deve-se diferenciar ainda o coeficiente de dispersão transversal horizontal (D_{Th}) e vertical (D_{Tv}), sendo que a componente vertical, normalmente, é menor que a horizontal.

DISPERSIVIDADE

A ordem de grandeza do coeficiente de dispersão depende das características do aquífero (**dispersividade**, α) e da velocidade real de escoamento do fluido (v_a). Experimentalmente, em escala de estrutura porosa, foram estabelecidas as seguintes relações para o coeficiente de dispersão (Equações 12.12, 12.13 e 12.14, Bear, 1972):

$$D_L = \alpha_L |\bar{v}_a|^\gamma$$

Equação 12.12

$$D_{T(h)} = \alpha_{T(h)} |\bar{v}_a|^\gamma$$

Equação 12.13

$$D_{T(v)} = \alpha_{T(v)} |\bar{v}_a|^\gamma$$

Equação 12.14

O expoente γ varia entre $1,0 \leq \gamma \leq 1,2$. Geralmente, $\gamma = 1,0$ para aquíferos porosos e $\gamma = 1,2$ para aquíferos fraturados. A **dispersividade** α (dimensão [m]) representa a influência das características do sedimento (porosidade, diâmetro e forma dos grãos) sobre o tensor de dispersão **D** e, também, a dependência do caminho percorrido (efeito de escala, Figuras 12.12 e 12.13). A ordem de grandeza de α_L varia entre 0,0001 e 0,1 m em escala de laboratório, e entre 0,1 e 500 m em escala de campo. O coeficiente α_T é sempre menor que α_L, sendo que a relação α_T/α_L encontra-se, geralmente, na faixa entre 0,01 e 0,3. O que diferencia os coeficientes α_{Th} e α_{Tv} é que, na prática, encontram-se valores de 0,1 para α_{Th}/α_L e entre 0,01 e 0,0001 para α_{Tv}/α_L. Isso mostra que os valores de **D** são significativamente maiores que o coeficiente de difusão (D_m aproximadamente 10^{-9} m²/s), de forma que, nesse caso, a difusão tem importância secundária no processo de espalhamento de solutos em aquíferos.

De acordo com resultados de experimentos de campo, existe uma relação exponencial entre dispersividade longitudinal e escala do experimento, até um limite superior (assintótico) de aproximadamente $\alpha_L = 100$ m (Figura 12.14) para sedimentos.

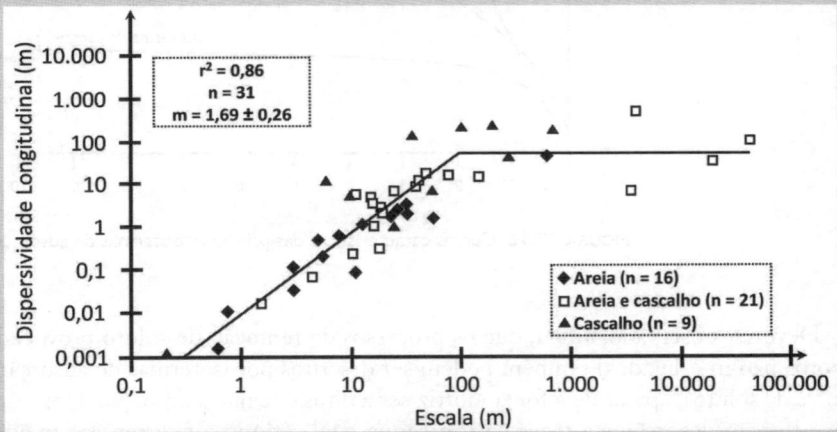

FIGURA 12.14 Limite superior para a dispersividade longitudinal. *Fonte: Comunicação pessoal, Schulze-Makuch (1996).*

Deve-se observar, ainda, que o processo de dispersão é irreversível. Portanto, não é possível determinar a concentração inicial de um soluto a partir de valores atuais. Apenas distribuições de probabilidade podem ser estimadas.

12.3.4 Adsorção e Decaimento

Paralelamente aos processos que provocam o espalhamento de solutos no aquífero, existem outros mecanismos que o retardam (**adsorção**, Figura 12.15) ou reduzem a concentração do soluto, por exemplo, por **decomposição**. Solutos que não sofrem esses processos, e que são, portanto, sujeitos somente aos mecanismos já apresentados, são denominados **traçadores ideais**. A maioria dos solutos aquosos, como cátions e cadeias orgânicas, no entanto, sofre os processos de adsorção e decomposição.

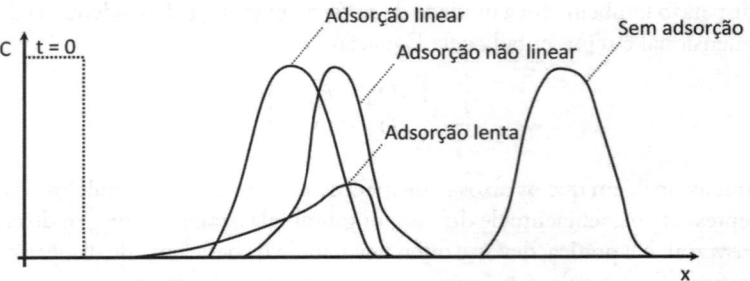

FIGURA 12.15 Curvas de passagem de soluto sob influência de diferentes leis de adsorção. *Fonte: DVWK (1989).*

Processos de adsorção, assim como seu reverso, **desorção**, resultam da adesão física ou química de partículas na superfície dos grãos do substrato rochoso. Enquanto a adesão química à matriz rochosa geralmente é irreversível, a deposição física é normalmente reversível. Dependendo da relação entre as velocidades de adsorção e transporte, estabelece-se um equilíbrio entre os processos de adsorção e desorção. Para temperatura constante, essas situações de equilíbrio podem ser descritas por **isotermas de adsorção** (Figura 12.16), através de relações lineares (isoterma de Henry) ou não lineares (isotermas de Freundlich e Langmuir).

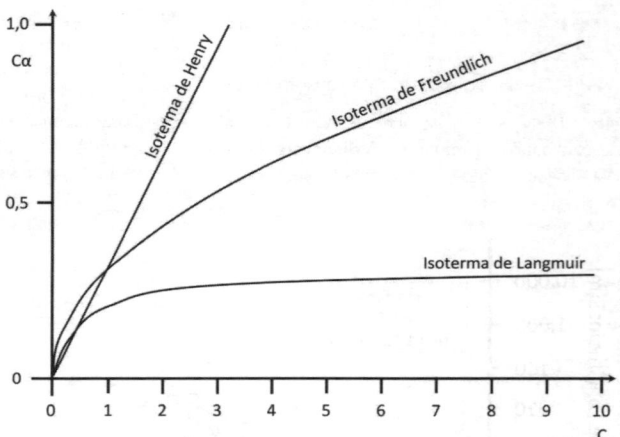

FIGURA 12.16 Curvas características das principais isotermas de adsorção.

Deve ser observado, ainda, que os processos de remoção de soluto provocados por *dead-end-pores* (poros não interligados) também podem ser descritos por isotermas de adsorção na equação de transporte de solutos, apesar de a força motriz ser a difusão e não a adsorção. Um caso especial de processos de adsorção/desorção é a **troca catiônica**, na qual cátions concorrentes são aderidos ou liberados da superfície do sedimento.

A decomposição de solutos em aquíferos pode ter origem química (reação) ou biológica. De qualquer forma, provoca uma redução da concentração do soluto considerado no fluido, enquanto a adsorção provoca o retardamento do processo de transporte. O comportamento da curva de passagem de soluto com ou sem decomposição, em caso de injeção permanente, bem como de pulso de injeção é mostrado na Figura 12.17.

O impacto da taxa de decomposição sobre a concentração de solutos depende fortemente da velocidade de transporte. A baixas velocidades, mesmo taxas reduzidas de decomposição provocam considerável redução da concentração de soluto, ao passo que, a altas velocidades, o efeito é pouco percebido.

12.3.5 Processos de Atenuação

Apesar dos riscos de contaminação das águas subterrâneas, os processos físicos, químicos e biológicos que ocorrem naturalmente no subsolo geralmente promovem a redução das concentrações dos contaminantes. Esses processos compõem a essência do conceito de recuperação conhecido como **atenuação**

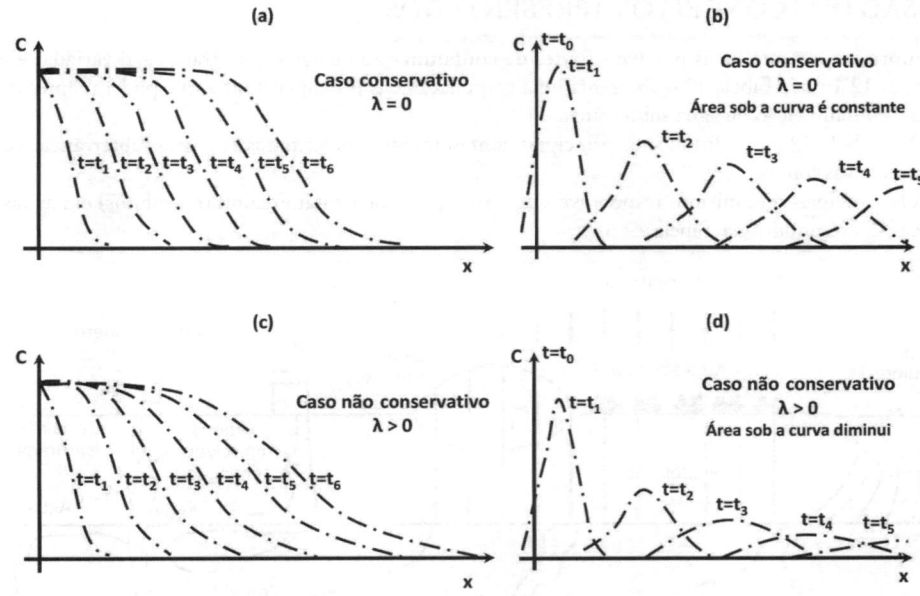

FIGURA 12.17 Curvas de passagem características para injeção permanente de soluto (a, c) e um pulso de injeção (b, d); com (c, d) e sem (a, b) decomposição. *Fonte: Adaptado de Kinzelbach (1987).*

natural (CGER, 2000). A atenuação natural é definida como a redução de massa ou concentração de contaminantes na água subterrânea em função do tempo ou da distância da fonte de contaminação, devido a processos naturais como biodegradação, dispersão, diluição, adsorção e volatilização.

A Figura 12.18 apresenta esquematicamente os principais processos de atenuação da concentração de contaminantes e a zona do subsolo em que ocorrem. A espessura das linhas é proporcional à intensidade do processo. A zona de solo tem importância fundamental na proteção dos aquíferos, pois é a região em que os processos de biodegradação ocorrem com maior intensidade, devido à maior presença de microrganismos. Na zona saturada, o principal mecanismo de atenuação é a diluição, tendo em vista o grande volume de água não contaminada.

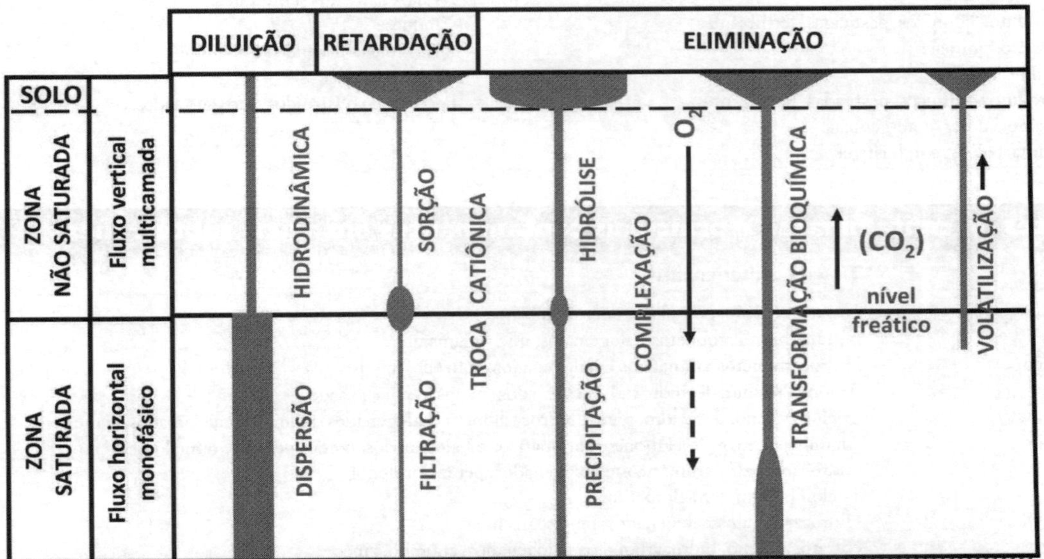

FIGURA 12.18 Representação esquemática dos processos de atenuação natural de contaminantes em água subterrânea. A espessura das linhas é proporcional à intensidade do processo. *Fonte: Adaptado de Hirata & Fernandes (2008).*

REVISÃO DOS CONCEITOS APRESENTADOS

Conforme apresentado, as possíveis fontes de contaminação de água subterrânea são variadas e extensas (Figura 12.19). A Tabela 12.4 apresenta uma compilação das principais fontes que podem representar risco para a contaminação de água subterrânea.

Na Tabela 12.5, são listados os principais contaminantes encontrados em água subterrânea, associados às respectivas fontes.

Os principais mecanismos responsáveis pelo transporte de contaminantes (ou solutos) em águas subterrâneas são resumidos na Tabela 12.6.

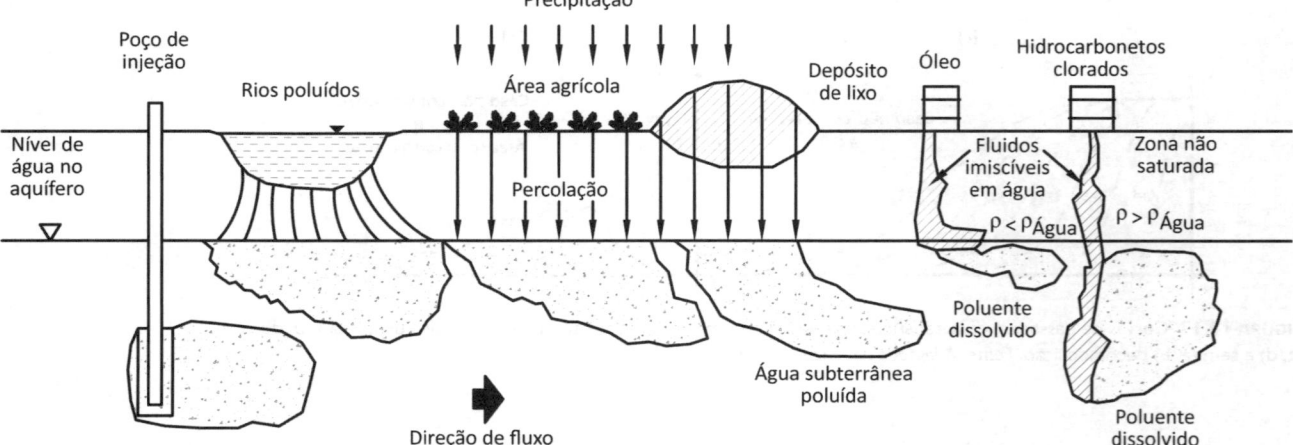

FIGURA 12.19 Principais vias de entrada de solutos em aquíferos. *Fonte: Adaptado de Kinzelbach (1986).*

TABELA 12.4 Fontes potenciais de contaminação de água subterrânea

Origem	Superficial	Subsuperficial
Municipal	Poluição do ar	Aterros sanitários
	Resíduos urbanos	Redes de esgoto
	Ruas e estacionamentos	
	Lodos de estações de tratamento de água e esgoto	
Industrial	Poluição do ar	Tubulações
	Químicos: armazenamento e derramamentos	Tanques de armazenamento
	Combustíveis: armazenamento e derramamentos	Resíduos industriais
	Pilhas de rejeitos de mineração	
Agrícola	Poluição do ar	Armazenamento subterrâneo
	Produtos químicos, pesticidas, fertilizantes	Tanques
	Dejetos animais	Poços mal construídos e abandonados
Doméstico	Poluição do ar	Sistemas sépticos
	Produtos químicos, pesticidas, fertilizantes	Poços mal construídos e abandonados
	Removedores, detergentes	
	Tintas, óleos, combustível	

TABELA 12.5 Fontes de contaminação e principais contaminantes em águas subterrâneas

Fonte	Tipo de contaminante
Atividade agrícola	Nitrato, amônio, pesticidas, microrganismos
Saneamento *in situ*	Nitrato, hidrocarbonetos halogenados, microrganismos
Garagens e postos de serviço	Hidrocarbonetos aromáticos e halogenados, benzeno, fenóis
Disposição de resíduos	Amônio, salinidade, hidrocarbonetos halogenados, metais pesados
Indústrias metalúrgicas	Tricloroetileno, tetracloroetileno, hidrocarbonetos halogenados, fenóis, metais pesados, cianureto
Pintura e esmaltação	Alquilbenzeno, hidrocarbonetos aromáticos e halogenados, metais pesados, tetracloroetileno
Indústrias de madeira	Hidrocarbonetos aromáticos e halogenados, pentaclorofenol
Limpeza a seco	Tricloroetileno, tetracloroetileno
Indústrias de pesticida	Hidrocarbonetos halogenados, fenóis, arsênico
Despejo de lodo de esgoto	Nitrato, amônio, hidrocarbonetos halogenados, chumbo, zinco
Curtumes	Hidrocarbonetos halogenados, fenóis, cromo
Indústria de gás e petróleo	Hidrocarbonetos aromáticos, salinidade
Mineração	Acidez, metais pesados, ferro, sulfatos, elementos radioativos

Fonte: Foster et al. (2006).

TABELA 12.6 Principais mecanismos de transporte de contaminantes em água subterrânea

Mecanismo	Descrição
Advecção	Transporte de solutos pelo fluido em movimento
Difusão molecular	Deslocamento de solutos no fluido resultante do movimento Browniano das moléculas
Dispersão mecânica	Espalhamento de solutos no aquífero, em consequência de diferenças de velocidade do fluido nos poros
Adsorção/absorção	Adesão física ou química de soluto na superfície dos grãos do substrato rochoso
Decaimento	Redução da concentração de soluto no fluido, por processos radioativos, químicos ou biológicos

SUGESTÕES DE LEITURA COMPLEMENTAR

Este capítulo apresentou as principais fontes de contaminação de águas subterrâneas e os mecanismos de transportes de solutos no aquífero. Evidentemente, esse conteúdo é importante para o desenvolvimento de ações e mecanismos para a proteção dos recursos hídricos subterrâneos. No entanto, uma vez ocorrida uma contaminação, é necessário desenvolver ações para a recuperação da área contaminada.

Aspectos relacionados com processos, tecnologias e monitoramento de ações de remediação são apresentados nos Capítulos 23 e 24. Em caso de captação de água subterrânea contaminada, faz-se necessária a adequação dessa fonte aos parâmetros de potabilidade estabelecidos na legislação. As principais tecnologias e critérios de escolha de sistemas de tratamento são detalhadamente expostos no Capítulo 17.

O conteúdo apresentado neste capítulo não esgota o tema da contaminação de águas subterrâneas. Para cada fonte apresentada, é possível aprofundar a leitura e o entendimento dos riscos e processos associados. Nesse sentido, recomenda-se a leitura de alguns textos complementares:

- BEAR, J., CHENG, A.H.D. (2010) *Modeling groundwater flow and contaminant transport.* Springer. 834p.
- BORMA, L.S., SOARES, P.S.M. (2002) Drenagem ácida e gestão de resíduos sólidos de mineração. In: TRINDADE, R.B.E., BARBOSA FILHO, O. (organizadores). *Extração de ouro: princípios, tecnologia e meio ambiente.* Rio de Janeiro: CETEM/MCT, 322p.
- FETTER, C.W. (1999) *Contaminant hydrogeology.* Illinois: Waveland Press, 458p.
- MANOEL FILHO, J. (2008) Contaminação das águas subterrâneas. In: FEITOSA, F.A.C., MANOEL FILHO, J., FEITOSA, E.C., DEMETRIO, J.G.A. (organizadores). *Hidrogeologia – Conceitos e Aplicações.* Rio de Janeiro: CPRM Serviço Geológico do Brasil, 821p.

Referências

ANDRADE, E.M., LOPES, F.B., PALÁCIO, H.A.Q., AQUINO, D.N., ALEXANDRE, D.M.B. (2010) Land useand groundwater quality: the case of Baixo Acaraú Irrigated Perimeter. *Revista Ciência Agronômica*, v. 41, n. 2, p. 208-215.

BAINES, S.J., WORDEN, R.H. (2004) *Geological Storage of Carbon Dioxide.* Londres: Geological Society – Special Publication n. 233. 255p.

BEAR, J. (1972) *Dynamics of fluids in porous media.* Nova Iorque: Dover Publications, 764p.

BEIMS, U. (1983) *Durchführung und Auswertung von Gutepumpversuchen.* Zeitschrift fur angewandte Geologie, v. 29, n. 10, p. 482-490.

BRASIL. (2017) *Portaria de Consolidação Nº 5 de 28/09/2017.* DOU, Seção I, Nº 190, 03/10/2017, Suplemento p. 360. Ministério da Saúde.

CABRAL, N.M.T., RIGHETTO, A.M., QUEIROZ, M.A. (2009) Comportamento do nitrato em poços do aquífero Dunas/Barreiras em Natal/RN. *Engenharia Sanitária e Ambiental*, v. 14, n. 3, p. 299-306.

CAMPOS, M.L., ALMEIDA, J.A., SOUZA, L.S. (2003) Avaliação de três áreas de solo construído após mineração de carvão a céu aberto em Lauro Müller, Santa Catarina. *Revista Brasileira de Ciência do Solo*, v. 27, n. 6, p. 1123-1137.

CARDOSO, G.V., AMARAL SOBRINHO, N.M.B., WASSERMAN, M.A.V., MAZUR, N. (2009) Geoquímica de radionuclídeos naturais em solos de áreas circunvizinhas a uma Unidade de Mineração e Atividade de Urânio. *Revista Brasileira de Ciência do Solo*, v. 33, n. 6, p. 1909-1917.

Companhia Ambiental do Estado de São Paulo (CETESB). (1997) *Poluição de águas subterrâneas no estado de São Paulo. Estudo preliminar.* São Paulo: Cetesb, 88p.

Commission on Geosciences, Environment and Resources (CGER). (2000) *Natural Attenuation for Groundwater Remediation.* National Academies Press, 292p.

Comissão Nacional de Energia Nuclear (CNEN). (1989) *Seleção e escolha de locais para depósitos de rejeitos radioativos.* CNEN-NE-6.06, 18p.

_____. (1989) Comissão Nacional de Energia Nuclear. Relatório de gestão do exercício de 2009. 314 p. DVWK. Stofftransport im grundwasser. Hamburgo: DVWK Schriften, Parey, 296p.

Environmental Protection Agency (EPA). (1988) *Underground storage tanks; technical requirements and state program approval; final rules.* Preamble Section.

FERNANDES, F.C.S., LIBARDI, P.L., CARVALHO, L.A. (2006) Internal drainage and nitrate leaching in a corn-black oat-corn succession with two split nitrogen applications. *Scientia Agricola*, v. 63, n. 5, p. 483-492.

FETTER, C.W. (1994) *Applied hydrogeology.* Estados Unidos: Prentice-Hall, 98p.

FITTS, C.R. (2012) *Groundwater Science*. Academic Press. 2ª edição, Cambridge: Academic Press, 450p.

FOSTER, S., HIRATA, R., GOMES, D., D'ELIA, M., PARIS, M. (2002) *Groundwater quality protection: a guide for water service companies, municipal authorities and environments agencies*. Washington: World Bank Group, 103p.

FREEZE, R.A., CHERRY, J.A. (1979) *Groundwater*. Prentice-Hall, Inc. Estados Unidos: Englewood Cliffs, 604p.

HEMOND, H.F., FECHNER, E.J. (1994) *Chemical fate and transport in the environment*. San Diego: Academic Press, 338p.

HIRATA, R., FERNANDES, A.J. (2008) Vulnerabilidade à poluição de aquíferos. In: FEITOSA, F.A.C., MANOEL FILHO, J., FEITOSA, E.C., DEMETRIO, J.G.A. (organizadores). *Hidrogeologia – Conceitos e Aplicações*. Rio de Janeiro: CPRM Serviço Geológico do Brasil, 812p.

INDA JÚNIOR, A.V., QUINÕNES, O.R.G., GIASSON, E., BISSANI, C.A., DICK, D.P., NASCIMENTO, P.C. (2010) Atributos químicos relacionados ao processo de sulfurização em solos construídos após mineração de carvão. *Ciência Rural*, v. 40, n. 5, p. 1060-1067.

KINZELBACH, W. (1986) *Groundwater modelling; an introduction with sample programs in basic, developments in water science*. Amsterdam: Elsevier, 333p.

KINZELBACH, W. (1987) *Numerische methoden zur modellierung des transports von schad-stoffen im grundwasser*, Munchen, 317p.

KUBO, A.S., ROSE, D.J. (1973) Disposal of nuclear wastes. *Science*, v. 182, n. 4118, p. 1205-1211.

MANTOVANI, J.R., FERREIRA, M.E., CRUZ, M.C.P. (2005) Nitrato em alface e mobilidade do íon em solo adubado com composto de lixo urbano. *Pesquisa Agropecuária Brasileira*, v. 40, n. 7, p. 681-688.

MASTERS, G.M., ELA, W. (2008) *Introduction to environmental engineering and science*. Pearson Education, 708p.

MATTHESS, G., ISENBECK, M., PEKDEGER, A., SCHENK, D., SCHROTER, J. (1985) *Der stofftransport im grundwasser und die wasserschutzgebietsrichtlinie W 101*. Berlim: E. Schmidt Verl, 181p.

NÓBREGA, F.A., LIMA, H.M., LEITE, A.L. (2008). Análise de múltiplas variáveis no fechamento de mina: estudo de caso da pilha de estéril BF-4, Mina Osamu Utsumi, INB. Caldas: *Revista Escola de Minas*, v. 61, n. 2, p. 197-202.

REBOUÇAS, A.C. (2006) Águas Subterrâneas. In: REBOUÇAS, A.C., BRAGA, B., TUNDISI, J.G. (organizadores). (2006) *Águas doces no Brasil: capital ecológico, uso e conservação*. São Paulo: Escrituras, 748p.

RESENDE, A.V. (2002) *Agricultura e qualidade da água: contaminação da água por nitrato*. Planaltina: Embrapa Cerrados, 29p.

ROHDEN, F., ROSSI, E.M., SCAPIN, D. et al. (2009) Monitoramento microbiológico de águas subterrâneas em cidades do Extremo Oeste de Santa Catarina. *Ciência e Saúde Coletiva*, v. 14, n. 6, p. 2199-2203.

SCHULZE-MAKUCH, D. (1996) Limite superior para a dispersividade longitudinal. *Comunicação pessoal*, Janeiro, 1996.

WANG, A., ANDERSON, M.P. (1982) *Introduction to groundwater modeling: finite difference and finite element methods*. São Francisco: W. H. Freeman, 237p.

WISOTZKY, F., OBERMANN, P. (2001) Acid mine groundwater in lignite overburden dumps and its prevention the Rhineland lignite mining area (Germany). *Ecological Engineering*, v. 17, n. 2-3, p. 115-123.

IMPACTOS AMBIENTAIS SOBRE MARES E OCEANOS

Aline Borges do Carmo / Marcus Polette / Alexander Turra

13

Os mares e oceanos ocupam a maior parte da superfície do planeta e são fundamentais para a vida na Terra e o bem-estar humano. Fornecem, ainda, uma grande quantidade de bens e serviços ecossistêmicos para a humanidade, dentre os quais se destacam a regulação climática e a purificação da água. As regiões costeiras e oceânicas são exploradas também como fonte de alimento, energia, recursos minerais, espaço de lazer, recreação, práticas esportivas e religiosas. Apesar de sua importância, impactos derivados das ações humanas afetam todas as regiões costeiras e oceânicas e ameaçam seus serviços ecossistêmicos, reforçando a necessidade de ações que visem a proteger esses ecossistemas e manter seus benefícios. Neste capítulo, são abordados diversos tipos de impactos ambientais que afetam os serviços ecossistêmicos costeiros e marinhos, de forma a entender: 1) como a ocupação humana desordenada da faixa litorânea tem afetado serviços ecossistêmicos e processos costeiros; 2) as alterações físico-químicas dos oceanos, as principais fontes de poluição e suas consequências para a vida marinha; 3) os problemas que a disposição inadequada de resíduos sólidos causa ao ambiente marinho; 4) que comunidades humanas costeiras têm tido seus modos de vida impactados pelas alterações na qualidade ambiental marinha; 5) o processo de sobre-exploração e sobrepesca, que tem levado à queda da produtividade de áreas pesqueiras; 6) as consequências de pequenos e grandes derramamentos de petróleo para a vida marinha; 7) as causas locais e globais da diminuição na biodiversidade marinha, que podem agir de forma sinérgica; e 8) como os impactos globais, como aumento de gases estufa na atmosfera e mudanças climáticas, podem afetar os oceanos e os serviços prestados por estes.

13.1 INTRODUÇÃO

Como visto no Capítulo 9, os oceanos cobrem mais de 70% da superfície da Terra. Os ecossistemas costeiros e marinhos proporcionam ao ser humano bens e serviços que propiciam benefícios como o acesso a importantes recursos naturais que geram renda e garantem o sustento de comunidades costeiras. Eles desempenham também um papel fundamental na manutenção do ambiente global e são de grande importância no ciclo do carbono, que ajuda a regular o clima. Os oceanos também são relevantes na **ciclagem de muitos elementos químicos** importantes para a vida, tais como nitrogênio e fósforo. Representam, ainda, um recurso valioso, pois atendem muitas das necessidades humanas básicas, tais como a **alimentação**, **fonte de energia** e **lazer**.

A SUPERFÍCIE DO PLANETA TERRA

Alto-mar (além das plataformas continentais): 65%	Terras elevadas (acima das planícies costeiras):
Zona costeira (plataformas continentais + planícies): costeiras): 8%	*Fonte: UICN/PNUMA/WWF (1992).* 27%

Pareceria razoável que um recurso tão importante recebesse uma atenção especial por parte da sociedade. Porém, não é isso que tem acontecido. Desde a escala microscópica, envolvendo seres vivos minúsculos do plâncton marinho e microrganismos que vivem em ambientes extremos nas profundezas dos mares, até eventos de magnitude global, como as previsões de aquecimento e aumento no nível do mar, são vários os sinais de que os mares e oceanos têm passado por mudanças significativas causadas, em grande parte, por ações humanas. Os impactos causados pelas atividades humanas vêm sendo crescentemente sentidos pela sociedade e hoje não há no ambiente marinho sequer uma região em que indícios delas não tenham sido registrados. Estes impactos podem ter efeitos **diretos** e **indiretos** sobre o ambiente marinho e, consequentemente, sobre os serviços ecossistêmicos (Figura 13.1) disponibilizados por este ambiente.

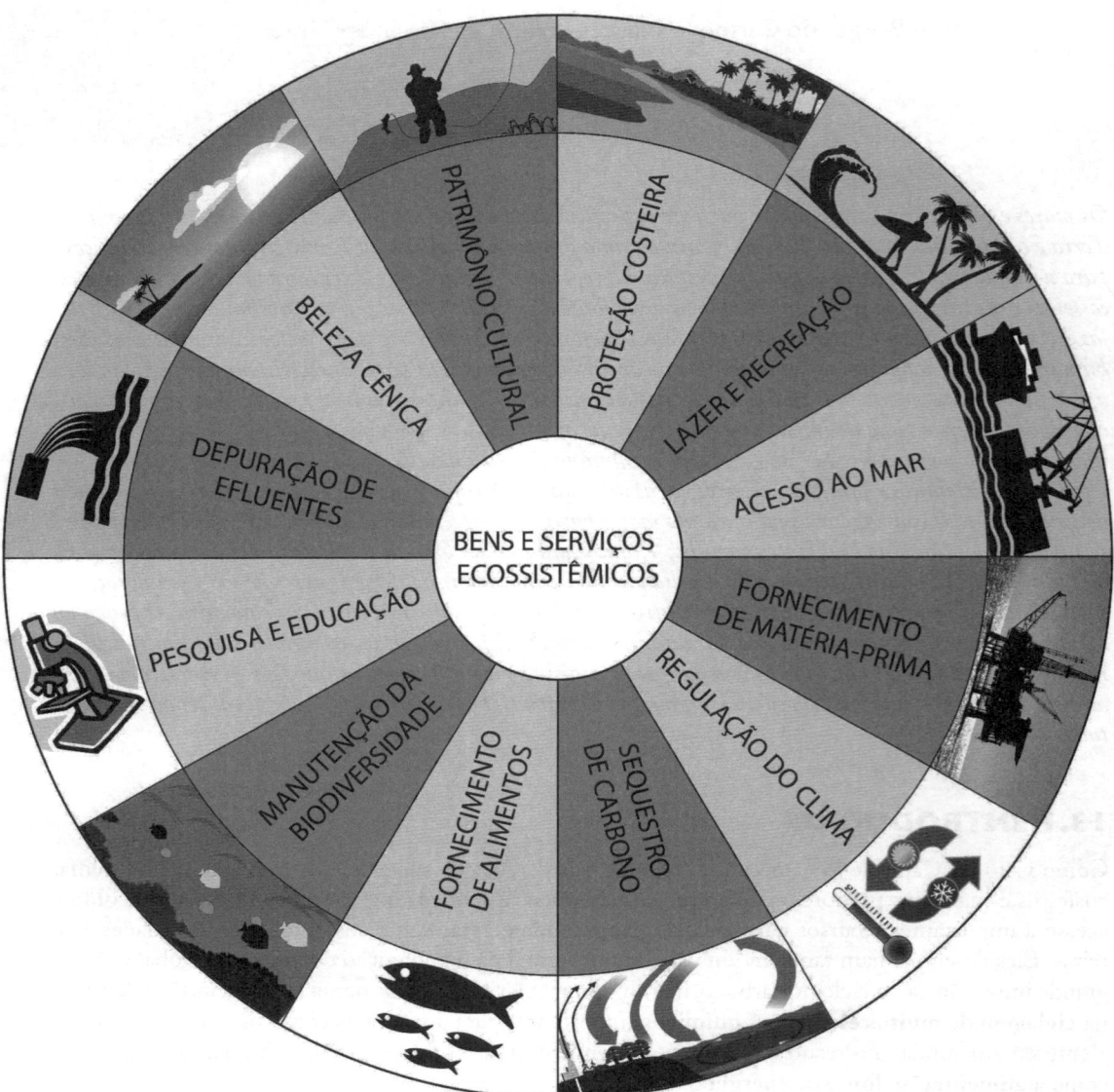

FIGURA 13.1 Serviços ecossistêmicos disponibilizados pelos mares e oceanos. *Fonte: Adaptado de Xavier et al. (2016).*

As causas indiretas principais da degradação dos oceanos têm sido o **crescimento da população humana** e o **crescente desenvolvimento econômico** baseado na exploração contínua de recursos e na produção de bens de consumo. As causas diretas principais incluem o **desenvolvimento de infraestrutura**, **supressão ou alteração de hábitats**, **eutrofização** e **poluição**, **sobrepesca** e **sobre-exploração**, além da **introdução de espécies exóticas invasoras**.

A exploração direta de recursos dos mares e oceanos, frequentemente realizada a uma taxa maior do que a capacidade de reposição da natureza ou, ainda, gerando resíduos em uma taxa maior do que aquela com que a natureza é capaz de depurar (diversos tipos de poluição), também tem causado impactos, muitas vezes irreversíveis. Impactos diretos incluem, ainda, atividades de **turismo e recreação**, quando praticadas de forma insustentável, e a **ocupação desordenada**. Essas atividades são relativamente mais evidentes em escala local e regional e seus resultados muitas vezes são percebidos rapidamente. Muitos desses impactos podem ser controlados por meio da adoção de políticas públicas adequadas e de um gerenciamento eficaz e eficiente.

Um dos impactos que afeta indiretamente mares e oceanos refere-se às **mudanças climáticas**, alvo de discussão no Capítulo 16. Caso as tendências atuais continuem, espera-se que as mudanças climáticas globais agravem a degradação de habitats costeiros e oceânicos e a perda ou o comprometimento de sua biodiversidade. Esse tipo de impacto geralmente age em larga escala, em nível regional ou global. As relações entre as ações humanas e as consequências para o oceano neste caso são complexas e levam anos, décadas ou até séculos para se tornarem aparentes. Cabe destacar que estes impactos de larga escala são muito mais difíceis de serem remediados, principalmente em territórios densamente e desordenadamente ocupados.

Os efeitos adversos potencialmente causados pelas alterações climáticas, como elevação do nível do mar, acidificação da água do mar, branqueamento dos recifes de coral e mudanças na dinâmica e na temperatura das correntes marítimas, podem levar a uma alteração dos serviços ecossistêmicos prestados pelos mares e oceanos à sociedade, os quais foram abordados no Capítulo 9. Essas mudanças podem afetar de forma dramática a vida na Terra. É uma relação cíclica de causa e efeito que tem levado, inclusive, à perda de qualidade de vida das populações que dependem destes ambientes e de seus recursos.

O ambiente marinho, diferentemente do ambiente terrestre, onde o deslocamento dos organismos é normalmente limitado, possui uma maior integração entre habitats e uma maior dispersão de seres vivos, facilitada pelas correntes. Da mesma forma, alguns impactos causados no ambiente marinho podem ser mais abrangentes, como, por exemplo, aqueles advindos da gestão inadequada dos resíduos sólidos. Toneladas de lixo são encontradas, muitas vezes em locais muito distantes de onde tais produtos foram descartados, tendo percorrido centenas de quilômetros pelas correntes marítimas. Em ambientes terrestres, em comparação, esse tipo de impacto tende a ser mais localizado, facilitando sua avaliação, mitigação e eventual reparação.

Desta forma, percebe-se que os impactos ambientais sobre mares e oceanos decorrem de fontes complexas e multifatoriais. A abordagem ecossistêmica, que preconiza o entendimento dos processos, das relações de causa-efeito diretas e indiretas entre aspectos físicos, biológicos e socioeconômicos, permite um melhor entendimento de como as atividades humanas podem comprometer os serviços e os benefícios providos pelos ecossistemas marinhos. A abordagem ecossistêmica tem como premissa que populações humanas e não humanas deveriam ser vistas e analisadas no contexto dos ecossistemas em que estão inseridas, ou seja, como um sistema socioecológico. Esta abordagem foi utilizada, por exemplo, na Avaliação Ecossistêmica do Milênio (*Millennium Ecosystem Assessment* – MEA, 2005), a qual objetivou determinar a importância dos ecossistemas para o bem-estar humano e estabelecer as bases científicas para seu uso sustentável. Entender essa ligação, bem como as relações de causa-efeito entre alterações ambientais e suas consequências para os ecossistemas e para o ser humano, contribui para uma tomada de decisão mais complexa e melhor informada.

A complexidade da questão abordada demanda a identificação dos diferentes tipos de impactos visando à compreensão mais detalhada de suas características e consequências. Essa divisão é meramente didática, uma vez que muitos dos impactos podem ser classificados de duas ou mais formas, havendo, também, aqueles que atuam de forma cumulativa e/ou sinérgica, e que influenciam o ambiente de forma complexa em seus diferentes níveis de organização, do indivíduo ao ecossistema, incluindo a disponibilidade de seus bens e o oferecimento de serviços. Assim, torna-se fundamental entender as relações de causa e efeito entre as ações impactantes e os impactos resultantes destas ações, considerando o entendimento dos processos e funções ecossistêmicas, evidenciando aí as perdas de serviços e benefícios que os ecossistemas costeiros e marinhos provêm.

A utilização de uma abordagem simplificada ajuda a compreender as relações entre ecossistemas e seus benefícios para o bem-estar humano que, muitas vezes, estão ocultas ou são ignoradas nas tomadas de decisão, existindo a necessidade de torna-las explícitas. Assim, os impactos ambientais sobre mares e oceanos serão apresentados por meio da utilização do arcabouço DPSI/WR como forma de identificar quais as ações ou atividades impactantes (D, *drivers*; forçantes), o que eles geram (P, *pressure*; pressão), o que é afetado (S, *state*; estado), como é afetado (I, *impacts*; impactos nos meios físico e biótico) e quais os reflexos negativos em termos ecológicos e de benefícios para a sociedade (W, welfare; bem-estar). As ações para combater os impactos (R, *responses*; respostas) não serão abordadas neste capítulo. Mais detalhes sobre essa metodologia (DPSI/WR) serão apresentados no Capítulo 33.

Desta forma, optou-se por uma classificação em quatro categorias, abordadas a seguir, e que refletem de certa forma os principais desafios da gestão costeira e oceânica. Neste contexto, o desenvolvimento e a aplicação de novas tecnologias ambientais são fundamentais para a prevenção e a remediação destes impactos:

1. impactos advindos da ocupação desordenada da faixa litorânea;
2. impactos causados pelo uso de recursos vivos;
3. impactos causados pelo uso de recursos não vivos;
4. impactos globais.

13.2 OCUPAÇÃO DESORDENADA DA FAIXA LITORÂNEA

A zona costeira é única e peculiar, representando a interface entre o ambiente marinho e o ambiente terrestre. Atualmente, inúmeras são as atividades econômicas concentradas na costa, tais como as atividades petrolíferas (extração e refino), portuária, aquícola, extração mineral e vegetal, pesqueira, salinas e o turismo de sol e praia (veraneio), representando parte expressiva das riquezas geradas em escala mundial.

Nessa região de interface, ocorrem processos específicos que têm forte influência sobre seu funcionamento. Fenômenos e ambientes, tais como marés, manguezais, recifes de coral, ondas de tempestade e ilhas de barreira, são encontrados apenas no litoral (Capítulo 9). As marés ocasionam processos hidrodinâmicos, sobretudo em regiões estuarinas e abrigadas da energia das ondas. As ondas exercem um importante papel no transporte de sedimento ao longo da linha de costa. Esses processos são responsáveis pela hidrodinâmica costeira, além de estarem relacionados com diversos impactos, como erosão de praias, assoreamento de canais de navegação e inundações na zona costeira. Da mesma forma, o aporte de materiais vindos do continente, como sedimento, água doce e até mesmo resíduos sólidos e efluentes, afetam diversos processos oceanográficos na costa.

A zona costeira é, portanto, um ambiente complexo e diferenciado, cujas interações e processos necessitam de um entendimento específico. Devido à singularidade de paisagens, aliada a questões de logística e um histórico processo de ocupação urbana, **a zona costeira é uma área de transição** cujos recursos naturais renováveis e não renováveis requerem especial atenção. Cabe ainda destacar que os assentamentos humanos localizados na zona costeira possuem inúmeras particularidades históricas e culturais que necessitam ser compreendidas e respeitadas.

O século XX foi marcado pela emergência de um novo paradigma para áreas costeiras em todo o mundo, constituído pelo enorme crescimento da ocupação humana devido a razões de natureza econômica, ambiental e social. Sendo consideradas como zonas de transição, as faixas litorâneas sofrem efeitos de processos tanto terrestres quanto marinhos, sendo caracterizadas por uma alta dinâmica geofísica e biofísica. A intensa ocupação humana deste território pode ser considerada como um dos problemas mais sérios, pois envolve e compromete sua capacidade de autorregulação. A interação entre a ocupação humana e os ecossistemas costeiros é, portanto, de extrema importância no entendimento dos impactos ambientais, uma vez que cerca de 60% da população humana mundial vivem nesta área.

As zonas costeiras em todo o planeta também estão sujeitas a diferentes desafios relacionados com **erosão costeira**, **degradação e destruição de hábitats** costeiros e marinhos, **poluição e aumento do nível do mar**. A urbanização desordenada, sem o devido planejamento, acaba ocasionando problemas de infraestrutura, como a falta de saneamento, além de consumo excessivo de água, geração significativa e destinação inadequada de resíduos.

Um exemplo de processo de ocupação desordenada, descrito por Polette (2007), ocorreu no município brasileiro Balneário Camboriú, localizado no centro-norte da costa do litoral do estado de Santa Catarina (Figura 13.2). A análise de uma série histórica de imagens aéreas desta região ilustra como a ocupação aconteceu de forma intensa e desordenada durante quase um século (Figuras 13.3 a 13.6). Exemplos semelhantes são encontrados ao longo de toda a costa brasileira, com a ocupação sendo feita de forma a servir interesses particulares em detrimento de uma visão sustentável de futuro. Essa lógica, em linhas gerais, explica a evolução de balneários até seus colapsos.

Nas áreas costeiras, a elevada densidade demográfica, aliada ao crescimento urbano, à expansão desordenada do turismo e à industrialização, são as maiores ameaças à biodiversidade e aos serviços ecossistêmicos prestados. Os efeitos do desenvolvimento não planejado desestabilizam os ecossistemas e modificam o padrão de uso do território, marginalizando comunidades, aumentando a vulnerabilidade a desastres naturais e gerando demandas não sustentáveis aos recursos naturais de uma forma geral.

A perda e a degradação contínuas projetadas para estas zonas costeiras poderão reduzir a capacidade destes locais de mitigar os impactos existentes, resultando na redução no bem-estar humano (incluindo

FIGURA 13.2 Orla do município de Balneário Camboriú, Santa Catarina, ilustrando a ocupação intensa e desordenada. *Foto: Marcus Polette.*

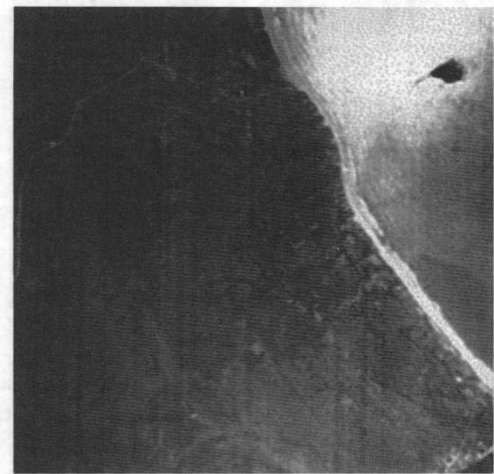

FIGURA 13.3 Foto aérea da costa de Balneário Camboriú, Santa Catarina, em 1938. (Em 1938, o município de Balneário Camboriú caracterizava-se por abrigar um pequeno número de turistas teuto-brasileiros, sobretudo na faixa paralela ao mar. Os primeiros hotéis ali se instalaram e na planície predominava vegetação de restinga e pequenas propriedades rurais. Praticamente não existia infraestrutura específica para os visitantes e o contato com os residentes (pescadores artesanais) era iniciado. *Fonte: Polette (2007).*

FIGURA 13.4 Foto aérea da costa de Balneário Camboriú, Santa Catarina, em 1956. (Em 1956, já era nítido o incremento do número de visitantes, cuja presença já apresentava certa regularidade durante o período do veraneio. Tem início, também, o processo de abertura de acessos, bem como de loteamentos que não assumiam uma regularidade com o relevo litorâneo. Assim, a falta de planejamento urbano nesse início do processo de ocupação ocasionou, posteriormente, problemas na drenagem, falta de mobilidade urbana e de sombreamento da praia). *Fonte: Polette (2007).*

FIGURA 13.5 Foto aérea da costa de Balneário Camboriú, Santa Catarina, em 1964. (Balneário Camboriú emancipou-se em 1964 do município de Camboriú. No início da década de 1970, foi construída a BR-101. O desenvolvimento urbano do município ocorreu de forma inapropriada na praia Central. Em 1978, o mercado imobiliário e a construção civil eram responsáveis pelas tomadas de decisões políticas de uso e ocupação do solo, facilitado pela falta de planejamento participativo e pela especulação imobiliária. A verticalização ocorria principalmente nas faixas paralelas à praia, sem qualquer critério urbanístico). *Fonte: Polette (2007).*

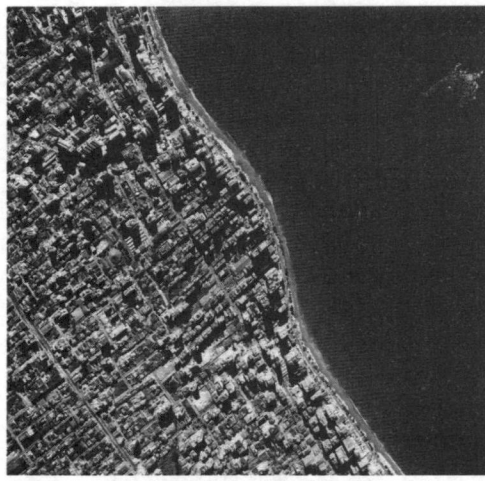

FIGURA 13.6 Foto aérea mais recente da costa de Balneário Camboriú, Santa Catarina, em 2007. (Em 2007, a praia Central de Balneário Camboriú já estava totalmente urbanizada, sendo a cidade um polo de comércio, serviços e diversão noturna. Está conurbada com Itajaí e Camboriú, sendo que vários níveis de limite de capacidade de carga física e ambiental foram alcançados e ultrapassados. Isto é evidenciado pelos problemas de trânsito, poluição da água do mar em alguns pontos da praia Central e limitado espaço de convívio na praia. O turismo de massa e a verticalização são alguns dos desafios dos dias atuais). *Fonte: Polette (2007).*

um aumento na ocorrência de doenças), especialmente nos locais mais pobres e em países ou regiões de baixa renda, onde soluções tecnológicas não estão disponíveis. Ao mesmo tempo, a demanda por muitos destes serviços ecossistêmicos (tais como recursos pesqueiros e proteção contra inundações e tempestades) poderá aumentar significativamente conforme o incremento da população humana nas próximas décadas.

Para fazer frente a essa situação, há diversas políticas públicas que amparam as ações de controle da sociedade, as quais se apresentam, muitas vezes, de forma fragmentada e pouco amparada em informações técnicas e científicas. Além disso, o planejamento da ocupação humana é uma atividade estratégica que carece de interesse por parte dos governos, principalmente os municipais. Este planejamento pode ocorrer em diferentes escalas e temáticas, como os Planos Diretores Municipais (previstos no Estatuto da Cidade), os Zoneamentos Ecológico-Econômicos (previstos nos Planos Nacional e Estadual de Gerenciamento Costeiro), as Unidades de Conservação (previstas no Sistema Nacional de Unidades de Conservação), a Avaliação Ambiental Estratégica e o Planejamento Espacial Marinho. Para esses dois últimos instrumentos, ainda não há diretrizes legais. Alguns desses instrumentos de gestão ambiental serão explorados nos capítulos do Eixo "Gestão Ambiental" deste livro. Os benefícios destas políticas de planejamento ainda não têm sido monitorados e seus resultados são tímidos. O processo de avaliação da viabilidade ambiental de empreendimentos nestas áreas durante a etapa do licenciamento ambiental de atividades tem se mostrado como um instrumento frágil, sujeito a interesses específicos e desvinculados de uma proposta de intervenção sustentável no território. Neste livro, o Capítulo 29 é inteiramente dedicado ao estudo de viabilidade ambiental.

As políticas ambientais, desde sua discussão e implementação até sua avaliação, necessitam de um processo de controle social autêntico, no qual a transparência esteja associada ao bom funcionamento de espaços de participação, como os conselhos municipais. Nesse sentido, a ocupação desordenada é, na realidade, um reflexo da desorganização da própria sociedade, sendo necessárias ações profundas e estruturantes para que este cenário seja mudado.

13.2.1 Danos às Comunidades Ribeirinhas

A ocupação desordenada no espaço litorâneo, além de gerar os impactos já mencionados anteriormente, traz à luz problemas e conflitos de natureza social, ambiental e econômica. As comunidades ribeirinhas tradicionais, cujo modo de vida já faz parte da dinâmica ambiental da zona costeira (Figura 13.7), passam por fortes pressões que as levam a abandonar seus locais de moradia, reflexo da valorização imobiliária crescente do litoral. Assim, a especulação imobiliária expropria a posse da terra e de outros recursos utilizados pelas populações tradicionais que, ao longo do tempo, acabam sendo absorvidos por atividades econômicas pouco relacionadas com seu modo de vida.

FIGURA 13.7 Pescador remando em canoa no litoral norte do estado de São Paulo. *Foto: Aline Borges do Carmo.*

Ainda que alguns desses habitantes permaneçam junto ao litoral, suas famílias acabam tendo a vida transformada pelas mudanças provenientes do crescimento da região e por novos valores assimilados por meio do turismo e da mídia. Se, por um lado, o atendimento às exigências do mercado pode ser visto como uma solução para o isolamento destas comunidades, ao mesmo tempo se verifica um processo de degradação do modo de vida tradicional, agravado pelo choque cultural provocado pela chegada de uma elite abastada, com valores que contrastam com a relativa simplicidade material da vida destas comunidades.

Assim, para muitos que sonhavam melhorar de vida com a "chegada do progresso", resta, quando muito, uma inserção em postos de trabalho para prestação de serviços, em bases formais ou informais, que nada tem a ver com as ocupações tradicionais das populações ribeirinhas. Isso contribui para, além da desagregação das relações sociais, a ocorrência de uma modificação da relação da população com o ambiente. Isso não ocorre de forma isenta de conflito, em particular devido ao cerceamento do acesso e uso dos recursos naturais em áreas de uso comunitário tradicional, como ranchos de pesca, às quais a população local possuía livre acesso.

O turismo de massa (no qual a quantidade é mais importante que a qualidade) praticado atualmente demanda grandes estruturas, não compatíveis com modelos de um turismo sustentável, baseado no respeito às peculiaridades ambientais e culturais de cada região. Mais do que isso, a maior parte do mercado consumidor do turismo anseia por um ambiente artificial, com inserções da cultura local de forma estereotipada e "segura", sem contato com as peculiaridades da realidade local. Dessa forma, poderia ser proposto outro tipo de turismo, de cunho mais ecocêntrico, com empreendimentos de menor porte, mais próximos da realidade da população tradicional e que valorizassem a cultura dessa população, o que, certamente, diminuiria o impacto socioambiental do turismo.

Além disso, torna-se cada vez mais necessária uma maior participação social nas decisões governamentais sobre os destinos da região costeira como ferramenta para diminuir os problemas sociais. Isso, aliado a programas de educação e sensibilização ambiental, pode ser considerado como uma estratégia para garantir subsídios para decisões e atitudes ambientalmente corretas. Para que isso ocorra, são necessárias ações educativas e de conscientização da população com relação aos processos de discussão de políticas públicas em curso, assim como por meio de mecanismos de participação efetiva por parte dos governos, da sociedade e da iniciativa privada, ou seja, um processo pleno de **governança costeira**.

13.3 USO DE RECURSOS VIVOS

A vida nos oceanos tem sido impactada por atividades humanas de diversas maneiras. A pesca é a principal ação antropogênica direta que afeta a estrutura, função e a biodiversidade dos oceanos. Uma das consequências globais da sobrepesca, por exemplo, é a diminuição do nível trófico médio das teias tróficas marinhas, o que gera mudanças em todo o ecossistema. A pesca predatória (que utiliza métodos destrutivos) também é um fator importante de perda de biodiversidade em águas rasas, pois o arrasto praticado acaba aniquilando hábitats bentônicos (que ocupam o fundo oceânico, como visto no Capítulo 9). Assim, conservar o ambiente marinho passa, inclusive, por preservar a diversidade biológica e suas funções, pois delas derivam serviços e benefícios para a garantia da qualidade de vida humana.

Locais importantes para a biodiversidade marinha têm passado por sérios impactos devido à conversão de áreas de manguezal em empreendimentos para turismo ou carcinicultura (como cultivo de camarões). Devido à importância desses locais para a reprodução de espécies e para a pesca, os custos econômicos da conversão desses ecossistemas são elevados e frequentemente excedem os benefícios. Apesar disso, muitas vezes esta conversão acontece porque o valor perdido em termos de serviços ecossistêmicos é indireto, não sendo internalizado aos custos dos empreendimentos causadores do impacto. Muitos aspectos do uso abusivo de recursos vivos oceânicos acabam tendo impactos diretos na vida humana, sobretudo em comunidades socialmente mais vulneráveis. O declínio dos estoques pesqueiros, por exemplo, tem implicações importantes para os pescadores artesanais e comunidades que dependem desse recurso como uma importante fonte de proteína e de renda.

13.3.1 Produtividade de áreas pesqueiras

O pescado é muito importante na alimentação humana. Fornece cerca de 16% da proteína consumida no mundo, sendo uma fonte especialmente importante em nações em desenvolvimento. A pesca é uma atividade internacional, porém alguns países, como China, Japão, Chile, Rússia e Estados Unidos, dominam o mercado mundial. Para completar este cenário, a pesca comercial concentra-se em relativamente poucas áreas no mundo. As plataformas continentais, que representam menos de 10% da área dos oceanos, fornecem mais de 90% do estoque pesqueiro, uma vez que manguezais e estuários representam berçários e fontes de alimento para os organismos economicamente relevantes. Recursos pesqueiros são abundantes, sobretudo, nas chamadas áreas de ressurgência, fenômeno físico que ocorre em determinados pontos do oceano nos quais águas profundas e geralmente mais frias emergem, trazendo consigo muitos nutrientes, conforme visto no Capítulo 9.

A produção pesqueira mundial tem aumentado consideravelmente desde meados do século XX, tendo mais que dobrado entre 1960 e 1980, passando de 35 para 72 milhões de toneladas em apenas 20 anos. Depois desse período, houve um aumento da produção até a marca de 132 milhões de toneladas e, em seguida, parece ter havido uma estagnação. Esse acréscimo foi devido aos avanços tecnológicos, ao aumento no número de barcos pesqueiros e ao desenvolvimento da aquicultura. É uma realidade da pesca moderna o fato de a pesca industrial ser dominada por embarcações que consistem em verdadeiras fábricas flutuantes. São navios gigantes, que usam equipamentos sofisticados para localizar cardumes com precisão e rapidez e que possuem instalações de processamento e embalagem do pescado, enormes sistemas de congelamento e poderosos motores para operar os equipamentos de pesca.

Evidências sugerindo o declínio das populações do pescado explorado surgiram quando as taxas de captura e, consequentemente, de lucro, começaram a cair. Se a exploração se der em taxas que ultrapassem a capacidade de os estoques se manterem ou recuperarem, o resultado será a chamada sobrepesca, seguida do consequente colapso da população e da produção.

As populações de predadores de topo, indicadores-chave da saúde dos ecossistemas, estão diminuindo em um ritmo acelerado. Cerca de 90% dos peixes de grande porte, como o atum, o peixe-espada, o bacalhau e os cações, foram dizimados desde que a pesca industrial de grande escala se iniciou, indicando que este tipo de exploração não tem sido sustentável. O desaparecimento dessas espécies de predadores de topo provoca alterações drásticas nos ecossistemas, com a substituição de muitos dos peixes de grande porte e alto valor comercial por espécies menores e menos atrativas para o comércio.

Existe ainda a falsa impressão de que somente a pesca industrial é predatória. Em certos cenários, a pesca artesanal pode ser igualmente impactante. A diferença é que na pesca artesanal, os pescadores tendem a se preocupar com a sustentabilidade do recurso por ser uma de suas únicas fontes de renda e/ou alimento. O ritmo de retirada deste tipo de pesca também acaba sendo menor devido aos métodos utilizados e à baixa mobilidade das embarcações (canoas e pequenos barcos motorizados), normalmente restrita à área mais costeira. Um problema relativamente recente encontrado nas comunidades pesqueiras artesanais tem sido a grande demanda pelo pescado, seja pelo crescimento populacional em regiões metropolitanas, seja em regiões turísticas em alta temporada e em períodos de férias. Essa demanda extra, muitas vezes, leva o pescador artesanal a realizar práticas não sustentáveis, como pescar além da capacidade de recuperação do estoque, pescar indivíduos jovens antes da idade de reprodução ou a utilizar técnicas proibidas por lei, como arrastos com rede de malha fina, explosivos, além de pescar em épocas proibidas.

Uma alternativa apontada como mais sustentável para a produção pesqueira é a aquicultura. Entretanto, é necessário ter cautela, pois embora a aquicultura apresente muitos benefícios por não diminuir as populações naturais de recursos pesqueiros, sendo uma grande promessa para o abastecimento de alimentos, ela também pode ser a causadora de outros problemas ambientais. Tanto os viveiros, quanto a criação em tanques-rede mantidos em águas rasas podem liberar no oceano matéria orgânica e produtos químicos, assim como nutrientes e antibióticos, poluindo o ambiente localmente. Em algumas situações, a aquicultura pode, ainda, reduzir a diversidade biológica. Esta é uma preocupação com o salmão cultivado no noroeste do Pacífico, onde linhagens genéticas não nativas são cultivadas e algumas são capazes de se misturar com as populações selvagens. Outro exemplo refere-se ao cultivo do camarão exótico (*Litopenaeus vannamei*) em áreas de manguezal no norte e nordeste brasileiro. Além disso, o uso de espécies não nativas na aquicultura pode acarretar a transmissão de patógenos exóticos para espécies residentes. Estes problemas ilustram a necessidade de pesquisas na área para o desenvolvimento de métodos mais seguros, que levem em consideração os efeitos ambientais desta prática.

Compare os impactos ambientais potencialmente gerados pelas atividades pesqueiras e pela aquicultura. Em quais casos a aquicultura seria preferível à atividade pesqueira? E o contrário?

13.4 USO DE RECURSOS NÃO VIVOS

Conforme introduzido no Capítulo 9, diversos recursos não vivos de mares e oceanos são explorados pelos seres humanos, seja de maneira direta (como a extração de petróleo e derivados do fundo do mar ou a extração do sal marinho) ou indireta, por meio da utilização destes ambientes para a disposição de resíduos, de forma intencional ou não. Dependendo de como esses recursos são explorados, impactos podem ser inevitáveis. Outros tipos de poluição, além dos abordados anteriormente neste capítulo, como a nuclear, a térmica e a sonora, também afetam a vida nos oceanos. Usinas nucleares podem, além de gerar resíduos radioativos, lançar a água utilizada para resfriamento dos reatores ao oceano em uma temperatura bastante superior à das águas circundantes, causando a morte de seres vivos pouco tolerantes a variações térmicas. A poluição sonora, causada por embarcações e pela pesquisa sísmica de poços de petróleo e gás, tem provocado impactos sobre populações de animais que utilizam ondas sonoras na comunicação e localização, como golfinhos e baleias. Além disso, a própria instalação de equipamentos necessários para a exploração de recursos não vivos, seja na costa, seja no meio do oceano, acarreta inevitavelmente impactos sobre o ambiente. Esses impactos, todavia, podem ser minimizados com a utilização de novas tecnologias, gerenciamento adequado e boas práticas de planejamento e licenciamento ambiental.

13.4.1 Derrames de petróleo e derivados

Quem nunca viu fotos ou vídeos de animais cobertos de preto após um derrame de petróleo? Normalmente, são fotos de aves, animais cujo apelo sentimental costuma ser maior e, por isso, são mais explorados pela mídia. A maioria das pessoas não imagina que não apenas estes animais são atingidos em derramamentos de petróleo. Outros tipos de animais, como mamíferos e tartarugas marinhas, também podem sofrer os efeitos de um acidente deste tipo. E até mesmo animais menores e seres vivos menos carismáticos, bem como diversos processos biológicos, são afetados severamente mesmo com pequenos derrames de petróleo, como os que ocorrem quando barcos lavam seus tanques e lançam este efluente diretamente no mar. Quando o óleo entra em contato com a água do mar, vários processos ocorrem, tanto de natureza física quanto química e biológica. A mancha de óleo move-se, expande-se e processos ambientais vão alterando suas características, conforme ilustrado na Figura 13.8 e no quadro a seguir, elaborado a partir de dados disponibilizados no site da Autoridade Marítima Australiana.

Alguns dos processos citados anteriormente são mais importantes logo após o derrame, enquanto outros têm sua importância aumentada no decorrer do tempo. A composição e o grau de intemperização do óleo são fatores importantes para determinar os impactos na vida marinha. Indivíduos atingidos nos primeiros momentos de um derrame são expostos a componentes mais tóxicos por contato direto e ingestão do que aqueles atingidos mais tardiamente pelo óleo mais intemperizado, já alterado no ambiente.

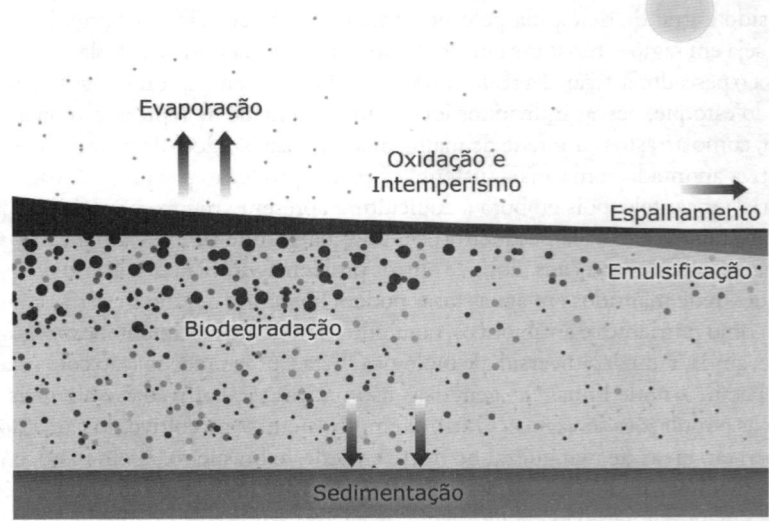

FIGURA 13.8 Desenho esquemático dos processos de dispersão e degradação atuantes em uma mancha de petróleo no ambiente marinho. *Fonte: Elaborado por Daniel Santiago.*

A maioria dos derrames de petróleo resulta na morte de uma grande quantidade de aves marinhas, pois as mesmas são muito sensíveis aos efeitos tanto do óleo cru quanto de seus subprodutos refinados. Aves marinhas apresentam um alto risco de contato com o óleo derramado devido à quantidade de tempo que elas gastam próximo à superfície da água ou em áreas costeiras, que também podem ser afetadas. Esses animais também podem entrar em contato com o óleo enquanto buscam por alimento, uma vez que muitos peixes são capazes de sobreviver sob o óleo flutuante. Aves marinhas cobertas por óleo sofrem hipotermia, desidratação, afogamento, além de se tornarem presas fáceis.

Mamíferos marinhos são vulneráveis a derramamentos de petróleo e derivados devido a sua dependência do ar atmosférico. Alguns mamíferos vivem e migram em pequenos grupos, enquanto outros pertencem a grandes aglomerações bem localizadas. Essas diferenças comportamentais fazem com que os impactos de derrames variem, podendo ser bastante sazonais e afetar desde poucos indivíduos até grupos inteiros. A pele áspera, a presença de pelos cobrindo o corpo e certos comportamentos de autolimpeza aumentam a probabilidade de contato ou ingestão de óleo e de seus efeitos tóxicos associados. A maior parte dos mamíferos não evita as manchas de óleo ou costas contaminadas. Baleias e focas já foram vistas nadando e se alimentando entre manchas de óleo. Os efeitos do óleo em mamíferos não são bem conhecidos, mas dados de derrames recentes fornecem algumas informações sobre os efeitos fisiológicos observados.

O QUE OCORRE NAS MANCHAS DE ÓLEO NO OCEANO (FIGURA 13.8)

Expansão. O óleo é menos denso que a água, flutuando na superfície da mesma na forma de uma mancha. A mancha se expande na superfície da água graças à gravidade. Esta expansão diminui no decorrer do tempo.

Dissolução. Ocorre quando os componentes hidrossolúveis do óleo dissolvem no grande volume de água em volta da mancha. Apenas uma pequena porcentagem do óleo sofre dissolução.

Sedimentação. A gravidade faz com que parte do óleo afunde na coluna de água e assente no sedimento marinho.

Movimentação. A mancha de óleo se move na mesma direção e em velocidade similar à da água a sua volta, devido às correntes, à maré e ao vento.

Biodegradação. Muitas espécies de microrganismos marinhos, tais como bactérias e fungos, assimilam componentes do petróleo. Os hidrocarbonetos consumidos por estes organismos podem ser parcialmente ou totalmente metabolizados a dióxido de carbono e água. A taxa de biodegradação depende da temperatura e da sua mistura com a água.

Evaporação. Parte do óleo se transfere para a atmosfera. Hidrocarbonetos mais leves volatilizam mais rapidamente que componentes mais pesados.

Intemperismo. É uma série de mudanças progressivas nas características do óleo, causadas por processos físicos, químicos e biológicos. A ação de intemperismo depende do tipo de óleo derramado. Quanto mais leve este óleo for, mais rapidamente sofrerá intemperismo.

Dispersão. O óleo derramado é disperso nas camadas superiores da coluna de água devido à hidrodinâmica.

Oxidação. Trata-se da reação química dos hidrocarbonetos presentes no óleo com o oxigênio.

Emulsificação. É a combinação de dois líquidos não miscíveis – um envolvido no outro. No caso de derrames de petróleo, a emulsão pode ser de dois tipos: de óleo na água ou de água no óleo. Ambos requerem ação da água e ocorrem apenas em composições de óleo específicas. Emulsões de água no óleo são extremamente estáveis e podem persistir por meses ou até anos após um derrame.

As tartarugas marinhas são animais que causam grande preocupação, uma vez que suas populações estão declinando em todo o mundo. Há pouca informação disponível sobre os efeitos de derrames de óleo nestes animais, mas alguns deles são conhecidos. Se uma tartaruga atravessar uma mancha de óleo para respirar, o óleo vai danificar seus olhos, vias aéreas e pulmões. Elas também são afetadas pela ingestão de alimentos contaminados ou pela absorção de componentes tóxicos pela pele. Tartarugas são ainda vulneráveis quando sobem às praias para nidificar, durante a estação reprodutiva. Locais de nidificação localizam-se tipicamente em praias arenosas, as quais, se atingidas por óleo, podem levar à contaminação de ovos e de filhotes recém-eclodidos.

Há várias espécies de peixe com fisiologia, alimentação e comportamentos variados. Estes animais utilizam os mais variados hábitats, como mar aberto, costas, recifes de coral, estuários e manguezais. Alguns vivem próximos à superfície da água, enquanto outros habitam regiões profundas. Dessa forma, é possível apenas fazer inferências gerais sobre os impactos causados pelo óleo em peixes. Os ovos, larvas e juvenis são comparativamente mais sensíveis ao óleo (particularmente ao óleo disperso), conforme verificado em testes de toxicidade em laboratório. Entretanto, não há evidências de estudos de caso que sugiram que a poluição por óleo tenha efeito significativo em populações de peixes de mar aberto. Isso é devido, em parte, ao comportamento dos peixes de evitar as manchas e porque as mortes de peixes jovens induzidas por óleo nesses locais são normalmente pouco significativas se comparadas às grandes perdas naturais e devidas à pesca.

Os riscos aumentam para algumas espécies e estágios do ciclo de vida de peixes (além de alguns crustáceos, como camarões, e moluscos, como lulas) em águas rasas e próximas à costa, como estuários, recifes de corais, manguezais e marismas. Estes locais são conhecidos como berçários. Derrames podem resultar na contaminação destes organismos e causar queda na venda de pescados, podendo até levar à suspensão da pesca em áreas atingidas, causando graves prejuízos para a economia local. Caso recente ocorreu após o grande acidente no Golfo do México com o poço de exploração de petróleo da *British Petroleum* (BP). Problemas de contaminação podem ocorrer também em locais onde se pratica a aquicultura, causando perdas financeiras.

PARA REFLETIR...

Você consideraria a exploração de petróleo em alto mar uma atividade ambientalmente viável, apesar dos riscos potenciais de vazamentos? Faça uma reflexão sobre que ações você poderia assumir pessoalmente para reduzir o consumo de combustíveis fósseis.

13.5 MUDANÇAS GLOBAIS

Como os oceanos circundam todas as grandes massas de terra, eles tornam-se sumidouros para materiais de todos os continentes, assim como da atmosfera. Dessa forma, alguns dos impactos das atividades humanas sobre os oceanos têm consequências em nível global.

Uma das possíveis causas para futuras mudanças climáticas é a alteração no padrão de circulação mundial de águas oceânicas. Esta circulação é caracterizada pelo deslocamento de águas quentes da Corrente do Golfo, no Oceano Atlântico. A temperatura destas águas é de aproximadamente 12°C a 13°C quando chegam perto da Groenlândia, e elas são resfriadas no Atlântico Norte a uma temperatura de 2°C a 4°C. A água esfria, torna-se mais salgada e mais densa, e vai para o fundo. A corrente fria mais profunda flui para o sul, então para o leste e, finalmente, para o norte no Oceano Atlântico. De lá, a corrente recomeça seu percurso, quente e superficial novamente.

As correntes oceânicas, estudadas em detalhes no Capítulo 9, sofrem oscilações relacionadas com mudanças na temperatura da água, pressão do ar, frequência e magnitude de tempestades e do clima em si. Elas, por sua vez, também podem influenciar o clima. Oscilações naturais do oceano ligadas à atmosfera podem produzir períodos mais quentes ou mais frios com alguns anos ou mais de uma década de duração. O exemplo mais famoso de como alterações físicas na água do mar podem alterar o clima é o fenômeno *El Niño*, no qual oscilações que ocorrem no Oceano Pacífico afetam o clima em larga escala. Alterações na temperatura da água devido ao aquecimento global causado pelo homem podem intensificar estes efeitos, provocando impactos ainda maiores.

A erosão da linha de costa é outro importante problema, com custos muito altos para sua mitigação. Além de impactos antrópicos, como construções (barragens em rios e obras costeiras) e remoção de sedimentos (como dragagens), os processos erosivos podem estar associados a consequências das alterações climáticas, como mudança na direção e intensidade de ondas e elevação do nível do mar. O nível do mar chegou a um valor mínimo na última era do gelo, tendo, desde então, subido lentamente. Desde o fim da última era glacial, o nível do mar subiu cerca de 23 cm por século. Alguns climatologistas preveem que o aquecimento global poderia aumentar cerca de duas vezes essa taxa. Vários modelos preveem que o nível do mar poderá subir de 20 cm até cerca de 2 m no próximo século. Quase metade da população do planeta vive em zonas costeiras e cerca de 50 milhões de pessoas por ano sofrem com inundações devido a temporais. Com o aumento do nível do mar e o aumento da população, mais e mais pessoas se tornariam vulneráveis a inundações costeiras. O aumento do nível do mar ameaça particularmente nações insulares podendo agravar a erosão costeira, tornando as construções mais vulneráveis. Isso poderia levar a gastos significativos para proteger as cidades na zona costeira com o uso de diques e outras estruturas para controlar a erosão e as inundações. A água subterrânea também poderia ser ameaçada por intrusão de água salgada no caso de elevação do nível do mar, comprometendo a qualidade dos aquíferos.

13.5.1 Poluição marinha

O fluxo de material dos ambientes terrestres em direção ao mar é parte de processos geológicos e hidrológicos naturais. No entanto, as atividades humanas têm concentrado e aumentado este fluxo como resultado da ocupação desordenada da zona costeira (item 13.2), atividades industriais e intensificação da agricultura. Os oceanos têm sido utilizados como local de destinação para muitos tipos de resíduos, incluindo resíduos industriais, resíduos de construção e demolição, águas residuárias urbanas e lixo. Poluentes da água incluem metais, sedimentos, resíduos sólidos, alguns isótopos radioativos, calor, nutrientes (por exemplo, o fósforo e o nitrogênio) e outros elementos, bem como certas bactérias patogênicas e vírus. Significativa parcela dessa poluição é originada de fontes terrestres, que incluem a agricultura intensiva com uso de pesticidas e fertilizantes, resíduos domésticos, incluindo esgoto derivado de sistemas ineficientes de coleta e tratamento de efluentes, águas residuárias, resíduos nucleares, entre outros. A Figura 13.9 ilustra as principais fontes de poluição dos mares e oceanos.

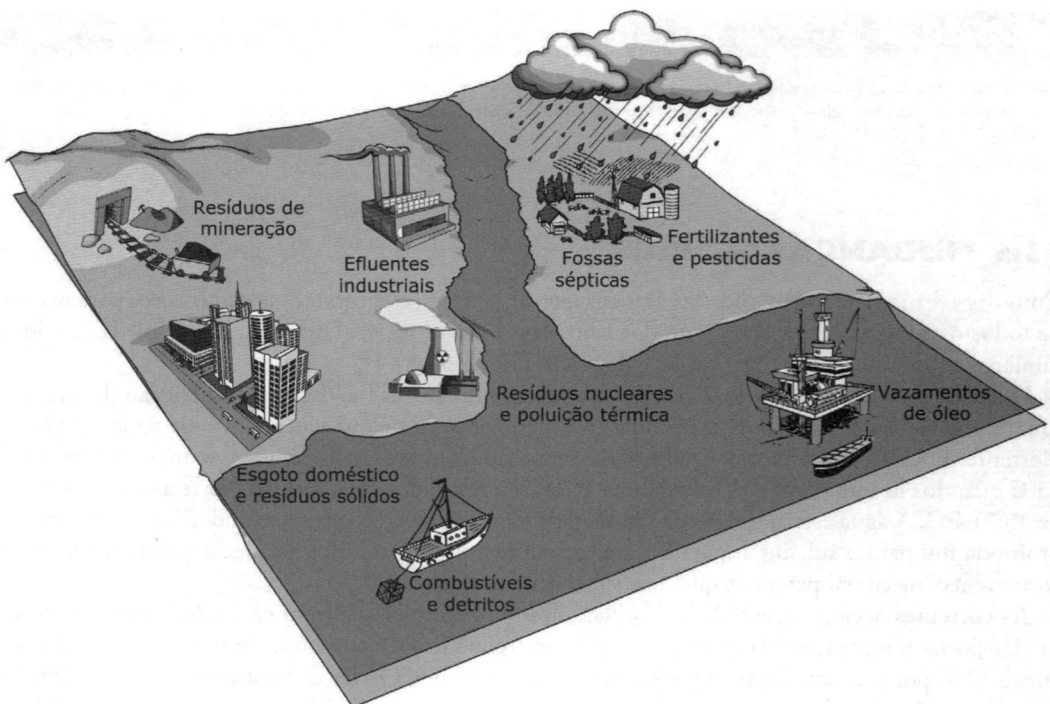

FIGURA 13.9 Desenho esquemático, representando as principais fontes de poluição para o ambiente costeiro e marinho. *Fonte: Elaborado por Daniel Santiago.*

A poluição dos oceanos tem danificado seriamente o ambiente marinho e causado riscos para a saúde humana, principalmente porque a maioria das áreas com descarga de poluição contínua ou intermitente está localizada perto da costa. Infelizmente, estas são também áreas detentoras de alta produtividade e de recursos pesqueiros valiosos. Na atualidade, muitos destes organismos, principalmente os filtradores, podem contrair patógenos potencialmente causadores de doenças graves. Assim, é relativamente comum, em várias regiões costeiras no mundo, o fechamento de certas áreas para a exploração pesqueira, aquicultura ou mesmo para usos recreativos.

A poluição de mares e oceanos também pode ter grandes impactos sobre as pessoas e a sociedade. Organismos marinhos contaminados, conforme citado anteriormente, podem ser vetores de elementos tóxicos ou doenças para as pessoas que os ingerem. Além disso, praias e estuários poluídos por resíduos sólidos, petróleo e derivados, não só prejudicam a vida marinha como também causam perdas no apelo visual e turístico destas áreas, com prejuízos econômicos consideráveis. Uma grande quantidade de recursos também é despendida na limpeza, tratamento e/ou remoção de resíduos sólidos, efluentes líquidos e outros poluentes em áreas costeiras, fato que poderia ser minimizado por ações mais eficientes de gestão e prevenção das emissões.

Diversos processos e materiais podem poluir águas superficiais ou subterrâneas. Alguns destes estão listados na Tabela 13.1. Todos os segmentos da sociedade urbana, rural e industrial podem contribuir para o agravamento do problema da poluição de mares e oceanos. Parte dessa poluição resulta de escoamento superficial, vazamentos ou infiltração de poluentes em águas superficiais ou subterrâneas. Poluentes também são transportados por via aérea e depositados em corpos de água.

TABELA 13.1 Principais tipos de poluição marinha

Tipo de poluentes	Fontes principais	Impactos e efeitos
Matéria orgânica	Esgoto *in natura*, resíduos agrícolas, resíduos urbanos	Aumento da DBO (Demanda Bioquímica de Oxigênio) e causa doenças
Patógenos	Fezes humanas e de animais	Deixam praias impróprias para o banho
Substâncias químicas orgânicas	Resíduos agrícolas de pesticidas e herbicidas e processos industriais; derivados do petróleo	Têm potencial para causar danos ecológicos significativos e danos à saúde humana
Nutrientes	Fósforo e nitrogênio provenientes de solos urbanos e agrícolas (fertilizantes)	Maior causa de eutrofização
Metais pesados	Agricultura, áreas urbanas, tintas anti-incrustantes e uso industrial de mercúrio, estanho, chumbo, cádmio, entre outros	Componentes de estanho de tintas anti-incrustantes utilizadas em barcos causam sérios problemas reprodutivos em uma série de organismos marinhos
Ácidos	Ácido sulfúrico proveniente de minas de carvão e alguns metais, processos industriais que despejam ácidos de forma inadequada	A drenagem ácida de minas é um grande problema de poluição em áreas produtoras de carvão
Sedimento	Escoamento superficial de locais de construção, escoamento agrícola e processos de erosão	Reduz a qualidade da água e promove alteração de habitats
Resíduos sólidos (lixo nos mares)	Lançamento intencional ou acidental de resíduos no ambiente e no mar, tanto de atividades em terra quanto no mar	Impacta a biodiversidade e atividades econômicas
Drogas e medicamentos	Analgésicos, contraceptivos, antidepressivos e antibióticos provenientes de esgoto urbano ou aquicultura (antibióticos)	Medicamentos descartados com o esgoto e resíduos eliminados na urina têm contaminado animais marinhos
Poluição térmica	Água quente proveniente de usinas termoelétricas/nucleares e de processos industriais	Causa alterações nos habitats do entorno
Radioatividade	Normalmente relacionada com o uso e armazenamento de resíduos radioativos	Contaminação proveniente de usinas nucleares, atividades militares e de exploração de alguns minérios

Esgoto, efluentes ou águas servidas são todos os resíduos líquidos provenientes de indústrias e domicílios que necessitam de tratamento adequado (Capítulos 18 e 19) para que possam ser devolvidos à natureza sem causar danos ambientais e à saúde humana. Caso estes efluentes não recebam tratamento ou recebam um tratamento inadequado antes de serem liberados no ambiente, podem ocorrer problemas de poluição. No caso do esgoto doméstico, os principais impactos de seu despejo inadequado sobre o ambiente marinho são a contaminação por patógenos ou por produtos químicos tóxicos e a eutrofização. A presença de patógenos é extremamente danosa à saúde humana, podendo contaminar pessoas por contato direto com a água poluída (Figura 13.10) ou, indiretamente, pela ingestão de peixes e frutos do mar contaminados. Praias impróprias para banho e locais inadequados para a pesca correspondem a impactos sociais para regiões costeiras, que muitas vezes dependem basicamente do turismo e da pesca em termos econômicos.

FIGURA 13.10 Menino brincando no esgoto em praia no litoral de Santa Catarina. *Foto: Marcus Polette.*

Dois nutrientes importantes que causam problemas relacionados com a poluição da água são o fósforo e nitrogênio, ambos liberados a partir de fontes terrestres. Águas provenientes de bacias protegidas, com vegetação nativa, frequentemente têm as menores concentrações de fósforo e nitrogênio porque a vegetação remove eficientemente estes nutrientes. Em corpos de água urbanos e agrícolas, as concentrações são maiores em função da presença de fertilizantes, detergentes e efluentes de estações de tratamento de esgoto.

Entre os diversos impactos ambientais causados pela ocupação humana na zona costeira, destaca-se a grande quantidade de resíduos sólidos gerados pela atividade humana. O lixo marinho, muitas vezes, corresponde a resíduos lançados no continente e levados para o oceano após fortes chuvas ou inundações. Esses resíduos também são lançados diretamente no mar, por atividades turísticas ou recreativas ou mesmo pelas atividades pesqueiras ou de transporte marítimo. Isso causa preocupações acerca da composição e quantidade destes resíduos, das consequências ecológicas para as praias e oceanos, além dos impactos econômicos e estéticos.

O plástico é um material utilizado em uma enorme variedade de produtos, que incluem desde recipientes de bebidas até equipamentos eletrônicos. Sua utilização como matéria-prima tem crescido em todo o mundo, sendo que os plásticos são dominantes entre os resíduos sólidos presentes nos mares e oceanos. Durante décadas, a quantidade de plásticos nos oceanos tem aumentado. Esses materiais podem ter origem tanto marinha, por meio de despejos diretos nos oceanos e mares, principalmente por embarcações e atividades portuárias, quanto terrestre, pelo descarte em locais impróprios e através de rios e sistemas de drenagem de águas pluviais. Alguns desses materiais são carregados por longas distâncias pelos corpos hídricos e, eventualmente, acabam chegando ao mar.

Uma vez no oceano, os plásticos que flutuam se movem com as correntes e tendem a se acumular onde as correntes convergem. Uma destas zonas localiza-se no Oceano Pacífico, onde existe um grande acúmulo formado por plásticos flutuantes, cuja área excede a de muitos países. Este "lixão" marinho situa-se ao norte do Equador, perto das ilhas do noroeste do Havaí, tão remotas que a maioria das pessoas as considera intocadas pelo ser humano. Na verdade, porém, há literalmente centenas de toneladas de plástico e outros tipos de detritos humanos nessas ilhas. Restos de plástico também estão espalhados por todo o planeta.

Detritos plásticos causam impactos visuais, mas também podem ser muito mais perigosos, pois concentram poluentes em sua superfície que, uma vez ingeridos por animais, podem ser disponibilizados na cadeia alimentar. Um perigo particular para a fauna são petrechos de pesca perdidos ou descartados propositalmente que continuam causando a morte de animais marinhos, chamada de pesca fantasma. Outro perigo são pedaços de plástico que podem ser engolidos por animais. Como muitos desses organismos não conseguem expelir o plástico ingerido, há risco de morte por inanição, uma vez que a presença do material no estômago lhes confere uma falsa sensação de saciedade.

O RISCO DOS MICROPLÁSTICOS

Os *pellets* plásticos (Figura 13.11) são grânulos de plástico que correspondem à forma principal com que as resinas plásticas são produzidas e comercializadas e estão entre os resíduos mais abundantes em praias no mundo. Os *pellets* podem ser de várias formas (esféricas, ovoides e cilíndricas),

FIGURA 13.11 Pellets plásticos (matéria-prima plástica) encontrados na areia de praia.
Foto: Aline Borges do Carmo.

tamanhos (de 1 a 5 mm) e cores (geralmente claras, brancas ou transparentes), dependendo de sua composição química e de seu propósito final. Eles são pequenos e geralmente imperceptíveis na areia da praia, mas podem causar sérios danos à fauna marinha. De fato, os *pellets* concentram compostos químicos bastante tóxicos, que podem causar disfunções fisiológicas ou alterações hormonais nos animais que os ingerem. Os *pellets* correspondem a microplásticos, que compreendem uma gama enorme de partículas menores que 5 mm, cujos impactos no ambiente marinho ainda estão sendo investigados.

Mas de onde vem esse material? Segundo dados da literatura, os *pellets* podem ser perdidos, nas atividades de produção, transporte e uso, para o ambiente marinho ou para os sistemas de drenagem urbana e para os rios, os quais acabam desaguando no mar. Dados de modelagem de dispersão dos *pellets* confirmam que a principal fonte é a região estuarina, mas que grânulos liberados ao longo da costa também podem chegar às praias.

Para resolver o problema dos *pellets* plásticos, além da realização de mais pesquisas e estudos nesta área, é necessário conduzir um processo transparente e participativo, envolvendo os diferentes atores relacionados com a questão (órgãos governamentais, setor produtivo, sociedade em geral e pesquisadores) para o estabelecimento de medidas concretas para a redução das perdas para o ambiente. Além disso, é imprescindível haver uma mudança significativa nas formas de produção e consumo de materiais, com a utilização de tecnologia mais limpa, além da reciclagem de produtos.

13.5.2 Poluição e recursos vivos

Devido à imensa área ocupada pelos mares e oceanos, os seres humanos, muitas vezes, acreditam que todos os poluentes lá despejados possam ser diluídos e dispersos, resultando em níveis seguros. Mas, na realidade, eles não desapareceram e algumas substâncias químicas tóxicas para o Homem acabam se tornando mais concentradas ao entrarem nas cadeias alimentares. Pequenos animais na base da cadeia alimentar, como o zooplâncton nos oceanos, absorvem as substâncias tóxicas ao se alimentarem. Como estas substâncias não são degradadas com facilidade, elas se acumulam nestes organismos, tornando-se muito mais concentradas em seus corpos do que na água ou no sedimento circundante. Esse processo é denominado **bioacumulação**. Estes organismos são ingeridos por pequenos animais e a concentração destas substâncias se eleva novamente. Quando estes animais servem de alimento para animais maiores, a concentração se eleva ainda mais. Este processo é chamado de **biomagnificação**. Animais que ocupam níveis tróficos mais elevados na cadeia alimentar, como as focas, podem ter níveis de contaminação por substâncias tóxicas milhões de vezes maiores do que a água em que vivem. Os ursos polares, que se alimentam de focas, podem ter níveis de contaminação até bilhões de vezes superiores ao de seu meio ambiente. As pessoas também podem ser contaminadas por essas substâncias, tanto pelo contato direto com a água, quanto pela ingestão de peixes e frutos do mar contaminados.

Episódios significativos de mortandades de peixes e de outros organismos também têm ocorrido, acarretando mudanças profundas nos ecossistemas marinhos. A poluição marinha tem uma variedade de efeitos específicos sobre a vida oceânica, incluindo os seguintes:

● morte ou diminuição nas taxas de crescimento, vitalidade e reprodução de organismos marinhos;
● redução de oxigênio dissolvido necessário para a vida marinha, devido ao aumento da DBO;
● eutrofização causada por resíduos ricos em nutrientes em estuários rasos, baías, e partes da plataforma continental, resultando em depleção de oxigênio;
● resíduos em geral que podem alterar, de forma sutil ou drástica, os ecossistemas marinhos.
O que significa o termo "poluição" e quais são os processos principais que contribuem para este tipo de impacto?

A DBO é comumente usada como indicadora da qualidade da água e avalia a quantidade de oxigênio consumida por microrganismos para estabilização da matéria orgânica durante os processos de decomposição. A DBO é rotineiramente medida próxima a pontos de descarga de efluentes, bem como em estações de tratamento de águas e esgotos. Eutrofização é o nome dado a uma cadeia de processos pela qual um corpo de água é atingido em função da elevação excessiva da concentração de nutrientes, como nitrogênio e fósforo (na forma de nitratos e fosfatos). A elevada concentração desses nutrientes causa aumento na produção primária via fotossíntese e no crescimento de produtores primários aquáticos (tamanho e quantidade de plantas ou organismos fitoplanctônicos). Esse crescimento leva ao aumento dos valores absolutos de mortalidade dos organismos, acabando por gerar uma grande quantidade de matéria orgânica morta. A decomposição dessa matéria orgânica aumenta a DBO e reduz, ainda mais, o conteúdo de oxigênio da água. A redução da concentração de oxigênio causa a morte de peixes e outros organismos e cria locais que passam a ser conhecidos por **zonas mortas**.

ZONAS MORTAS: OS OCEANOS JÁ POSSUEM 150 ZONAS MORTAS

O baixo nível de oxigênio na água, devido ao despejo de fertilizantes agrícolas e esgotos nos rios, trazidos para os mares e oceanos, acarreta sérios danos à natureza

De acordo com relatório divulgado pelo Programa das Nações Unidas para o Meio Ambiente (PNUMA), há cerca de 150 zonas mortas. O elevado nível de fósforo e nitrogênio – componentes de fertilizantes agrícolas e esgotos domésticos e industriais – mata peixes, crustáceos e outras espécies que vivem principalmente na região costeira. Cada zona morta pode chegar a 70 mil km^2 de área. Assim, a falta de espécies nos oceanos e mares acarreta também desemprego de pescadores e, em consequência, fome para muitas famílias. Cerca de 3,5 bilhões de pessoas dependem da pesca como a sua principal fonte de renda e alimento. Apenas 0,5% da zona marítima é protegida, contra 12% da zona terrestre. Este dado preocupa os órgãos de preservação ambiental. *Fonte:* Flux Experiences (2014).

13.5.3 Aumento da acidez dos mares e oceanos

As águas superficiais oceânicas possuem pH em torno de 8, caracterizando ambiente levemente alcalino. O termo acidificação dos oceanos não significa que estas águas venham a exibir necessariamente um pH menor que 7, mas que o seu pH vem diminuindo. Este processo vem ocorrendo devido ao aumento de concentração do gás carbônico (CO_2) na atmosfera terrestre. Isso é causado pelo aumento das emissões provenientes das ações humanas e faz com que os oceanos absorvam quantidades cada vez maiores de CO_2. A acidificação dos oceanos, de certa forma, ameniza o aquecimento global, porém altera o equilíbrio químico que permite a vida marinha.

A título de recordação do que foi visto no Capítulo 9, quando a superfície oceânica absorve o CO_2 da atmosfera, este reage com a água do mar (H_2O), dando origem ao ácido carbônico (H_2CO_3). O ácido carbônico é um ácido fraco e a maior parte dele se dissocia, liberando íons H^+, bicarbonato (HCO_3^-) e carbonato (CO_3^{2-}). Esta relação está representada esquematicamente na Figura 13.12. Assim, o aumento da absorção de gás carbônico pelo oceano aumenta a concentração de íons H^+, diminuindo o pH da água.

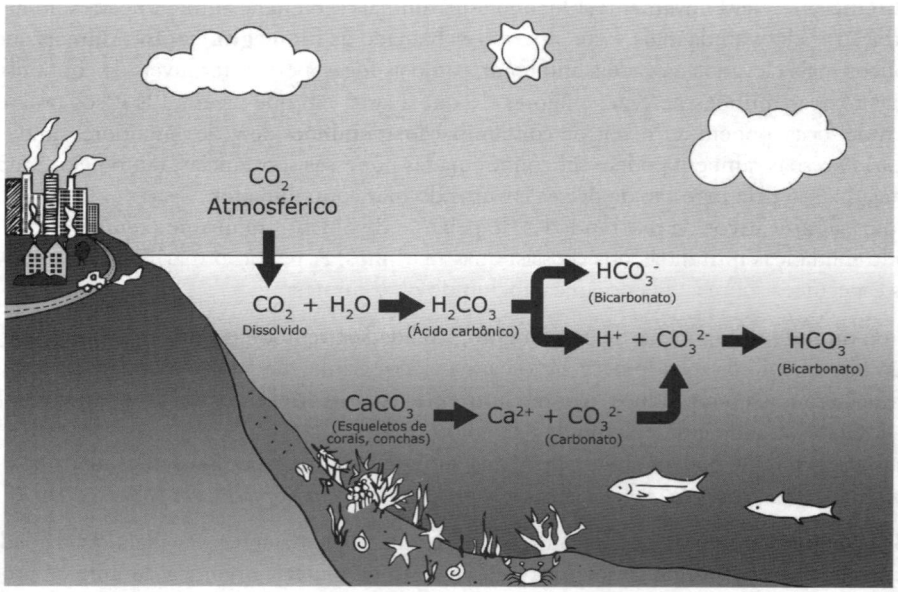

FIGURA 13.12 Desenho esquemático sobre acidificação nos oceanos. *Fonte: Elaborado por Aline Borges do Carmo e Daniel Santiago.*

Os íons CO_3^{2-} são muito importantes para organismos marinhos que possuem carbonato de cálcio ($CaCO_3$) como componente de seus esqueletos, como carapaças e conchas. Isso inclui os corais, equinodermos, moluscos, crustáceos, entre outros. Em níveis normais de pH, existe um equilíbrio entre a quantidade de íons bicarbonato e carbonato, com uma maior concentração de íons bicarbonato, mas com carbonato suficiente para a formação do carbonato de cálcio. No entanto, mesmo pequenas mudanças no pH da água do mar fazem o carbonato reagir com os íons H^+, reduzindo a sua disponibilidade para os organismos marinhos. Não apenas corais e animais maiores são afetados pela acidificação dos oceanos. Pequenos organismos, como foraminíferos e cocolitoforídeos, muito importantes na teia trófica marinha, também possuem carapaça composta por carbonato de cálcio. Além dos problemas relatados, existem efeitos secundários de uma diminuição do pH da água do mar na vida marinha, como redução das taxas de crescimento e de reprodução e alterações fisiológicas.

Impactos econômicos importantes podem decorrer deste cenário, uma vez que milhões de pessoas são dependentes economicamente de recifes de coral, por serem eles áreas de forte apelo turístico e por constituírem berçários naturais de várias espécies exploradas comercialmente pela pesca. A situação é ainda mais preocupante devido ao fato de a acidificação dos oceanos ser uma área muito nova para a pesquisa, sendo desconhecidos os seus efeitos em muitos organismos.

13.5.4 Danos à biodiversidade

Biodiversidade ou diversidade biológica tornou-se um termo famoso nas discussões internacionais. De fato, há uma grande quantidade de notícias sobre espécies ameaçadas de extinção ou sobre a perda da biodiversidade e suas causas. O interesse do ser humano pela variedade de vida que existe na Terra não é novo. As pessoas, há muito tempo, se perguntam como essa incrível diversidade de seres vivos surgiu na Terra. A resposta é que ela tem sido formada há milhões de anos por um processo de evolução biológica, o qual é afetado por interações interespecíficas e pelo ambiente (ver Capítulo 7). A ciência ajuda a determinar quais são as funções utilitárias e os vários serviços ecossistêmicos prestados pela diversidade biológica e, a cada dia, são descobertos novos benefícios, por exemplo, na pesquisa médica.

Atualmente, a ação humana é a principal ameaça à diversidade biológica marinha, conforme mostrado na Figura 13.13. Esta ameaça se dá, principalmente, devido aos seguintes fatores: mudança de habitats, sobre-exploração de espécies e introdução de espécies exóticas. No entanto, esses fatores são vistos mais como indícios de fatores indiretos, tais como padrões insustentáveis de consumo, mudança demográfica e globalização.

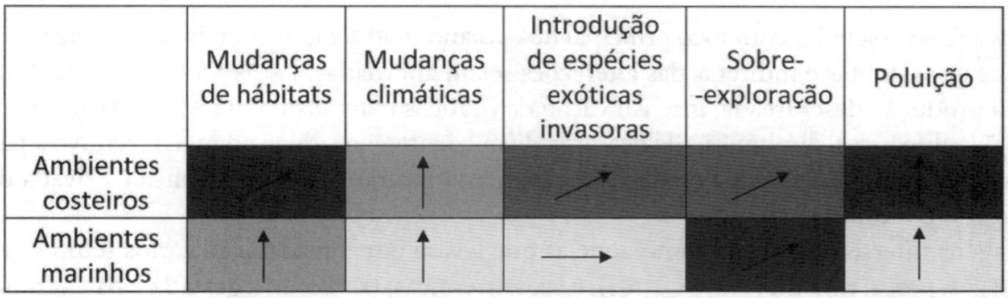

	Mudanças de hábitats	Mudanças climáticas	Introdução de espécies exóticas invasoras	Sobre--exploração	Poluição
Ambientes costeiros	↗	↑	↗	↗	↑
Ambientes marinhos	↑	↑	→	↗	↑

FIGURA 13.13 Principais causas diretas de perda de biodiversidade em ambientes costeiros e marinhos, no contexto global, conforme relatado no *Millennium Report*. A intensidade da cor da célula varia conforme a intensidade do impacto nos últimos 50-100 anos até a atualidade. As setas indicam as tendências neste período. Setas horizontais indicam que a intensidade do impacto tem se mantido contínua. Setas diagonais e verticais direcionadas para cima indicam tendências de aumento na intensidade do impacto.

Alguns fatores que levam à perda da biodiversidade são localizados espacialmente, tais como a sobre-exploração (por exemplo, a sobrepesca). Outros são globais, como as alterações climáticas, sendo que outros ainda podem agir nas duas escalas, como os impactos locais de espécies exóticas invasoras que são trazidas nas águas de lastro de embarcações por meio do comércio global.

Assim como em comunidades terrestres e de água doce, a perda de espécies envolvidas nas interações fundamentais também pode influenciar os processos ecossistêmicos marinhos e os serviços associados. Os recifes de coral e os serviços ecossistêmicos que eles fornecem são diretamente dependentes da manutenção de algumas interações-chave entre os animais e algas. Como uma das mais ricas comunidades na Terra, os recifes de coral são responsáveis pela manutenção de uma vasta de diversidade genética e biológica.

Serviços ecossistêmicos substanciais são fornecidos por recifes de coral, tais como hábitat, local de desova e de desenvolvimento de peixes, participação na fixação de carbono e nitrogênio em ambientes pobres em nutrientes, barreira contra grandes ondas, entre outros. O valor econômico total de recifes e de serviços associados é estimado em centenas de milhões de dólares. No entanto, todos os recifes de corais são dependentes de uma única interação biótica: simbiose com algas. Os efeitos das alterações climáticas e das grandes oscilações na temperatura da água do mar (como o fenômeno *El Niño*) nos recifes de coral podem causar a ruptura desta simbiose. Muitos recifes sofreram com o chamado branqueamento em episódios em que as temperaturas da superfície do mar local aumentaram, durante um mês, cerca de 0,5 °C a 1,0 °C acima da média dos meses mais quentes. Essa mudança traz consequências para todo o ecossistema marinho.

A mudança de hábitats é um fator complexo em mares e oceanos e pode ser causada pela aniquilação de poucas espécies. Por exemplo, práticas de sobrepesca contínuas sobre peixes predadores podem causar mudanças nas populações de várias espécies em ecossistemas costeiros. Há também causas múltiplas que, agindo em sinergia na alteração de hábitats, levam à perda de biodiversidade. Um exemplo de mudança em resposta a alterações de múltiplas causas é, novamente, o caso dos recifes de corais tropicais. O carreamento de nutrientes, o declínio de populações de herbívoros e a degradação dos recifes acabam causando, em conjunto, a proliferação de algas, que passam a dominar o ecossistema.

Para alcançar progressos na conservação da biodiversidade e, ao mesmo tempo, melhorar as condições de bem-estar humano e reduzir a pobreza, são necessárias respostas em que a conservação e uso sustentável da biodiversidade e de seus serviços sejam considerados como prioridades efetivas na tomada de decisão de natureza política. Destaca-se que as respostas adequadas devem respeitar condições sociais, institucionais e econômicas que permitam a implementação das respostas estabelecidas.

Metas de curto e médio prazos não são suficientemente estratégicas para a conservação e o uso sustentável da biodiversidade e dos ecossistemas. Dado o tempo de resposta característico dos sistemas políticos, socioeconômicos e ecológicos, metas e objetivos de longo prazo são ainda necessários para orientar políticas públicas e ações práticas. A ciência tem o papel de garantir que as decisões sejam feitas com as melhores informações disponíveis; no entanto, o futuro da biodiversidade e dos oceanos será determinado pelo comportamento e pela tomada de decisão consciente da sociedade em que vivemos.

13.6 CONSIDERAÇÕES FINAIS

Muitas das ações projetadas com foco principal nos oceanos não serão sustentáveis ou suficientes a menos que outras causas diretas e indiretas das alterações sejam abordadas. Essas ações incluem eliminação de subsídios à produção desenfreada, intensificação de práticas mais sustentáveis na agricultura, mitigação das alterações climáticas, diminuição da descarga de nutrientes e resíduos no mar, incentivo à participação das partes interessadas na tomada de decisão e aumento na transparência pública e privada de forma a potencializar o controle social.

Abordagens intersetoriais, tais como aquelas que levam em consideração vários setores econômicos (petróleo e gás, pesca, turismo, entre outros), e ecossistêmicas, tais como a gestão de bacias hidrográficas, a gestão integrada da zona costeira e o planejamento urbano participativo (por exemplo, planos diretores municipais), que no seu conjunto consideram as contrapartidas entre diferentes serviços dos ecossistemas, são mais propensas a assegurar o desenvolvimento sustentável do que muitas das atuais abordagens apenas setoriais. Logo, estas devem ser consideradas como fundamentais para a elaboração de ações que visam à conservação de mares e oceanos.

Além do conhecimento das complexas inter-relações dos componentes ambiental e humano, o desenvolvimento da capacidade técnica para lidar com este cenário apresenta-se como estratégico para reduzir os impactos sobre o ambiente costeiro e marinho. Nesse contexto, o uso da tecnologia e a busca por inovações criativas colocam-se como pontos cruciais no caminho da sustentabilidade dos oceanos.

PARA REFLETIR...

Tendo em vista tudo o que foi discutido neste capítulo, a quem deveria caber a tomada de decisão sobre o gerenciamento costeiro, em sua opinião? Aos cientistas, ao governo, à iniciativa privada, aos habitantes das áreas costeiras ou à sociedade em geral?

REVISÃO DOS CONCEITOS APRESENTADOS

- Os oceanos cobrem a maior parte da superfície do planeta e desempenham um papel fundamental na manutenção do ambiente global. Oceanos também são importantes na ciclagem de muitos elementos químicos importantes para a vida e representam recursos valiosos em termos de alimento e minerais.
- A ocupação humana desordenada nas zonas costeiras tem sido um problema sério relacionado com a erosão costeira, poluição, degradação e destruição de hábitats costeiros e marinhos.
- A destinação inadequada de muitos tipos de resíduos, incluindo resíduos industriais, resíduos de construção e urbanos, tem causado danos significativos à vida marinha e comprometido muitos serviços ecossistêmicos prestados pelos mares e oceanos.
- Efluentes não tratados ou tratados de forma inadequada são uma fonte significativa de poluição marinha. As áreas mais seriamente afetadas são próximas à costa, onde muitas vezes existem recursos pesqueiros economicamente importantes.
- Eutrofização é um processo de aumento na concentração de nutrientes, como fósforo e nitrogênio, necessários para os seres vivos. A elevada concentração destes nutrientes pode causar um aumento excessivo da população de bactérias e microalgas fotossintetizantes. Com a morte destes organismos, a concentração de oxigênio dissolvido na água é reduzida, levando à morte de peixes e outros seres vivos e à criação de zonas mortas.
- Resíduos sólidos, principalmente plásticos, têm causado danos aos organismos marinhos devido, principalmente, à ingestão acidental e emaranhamento, que leva muitos animais à morte. Problemas estéticos também podem ser causados pelo acúmulo destes resíduos, prejudicando regiões turísticas.
- Derramamentos de petróleo são extremamente danosos à vida marinha. Apesar de grandes acidentes chamarem mais atenção da mídia, os pequenos derrames, que ocorrem corriqueiramente, também são, em conjunto, prejudiciais aos seres vivos.
- O aumento da concentração de dióxido de carbono na atmosfera faz o oceano absorver mais este gás. A reação do dióxido de carbono com a água do mar produz ácido carbônico, tornando o meio mais ácido. Isso danifica conchas e carapaças calcáreis de muitos seres marinhos.
- Os seres humanos são atualmente a principal causa da perda de biodiversidade marinha. A pesca predatória é uma importante causa desta perda. Processos de conversão ou destruição de hábitats como manguezais e recifes de coral e a introdução de espécies exóticas também contribuem significativamente para este processo.
- A sobrepesca tem danificado severamente populações e ecossistemas marinhos. É importante gerir adequadamente a pesca, incluindo o uso de técnicas de aquicultura, tomando-se as devidas precauções com o uso de técnicas modernas e pouco impactantes.
- Existem, ainda, impactos derivados das mudanças climáticas. Esses impactos são globais e suas consequências podem afetar a vida e o bem-estar de todo o planeta. Para sanar esses problemas, as soluções são complexas e de longo prazo, envolvendo não apenas a ciência, mas aspectos políticos e socioeconômicos, demandando o envolvimento de toda a sociedade.

SUGESTÕES DE LEITURA COMPLEMENTAR

- BAPTISTA NETO, J.A., WALLNER-KERSANACH, M., PATCHNEELAM, S.M. (2008) *Poluição marinha*. Rio de Janeiro: Interciência, 279p.
- BOTKIN, D.B., KELLER, E.A. (2010) *Environmental science: Earth as a living planet*. Estados Unidos: John Wiley & Sons Inc., 658p.
- CLARK, J.R. (1977) *Coastal ecosystems management: a technical manual for the conservation of coastal zone resources*. Nova York: Wiley-Interscience, 928p.
- COSTANZA, R., ARGE, R., GROOT, R. et al. (1997) The value of the world's ecosystem services and natural capital. Nature, 387: 253-260.
- COSTANZA, R., GROOT, R., SUTTON, P. et al. (2014) Changes in the global value of ecosystem services. Global Environmental Change, 26: 152-158.
- FLUX EXPERIENCES. (2014) Zonas Mortas dos Oceanos. Disponível em: <http://www.fluxexperiences.com.br/zonas-mortas-dos-oceanos/>. Acesso: fevereiro 2018.
- GARRISON, T. (2010) *Fundamentos de oceanografia*. São Paulo: Cengage Learning, 426 p.
- HALPERN, B.S. et al. (2012) *An index to assess the health and benefits of the global ocean*. Nature, 488: 615-620.
- IOC-UNESCO. (2017) Global Ocean Science Report - *The current of ocean science around the world*. L. Valdés et al. (eds), IOC/UNESCO, Paris, 277p.

- PEREIRA, R.C., SOARES-GOMES, A. (2002) *Biologia marinha*. Rio de Janeiro: Interciência, 382p.
- POLETTE, M. (2007) *Modelo de Desenvolvimento para Balneários para a Praia Central de Balneário Camboriú*. Documento do Laboratório de Gestão Costeira Integrada. UNIVALI/CTTMar. 25p.
- SÁNCHEZ, L.E. (2013) *Avaliação de impacto ambiental: conceitos e métodos*. São Paulo: Oficina de Textos, 495p.
- UNITED NATIONS (Ed.). (2017) *The First Global Integrated Marine Assessment: World Ocean Assessment* I. Cambridge: Cambridge University Press. doi:10.1017/9781108186148
- XAVIER, L.Y., STORI, F.T. & TURRA, A. (2016) *Desvendando os Oceanos: Um olhar sobre a Baía do Araçá*. São Paulo: Instituto Oceanográfico da Universidade de São Paulo, 62p.

SITES INTERESSANTES PARA CONSULTA

- Autoridade Marítima Australiana <http://www.amsa.gov.au>.
- Agência Ambiental dos Estados Unidos <http://www.epa.gov>.
- Comissão Oceanográfica Intergovernamental <www.ioc-unesco.org>
- Instituto Brasileiro do Meio Ambiente – Ibama <http://www.ibama.gov.br>.
- Instituto Chico Mendes de Conservação da Biodiversidade <http://www.icmbio.gov.br>.
- Millennium Ecosystem Assessment <https://www.millenniumassessment.org/en/index.html>.
- Ministério do Meio Ambiente do Brasil <http://www.mma.gov.br>.

IMPACTOS AMBIENTAIS SOBRE O SOLO

14

Osni José Pejon / Valéria Guimarães Silvestre Rodrigues / Lázaro Valentin Zuquette

Os impactos ambientais nos solos vêm se intensificando nas últimas décadas em decorrência de uma série de fatores, tais como: crescimento populacional acelerado, ocupação de áreas inadequadas, aumento na geração e na periculosidade dos resíduos, concentração urbana, agricultura intensiva, uso de agroquímicos, entre outros. Os solos constituem um recurso não renovável, frágil e de fundamental importância para o equilíbrio dos processos superficiais que ocorrem na Terra. Os impactos ambientais decorrentes das atividades humanas conduzem à degradação dos solos e, consequentemente, à perda de sua capacidade de suporte às atividades e/ou processos naturais, cujos principais efeitos são: erosão acelerada, contaminação química, compactação excessiva, desertificação, impermeabilização, salinização, perda de biomassa, redução da biodiversidade, perda de matéria orgânica e nutrientes, entre outros. O estabelecimento de leis de controle e o disciplinamento das atividades antrópicas são fundamentais para a redução dos impactos. Nesse contexto, o estabelecimento de indicadores de impacto ambiental no solo tem permitido instituir parâmetros que possibilitam a classificação do grau de impacto e o acompanhamento de sua evolução. Novas leis ambientais têm incrementado o controle sobre as atividades antrópicas geradoras de impacto e a exigência de estudos geológicos e geotécnicos prévios tem sido fundamental para reduzir os impactos sobre o solo.

14.1 INTRODUÇÃO

O solo é um recurso natural fundamental para o equilíbrio do planeta Terra e para a sustentação da vida. Sua preservação é fundamental por constituir um recurso finito, frágil e não renovável, uma vez que está sujeito a inúmeros impactos e a processos de rápida degradação, ao passo que a sua reposição se faz de maneira lenta, em escala geológica de tempo. Assim, os efeitos dos impactos ambientais sobre os solos tornam-se difíceis e algumas vezes impossíveis de serem reparados, como é o caso da erosão, pois uma vez que o solo tenha sido retirado, não mais será reposto na velocidade necessária, dado que para se formar um metro de solo, são necessários milhares de anos, conforme visto no Capítulo 2.

Os solos são os grandes responsáveis pelo suporte da biodiversidade nas áreas continentais, além de terem importante papel no controle do ciclo hidrológico e do ciclo do carbono. Além disso, são a base da produção agrícola, servem de suporte para a maioria das obras e construções humanas, são fonte de recursos de materiais de construção e minerais, além de serem usados como repositório de inúmeros resíduos líquidos e sólidos produzidos pelo homem.

A área continental total é de aproximadamente 148 milhões de km², o que representa pouco menos de ⅓ da superfície total da Terra. Considerando que vastas áreas são cobertas por gelo ou apresentam solos congelados (*permafrost*), tem-se uma redução significativa das áreas com solos que podem ser aproveitados. Isto aumenta de maneira expressiva a importância em se reduzir a degradação dos solos pelos impactos decorrentes de seu uso inadequado.

As leis de proteção ambiental preocuparam-se, primeiramente, com a proteção da água e a poluição do ar, tardando um pouco em perceber a gravidade dos impactos sobre os solos. Isso resultou em um acúmulo de áreas degradadas com problemas de contaminação, erosão, superexploração e desertificação. Isso constitui, atualmente, um importante passivo ambiental, tanto no Brasil quanto em diversos países. No Brasil, praticamente não existem levantamentos sistemáticos sobre áreas contaminadas ou degradadas. Presume-se, no entanto, que existam vastas áreas de **solos impactados por diversos tipos de contaminação ou processos superficiais**. O levantamento de áreas contaminadas iniciado pela Companhia Ambiental do Estado de São Paulo (CETESB) em 2002 no estado de São Paulo dá uma ideia da dimensão do problema. Em 2002, foram identificadas 255 áreas contaminadas e, em 2016, este número atingiu 5.662 áreas (Figura 14.1), mostrando uma evolução bastante rápida.

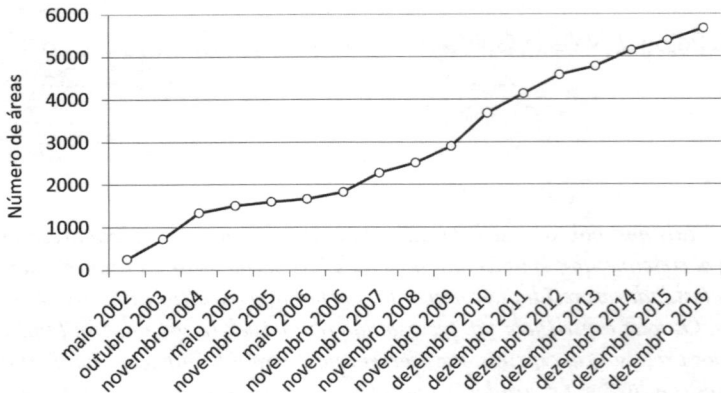

FIGURA 14.1 Evolução do número de áreas contaminadas no Estado de São Paulo entre 2002 e 2016. *Fonte: CETESB (2016).*

Segundo a CETESB, uma área é considerada contaminada quando, comprovadamente, apresenta poluição ou contaminação causada **pela introdução de quaisquer substâncias ou resíduos** que nela tenham sido depositados, acumulados, armazenados, enterrados ou infiltrados de forma planejada, acidental ou até mesmo natural. A Tabela 14.1 mostra a distribuição das áreas contaminadas, segundo o tipo de atividade, nas diversas regiões do estado de São Paulo (CETESB, 2016).

TABELA 14.1 Distribuição das áreas contaminadas no estado de São Paulo em dezembro de 2016

Região	Atividade					
	Comercial	Industrial	Resíduos	Postos de combustíveis	Acidentes/ Desconhecida/ Agricultura	Total
São Paulo	109	341	51	1.553	16	2.050
RMSP – outros	61	252	29	626	11	979
Interior	93	299	62	1.503	19	1.976
Litoral	32	46	25	264	2	370
Vale do Paraíba	5	64	5	211	2	287
Total	300	1.002	172	4.137	51	5.662

Fonte: CETESB (2016). São Paulo: Capital; RMSP – outros: demais municípios da região metropolitana; Litoral: municípios do Litoral Sul, Baixada Santista, do Litoral Norte e do Vale do Ribeira; Vale do Paraíba: municípios do Vale do Paraíba e da Mantiqueira; Interior: municípios não relacionados anteriormente.

O Instituto de Pesquisas Tecnológicas (IPT) do estado de São Paulo, em levantamento anterior realizado por incumbência do Departamento de Águas e Energia Elétrica (DAEE), cadastrou cerca de 7 mil áreas de erosão de grande porte (boçorocas e ravinas) só neste estado. Em um novo estudo (Almeida Filho et al. 2015), realizado com objetivo de fornecer subsídios ao DAEE em ações voltadas ao equacionamento dos problemas causados pelas erosões lineares, foram identificados 1.398 processos erosivos lineares em áreas urbanas, sendo 949 classificadas como erosões de grande porte (boçorocas) e 39.864 em áreas rurais, com 30.004 classificadas como boçorocas. Dos 645 municípios do estado 326 apresentaram erosões urbanas e 593 municípios erosões em áreas rurais, o que mostra a necessidade de se implantar técnicas mais conservacionistas de uso e ocupação do solo. Outro dado importante e que demonstra que o número de ocorrências de degradação do solo pode ser enorme é aquele apresentado pela Abrelpe (2010), que mostra que 30% dos municípios brasileiros ainda depositavam os resíduos sólidos urbanos em lixões (RSU) e 32%, em aterros controlados, normalmente sem impermeabilização de fundo adequada e sem estudo para localização dos depósitos. Dados mais recentes (Abrelpe, 2016) mostram que, apesar do índice de cobertura de coleta ter atingido 91% dos RSU produzidos no Brasil, 41,6 % do coletado ainda é destinado para lixões ou aterros controlados, o que representa uma disposição inadequada em 3.331 municípios.

Os vazamentos em tanques de postos de combustíveis, em áreas urbanas, também constituem um sério problema de contaminação e degradação dos solos e dos recursos hídricos, em especial das águas subterrâneas (Capítulo 12). Embora não haja dados confiáveis para todo o Brasil, os números apresentados pela CETESB, para o estado de São Paulo (Tabela 14.1), dão uma ideia da possível extensão do problema.

Em muitos casos, os solos, devido a sua composição mineral e características físicas, propiciam a percolação muito lenta da água e exercem uma função de proteção ambiental, principalmente para os recursos hídricos, retendo ou retardando a propagação de contaminantes. Como visto no Capítulo 2, a quantidade e os tipos de argilominerais presentes nos solos são os grandes responsáveis por estas propriedades, principalmente pela sua capacidade de troca de cátions (CTC) e sua baixa condutividade hidráulica.

A ocorrência de situações de risco associadas aos movimentos de massa, tais como escorregamentos de solos ou de rochas em áreas com declividades acentuadas, foi registrada nos últimos períodos chuvosos no Brasil, como em Santa Catarina em 2008, Rio de Janeiro em 2009 e 2010, Petrópolis e Teresópolis em 2011, entre outros. Os impactos da ocupação inadequada dessas áreas têm, muitas vezes, potencializado a ocorrência e agravado as consequências desses processos.

Portanto, os impactos ambientais em solos, pela sua gravidade e importância atual, necessitam de mais atenção, tanto para impedir o agravamento e/ou o aumento de áreas impactadas quanto para identificá-las, caracterizá-las e elaborar planos para sua recuperação (Capítulo 23).

14.2 IMPACTO AMBIENTAL

Neste capítulo, são abordados, especificamente, os impactos ambientais sobre os solos; portanto, não se faz uma discussão sobre o conceito de impacto ambiental em sua acepção mais ampla, pois se trata de assunto abordado em outros capítulos. Consideram-se aqui somente os impactos negativos que acabam por gerar a degradação dos solos. Neste contexto, **áreas degradadas** são entendidas, conforme definição da CETESB (2001), como áreas onde há a ocorrência de **alterações negativas das suas propriedades físicas**, tais como sua estrutura ou grau de compacidade, a perda de matéria devido à erosão e a **alteração de características químicas**, devido a processos como salinização, lixiviação, deposição ácida e introdução de poluentes. O Capítulo 23 é dedicado ao estudo das áreas degradadas e de técnicas para sua recuperação.

Portanto, os impactos ambientais em solos e a consequente geração de áreas degradadas podem ser causados predominantemente por processos físicos, como é o caso da erosão, ou por processos químicos, tendo a contaminação como exemplo, ou ainda por ambos. Esses impactos podem ser resultado de atividades industriais, agrícolas ou de ocupação urbana (Figura 14.2).

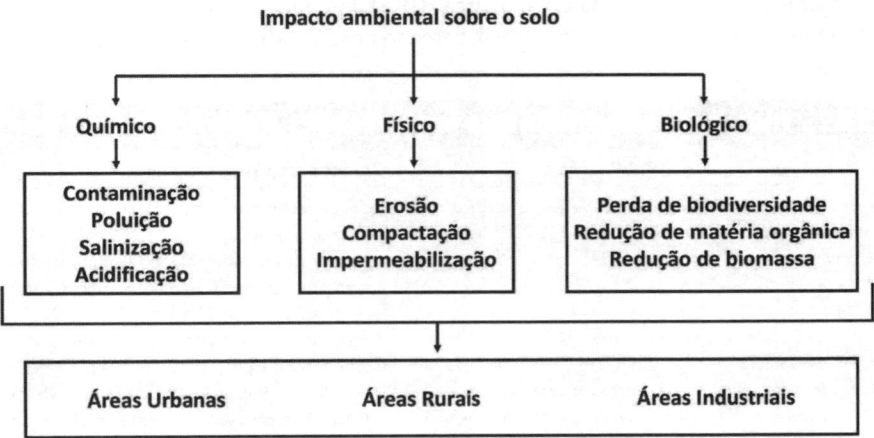

FIGURA 14.2 Atividades relacionadas com os impactos ambientais sobre os solos.

Embora existam processos naturais, principalmente geológicos, que podem causar impactos e degradação dos solos, neste capítulo são abordados somente aqueles decorrentes da ação humana, como é o entendimento da maioria dos autores no que se refere a impacto ambiental. Levantamentos e mapeamentos de uso e ocupação da terra são fundamentais para o conhecimento das situações que possam gerar impactos. Além disso, com a realização periódica de mapeamentos, tem-se a dimensão temporal das modificações de uso e ocupação dos solos e, eventualmente, de suas consequências em termos de impacto ambiental. Dentro deste contexto, o IBGE (2006) publicou um manual técnico de uso da terra, em que se apresentam, além de um embasamento teórico, as instruções para o levantamento da cobertura e do uso da terra, com informações sobre a escala, a natureza das informações, as unidades de mapeamento e a nomenclatura a serem utilizadas nos mapeamentos.

14.2.1 Indicadores e Índices

Avaliar impactos ambientais nos solos nem sempre é tarefa fácil, devido, principalmente, à falta de padrões de comparação e de definição clara das características da área antes de ocorrer o impacto. Quando se trata de impactos visíveis, como é o caso dos processos erosivos ou da disposição de resíduos de construção e demolição (Capítulo 22), os impactos se tornam mais evidentes, mas mesmo nestes casos há necessidade de avaliar o grau da degradação ou do impacto, o que nem sempre é fácil. No caso de contaminação, perda de estrutura interna do solo ou perda de suas funções básicas, a verificação é mais complicada. Muitas vezes, para saber o grau de impacto, há necessidade do conhecimento prévio da área, ou seja, das condições naturais antes de o impacto acontecer. O *background* natural ou geoquímico é uma medida relativa para distinguir concentrações naturais de um elemento (geogênicas) e a influência de atividades antrópicas nestas concentrações, no caso de contaminação. Como praticamente não existem mais áreas sobre a superfície terrestre que não tenham sofrido algum tipo de influência ou modificação pela ação antrópica, os impactos acabam sendo analisados em relação à última situação que se possa ter como referência antes de terem ocorrido.

Para isso, é fundamental o estabelecimento de **indicadores ambientais** que permitam avaliar o nível de modificação imposta por uma ação ou intervenção no ambiente (ver mais detalhes no Capítulo 33). O indicador deve permitir a realização de medidas que possam ser referidas por índices e deve permitir a mensuração de mudanças e fornecer informações por meio de parâmetros quantitativos ou qualitativos (OECD, 1993). Somente assim é possível avaliar corretamente os impactos: por meio de uma identificação e avaliação sistemática dos efeitos decorrentes da implantação de projetos ou planos de ocupação.

A Tabela 14.2, sintetizada por Silva (2003), apresenta uma série de características e estruturas desenvolvidas por diversos órgãos para o estabelecimento de indicadores. Os modelos baseados em força motriz – pressão – impacto – resposta (DPSIR, da sigla em inglês) têm sido usados com frequência na Europa e foram adotados em vários trabalhos desenvolvidos pelas Nações Unidas. No Brasil, vêm sendo aplicados em trabalhos para o estudo de erosão e assoreamento, além de estudos de escorregamentos de terra. Trabalho realizado por um grupo de pesquisadores brasileiros, espanhóis e argentinos utilizando este modelo demonstrou a relação direta entre o crescimento do Produto Interno Bruto (PIB) e o aumento de impactos ambientais por erosão, movimentos de massa e assoreamento (Bonachea et al., 2010).

O Instituto Brasileiro de Geografia e Estatística (IBGE) publicou, em 2010, a 7ª edição dos Indicadores do Desenvolvimento Sustentável do Brasil, baseado nos 57 indicadores propostos pela *Commission*

TABELA 14.2 Indicadores ambientais importantes na avaliação de impacto

Estrutura	Publicação	Características principais
Framework for the Development of Environment Statistics (*FDES*)	*United Nations Statistical Division* (UNSTAT, 1984)	Relaciona componentes ambientais (flora, fauna, atmosfera, água, solo e assentamentos humanos) a categorias de informação (ação, impacto e reação), em uma combinação das abordagens por meios e pressão-resposta. Adotado pela UNSTAT nos trabalhos em estatística ambiental
Framework for Indicators of Sustainable Development (*FISD*)	UNSTAT *Towards a Framework for Indicators of Sustainable Development* (Bartelmus, 1994)	Combinava a FDES com a estruturada Agenda 21 (e não por meios). Adotado pela UNSTAT nos trabalhos em estatística ambiental
Modelo *Pressure-State-Response* (*PSR*)	OECD (1991)	Adaptação feita no âmbito da OECD (1991, 1993) do modelo *stress-response* para analisar as interações entre pressões ambientais, o estado do ambiente e respostas ambientais. Adotado nos trabalhos de indicadores ambientais da OECD, entre outros

TABELA 14.2	Indicadores ambientais importantes na avaliação de impacto *(Cont.)*	
Estrutura	**Publicação**	**Características principais**
Modelo *Driving Force-State-Response* (*DSR*)	OECD (1996)	O conceito de pressões (que pressupõe impactos sempre negativos) foi substituído pelo de *driving force*, que pode descrever tanto impactos positivos, quanto negativos, como é normalmente o caso dos indicadores sociais, econômicos e institucionais. Matriz que incorpora horizontalmente os três tipos de indicadores (*driving force, state, response*) e, verticalmente, as diferentes dimensões do desenvolvimento sustentável (aspectos econômicos, sociais, institucionais e ambientais). Adotado no trabalho inicial sobre indicadores da UN CSD
Modelo *Driving Force-Pressure-State-Impact Response* (*DPSIR*)	EEA (1999) EUROSTAT (1999, 2001, 2002)	O componente pressões foi reinserido e um novo grupo (impactos), utilizado para detalhar melhor os efeitos sobre o ambiente e facilitar a organização das respostas da sociedade. Utilizado nos trabalhos sobre indicadores ambientais da *European Environmental Agency* (*EIA*) e *Statistical Office of the European Communities* (*Eurostat*)

Fonte: Silva (2003).

on Sustainable Development (CSD, 2001), órgão das Nações Unidas. No capítulo referente aos indicadores da dimensão ambiental, relacionam-se indicadores relativos à atmosfera, à terra, à água doce, aos oceanos, à biodiversidade e ao saneamento. Em relação ao uso da terra ou do solo, apresentam-se indicadores sobre o uso de fertilizantes, agrotóxicos, terras em uso agropastoril, queimadas e incêndios florestais, desflorestamento na Amazônia Legal, áreas remanescentes e desflorestamento do Cerrado e da Mata Atlântica. Os **geoindicadores**, entendidos como medidas (magnitudes, frequências, ritmos e tendências) de processos e fenômenos geológicos que ocorrem na superfície terrestre e sujeitos a mudanças ambientais significantes em períodos menores que 100 anos, também são fundamentais para avaliar os impactos ambientais nos solos decorrentes das atividades antrópicas (Berger, 1996).

14.2.2 Impactos Relacionados com a Ocupação Urbana

A **ocupação urbana**, pela sua característica intrínseca, é altamente modificadora do ambiente natural e afeta sobremaneira as propriedades dos solos. Portanto, sempre ocasiona impactos ambientais relevantes em todos os componentes, com especial modificação dos solos e dos processos superficiais. Inicia-se pelo **desmatamento** e posterior **impermeabilização da superfície do solo** em extensas áreas, modificando o balanço hídrico regional (Capítulo 3) e provocando, com frequência, problemas de **erosão, assoreamento** e **inundações**. A instalação dos equipamentos urbanos promove, muitas vezes, movimentações extensas de terra, escavações e aterros. Dependendo das características geológicas e de relevo das áreas, estas alterações podem provocar situações de risco de movimentos de massa, como escorregamentos ou corridas de detritos, que podem ser muito destrutivos e colocar pessoas, construções e o próprio ambiente em risco.

No entanto, se a instalação dos núcleos urbanos for feita respeitando as **características geológicas e geotécnicas,** os impactos são muito menores e os riscos, minimizados. Isto pode permitir que uma área urbana possa estar harmoniosamente integrada com o entorno e funcione como um sistema que, apesar de estar modificado em relação à condição original, apresente propriedades que permitem cumprir sua função. Assim sendo, o solo em área urbana, se estiver cumprindo adequadamente sua função de suporte às atividades ali instaladas, sem apresentar alterações do tipo contaminação, impermeabilização excessiva ou superexploração dos recursos (por exemplo, água subterrânea), pode ser considerado como não degradado. Na maioria das cidades, infelizmente, esta não é a situação encontrada, pois ocorre disposição de resíduos em locais inadequados, o manejo de águas pluviais sem planejamento, a contaminação em postos de combustíveis e em instalações industriais, além da ocupação de áreas instáveis sujeitas a riscos geológicos.

A lei de parcelamento do solo urbano (Lei nº 6.766/1979) estabeleceu uma série de diretrizes para a ocupação urbana. No entanto, por falta de regulamentação do plano diretor das cidades, muitas medidas não foram adequadamente seguidas na implantação das cidades. Apesar da Constituição de 1988 já mencionar o plano diretor, somente a Lei n° 9.785 de 29 de janeiro de 1999 é que introduziu, em seu Artigo 3°, a necessidade de respeitar o **plano diretor no parcelamento do solo urbano**. No entanto, somente com a edição da Lei Federal do Estatuto das Cidades (Lei n° 10.257/2001) é que, finalmente, foram regulamentados os artigos da constituição e se estabeleceu a obrigatoriedade de todo município, com mais de 20 mil habitantes, realizar seu plano diretor dentro de um prazo de cinco anos. Apesar do avanço relativo, essa lei não estabeleceu, claramente, quais os estudos que devem ser promovidos e quais as informações sobre o meio físico que são fundamentais para o estabelecimento do plano diretor. Em seu capítulo primeiro, a Lei n° 10.257/2001 lista uma série de diretrizes gerais, sendo algumas relacionadas com a área ambiental, tais como:

- garantia do direito a cidades sustentáveis, entendido como o direito à terra urbana, à moradia, ao saneamento ambiental, à infraestrutura urbana, ao transporte e aos serviços públicos, ao trabalho e ao lazer, para as presentes e futuras gerações;
- proteção, preservação e recuperação do meio ambiente natural e construído, do patrimônio cultural, histórico, artístico, paisagístico e arqueológico;
- audiência do poder público municipal e da população interessada nos processos de implantação de empreendimentos ou atividades com efeitos potencialmente negativos sobre o meio ambiente natural ou construído, o conforto ou a segurança da população.

No Capítulo II, a lei apresenta instrumentos da política urbana e, em especial na seção I, Artigo 4° – III, aborda o planejamento municipal e a necessidade do plano diretor, do disciplinamento do parcelamento, do uso e da ocupação do solo e do zoneamento ambiental. No item V, trata da instituição de unidades de conservação e, no item VI, da necessidade de estudo prévio de impacto ambiental (EIA), nos termos da legislação que lhe é pertinente.

Com a exigência da lei, o que se observou em muitos municípios foi o seu cumprimento burocrático, com planos sendo executados segundo modelos gerais, que frequentemente não se adequavam às características reais do meio físico da área. Muitos planos foram executados sem estudos mais detalhados das características geológicas, geomorfológicas, hidrogeológicas e geotécnicas, o que ocasionou, em diversos municípios, um parcelamento inadequado do solo e a consequente manutenção e agravamento dos impactos ambientais ou a ocorrência de novos impactos.

A melhor solução para esses casos é a realização de **mapeamentos geotécnicos** detalhados, conforme preconizado por Zuquette & Gandolfi (2004), em escalas adequadas ao planejamento urbano. Para Zuquette (1987), o mapeamento geotécnico é um processo que tem por finalidade básica levantar, avaliar e analisar os atributos que compõem o meio físico, tais como geológicos, hidrogeológicos e hidrológicos. As informações devem ser manipuladas, por meio de processos de seleção, generalização, adição e transformação para que possam ser relacionadas em mapas, cartas e anexos descritivos e utilizadas para fins de engenharia, planejamento, agronomia e saneamento.

O produto dos processos de mapeamento são mapas geotécnicos que, segundo IAEG (1976), podem ser entendidos como um tipo de mapa geológico que classifica e representa os componentes do ambiente geológico, os quais são de grande significado para todas as atividades de engenharia, planejamento, construção, exploração e preservação do ambiente. Portanto, podem ser elaborados mapas básicos, como geológico, geomorfológico, de solos e de águas, bem como cartas e mapas específicos de risco, de planejamento e suscetibilidade à erosão, de escorregamentos e de inundação.

14.2.3 Impactos da Ocupação Rural

A **ocupação da área rural** dos municípios para a produção de alimentos ou o estabelecimento de atividades econômicas também promove modificações no ambiente natural. No entanto, se bem planejada, pode conduzir ao estabelecimento de um novo equilíbrio, respeitando as características e propriedades dos solos sem causar impactos ambientais negativos que ocasionem a significativa degradação do solo. Porém, o emprego de **práticas agropecuárias inadequadas** e o **avanço das atividades sobre as áreas de proteção** (por exemplo, com desmatamento excessivo) podem conduzir à degradação do ambiente. Os solos são a base sobre a qual se sustenta praticamente toda a atividade agropecuária. Portanto, sua preservação é essencial para a sustentabilidade e a produção dos bens necessários à própria sobrevivência do homem. Práticas inadequadas que não consideram os atributos fundamentais dos solos podem levar à erosão, perda de nutrientes, contaminação por agrotóxicos e até desertificação.

O Mar do Aral, no Uzbequistão, é um exemplo desastroso da degradação por práticas agrícolas inadequadas, onde projetos de irrigação mal planejados, conduzidos pela antiga União Soviética na década de

1960, levaram à degradação ambiental de grandes proporções, com o quase desaparecimento de um dos maiores lagos do mundo, à salinização excessiva das águas e do solo e à decadência econômica da região.

O Brasil, por estar situado em área tropical, apresenta perfis de solos bem evoluídos, com argilominerais mais estáveis, mas que, do ponto de vista agrícola, apresentam menor disponibilidade de nutrientes e matéria orgânica. Esses solos, conhecidos como latossolos, exigem adubações constantes e correções de pH para manter a produtividade, atividades que, se não forem bem manejadas, podem causar a **contaminação das águas superficiais e subterrâneas**. O uso indiscriminado de agroquímicos, como herbicidas e pesticidas, também é motivo de preocupação devido a sua persistência no ambiente. Os seus efeitos, interações e processos de retenção nos solos ainda precisam ser mais estudados, principalmente em solos mais porosos e com condutividades hidráulicas maiores.

A contaminação em áreas agrícolas pode ser considerada, em sua maioria, de fonte difusa, pois os contaminantes são adicionados em concentrações baixas e em áreas extensas (Capítulo 11). Portanto, sua identificação e caracterização muitas vezes se tornam bastante difíceis. No Brasil, poucos estudos foram realizados. Destaca-se a pesquisa de Dores (2004) em áreas de intensa atividade agrícola no Mato Grosso. Nesse caso, não foram observadas, na água, concentrações de pesticidas e seus derivados acima dos patamares estabelecidos pela legislação.

Outra consequência decorrente do uso de insumos e defensivos agrícolas é o aumento da concentração de metais tóxicos. A mobilidade desses metais nos solos depende de sua forma química, sendo de suma importância a sua identificação para se estabelecer sua biodisponibilidade ou sua transferência para o lençol freático. Trabalho realizado por Soares (2004) determinou o coeficiente de distribuição (Kd) para cerca de 30 solos diferentes no estado de São Paulo. Esse coeficiente fornece importante informação sobre a capacidade de retenção no solo de diversos metais comumente presentes em agroquímicos.

A adição da vinhaça ou vinhoto, produto resultante da produção do álcool e açúcar, tem sido usada largamente na lavoura da cana-de-açúcar com a finalidade de aumentar a fertilização dos solos. A vinhaça, produto ácido e corrosivo com elevada Demanda Bioquímica de Oxigênio (DBO), pode ser muito danosa aos organismos aquáticos. No entanto, em função de seu elevado teor de nitrogênio e fósforo, tem sido adicionada ao solo por meio de irrigação ou canais de infiltração como fertilizante. Embora muitos estudos tenham demonstrado a viabilidade da utilização deste produto nos solos, a CETESB, por meio da norma técnica P4231, de janeiro de 2005, estabeleceu uma série de regras para a aplicação da vinhaça na agricultura e proibiu a utilização de lagoas de infiltração e de canais permanentes de distribuição sem a devida impermeabilização. Apesar de esta norma ser positiva por estabelecer uma série de condições e restrições quanto à utilização da vinhaça, a caracterização do solo exigida poderia ser melhorada para englobar informações importantes como a composição mineralógica, principalmente da fração argila, além das características *in situ* do solo, como densidade, porosidade, índice de vazios, condutividade hidráulica e compacidade. Isso poderia orientar diferentes protocolos para aplicação da vinhaça de acordo com as propriedades específicas dos solos.

Outro problema recorrente nessas áreas agrícolas é a **erosão dos solos**, associada ao clima tropical com chuvas bastante intensas e concentradas em alguns meses do ano. Desta forma, ocorrem erosões de diversos tipos, desde laminar até erosões lineares concentradas (boçorocas) de grandes proporções, com consequências danosas para a produção agrícola e os cursos de água, que acabam assoreados. O uso de práticas agrícolas adequadas, como rotação de culturas, implantação de curvas de nível e terraceamentos, aração em direção correta e utilização do plantio direto, podem auxiliar a minimizar as perdas de solo por erosão.

O gráfico da Figura 14.3, obtido por Medeiros et al. (2011) em parcelas experimentais instaladas sobre um latossolo na região de Campinas (SP), mostra perdas de sedimentos (em toneladas por hectare) 16 vezes maiores em parcelas com preparo da terra feito com arado em relação ao plantio direto, e da ordem de 100 vezes maiores quando a aração é feita morro abaixo, no sentido da declividade.

O **desmatamento** das margens de córregos e rios potencializa o transporte dos sedimentos erodidos até os rios. Para avaliação dos impactos, é essencial que haja maior conhecimento das propriedades e atributos dos solos e dos processos superficiais envolvidos, como escoamento superficial, infiltração, propriedades físicas dos solos (granulometria, porosidade, condutividade hidráulica, espessura, erodibilidade, CTC, entre outras). Novamente, mapeamentos geológicos-geotécnicos executados com a finalidade de planejamento regional podem suprir informações fundamentais para o uso agrícola adequado do solo.

Dentro deste contexto, o Zoneamento Ecológico Econômico que vem sendo implementado pelo Ministério do Meio Ambiente, como instrumento do planejamento territorial, pode ser muito útil para a adequada integração entre desenvolvimento e a preservação. Este programa, pensado inicialmente

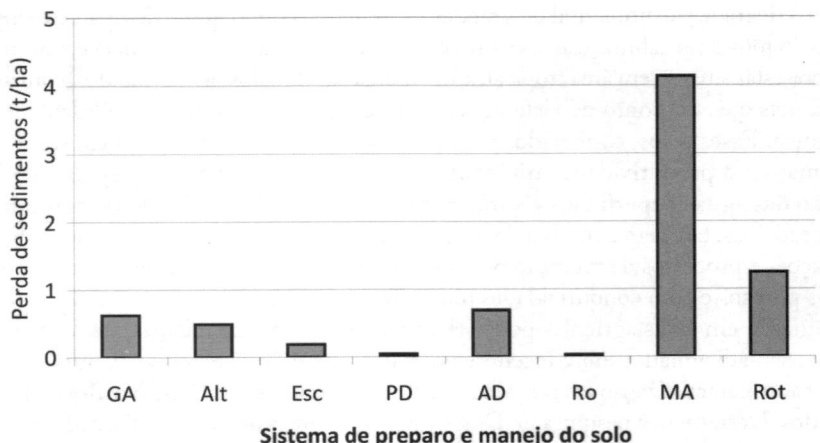

Figura 14.3 Perda de sedimentos em parcelas experimentais em latossolo vermelho. GA – Grade aradora; Alt – sistema alternado; Esc – escarificador; PD – plantio direto; AD – convencional com arado de disco; Ro – roçado; MA – morro abaixo; Rot – rotavação. *Fonte: Medeiros et al., 2011.*

para a Amazônia Legal, está se expandindo para todo o país, ainda em escalas de mapeamento muito pequenas. Caso seja aprimorado e elaborado em escalas mais detalhadas, pode dar suporte adequado para o planejamento, principalmente se incorporar as técnicas do mapeamento geotécnico.

14.2.4 Impactos Relacionados com a Atividade de Mineração

Outro fator que contribui para a geração de impacto ambiental no solo é a atividade de **mineração**, que pode ocorrer tanto em áreas urbanas quanto rurais. A mineração é a extração de bens minerais da natureza. Apesar de ser uma atividade geradora de impactos ambientais, a mineração atua como base de sustentação para a maioria dos segmentos industriais, desempenhando papel fundamental na economia brasileira, não só como geradora de empregos, mas também como fator para o desenvolvimento de diversas cidades. A atividade de mineração, quando exercida sem controle e de maneira inadequada, pode gerar degradação no solo e causar desequilíbrio nos processos físicos e/ou químicos. Para minimizar a degradação proveniente desta atividade, a mineração deve ser planejada antes da implantação do empreendimento e a área deve ser recuperada. Segundo Sánchez (2001), a recuperação destas áreas deve ser executada simultaneamente à mineração, agregando a recuperação ao cotidiano e não ao final do empreendimento.

De acordo com o porte do empreendimento, a mineração pode ser enquadrada nas seguintes classes: (i) minerações de grande porte (empresariais ou industriais); ii) minerações de médio ou pequeno porte (portos de areia, pedreiras, lavras de argila e outros); e iii) atividade informal, manual ou mecanizada, e, frequentemente, clandestina (garimpos).

Desta forma, independentemente do tamanho e do tipo de mineração, esta atividade altera as características do meio ambiente, principalmente no que diz respeito à **remoção da vegetação**, **alteração da superfície topográfica e da paisagem**, **rebaixamento do lençol freático**, **geração de resíduos**, entre outros, conforme a Figura 14.4.

A área onde se explora o bem mineral (mina) pode ser a céu aberto, subterrânea ou mista. Quanto ao tamanho dessas áreas, as minas podem ser classificadas em locais e regionais. O tamanho da operação e o método de extração associado ao tipo de mineral que será lavrado são os principais fatores que influenciam na extensão dos impactos causados pela atividade de mineração.

As alterações no solo originadas pela mineração a céu aberto estão relacionadas com:

- **i) Cava**. Retirada da vegetação, alteração da superfície topográfica, perda dos solos superficiais férteis e alteração do nível freático.
- **ii) Resíduos** (pilhas de estéril ou inerte, barragens de rejeitos do concentrado e escórias resultantes do processo de fundição do minério). Alteração da paisagem pela disposição destes resíduos e contaminação do solo e das águas (depende da constituição do resíduo e da existência ou não de impermeabilização na base onde este material é depositado).
- **iii) Área de Beneficiamento**. Contaminação como resultado da utilização de produtos químicos e queima de combustível no beneficiamento e tratamento do minério.

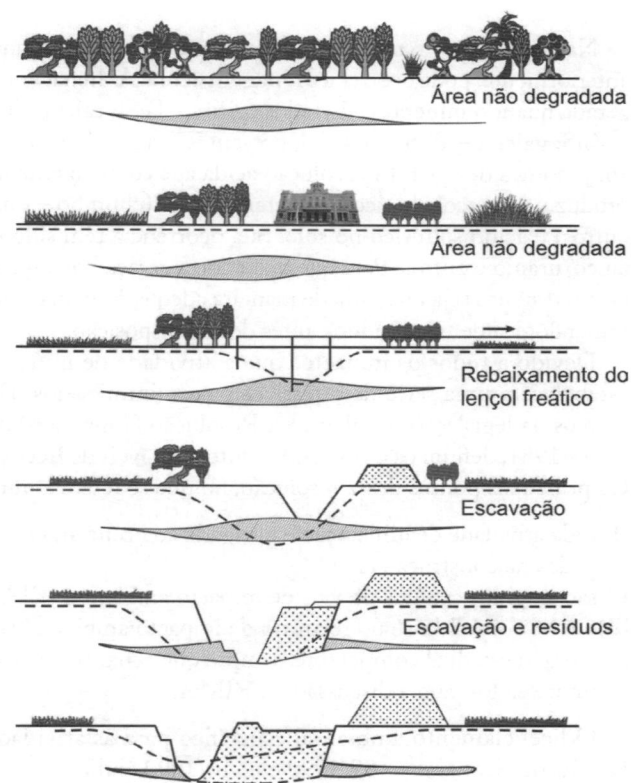

FIGURA 14.4 Alterações geradas pela atividade de mineração. *Fonte: Modificado de Darmer & Dietrich (1991).*

IMPACTOS AMBIENTAIS ADVINDOS DA MINERAÇÃO

A Figura 14.5 exibe um empreendimento de mineração, em que é possível observar claramente as modificações causadas no meio ambiente. Tais modificações incluem: i) retirada da vegetação, do solo e do material rochoso (**cava da mina**); ii) deposição de materiais (**estéril e barragem de rejeito**); e iii) rebaixamento do lençol freático. Já a Figura 14.6 exibe uma mina a céu aberto e as modificações decorrentes da escavação do solo e da rocha.

Mina: área onde se explora o bem mineral; **Lavra:** operação de extrair, da mina, o minério e o estéril; **Minério:** toda substância ou agregado mineral, rocha ou solo, que pode ser aproveitado economicamente; **Estéril:** rocha ou solo sem valor econômico, que é extraído na operação de lavra para o aproveitamento do minério; **Rejeito:** Material resultante do processo de concentração mineral; **Usina de Concentração:** instalação industrial.

FIGURA 14.6 Mina a céu aberto. Mina de urânio – Poços de Caldas (MG).*Fonte: Foto dos autores.*

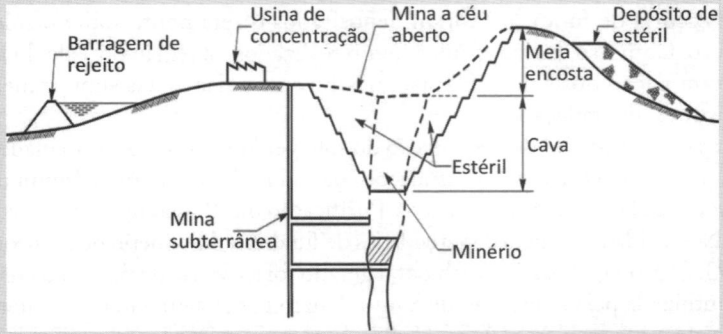

FIGURA 14.5 Esquema de um empreendimento de mineração. *Fonte: Abrão & Oliveira (1998).*

Nas minas onde o metal de interesse se encontra associado aos sulfetos, além dos problemas relatados anteriormente, pode ocorrer a **drenagem ácida**. A drenagem ácida pode ser definida como a solução ácida gerada quando minerais sulfetados (pirita – FeS_2; calcopirita – $CuFeS_2$; arsenopirita – $FeAsS$; esfalerita – ZnS; galena – PbS e outros), presentes em resíduos de mineração (rejeito ou estéril), são oxidados em presença de água. Essa solução ácida age como agente lixiviante dos minerais presentes no resíduo, produzindo percolado rico em metais tóxicos (chumbo – Pb, zinco – Zn, arsênio – As, cobre – Cu, entre outros) e ácido sulfúrico no solo. Sua ocorrência tem sido relatada na extração de ouro, carvão, cobre, zinco, urânio e outros. Para que não ocorra geração de drenagem ácida, é fundamental que a disposição destes resíduos seja realizada de maneira adequada, com o encapsulamento destes, além da caracterização mineralógica de tais resíduos antes de sua disposição.

Devido a todos os impactos que a atividade de mineração pode gerar, foram elaboradas leis que estabelecem uma série de diretrizes para minimizá-los. De acordo com Kopezinski (2000), um dos marcos da legislação brasileira é a Resolução Conama n° 01/1986, que, regulamentando-se na Lei n° 6.938/1981, definiu os empreendimentos passíveis de **licenciamento ambiental**, entre eles a mineração. Os principais pontos dessa resolução, no que se refere à mineração, são:

i) toda atividade de mineração é obrigada ao licenciamento ambiental, inclusive a dos minerais empregados na construção civil;
ii) são exigidos estudos prévios de impacto ambiental (EIA);
iii) o EIA consolida-se no relatório de impacto ambiental (RIMA);
iv) o órgão estadual competente, sempre que achar necessário, deve promover audiência pública com os interessados para a discussão do RIMA.

O licenciamento ambiental específico para as atividades de mineração foi regulamentado pelas Resoluções Conama n° 09/1990 e n° 10/1990, publicadas em 28/12/1990. As etapas do licenciamento ambiental de atividades potencialmente causadoras de impactos ambientais serão estudadas em detalhes no Capítulo 29.

Segundo o parágrafo 2° do Artigo 225 da Constituição Federal de 1988, *"aquele que explorar recursos minerais fica obrigado a recuperar o meio ambiente degradado, de acordo com solução técnica exigida pelo órgão público competente, na forma de lei"*. O Decreto Federal n° 97.632/1989 fixou prazo de 180 dias para minerações já existentes apresentarem o **Plano de Recuperação de Áreas Degradadas** (PRAD), além de obrigar a apresentação do PRAD juntamente com o EIA/RIMA para os futuros empreendimentos minerários.

Antes da implantação dessas leis, a atividade de mineração era realizada de maneira precária, gerando a degradação de extensas áreas. No Brasil, existem vários relatos de contaminação do solo e de recursos hídricos em decorrência da disposição inadequada de resíduos da mineração contendo metais tóxicos. A região do Vale do Ribeira, extremo nordeste do Estado do Paraná e sudeste do estado de São Paulo, foi palco de intensa atividade de mineração, tendo sido explotadas nove minas, cujo foco de interesse principal era a obtenção de Pb e, subsidiariamente, prata (Ag) e ouro (Au).

Segundo Guimarães (2007), as condições de mineração no Vale do Ribeira foram quase sempre rudimentares, não havendo controle sobre os impactos ambientais gerados durante sua fase extrativa e de beneficiamento do minério. Por aproximadamente quarenta anos, os resíduos da mineração foram lançados no rio Ribeira de Iguape. Essa prática foi proibida apenas quatro anos antes da paralisação total das atividades de mineração nesta região. De 1991 a 1995, estes resíduos (rejeito do concentrado e escória de fundição) foram depositados diretamente sobre o solo sem qualquer medida de contenção. Com isso, vários estudos foram realizados na região do Vale do Ribeira para a determinação da contaminação dos solos, dos sistemas fluviais e das águas subterrâneas, além de propostas para minimizar tal degradação.

Outro caso brasileiro de degradação do solo gerado pela disposição inadequada de resíduos da mineração é o da região próxima às instalações da indústria metalúrgica Plumbum Mineração e Metalurgia Ltda., localizada em Santo Amaro da Purificação, na Bahia, no Recôncavo Baiano, às margens do rio Subaé. Nesta cidade, o início das atividades de fundição do minério de Pb ocorreu em 1960, finalizando-se em 1993. O principal passivo ambiental gerado foi a escória de fundição enriquecida por metais tóxicos, que foi utilizada pela população de Santo Amaro para pavimentar ruas, aterros, jardins, pátios de casas, praças e até áreas escolares (Anjos, 1998). Várias pesquisas foram realizadas na região de Santo Amaro da Purificação enfocando a contaminação, seus efeitos e as medidas de mitigação dos impactos causados pela deposição inadequada da escória.

Portanto, os impactos ambientais em solos gerados pelas atividades de mineração devem ser identificados e estas áreas devem ser recuperadas, dando novo uso para estes solos. Nesse contexto, as investigações geológicas e geotécnicas vêm contribuindo para o entendimento dos processos de degradação causados pela mineração, além de subsidiarem a elaboração de propostas de recuperação destas áreas (Capítulo 23).

14.2.5 Tipos principais de Impacto Ambiental e Degradação dos Solos

Erosão e Assoreamento

A palavra "erosão" deriva do verbo *erodere*, que vem do latim e significa escavar, comer (Zachar, 1982). A erosão é um dos processos de degradação do solo mais intensos e amplamente distribuídos em várias regiões do planeta. Segundo Bennett (1939), a evolução dos processos erosivos é parte integrante da história da civilização e, principalmente, do desenvolvimento da agricultura. A expansão de práticas agrícolas de regiões de clima temperado para as regiões tropicais, por ocasião das colonizações, produziu grandes perdas de solo por erosão e o surgimento das grandes erosões lineares concentradas, conhecidas, no Brasil, como boçorocas (em inglês, *gullies*).

O fenômeno da **erosão** consiste na ação combinada de uma gama de fatores que provocam o **destacamento e o transporte de materiais sobre a crosta terrestre**. Os principais agentes são **água da chuva**, **rios**, **geleiras**, **mares** e **vento** (Lal, 1990). Dentre estes, as águas de chuva têm grande importância, principalmente em regiões de clima tropical, por propiciarem o escoamento superficial, responsável por grande parte do transporte de materiais inconsolidados ou sedimentos.

A ação dos agentes não é uniforme nas diversas regiões da Terra. Eles dependem de uma série de fatores naturais, tais como: clima, geomorfologia, natureza do terreno (substrato rochoso e materiais inconsolidados) e cobertura vegetal. Estes fatores naturais podem ser alterados pela ação do homem, ocasionando mudanças nos processos erosivos de uma determinada região, quase sempre os intensificando, o que causa impacto e degradação dos solos.

De acordo com diversos autores (Bennett, 1939; Oliveira et al., 1987; DAEE – IPT, 1990), a erosão causada pelo escoamento superficial das águas da chuva pode ser classificada em natural e antrópica. A erosão natural se manifesta pela atuação dos processos erosivos em um ambiente em que é controlada somente pelo equilíbrio dos fatores naturais. Este tipo de erosão vem se processando lentamente ao longo do tempo geológico, recebendo a designação de **erosão normal** ou **natural**. A erosão natural pode sofrer modificações devido a mudanças climáticas ou geológicas, alterando a velocidade e a intensidade do processo. Quando a remoção do solo se torna mais rápida do que sua reposição pelos processos de intemperismo das rochas, tem-se a **erosão acelerada**. Os efeitos deste tipo de erosão acelerada, apesar de consistirem em um desequilíbrio, normalmente se fazem sentir em milhares de anos, sendo, portanto, um processo muito lento quando comparado com os processos erosivos desencadeados ou acelerados pela **ação do homem**. Se as tendências de aquecimento global se confirmarem (IPCC, 2007), podem ocorrer incrementos significativos nos processos erosivos devido ao aumento de eventos extremos, como chuvas, degelo ou mesmo erosão costeira devido à alteração do nível dos mares.

O tipo de erosão mais impactante está relacionado, portanto, com a ação antropogênica. Este tipo de erosão recebe o nome de erosão antrópica e sempre se reflete em uma aceleração dos fenômenos erosivos. Constituindo um processo muito mais rápido do que a erosão acelerada natural, pode evoluir em poucos anos, atingir áreas extensas e ocasionar impactos ambientais negativos.

Tanto a erosão normal quanto a acelerada podem ocorrer de duas maneiras principais: como **erosão laminar** ou por **escoamento concentrado** (Bennett, 1939). A erosão laminar acontece na superfície do solo como um todo, quando o escoamento da água de chuva ocorre sem se concentrar em canais definidos. Entretanto, quando ocorre a formação de filetes ou canais de água arrastando material, tem-se a erosão concentrada.

Os fenômenos de erosão concentrada podem apresentar proporções diferentes, desde pequenos sulcos ou ravinas, que têm dimensões relativamente pequenas, até processos que atingem grandes áreas, com aprofundamento dos canais até dezenas de metros, podendo interceptar o nível de água subterrânea. Nesses casos, aparece também um processo de erosão interna (em inglês, *piping*) que provoca o alargamento da erosão, conduzindo ao aparecimento de grandes erosões lineares denominadas de boçorocas ou voçorocas. Esses processos erosivos, principalmente as boçorocas, causam grandes danos, tanto em áreas rurais (Figura 14.7) quanto urbanas (Figura 14.8).

Figura 14.7 Erosão rural – Município de São Pedro (SP).

Figura 14.8 Erosão em área urbana – cidade de Franca (SP).

A erodibilidade dos solos, entendida como a propriedade dos solos serem mais ou menos resistentes aos processos erosivos, é, juntamente com as características geológicas, geomorfológicas e climáticas da área, fundamental para o entendimento dos processos erosivos. Desta forma, para minimizar os impactos causados pelos processos erosivos, é necessário conhecer as características do meio físico e o grau de erodibilidade dos solos. Pejon (1992) propôs uma metodologia para determinação da erodibilidade e para a geração de cartas geotécnicas para mapeamento de áreas mais suscetíveis ao desenvolvimento de erosões concentradas por escoamento superficial de água.

Os problemas de erosão na maioria dos municípios brasileiros estão relacionados com a erosão hídrica, em geral como consequência do manejo inadequado das águas pluviais. Segundo levantamento do IBGE (2008), o número de municípios que ampliou a pavimentação urbana entre os anos 2000 e 2008 foi de 20,6%, atingindo 94,4% dos municípios, com destaque para a região norte do Brasil, com incremento de 82,4%. Apesar de positivos do ponto de vista da qualidade de vida nas cidades, estes números indicam aumento significativo das **áreas impermeabilizadas** e, consequentemente, do escoamento superficial. Quando estes projetos não levam em consideração as características geológico-geotécnicas da área, podem conduzir ao aumento da erosão, do assoreamento e das inundações.

A Tabela 14.3, compilada por IBGE (2008), demonstra o reflexo dessa situação, pois 27,3% dos municípios brasileiros que fizeram manejo de águas pluviais tiveram problemas de erosão, sendo que apontaram como principal causa o sistema inadequado de drenagem urbana. Na Figura 14.9, que mostra a distribuição destes municípios no país, pode-se observar que os problemas de erosão estão distribuídos em praticamente todo o território nacional. Em adição, 39,5% dos municípios brasileiros declararam apresentar problemas de assoreamento (IBGE, 2008).

No estado de São Paulo, a situação também é considerada bastante crítica, pois o DAEE, em conjunto com o IPT, encontrou mais de 7 mil pontos com erosão linear de médio a grande porte, ravinas e boçorocas em levantamentos realizados na década de 1990. Estas erosões são comuns tanto em áreas urbanas

TABELA 14.3 Percentual de municípios que tiveram erosão nos últimos cinco anos, por tipo de erosão, segundo as Grandes Regiões

Porcentual de municípios que tiveram erosão nos últimos cinco anos, por tipo de erosão (%)

Grandes Regiões	Erosão do leito natural do curso de água	Ravinamento (boçoroca)	Erosão laminar de terrenos sem cobertura vegetal	Erosão de taludes	Outro
Brasil	47,3	22,5	63,1	32,7	7,5
Norte	42,4	18,9	59,8	22,0	10,6
Nordeste	45,8	16,8	60,4	25,2	10,6
Sudeste	49,7	27,2	67,9	44,1	5,5
Sul	47,0	16,2	60,3	33,0	7,3
Centro-Oeste	46,1	33,5	59,3	12,0	6,6

Fonte: IBGE (2008).

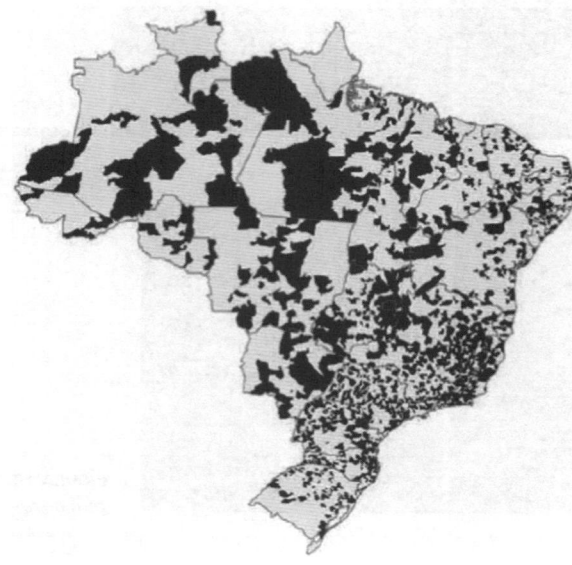

FIGURA 14.9 Distribuição espacial dos municípios com problemas de erosão na área urbana. *Fonte: IBGE (2008)*.

FIGURA 14.10 Boçoroca na cidade de São Pedro (SP).

FIGURA 14.11 Tentativa de recuperação malsucedida na mesma erosão da Figura 14.10.

quanto rurais. Algumas, como no caso da erosão localizada na cidade de São Pedro, na região central do estado de São Paulo (Figura 14.10), têm registro de ocorrência desde os anos 1960 e, apesar de terem passado por várias tentativas de recuperação (Figura 14.11), ainda se encontram ativas nos dias atuais.

O manejo inadequado das áreas suscetíveis à erosão e as tentativas mal planejadas de recuperação podem agravar o problema e provocar acidentes como ocorrido na ruptura da estrada que SP-191, próxima à cidade de São Pedro (SP) (Figura 14.12). Houve entupimento da drenagem sob o aterro por excesso de sedimentos transportados devido à tentativa de recuperação malsucedida executada na erosão

FIGURA 14.12 Ruptura da Rodovia SP–191 em consequência do assoreamento da drenagem. Ano de 1995.

FIGURA 14.13 Erosão em área urbana causada por problemas na drenagem de águas pluviais (Cidade de Ribeirão Bonito – SP).

localizada a montante (Figura 14.11). Em algumas situações, a execução de obras de drenagem urbana, quando mal dimensionadas, como já comentado anteriormente, acaba por desencadear erosões de grande porte que levam riscos às áreas urbanas, como pode ser observado na Figura 14.13.

Bastante preocupante, também, é a associação que se faz de resíduos sólidos com erosão. Vários municípios, no passado, se aproveitaram de boçorocas existentes para depositar esses resíduos, agravando

FIGURA 14.14 Disposição inadequada de resíduos sólidos urbanos em boçoroca.

sobremaneira o problema, pois se acrescenta mais um fator de impacto, que é a possibilidade de contaminação do solo e da água, o que aumenta a degradação da área (Figura 14.14).

(a)   (b)

FIGURA 14.15 Represa totalmente assoreada – cidade de águas de Lindoia (SP).

Um problema muito sério associado às erosões aceleradas é o assoreamento dos cursos de água e represas, agravando os riscos de inundações e comprometendo o abastecimento pela redução da quantidade de água armazenada. As fotos das Figuras 14.15a e 14.15b mostram a represa de abastecimento de água da cidade de Águas de Lindoia (SP) totalmente assoreada. Periodicamente, a represa tem que ser totalmente esvaziada para a retirada dos sedimentos depositados. Este problema é decorrente de desmatamentos realizados na bacia de drenagem a montante da represa, que resultaram em intensos processos erosivos acelerados.

A implantação de rodovias e dos sistemas de drenagem a elas associados também pode desencadear ou potencializar as erosões lineares. As estradas rurais, mesmo não pavimentadas, acabam por se tornar concentradoras de águas pluviais, o que pode agravar os problemas erosivos.

Os impactos causados pela erosão costeira também vêm se acentuando no Brasil, principalmente em estados da região Nordeste, onde a execução de obras tem intensificado o problema. A execução de obras de proteção do porto de Fortaleza (CE) provocou variações locais na direção das ondas (Figura 14.16a),

(a)   (b)

FIGURA 14.16 Erosão costeira na região metropolitana de Fortaleza (CE). (a) Imagem aérea da área do porto de Fortaleza (CE). (b) Erosão costeira nas praias.

com o consequente aumento da erosão nas praias (Figura 14.16b). A erosão em margens de rios tem se acentuado, principalmente em áreas que foram desmatadas sem se respeitar os limites impostos pela legislação do código florestal, deixando as margens totalmente desprotegidas.

Disposição de Resíduos e Rejeitos nos Solos

Os solos têm sido, ao longo da história da humanidade, um grande **depositório** para todo tipo de **rejeitos e resíduos** produzidos pelo homem. Com o advento da Revolução Industrial, a capacidade de geração de resíduos se intensificou sobremaneira, aumentando a quantidade e a periculosidade dos materiais descartados, tais como: metais tóxicos, produtos químicos, lixo eletrônico, pilhas, baterias, materiais radioativos, entre outros. A simples disposição desses materiais nos solos sem qualquer cuidado foi a regra por muitos anos em diversos países, o que ocasionou impactos ambientais significativos e a degradação dos solos em vastas áreas. Entre os principais materiais descartados ou depositados no solo estão os resíduos sólidos urbanos, os resíduos industriais, os resíduos de atividades agrícolas, os rejeitos de mineração, os resíduos de estações de tratamento de água e esgoto e as substâncias radioativas, entre outras.

Resíduos Sólidos

Os resíduos sólidos serão estudados com profundidade no Capítulo 22. De modo geral, pode-se definir resíduo como qualquer substância ou matéria considerada nas diversas fases de sua utilização como inúteis, descartáveis ou indesejáveis e que necessitam de uma destinação adequada. Os resíduos podem se apresentar em estado sólido, semissólido e resultam de atividades de origem industrial, doméstica, hospitalar, comercial, agrícola e de serviços de varrição. Segundo a Lei nº 12.305, de agosto de 2010, que instituiu a Política Nacional de Resíduos Sólidos, os resíduos sólidos têm a seguinte classificação: "I – quanto à origem:

a) resíduos domiciliares: os originários de atividades domésticas em residências urbanas;
b) resíduos de limpeza urbana: os originários da varrição, limpeza de logradouros e vias públicas e outros serviços de limpeza urbana;
c) resíduos sólidos urbanos: os englobados nas alíneas 'a' e 'b';
d) resíduos de estabelecimentos comerciais e prestadores de serviços: os gerados nessas atividades, excetuados os referidos nas alíneas 'b', 'e', 'g', 'h' e 'j';
e) resíduos dos serviços públicos de saneamento básico: os gerados nessas atividades, excetuados os referidos na alínea 'c';
f) resíduos industriais: os gerados nos processos produtivos e instalações industriais;
g) resíduos de serviços de saúde: os gerados nos serviços de saúde, conforme definido em regulamento ou em normas estabelecidas pelos órgãos do Sisnama e do SNVS;
h) resíduos da construção civil: os gerados nas construções, reformas, reparos e demolições de obras de construção civil, incluídos os resultantes da preparação e escavação de terrenos para obras civis;
i) resíduos agrossilvipastoris: os gerados nas atividades agropecuárias e silviculturais, incluídos os relacionados com insumos utilizados nessas atividades;
j) resíduos de serviços de transportes: os originários de portos, aeroportos, terminais alfandegários, rodoviários e ferroviários e passagens de fronteira;
k) resíduos de mineração: os gerados na atividade de pesquisa, extração ou beneficiamento de minérios;

II – quanto à periculosidade:

a) resíduos perigosos: aqueles que, em razão de suas características de inflamabilidade, corrosividade, reatividade, toxicidade, patogenicidade, carcinogenicidade, teratogenicidade e mutagenicidade, apresentam significativo risco à saúde pública ou à qualidade ambiental, de acordo com lei, regulamento ou norma técnica;
b) resíduos não perigosos: aqueles não enquadrados na alínea 'a'."

Segundo a NBR 10.004 (2004), os resíduos sólidos podem ser classificados de acordo com o risco potencial que oferecem em dois níveis principais: Perigosos (Classe I) e Não Perigosos (Classe II), sendo esta categoria dividida em Não Inertes (Classe IIA) e Inertes (Classe IIB). O enquadramento do tipo de resíduo deve ser feito de acordo com as normas relativas à amostragem (NBR 10.007), ensaios de lixiviação (NBR 10.005) e ensaios de solubilização (NBR 10.006). As concentrações dos elementos e compostos obtidas nos extratos lixiviados e solubilizados devem ser comparadas com os limites máximos estipulados na NBR 10.004.

Resíduos Sólidos Urbanos (RSU)

Os resíduos provenientes das residências e dos serviços de limpeza pública e parcialmente do comércio se enquadram, em sua maioria, na classe IIA e seu gerenciamento, desde a coleta até a destinação final, é de responsabilidade das prefeituras. Resíduos perigosos, como os de serviços de saúde ou industriais, são de responsabilidade dos geradores, assim como os resíduos da construção civil (entulho), em sua maioria classificados como inertes. No entanto, em qualquer um dos casos, a disposição final ou o eventual reaproveitamento dos resíduos deve ser feito de acordo com a regulamentação dos órgãos ambientais, de maneira a evitar impactos ambientais e riscos à população.

A geração de RSU vem se acentuando rapidamente no Brasil (já ultrapassa 1 kg/hab.dia), totalizando cerca de 61 milhões de toneladas em 2010, o que representa um crescimento de quase 7% em relação ao ano anterior, bem acima do crescimento populacional (Abrelpe, 2010). Deste total, cerca de 54 milhões de toneladas são coletadas (88%), mas uma grande parcela ainda não tem uma destinação adequada

(42,4% ou aproximadamente 23 toneladas no ano de 2010). Segundo dados mais recentes (Abrelpe, 2016), houve um pequeno avanço na quantidade de RSU coletados, atingindo 91% do total gerado no ano de 2016, mas mantendo praticamente inalterado o percentual sem destinação adequada, sendo as regiões Norte e Nordeste as mais críticas.

O tipo mais comum de destinação final dado aos resíduos sólidos urbanos é sua colocação sobre o solo em depósitos que são classificados em três tipos principais:

Lixões ou vazadouros. Locais onde o lixo é depositado a céu aberto sem qualquer proteção ao ambiente ou à saúde pública. Em geral, não há qualquer controle sobre o tipo de resíduo descartado nessas áreas, o que aumenta os riscos.

Aterro controlado. O lixo é confinado em locais mais restritos e normalmente é recoberto diariamente com uma camada de solo para proteção. A área é isolada de maneira a reduzir a contaminação ambiental.

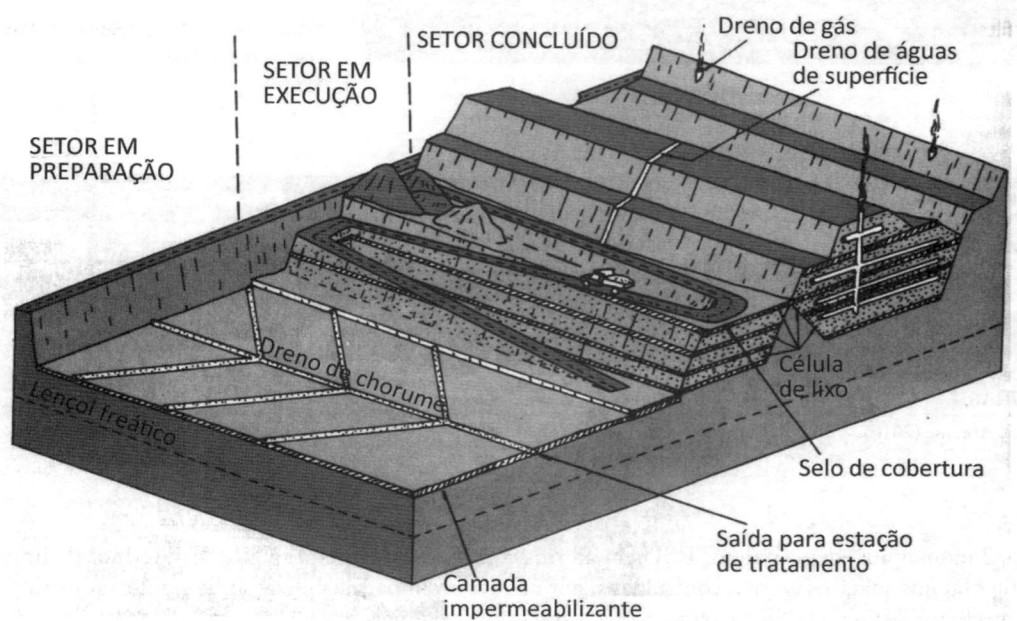

FIGURA 14.17 Aterro sanitário. *Fonte: Manual Gerenciamento de Lixo – IPT (2000).*

No entanto, em geral, não há impermeabilização de fundo nem sistema de coleta dos líquidos lixiviados (chorume).

Aterro sanitário. Destinação final do lixo considerando um projeto de engenharia geotécnica, em que vários aspectos são considerados, desde a escolha do local, a seleção de materiais para impermeabilização, a execução de drenos, o tratamento do chorume e os estudos de estabilidade. Na Figura 14.17, podem ser

TABELA 14.4 **Destino dos resíduos sólidos no Brasil no período 1989 a 2008**			
	Destino dos resíduos sólidos, por unidade de destino dos resíduos (%)		
Ano	**Vazadouro a céu aberto**	**Aterro controlado**	**Aterro sanitário**
1989	88,2	9,6	1,1
2000	72,3	22,3	17,3
2008	50,8	22,5	27,7

Fonte: IBGE (2008).

observadas as características desse tipo de depósito, que é uma das formas de disposição mais utilizada em todo o mundo, por garantir um nível elevado de proteção ambiental e a saúde pública (Capítulo 22).

Embora a situação da disposição dos RSU tenha evoluído no Brasil, como mostra a Tabela 14.4, cerca de 50% dos municípios brasileiros destinavam seu lixo a vazadouros a céu aberto em 2008 (IBGE 2008) e, em 2016, cerca de 30% (1559 municípios) ainda se utilizam deste tipo de destinação e outros 31,8%

FIGURA 14.18 Disposição de RSU em lixão na região Norte do Brasil.

TABELA 14.5 Quantidade de municípios por tipo de destinação final de RSU

Disposição Final	Ano 2010 – Regiões e Brasil					
	Norte	Nordeste	Centro-Oeste	Sudeste	Sul	BRASIL
Aterro Sanitário	85	439	150	798	692	2.164
Aterro Controlado	107	500	145	639	369	1.760
Lixão	257	855	171	131	127	1.641
BRASIL	**449**	**1.794**	**466**	**1.668**	**1.188**	**5.565**

Fonte: Abrelpe (2010).

(1.772 municípios) depositam os RSU em aterros controlados (Abrelpe, 2016). Em termos de impacto ambiental nos solos, os aterros controlados, por não terem impermeabilização de fundo, também constituem fonte de contaminação, o que torna a situação ainda mais grave.

Segundo o IBGE (2000), 63% dos municípios pequenos, com menos de 50 mil habitantes, destinavam os RSU aos lixões, aumentando a distribuição de pontos de impacto ambiental no solo e nos recursos hídricos (Figura 14.18).

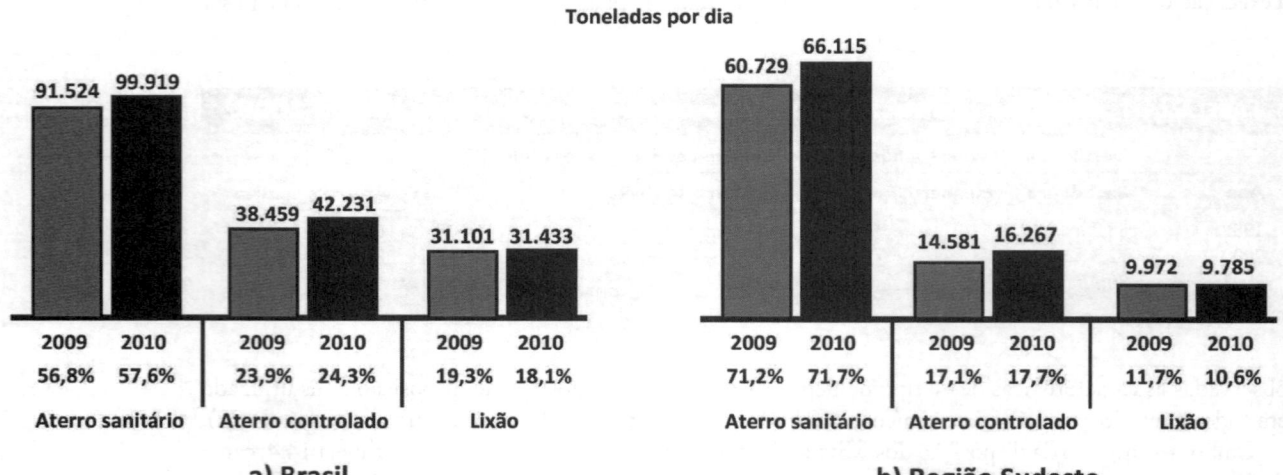

FIGURA 14.19 Destinação final de RSU (t/dia) no Brasil (a) e na região sudeste (b).

Apesar dos avanços observados, levantamentos da Abrelpe (2010) indicam que somente 39% dos municípios brasileiros destinavam os RSU aos aterros sanitários (Tabela 14.5). A situação é um pouco melhor nos grandes centros urbanos, que têm destinado seus RSU a aterros sanitários, o que faz com que 57% de todo lixo coletado seja destinado aos aterros sanitários e somente 19% aos lixões, como mostrado na Figura 14.19a. O aterro sanitário é uma técnica utilizada para confinar os RSU na menor área e volume possível, mantendo-os isolados do solo natural por materiais de permeabilidade bastante baixa (barreiras impermeabilizantes). Apesar de, no Brasil, a região sudeste apresentar os melhores índices quanto à destinação dos RSU (Figura 14.19b), ainda assim o estado de São Paulo deixava de enviar a aterros sanitários 24% do lixo coletado (Abrelpe, 2010).

Com a edição da nova lei da Política Nacional de Resíduos Sólidos (Lei nº 12.305/2010), que estabeleceu um prazo de quatro anos a partir da sua promulgação para que os municípios eliminassem os lixões e dessem uma destinação ambientalmente correta aos RSU, esperava-se uma melhora significativa dessa situação. No entanto, dados recentes (Abrelpe, 2016) mostram que pouco se evoluiu neste período, pois em todo o Brasil houve um incremento de apenas 75 municípios que passaram a destinar os RSU a aterros sanitários, sendo a maioria na região Sudeste (24), seguida pela Nordeste (19), Sul (14), Centro-Oeste (11) e finalmente a região Norte (7).

Para reduzir os impactos ambientais da disposição dos RSU nos solos, não basta destinar o lixo coletado a aterros sanitários. Deve-se, também, atuar de maneira a reduzir a quantidade de lixo a ser descartado, aplicando a regra dos três "R", ou seja, Reduzir, Reutilizar, Reciclar (Capítulo 22).

A destinação final aos aterros sanitários, apesar de adotada na maioria dos países como uma solução ambientalmente correta, necessita de controle e planejamento, desde a fase de escolha do local até o monitoramento posterior ao encerramento do aterro. Estudos geológico-geotécnicos e hidrogeológicos são essenciais para a definição dos locais de instalação e dos materiais de impermeabilização e cobertura, além da necessária consideração de diversos outros aspectos como os socioeconômicos.

A contaminação do solo e das águas superficiais e subterrâneas ocorre principalmente pela liberação do chorume, proveniente da decomposição dos materiais orgânicos presentes nos RSU, que tem seu volume aumentado pela água pluvial infiltrada no aterro. Este líquido escuro de odor forte é altamente contaminante e contém, além das substâncias orgânicas, grande quantidade de metais que podem contaminar o solo e as águas. Mais detalhes sobre as características do lixiviado de aterros podem ser encontrados no Capítulo 22. Para impedir a contaminação, os aterros sanitários devem contar com sistemas de proteção que envolvem revestimento impermeabilizante de fundo, paredes laterais e cobertura, além de drenos específicos para líquidos e gases e sistemas adicionais para tratamento do chorume coletado (Figura 14.17).

Os solos argilosos podem constituir barreiras naturais à migração de contaminantes, mas é difícil assegurar sua continuidade e a homogeneidade de suas propriedades. No entanto, solos argilosos com mineralogia adequada, quando compactados, apresentam condutividades hidráulicas muito baixas, permitindo seu uso como barreira nos aterros sanitários. Pejon et al. (2010) estudaram materiais de alteração da Formação Corumbataí, no estado de São Paulo, e encontraram condições muito propícias para uso desses materiais como barreiras argilosas compactadas, por apresentarem condutividades hidráulicas muito baixas quando compactados e capacidade de troca de cátions da ordem de 22 cmol/kg, suficientes para promover a retenção e o retardamento da chegada dos poluentes ao solo natural ou à água subterrânea. Os materiais geossintéticos, como mantas de Polietileno de Alta Densidade (PAD) ou Geocompostos Bentoníticos (GCL), têm sido usados também com sucesso como barreiras à migração de poluentes do aterro para os solos (Rowe, 2004).

Quando o solo natural não apresenta condições adequadas à retenção do contaminante e não são usadas barreiras impermeabilizantes, a migração dos contaminantes para áreas mais profundas pela base do depósito dos resíduos pode comprometer a qualidade da água subterrânea. Estudos geofísicos utilizando a técnica geoelétrica na área do antigo lixão da cidade de São Carlos (SP) (Velozo, 2006) mostraram evidências da ocorrência de migração de chorume pela base do depósito de lixo que não tem barreira impermeabilizante (Figura 14.20a). O antigo lixão foi inadequadamente instalado em uma erosão, em área de afloramento dos arenitos da Formação Botucatu (Figura 14.20b), e se constitui atualmente em fonte de contaminação que pode comprometer a qualidade da água subterrânea.

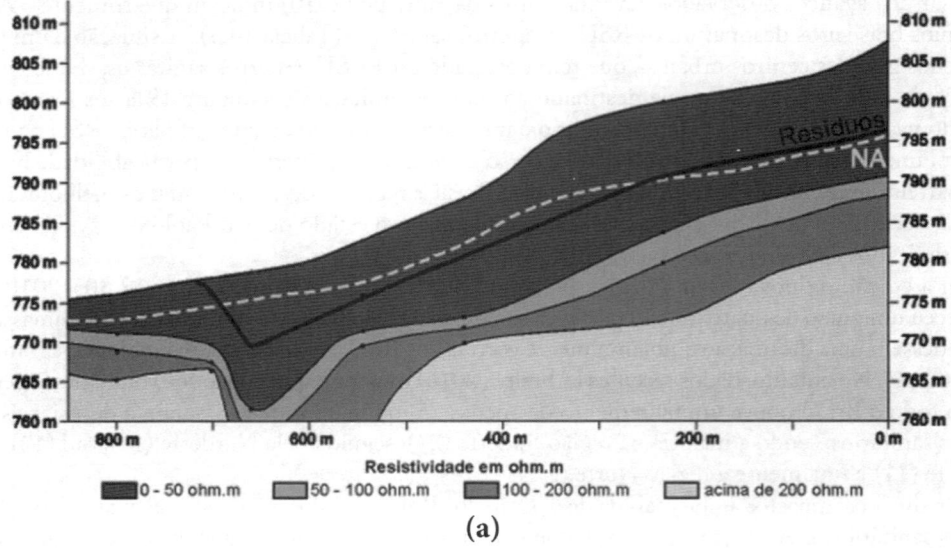

(a)

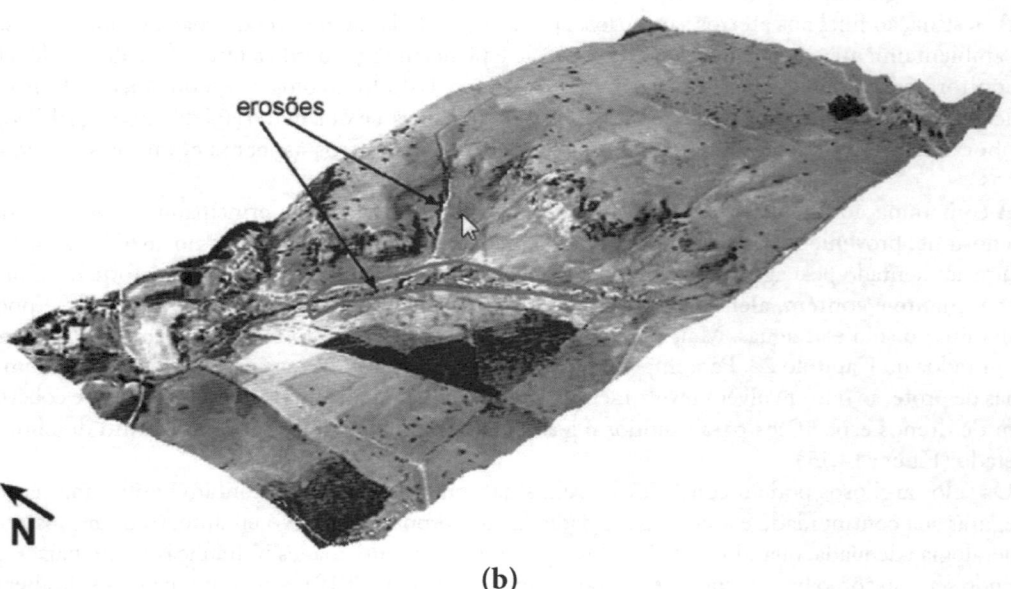

(b)

FIGURA 14.20 Evidências de contaminação em área de antiga erosão na cidade de São Carlos (SP), utilizada como depósito de RSU até o ano de 1996. (a) Perfil de resistividades elétricas, indicando nível elevado de contaminação na base do lixão. (b) Foto aérea da antiga erosão onde foi depositado o lixo urbano. *Fonte: Velozo (2006).*

Contaminação

Na literatura internacional e nacional, os termos "poluentes" e "contaminantes" são utilizados com frequência como sinônimos. No entanto, um é mais passivo (contaminante) que o outro (poluente) quanto à questão do risco à saúde humana. Conforme Braga et al. (2003), **contaminação** refere-se à transmissão de substâncias ou microrganismos nocivos à saúde, não implicando, necessariamente, um desequilíbrio ecológico do meio, enquanto **poluição** implica em tal desequilíbrio. O termo "poluente" é empregado para indicar que uma dada substância, em um processo de investigação, pode ser considerada como potencial fonte de risco à saúde humana e ao meio ambiente (Yong, 2001; Yong & Mulligan, 2004). No presente capítulo, o termo "contaminação" é empregado de maneira genérica, sem distinção entre poluição e/ou contaminação, correspondendo à alteração na concentração e composição do solo pela introdução de substâncias que podem vir ou não a causar riscos à saúde humana.

A contaminação do solo pode ser pontual ou difusa, sendo que as principais fontes atualmente enquadradas nesse aspecto são: **lixões**, **vazamentos de rede de esgoto**, **lagoas de tratamento**, **efluentes**, **resíduos** (urbanos, industriais, de mineração), **agrotóxicos**, **fertilizantes** e **vazamentos de tanques**

enterrados de armazenamento de combustíveis. Os contaminantes associados a essas fontes podem ser classificados como **orgânicos, inorgânicos** e **patogênicos**. Esses contaminantes podem estar no estado gasoso, na fase líquida livre, em solução na água subterrânea e na forma sólida ou semissólida.

Os contaminantes de origem orgânica incluem: hidrocarbonetos (etanos, etenos, benzenos, toluenos, xilenos e outros), orgânicos sintéticos (fenóis, éteres, aldeídos, cetonas, ácidos carboxílicos e outros), orgânicos nitrogenados, sulfonados e fosforados. Os compostos orgânicos voláteis (VOCs) estão entre os contaminantes mais encontrados na água subterrânea, sendo o cloroetileno (cloreto de vinila) o mais tóxico deles. O BTEX (benzeno, tolueno, etilbenzeno e xileno) é um grupo importante de compostos voláteis encontrados no petróleo e em seus derivados (gasolina), sendo estes perigosos ao meio ambiente. Neste caso, postos de abastecimento de combustível e processos retalhistas de combustível são as fontes mais comuns de contaminação do solo e das águas subterrâneas.

Os compostos orgânicos incluem dois grupos, LNAPL e DNAPL, conforme visto no Capítulo 12. O LNAPL é um conjunto de substâncias não miscíveis, mais leves do que a água (como a gasolina e óleos), permanecendo sobre o nível freático. O DNAPL agrupa substâncias mais densas do que a água (tricloretano, tetracloreto de carbono, diclorobenzenos e outros), que migram verticalmente sobre a influência da aceleração da gravidade.

Os contaminantes inorgânicos compreendem, principalmente, os metais tóxicos, também conhecidos como elementos traços. Os metais tóxicos são encontrados naturalmente em baixas concentrações nas rochas e solos e, em alguns casos, também como compostos solúveis em águas da zona saturada do perfil de solo. Entretanto, as atividades antrópicas contribuem para o aumento da concentração destes elementos no meio ambiente, causando risco à saúde humana. Com relação ao impacto ambiental, os metais mais importantes são: arsênio (As), cádmio (Cd), chumbo (Pb) e mercúrio (Hg), pois são elementos não essenciais aos organismos vivos e potencialmente tóxicos para estes. Além dos metais, são considerados contaminantes inorgânicos os metais alcalinos e os alcalino-terrosos (Na, Ca, Mg, K).

Os metais tóxicos não são biológicos ou quimicamente degradáveis. Duas situações podem ocorrer com este tipo de contaminante: ou eles permanecem no local em que foram depositados ou podem ser transportados por longas distâncias. Nos estudos de avaliação ambiental, torna-se necessário comparar as concentrações de metais obtidas no local da contaminação com valores de referência ou *Guidelines* (para solos e águas subterrâneas) e com valores naturais (*background* geoquímico). Uma dificuldade adicional, no caso dos solos, decorre da falta do estabelecimento de padrões de referência de qualidade (valores orientadores), para identificar se a área foi contaminada, uma vez que os solos apresentam grande diversidade de materiais e de composição química. A CETESB, em 2001, elaborou uma primeira lista com 37 substâncias com valores orientadores para os solos. Esta lista foi atualizada e complementada, em 2005, para 84 substâncias, incluindo vários metais tóxicos, hidrocarbonetos e outras substâncias químicas como benzeno, fenóis, ésteres e pesticidas organoclorados. A tabela da CETESB é devidamente estruturada com a indicação de valores de referência para diversos tipos de contaminantes em distintas condições, como solo em indústria, solo em áreas habitadas, solo em regiões agrícolas, águas de superfície e águas subterrâneas.

Os valores de referência devem ser utilizados com certo cuidado, pois são indicativos da possível contaminação por um determinado elemento. Concentrações elevadas de um dado metal não necessariamente representam contaminação e podem ter origem natural. Além da comparação da concentração do elemento com os valores de referência e a amostra controle (*background*), é necessário identificar se está ocorrendo transporte e qual a distância percorrida pelos produtos potencialmente tóxicos. Para fazer uma estimativa da área afetada pela contaminação, é necessário conhecer os fatores que influenciam o transporte dos poluentes, tais como, as condições ambientais e as propriedades dos contaminantes.

O transporte de contaminante pode ser definido como sendo o deslocamento de um determinado composto em meio a uma ou mais camadas de solo, tanto na zona não saturada quanto na saturada. A migração do contaminante através do meio poroso do solo ocorre segundo mecanismos de transporte associados a processos físicos (advecção, dispersão mecânica e difusão molecular), químicos (adsorção/ desorção; precipitação/dissolução; troca iônica; complexação e outros) e biológicos (sorção biológica).

Quanto ao tipo de contaminante, os principais fatores que influenciam no transporte são: i) densidade; ii) concentração; iii) solubilidade e iv) volatilidade. Já com relação ao meio poroso, os principais fatores que influenciam no transporte são: i) mineralogia; ii) teor de finos; iii) distribuição de vazios e iv) capacidade de troca catiônica (CTC), entre outros.

Desta forma, em estudos de contaminação, é importante caracterizar o contaminante e o solo quanto aos aspectos geológicos e geotécnicos. A forma de distribuição e o tamanho dos grãos (granulometria), os poros existentes entre eles (porosidade), a conexão entre estes poros (permeabilidade) e a sua composição, são algumas das propriedades do solo que devem ser muito bem estudadas em avaliações de uma área contaminada. Quando um contaminante de qualquer natureza entra em contato com o solo, podem ocorrer os seguintes processos: retenção do poluente (antes de atingir a água subterrânea) a partir de reações com o constituinte mineral do solo; interação entre o poluente e a matéria orgânica (retenção); migração do poluente pelos espaços vazios (poros) até atingir a água subterrânea, entre outros. Assim, o poluente pode ser encontrado tanto na zona não saturada do solo quanto na zona saturada (Capítulo 2). Neste último caso, ele pode contaminar a água subterrânea e prejudicar o consumo quando esse é objeto de abastecimento de água potável para uma população e/ou núcleo populacional.

REVISÃO DOS CONCEITOS APRESENTADOS

Inicialmente, foi ressaltada a importância dos solos como um sistema e as implicações advindas da eventual destruição deste importante recurso natural que se renova muito lentamente. Os principais aspectos abordados no capítulo foram:

- Níveis de degradação e contaminação atual dos solos no Brasil e suas possíveis causas e consequências.
- Os principais tipos de impactos que podem atingir os solos e sua relação com as atividades antrópicas.
- O conceito de indicadores e índices ambientais e sua importância para a avaliação do impacto quanto à magnitude, intensidade e variação temporal.
- Apresentação e discussão dos impactos ambientais sobre os solos resultantes de atividades urbanas, rurais e de mineração.
- Discussão e análise dos principais impactos relacionados com erosão e assoreamento, disposição de resíduos e rejeitos nos solos e contaminação oriunda de diversas fontes.

SUGESTÕES DE LEITURA COMPLEMENTAR

- BOSCOV, M.E.G. (2008) *Geotecnia ambiental.* São Paulo: Oficina de Textos, 248p.
- MOHAMED, A.M.O., PALEOLOGOS, E.K., RODRIGUES, V.G.S., SINGH, D.N. (2018) Fundamentals of geoenvironmental engineering. Filadélfia: Elsevier. 688p.
- SÁNCHEZ, L.E. (2006) *Avaliação de impacto ambiental. Conceitos e métodos.* São Paulo: Oficina de Textos, 495p.
- ZUQUETTE, L.V (organizador). (2015) Geotecnia ambiental. Rio de Janeiro: Elsevier, 399p.

REFERÊNCIAS

ABRÃO, P.C., OLIVEIRA, S.L. (1998) Mineração. In: OLIVEIRA, A. M.S; BRITO, S.N.A. (editores). *Geologia de Engenharia.* São Paulo: ABGE, 586p.

ANJOS, J.A.S.A. (1998) *Estratégias para remediação de um sítio contaminado por metais pesados – Estudo de caso.* Dissertação de Mestrado. São Paulo: Universidade de São Paulo (USP), 157p.

ALMEIDA FILHO, G.S., COSTA, S.B., HELLMEISTER JUNIOR, Z, GOMES, C.L.R., FROTA, A.S. (2015) Processos Erosivos Lineares no Estado de São Paulo. In: XXXV Congresso Brasileiro de Ciência do Solo. Natal-RN, p. 1-4.

Associação Brasileira de Empresas de Limpeza Pública (ABRELPE). (2010) Panorama dos resíduos sólidos no Brasil. Disponível em <http://www.abrelpe.org.br>. Acesso: abril 2012.

_____ (2016) Panorama dos resíduos sólidos no Brasil. Disponível em http://www.abrelpe.org.br>. Acesso: janeiro 2017.

Associação Brasileira de Normas Técnicas (ABNT). (2004) NBR 10.004:2004. *Resíduos Sólidos – Classificação.* Rio de Janeiro: ABNT, 71p.

_____ (2004) NBR 10.005:2004. *Procedimento para obtenção de extrato lixiviado de resíduos sólidos.* Rio de Janeiro: ABNT, 16p.

_____ (2004) NBR 10.006:2004. *Procedimentos para obtenção de extrato solubilizado de resíduos sólidos.* Rio de Janeiro: ABNT, 7p.

_____ (2004) NBR 10.007:2004. *Amostragem dos resíduos sólidos.* Rio de Janeiro: ABNT, 25p.

BENNETT, H.H. (1939) *Soil conservation.* Nova York: McGraw-Hill, 993p.

BERGER, A.R., IAMS, W.J. (1996) *Geoindicators: assessing rapid environmental changes in Earth Systems.* Rotterdam: A. A. Balkema, 466p.

BONACHEA, J., BRUSCHI, V.M., HURTADO, M.A. et al. (2010) Natural and human forcing in recent geomorphic change: case studies in the Rio de la Plata basin. *Science of the Total Environment,* v. 408, n. 13, p. 2674-2695.

BRAGA, B., HESPANHOL, I., CONEJO, J.G.L. et al. (2003) *Introdução à engenharia ambiental.* São Paulo: Prentice Hall, 305p.

BRASIL. (2010) Lei Federal no 12.305, de 2 de agosto de 2010. Institui a Política Nacional de Resíduos Sólidos (PNRS). Disponível em: <www.planalto.gov.br/ccivil_03/_ato2007-2010/2010/lei/l12305.htm>. Acesso: abril 2012.

Organização das Nações Unidas (ONU). (2001) Commission on Sustainable Development (CSD). Disponível em: <http://www.un.org/esa/sustdev/natlinfo/indicators/isdms2001/table_4.htm>. Acesso: abril 2012.

Companhia Ambiental do Estado de São Paulo (CETESB). *Inventário Estadual de Resíduos Sólidos Domiciliares*. São Paulo: Série Relatórios. 186p.

_____ (2001) Manual de gerenciamento de áreas contaminadas. São Paulo: CETESB, 389p.

_____ (2016) Texto explicativo – Relação de áreas contaminadas e reabilitadas no Estado de São Paulo. Diretoria de Controle Ambiental. São Paulo: CETESB, 14p. Disponível em http://CETESB.sp.gov.br/areas-contaminadas/wp-content/uploads/sites/17/2013/11/Texto-explicativo-2016.pdf Acesso: janeiro 2018.

DARMER, G., DIETRICH, N.L. (1992) *Landscape and surface mining: ecological guidelines for reclamation*. English language translation of landschaft und tagebau, oekologische leitbilder fuer die rekultivierung by gerhard darmer; edited by Norman L. Dietrich; translated by Marianne Elfein-Capito. Nova York: Van Nostrand Reinhold, 201p.

Departamento de Águas e Energia Elétrica – Instituto de Pesquisas Tecnológicas do Estado de São Paulo (DAEE-IPT). (1990) *Controle de erosão: bases conceituais e técnicas, diretrizes para planejamento urbano e regional; orientação para o controle de boçorocas urbanas*. São Paulo: DAEE-IPT, 92p.

DORES, E.F.G.C. (2004) *Contaminação de águas superficiais e subterrâneas por pesticidas em Primavera do Leste, Mato Grosso*. Tese de Doutorado. Universidade Estadual Paulista (Unesp), 282p.

GUIMARÃES, V. (2007) Resíduos de mineração e metalurgia: efeitos poluidores em sedimentos e em espécie biomonitora – Rio Ribeira de Iguape – SP. Tese de Doutorado. Universidade de São Paulo (USP), 160p.

Instituto Brasileiro de Geografia e Estatística (IBGE). (2010) Pesquisa Nacional de Saneamento Básico *2008*. Rio de Janeiro. Reimpressão.

Instituto de Pesquisas Tecnológicas (IPT). (2000) *Lixo municipal: manual de gerenciamento integrado*. São Paulo: IPT Publicação, 370p.

Intergovernmental Panel on Climate Change (IPCC). *Synthesis Report*. IPCC. 58p. Disponível em <http:// www.ipcc.ch/pdf/assessment-report/ar4/syr/ar4_syr.pdf>. Acesso: abril 2012.

International Association of Engineering Geology (IAEG). (1976) *Guide pour la préparation des cartes géotechniques*. Paris: Les Presses de l'Unesco, 79p.

LAL, R. (1990) *Soil Erosion in the Tropics: Principles and Management*. Nova York: McGraw-Hill, 580p.

OLIVEIRA, A.M.S., PONÇANO, W.L., SALOMÃO, F.X.T., DONZELI, P.L., ROCHA, G.A., VALÉRIO FILHO, M. (1978) *Questões metodológicas em diagnósticos regionais de erosão: a experiência pioneira da Bacia do Peixe Paranapanema – SP*. In: Simpósio de Controle de Erosão, Marília, São Paulo: ABGE.

Organisation for economic co-operation and development (OECD). (1993) Core set of indicators for environmental performance reviews. A synthesis report by the Group on the State of the Environment. EnvironmentMonographs n° 83. 39p.

PEJON, O.J., MUSSO, M., SOUZA, R.F.C., MARQUES, V.S. (2010) *Characteristics of compacted clay liners to environmental protection*. In: 11th Congress of the International Association for Engineering Geology and the Environment, Auckland, Nova Zelândia. v. 1. p. 4435-4441.

PEJON, O.J. (1992) Mapeamento geotécnico regional da folha de Piracicaba (SP): estudos de aspectos metodológicos de caracterização e apresentação de atributos. Tese de Doutorado. Universidade de São Paulo (USP), 224p.

SÁNCHEZ, L.E. (2001) Desengenharia. O passivo ambiental na desativação de empreendimentos industriais. São Paulo: EDUSP, 254p.

SILVA, V.G. (2003) Avaliação da sustentabilidade de edifícios de escritórios brasileiros: diretrizes e base metodológica. Tese de Doutorado. Universidade de São Paulo (USP), 2003. 258p.

SOARES, R.S. (2004) *Coeficiente de distribuição (K_D) de metais pesados em solos do Estado de São Paulo*. Tese de Doutorado. Universidade Estadual Paulista (Unesp), 214p.

YONG, R.N. (2001) Geoenvironmental engineering: contaminated soils, pollutant fate and mitigation. Estados Unidos: CRC Press, 307p.

YONG, R.N., MOHAMED, A.M.O., WARKENTIN, B.P. (1992) *Principles of contaminant transport in soils*. Amsterdam: Elsevier, 327p.

YONG, R.N., MULLIGAN, C.N. (2004) *Natural Attenuation of Contaminants in Soils*. Estados Unidos: CRC Press, 319p.

ZACHAR, D. (1982) Série Developments in Soil Science, 10. Amsterdam e Nova York: Elsevier Scientific, 982p.

ZUQUETTE, L.V. (1987) Análise crítica da cartografia geotécnica e proposta metodológica para as condições brasileiras. Tese de Doutorado. Universidade de São Paulo (USP), 673p.

ZUQUETTE, L.V., GANDOLFI, N. (2004) *Cartografia Geotécnica*. São Paulo: Oficina de Textos. 190p.

POLUIÇÃO ATMOSFÉRICA E SAÚDE HUMANA

Paulo Hilario Nascimento Saldiva /
Micheline de Sousa Zanotti Stagliorio Coêlho

15

"Mal deixei o ar pesado de Roma para trás e o mau cheiro do fumo das chaminés (...) que derramam vapor pestilento e fuligem (...) senti uma alteração do meu humor" (Lucius Annaeus Sêneca, 61 a.C.). Neste capítulo, abordamos a poluição do ar com enfoque nos impactos à saúde humana. As definições físicas dos poluentes e da atmosfera, bem como as fontes de emissão, padrões de qualidade do ar e métodos de controle, serão relatados no Capítulo 21. Veremos, no decorrer deste texto, como a poluição do ar e o clima (e a sinergia destes) impactam a saúde humana. Por fim, teremos uma visão geral sobre algumas metodologias para estudos, uma vez que, pela interdisciplinaridade do tema, o esclarecimento sobre metodologias e análises estatísticas adequadas se faz necessário. São textos simples, que têm o objetivo de direcionar os estudos e abrir a visão sobre o "complexo mundo da multidisciplinaridade". Sugerimos observar a bibliografia apresentada no final deste capítulo para um aprofundamento e direcionamento das questões relacionadas com este tema tão fascinante.

15.1 INTRODUÇÃO

O avanço do conhecimento científico em cada disciplina é inquestionável. Contudo, muitas vezes nos deparamos com algumas perguntas sobre como usar este conhecimento no setor da saúde. Esta preocupação é legítima, uma vez que a saúde e o bem-estar do homem deveriam nortear grande parte deste conhecimento gerado. Muitas vezes, estudos fantásticos excluem o homem e percebemos que, fora da disciplina das ciências médicas, a preocupação com a saúde humana parece não fazer parte do processo do conhecimento científico. Parte desse problema ocorre pela complexidade das disciplinas e pela falta de multidisciplinaridade nos grupos de pesquisa científica, hoje, imprescindível na produção do conhecimento. Quando pensamos em saúde humana, abre-se um leque de variáveis a serem analisadas, pois a saúde é influenciada por fatores sociais, nutricionais, genéticos, culturais e climáticos, entre outros.

Contudo, a preocupação com os impactos da poluição na saúde tem se tornado urgente e se impõe, pois, com o crescimento populacional e a migração da população das zonas rurais para grandes centros urbanos, a poluição (ar, água, solo, sonora e visual) gerada pelas atividades humanas causa impactos sobre o próprio homem e nos deixa em dúvida se somos vilões ou vítimas desta realidade.

No Brasil, podemos exemplificar este processo utilizando a cidade de São Paulo (SP) como um laboratório dos impactos dos aglomerados urbanos e as consequências da poluição sobre a saúde dos seus habitantes ou visitantes. Muito do que conhecemos sobre a poluição do ar e os impactos na saúde no Brasil se deve aos trabalhos desenvolvidos pelo Laboratório de Poluição Atmosférica da Faculdade de Medicina da Universidade de São Paulo (USP). Por isso, muitos dos exemplos citados neste texto se referem à Região Metropolitana de São Paulo. Contudo, espera-se que, em breve, muitos estudos sejam feitos em outras localidades para que possamos ter um conhecimento maior dos efeitos nocivos dos poluentes atmosféricos no nosso país.

15.2 ASPECTOS GERAIS DA RELAÇÃO ENTRE POLUIÇÃO ATMOSFÉRICA E SAÚDE HUMANA

Considerando que o meio ambiente urbano é o **hábitat natural** mais característico de veículos motorizados, a exposição de grande número de indivíduos a poluentes atmosféricos é uma situação inevitável. Mesmo os mais ferrenhos admiradores de veículos concordam que a inalação de gases de emissão automotiva não faz bem à saúde. Apesar desse consenso, o fator saúde é raramente levado em conta quando da definição de políticas de combustível ou transporte. Por exemplo, o programa de etanol combustível foi implementado em nosso país devido aos seus aspectos econômicos e não propriamente pelos seus efeitos sobre a saúde. Na verdade, nunca houve um estudo de impacto ambiental que levasse em conta os efeitos da produção e das emissões veiculares para a implementação do novo combustível, bem como quando as suas proporções de adição à gasolina foram alteradas desde o início da produção de veículos movidos a etanol. Essa mesma despreocupação também ocorre quando da definição do uso e ocupação do solo no cenário urbano. Drásticas modificações de rotas de tráfego podem, por vezes, afetar regiões residenciais, sem que se leve em conta a exposição da população nas áreas de maior impacto. Em até certo ponto, é interessante notar que este tipo de despreocupação não ocorreria caso houvesse a iniciativa da instalação de uma nova indústria ou de uma usina termoelétrica no espaço urbano. Essa situação parece indicar que não nos sentimos ameaçados pelos veículos, que são, em última análise, objetos de desejo e não de ameaça.

Uma vez reconhecido o íntimo compartilhamento de espaço entre veículos (e suas emissões tóxicas) e a população urbana, torna-se defensável argumentar a favor de que os efeitos à saúde humana façam parte das políticas de transportes, de combustíveis, de engenharia veicular, de ocupação do espaço urbano, enfim, de todos os aspectos que regulam o tráfego e as emissões de automotores no cenário urbano. Há que se reconhecer, todavia, que essa tarefa não é trivial.

Inicialmente, é necessário estabelecer os limites dos efeitos à saúde que se pretende avaliar. Os **efeitos à saúde da população** devido à exposição a poluentes ambientais são diversos, exibindo diferentes **intensidades** e manifestando-se com diferentes **tempos de latência**: efeitos comportamentais e cognitivos, inflamação pulmonar e sistêmica, alterações do calibre das vias aéreas, do tônus vascular e do controle do ritmo cardíaco, alterações reprodutivas, morbidade e mortalidade por doenças cardiorrespiratórias e aumento da incidência de neoplasias, entre outros. Dada a multiplicidade de desfechos possíveis, é necessária a definição, de forma objetiva, de **efeito adverso à saúde**. A partir desta definição, é possível selecionar quais são os eventos úteis para determinar o impacto que alguma modificação ambiental terá sobre a população exposta.

Embora o conceito de efeito adverso ou prejudicial sobre a saúde humana seja amplamente utilizado para a definição de medidas de avaliação de risco ou de gestão ambiental (Capítulo 31), uma definição precisa sobre os limites existentes entre um achado com significância estatística e uma alteração que acarrete um prejuízo relevante para a saúde ainda carece de um melhor aclaramento.

A definição mais amplamente adotada para caracterizar um efeito adverso à saúde tem sido aquela preconizada pela *American Thoracic Society* (2000), que define agravo à saúde *"como um evento médico significativo, caracterizado por um ou mais dos seguintes fatores: 1) interferência com a atividade normal dos indivíduos afetados; 2) doença respiratória episódica; 3) doença incapacitante; 4) doença respiratória permanente; 5) disfunção respiratória progressiva"*.

No ano de 2000, à luz dos novos conhecimentos científicos, a Sociedade Americana de Doenças Torácicas expandiu o escopo de sua definição anterior, incorporando os seguintes eventos: biomarcadores, qualidade de vida, alterações fisiológicas, sintomas, aumento de demanda por atendimento médico e, finalmente, mortalidade (American Thoracic Society, 2000). Posteriormente, em 2004, a Sociedade Americana de Cardiologia publicou um documento reconhecendo a poluição atmosférica com um fator de risco para o agravamento de doenças cardiovasculares, notadamente infarto agudo do miocárdio, insuficiência cardíaca congestiva e desenvolvimento de arritmias.

Estudos realizados com dados da *American Cancer Society* (Pope et al., 2002) incluem neoplasias pulmonares como um indicador de efeitos da poluição atmosférica. Finalmente, alterações reprodutivas, tais como baixo peso ao nascer, abortamentos e alterações da relação de sexos ao nascimento também foram incorporados ao conjunto de indicadores de efeitos prejudiciais significantes oriundos da poluição do ar.

Do que foi anteriormente exposto, podem ser relacionados diferentes efeitos adversos da poluição do ar sobre a saúde humana, alguns deles manifestando-se de forma **aguda** – horas ou dias após a exposição – enquanto outros são evidenciados somente após longos períodos de exposição – os chamados efeitos **crônicos**. Tanto os efeitos agudos quanto os crônicos podem exibir diferentes níveis de gravidade, abrangendo uma gama de efeitos que oscilam do vago desconforto até (como desfecho de maior gravidade) a morte. Alguns exemplos talvez auxiliem a aclarar melhor estas ideias. Quando do aumento da poluição do ar, uma grande fração da população apresentará alterações cognitivas ou irritabilidade não específicas. Uma menor proporção dos indivíduos expostos apresentará um aumento de marcadores plasmáticos e pulmonares de inflamação, indicando a presença de inflamação subclínica. Em uma proporção ainda menor, esta inflamação poderá acarretar alterações funcionais, como aumento da pressão arterial, discreto distúrbio do controle autonômico do coração ou queda de indicadores de função pulmonar. Em um nível de gravidade maior, indivíduos que utilizam medicação cronicamente para o controle de doenças respiratórias e cardíacas (asma e hipertensão arterial, por exemplo) necessitarão de maior quantidade de medicamentos para controlar a doença. Haverá aqueles que, incapazes de controlar as alterações por si próprios, procurarão o médico para consultas ou, nos casos mais graves, serão internados em prontos-socorros ou hospitais. Finalmente, uma parte dos afetados morrerá no dia ou poucos dias após, em virtude dos efeitos da poluição a que foram expostos (Figura 15.1).

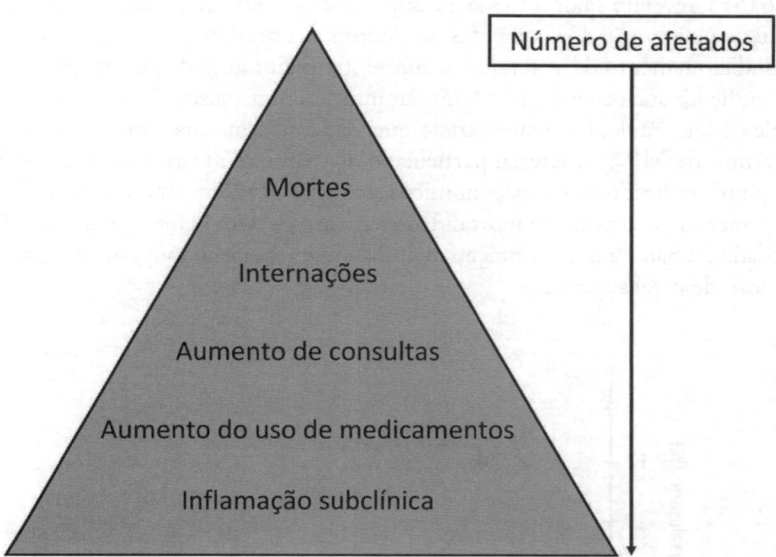

FIGURA 15.1 Esquema representativo da relação entre gravidade dos efeitos da poluição e o número de pessoas afetadas pela poluição em uma dada comunidade. *Fonte: Adaptado de American Thoracic Society (2000).*

Como a maior parte dos estudos que avaliam os efeitos agudos da poluição utiliza desfechos graves como internações respiratórias e mortalidade, é provável que os coeficientes que relacionam prejuízo à saúde humana com poluição atmosférica estejam subestimando os efeitos reais, dado que eventos que comprometem a qualidade de vida, tais como comprometimento do controle de doenças crônicas, não são computados, em função da inexistência de notificação compulsória dos mesmos.

Estudos de longa duração, com acompanhamento de grupos populacionais por períodos prolongados, levaram ao reconhecimento de efeitos da poluição que se traduzem apenas após anos de exposição. Assim como o cigarro manifesta seus efeitos após anos de consumo de tabaco, a poluição repete, em menor escala, alguns dos seus efeitos crônicos. A Tabela 15.1 apresenta a relação de alguns dos efeitos crônicos da poluição do ar.

TABELA 15.1 Relação de alguns dos desfechos secundários à exposição crônica aos poluentes atmosféricos mais consistentemente relatados pela literatura médica	
Aumento de sintomas respiratórios	Agravamento de arteriopatia aterosclerótica
Redução da função pulmonar	Perda de anos de vida e doenças cardiorrespiratórias
Maior incidência de doença pulmonar obstrutiva	Aumento da frequência de abortamentos
Maior incidência de neoplasias pulmonares	Redução do peso ao nascer

A definição de efeito adverso à saúde deve ser, necessariamente, acompanhada da caracterização dos grupos mais suscetíveis. O aumento da **suscetibilidade aos poluentes** é dependente de fatores individuais, de moradia e socioeconômicos. Entre os fatores de natureza individual, os mais importantes são idade, morbidades associadas e características genéticas. Os extremos da pirâmide etária têm sido consistentemente apontados como alvos preferenciais da ação adversa dos poluentes atmosféricos, especialmente nos segmentos abaixo dos 5 e acima dos 65 anos. Morbidades associadas, tais como asma, bronquite crônica, doença aterosclerótica, diabetes mellitus, miocardiopatias e arritmias cardíacas estão entre as condições patológicas sabidamente predisponentes da suscetibilidade aos efeitos dos poluentes atmosféricos. As condições de moradia afetam a dose de poluentes recebida e, consequentemente, a suscetibilidade. Nos grandes centros urbanos, existem áreas em que a geração e a dispersão de poluentes favorece que os níveis ambientais de poluição sejam significativamente maiores do que a média urbana. Áreas vizinhas aos grandes corredores de tráfego e regiões sujeitas a constantes congestionamentos são exemplos de pontos que condicionam maior risco aos seus habitantes. Por exemplo, medidas de material particulado de diâmetro inferior a 2,5 µm ($MP_{2,5}$) realizadas sob o elevado Costa e Silva (o popular Minhocão), em São Paulo (SP), revelam valores três vezes superiores à média da cidade. O tipo de construção também afeta o grau de penetração dos poluentes no interior das residências. Construções mais antigas e desprovidas de condicionamento de ar tendem a apresentar maior grau de penetração dos poluentes atmosféricos.

Condições socioeconômicas também interferem na suscetibilidade aos poluentes atmosféricos. Na cidade de São Paulo, foi demonstrado que, dada uma mesma variação de poluição ambiental (expressa em termos de MP_{10} – material particulado de diâmetro até 10 µm), a mortalidade é maior nos bairros com piores indicadores socioeconômicos. A Figura 15.2 mostra um exemplo dessa situação, indicando o incremento porcentual de mortalidade para idosos com idade acima de 65 anos em diferentes regiões da cidade de São Paulo, em função de indicadores socioeconômicos (no caso, fração da população com educação de nível superior).

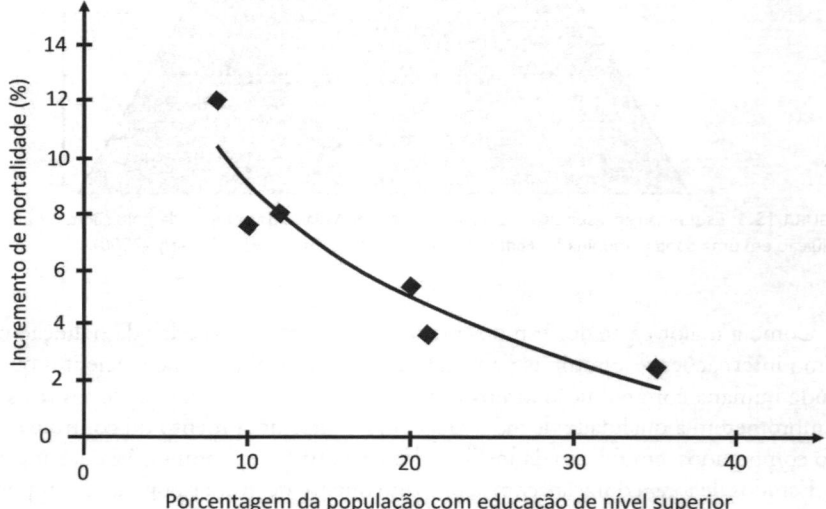

FIGURA 15.2 Variação do incremento de mortalidade para uma variação inter-quartil de MP10 em diferentes regiões da cidade de São Paulo, diferenciadas por nível socioeconômico (no caso, porcentagem da população com educação de nível superior). *Fonte: Martins et al. (2004).*

Os fatores que determinam a maior vulnerabilidade da população menos favorecida frente aos poluentes atmosféricos podem ser divididos em dois grandes grupos: **eventos pertinentes às condições de saúde e acesso a cuidados e medicação**, e **condições que favorecem uma maior exposição aos poluentes**.

No primeiro grupo, é sabido que a população mais carente apresenta condição de saúde mais precária devido a problemas de saneamento, nutrição, acesso a serviços médicos e menor poder de compra de medicamentos quando da instalação de uma doença. O segundo grupo – maior exposição – tem sido reconhecido como um fator relevante na relação entre poluição do ar e saúde. A relação entre exclusão social e maior exposição a poluentes ocorre tanto em níveis continentais quanto dentro de cada comunidade. Processos industriais mais "sujos", veículos com tecnologia menos desenvolvida e combustíveis com maiores teores de contaminantes são eventos reconhecidamente mais frequentes nos países em desenvolvimento. Em menor escala, dentro de uma mesma comunidade, é comum o fato de as profissões que levam a uma maior exposição aos poluentes (trabalhadores de rua, por exemplo) serem exercidas pelos segmentos mais carentes da população. Da mesma forma, moradias nas bordas de vias com alto tráfego e a utilização de lenha ou resíduos para a preparação de alimentos são eventos mais comuns aos grupos menos favorecidos. Desse modo, a maior vulnerabilidade dos segmentos de menor poder econômico aos poluentes atmosféricos é determinada tanto pelas piores condições basais de saúde e acesso aos instrumentos de saúde, quanto por uma maior exposição à poluição.

15.3 POLUENTES ATMOSFÉRICOS QUE AFETAM A SAÚDE HUMANA

O ar é indispensável à existência de vida em nosso planeta e é justamente esse elemento que mais vem sendo agredido pelo homem. Os primeiros sinais de poluição do ar ocorreram na era pré-cristã, quando o carvão mineral era usado como combustível e, nas cidades onde ocorriam essas práticas, o ar já apresentava sinais de poluição e muitos doentes eram levados para regiões "de ar mais puro". Mesmo com indícios de poluição, a sociedade ainda não se preocupava com o controle da qualidade do ar, e foi a partir de três episódios de poluição excessiva, que causaram mortes em algumas cidades da Europa e dos Estados Unidos, que a comunidade científica começou a despertar para o controle da emissão de poluentes (Shy, 1979).

A *United States Environment Protection Agency* (EPA – *http://www.epa.gov*) elegeu os poluentes mais abundantes na atmosfera e que causam danos à saúde humana. São eles: o ozônio (O_3), dióxido de enxofre (SO_2), dióxido de nitrogênio (NO_2), material particulado inalável (diâmetro < 10 μm) e monóxido de carbono (CO). Estão descritas, a seguir, as características de cada poluente, incluindo uma descrição geral de seus impactos sobre a saúde humana.

Material Particulado (MP) – O material particulado é uma mistura de partículas líquidas e sólidas em suspensão na atmosfera. A composição e o tamanho das partículas dependem das suas fontes de emissão. O tamanho das partículas é expresso geralmente pelo diâmetro aerodinâmico (Da), que pode variar desde as menores dimensões moleculares (cerca de 2 nm) até 150 μm ou 200 μm. Recorda-se, também, que se adota, com relação a essa propriedade, a classificação de **partículas finas** (tamanho < 2,0 μm) e **partículas grossas** (tamanho > 2,0 μm). Especificamente, as partículas com Da < 10 μm passaram a ser chamadas de **partículas inaláveis**, MP_{10} (Seinfeld & Pandis, 1998). O material particulado é um dos principais poluentes em termos de efeitos na saúde humana. Em especial, as partículas de menor dimensão, que são inaláveis, penetram no sistema respiratório e o danificam, o que tem sido relacionado com o aumento da incidência de doenças respiratórias (por exemplo, a asma).

Avanços nos estudos dos aerossóis atmosféricos estão associados à melhoria das técnicas analíticas em termos de medidas de número e de massa das partículas. A classificação dos aerossóis está relacionada com os processos de formação e interação com o aparelho respiratório humano. A Figura 15.3 ilustra a eficiência de deposição de partículas no aparelho respiratório, considerando a parte superior e a inferior, e a soma referente ao pulmão.

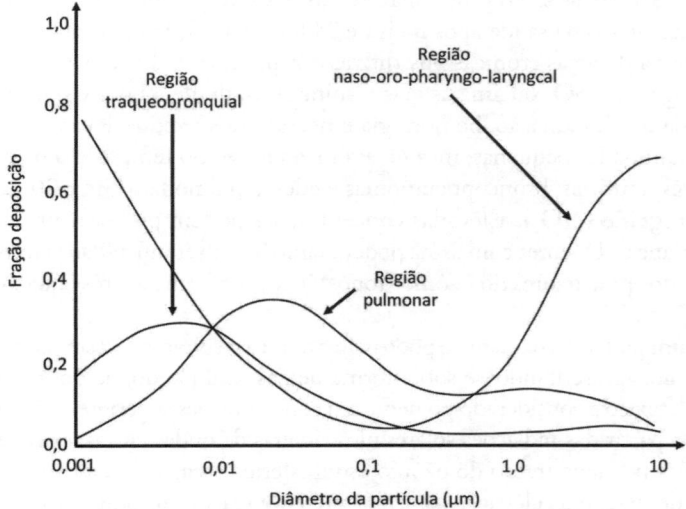

FIGURA 15.3 Deposição de um aerossol polidisperso (diâmetro geométrico médio σg = 2,5 μm) no aparelho respiratório, calculada para várias regiões do pulmão. *Fonte: Adaptado de Yeh et al. (1996).*

O material particulado é o poluente atmosférico mais consistentemente associado a efeitos adversos à saúde humana. A toxicidade desse material depende de sua composição e do diâmetro aerodinâmico. A composição e o diâmetro das partículas poluentes estão relacionados, como demonstrado na Figura 15.4.

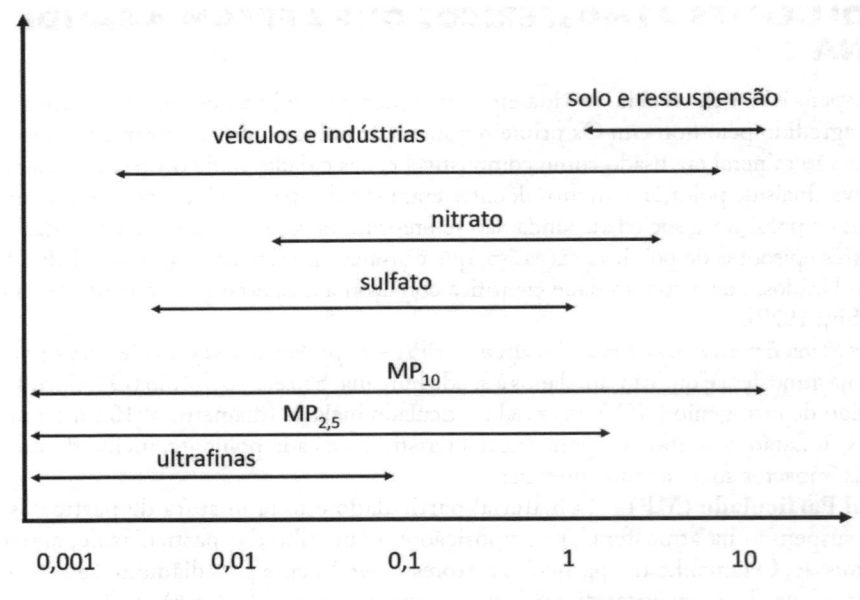

Figura 15.4 Representação dos diâmetros aerodinâmicos do material particulado e sua composição origem mais provável.

Monóxido de carbono (CO). Inibe a capacidade do sangue trocar oxigênio com os tecidos vitais e, em concentrações extremas, provoca morte por envenenamento. Afeta, principalmente, os sistemas cardiovascular e nervoso. Concentrações mais baixas podem gerar problemas cardiovasculares, principalmente em pacientes cardiopatas. Concentrações elevadas podem provocar tonturas, dores de cabeça e fadiga.

Dióxido de Enxofre (SO$_2$). É um poluente acidificante e, em elevadas concentrações, pode provocar problemas no trato respiratório, especialmente em grupos sensíveis, como os asmáticos. Este gás diminui os batimentos ciliares. O SO$_2$ é um gás amarelado, solúvel e irritante. Quando se une com a água, transforma-se em ácido sulfuroso (H$_2$SO$_3$) e, ao oxidar-se, forma o ácido sulfúrico (H$_2$SO$_4$). O dióxido de enxofre age em menos de 24 h e, no ser humano, resulta em respiração ofegante e curta. Na sociedade, as pessoas asmáticas são o grupo mais sensível. O SO$_2$ combinado com material particulado em suspensão produz efeitos na saúde após mais de 24 h de exposição e, mesmo em baixos níveis, pode causar a morte e levar a doenças crônicas obstrutivas dos pulmões e doenças cardiovasculares. Quando ocorre intoxicação aguda, o SO$_2$ queima as vias respiratórias, desde a boca e o nariz até os alvéolos. A destruição é marcada por inflamação, hemorragia e necrose dos tecidos, levando à morte. Felizmente, o SO$_2$ ocorre em quantidades pequenas; mesmo assim, ao longo do tempo, lesa o aparelho mucociliar e favorece infecções respiratórias, broncopneumonias e edema pulmonar (Gina, 2006).

Dióxido de Nitrogênio (NO$_2$). Elevadas concentrações podem provocar problemas respiratórios, especialmente em crianças. Doentes com asma podem também sofrer dificuldades respiratórias adicionais. Esse poluente é um dos precursores do ozônio troposférico, conforme as três equações apresentadas em seguida.

Ozônio (O$_3$). É um poderoso oxidante e pode irritar o trato respiratório. Este poluente é uma variedade alotrópica do oxigênio, apresentando-se sob a forma de gás azul pálido, de odor picante. É um agente oxidante muito ativo, tóxico e considerado poluente em concentrações superiores a 120 μg/m^3. Na estratosfera, onde se forma a partir das radiações solares ultravioletas de ondas curtas, existe em níveis bem mais elevados. Apenas uma pequena fração do ozônio estratosférico escapa para a baixa atmosfera. O ozônio também se origina de descargas elétricas na atmosfera e de reações fotoquímicas de que participam os hidrocarbonetos e os óxidos de nitrogênio (por exemplo, provenientes dos gases emitidos pelos canos de descarga dos automóveis com motores de combustão interna). O ozônio e outros oxidantes fotoquímicos são poluentes que não são emitidos diretamente pelas fontes, mas representam uma classe de espécies químicas que são formadas a partir de uma série de reações na atmosfera. Essas reações ocorrem graças à energia transferida a substâncias ditas **precursoras**, quando as mesmas absorvem fótons a partir da radiação solar. Os precursores mais caracteristicamente associados à formação de espécies oxidantes na atmosfera são o NO_2 e os compostos orgânicos voláteis, ambos presentes nas emissões geradas pela queima de cana-de-açúcar.

As principais reações que regulam a fotoquímica atmosférica podem ser resumidas da seguinte forma:
1. NO_2 é dissociado de maneira a formar NO e oxigênio atômico

$$NO_2 + hv\,(\lambda \leq 430\,nm) \rightarrow NO + O$$

2. O oxigênio atômico combina-se com oxigênio molecular para formar ozônio

$$O + O_2 \rightarrow O_3$$

3. O ozônio é decomposto pela reação com o NO, formando NO_2 e oxigênio molecular

$$NO + O_3 \rightarrow NO_2 + O_2$$

Assim, o aumento das concentrações de oxidantes fotoquímicos é determinado por eventos que alterem o ciclo descrito nas equações anteriores, seja por consumo de NO, seja por aumento das concentrações de NO_2. A reação de NO com peróxidos atmosféricos é um dos principais eventos com potencial de alterar o equilíbrio fotoquímico, conforme a reação a seguir:

$$NO + RO_2o \rightarrow NO_2 + ROo$$

Os peróxidos atmosféricos são formados pela oxidação de compostos orgânicos voláteis, como demonstrado a seguir:

$$RCHCHR + O \rightarrow RCH_2o + RCOo\,(produção\,de\,radicais\,livres)$$

$$RCH_2o + O_2 \rightarrow RCH_2O_2o\,(produção\,de\,peróxidos)$$

$$RCH_2Oo + O_2 \rightarrow RCHO + HO_2o\,(produção\,de\,aldeídos)$$

$$RCH_2O_2o + NO_2 \rightarrow RCH_2O_2NO_2\,(produção\,de\,nitratos\,orgânicos)$$

Na verdade, a última reação pode ser encarada como uma forma do NO_2 ser estabilizado e transportado a longas distâncias (principalmente na forma de peroxiacetil nitrato), uma vez que o equilíbrio da reação pode ser revertido em áreas distantes da fonte primária de NO_2. Desta forma, as concentrações de ozônio tendem a ser substancialmente maiores nas regiões mais distantes dos pontos de emissão primária, a depender do transporte por ventos e da altura da camada de inversão, fazendo com que as áreas de atenção por ozônio possam ocorrer em locais desprovidos de monitoramento ambiental.

Os efeitos adversos do ozônio são superponíveis aos descritos para o MP, com associações significativas com morbidade e mortalidade, e sem exibir um nível de segurança definido. Dessa forma, o ozônio foi selecionado como um poluente de interesse para o presente estudo.

15.4 INFLUÊNCIA DO CLIMA NA SAÚDE HUMANA

15.4.1 Evidências da Sinergia entre a Poluição e o Clima

Existe uma sinergia entre os episódios de poluição e as condições atmosféricas, pois, dependendo dos sistemas meteorológicos atuantes em determinada localidade, estes contribuem ou não para a dispersão dos poluentes. Tal sinergia é tão forte que, para estudar os impactos da poluição na saúde humana, precisamos controlar os efeitos meteorológicos utilizando, para isso, métodos estatísticos (maiores esclarecimentos dos métodos estão explicitados no item 15.5).

O primeiro episódio de danos provocados pela poluição foi registrado em 1930, no Vale de Meuse, localizado entre as cidades de Huy e Liége, Bélgica. Esse vale apresentava grandes concentrações de siderúrgicas, metalúrgicas, centrais de produção de energia e indústrias de cerâmica e vidro, as quais utilizavam fornos a carvão ou gasogênio, carvoarias, indústrias de cimento e de transformações químicas de minerais, fábricas de pólvora, ácido sulfúrico e adubos. Essas indústrias eram distribuídas em uma faixa de aproximadamente 20 km de comprimento. Nos cinco primeiros dias do mês de dezembro daquele ano, **a ausência de ventos e chuvas impediu a dispersão dos poluentes** na região. Imediatamente, foi registrado um aumento significativo no número de doenças respiratórias e um excesso de mortes (60 mortes) até dois dias após o episódio. Fato semelhante ocorreu em Donora (Pensilvânia, Estados Unidos). Durante os últimos seis dias do mês de outubro de 1948, uma **nuvem de poluentes ficou estacionada** sobre a cidade, provavelmente devido a um **episódio de inversão térmica**. Com isso, foram observadas 20 mortes, sendo que, naquele período, normalmente ocorriam, em média, apenas duas. Além disso, 10% da população foi internada com problemas cardíacos e respiratórios.

Porém, o mais clássico e grave episódio ocorreu em Londres, durante o inverno de 1952. Uma **inversão térmica impediu a dispersão dos poluentes** e uma nuvem composta principalmente por material particulado e enxofre permaneceu estacionada sobre a cidade durante, aproximadamente, três dias. Esses compostos apresentavam concentrações até nove vezes maiores que a média. O desfecho desse episódio foi a ocorrência de 4 mil mortes. Além disso, havia uma epidemia de *influenza* estabelecida sobre a cidade, agravando ainda mais a saúde da população (Martin & Bradley, 1960).

Nos Estados Unidos, a partir do final da década de 1940, vários esforços foram feitos no sentido de se estabelecerem parâmetros para regulamentar a qualidade do ar, resultando em uma série de atos de controle da qualidade do ar, dentre eles a criação da EPA. Esta instituição escolheu, como referências para controle da poluição do ar, os poluentes mais abundantes na atmosfera e que causam danos à saúde humana (material particulado inalável (diâmetro $< 10 \mu m$), dióxido de enxofre (SO_2), monóxido de carbono (CO), ozônio (O_3) e dióxido de nitrogênio (NO_2), cujos detalhes foram apresentados no item 15.3).

Neste texto, enfatizamos o clima do centro-sul do Brasil, onde as estações do ano são mais bem definidas (com verões chuvosos e invernos secos), e é justamente esta variabilidade climática que favorece épocas de maior poluição em algumas cidades. Nas outras regiões, devido ao fato de as temperaturas não variarem muito (grosso modo), alguns fenômenos meteorológicos que favorecem eventos de poluição não são observados, por exemplo as inversões térmicas.

15.4.2 Aspectos Climáticos do Brasil

As regiões Sul, Sudeste e Centro-Oeste do Brasil possuem particularidades em seu clima, com sistemas meteorológicos de características tropicais e extratropicais. Dentre os sistemas meteorológicos de várias escalas de tempo e espaço que atingem estas regiões, podemos citar as Frentes Frias (FF), Complexos Convectivos de Mesoescala (CCM), Linhas de Instabilidades (LI), Zona de Convergência do Atlântico Sul (ZCAS) e massas de ar frias e quentes, secas e úmidas. Deve-se salientar que alguns destes sistemas só atuam em determinadas estações do ano. Além disso, a topografia e a proximidade com o Oceano Atlântico determinam as peculiaridades climáticas do país (veja mais detalhes no Capítulo 16).

A estação da primavera no Hemisfério Sul ocorre após a segunda quinzena do mês de setembro, geralmente no dia 22. Com a chegada dessa estação, a atmosfera começa a ficar mais úmida e aquecida e iniciam-se as primeiras chuvas que precederão o verão. Nessa estação, também começam a ocorrer **altas temperaturas**. Com isso, é nessa época do ano que são medidos os **maiores índices de ozônio troposférico**. Com a chegada do verão, a atmosfera fica mais úmida e começa a **chover com regularidade**. Os **poluentes de forma geral são removidos** por deposição úmida (chuva). Já os **níveis de ozônio diminuem** por causa do excesso de **nebulosidade**. No início do outono, ainda se observam chuvas e calor. A partir de meados desta estação, a circulação atmosférica começa a mudar (para a chegada do inverno). No outono, as temperaturas começam a cair e a atmosfera fica com menor teor de umidade e, por isso, as chuvas diminuem. Nesta estação, ocorrem os primeiros dias de **inversão térmica** e os **índices de poluição começam a aumentar**, piorando no período de inverno, principalmente na RMSP,[1] onde este fenômeno ocorre com maior frequência. No inverno, predomina a Alta Subtropical da América do Sul (ASAS) e os sistemas frontais geralmente se deslocam pelo oceano e não conseguem chegar ao continente (para

---

[1]Dentre todas as cidades do país, a Região Metropolitana de São Paulo parece ser a mais atingida, já que é a mais poluída e, por isso, vamos nos deter a explicar os impactos dos poluentes e/ou clima para esta região, uma vez que as medições e os estudos dos efeitos dos poluentes na saúde (em grande parte) foram feitos para a RMSP.

provocar chuva) por causa da configuração dos ventos influenciados pela ASAS. Com isso, os ventos de sul e sudeste diminuem sua frequência, o que favorece uma menor penetração da brisa marítima. Nota-se, nesta estação, a diminuição da intensidade dos ventos, propiciando um maior desenvolvimento de circulações locais, tais como as ilhas de calor urbanas e inversões térmicas.

15.4.3 Circulações Locais na RMSP

As circulações locais pertencem à classe de movimentos atmosféricos caracterizados por uma escala de tempo de até 24h e de poucas centenas de quilômetros, podendo ser originadas por forçantes mecânicas ou térmicas. De forma geral, as circulações locais são padrões meteorológicos específicos de uma região que se desenvolvem a partir das particularidades deste lugar. As **brisas marítimas/lacustres/terrestres**, **circulações vale/montanha** e as **ilhas de calor urbanas** são alguns exemplos. Outro fenômeno bastante importante são as **inversões térmicas**, que também contribuem para as condições insalubres do ar paulistano, principalmente nos meses mais frios. Por apresentar características singulares, a cidade de São Paulo possui estas circulações locais que, por sua vez, interferem nas condições de tempo e na dispersão dos poluentes. Seguem algumas considerações sobre brisas, ilhas de calor urbanas e inversões térmicas.

A causa fundamental do movimento do ar que causa a brisa é o aquecimento diferencial e a capacidade térmica entre as superfícies da terra e do mar. O efeito da **brisa marítima** (Figura 15.5a) pode ser percebido junto à costa e começa no fim da manhã. Trata-se de um vento vindo do mar, que atinge o máximo no princípio da tarde e desaparece ao anoitecer. Este vento é mais forte nos dias quentes, mas pode ser mais fraco quando o céu está nublado. A brisa marítima tem grande papel na **dispersão de poluentes**, podendo contribuir para o aumento da turbulência e transporte dos poluentes para áreas distantes das fontes ou mesmo prejudicar a dispersão, por apresentar circulações parcialmente fechadas, ocasionando o aprisionamento de ar poluído próximo às cidades. Oliveira & Silva Dias (1982) utilizaram dados de superfície da estação climatológica do IAG-USP e caracterizaram a variação diurna e sazonal dos ventos. Segundo os autores, existem três padrões de entrada da brisa marítima em São Paulo: i) brisa padrão, na qual o vento passa de nordeste, no período da manhã, para sudeste à tarde; ii) vento noroeste no período da manhã passando a sudeste, ou a calmaria no período da tarde ou início da noite; iii) intensificação do componente sudeste no período diurno. A penetração da brisa marítima em São Paulo, durante o período por eles analisado, ocorreu entre às 13h e 14h na maioria dos casos, podendo haver antecipação ou atraso, dependo da situação sinótica atuante e da estação do ano.

O efeito da **brisa terrestre** (Figura 15.5b) é percebido à noite. Estas brisas sopram da terra para o mar, nas camadas inferiores, resultado de um arrefecimento, por irradiação, mais acentuado na superfície da terra do que nos oceanos adjacentes. As brisas de terra não são, em geral, tão fortes como as marítimas, pois as diferenças de aquecimento são menores, o que acaba criando um gradiente de pressão local mais fraco. Tais brisas atingem sua extensão máxima pouco antes do nascer do sol.

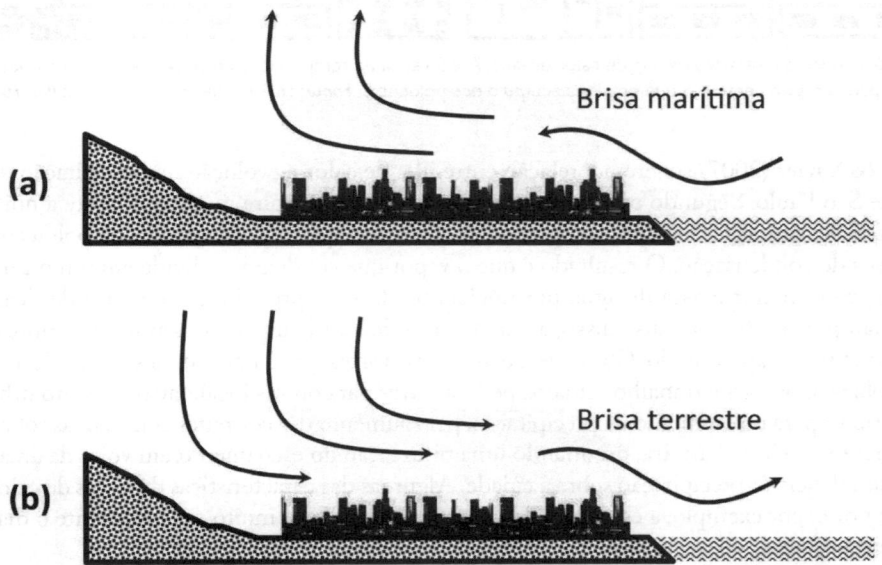

FIGURA 15.5 Esquema da circulação de brisa: a) brisa marítima e b) brisa terrestre. *Fonte: Adaptado de Living in the Environment, Miller, 10th edition.*

As brisas são um fenômeno de grande importância para a caracterização das condições de dispersão dos poluentes, considerando os efeitos de recirculação que estão associados a elas. Muitas vezes, as massas de ar marítimas transportadas para terra durante a tarde, pela brisa marítima, podem conter poluentes "envelhecidos" (principalmente hidrocarbonetos e NO_x) de dias anteriores. A mistura desses poluentes primários com outros já existentes na atmosfera local favorece a produção de oxidantes fotoquímicos que, associados às condições de forte radiação solar, levam à produção de ozônio.

Outro efeito relacionado com contrastes de temperatura é a chamada **ilha de calor urbana** (Figura 15.6). A temperatura média anual em um centro urbano é tipicamente mais alta que a de suas redondezas. Em alguns dias, esse contraste pode atingir cerca de 10 °C ou mais. O contraste de temperatura forma uma circulação convectiva que contribui para a concentração de poluentes sobre as grandes cidades. Vários fatores contribuem para o desenvolvimento de uma ilha de calor urbana, um deles é a concentração relativamente elevada de fontes de calor nas cidades, que são fruto do excesso de asfaltos, prédios e outros. As propriedades térmicas dos materiais das construções urbanas também facilitam a condução de calor mais rapidamente que o solo das áreas rurais, contribuindo para um aumento no contraste de temperatura entre essas regiões. A perda de calor durante a noite, por radiação infravermelha para a atmosfera e o espaço, é parcialmente compensada nas cidades pela liberação de calor das fontes antropogênicas, tais como veículos, indústrias e construções em geral. Uma ilha de calor urbana se desenvolve, na maioria das vezes, quando os ventos de escala sinótica são fracos (fortes ventos misturariam o ar da cidade e das áreas rurais e diminuiriam o contraste de temperatura). Nessas condições, em algumas grandes áreas metropolitanas, o aquecimento relativo da cidade, comparado com seus arredores, pode provocar uma circulação convectiva do ar. Com isso, o ar relativamente quente sobe sobre o centro da cidade e é trocado por ares mais frios e mais densos, convergentes das zonas rurais. A coluna de ar ascendente acumula aerossóis sobre a cidade, formando uma nuvem de poluentes que podem se tornar muitas vezes mais concentrados sobre uma área urbana em comparação ao que ocorre nas áreas rurais.

Figura 15.6 Esquema ilustrativo da ilha de calor urbana. A diferença de temperatura entre periferia e centro faz com que o vento sopre para a região central, o que ocasiona acúmulo dos poluentes. *Fonte: Living in the Environment, Miller, 10th edition.*

Pereira & Xavier (2007) sugerem a relação entre ilha de calor e evolução na precipitação diária para a cidade de São Paulo. Segundo os autores, o aumento da temperatura mínima durante a noite reduz a possibilidade de saturação do vapor de água no ar. Em contrapartida, o aumento da poluição promove mais núcleos de condensação. O resultado é que o vapor que condensa se divide em um número maior de núcleos, com menor massa de água por núcleo, tendo uma probabilidade maior de ficar em suspensão e não precipitar. Por causa disso, a garoa típica de São Paulo, com lâminas inferiores a 2 mm, foi gradualmente desaparecendo. Com relação às chuvas fortes, pode haver uma sobreposição de efeitos locais e globais. Conforme trabalhos citados pelos autores para outras localidades, o efeito urbano pode tanto contribuir para um aumento da precipitação, pelo aumento das correntes convectivas sobre o centro urbano, quanto servir de barreira, originando uma bifurcação do escoamento em volta da área urbana e causando um déficit de precipitação sobre a cidade. Algumas das características das ilhas de calor diferem entre dia e noite; por exemplo, a espessura da cobertura de poeira é muito maior durante o dia (quando os ventos estão fracos) do que à noite.

Outro fator que influencia a dispersão dos poluentes é a **inversão térmica**. Os processos atmosféricos e a circulação associada às altas pressões interferem no estado do tempo sobre os continentes e grandes oceanos do globo. Os anticiclones estão associados à estabilidade atmosférica com pouca mistura vertical e, portanto, fraca dispersão dos poluentes. Já os centros de baixa pressão (depressões) associam-se a condições de instabilidade e de grande turbulência, favorecendo a dispersão dos poluentes. Essas situações sinóticas, que influenciam as condições de turbulência e de estabilidade da atmosfera podem ter durações mais prolongadas, podendo, nas condições desfavoráveis à dispersão, levar a episódios de poluição aguda (*smog*, *smog* fotoquímico).

Nos primeiros 10 km da atmosfera, normalmente, o ar vai se resfriando com o aumento da altura. Assim, o ar mais próximo à superfície, que é mais quente (portanto, mais leve), pode ascender, favorecendo a dispersão dos poluentes emitidos pelas fontes (Figura 15.7a). A inversão térmica é uma condição meteorológica que ocorre quando uma camada de ar quente se sobrepõe a uma camada de ar frio, impedindo o movimento ascendente do ar, uma vez que o ar abaixo dessa camada fica mais frio e, assim, mais denso (pesado). Dessa forma, os poluentes se mantêm próximos da superfície (Figura 15.7b). As inversões térmicas acontecem naturalmente durante o ano todo, porém, no inverno, esta camada de inversão é mais estreita e provoca transtornos quando ocorre em uma cidade poluída como São Paulo, pois os poluentes ficam aprisionados muito próximos da população e tornam o ar insalubre.

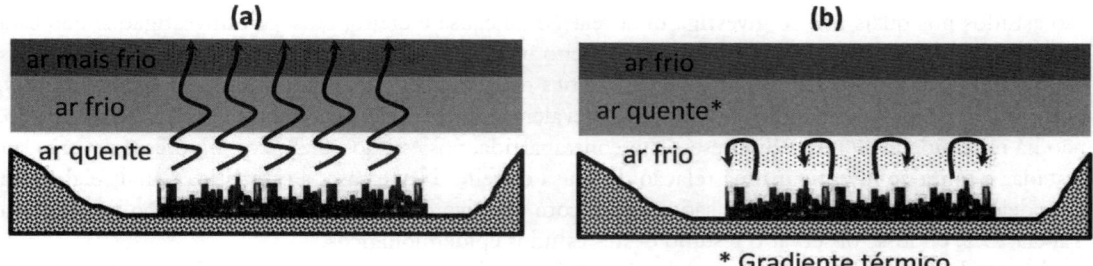

FIGURA 15.7 Esquema ilustrativo do efeito de inversão térmica, a) situação normal de dispersão dos poluentes atmosféricos; b) situação de dispersão dos poluentes atmosféricos sob o efeito de inversão térmica. *Fonte: Living in the Environment, Miller, 10th edition.*

Além de atingir diretamente a saúde humana, a poluição também interfere no microclima da cidade, alterando o aspecto físico da atmosfera por meio da quantidade de aerossóis injetados no ar. Dessa forma, ocorrem modificações na quantidade de nuvens e alterações no balanço de temperatura e de radiação na atmosfera. Com isso, são gerados desequilíbrios no regime de precipitação e mudanças na temperatura e em outros fenômenos meteorológicos, ocasionando, por exemplo, o já mencionado desaparecimento da garoa na "terra da garoa" (Pereira & Xavier, 2007).

Nos grandes centros urbanos e poluídos como São Paulo, a influência meteorológica somada à poluição do ar é ainda mais marcante, pois as condições atmosféricas interferem na dispersão dos poluentes. Muitas vezes, na presença de massas de ar frio, ocorre o aprisionamento dos poluentes nas camadas mais baixas da atmosfera, fenômeno conhecido como inversão térmica, como visto anteriormente. Como exemplo deste fenômeno, pode ser citado o *smog* fotoquímico (ocorrido em Londres no ano de 1952), que provocou a morte de 4 mil pessoas. Diante disso, quando se estuda a cidade de São Paulo, estes fatores precisam ser analisados em conjunto, levando em consideração a sinergia entre eles (Coelho-Zanotti, 2010).

15.5 MÉTODOS CIENTÍFICOS UTILIZADOS NOS ESTUDOS DE POLUIÇÃO, CLIMA E SAÚDE HUMANA

Para situar os leitores sobre estes estudos, faremos uma breve descrição dos tipos de metodologias (desenhos de pesquisa) utilizados nos estudos em saúde humana, sejam estudos de caráter individual ou de populações (agregados). Observe que, a partir deste ponto, algumas palavras não familiares aos engenheiros farão parte deste texto.

Dentro desse contexto, algumas definições e explicações sobre Epidemiologia devem ser consideradas, pois é a ciência que estuda o processo saúde-doença em coletividades humanas. De maneira simplificada, pode-se conceituar a Epidemiologia como a *"ciência que estuda o processo saúde-doença em coletividades humanas, analisando a distribuição e os fatores determinantes das enfermidades, danos à saúde e eventos associados a saúde coletiva, propondo medidas específicas de prevenção, controle, ou erradicação de doenças, e fornecendo indicadores que sirvam de suporte ao planejamento, administração e avaliação das ações de saúde".* Enquanto campo disciplinar específico, a Epidemiologia surge a partir da consolidação de uma trilogia de elementos conceituais, metodológicos e ideológicos: respectivamente a clínica médica, a estatística e a medicina social (Rouquayrol, 1994).

De forma didática, os estudos epidemiológicos podem ser classificados de acordo com dois alicerces principais: 1) **posicionamento do investigador**, 2) **dimensão temporal do estudo**.

1) O papel do investigador em sua relação com o objeto de estudo cobre dois tipos de posicionamento:

- **Ativo**. Significa que o investigador interfere no processo em estudo, resultando no que conhecemos com "experimentação".
- **Passivo**. O investigador apenas observa o processo de produção de doenças na população.

2) A dimensão temporal do estudo, por sua vez, pode ser dividida em:

- **Instantânea**. Ocorre quando a produção do dado é realizada em um momento singular do tempo, como um corte transversal no momento da observação.
- **Serial**. Qualquer tipo de seguimento, em uma escala temporal, define o caráter serial de um dado estudo.

Os estudos epidemiológicos dividem-se em duas partes: os **descritivos** e os **analíticos**. Os descritivos são estudos nos quais não se investiga uma relação de causa e efeito, ou seja, o investigador não está interessado em investigar o que causa algum efeito ou o que influencia alguma coisa. Ele quer apenas "fotografar" uma situação. Para isso, usa a estatística mais simples para obter informações sobre médias, porcentuais, proporções e indicadores (como prevalência, incidência, taxas, entre outros). Neste estudo, não há necessidade de testar hipóteses. Em contrapartida, nos estudos analíticos, hipóteses deverão ser testadas e tenta-se investigar uma relação de causa e efeito. Neste caso, a estatística é mais elaborada e modelos estatísticos/estocásticos são testados com objetivo de investigar fatores de risco à saúde. Na Tabela 15.2, pode-se observar o resumo destes estudos epidemiológicos.

Ao estudar a saúde humana, muitos fatores estão associados, entre eles o meio ambiente. No entanto, quando estudamos os efeitos dos poluentes e do clima sobre a saúde humana, estamos restringindo nossa análise aos **estudos ecológicos de séries temporais** (Tabela 15.2), e essa limitação deve ser levada em consideração nos resultados obtidos, pois estamos ignorando informações individuais (nutrição, doenças pré-existentes, entre outras) das pessoas afetadas. Para mais informações sobre vantagens e desvantagens dos desenhos metodológicos, sugerimos a leitura da bibliografia Rouquayrol (1994), indicada no final do capítulo.

TABELA 15.2	Tipologia dos desenhos de investigação epidemiológica		
Tipo operativo	**Posição do investigador**	**Referência Temporal**	**Denominações**
Agregado (populacional)	Observacional	Transversal	Estudos ecológicos
		Longitudinal	Estudos de tendências ou séries temporais
	Intervenção	Longitudinal	Ensaios comunitários
"Individuado"	Observacional	Transversal	Inquéritos
		Longitudinal	Estudos prospectivos (cortes)
			Estudos retrospectivos (caso-controle)
	Intervenção	Longitudinal	Ensaios clínicos

Fonte: Rouquayrol (1994).

15.5.1 Estatística Utilizada nos Estudos de poluição Atmosférica

Desde os três episódios dramáticos de poluição ocorridos no mundo (relatados no item 15.4.1), multiplicaram-se os estudos sobre os efeitos da poluição do ar sobre a saúde humana e, a cada estudo, os métodos estatísticos empregados foram sendo aprimorados com o intuito de facilitar a compreensão desses efeitos. A seguir, é feita uma rápida descrição de como os modelos estatísticos/estocásticos foram aprimorados desde a década de 1960 até os dias de hoje.

Década de 1960

No início dos anos 1960, os pesquisadores Martin & Bradley (1960) publicaram um estudo relativo ao incidente de nevoeiro no inverno londrino de 1958-1959, avaliando o efeito da poluição sobre a saúde da população. Utilizaram **análises de correlação e regressão linear simples** entre as mortes diárias e as concentrações de poluentes. Neste estudo, os fatores meteorológicos foram discutidos, mas não foram considerados na análise. Na mesma década, Sterling (1966) investigou os possíveis efeitos da poluição atmosférica sobre a taxa de admissões hospitalares ocorridas em Los Angeles (Estados Unidos) para diferentes doenças. Este pesquisador descobriu a influência dos dias da semana no aumento do número de admissões hospitalares, demonstrando o **efeito calendário** e os **efeitos sazonais** devido às **condições meteorológicas** no fenômeno em estudo. Esses dois efeitos foram apontados como potenciais fatores de confusão na associação de interesse.

No mesmo ano, Greenburg et al. (1967) examinaram o padrão de mortalidade por todas as doenças durante um episódio de poluição elevada ocorrida em Nova York entre 29 de janeiro e 12 de fevereiro de 1963. Neste período, houve a suposição de que os óbitos seguiam uma **distribuição de Poisson** e a comparação entre o total do número de mortes por todas as doenças de 29 de janeiro a 12 de fevereiro de cada ano (1961-1965) foi realizada com um teste qui-quadrado de tendência.

Década de 1970

Na década de 1970, poucos estudos foram realizados devido a resultados de políticas públicas ambientais em países desenvolvidos. No entanto, muitas pesquisas continuaram sendo realizadas a partir das bases de dados disponíveis. Com isso, novas técnicas estatísticas foram utilizadas, favorecidas por melhorias computacionais. O resultado das inovações foi a utilização de **modelos múltiplos de regressão, análise com controle de fatores meteorológicos** e **flutuação de longo prazo** (tendência e sazonalidade). Esta década também foi marcada por constantes discussões metodológicas e diversos estudos que avaliaram a ausência e o tratamento inadequado das variáveis meteorológicas, a multicolinearidade entre as variáveis preditivas e os padrões espaço-temporais como alternativas para análise de regressão.

Década de 1980

Na década de 1980, os estudos prosseguiram na direção da **regressão múltipla,** incluindo o controle por potenciais fatores de confusão e a busca por modelos alternativos de **regressão não linear** para ajustar variáveis não lineares. Nesta década, as publicações ficaram mais claras na representação dos modelos utilizados, dos ajustes e do controle dos fatores de confusão. Na Califórnia, Shumway et al. (1988) procuraram ajustar **modelos lineares e não lineares** para explicar as possíveis associações entre mortalidade, poluição e variáveis climáticas em Los Angeles, no período compreendido entre 1970 e 1979. Utilizaram técnicas de análise de séries temporais para 11 séries de dados diários: três séries de mortalidade (total, por doenças respiratórias e cardiovasculares), duas de clima (temperatura e umidade relativa), além de seis tipos de poluentes. Após suavizar os dados originais, transformando-os em médias semanais, os autores chegaram a um modelo em que Mt é a mortalidade suavizada para a semana t, expressa em mortes por dia. As variáveis independentes são a temperatura Tt e a poluição Pt. Os erros Xt, aditivos e correlacionados, satisfazem, supostamente, um **modelo autorregressivo** de ordem não especificada. O modelo de regressão múltipla ajustado permitiu concluir que havia uma associação positiva e significativa entre o SO_2 e as mortalidades diárias, independentemente dos efeitos de temperatura, umidade, variações seculares, sazonalidade, variações mensais e anuais, além de possíveis interações entre os fatores meteorológicos e as estações do ano.

Período de 1990-2018

Na segunda metade dos anos 1990 (1995-1999), destacou-se o modelo de regressão para séries temporais de contagem, proposto por Zeger (1988), que permitia ajustar adequadamente os dados quando estes apresentassem sobredispersão e/ou autocorrelação. Este modelo ficou conhecido como o modelo de Poisson autorregressivo (modelo log-linear com erros de Poisson autorregressivos ou **modelo de regressão de séries temporais de Poisson**). As séries analisadas (desfecho) eram contagens diárias de mortalidade ou admissões hospitalares por causa específica, principalmente em cidades da Europa associadas ao projeto APHEA (*Air Pollution and Health: an European Approach*). Diversos estudos sobre o efeito da poluição atmosférica empregam este modelo nas análises (Saldiva et al., 1994; Ponce de Leon, 1996; Braga, 1998). Ressalta-se ainda que, na segunda metade da década de 1990, os modelos aditivos generalizados (MAG) de Poisson, como os descritos por Hastie & Tibshirani (1990), foram adotados em alguns estudos, permitindo ajustar de forma não paramétrica tanto os fatores meteorológicos quanto a tendência e a sazonalidade. Este modelo forneceu maior flexibilidade na descrição da relação entre o desfecho e as covariáveis que não sejam lineares (Schwartz & Morris, 1995; Braga, 1998).

Ao longo dos anos 2000-2002, o MLG (modelo linear generalizado) e o MAG, aplicados à regressão de Poisson, foram bastante utilizados para estes tipos de estudos ecológicos. Em especial, o MAG fornece maior flexibilidade na descrição de padrões complexos da associação a partir de funções suavizadas, como a média móvel ponderada, *locally-weighted scatterplot smoother* (*loess*) ou *cubic smoothing splins* (*splines*), para controle dos fatores meteorológicos e da tendência e sazonalidade da série de desfecho. Contudo, os dois modelos mostraram associações entre a poluição e as internações (Simas, 2003).

Nestes estudos, observamos que as internações, mortes ou mesmo os atendimentos ambulatoriais ocorrem horas ou dias depois de um pico de poluição atmosférica, ou de um evento meteorológico extremo (onda de frio/calor, baixa umidade relativa do ar etc.). Desta forma, os modelos estatísticos precisam contemplar esta defasagem no tempo (conhecidas como *"lags"*). Para simplificar as análises estatísticas, considerávamos até então, estes efeitos de defasagem como uma função linear (no tempo). Porém, muitas vezes esta associação não é linear e os modelos estatísticos tendem a aumentar o erro na estimativa. Vamos imaginar que o tempo de exposição a um evento seja prolongado em torno de cinco dias. Como levar em consideração o efeito de cada dia individualmente? Será que o efeito de cada dia é igual (linear) ou o efeito de um dia influencia nos dias seguintes? A fim de equacionar estas deficiências, uma nova metodologia foi desenvolvida para tratar este problema, aprimorando ainda mais os modelos estatísticos desenvolvidos até aqui.

Desenvolvida por Gasparrini (2010), a metodologia representa uma estrutura de modelagem capaz de capturar de forma flexível associações que mostram efeitos não lineares de defasagem nas séries temporais. Este método foi chamado em inglês de *"Distributed Lag Non-Linear Models"* (distribuição de lags não lineares) e é também um dos *packages* usado pelo software R. Este é um poderoso software de fonte aberta, no qual vários pesquisadores têm desenvolvido técnicas estatísticas inovadoras e disseminado gratuitamente estas informações (para maiores informações visite: https://www.r-project.org). Os estudos mais recentes têm aplicado esta metodologia para avaliação dos impactos das mudanças climáticas na saúde humana por meio de uma rede de pesquisadores que tem compartilhado dados e conhecimento de seus respectivos países (consulte: http://mccstudy.lshtm.ac.uk). Os autores deste capítulo têm contribuído para estes estudos, sendo responsáveis pelas análises para o Brasil.

Mais recentemente, com a evolução dos satélites, inúmeras variáveis passaram a ser medidas em escala global e com melhores resoluções espaciais. Podemos obter com facilidade, por exemplo, medidas de aerossóis atmosféricos, índices de vegetação, temperatura da superfície da terra e das águas. A obtenção de variáveis por meio de medições terrestres (estações fixas) ainda é muito limitada, principalmente em países mais pobres, já que o custo para manter estas estações de medição em operação torna-se inviável. Apenas grandes cidades, como São Paulo, são capazes de manter este custo. Mesmo assim, ainda apresentam medições limitadas tanto no tempo quanto no espaço. Desta forma, o uso de variáveis disponibilizadas pelos satélites torna-se uma importante ferramenta para expandir estes estudos para regiões onde não há medições terrestres de poluição atmosférica e de variáveis meteorológicas.

A evolução das técnicas estatísticas de análise de séries temporais tem permitido captar os efeitos da poluição atmosférica na saúde, mesmo quando os níveis de poluição não estão tão acentuados, se comparados aos estudos pioneiros da década de 1950 nos Estados Unidos e na Inglaterra. Todos esses estudos feitos em vários países serviram de incentivo para que estudos no Brasil com este enfoque fossem iniciados, principalmente em São Paulo, onde o nível de poluição coloca a cidade no grupo das mais poluídas do mundo.

A Tabela 15.3 mostra um resumo dos métodos estatísticos utilizados nos estudos de poluição atmosférica. Apresentamos uma rápida descrição destes modelos. Para mais informações, o leitor deve consultar a bibliografia especializada (algumas relacionadas no final do capítulo).

TABELA 15.3 Resumo das principais abordagens utilizadas nos estudos de poluição atmosférica

Dados agregados		Dados individuais
Modelos de regressão	Linear (simples e múltipla)	*Case-crossover*
	Poisson	Estudo de painel
	Binomial	
	Aditivo Generalizado Polinomial	
	Logístico (simples e múltiplo)	

Dados Agregados: Modelos de Regressão

Os modelos de regressão são amplamente utilizados em várias situações e nas mais diversas disciplinas do conhecimento, inclusive nos estudos de saúde. Na prática, há diversas situações em que a análise de regressão é apropriada, por exemplo, quando queremos caracterizar a relação entre uma variável dependente (Y) e uma ou mais variáveis independentes (Xi), isto é, avaliar a extensão, a direção e a força da relação (associação). No nosso caso, a variável dependente é qualquer desfecho de saúde (por exemplo, mortes, internações) e as variáveis independentes são as atmosféricas (poluentes e variáveis meteorológicas), entre outras.

Quando usamos os modelos de regressão, queremos, na verdade, procurar uma função matemática ou equação para descrever a variável dependente (Y) como função das variáveis independentes (Xi), isto é, predizer Y em função dos Xi, determinando o melhor modelo estatístico que descreva essa relação. Tal função depende do processo estudado, por exemplo, no caso dos estudos de poluição e saúde. Geralmente, a função de Poisson explica melhor o fenômeno.

Ao encontrar o modelo adequado, este deverá descrever quantitativa e/ou qualitativamente a relação entre os Xi e Y, controlando o efeito de outras variáveis (Ci). Em alguns casos, pode-se também verificar o efeito interativo de duas ou mais variáveis independentes as quais se relacionam com a variável dependente.

Dados Individuais: *Case-crossover e Estudos de Painel*

O desenho de estudo *case-crossover* foi desenvolvido como uma variante do desenho caso-controle para estudar os efeitos de exposições curtas sobre eventos agudos. A diferença entre este estudo e o estudo de caso-controle é que no *case-crossover* são escolhidos apenas os casos e são comparados os níveis de poluição do dia do evento com períodos especificados antes e após o evento. A análise do estudo *case-crossover* é análoga a de um estudo caso-controle pareado, no qual regressões logísticas condicionais garantem que cada par caso-controle seja individualmente pareado por meio das variáveis especificadas para a análise. Desde que seja garantido um pareamento perfeito em todas as variáveis que não variam ao longo do tempo, não haverá "confundimento" induzido por estas características.

A escolha de dias de controle próximos aos dias do evento pode, ainda, controlar efeitos confundidores da exposição produzidos por padrões sazonais. Isto torna esta abordagem uma alternativa atraente para os modelos de regressão de Poisson. A escolha dos controles pode, também, ser estratificada por tempo, escolhendo os dias de controle do mesmo mês e do mesmo ano dos casos, evitando problemas de viés de seleção e resultando em uma adequada probabilidade logística condicional. Esta abordagem tem sido testada em estudos de simulação e produz estimativas não enviesadas, mesmo em situações em que a sazonalidade pode produzir uma forte confusão.

Parear, simultaneamente, tanto pelo dia da semana quanto pela estação do ano pode controlar a possibilidade da variação do efeito do dia da semana de acordo com a estação do ano. As análises são realizadas, separadamente, para cada desfecho, controlando para o dia da semana, no mesmo mês do caso, e para fatores meteorológicos. Os poluentes são modelados de forma linear. Como uma análise de sensibilidade, pode-se testar uma forma alternativa de seleção dos controles, pareando pela temperatura aparente e utilizando indicadores para dia da semana.

Análises do tipo *case-crossover* se prestam a análises de modificação de efeito. Fatores como gênero são controlados por pareamento no desenho do estudo, mas ainda é possível testar modificação de efeito com termos de interação ou com análises estratificadas. As análises deste estudo podem também ser estratificadas por faixas etárias.

Diferentemente dos estudos de base populacional, os estudos de painel visam a avaliar grupos de risco, tais como pacientes idosos ou crianças, e determinar se variações de poluição atmosférica estão relacionadas com alterações funcionais adversas. Os estudos de painel possuem, em geral, maior poder de detectar efeitos adversos dos poluentes atmosféricos e podem complementar os dados dos estudos epidemiológicos de base populacional. De forma resumida, o conceito básico dos estudos de painel é baseado na realização de medidas repetidas de alguns parâmetros de interesse, espaçadas por semanas ou meses. Em uma situação como esta, é provável que os níveis de poluição variem em diferentes dias de análise, permitindo que, para cada indivíduo, seja possível verificar a possível associação entre variações de poluição do ar e alterações funcionais.

Como o leitor pode perceber, existe uma infinidade de metodologias para se estudarem os impactos dos poluentes na saúde humana. Contudo, estes estudos são dinâmicos e espera-se que muitas metodologias sejam utilizadas em conjunto.

REVISÃO DOS CONCEITOS APRESENTADOS

Como explanado no texto, pode-se dizer que a poluição do ar não é assunto recente. Hypócrates, em 400 a.C., e Sêneca, em 61 a.C., já haviam se referido à influência do ambiente na saúde da população. Em 1558, a Rainha Isabel I de Inglaterra e Escócia proibiu a queima de carvão durante as sessões do parlamento por ser alérgica aos fumos liberados. No século seguinte, em 1661, John Evelyn escreveu "*Fumifugium, or the Inconvieniencie of the Aer and the Smoake of London Dissipated*", no qual retratou o nível de poluição que afetava a capital inglesa e propôs medidas mitigadoras, como limitar o uso de carvão, realocar as indústrias, desenvolver novos combustíveis ou mesmo plantar corredores verdes ao longo da cidade. Contudo, após a Revolução Industrial, ficou mais perceptível a interação desastrosa do Homem com a natureza, pois esta interação se fez sem planejamento e de forma predatória, gerando poluição e possivelmente alterando o clima planetário.

Dentre todos os tipos de poluição causada pelo homem, a poluição do ar tem sido a mais sentida pela população, uma vez que precisamos respirar para viver. A atmosfera terrestre tem sido constantemente contaminada por substâncias tóxicas emitidas por indústrias, automóveis, termoelétricas e outras fontes. Esta agressão é mais evidente nos grandes centros urbanos, por exemplo, a cidade de São Paulo, que é considerada uma das mais poluídas do mundo. Nesta metrópole, é consenso entre os pesquisadores que a poluição é um problema de saúde pública (Böhm et al., 1989; Saldiva et al., 1992). O ar poluído nesta cidade responde por um número significativo de internações, sendo responsável pelo agravamento de doenças pulmonares e do quadro clínico dos portadores de moléstias cardíacas, óbitos neonatais, problemas hematológicos, oftalmológicos, neurológicos, dermatológicos e cânceres.

O Brasil, tanto por suas dimensões continentais, quanto pelas suas características de desenvolvimento industrial e agrícola, apresenta situações em que o risco à saúde humana diante da contaminação ambiental deve ser avaliado. A poluição do ar, a contaminação dos recursos hídricos e a presença de resíduos tóxicos no solo podem, em alguns cenários, representar um risco significativo de agravo à saúde, o que demanda a avaliação responsável e a proposição de medidas corretivas e preventivas.

Se for mantido o atual padrão de consumo energético excessivo e insustentável, ocorrerão riscos importantes para a saúde humana. O acúmulo de poluentes primários emitidos a partir de termoelétricas e escapamentos de veículos aumentará a taxa de mortalidade por câncer e doenças dos sistemas cardiovascular e respiratório. O aumento do ozônio troposférico[2] causará danos aos pulmões. Maior dose de radiação ultravioleta, como resultado do buraco na camada de ozônio (estratosférico), elevará o risco para tumores de pele. A escassez de recursos hídricos e a desertificação de algumas áreas do planeta poderão levar à fome e a migrações de grande vulto. O consumo de água de pior qualidade levará a uma maior taxa de doenças de veiculação hídrica, como a diarreia ou a intoxicação por metais pesados. Os mosquitos transmissores de doenças infecciosas, como a malária e a dengue, proliferarão mais rapidamente e invadirão áreas hoje de clima temperado, aumentando o número de vítimas. Desastres naturais causados por eventos climáticos extremos, como inundações e furacões, cobrarão um pedágio doloroso. Evitar este conjunto de situações é um dever, e o momento de fazê-lo é agora, enquanto estamos vivenciando estes impactos, temos consciência de suas causas e nos resta tempo.

SUGESTÕES DE LEITURA COMPLEMENTAR

- ANDRADE, M.F. (1993) *Identificação de fontes da matéria particulada do aerossol atmosférico de São Paulo.* Tese de Doutorado. Instituto de Física, Universidade de São Paulo (IF-USP).
- Companhia Ambiental do Estado de São Paulo (CETESB). (2003) *Relatório de Qualidade do Ar no Estado de São Paulo.* São Paulo: Cetesb. Série Relatórios ISSN-0103-4103.
- COELHO-ZANOTTI, M.S.S. (2007) *Uma análise estatística com vistas a previsibilidade de internação por doenças respiratórias em função das condições meteorotrópicas na cidade de São Paulo.* Tese de Doutorado. Instituto de Astronomia, Geofísica e Ciências Atmosféricas, Universidade de São Paulo (IAG-USP), 195p.
- KLEINBAUM, D.G., KUPPER, L.L., MULLER, K.E., NIZAM, A. (1997) *Applied regression analysis and other multivariable methods.* Boston: Brooks/Cole Pub Co., 816 p.
- RIBEIRO, H., PESQUERO, C.R., COELHO, M.S.Z.S. (2006) Clima urbano e saúde: uma revisão sistematizada da literatura recente. *Estudos Avançados*, 30(86), 67-82.
- MASSAD, E, MENEZES, R.X., SILVEIRA, P.S.P., ORTEGA, N.R.S. (2004) *Métodos Quantitativos em Medicina.* São Paulo: Manole, 570p.
- MORETTIN, P.A., TOLOI, C.M.C. (1987) *Previsão de Séries Temporais.* São Paulo: Atual.

---

[2]Ozônio troposférico é o poluente formado próximo da superfície por reações fotoquímicas e que pode ser inalado pelas pessoas, prejudicando os pulmões. Já o ozônio estratosférico fica em torno de 30 km de altura e é benéfico, pois evita que a radiação nociva proveniente do sol prejudique a nossa pele.

- PEREIRA, A.J.F., XAVIER, T.M.B.S. (2007) *Evolução do tempo e do clima na Região Metropolitana de São Paulo.* São Paulo: Linear B, IAG/USP, 282p.
- ROUQUAYROL, M.Z. (1994) *Epidemiologia e saúde.* Rio de Janeiro: MEDSI, 540p.
- SEINFELD, J.H., PANDIS, S.N. (1998) *Atmospheric Chemistry and Physics: from Air Pollution to Climate Change.* Nova York: Wiley, 1.326p.

Referências

American Thoracic Society. (2000) What Constitutes an Adverse Health Effect of Air Pollution? Disponível em: <http://www.thoracic.org/statements/resources/eoh/airpollution1-9.pdf>. Acesso: abril 2018.

BÖHM, G.M., SALDIVA, P.H.N., PASQUALUCCI, C.A. et al. (1989) Biological effects of air pollution in São Paulo and Cubatão. *Environmental Research*, v. 49, n. 2, p. 208-216.

BRAGA, A.L.F. (1998) Quantificação dos efeitos da poluição do ar sobre a saúde da população pediátrica da cidade de S. Paulo e proposta de monitorização. Tese de Doutorado. Faculdade de Medicina, Universidade de São Paulo, FM-USP.

COELHO-ZANOTTI, M.S.S., GONÇALVES, F.L.T., LATORRE M.R. (2010) Statistical analysis aiming at predicting respiratory tract disease hospital admissions from environmental variables in the city of São Paulo. Journal of Environmental and Public Heatlh, v. 2010. 11p.

GASPARRINI, A., ARMSTRONG, B., KENWARD, M.G. (2010) Distributed Lag Non-Linear Models. Statistics in Medicine, v. 29, n. 21, p. 2224-2234.

Global Strategy for Asthma Management and Prevention (GINA). (2006) Asthma Management and prevention. Disponível em: <http://www.ginasthma.org>. Acesso: abril 2017.

GREENBURG, L., JACOBS, M.B., DROLETTI, B.N. (1962) Report of an air pollution incident in Nova York City, november 1953. *Public Health Reports*, v. 77, p. 7-16.

HASTIE, T., TIBSHIRANI, R. (1990) *Generalized Additive Models.* Londres: Chapman & Hall. 335p.

MARTIN, A.E., BRADLEY, W.H. (1960) Mortality, fog and atmospheric pollution: an investigation during the winter of 1958-1959. *Monthly Bulletin of the Ministery Health – Public Health Laboratory Services*, v. 19, p. 56-72.

MARTINS, L.C., LATORRE, M.R., SALDIVA, P.H., BRAGA, A.L. (2002) Air pollution and emergency room visits due to chronic lower respiratory diseases in the elderly: an ecological time-series study in São Paulo. *Journal of Occupational and Environmental Medicine*, v. 44, n. 7, p. 622-627.

MCC Collaborative Research Network. An international research program on the associations between weather and health. Disponível em: <http://mccstudy.lshtm.ac.uk>. Acesso: fevereiro 2018.

OLIVEIRA, A.P., SILVA DIAS, P.L. (1982) *Aspectos observacionais da brisa marítima em São Paulo.* In: Congresso Brasileiro de Meteorologia, 2, Pelotas, p. 129-145.

PONCE DE LEON, A. (1996) Searching for Associations Between Counts of Helth Events and Air Pollution. *Osterr. Zeitshrift Fur Stastistik*, v. 25, p. 25-34.

POPE, C.A., BURNETT, R.C., THUN, M.J., CALLE, E.E., KREWSKI, D., ITO, K., THURSTON, G.D. (2002) Lung cancer, cardiopulmonary mortality, and long-term exposure to fine particulate air pollution. *Journal of the American Medical Association*, v. 287, n. 9, p. 1132-1141.

SALDIVA, P.H., LICHTENFELS, A.J., PAIVA, P.S. et al. (1994) Association between air pollution and mortality due to respiratory diseases in children in São Paulo, Brazil: a preliminary report. *Environmental Research*, v. 65, n. 2, p. 218-225.

SCHWARTZ, J., MORRIS, R. (1995) Air pollution and hospital admissions for cardiovascular disease in Detroit, Michigan. *American Journal of Epidemiology*, v. 142, n. 1, p. 23-35.

SHUMWAY, R.H., AZARI, A.S., PAWITAN, Y. (1998) Modelling mortality fluctuations in Los Angeles as functions of pollution and weather effets. *Environmental Research*, v. 45, p. 224-241.

SIMAS, H.S. (2003) Aspectos metodológicos em análise de séries temporais epidemiológicas do efeito da poluição atmosférica na saúde pública: uma revisão bibliográfica e um estudo comparativo via simulação. Dissertação de Mestrado. Instituto de Medicina Social, Universidade do Estado do Rio de Janeiro (UERJ), 108p.

SHY, C. (1979) Epidemiologic evidence and the United States air quality Standards. *American Journal of Epidemiology*, v. 110, p. 661-670.

STERLING, D., PHARR, J.J., POLLACK, S.V., SCHUMSKY, D.A., DeGROTL, I. (1996) Urban Morbidity and Air Pollution. *Archives of Environmental Health*, v. 13, n. 1.

YEH, H.C., CUDDIHY, R.G., PHALEN, R.F., CHANGM, I.Y. (1996) Comparisons of Calculated Respiratory Tract Deposition of Particles Based on the Proposed NCRP Model and the New ICRP66 Model. Aerosol *Science and Technology*, v. 25, p. 134-140.

ZEGER, S.L. (1988) A regression model for time series of counts. Biometrika, v. 75, n. 4, p. 621-629.

MUDANÇAS CLIMÁTICAS

Marcos José de Oliveira / Francisco Arthur Silva Vecchia /
Celso Dal Ré Carneiro

Esse capítulo mostra que o clima na Terra mudou, e continua mudando, ao longo de toda a história geológica do planeta. A mudança se deve a causas naturais e artificiais. Dentre os fatores naturais, é decisiva a influência das variações nas emissões solares, parâmetros orbitais terrestres, atividades vulcânicas, gases do efeito estufa e aerossóis. A mudança climática causa impactos nos ecossistemas e nas pessoas. O capítulo descreve ainda as principais respostas de adaptação e mitigação dos problemas.

16.1 INTRODUÇÃO

Da mesma forma que o homem é **afetado pelo clima**, ele também pode **alterar o clima** em diferentes escalas espaciais e temporais. Em nível global e durante o último século, o aumento da temperatura média na superfície terrestre – fenômeno conhecido como **aquecimento global antropogênico** – pode ser devido ao aumento de emissões de gases do efeito estufa, especialmente o dióxido de carbono oriundo da queima de combustíveis fósseis.

Ao homem tem sido atribuída a responsabilidade de ser o principal indutor das mudanças climáticas recentes. Entretanto, as causas de mudanças climáticas funcionam ao longo de toda a história da Terra e dependem de fatores naturais que fogem do controle humano.

Muitas dessas causas naturais possuem magnitude de influência extraordinária, capazes de deflagrar eventos climáticos como as eras glaciais. Por exemplo, entre uma era glacial fria e um período interglacial quente, a amplitude de variação da temperatura média global é da ordem de 10 °C. A título de comparação, as mudanças observadas na temperatura, desde 1900, representaram um aumento de cerca de 0,6 °C no valor médio global. Antes de combater impactos observados, é imprescindível compreender os mecanismos físicos da mudança climática e suas principais causas, sejam elas naturais ou antropogênicas.

16.2 CLIMA E TEMPO

Nos estudos de clima, são considerados os seguintes **elementos climáticos:**[1] temperatura do ar, umidade do ar, pressão atmosférica, ventos predominantes (sentido e velocidade), nebulosidade e precipitações (chuva, neve e granizo).

Para o entendimento dos fenômenos climáticos, é importante definir e diferenciar **tempo** e **clima**, que resultam de combinações de certos valores dos **elementos climáticos**. As combinações são denominadas de **estado da atmosfera**.

- **Tempo:** é caracterizado por um **estado instantâneo** e efêmero das condições atmosféricas.
- **Clima:** é caracterizado por um conjunto de **tendências duradouras**, oriundas de combinações permanentes, analisadas e estudadas ao longo de um dado período, a exemplo do que expressam as **normais climatológicas**, que consideram períodos de 30 anos de dados.

Portanto, o **clima** pode ser entendido como um conjunto de elementos estudados por meio de registros meteorológicos ao longo de muitos anos, enquanto o **tempo** representa uma experiência atual, momentânea, ou seja, que expressa os estados atmosféricos observados em determinado instante na atmosfera (Cunha & Vecchia, 2007).

---

[1]**A radiação solar** é, por definição, considerada um fator de gênese do clima. Todavia, ela é comumente utilizada nas análises climáticas e meteorológicas, sendo muitas vezes medida em estações meteorológicas, juntamente com os elementos climáticos.

16.3 CIÊNCIA DAS MUDANÇAS CLIMÁTICAS

A expressão **mudanças climáticas** é utilizada para descrever alguma alteração sistemática ou alguma variação estatisticamente significativa tanto nos valores médios dos elementos climáticos quanto na sua variabilidade, sustentada ao longo de um período temporal finito e compreendendo escalas da ordem de décadas até milhões de anos atrás.

As mudanças associadas ao aumento da temperatura superficial terrestre remetem à difundida expressão **aquecimento global** – aumento, natural ou induzido pelo homem, da temperatura média global da atmosfera próxima à superfície da Terra.

A definição de **mudanças climáticas** adotada e utilizada neste capítulo segue o conceito definido pelo IPCC, sigla do Painel Intergovernamental sobre Mudanças Climáticas (em inglês, *Intergovernmental Panel on Climate Change*). Mudanças climáticas, no uso do IPCC:

"referem-se à mudança no estado do clima que pode ser identificada (por exemplo, utilizando testes estatísticos) por mudanças na média e/ou na variabilidade de suas propriedades, e que persistem por um período prolongado, tipicamente por décadas ou mais tempo. Refere-se a qualquer mudança no clima ao longo do tempo, seja devido à **variabilidade natural** ou como resultado da **atividade humana**" (IPCC, 2007a, grifos nossos).

Portanto, é essencial entender e discernir **causas naturais** e **causas antropogênicas** das mudanças climáticas, assim como verificar os efeitos observados para atribuição apropriada desses fatores.

Quanto à **escala espacial** de abordagem, podemos classificar como **mudanças locais**, **regionais** ou **globais**. **Mudanças globais** são assim denominadas quando se assume um valor médio globalmente representativo de determinado elemento climático obtido em diferentes regiões do planeta. Segundo a **escala temporal**, as mudanças climáticas podem ser didaticamente divididas em três categorias de análise: **presente (passado recente)**, **passado** e **futuro**, descritas a seguir.[2] É adotada, ao longo do texto, a abordagem do tipo "causa-efeito", que permite uma compreensão mais clara dos fenômenos envolvidos ao responder "o que está acontecendo?" (**efeitos**) e "por que está acontecendo?" (**causas**).

16.3.1 Mudanças Climáticas Recentes: Aquecimento Global Antropogênico

No estudo das mudanças climáticas modernas, ou melhor, no passado recente, tem-se visto que elas são normalmente associadas ao período histórico de medições confiáveis da temperatura do ar, ou seja, referente aos últimos 150 anos.

Uma análise dos efeitos observáveis revela que as principais **evidências** utilizadas como **indicadores das mudanças climáticas** recentes são: aumento da temperatura média global; aumento do nível médio dos mares; derretimento de geleiras e calotas polares; mudança nos regimes de precipitação; e incidência de eventos climáticos extremos (secas, chuvas intensas, tempestades, furacões, ondas de calor, dentre outros).

Os efeitos mais utilizados referem-se ao comportamento do **nível médio dos mares** e da **temperatura média** da superfície terrestre, pois existe relativa confiança no registro histórico e nas reconstruções.

Aumento Recente do Nível Médio do Mar

Verificou-se, em marégrafos, que o nível médio global dos mares aumentou entre 0,1 m e 0,2 m durante o século XX. A causa é atribuída à expansão térmica da água devido ao aquecimento, e também ao derretimento de geleiras e calotas de gelo que se encontram em continentes, conforme mostrado na Figura 16.1. Nota-se no gráfico (A) que existem contribuições negativas devido à expansão das calotas polares da região antártica, que ocasionaria diminuição no nível dos mares.

Aumento Recente da Temperatura Média na Superfície Terrestre

A Figura 16.2 apresenta as variações da temperatura média na superfície terrestre nos últimos 140 anos (gráfico A) e ao longo do último milênio (gráfico B). Pelo segundo gráfico, infere-se que a temperatura média superficial global tem uma tendência média de aumento desde 1861. Ao longo do século XX, o incremento foi de 0,6 ± 0,2 °C.

---

[2] As **séries temporais**, sequências únicas de dados (medidos ou estimados) representativos para determinado período, representam a base da análise do clima, descrevendo tendências de aumento, redução ou manutenção dos valores antecedentes. Logo, o uso de gráficos, ao longo desse capítulo, será um recurso útil na visualização e compreensão imediata das variações climáticas.

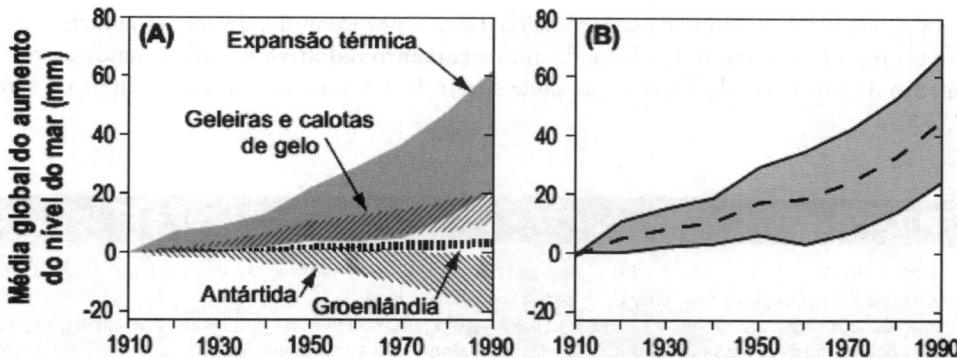

FIGURA 16.1 Estimativas do aumento do nível médio do mar de 1910 a 1990. (A) Contribuições da expansão térmica, de geleiras e calotas de gelo, Antártida e Groenlândia; (B) Faixa média do aumento do nível do mar em resposta às mudanças climáticas (estimativa do impacto antropogênico). *Fonte: Adaptado de IPCC (2001a).*

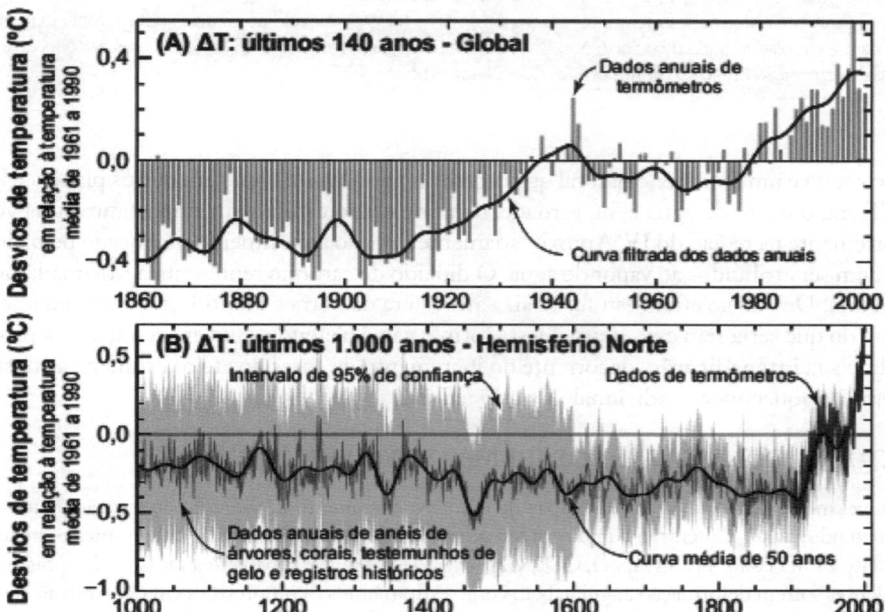

FIGURA 16.2 Variações da temperatura da superfície terrestre ao longo dos (A) últimos 140 anos (Globo) e (B) ao longo do último milênio (Hemisfério Norte). *Fonte: Adaptado de IPCC (2001b).*

Globalmente, é **provável** (com probabilidade de ocorrência, PO, entre 66% e 90%) que a década de 1990 tenha sido a década mais quente, e 1998 o ano mais quente no período de registros instrumentais, desde 1861. O IPCC (2007b) afirma que novas análises das reconstruções da temperatura dos últimos mil anos no hemisfério norte indicam que o aumento da temperatura no século XX pode ter sido o maior de todos os séculos no último milênio.

Balanço de Radiação e Efeito Estufa

As mudanças climáticas podem ser atribuídas direta ou indiretamente às atividades humanas que impactam e alteram a composição da atmosfera, mas resultam, sobretudo, de forças naturais externas, como variáveis orbitais da Terra, emissão solar e outros processos naturais internos do sistema climático terrestre.

A influência relativa de fatores antropogênicos e naturais no clima pode ser comparada, de um modo amplo, usando o conceito de **forçamento radiativo** (medido na unidade W/m^2), que simplesmente se refere a um processo que perturba o **balanço de radiação** entre a radiação recebida do Sol e da radiação emitida pela Terra.

Para comparar as influências de fatores causadores de mudanças climáticas, o conceito expresso pelo forçamento radiativo significa a "força" que, no caso de um **forçamento radiativo positivo**, resulta no aquecimento relativo da superfície da Terra – por exemplo, devido ao aumento de gases do efeito estufa (GEEs); ou, tratando-se de um **forçamento radiativo negativo**, tende a provocar o resfriamento da superfície da Terra – que pode surgir de um aumento de alguns tipos de aerossóis (IPCC, 2007a).

COMO FUNCIONA O EFEITO ESTUFA

Praticamente toda a energia que a Terra recebe vem do Sol (a energia do interior da Terra e de outras fontes são desprezíveis). A luz solar chega à Terra em uma ampla gama de radiação eletromagnética, desde ondas de rádio extremamente longas até as ondas, cada vez mais curtas, do infravermelho, da luz visível, do ultravioleta, de raios X e raios gama. A maior parte da radiação solar incidente na Terra está nos comprimentos de onda visível e infravermelho (IV), enquanto a Terra, mais fria, irradia energia principalmente na faixa do IV. Em condições normais, a Terra reflete aproximadamente 30% da radiação solar incidente (25% pela atmosfera e 5% pela superfície) e a atmosfera absorve aproximadamente 25%; os 45% restantes chegam à superfície do planeta. Conforme a superfície é aquecida, ela irradia energia de volta para a atmosfera, onde uma parte é absorvida nesse local, e outra atravessa e retorna ao espaço. A atmosfera aquecida irradia uma parte dessa energia para o espaço sideral e outra para a superfície da Terra.

Certos gases na atmosfera absorvem eficazmente a radiação infravermelha (ou **calor**) emitida pelas superfícies aquecidas da Terra. Uma vez aquecidos, os gases reemitem a radiação; parte dela retorna à superfície, deixando-a mais quente do que seria sem esse fator. Ao armazenar o calor dessa maneira, os gases agem mais ou menos como painéis de vidro em uma estufa (apesar de o processo de contenção do calor não ser o mesmo que ocorre em uma estufa). Por consequência, o fenômeno é chamado de **efeito estufa**. Os principais **gases do efeito estufa (GEEs)** são: vapor de água ($H_2O_{(g)}$), dióxido de carbono (CO_2), metano (CH_4), alguns dióxidos de nitrogênio (como o N_2O) e compostos halogenados, como os clorofluorcarbonos (CFCs).

O efeito estufa é um fenômeno natural que ocorre na Terra, assim como em outros planetas do Sistema Solar. Na Terra, o vapor de água é, na verdade, o gás de efeito estufa mais importante, uma vez que ele absorve fortemente na região do IV. Aproximadamente 89% do aquecimento provocado pelo efeito estufa natural podem ser atribuídos ao vapor de água. O dióxido de carbono representa aproximadamente 7,5% do efeito estufa. Devido ao efeito estufa, a baixa atmosfera da Terra é mantida a aproximadamente 34 °C mais quente do que seria sem esse efeito. Dessa forma, não é o efeito estufa em si que causa preocupação. Na verdade, a sua **intensificação**, decorrente do incremento de gases do efeito estufa na atmosfera, pode implicar em um aquecimento adicional além do natural.

POR QUE ALGUNS GASES POSSUEM EFEITO ESTUFA?

No nível molecular, a radiação IV é capaz de mudar o movimento de vibração ou rotação de uma molécula, submetendo-a a uma alteração líquida em seu **momento de dipolo**. Moléculas poliatômicas – incluindo gases de efeito estufa como H_2O (vapor), CO_2, CH_4 e N_2O – vibram e absorvem a radiação IV, pois suas ligações covalentes sofrem deformação angular, bem como estiramentos e compressões em decorrência dos diferentes pesos dos átomos. Essas características das moléculas poliatômicas não ocorrem em espécies homonucleares – como os gases nitrogênio (N_2) e o oxigênio (O_2) principais constituintes da atmosfera –, que são moléculas simétricas e, portanto, não sofrem alteração no momento de dipolo.

Emissões Antropogênicas de Gases de Efeito Estufa

As atividades humanas resultam na emissão de quatro principais GEEs: gás carbônico ou dióxido de carbono (CO_2), metano (CH_4), óxido nitroso (N_2O) e halocarbonos [grupo de gases que contêm flúor, cloro e bromo, como os clorofluorcarbonos (CFCs)]. O forçamento radiativo do sistema climático é determinado pelos GEEs de vida longa, originados por diversas atividades. Com base em dados de 2004, as emissões globais de GEEs antropogênicos, em termos de equivalência de CO_2 (IPCC, 2007a), são: geração e abastecimento de energia (25,9%); indústria (19,4%); silvicultura (desmatamento) (17,4%); agricultura (13,5%); transporte (13,1%); residências e comércio (7,9%); e resíduos sólidos (2,8%).

As concentrações globais de CO_2, CH_4 e N_2O têm aumentado significativamente como resultado das atividades humanas desde 1750 (Figura 16.3). O aumento da concentração de gás carbônico, o mais importante GEE antropogênico, se deve à queima de combustíveis fósseis. Mudanças no uso do solo apresentam contribuição proporcionalmente menor, porém significativa. A maior concentração de metano é causada por atividades agrícolas e pelo uso de combustível fóssil. O incremento na concentração do N_2O é devido à agricultura. Os GEEs diferem entre si pelo potencial de aquecimento (forçamento radiativo) do sistema climático, devido aos distintos tempos de vida na atmosfera e propriedades radiativas. As influências podem ser expressas como referência baseada no forçamento radiativo do gás carbônico.

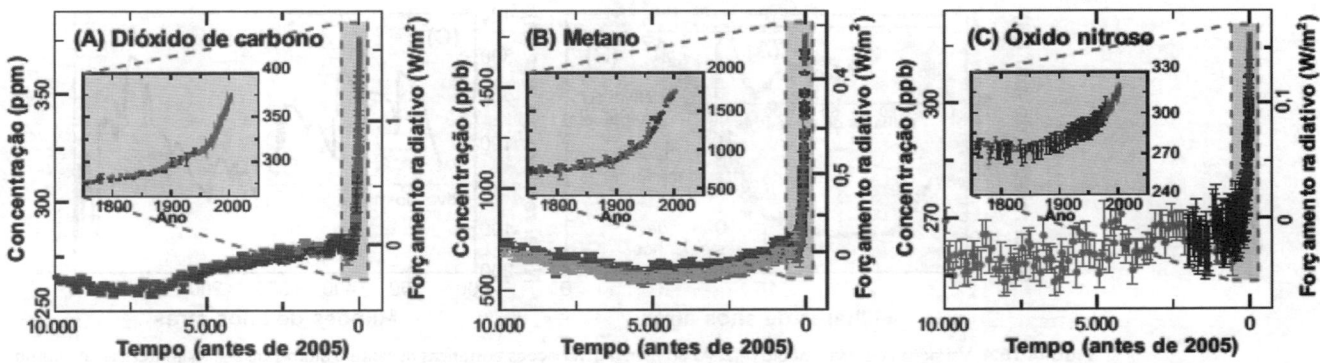

FIGURA 16.3 Concentrações atmosféricas e forçamentos radiativos de (A) dióxido de carbono, (B) metano e (C) óxido nitroso, ao longo dos últimos 10 mil anos e desde 1750 (painéis internos). *Fonte: Adaptado de IPCC (2007b).*

Logo, o **potencial de aquecimento global** do CO_2 possui valor 1, enquanto o CH_4 e o N_2O possuem potenciais, respectivamente, 25 e 298 vezes maiores.[3]

Segundo o IPCC (2007b), o aquecimento observado desde 1950 sustenta as seguintes conclusões: é **extremamente improvável** (com PO < 5%) que as mudanças climáticas globais possam ser explicadas sem os forçamentos radiativos antrópicos; é **muito provável** (com PO > 90%) que esses efeitos não sejam devidos somente a causas naturais. Durante esse período, a soma dos forçamentos das atividades solares e vulcânicas **provavelmente** (com PO > 66%) teria produzido um resfriamento, e não um aquecimento.

Atribuição de Causas das Mudanças Climáticas Recentes

Com base na relação da influência causada pelos diferentes fatores antropogênicos e naturais, bem como no saldo positivo do forçamento radiativo, o Quarto Relatório de Avaliação do IPCC (IPCC, 2007a) afirma que a maior parte do aumento observado na temperatura média global desde meados do século XX é devido, muito provavelmente (com PO > 90%), ao aumento das concentrações de GEEs antropogênicos. Portanto, segundo o IPCC, o aumento da temperatura média global decorreria das ações humanas emissoras de GEEs, justificando a denominação **aquecimento global antropogênico**.

16.3.2 Mudanças Paleoclimáticas: Variabilidade Natural

A **Paleoclimatologia** representa o ramo do conhecimento que estuda o clima em escalas geológicas, da ordem de décadas a milhões de anos atrás. Os elementos climáticos são indiretamente estimados, com o uso de **testemunhos** de: gelo, anéis de árvores (**Dendroclimatologia**), sedimentos, fósseis, corais (**Esclerocronologia**), rochas, entre outros (ver Oliveira et al. 2015). Diversos métodos contribuem na reconstrução das condições climáticas na Terra no passado, ou seja, as determinações são feitas de **modo indireto**. Apresentadas as causas recentes de mudanças climáticas, são elencados, na sequência, em diferentes escalas temporais, os efeitos observados das variações do nível do mar e da temperatura na superfície, ao longo do passado remoto da Terra.

Variações Pretéritas do Nível Médio do Mar

O nível médio do mar flutuou durante todo o Tempo Geológico, resultando em invasões ou recuos periódicos das planícies costeiras. Reconstruções do nível do mar indicam que, na escala temporal de milhares de anos, houve grandes variações, com amplitude da ordem de centenas de metros. Pouco antes do final da última era glacial, há aproximadamente 25 mil anos, o nível médio dos mares estava cerca de 120 m abaixo do nível atual (Figura 16.4-A).

As flutuações no nível global do mar resultantes de alterações no volume de água no oceano ou no volume das bacias oceânicas constituem o processo da **eustasia**. A variação global do nível do mar em relação ao nível da terra firme é consequência principalmente das expansões e retrações das calotas polares. Durante uma **era glacial**, quando o clima da Terra resfria, maior proporção de água é armaze-

---

[3]A quantidade dos GEEs é normalmente expressa em termos equivalentes da quantidade de dióxido de carbono (unidades: CO_2equivalente [CO_2eq]; toneladas de CO_2eq [tCO_2eq]), que considera o potencial de aquecimento global de cada GEE.

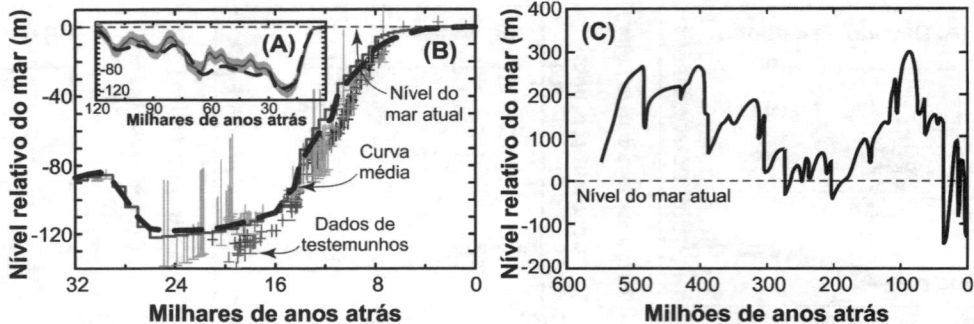

FIGURA 16.4 Variações do nível médio relativo do mar. (A) Variações eustáticas durante o último ciclo glacial-interglacial (últimos 120 mil anos). (B) Variações nos últimos 32 mil anos. (C) Variações nos últimos 540 milhões de anos (Fanerozoico). *Fontes: gráficos (A) e (B) adaptados de IPCC (2007c) e gráfico (C) adaptado de Holland (2005).*

nada em massas de gelo nas geleiras, calotas polares, neve, entre outras, reduzindo o nível relativo do mar global. Nos períodos **interglaciais**, mais quentes, as calotas se reduzem com o degelo glacial e as bacias oceânicas se recarregam no final da era glacial, com subsequente aumento do nível do mar. Na escala de tempo de milhões de anos, mudanças globais implicaram variações da ordem de centenas de metros, alcançando extraordinários 200 m acima do nível atual (Figura 16.4-C). As variações se devem, sobretudo, a mudanças provocadas pela movimentação de placas tectônicas, separação dos continentes e pela formação de novos sistemas de dorsais oceânicas, que induzem processos mais lentos de **isostasia** – alterações da profundidade das estruturas geológicas oceânicas e continentais sem alteração do volume das águas.

Variações Pretéritas da Temperatura Média na Superfície da Terra

Analogamente às reconstruções do nível do mar, os valores de temperatura foram reconstruídos em diferentes escalas de tempo, possibilitando notar grandes amplitudes de variação. Na Figura 16.5, estão indicadas as variações da temperatura terrestre em diferentes escalas: milhões, milhares e centenas de anos.

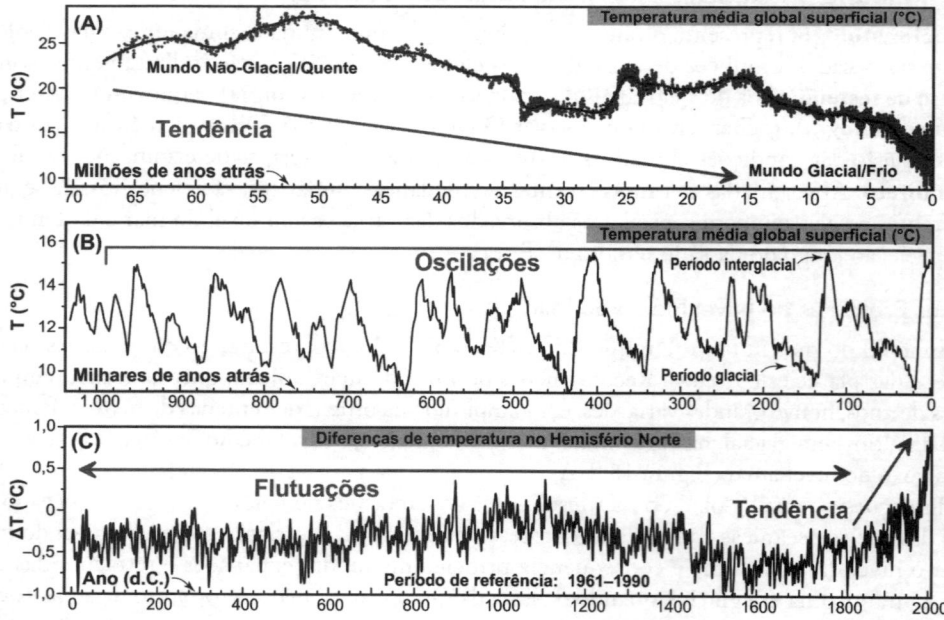

FIGURA 16.5 Variações da temperatura terrestre em diferentes escalas temporais. (A) Resfriamento global nos últimos 60 milhões de anos. (B) Eras glaciais periódicas nos últimos 600 mil anos. (C) Flutuações da temperatura nos últimos 2.000 anos, com tendência de aquecimento nos últimos 150 anos. *Fonte: Adaptado de Bartlein (2006) e Hansen et. al (2013).*

Pelos gráficos, nota-se que a natureza da variabilidade do clima pode ser descrita por alguns principais tipos de feições típicas ou variações características que se repetem em muitas séries climáticas nas diferentes escalas de tempo: **tendências** (aumentos ou reduções progressivas nos níveis de uma variável climática particular, presente em várias escalas de tempo nas séries paleoclimáticas), **oscilações** (uma das características mais proeminentes de séries temporais paleoclimáticas; são variações periódicas ou quasi-periódicas sobre um nível estacionário ou que está mudando lentamente) e **flutuações** (variações aperiódicas do clima presentes em todas as escalas de tempo, mas que tendem a ser evidentes em escalas temporais mais curtas).

Variações em Escala Geológica

O clima na Terra variou muito nos últimos 600 milhões de anos: desde fases extremamente frias e glaciações até períodos áridos de aquecimento global. Sumarizando tais variações, foram identificados períodos denominados **Modos Climáticos do Fanerozoico**, que dividem os períodos da história climática entre **modo quente** e **modo frio** (também chamados de *modo estufa* e *modo geladeira*), cuja alternância é indicada na Figura 16.6. Os modos quentes duraram entre 50 e 100 milhões de anos e os modos frios cerca de 40 a 80 milhões de anos. Análises de fatores que afetam o clima sugerem que o controle do início das fases quentes e frias do clima se deve a processos tectônicos, particularmente relacionados com o ciclo dos supercontinentes (Hasui, 2012) e às atividades vulcânicas.

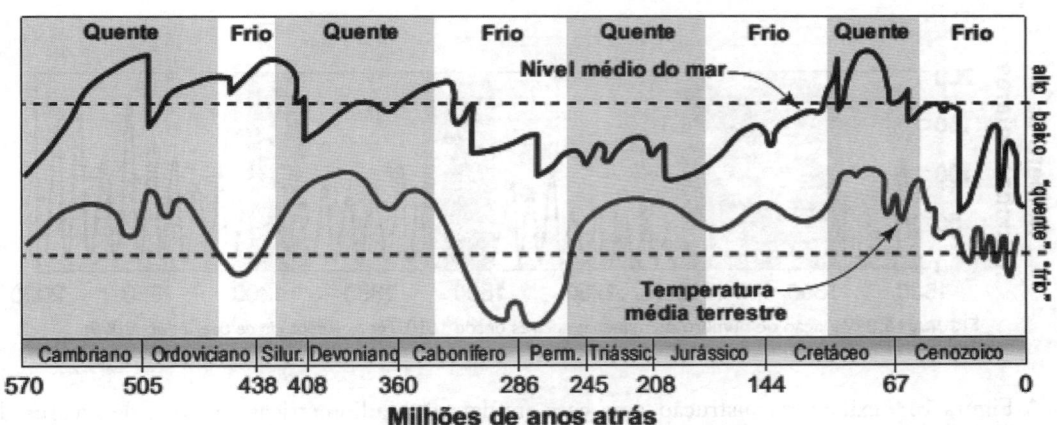

FIGURA 16.6 Variações estimadas do nível eustático do mar e da temperatura global durante o Fanerozoico. *Fonte: Adaptado de Frakes et al. (1992).*

Variações das Emissões Solares

As variações solares referem-se às mudanças na quantidade de radiação total emitida pelo Sol e na sua distribuição espectral. A Terra recebe do Sol, no topo de sua atmosfera, um fluxo médio de energia eletromagnética de 1.365 W/m². Anteriormente à disponibilidade de satélites de alta precisão, a radiação solar era considerada constante pelos cientistas, motivo do termo **constante solar**. A radiação solar é determinante nas mudanças climáticas, porque esse é o principal fator natural que controla os forçamentos radiativos (Oliveira et al., 2017). O balanço de radiação terrestre varia de acordo com a quantidade de radiação que entra e que sai do planeta Terra, dependendo basicamente de três fatores:

i) **Emissão da radiação**. Fator primário, determinado pelas variações solares, como os ciclos solares de Schwabe e outros.

ii) **Recepção da radiação**. Fator secundário, determinado pelas variações da posição da Terra em relação ao Sol, como observado nos ciclos de Milankovitch.

iii) **Reflexão, absorção e reemissão da radiação**. Fator terciário, determinado pelas alterações na atmosfera e na superfície terrestre.

Medições por satélites durante as décadas recentes indicam que as variações da radiação solar se apresentam de forma periódica, fenômeno conhecido como o **ciclo solar** ou **ciclo solar de Schwabe**. Cada ciclo solar, com duração de aproximadamente 11 anos, é caracterizado por uma oscilação no surgimento e desaparecimento de manchas solares. Os períodos de atividades solares elevadas são conhecidos por **máximo solar**, e os períodos de atividades reduzidas são denominados de **mínimo solar**. A Figura 16.7 exibe os três últimos ciclos. Para estudar a variabilidade da radiação solar em escalas de tempo maiores do que décadas, estimativas foram realizadas com base na correlação entre medições feitas em testemunhos. O mais importante método é o registro do número de manchas solares, oriundo de observações a olho nu desde 1610 (Figura 16.8). Retornando à Figura 16.7, nota-se que existe significativa correlação entre as medidas de radiação (gráfico A) e o número de manchas solares (gráfico B).

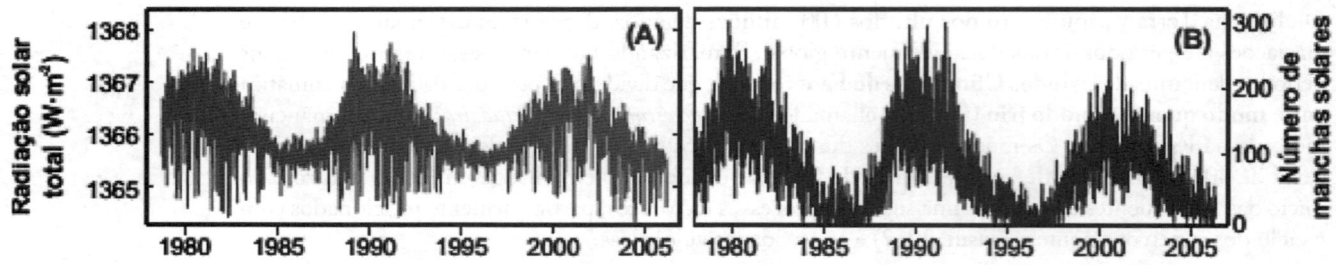

FIGURA 16.7 Variações de: (A) radiação solar total e (B) número de manchas solares desde 1978. *Fonte: Adaptado de Schöll et al. (2007).*

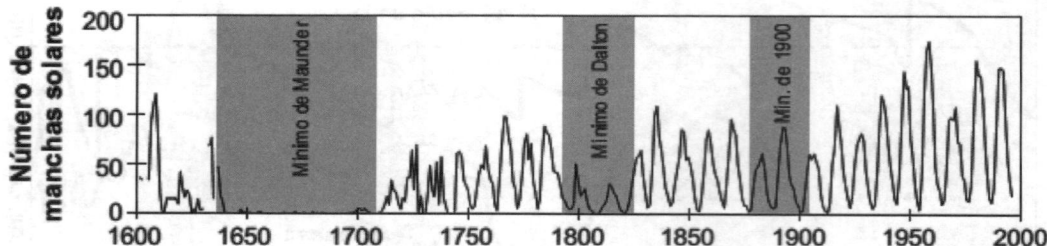

FIGURA 16.8 Variação do número de manchas solares desde 1610. *Fonte: Adaptado de Beer et al. (2000).*

A Figura 16.9 exibe a reconstrução, com base em datações radiométricas em anéis de árvores, do número de manchas solares desde o ano 900 d.C., em termos de variação da concentração do isótopo **radiocarbono**[4] ($\Delta^{14}C$). Nos últimos mil anos, observam-se períodos de baixa atividade solar nomeados de **Mínimos de Maunder, Spörer, Wolf** e **Oort**. O Mínimo de Maunder está possivelmente associado à **Pequena Era do Gelo**, indicando uma correlação entre atividades solares e o clima terrestre global. Além do ciclo de Schwabe, o Sol possui outros ciclos: **ciclo de Hale**, inversão da polarização magnética das manchas solares a cada 22 anos; **ciclo de Gleissberg**, de 88 anos; **ciclo de Suess**, de 208 anos; e ciclos da ordem de 2 mil anos ou mais.

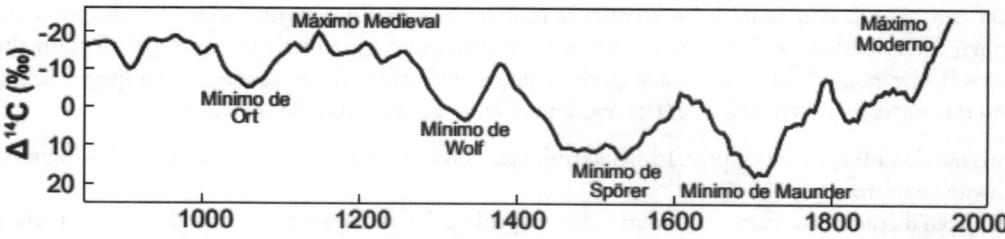

FIGURA 16.9 Reconstrução das atividades solares passadas para os últimos 1.100 anos, em termos de concentração de radiocarbono atmosférico. *Fonte: Adaptado de Reimer et al. (2004).*

---

[4] O radiocarbono é um testemunho que permite estimar as mudanças na atividade solar. A concentração do ^{14}C na atmosfera é baixa durante os máximos solares e elevada durante os mínimos solares. O eixo vertical da Figura 16.9 está invertido para que o mínimo da concentração de ^{14}C corresponda ao máximo do número de manchas solares.

A influência da radiação solar no clima é bastante significativa, responsável pelas **eras glaciais** e **interglaciais**, conforme será apresentado no próximo item. Scafetta (2010), por exemplo, afirma que 60% do aquecimento global observado desde 1970 pode ser devido a causas naturais decorrentes dos ciclos solares de Schwabe e Hale, além do ciclo lunar de 9,1 anos e da influência dos períodos orbitais de Júpiter e Saturno.

POR QUE OCORREM OS CICLOS SOLARES?

Os planetas – em particular os grandes planetas jovianos, Júpiter e Saturno –, com seus movimentos em torno do Sol, dão origem a grandes oscilações gravitacionais e magnéticas que fazem vibrar o Sistema Solar. As vibrações do Sistema Solar, que têm a mesma frequência das órbitas planetárias, podem ser direta ou indiretamente sentidas pelo sistema climático, o qual, finalmente, também pode oscilar com as mesmas frequências orbitais.

Os grandes planetas jovianos possuem amplos campos magnéticos que interagem com o plasma solar e com o campo magnético de interação. As forças gravitacionais e magnéticas agem como forças externas do dínamo solar, do vento solar e do sistema Terra-Lua, podendo modular tanto a dinâmica solar quanto, direta ou indiretamente, através do Sol, o clima da Terra.

O ciclo solar de 11 anos, por exemplo, está bem sincronizado com o alinhamento de Vênus, Terra e Júpiter. O ciclo das manchas solares também apresenta bimodalidade com períodos que oscilam entre 10 e 12 anos, que está entre os períodos sinódicos opostos de Júpiter e Saturno e o período de Júpiter, respectivamente. Esses resultados indicam que Júpiter, Saturno, Urano e Netuno modulam a dinâmica solar e que o clima na Terra pode ser parcialmente impulsionado por forças mecânicas, gravitacionais e magnéticas.

Variações Orbitais Terrestres

A variação da radiação incidente na atmosfera terrestre não se deve apenas às alterações da atividade solar, mas também às variações orbitais da Terra, cuja influência climática é de ordem superior. Ilustradas na Figura 16.10, são três as características da órbita terrestre que mudam lentamente ao longo de dezenas de milhares de anos: **excentricidade orbital**; **inclinação axial**; e **precessão dos equinócios** (ou orientação do eixo de rotação). Essas características apresentam diferentes ciclos de mudança, que afetam a quantidade e a distribuição da insolação na Terra.

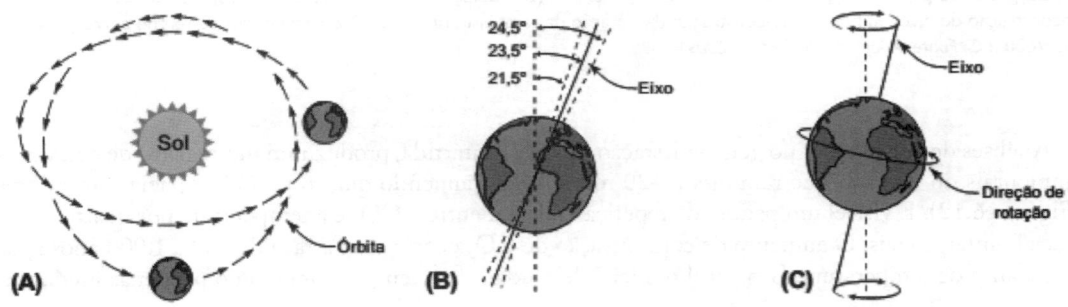

FIGURA 16.10 Variações orbitais terrestres: (A) excentricidade orbital; (B) inclinação do eixo terrestre; (C) precessão dos equinócios. *Fonte: Adaptado de Harper (2007).*

A **excentricidade orbital** muda conforme ciclos de 100 mil anos, variando de mais circular para mais elíptica e, depois, voltando a ser circular (Figura 16.10-A). A Terra gira ao redor de um eixo que forma atualmente um ângulo de 23,5° em relação ao plano de rotação. O ângulo da **inclinação axial** não é constante, variando de 21,5° a 24,5° durante um período de 41 mil anos (Figura 16.10-B). Devido ao fenômeno conhecido como **precessão dos equinócios**, a Terra oscila em movimento análogo ao de um pião. O eixo de rotação oscila e completa um círculo a cada 26 mil anos (Figura 16.10-C).

O efeito dos três parâmetros orbitais é claro quando os extremos se combinam: na órbita mais excêntrica possível, a precessão coloca a Terra muito longe do Sol durante o inverno; quando o ângulo do eixo é máximo (24,5°), então os invernos são muito frios e os verões, muito quentes. Além da quantidade total de luz solar que atinge a superfície da Terra, as variações da órbita mudam a distribuição da radiação no globo.

Milankovitch,[5] ao estudar dados astronômicos e a quantidade de insolação, conseguiu prever que mudanças cíclicas induziriam **eras glaciais**. Com menor radiação solar durante os meses de verão, o

---

[5]O matemático sérvio Milutin Milankovitch (1879-1958) passou 30 anos pesquisando as mudanças nas características orbitais da Terra e sua influência sobre a quantidade de radiação solar, influência que se tornou a teoria plausível mais aceita atualmente para a ocorrência das **glaciações**.

derretimento da neve de inverno diminui nas altas latitudes. Assim, ao longo de milhares de anos, o acúmulo de neve provoca o aumento das geleiras que, por fim, produzem uma **idade do gelo**. Os cálculos de Milankovitch foram aperfeiçoados e comparados com resultados paleoclimáticos recentes. De fato, comprovou-se um ciclo de ocorrência intercalada de **eras glaciais** e **interglaciais**, fenômenos periódicos denominados **ciclos de Milankovitch**, conforme ilustrado na Figura 16.11.

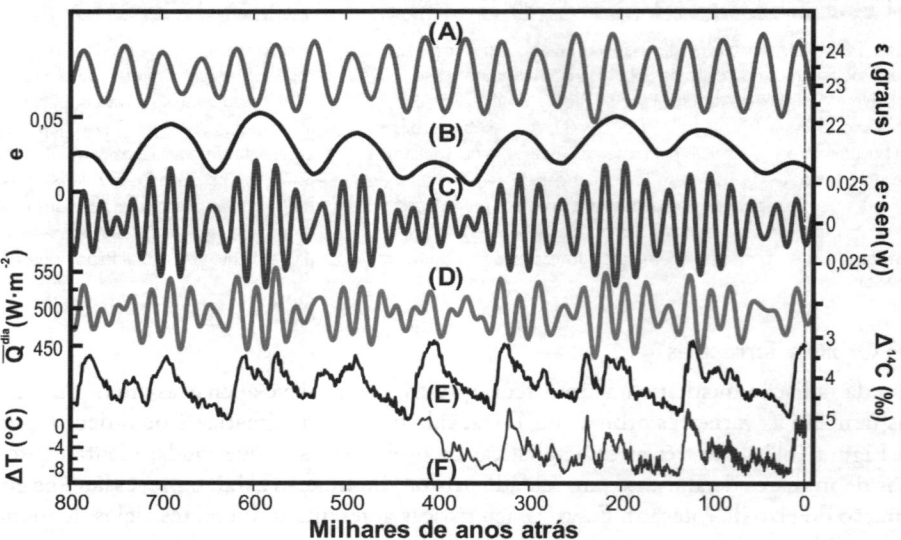

Figura 16.11 Parâmetros orbitais e ciclos de Milankovitch no passado e futuro. (A) Inclinação axial – ε; (B) Excentricidade – e; (C) Longitude do periélio – ω, e índice de precessão – $esen(\omega)$; (D) Radiação média de insolação no topo da atmosfera – $\bar{Q}^{dia}$; (E) Reconstrução do nível do mar; (F) Reconstrução da variação da temperatura global. O zero na escala de tempo corresponde ao ano 2000 d.C. *Fonte: Adaptado de Fiedler (2009).*

Análises de perfurações no gelo na Estação Vostok, Antártida, produziram um registro de condições ambientais do passado que remonta a 420 mil anos, abrangendo quatro períodos glaciais anteriores (Figura 16.12). É visível um padrão de repetição relativa entre o CO_2 e a temperatura por quatro ciclos glaciais-interglaciais. O aumento de concentração de CO_2 ocorre com atraso de 400 a 1.000 anos após a mudança de temperatura. Um gatilho inicial de mudança na temperatura (como pequenas mudanças

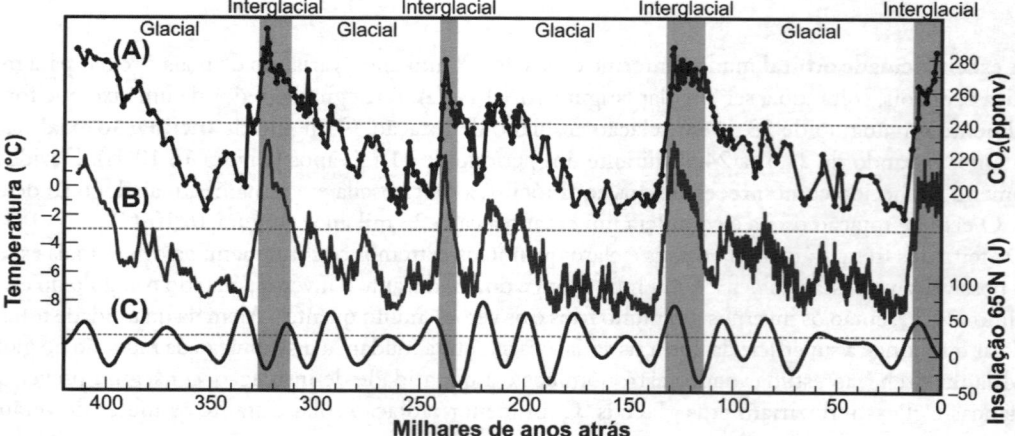

Figura 16.12 Ciclos de Milankovitch indicando períodos glaciais e interglaciais, conforme registrado em testemunhos de gelo de Vostok. (A) Variações de CO_2; (B) Variações da temperatura isotópica da atmosfera; e (C) Variações da insolação, em meados de junho, na latitude 65°N. *Fonte: Adaptado de Petit et al. (1999).*

na órbita da Terra, por exemplo) resulta na liberação de CO_2 dos reservatórios naturais, como o oceano, para a atmosfera com uma defasagem de alguns séculos.[6]

Variações da Atmosfera e Superfície Terrestres

Depois das variações solares e orbitais terrestres, as variações na composição da atmosfera e do uso e ocupação do solo representam o terceiro fator de alteração do balanço de radiação terrestre. A principal causa humana de modificação da atmosfera, constituída pelas emissões de GEEs, já foi discutida anteriormente. Outra influência importante, a dos **aerossóis troposféricos**, está associada à poluição industrial e à queima de combustíveis fósseis e biomassa vegetal.

A INFLUÊNCIA DOS AEROSSÓIS NO CLIMA

Partículas sólidas de sulfato resultam da oxidação de dióxido de enxofre (SO_2) emitido quando combustíveis fósseis são queimados. Processos industriais, a queima de biomassa vegetal natural ou induzida pelo homem e a erosão dos solos também contribuem para a formação de gotículas e materiais particulados, ambos denominados **aerossóis**, para a troposfera. O efeito **direto** da maioria dos aerossóis é refletir a radiação solar para o espaço e, consequentemente, conferir um esfriamento na área afetada, enquanto alguns particulados, como a fuligem, são escuros e possuem o efeito contrário, causando um efeito de aquecimento local. O efeito **indireto** dos aerossóis é a atuação deles como núcleos de condensação adicionais, favorecendo a formação de gotículas que originam as nuvens. Com o aumento de nuvens, aumenta-se a refletividade delas e, assim, menos radiação solar entra no sistema, resfriando o planeta. O efeito de mudanças nas nuvens pode ter repercussões complexas, pois elas também afetam a quantidade de radiação emitida pela superfície terrestre.

Além das causas antropogênicas, as variações das concentrações dos aerossóis também são provocadas por eventos naturais, como as **atividades vulcânicas** (Fig. 16.13) e a **colisão de asteroides e cometas**. A **atividade vulcânica explosiva** pode projetar grandes quantidades de partículas e gases na atmosfera. A principal contribuição dos vulcões resulta das cinzas estratosféricas e vapores de ácido sulfúrico (H_2SO_4), que rapidamente se condensam e formam aerossóis de sulfato. Erupções vulcânicas podem produzir anomalias significativas na temperatura, da ordem de décimos de °C. São bem conhecidos os efeitos climáticos das grandes, mas pouco frequentes, erupções vulcânicas explosivas – como as dos montes Tambora (1815), Krakatoa (1883), El Chichón (1982) e Pinatubo (1991). A erupção do Monte Pinatubo resultou em resfriamento global de 0,5 °C. Em consequência da maior erupção vulcânica recente, a do Monte Tambora, o resfriamento foi tão intenso que 1816 ficou conhecido como o "Ano Sem Verão".

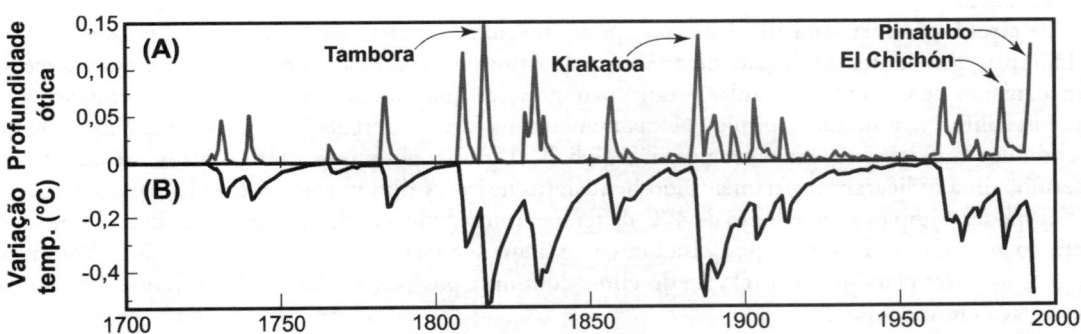

FIGURA 16.13 Impacto de erupções vulcânicas na temperatura, no período de 1700-2000. (A) Erupções e variações da profundidade óptica (medida da quantidade de radiação solar bloqueada ao atravessar a atmosfera); (B) Influência vulcânica nas variações da temperatura média global. *Fonte: Adaptado de Bertrand et al. (1999).*

---

[6]A solubilidade do CO_2 nos oceanos varia inversamente proporcional à temperatura, ou seja, há evidências de que o aumento (redução) de temperatura do ar cause o aumento (redução) das concentrações de CO_2 na atmosfera. Em outros termos, o CO_2 acompanha a temperatura e não o contrário. A concentração de CO_2 na atmosfera é diretamente proporcional à temperatura na atmosfera: no equilíbrio químico do gás carbônico, quanto maior a temperatura terrestre, menos gás será solubilizado nos oceanos na forma de ácido carbônico (H_2CO_3), e, portanto, maior será a concentração desse gás na atmosfera.

Com menor frequência ainda, erupções vulcânicas de elevada magnitude já causaram impactos drásticos e duradouros no clima terrestre. Há 73 mil anos, o supervulcão Toba, situado a norte da ilha de Sumatra, na Indonésia, foi a maior erupção dos últimos 2 milhões de anos. Cerca de 1% da superfície terrestre ficou coberta por 10 cm de cinzas vulcânicas. O sulfato vulcânico produzido na megaerupção causou a queda de 10 °C no verão em altas latitudes, além de um **inverno vulcânico** de seis anos, seguido por um período de resfriamento de 1.800 anos.

Outra causa externa de mudanças climáticas é a **colisão de asteroides ou cometas** contra a superfície terrestre. Um exemplo notável é a cratera de Chicxulub, soterrada ao sul da Península de Yucatán, México. A cratera, de quase 200 km de diâmetro, é indício do impacto de um grande asteroide ou cometa (com cerca de 10 km de diâmetro) que colidiu há 65 milhões de anos, causando um dos eventos mais devastadores na história da vida na Terra: mais da metade das espécies no planeta foram extintas. Alguns pesquisadores consideram que ela determinou o fim da era dos dinossauros. A energia do impacto foi um bilhão de vezes maior do que a bomba atômica de Hiroshima. Além dos efeitos colaterais imediatos na superfície – incêndios globais, terremotos, tsunamis de mais de 100 metros e inundações em regiões 20 km continente adentro –, efeitos ambientais catastróficos foram causados pela alteração drástica do sistema climático e pela escuridão prolongada gerada pela poeira e pelas cinzas liberadas no impacto. O chamado **inverno de impacto**[7] é causado pelos aerossóis de sulfato. O cenário de escurecimento total da superfície pode ter durado vários meses após o impacto. A intensidade de luz pode ter sido tão baixa que a fotossíntese cessou em grande parte da Terra. O resfriamento global pode ter perdurado por anos ou até décadas, com a redução de 10 °C na temperatura da superfície.

Outras Causas Naturais de Mudanças Climáticas

Além das três principais causas naturais de mudanças climáticas – variações solares, orbitais e da composição da atmosfera causadas por atividades vulcânicas e impactos de asteroides –, existem outras que afetam o clima em diferentes escalas têmporo-espaciais. Brevemente descritas a seguir,[8] destacam-se as seguintes causas: *El Niño* – Oscilação Sul (ENOS); circulação termohalina; magnetismo terrestre e inversões magnéticas; raios cósmicos; e tectonismo.

O *El Niño* – **Oscilação Sul (ENOS)** é um fenômeno que ocorre no Oceano Pacífico, cuja influência sobre o clima pode ser verificada globalmente. O ENOS é caracterizado pelo aquecimento periódico (fase denominada *El Niño*), em média a cada cinco anos, das águas superficiais no Oceano Pacífico tropical oriental. Sua fase de resfriamento é denominada *La Niña*. O ENOS pode ser um dos principais condutores de anomalias de temperatura, não só nos trópicos, mas representando também uma influência dominante e consistente na escala global. Em decorrência do ENOS, o sistema Terra-atmosfera pode sofrer variações de temperatura de cerca de 1,5 °C entre suas fases fria e quente.

A **circulação termohalina** é um componente-chave do sistema climático. Conduzido pelos diferentes gradientes de densidade criados pelo calor da superfície e pelos fluxos de água doce, o mecanismo de correntes oceânicas transporta grandes quantidades de calor e sal do equador aos polos, conforme visto no Capítulo 9. Uma mudança na força da circulação termohalina poderia levar a grandes mudanças climáticas regionais e globais. Algumas pesquisas sobre o colapso da circulação termohalina indicaram resfriamento do hemisfério norte. A diminuição da circulação, em cerca de 30%, poderia implicar na redução de 4 °C da temperatura média na Europa, provocando uma pequena era do gelo. Contudo, outros pesquisadores acreditam que tais efeitos seriam exagerados.[9] Portanto, ainda não está clara qual é a relação do clima com uma possível tendência de enfraquecimento da circulação termohalina.

O **magnetismo terrestre** e sua influência no clima é objeto de pesquisas recentes. A correlação entre geomagnetismo e clima pode estar associado a variações do campo magnético e consequente evolução

---

[7] Além do inverno vulcânico e do inverno de impacto, a possibilidade de ocorrência de uma guerra nuclear mundial durante a Guerra Fria (retratado no filme "O Dia Seguinte" – "*The Day After*", 1983) favoreceu o surgimento do termo **inverno nuclear** na época. As explosões das bombas nucleares produziriam efeitos semelhantes de resfriamento global por causa das fuligens e aerossóis. Poderiam ocorrer quedas, de curto prazo, de 15 °C a 25 °C da temperatura.

[8] Para mais detalhes sobre as diferentes causas naturais de mudanças climáticas, consultar Oliveira et al. (2017).

[9] A interrupção fictícia da Corrente do Golfo inspirou o filme "O Dia Depois de Amanhã" ("*The Day After Tomorrow*", 2004). Pesquisadores da área afirmam que as mudanças drásticas do clima retratadas no filme, em que Nova York é instantaneamente congelada, são mera fantasia.

da radiação solar. Parece existir uma possível correlação entre as variações da temperatura média e as variações no campo geomagnético. Todavia, a correlação aparente não é por si só suficiente para demonstrar uma conexão de causa e efeito. Relacionadas com o magnetismo, as **inversões magnéticas**, em uma escala de tempo geológico, podem estar associadas às glaciações. O aumento do volume do gelo nas calotas polares reduziria o momento de inércia terrestre e interromperia a geração do campo magnético. Entretanto, tais mecanismos ainda não estão bem compreendidos ou aceitos como uma hipótese totalmente válida.

A influência de **raios cósmicos** no clima terrestre tem sido verificada por uma recente vertente de estudos que relacionam a Climatologia com a Astronomia: a **Cosmoclimatologia**. Pesquisas sugerem que a intensidade da incidência de raios cósmicos na atmosfera terrestre é estreitamente relacionada com as variações de cobertura global de nuvens. As nuvens refletem a entrada e saída de radiação e, portanto, desempenham papel importante no balanço de radiação da Terra. Em escalas de tempo muito mais longas, parece existir correlação entre as variações na intensidade de raios cósmicos, causadas pela passagem do Sistema Solar pelos braços espirais da Via Láctea, e as variações no clima da Terra no último bilhão de anos. A Figura 16.14 ilustra a possível correlação: os modos quentes e frios do clima na Terra podem estar associados à influência dos raios cósmicos.

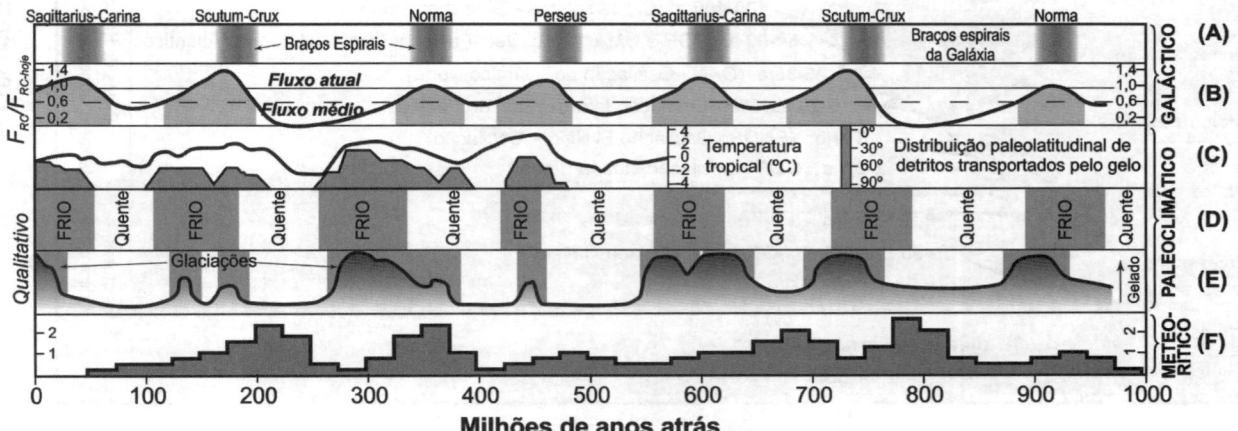

FIGURA 16.14 Raios cósmicos e eras glaciais na Terra. (A) Passagens pelos braços espirais da Galáxia; (B) Fluxo de raios cósmicos (F^{RC}) atingindo o Sistema Solar; (C) Curva denota a temperatura na superfície oceânica tropical relativamente aos dias atuais, e as áreas preenchidas expressam a distribuição paleolatitudinal de detritos transportados pelo gelo; (D) e (E) Descrição qualitativa das eras de gelo; (F) Histograma de épocas de exposição a meteoros, que se concentram em épocas com menor fluxo de raios cósmicos. *Fonte: Adaptado de Shaviv (2003).*

O **tectonismo**, com movimentações na escala de milhões de anos, pode causar mudanças nos padrões da circulação atmosférica e da circulação oceânica. As correntes oceânicas dependem da geometria dos oceanos, que é controlada pela Tectônica de Placas. Assim, o movimento das placas determina a distribuição de massas de terra, montanhas e até mesmo a conectividade dos oceanos, devido à formação e separação de continentes, que, ocasionalmente, podem formar um supercontinente contendo todas as terras ou parte delas. Esse é o **ciclo dos supercontinentes**, com duração de 300 a 500 milhões de anos. No último bilhão de anos, identifica-se a formação e dissolução de três grandes supercontinentes: Rodínia (1000-750 milhões de anos atrás – Ma.), Gondwana (650-550 Ma.) e Pangeia (450-250 Ma.). A configuração atual resulta da dissolução de Pangeia. A divisão dos continentes, ao longo de praticamente as mesmas zonas, induz um processo cíclico de abertura e fechamento das bacias oceânicas, fenômeno conhecido como **ciclos de Wilson**.

Causas das Mudanças Climáticas no Passado

Uma abordagem holística para caracterizar ou descrever a variabilidade do clima é o **espectro de variância**, que ilustra a importância relativa das variações climáticas em escalas diferentes. Na Figura 16.15 está ilustrada uma versão esquemática de um espectro de variância para o sistema climático, com escalas de tempo variando entre horas e bilhões de anos. A aplicação deste espectro para ilustrar o

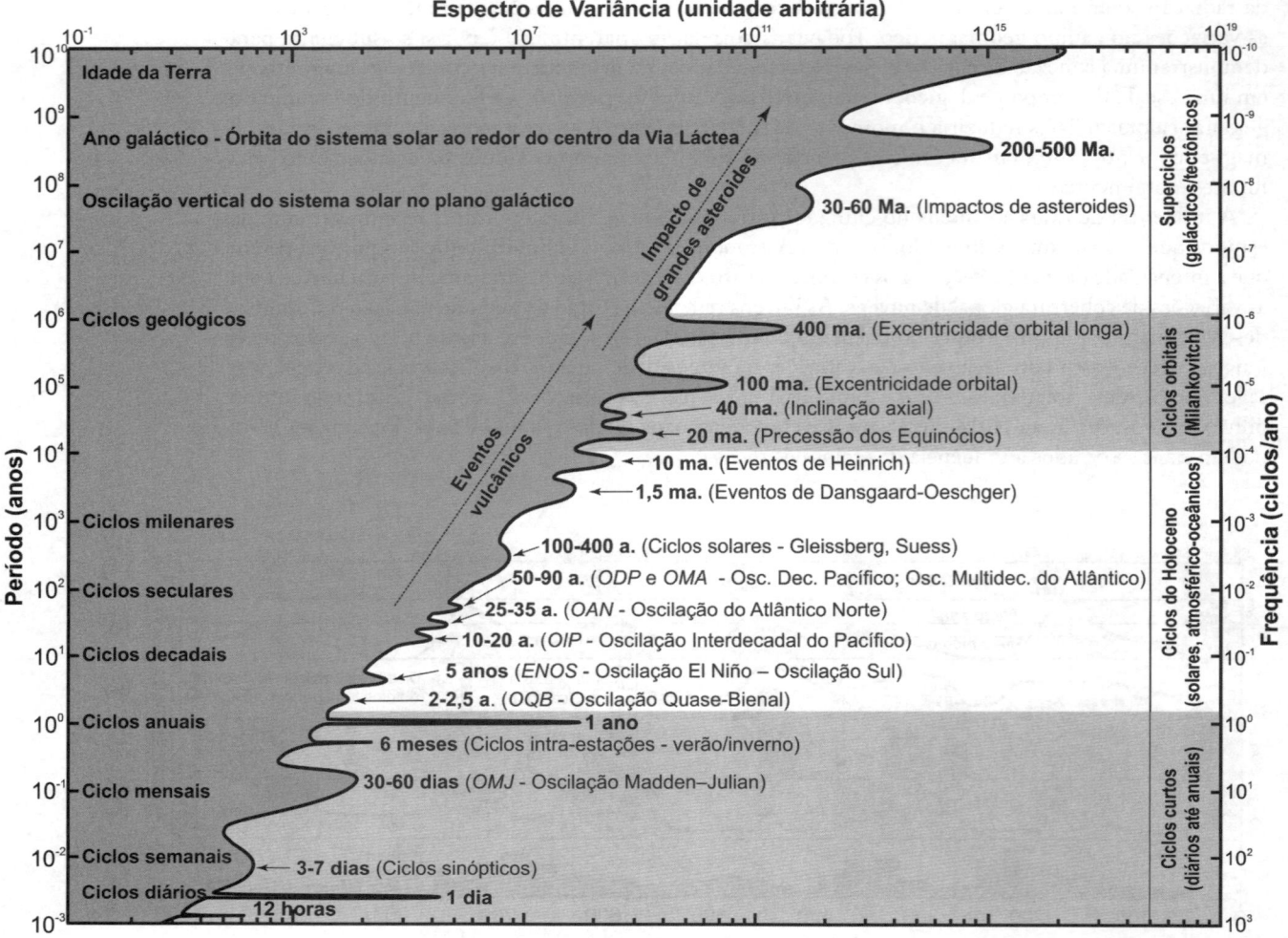

FIGURA 16.15 Representação esquemática do espectro de variância do sistema climático. Escala de tempo variando entre horas e bilhões de anos. *Fonte: Compilado a partir de Mitchell (1976), Ghil (2002) e Bartlein (2006).*

calendário da variabilidade climática naturalmente induz à compreensão das características **periódicas** ou **oscilatórias** em uma série temporal. Assim, a visualização destes aspectos normalmente evidencia alguns **mecanismos cíclicos regulares**, sejam eles externos (Sol, Lua, planetas, cometas) ou internos (oscilações climáticas).

16.3.3 Mudanças Climáticas Futuras: Projeções e Cenários

Com base na hipótese de que os GEEs são o forçamento radiativo determinante nas mudanças climáticas recentes, e supondo que os forçamentos naturais não sofrerão qualquer variação significativa no futuro de curto prazo, o Quinto Relatório de Avaliação – AR5 (IPCC, 2014) apresentou diferentes projeções de emissões antropogênicas de GEEs até o ano de 2100 (Figura 16.16-A) e, com base em modelagens, elaborou cenários dos respectivos possíveis efeitos na temperatura média global (Figura 16.16-B) e no aumento do nível médio dos mares (Figura 16.16-C). No cenário com maiores emissões (RCP8.5), os modelos estimam aumento de 2,6 °C a 4,8 °C na temperatura, e aumento de 0,45 m a 0,82 m do nível médio dos mares, sendo que cerca de 0,21 m a 0,33 m seria devido à expansão térmica da água nos oceanos.

16.3.4 Dúvidas, Controvérsias e Ponderações sobre a Mudança Climática

Como vimos, o clima da Terra variou ao longo das eras, forçado por diferentes processos e sob escalas de tempo distintas. Na análise da temperatura na superfície terrestre, por exemplo, é fundamental compreender a **escala de abordagem espacial** e a **escala de abordagem temporal**.

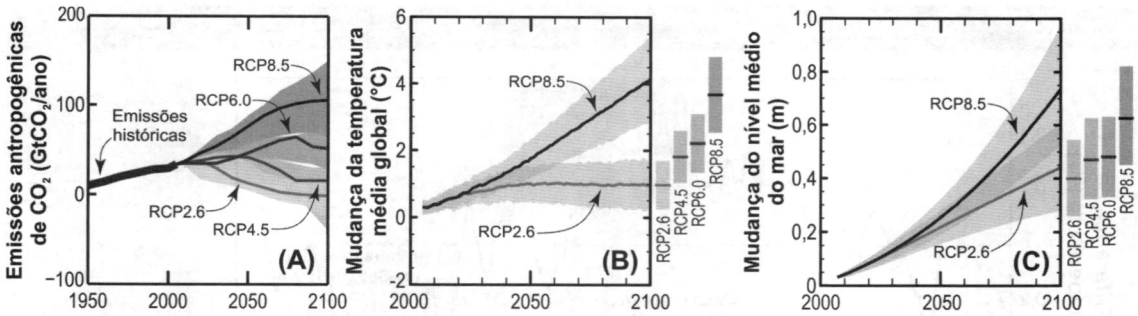

FIGURA 16.16 (A) Cenários (RCP) de emissões globais de GEEs; (B) Projeções dos desvios da temperatura média global. (C) Projeções das mudanças no nível global médio do mar. Curvas estão acompanhadas do intervalo de confiança de 80% (áreas cinzas). Desvios em relação à média de 1980-1999. *Fonte: Adaptado de IPCC (2014).*

Escala de Abordagem Espacial

Embora as principais séries globais de temperatura revelem uma tendência atual de aumento da temperatura, nem todas as regiões do mundo estão aquecendo. O registro da distribuição espacial da diferença de temperatura entre 1970 e 2004 em toda superfície terrestre revela que o hemisfério norte apresenta aumento significativo na temperatura; em contraste, o hemisfério sul sofre menos aquecimento e algumas regiões da Antártida tendem a se resfriar. Assim, o "aquecimento global" não é um fenômeno global de elevação da temperatura em exatamente todas as regiões do planeta. Tomada com base em uma série que utiliza dados obtidos globalmente, a temperatura média terrestre representa um **valor médio** que não corresponde necessariamente à variabilidade da distribuição espacial, pois não exibe as especificidades locais e regionais, ocultando até mesmo regiões que estão em arrefecimento.

A CONTROVÉRSIA DO "TACO DE HÓQUEI"

O gráfico (B) da Figura 16.2, que representa o aumento recente da temperatura média na superfície terrestre, ficou conhecido como o "Taco de Hóquei" (em inglês, *Hockey Stick*), justamente devido a seu formato. Ele foi amplamente utilizado, em 2001, no Terceiro Relatório de Avaliação (AR3) do IPCC. O Taco de Hóquei levantou dúvidas sobre a veracidade dos modelos em comparação com a realidade. Houve ampla controvérsia entre pesquisadores sobre a validade e adequabilidade da origem dos dados e dos métodos utilizados na elaboração da reconstrução das séries de temperatura.

Diante de acusações sobre manipulação tendenciosa de dados, os relatórios posteriores do IPCC (o Quarto Relatório de Avaliação – AR4, publicado em 2007, e o Quinto Relatório de Avaliação – AR5, com publicações em 2013 e 2014) não utilizaram mais o referido gráfico. O AR5 (IPCC, 2014) exibe as variações globais da temperatura e do nível do mar desde 1850 apenas, conforme exibido na Figura 16.17, omitindo as variações no último milênio.

Onça (2008) relata detalhadamente o histórico e motivos da controvérsia do Taco de Hóquei: os dados empregados pelos autores do gráfico continham erros e extrapolações injustificadas, dados obsoletos, cálculos de componentes principais incorretos, localizações geográficas incorretas, entre outros. Segundo a autora, a forma do gráfico resulta de uma rotina de programação que atribuiu peso maior a séries de dados de testemunhos de anéis de árvores nas variáveis em comparação com séries mais homogêneas. Por exemplo, uma série de dados recebeu peso 390 vezes maior do que o da série de menor peso. As manipulações estatísticas invalidariam as alegações de que o século XX, as décadas recentes e os últimos anos teriam sido os mais quentes do milênio.

Uma reconstrução alternativa de temperatura, com base na média de 18 testemunhos de 12 locais em todo o Hemisfério Norte (Figura 16.18), exibe curva bem diferente do Taco de Hóquei. A variabilidade natural do clima observada no último milênio indica que os períodos quentes e frios coincidem com eventos conhecidos na história humana. Ou seja, o gráfico do Taco de Hóquei ignorou o **Período Medieval Quente** e a **Pequena Era do Gelo**.

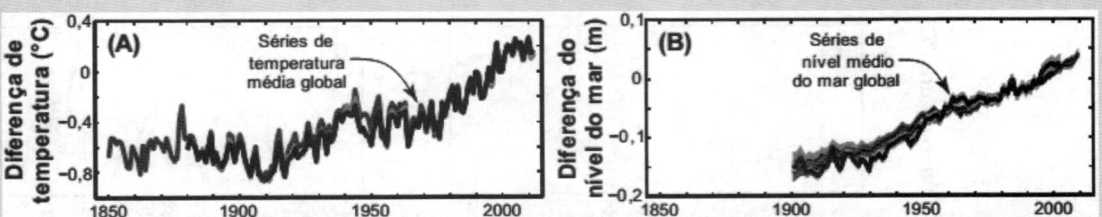

FIGURA 16.17 Mudanças, desde 1850: (A) das anomalias de temperatura média global superficial (combinando continentes e oceanos); (B) das anomalias do nível médio do mar. *Fonte: Adaptado de IPCC (2014).*

(Continua)

A CONTROVÉRSIA DO "TACO DE HÓQUEI" *(Cont.)*

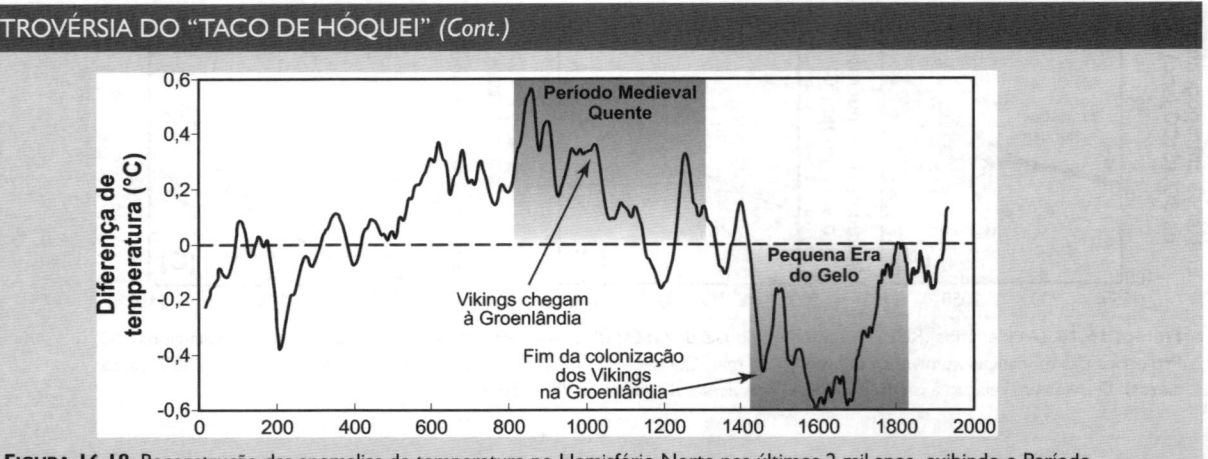

FIGURA 16.18 Reconstrução das anomalias de temperatura no Hemisfério Norte nos últimos 2 mil anos, exibindo o Período Medieval Quente (950-1300) e a Pequena Era do Gelo (1400-1750). Os Vikings colonizaram a Groenlândia de 985 a 1450. *Fonte: gráfico adaptado de Loehle & Mcculloch (2008); informações da colonização Viking obtidas de Gornitz (2009).*

Escala de Abordagem Temporal

As variações exibidas em gráficos com escalas temporais de curto prazo – com séries anuais, decadais, seculares e do último milênio – são da ordem de ±1 °C, ou, muitas vezes, até menores. A magnitude não reflete a variabilidade natural das escalas temporais superiores, cuja ordem de grandeza é muito maior. A utilização de dados de séries extensas permite visualizar o ciclo das oscilações naturais do clima. Portanto, para contextualizar recentes variações de temperatura com as do passado da Terra, convém realizar análise histórica. Na Figura 16.19, os gráficos apresentam séries de temperaturas com diferentes escalas temporais. As reconstruções dos dados de temperatura (curvas cinzas) foram obtidas por análise de isótopos em testemunhos de gelo, enquanto as linhas em preto representam, aproximadamente, uma reta idealizada do aumento de 0,6 °C no último século determinado pelos registros instrumentais, ajustados de acordo com a escala do gráfico da temperatura reconstruída.

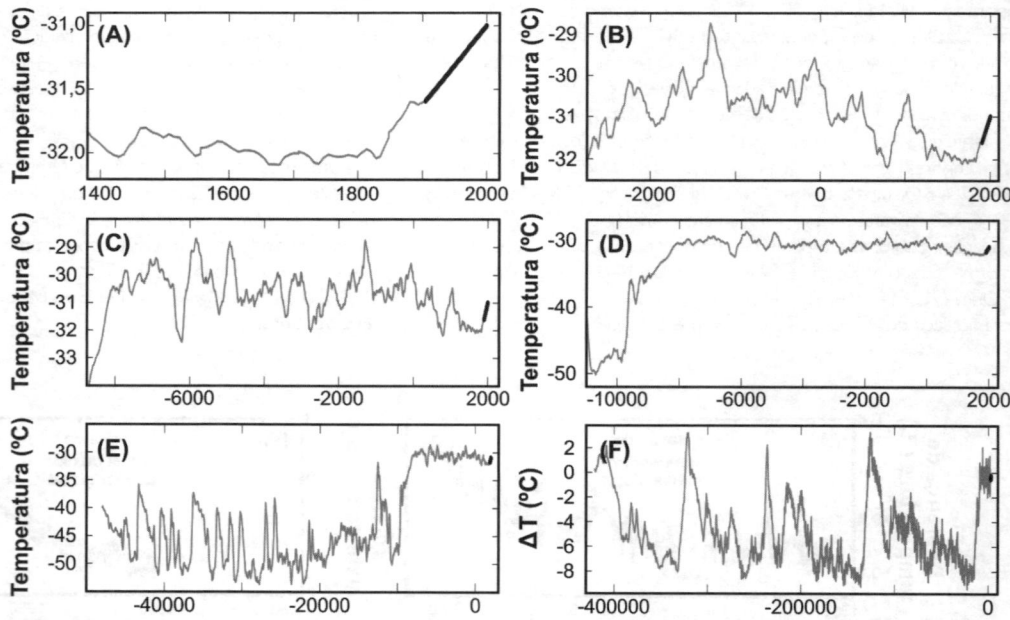

FIGURA 16.19 Perspectiva histórica do aquecimento global. Curvas em cinza: reconstruções da temperatura na Groenlândia [gráficos de (A) a (E)] e na Antártida [gráfico (F)]. Reta preta: aproximação do aquecimento global dos últimos 150 anos. Comparação nas escalas dos: (A) 600 anos; (B) 5 mil anos – ma.; (C) 9 ma.; (D) 11 ma.; (E) 60 ma.; e (F) 450 ma. *Fonte: elaborado com dados (Groenlândia) de Petit et al. (2001); e dados (Antártida) de Alley (2004).*

É possível notar, na Figura 16.19-A, que os valores dos registros instrumentais são relativamente superiores às variações observadas no período analisado nessa escala temporal, desde o ano 1400, evidenciando um formato do gráfico semelhante com o do Taco de Hóquei. Já na Figura 16.19-B, observa-se o Período Quente Medieval (pico próximo ao ano 1000), e a magnitude das medições instrumentais é diminuída de acordo com a nova escala de temperatura adotada. Conforme aumenta-se a escala temporal, percebe-se que as variações de temperatura observadas pelos instrumentos adquirem uma magnitude menor em relação à série exibida. Nos gráficos (B), (C) e (D), os registros instrumentais parecem apenas fazer parte das oscilações normais que o clima apresentou no decorrer do tempo passado. Nos gráficos (E) e (F), essa variação torna-se quase imperceptível diante das enormes variações de temperatura, especialmente ao analisar sob a perspectiva da escala de temperatura na amplitude de cerca de 10 °C entre os períodos glaciais e interglaciais. O exemplo ilustra a relativa magnitude das mudanças nos valores atuais de temperatura da Terra em comparação com mudanças já ocorridas.

Ceticismo, Controvérsias[10] e o Climategate

O IPCC ressalta a contribuição predominantemente humana no aquecimento global. Apesar do alegado "consenso científico", permanecem vários pontos polêmicos, apontados por cientistas contrários – denominados **céticos** – à hipótese do aquecimento global (AG) causado pelo homem. O evidente sentido pejorativo implícito na designação "céticos" é impróprio, porque eles revelam preocupações, dúvidas, incertezas e pontos controversos da discussão sobre mudança climática. Os pesquisadores céticos e suas pesquisas convergem em alguns pontos polêmicos da hipótese do aquecimento antropogênico. Destacam-se as seguintes indagações, dentre muitas outras:

- Dependendo das escalas temporais e espaciais adotadas: existe aquecimento ou não?
- Dependendo de eventual mudança das técnicas de observação, dos tipos e locais dos instrumentos, ou dos microclimas locais, como as ilhas urbanas de calor: o aquecimento global é real ou culpa de efeitos não climáticos?
- O aquecimento recente decorre de causas humanas ou naturais?
- Os modelos de aquecimento global são confiáveis ou não?
- O aumento do nível do mar é significativo ou não?
- Os gases de efeito estufa são determinantes no aquecimento global ou não?
- O aumento de CO_2 pode ser benéfico ou prejudicial às plantas?
- As temperaturas recentes são as maiores já registradas ou não?
- Algumas reconstruções da temperatura no passado foram elaboradas com critérios válidos ou não (ver a discussão do Taco de Hóquei)?

Muitos pontos duvidosos culminaram no caso conhecido como *Climategate*, escândalo que surgiu pouco antes da Conferência das Nações Unidas sobre Mudanças Climáticas de 2009, em Copenhague, Dinamarca. Milhares de arquivos e mensagens eletrônicas pessoais de cientistas prestigiados que colaboraram com o IPCC foram roubadas de um servidor da Universidade de East Anglia na Inglaterra e publicadas na internet. O conteúdo vazado dos e-mails revelou que os autores manipularam e ocultaram dados que contradiziam o aquecimento climático.

O *Climategate* mostra que a atuação e repercussão do trabalho dos céticos têm sido cada vez mais intensas por meio de blogs e sites pessoais na internet. Logo, muitas informações ficam espalhadas e desorganizadas, dificultando o acesso ao público leigo. Assim, surgiu o Painel Não Governamental sobre Mudanças Climáticas – NIPCC (em inglês, *Nongovernmental International Panel on Climate Change*), que publica documentos que agregam, organizam e centralizam as informações em um único local. O NIPCC é um painel internacional, criado em 2007 por cientistas e estudiosos, não vinculados a agências ou órgãos do governo, dispostos a oferecer uma "segunda opinião" das evidências utilizadas pelo IPCC.

Examinando as evidências originais utilizadas pelo IPCC, e também explorando artigos de pesquisa ignorados pelo IPCC, o NIPCC chega a conclusões diferentes: (a) o aquecimento global do século XX foi moderado e tem precedentes; (b) seu impacto sobre a saúde humana e a biodiversidade pode ser positivo; (c) o dióxido de carbono pode não ser, provavelmente, o principal fator determinante das mudanças climáticas. Documentos do NIPCC sugerem ter havido manipulação por representantes

---

[10]Na essência, as inevitáveis controvérsias em torno das mudanças climáticas são frutos da disputa de diferentes interesses nas esferas científica, política, econômica, jornalística e midiática, aspectos discutidos por Oliveira (2010), Capítulo 7.

governamentais com a finalidade de transmitir uma visão clara da influência humana no aquecimento global, desvalorizando completamente outros fatores. A contribuição das mudanças na atividade solar, segundo os autores do NIPCC, predomina sobre qualquer influência humana.

Longe de esgotar o tema ou de contrapor argumentos a dados científicos sobre a questão do aquecimento global antropogênico, este capítulo descreve componentes naturais que interferem no clima. Apesar de existir volume imenso de informações sobre a influência humana no clima, espera-se que uma análise ponderada seja a mais sensata na discussão das mudanças climáticas.[11]

16.4 IMPACTOS DAS MUDANÇAS CLIMÁTICAS

Dentre os inúmeros impactos causados pelas mudanças climáticas, quer atuais, quer futuros, destacam-se dois efeitos imediatos do aquecimento global: o aumento da temperatura e a ascensão do nível do mar, abordados ao longo de todo capítulo. Deles deriva-se uma cadeia imensa e interconectada de impactos que afetam o subsistema natural e seus componentes (biodiversidade e funções ecossistêmicas), bem como o subsistema artificial antrópico (aspectos sociais, econômicos e de saúde). É possível, também, definir recortes espaciais de interesse (ecossistemas terrestres, costeiros, marinhos; ambientes urbanos e rurais). Apesar das sobreposições, listamos, a seguir, por categorias, os principais impactos.

- **Eventos climáticos gerais**: Mudanças nos regimes de precipitação; aumento dos eventos climáticos extremos e dos desastres naturais, como secas e escassez de água, chuvas intensas, tempestades, furacões, ondas de calor, inundações, deslizamentos de terra, incêndios florestais.
- **Impactos nos ecossistemas polares**: Derretimento de geleiras e calotas polares; efeitos deletérios em muitos organismos, inclusive pássaros migratórios, mamíferos (por exemplo, ursos polares) e predadores em posições elevadas da cadeia alimentar.
- **Impactos nos ecossistemas costeiros e marinhos**: Acidificação dos oceanos (ver Capítulo 13) e consequente branqueamento de recifes de corais, ou até mesmo sua mortalidade generalizada; mudanças regionais na distribuição e produção de determinadas espécies de peixes, com efeitos adversos para a pesca e a aquicultura; aumento da exposição à erosão costeira, em consequência da elevação do nível do mar; deslocamentos populacionais nas zonas litorâneas; desaparecimento de ilhas; perda de cerca de 30% das terras úmidas litorâneas do globo.
- **Impactos nos ecossistemas terrestres:** Extinção de certas espécies de fauna e flora incapazes de se adaptarem às mudanças do clima, com aumento do risco de extinção de aproximadamente 20% a 30% caso os aumentos da temperatura global média ultrapassem de 1,5 °C a 2,5 °C; proliferação de insetos; favorecimento de surgimento de espécies invasoras exóticas; detrimento e desaparecimento de espécies nativas ou até mesmo deslocamento espacial de plantas e migração de animais; retração e savanização da floresta amazônica, com potencial de enfraquecimento do ciclo hidrológico regional; redução da absorção líquida de carbono pelos ecossistemas terrestres; grandes mudanças na estrutura e na função do ecossistema e nas interações ecológicas e distribuições geográficas das espécies, com consequências predominantemente negativas para a biodiversidade e bens e serviços do ecossistema, por exemplo, a oferta de água e alimento.
- **Impactos no ciclo hidrológico**: Redução da disponibilidade de água; redução do potencial de geração hidrelétrica; aumento das secas nas latitudes médias e nas latitudes baixas semiáridas; aumento das pessoas expostas ao risco de escassez de água; salinização e desertificação das terras agrícolas.
- **Impactos nos ambientes urbanos:** Mortes associadas a eventos extremos, como inundações e deslizamentos de terra.
- **Impactos nos ambientes rurais:** Redução da produtividade de culturas e aumento do risco de fome.
- **Impactos na saúde humana:** Aumento da propagação de certas doenças infecciosas, em especial aquelas de transmissão vetorial (por exemplo, malária), com reservatórios animais em sua cadeia de transmissão, e as de veiculação hídrica (por exemplo, diarreia) ou alimentar; aumento do número de casos de mortes causadas pelas ondas de calor ou outros eventos extremos como furacões e inundações; ônus substancial nos serviços de saúde; as mudanças climáticas podem trazer alguns benefícios, como menos mortes por exposição ao frio.

---

[11]Para os interessados em se aprofundar nas polêmicas das mudanças climáticas, recomenda-se, como leitura complementar, as publicações acadêmicas (teses e dissertações) de Onça (2007, 2011) e Oliveira (2010); os livros de Baptista (2009), Maruyama (2009), Lino (2010) e Molion (2014); e os artigos de Felício (2014) e Oliveira et al. (2015; 2017).

- **Impactos econômicos**: Aumento de perdas materiais de infraestrutura geral nas cidades (alagamentos de ruas e desmoronamentos de casas) e no campo (redução da produtividade na agricultura e na pecuária).

Além dos impactos citados, é preciso fazer uma leitura crítica em relação a certos efeitos ultimamente divulgados. A mídia, em geral com pouco rigor científico, tem difundido notícias que relacionam o aquecimento global com efeitos exagerados.[12] Conclui-se que qualquer mera "coincidência" nas **covariações** não pode ser confundida com **correlações**, que são **relações de causa e efeito** intrinsecamente conectadas, envolvendo variáveis interdependentes.

16.5 RESPOSTAS ÀS MUDANÇAS CLIMÁTICAS

Resultante da crescente preocupação da comunidade científica com as questões climáticas, ocorreu, em 1979, a Primeira Conferência Mundial do Clima. Em 1988, as Nações Unidas criaram o **Painel Intergovernamental sobre Mudanças Climáticas – IPCC** (*Intergovernmental Panel on Climate Change*). Dois anos depois, em 1990, foi realizada a Segunda Conferência Mundial do Clima.

Durante a Conferência das Nações Unidas para o Meio Ambiente e o Desenvolvimento (CNUMAD), evento realizado em 1992, no Rio de Janeiro – conhecido popularmente como "ECO-92", "Rio-92" ou ainda "Cúpula da Terra" –, foi elaborado o tratado internacional denominado **Convenção-Quadro das Nações Unidas sobre a Mudança do Clima (CQNUMC)**, que definiu um marco geral para as ações intergovernamentais voltadas ao combate da mudança do clima.

Políticas no Contexto Mundial

- Os países membros da CQNUMC passaram a realizar uma **Conferência das Partes (COP)**, anualmente, a partir de 1995, sendo notórias algumas edições:
- **COP-3**: terceira edição, realizada em 1997, na cidade japonesa de Quioto, origem do nome do **Protocolo de Quioto**, que constituiu a primeira iniciativa global com metas quantitativas de redução das emissões ou captura ("sequestro de carbono") dos GEEs. O Protocolo de Quioto estabeleceu metas obrigatórias de redução de emissões de GEEs para 37 países desenvolvidos e para a Comunidade Europeia. As metas equivalem a uma média de 5% de redução das emissões, em comparação aos níveis de 1990, durante período de cinco anos (2008-2012). O Protocolo foi ratificado por 182 países e teve a primeira fase iniciada em 2008 e terminada em 2012.
- **COP-18**: realizada em Doha, capital do Catar, a conferência de 2012 foi responsável por estabelecer uma prorrogação do Protocolo de Quioto, ficando conhecida como **Emenda de Doha.** O segundo período de compromissos do Protocolo iniciou-se em 2013 e tem a previsão de término em 2020. Até 2016, somente 66 países ratificaram a Emenda.
- **COP-21**: a conferência realizada em Paris, em 2015, culminou no **Acordo de Paris**, o qual estabeleceu mecanismos de financiamento para medidas de mitigação e adaptação a partir do ano 2020. Até 2018, 195 membros da CQNUMC assinaram o acordo, e 175 o ratificaram. O Acordo estabeleceu um compromisso de manter o aumento da temperatura global neste século abaixo de 2 °C em relação aos níveis pré-industriais, mas envidando esforços para limitar o aumento da temperatura em até 1,5 °C. No Acordo de Paris, cada país determina, planeja e reporta periodicamente sua própria contribuição que deve fazer para mitigar o aquecimento global, não havendo um mecanismo específico e obrigatório para compelir o país a definir metas ou prazos específicos.

---

[12]O sensacionalismo – geralmente utilizado para ganhar audiência e chocar os espectadores – reforçado pelo alarmismo e catastrofismo, é um recurso bastante comum em notícias relacionadas com as mudanças climáticas. Algumas notícias sensacionalistas sobre consequências absurdas do aquecimento global podem ser lembradas: aumento do terrorismo; queda de aviões; aumento do risco de colisões de asteroides; aumento de casos de morte por câncer; canibalismo em massa; insônia em crianças; declínio de circuncisões; ataques de puma; aumento da criminalidade; depressão; aumento dos suicídios; danos à saúde de cães; mudanças no eixo da Terra; desastre no mundo da moda; mudanças genéticas; infartos; redução da fertilidade humana; indigestão; fim das Olimpíadas; aumento da prostituição; aumento do avistamento de Objetos Voadores Não Identificados (OVNIs); onda de estupros; guerra nuclear; aumento da quantidade de lixo espacial; disfunções sexuais; terremotos; erupções vulcânicas; tsunamis; desemprego; casamentos precoces; epidemia de AIDS, entre outros. A postura sensacionalista e alarmista de veículos de mídia resulta em uma exposição contínua a histórias assustadoras sobre aquecimento global na mídia popular, leva o público a manifestar altos níveis de ansiedade e, eventualmente, podendo implicar uma síndrome social denominada de "eco-ansiedade", conforme relatam Oliveira et al. (2016). Para mais detalhes sobre a interação dos meios de comunicação com a ciência, consultar Oliveira (2010), Capítulo 7.

Políticas no Contexto Nacional

A **Política Nacional sobre Mudança do Clima (PNMC)**,[13] instituída pela Lei nº 12.187, de 29/dez/2009, ratifica um compromisso nacional voluntário do Brasil e estabelece uma redução entre 36,1% e 38,9% nas emissões projetadas para 2020, envolvendo planos específicos de mitigação da mudança do clima. O Decreto nº 7.390, de 9/dez/2010, que regulamenta a PNMC, determina que o Plano Nacional sobre Mudança do Clima será formado por **Planos Setoriais** e **Planos de Prevenção e Controle ao Desmatamento (PPCDs)** nos biomas e por Planos Setoriais de Mitigação e de Adaptação às Mudanças Climáticas. Os planos são: Plano de Ação para a Prevenção e Controle do Desmatamento na Amazônia Legal (PPCDAm); Plano de Ação para a Prevenção e Controle do Desmatamento e das Queimadas no Cerrado (PPCerrado); Plano Decenal de Expansão de Energia (PDE); Plano para a Consolidação de uma Economia de Baixa Emissão de Carbono na Agricultura (Plano ABC); e Plano de Redução de Emissões da Siderurgia.

Para alcançar o compromisso nacional voluntário, o conjunto das ações a serem implementadas no âmbito dos PPCDs visa a atingir:

i) Redução de 80% dos índices anuais de desmatamento na Amazônia Legal em relação à média verificada entre os anos de 1996 e 2005; e

ii) Redução de 40% dos índices anuais de desmatamento no bioma Cerrado em relação à média verificada entre os anos de 1999 e 2008.

O Brasil é o quarto maior emissor de GEEs no mundo. Ao contrário dos países desenvolvidos, nos quais a principal fonte de emissão é o uso para fins energéticos com base em combustíveis fósseis, a maior parcela das emissões líquidas brasileiras de CO_2 provém da mudança do uso da terra, em particular da conversão de florestas (desmatamento) para outros usos. As emissões referentes à mudança do uso da terra e de florestas totalizaram, em 2005, 1.790.368 toneladas de CO_2, o que representou 83% das emissões nacionais desse gás. As emissões brasileiras estão detalhadas na Terceira Comunicação Nacional[14] submetida à CQNUMC.

A partir das políticas, planos e programas, as ações decorrentes são classificadas de acordo com duas principais categorias, sendo elas as ações de mitigação e as ações de adaptação.

Ações de Mitigação

A PNMC conceitua **mitigação** como as mudanças e substituições tecnológicas que reduzam o uso de recursos e as emissões por unidade de produção, bem como a implementação de medidas que reduzam as emissões de GEEs e aumentem os sumidouros. A mitigação é uma das estratégias de resposta à mudança do clima realizada por meio da **redução de emissões**.

Na PNMC, estão incluídas diversas ações específicas de mitigação (em ordem decrescente de contribuição relativa, em %, da redução das emissões): redução do desmatamento na Amazônia (55,5%); redução do desmatamento no Cerrado (10,2%); recuperação de pastos e terras degradadas (9,3%); expansão da oferta de energia por usinas hidrelétricas (8,8%); incremento do uso de biocombustíveis (5,5%); uso de fontes alternativas de energia (3,0%); integração lavoura-pecuária (2,0%); incremento do plantio direto na agricultura (1,8%); fixação biológica de nitrogênio na agricultura (1,8%); aumento da eficiência energética (1,4%); e substituição do carvão de desmatamento na siderurgia (0,9%).

No âmbito mundial, nas Conferências das Partes têm sido debatidos os meios pelos quais serão atingidas as metas do Protocolo de Quioto, discutindo-se os **Mecanismos de Flexibilização** como:

i) **Comércio Internacional de Emissões (CIE),** que permite aos países que possuem metas (listados no Anexo I da CQNUMC) a transferência do excesso de suas reduções para países Anexo I que não atingiram.

ii) **Mecanismo de Desenvolvimento Limpo (MDL)** e a respectiva **Redução Certificada de Emissões (RCE),** popularmente chamados de **Créditos de Carbono,** que incentivam países que não possuem metas (ou seja, que não estão listados no Anexo I da CQNUMC, denominados de "não Anexo I") a desenvolver projetos de redução e/ou captura dos GEEs em troca do recebimento de créditos dos países do Anexo I, para que estes cumpram suas metas. Os créditos podem ser negociados e vendidos no mercado financeiro, constituindo assim o **Mercado de Carbono**.

iii)Implementação Conjunta (IC), mecanismo análogo ao MDL, mas com a distinção de incentivar projetos de redução ou captura de GEEs em países Anexo I.

---

[13]A governança da PNMC previu como alguns instrumentos como o Fórum Brasileiro de Mudança do Clima (FBMC) e a Rede Brasileira de Pesquisas sobre Mudanças Climáticas Globais (Rede Clima).

[14]Ver "Sugestões de Leitura Complementar".

iv) **Redução de Emissões por Desmatamento e Degradação (REDD+)**, mecanismo que visa a redução das emissões GEEs por meio da valoração e conservação dos recursos florestais e da biodiversidade. Por meio desse instrumento de incentivos financeiros, com a redução do desmatamento e da degradação florestal promove-se o aumento de cobertura florestal e de estoques de carbono.

O **Fundo Amazônia** constituiu a primeira experiência internacional de acordo com os moldes do REDD. Criado pelo Decreto nº 6.527, de 01/ago/2008, o Fundo capta recursos, por meio do BNDES, para projetos e ações de prevenção, monitoramento e combate ao desmatamento e de promoção da conservação e do uso sustentável da Amazônia Legal, representando, assim, uma iniciativa brasileira que contribui para a mitigação de emissões de GEEs.

Em 2015, por meio do Decreto nº 8.576, de 26/nov/2015, foi definida a **"Estratégia Nacional para Redução das Emissões de Gases de Efeito Estufa Provenientes do Desmatamento e da Degradação Florestal, Conservação dos Estoques de Carbono Florestal, Manejo Sustentável de Florestas e Aumento de Estoques de Carbono Florestal - ENREDD+"**, publicada em 2016.

Ações de Adaptação

A **adaptação** é uma resposta à mudança do clima, no esforço para a prevenção a possíveis danos e exploração de eventuais oportunidades benéficas. Ao contrário do que ocorre na mitigação, os benefícios resultantes desses ajustes são locais e de curto prazo. O conceito está estreitamente ligado ao da **vulnerabilidade**, que é o grau de suscetibilidade e incapacidade de um sistema em lidar com os efeitos adversos da mudança do clima, entre os quais a variabilidade climática e os eventos extremos.

As principais medidas de adaptação são: o fortalecimento dos sistemas e órgãos de defesa civil; a conservação de ecossistemas; o gerenciamento de zonas costeiras vedando o estabelecimento de novas zonas residenciais em áreas sujeitas ao aumento do nível do mar; o gerenciamento de riscos na agricultura e pesquisas com grãos mais resistentes ao aumento da temperatura; o aprimoramento dos sistemas de vigilância para o avanço de doenças causadas por vetores que são beneficiados pelo aumento médio da temperatura como a dengue; e a construção de diques em áreas vulneráveis.

No Brasil, a Portaria nº 150, do Ministério do Meio Ambiente, de 11/mai/2016, estabeleceu o **Plano Nacional de Adaptação à Mudança do Clima (PNA)**. Além desse plano, existe o **Fundo Nacional sobre Mudança do Clima (Fundo Clima)**, criado pela Lei nº 12.114, de 09/dez/2009, e regulamentado pelo Decreto nº 7.343, de 26/out/2010, tendo como finalidade assegurar recursos para o apoio a projetos ou estudos, e a financiamento de empreendimentos que visem à mitigação da mudança do clima bem como à adaptação aos seus efeitos dessa mudança.

Tecnologias

No campo das soluções tecnológicas, as medidas de redução de emissões buscam a independência dos combustíveis fósseis, sendo baseadas na substituição por tecnologias "mais limpas" e energias renováveis: eólica, solar, hidráulica, geotérmica, de biomassa e das marés (Capítulo 26). Há também soluções tecnologicamente mais ousadas, como o emprego de técnicas de **geoengenharia**:

i) **Controle da radiação solar pela reflexão da luz solar**: Redução da radiação por meio de instalação de espelhos no espaço; uso de aerossóis estratosféricos, com aplicação de sulfatos; reforço do albedo das nuvens; e incremento do albedo da superfície terrestre por meio da instalação de telhados brancos nas edificações, por exemplo.

ii) **Captura e armazenamento de carbono** (*CCS*, do inglês *Carbon Capture and Storage*): Remoção de dióxido de carbono por meio da captura do carbono da atmosfera, ou "árvores artificiais"; sequestro de carbono por meio de bioenergia; fertilização do oceano com o lançamento de ferro para estimular algas que capturam o CO_2 do ar; e armazenamento de carbono no solo ou nos oceanos.

Embora pareçam promissoras, as técnicas emergenciais de geoengenharia apresentam riscos e efeitos colaterais desastrosos. Por exemplo, o lançamento de aerossóis na estratosfera poderia acumulá-los nos trópicos, reduzindo as monções asiáticas; haveria seca na região e prejuízos na agricultura; a fertilização dos oceanos pode trazer a proliferação de algas que produzem compostos tóxicos a outros organismos marinhos; os gases armazenados no solo e oceanos poderiam vazar e causar danos. Logo, pesquisas estão sendo desenvolvidas para viabilizar técnica e economicamente projetos em larga escala, bem como reduzir os riscos associados às técnicas de geoengenharia.

REVISÃO DOS CONCEITOS APRESENTADOS

- O clima não é estático, mas dinâmico; durante bilhões de anos de existência da Terra, mudou inúmeras vezes devido a causas naturais. Confunde-se mudança do clima com aquecimento global: desde meados do século XX houve aumento da temperatura média do ar na superfície da Terra.
- O IPCC atribui a causa da mudança climática global a atividades antrópicas emissoras de GEEs, notadamente o dióxido de carbono (CO_2), que sofreu progressivo aumento de concentração na atmosfera, devido à queima de combustíveis fósseis, desmatamento e queimadas.
- Água é o principal GEE: representa cerca de 90% do aquecimento devido ao efeito estufa natural.
- Dióxido de carbono é o principal gás de GEE antropogênico, com 8% do efeito estufa natural.
- A mudança climática se deve a causas naturais e humanas. As causas naturais incluem variações de: emissões solares; parâmetros orbitais terrestres; atmosfera e superfície terrestre causadas por atividades vulcânicas e colisão de meteoritos e cometas; *El Niño* – Oscilação Sul (ENOS); circulação termohalina; raios cósmicos; vulcanismo e tectonismo. As causas antrópicas incluem: aumento das emissões de GEEs; alteração do uso do solo e emissão de aerossóis.
- A discussão sobre prováveis causas do aquecimento global recente é acalorada. Para adeptos do IPCC, as causas antropogênicas são determinantes. Os cientistas céticos, como os do NIPCC, afirmam que a influência dos fatores naturais é muito superior à da contribuição humana.
- Os principais impactos do aquecimento global são: expansão da área afetada pelas secas, chuvas intensas, ondas de calor, inundações; derretimento de geleiras e calotas polares; acidificação dos oceanos; branqueamento de recifes de corais; perda de terras úmidas litorâneas; extinção de espécies de fauna e flora; migração de animais; retração e savanização da floresta amazônica; diminuição da produtividade agrícola; aumento da propagação de doenças infecciosas; impactos econômicos diversos, entre outros.
- Principais políticas de combate às mudanças climáticas: em 1992, foi criada a Convenção Quadro das Nações Unidas sobre a Mudança do Clima (CQNUMC); em 1997, foi criado o Protocolo de Quioto, a primeira iniciativa global de redução das emissões de GEEs; em 2009, no Brasil, a Lei nº 12.187/2009 criou a Política Nacional sobre Mudança do Clima (PNMC).
- As medidas de combate às mudanças climáticas envolvem ações de mitigação (redução das emissões de GEEs), como os créditos de carbono (MDL) e o REDD+; e ações de adaptação, como o fortalecimento dos sistemas e órgãos de defesa civil e a construção de diques em áreas vulneráveis.
- Técnicas de geoengenharia incluem: a redução da radiação com a instalação de espelhos no espaço ou uso de aerossóis estratosféricos; o sequestro de carbono com a fertilização do oceano para crescimento de algas e captura o CO_2 do ar; e o armazenamento de carbono no solo ou nos oceanos.

SUGESTÕES DE LEITURA COMPLEMENTAR

Site: Painel Brasileiro de Mudanças Climáticas (PBMC)[15] <*http://www.pbmc.coppe.ufrj.br/*>
Site: Ministério do Meio Ambiente – Mudanças do Clima <*http://www.mma.gov.br/clima*>
Site: Terceira Comunicação Nacional do Brasil à CQNUMC <*http://sirene.mcti.gov.br/publicacoes*>

- BAPTISTA, G.M.M. (2009) *Aquecimento Global: Ciência ou Religião?* Brasília: Hinterlândia Ed. 186p.
- FELÍCIO, R.A. (2014) "Mudanças Climáticas" e "Aquecimento Global" – Nova Formatação e Paradigma para o Pensamento Contemporâneo? *Ciência e Natura*, Santa Maria, v. 36, ed. especial, p. 257-266.
- LINO, L.G. (2010) *A fraude do aquecimento global: como um fenômeno natural foi convertido numa falsa emergência mundial.* Rio de Janeiro: Capax Dei.
- MARUYAMA, S. (2009) *Aquecimento global?* São Paulo: Oficina de Textos, 125p.
- MOLION, L.C.B. (2014) Alarme falso: o mundo não está em ebulição! In: VEIGA, J.E. *O Imbróglio do Clima - Ciência, Política e Economia.* São Paulo: Senac, 168p.
- OLIVEIRA, M.J. et al. (2013) Atmosfera. In: IBAMA. *Relatório de Qualidade do Meio Ambiente – RQMA: Brasil 2013.* Brasília: Ibama, 268p.
- ONÇA, D.S. (2007) *Curvar-se diante do existente: o apelo às mudanças climáticas pela preservação ambiental.* 2007. Dissertação de Mestrado. Faculdade de Filosofia, Letras e Ciências Humanas, Universidade de São Paulo (FFLCH-USP), 255p.
- ONÇA, D.S. (2011) *"Quando o sol brilha, eles fogem para a sombra...": a ideologia do aquecimento global.* 2011. Tese de Doutorado. Faculdade de Filosofia, Letras e Ciências Humanas, Universidade de São Paulo (FFLCH-USP), 557p.

---

[15]Estabelecido nos moldes do IPCC, é responsável por diversas publicações em seu site, com destaque para o "Primeiro Relatório de Avaliação Nacional sobre Mudanças Climáticas (RAN1)", publicado em partes entre 2013 e 2015.

Referências

ALLEY, R.B. (2004) GISP2 *Ice core temperature and accumulation data*. IGBP PAGES/World Data Center for Paleoclimatology Data Contribution Series #2004-013. NOAA/NGDC Paleoclimatology Program, Boulder CO, USA.

BARTLEIN, P.J. (2006) Time scales of climate change. In: ELIAS, S. A. (ed.). *Encyclopedia of Quaternary Science*, p. 1873-1883.

BEER, J. et al. (2000) The role of the Sun in climate forcing. *Quaternary Science Reviews*, v. 19, p. 403-415.

BERTRAND, C. et al. (1999) Volcanic and solar impacts on climate since 1700. Climate Dynamics, v. 15, p. 355-367.

CUNHA, D.G.F., VECCHIA, F.A.S. (2007) As abordagens clássica e dinâmica de clima. *Ciência e Natura*, v. 29, p. 137-149.

FIEDLER, B. Milankovitch cycles, orbit, and cores. 2009. Disponível em: <http:// en.wikipedia.org/wiki/File:MilankovitchCyclesOrbitandCores.png>. Acesso: 01 mar. 2018.

FRAKES, L.A. et al. (1992) *Climate modes of the Phanerozoic*. Cambridge: Cambridge University Press, 274p.

GHILL; M. (2002) Natural climate variability. In: MUNN, T. (ed.). *The Earth system: physical and chemical dimensions of global environmental change*. Volume 1, The Earth system: physical and chemical dimensions of global environmental change [MAC-CRACKEN, M. C.; PERRY, J. S. (eds.)], p. 544-549.

GORNITZ, V. (2009) *Encyclopedia of Paleoclimatology and Ancient Environments*. Encyclopedia of Earth Sciences Series. Dordrecht: Springer.

HANSEN J. et al. (2013) Climate sensitivity, sea level and atmospheric carbon dioxide. Philosophical Transactions of the Royal Society A, v. 371, n. 2001, 20120294.

HARPER, C.K. (2007) *Weather and climate: decade by decade*. Nova York: Facts On File Inc.

HASUI, Y. (2012) Evolução dos Continentes. In: HASUI, Y. e colaboradores (eds.). *Geologia do Brasil*. São Paulo: Ed. Beca, p. 98-111. [Cap. 1].

HOLLAND, H.D. (2005) Sea level, sediments and the composition of seawater. *American Journal of Science*, v. 305, p. 220-239.

IPCC. (2001a) Climate change 2001: The scientific basis. Cambridge: Cambridge University Press, 2001a.

IPCC. (2001b) Summary for policymakers. In: *Climate change 2001: The physical science basis*. Cambridge: Cambridge University Press.

IPCC. (2007a) Fourth assessment report: climate change 2007: The AR4 synthesis report. Geneva: IPCC.

IPCC. (2007b) Summary for policymakers. In: *Climate change 2007: the physical science basis*. Cambridge: Cambridge University Press.

IPCC. (2007c) *Climate change 2007: The physical science basis*. Cambridge: Cambridge University Press.

IPCC. (2014) Climate Change 2014: Synthesis Report Summary for Policymakers. Geneva: IPCC.

LOEHLE, C., MCCULLOCH, J.H. (2008) Correction to: A 2000-year global temperature reconstruction based on non-treering proxies. Energy & Environment, v. 19, p. 93-100.

MITCHELL, J.M. (1976) An Overview of Climatic Variability and Its Causal Mechanisms. *Quaternary Research*, v. 6, p. 481-493.

OLIVEIRA M.J. et al. (2015) História geológica e Ciência do Clima: métodos e origens do estudo dos ciclos climáticos na Terra. *Terræ*, v. 12, n. 1-2, p. 03-26.

OLIVEIRA, M.J. et al. (2017) Ciclos climáticos e causas naturais das mudanças do clima. *Terræ Didatica*, v. 13, n. 3, p. 149-184.

OLIVEIRA, M.J. (2010) Incertezas associadas à temperatura do ar no contexto das mudanças climáticas: determinação das causas e efeitos de heterogeneidades e discussão das implicações práticas. Dissertação de Mestrado. Escola de Engenharia de São Carlos, Universidade de São Paulo (EESC-USP), 456p.

OLIVEIRA, M.J. et al. (2016) A Educação no contexto do Aquecimento Global: da "Eco-ansiedade" ao Raciocínio Crítico e Literacia Climática. In: MORALES, A.G. e colaboradores (orgs.). Educação Ambiental: Reflexões e Experiências. 1 ed. Tupã/SP: ANAP, p. 22-37.

ONÇA, D.S. (2008) *A Controvérsia do taco de hóquei*. In: Anais do Simpósio Brasileiro de Climatologia Geográfica, 8, EDUFU: Uberlândia.

PETIT, J.R. et al. (1999) Climate and atmospheric history of the past 420,000 years from the Vostok ice core, Antarctica. *Nature*, v. 399, p. 429-436.

PETIT, J.R. et al. (2001) *Vostok Ice Core Data for 420,000 Years*, IGBP PAGES/World Data Center for Paleoclimatology Data Contribution Series #2001-076. NOAA/NGDC Paleoclimatology Program, Boulder CO, USA.

REIMER, P.J. et al. (2004) IntCal04 Terrestrial Radiocarbon Age Calibration, 0–26 cal kyr BP. *Radiocarbon*, v. 46, n. 3, p. 1029-1058.

SCAFETTA, N. (2010) Empirical evidence for a celestial origin of the climate oscillations and its implications. *Journal of Atmospheric and Solar-Terrestrial Physics*, v. 72, p. 951-970.

SCHÖLL, M. et al. (2007) Long-term reconstruction of the total solar irradiance based on neutron monitor and sunspot data. *Advances in Space Research*, v. 40, p. 996-999.

SHAVIV, N.J. (2003) The spiral structure of the Milky Way, cosmic rays, and ice age epochs on Earth. *New Astronomy*, v. 8, p. 39-77.

TRATAMENTO DE ÁGUA PARA CONSUMO HUMANO

Marco Antonio Penalva Reali / Lyda Patricia Sabogal Paz /
Luiz Antonio Daniel

Neste capítulo, é apresentada uma visão geral das técnicas usuais de tratamento de água para fins potáveis, iniciando com um breve histórico e a colocação da importância do tratamento de água no contexto de saúde pública. São expostos os principais conceitos relacionados com a qualidade das águas naturais destinadas ao consumo humano, ou seja, às características físicas, químicas e biológicas adquiridas pelas águas naturais ao longo de sua trajetória nos ciclos hidrogeológicos e bioquímicos. É demonstrada a íntima relação entre a qualidade apresentada pela água no local de sua captação e o tipo de tratamento requerido para adequar suas características para que possa ser considerada segura para o consumo humano. São apresentados alguns dos principais contaminantes possíveis de serem encontrados na água e exemplos de limites máximos admissíveis de concentração desses contaminantes na água de modo a respeitar os padrões de potabilidade descritos na legislação pertinente vigente no país. São também descritas as etapas necessárias ao tratamento de águas naturais com diferentes características de qualidade, de modo que o leitor adquira uma visão geral dos conceitos básicos referentes às opções tecnológicas disponíveis, desde as mais tradicionais até as emergentes. Os processos e operações apropriados para a remoção dos diversos tipos de contaminantes da água são discutidos, com apresentação dos conceitos básicos que concernem a cada um deles, e procurando sempre deixar clara a função destes nos sistemas de tratamento de água em que são inseridos.

17.1 INTRODUÇÃO

A ideia da necessidade de providenciar algum tipo de tratamento para águas destinadas ao consumo humano é bastante antiga. Séculos antes do nascimento de Cristo, os egípcios já utilizavam técnicas rudimentares de tratamento de água para fins potáveis através da decantação em cisternas. Com o passar dos séculos, as noções acerca da relação entre a água e a saúde humana foram se consolidando paralelamente aos avanços do conhecimento nas diversas áreas das ciências, principalmente na área médica.

Os trabalhos realizados pelo médico Dr. John Snow, em meados do século XIX na cidade de Londres, constituíram importante marco na história do saneamento ambiental. Considerado o pai da epidemiologia, em seus estudos ele demonstrou a relação entre casos de morte por cólera e o consumo de água contaminada proveniente de poço em Londres. A partir daí, e com as descobertas subsequentes realizadas por Pasteur e Koch, no final do século XIX, foi adquirida compreensão científica sobre os mecanismos de transmissão homem a homem (dos indivíduos portadores para os indivíduos sãos) das doenças infecciosas, cujos agentes podem ser veiculados por águas contaminadas.

Surgiu, a partir de então, a consciência de que as águas de mananciais que porventura receberam algum tipo de lançamento de esgoto doméstico não tratado, que pode conter fezes de indivíduos infectados com microrganismos causadores de vários tipos de doenças infecciosas, participam como veículo de agentes patogênicos, podendo causar surtos ou epidemias na população consumidora dessa água, caso ela não seja devidamente tratada e desinfetada. Assim, fica claro que os sistemas de tratamento de esgoto (incluindo sua desinfecção final), aliados aos sistemas de tratamento de águas destinadas ao consumo humano, constituem barreiras efetivas e poderosas, capazes de quebrar a cadeia de transmissão de doenças pelas águas, contribuindo de forma efetiva para a saúde pública (ver Capítulo 5).

Lançando novamente um breve olhar para a história recente, observa-se que, a partir da importante descoberta de John Snow (que, como foi visto, mudou os conceitos de epidemiologia), verificaram-se avanços progressivos na área de tratamento das águas para abastecimento, com o desenvolvimento de técnicas cada vez mais eficientes de detecção e remoção dos contaminantes nelas presentes. Entretanto, infelizmente, verificou-se também, desde então, uma crescente degradação da qualidade das águas dos mananciais, com o aparecimento frequente de novos contaminantes, advindos desse mesmo progresso científico e tecnológico aliado ao crescimento da população mundial e sua aglomeração nos centros urbanos, a qual agudiza os problemas advindos das atividades antrópicas junto às bacias hidrográficas.

Nesse cenário, a proteção das bacias hidrográficas e, consequentemente, dos mananciais naturais, deve sempre estar no elenco de prioridades dos órgãos e companhias responsáveis pelos serviços de abastecimento de água. As ações visando à proteção dos mananciais de água são de grande relevância por constituírem importantes barreiras adicionais de proteção da saúde pública. Tais ações minimizam riscos sanitários associados à poluição dos mananciais e proporcionam a manutenção ou melhoria da qualidade de suas águas, com a consequente diminuição dos custos de seu tratamento visando ao consumo humano. Dentre essas ações, é importante o controle rigoroso do nível de tratamento requerido para os esgotos lançados nos mananciais, controle esse a cargo dos órgãos fiscalizadores e normativos federais, estaduais e locais.

Conforme será visto no Capítulo 18, o nível de tratamento dos esgotos usualmente considera tanto a capacidade assimilativa do corpo de água receptor (referente a nutrientes, demanda de oxigênio e patógenos) quanto à qualidade da água requerida para os usos a que tal manancial se destina. Assim, por exemplo, um lançamento de esgoto em um reservatório protegido destinado ao abastecimento público deve ter garantido um nível de tratamento muito mais rigoroso que um lançamento em um rio caudaloso que poderá ou não ser utilizado como manancial para abastecimento.

Nesse quadro, os desafios na área de tratamento de água para abastecimento são cada vez maiores, exigindo constantes aprimoramentos de técnicas que sejam eficientes não só para a remoção das impurezas da água, cujas nocividades à saúde humana já são conhecidas, como também de novos contaminantes hoje qualificados como microcontaminantes emergentes, presentes em águas residuárias, e que ainda não se encontram devidamente regulamentados e/ou monitorados. Incluem-se nesse grupo os fármacos e os perturbadores endócrinos, entre outros compostos advindos das atividades antrópicas nas bacias hidrográficas.

17.2 QUALIDADE DAS ÁGUAS NATURAIS E PADRÕES DE POTABILIDADE

A qualidade de uma água natural é definida pelo conjunto de suas características físicas, biológicas, químicas e radiológicas. Essas características são adquiridas ao longo dos ciclos hidrogeológicos e bioquímicos na natureza. Por meio do esquema do ciclo hidrológico mostrado no Capítulo 3, é possível ter ideia do caráter dinâmico desses ciclos da água na natureza. De uma forma resumida, e a título de ilustração, algumas das etapas desses ciclos podem ser destacadas sob a ótica do tratamento de água para consumo humano:

i) Após as etapas de evaporação, a água precipita na forma de chuvas, dissolvendo gases e incorporando aerossóis. Ao atingir o solo, parcela da água precipitada escorre sobre o solo arrastando consigo material particulado de natureza e tamanho diversos (argilas, silte, microrganismos) e dissolve outra sorte de substâncias orgânicas e inorgânicas.

ii) Parcela da água de chuva infiltra e permanece no subsolo, constituindo os mananciais subterrâneos. Essa água, ao percolar no solo e no subsolo, dissolve também diversos compostos inorgânicos, cuja ocorrência depende das características geológicas do solo local. Devido principalmente às reações ácido/base, solubilização e reações redox, sílica e vários cátions e ânions, como Na^+, K^+, Ca^{2+}, Mg^{2+}, Cl^-, SO_4^{2-} e HCO_3^-, são incorporados à água. O confinamento dessas águas no subsolo limita a disponibilidade de oxigênio, propiciando, frequentemente, condições para a solubilização e incorporação de substâncias reduzidas às mesmas, por exemplo, sulfetos e formas reduzidas de ferro, manganês e arsênico.

iii) Águas que escoam superficialmente e parte da água que percola no solo dão origem aos mananciais superficiais, como os rios e lagos, cujas águas, a exemplo das águas subterrâneas, também acabam incorporando vários cátions, ânions e sílica, devido ao contato com rochas, solos e sedimentos, além de substâncias orgânicas – denominadas matéria orgânica natural (MON) – como as substâncias húmicas e outros compostos resultantes da atividade microbiológica no solo. As águas dos mananciais superficiais apresentam oxigênio dissolvido (OD) devido ao constante contato com a atmosfera. Essas condições oxidativas influem tanto nos tipos de compostos químicos dessas águas, quanto nas técnicas a serem adotadas para seu tratamento para o consumo humano. A exceção a essa regra ocorre nas águas das camadas inferiores de reservatórios superficiais sujeitos a estratificação. Nessas regiões, pode ocorrer déficit de OD devido à presença de substâncias biodegradáveis e consequente atividade microbiológica causadora de depleção de OD e produção de CO_2, que, por sua vez, causa abaixamento do pH da água. Assim, podem ocorrer, localmente, condições redutoras que possibilitam a dissolução de metais porventura presentes no sedimento em contato com essas águas mais profundas, sendo comuns o ferro e o manganês.

Observa-se, assim, que a qualidade da água captada em um determinado ponto de um manancial apresenta especificidades que dependem da trajetória da mesma ao longo dos ciclos hidrogeológicos e bioquímicos.

Na Figura 17.1, é mostrado esquema ilustrativo bastante simplificado da parte de uma sub-bacia hidrográfica hipotética onde se encontra implantada uma cidade em situação bem favorável, que conta com sistemas de captação, adução, tratamento, reservação e distribuição de água potável, além dos sistemas de coleta e tratamento de esgotos, coleta e disposição final de resíduos sólidos e sistema de drenagem urbana. O exemplo da Figura 17.1 permite a visualização da importância que os diversos sistemas de proteção ambiental implantados para atender à população da cidade "A" apresentam para que seja preservada a qualidade da água do manancial superficial (rio, no esquema), o qual é utilizado também para o abastecimento de outras comunidades a jusante. No mesmo esquema, a água potável distribuída é utilizada pela cidade "A" e transformada em águas residuárias (esgotos domésticos e industriais). Essas águas servidas são, então, submetidas a tratamento adequado, com vistas à proteção do corpo de água receptor. Isso porque um mesmo manancial pode vir novamente a fornecer água bruta para abastecimento de cidades situadas mais a jusante do ponto de lançamento do esgoto tratado nas estações de tratamento das cidades situadas a montante, como é o caso da cidade A na Figura 17.1.

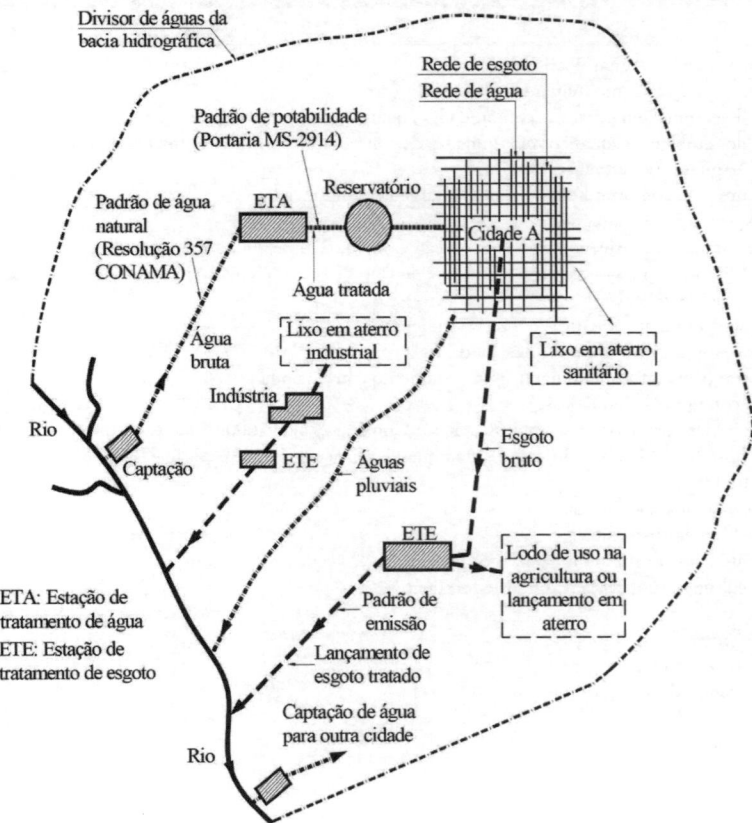

FIGURA 17.1 Ilustração de usos da água de um manancial superficial (rio) abastecendo várias cidades em uma bacia hidrográfica.

Além disso, é importante considerar os impactos negativos nos mananciais subterrâneos e superficiais causados pela disposição inadequada de resíduos sólidos e manejo inadequado de fertilizantes e defensivos agrícolas nas bacias hidrográficas. Estabelecida a importância das condições ambientais e sanitárias da bacia hidrográfica e dos ciclos hidrogeológicos e bioquímicos em relação à qualidade (características físicas, biológicas e químicas) da água dos mananciais utilizáveis para abastecimento, vale lembrar que a crescente escassez de águas naturais de boa qualidade constitui um dos grandes problemas mundiais da atualidade.

Tal quadro pode, em grande parte, ser atribuído à demanda crescente de água pelas populações, conjugada à deterioração dos mananciais superficiais e subterrâneos pelo lançamento inadequado de esgotos sanitários, industriais e resíduos sólidos no solo e em corpos hídricos. Nesse contexto, torna-se imprescindível a educação ambiental aliada ao desenvolvimento e implantação de tecnologias apropriadas de tratamento de águas de abastecimento e residuárias, além da coleta, tratamento e disposição final adequada dos resíduos sólidos.

Um instrumento importante para a preservação dos recursos hídricos das bacias hidrográficas é o estabelecimento de classificação e diretrizes ambientais para o enquadramento dos corpos de água superficiais, bem como a fixação das condições e padrões de lançamento de efluentes, em função da qualidade que se deseja manter ou alcançar para as águas naturais. No Brasil, atualmente, é respeitada a classificação estabelecida pela Resolução nº 357 de 17 de março de 2005 do Conselho Nacional do Meio Ambiente (Conama), citada resumidamente na Tabela 17.1, com respectivos exemplos de parâmetros físico-químicos apresentados na Tabela 17.2. Os dados apresentados nessas tabelas constituem apenas exemplos ilustrativos, sendo recomendável a leitura do texto completo da referida resolução e, também, da Resolução Conama nº 430 de 13 de maio de 2011, que complementa e altera parcialmente a Resolução Conama nº 357 de 2005.

TABELA 17.1   Resumo ilustrativo da classificação de águas naturais adotada pela Resolução Conama nº 357 de 17 de março de 2005

Águas doces

I – CLASSE ESPECIAL – Águas destinadas:
a) ao abastecimento para consumo humano, com desinfecção;
b) à preservação do equilíbrio natural das comunidades aquáticas;
c) à preservação dos ambientes aquáticos em unidades de conservação de proteção integral.

II – CLASSE 1 – Águas que podem ser destinadas:
a) ao abastecimento para consumo humano, após tratamento simplificado;
b) à proteção das comunidades aquáticas;
c) à recreação de contato primário, conforme Resolução Conama 274 de 2000;
d) à irrigação de hortaliças que são consumidas cruas e de frutas que se desenvolvem rentes ao solo e que sejam ingeridas cruas sem remoção de película;
e) à proteção das comunidades aquáticas em terras indígenas.

III – CLASSE 2 – Águas que podem ser destinadas:
a) ao abastecimento para consumo humano, após tratamento convencional;
b) à proteção das comunidades aquáticas;
c) à recreação de contato primário, conforme Resolução Conama 274 de 2000;
d) à irrigação de hortaliças, plantas frutíferas e de parques, jardins, campos de esporte e lazer com os quais o público possa vir a ter contato direto;
e) à aquicultura e à atividade de pesca.

IV – CLASSE 3 – Águas destinadas:
a) ao abastecimento para consumo humano, após tratamento convencional ou avançado;
b) à irrigação de culturas arbóreas, cerealíferos e forrageiros;
c) à pesca amadora;
d) à recreação de contato secundário;
e) à dessedentação de animais.

V – CLASSE 4 – Águas destinadas:
a) à navegação;
b) à harmonia paisagística.

Após sua captação e tratamento, as águas naturais destinadas ao consumo humano a serem distribuídas às comunidades devem ser seguras do ponto de vista sanitário, ou seja, não devem ser prejudiciais à saúde do consumidor. Para isso, a qualidade dessas águas deve sempre satisfazer aos padrões de potabilidade, os quais são estabelecidos pelos órgãos competentes com base em critérios que visam à garantia da saúde do consumidor. No Brasil, encontra-se em vigência o Padrão de Potabilidade fixado através da Portaria de Consolidação Nº 5 de 28/09/2017 do Ministério da Saúde (MS). Tal portaria

TABELA 17.2 Exemplos de algumas condições de qualidade das águas doces previstas na Resolução Conama nº 357 de 17 de março de 2005

Parâmetro	Unidade	Classe			
		1	2	3	4
Demanda bioquímica de oxigênio (DBO₅)	mgO₂/L	≤ 3	≤ 5	≤ 10	(2)
Oxigênio dissolvido (OD)	mgO₂/L	≥ 6	≥ 5	≥ 4	≥ 2
Turbidez	UT	≤ 40	≤ 100	≤ 100	(2)
Cor verdadeira	mgPt/L	(1)	≤ 75	≤ 75	(2)
pH		6 a 9			
Coliformes, toxicidade, óleos e graxas e outros parâmetros	*ver texto completo da Resolução Conama 357 (2005)				

Observações: (1) Nível de cor natural do corpo de água em mgPt/L; (2) Não há limites.

adota critérios físicos, químicos, organolépticos, bacteriológicos e radiológicos, definindo os valores máximos permitidos (VMP) e estabelecendo a frequência mínima de amostragens. Na Tabela 17.3, é apresentado resumo dos padrões microbiológicos e de turbidez e, na Tabela 17.4, apenas alguns exemplos ilustrativos de padrões de potabilidade para substâncias químicas. Como tais tabelas mostram apenas alguns exemplos, é importante que o leitor mais interessado consulte o texto e a lista completa de padrões da portaria citada.

TABELA 17.3 Padrões microbiológicos e de turbidez contidos na Portaria de Consolidação Nº 5 de 28/09/2017 do Ministério da Saúde (MS)

I – Padrão microbiológico da água para consumo humano

Tipo de água		Parâmetro		VMP (1)
Água para consumo humano		*Escherichia coli* (2)		Ausência em 100 mL
Água tratada	Na saída do tratamento	Coliformes totais (3)		Ausência em 100 mL
	No sistema de distribuição (reservatórios e rede)	*Escherichia coli*		Ausência em 100 mL
		Coliformes totais (4)	Sistemas ou soluções alternativas coletivas que abastecem menos de 20 mil habitantes	Apenas uma amostra, entre as amostras examinadas no mês, poderá apresentar resultado positivo
			Sistemas ou soluções alternativas coletivas que abastecem a partir de 20 mil habitantes	Ausência em 100 mL em 95% das amostras examinadas no mês

II – Padrão de turbidez para água pós-filtração ou pré-desinfecção

Desinfecção (para águas subterrâneas)	1,0 uT (5) em 95% das amostras	Desinfecção (para águas subterrâneas)	1,0 uT (5) em 95% das amostras	Desinfecção (para águas subterrâneas)
Filtração rápida (tratamento completo ou filtração direta)	0,5 uT (5) em 95% das amostras	Filtração rápida (tratamento completo ou filtração direta)	0,5 uT (5) em 95% das amostras	Filtração rápida (tratamento completo ou filtração direta)
Filtração lenta	1,0 uT (5) em 95% das amostras	Filtração lenta	1,0 uT (5) em 95% das amostras	Filtração lenta

Observações: (1) Valor máximo permitido; (2) Indicador de contaminação fecal; (3) Indicador de eficiência de tratamento; (4) Indicador de integridade do sistema de distribuição (reservatório e rede); (5) Unidade de turbidez.

Uma estação de tratamento de água (ETA), na verdade, constitui uma indústria de transformação em que a matéria-prima é a água natural e o produto final é a água potável. No interior de uma ETA, assim como no interior de qualquer indústria de transformação, a matéria-prima (água), através dos diversos processos e operações unitárias, é transformada em água potável, com a utilização de vários agentes

TABELA 17.4 Alguns exemplos ilustrativos de padrões de potabilidade para substâncias químicas da Portaria de Consolidação Nº 5 de 28/09/2017 do Ministério da Saúde (MS) do Brasil (ver lista completa na portaria citada)

I – Padrão para substâncias químicas (apenas alguns exemplos)

Parâmetro	CAS (2)	Unidade	VMP (1)
Arsênio	7440-38-2	mg/L	0,01
Chumbo	7439-92-1	mg/L	0,01
Cianeto	57-12-5	mg/L	0,07
Cromo	7440-47-3	mg/L	0,05
Fluoreto	7782-41-4	mg/L	1,5
Nitrato (como N)	14797-55-8	mg/L	10
Pentaclorofenol	87-86-5	mg/L	9
Tetacloreto de carbono	56-23-5	mg/L	4
Tricloroeteno	79-01-6	mg/L	20
Bromato	15541-45-4	mg/L	0,01
Cloro residual livre	7782-50-5	mg/L	5
Trihalometanos total	(3)	mg/L	0,1

II – Padrão organoléptico de potabilidade (apenas alguns exemplos)

Parâmetro	CAS (2)	Unidade	VMP (1)
Alumínio	7429-90-5	mg/L	0,2
Cloretos	16887-00-6	mg/L	250
Cor aparente	–	uH (mg Pt Co/L)	15
Dureza total		mg/L	500
Ferro	7439 89 6	mg/L	0,3
Gosto e odor	–	Intensidade	6
Manganês	7439-96-5	mg/L	0,1
Sulfato	14808-79-8	mg/L	250
Surfactantes (como LAS)	–	mg/L	0,5

III – Padrão de cianotoxinas da água para consumo humano

Parâmetro	CAS (2)	Unidade	VMP (1)
Microcistinas (Total)	–	µg/L	1,0
Saxitoxinas	–	µg equivalente STX/L	3,0

III – Padrão de radioatividade da água para consumo humano

Parâmetro	CAS (2)	Unidade	VMP (1)
Rádio-226	–	Bq/L	1
Rádio-228	–	Bq/L	0,1

Observações: (1) Valor máximo permitido; (2) CAS é o número de referência de compostos e substâncias químicas adotado pelo Chemical Abstract Service; (3) Trihalometanos: Triclorometano ou Clorofórmio (TCM) – CAS = 67-66-3, Bromodiclorometano (BDCM) – CAS = 75-27-4, Dibromoclorometano (DBCM) – CAS = 124-48-1, Tribromometano ou Bromofórmio (TBM) – CAS = 75-25-2.

químicos auxiliares e com a geração de subprodutos indesejáveis, tais como os lodos e águas de lavagem de filtros, os quais contêm a maior parte dos sólidos separados da água durante o tratamento. Como na maioria das indústrias se tem uma classificação da matéria-prima, na indústria da água (ETA) são utilizadas as diversas classificações dos corpos de água quanto a qualidade de suas águas naturais, como a já citada classificação dos corpos de água constantes na Resolução Conama nº 357, ou mesmo o Índice de Qualidade de Água Bruta para Fins de Abastecimento Público (IAP), estabelecido pelo governo do estado de São Paulo através da Companhia Ambiental do Estado de São Paulo (Cetesb).

Da mesma forma que nas indústrias tradicionais, a indústria da água necessita de sistema de acondicionamento final, transporte e armazenamento do produto final (água potável). Analogamente, no final de todo sistema de tratamento de água, existe a etapa de desinfecção (usualmente com cloro) seguida da estabilização química da água (através da correção final do pH) com vistas a tornar a água segura aos consumidores (dentro dos padrões de potabilidade) e sem causar danos (corrosão ou incrustação) à canalização da rede de distribuição de água potável.

Assim, após seu condicionamento final, a água tratada deve se apresentar estabilizada e devidamente desinfetada (com residual de cloro), estando então adequada para ser transportada, através de canalizações fechadas e pressurizadas, até os reservatórios interligados à rede de distribuição de água das cidades.

Finalmente, como toda indústria, uma ETA também apresenta subprodutos indesejáveis. Os mais importantes são os lodos gerados na etapa de clarificação da água por decantação ou por flotação e a água gerada nas operações de lavagem dos filtros. Esses subprodutos devem ser adequadamente tratados, recuperados e/ou dispostos, conforme será visto mais adiante.

17.3 TÉCNICAS DE TRATAMENTO DE ÁGUA PARA CONSUMO HUMANO

17.3.1 Considerações Iniciais

Para escolher os processos e operações apropriados para o tratamento de uma água, seja ela oriunda de manancial superficial ou subterrâneo, é necessário levar em conta diversos parâmetros gerais de qualidade da água bruta, dentre os quais é possível destacar (Edzwald & Tobiason, 2010):

i) **pH.** Variável que apresenta efeito marcante na química dos constituintes da água e na eficiência dos processos de tratamento. O pH também afeta a corrosividade e a qualidade da água no interior das canalizações de distribuição de água tratada, devendo ser controlado na etapa final de tratamento, antes da distribuição da água.

ii) **Alcalinidade.** É a medida da capacidade de neutralizar ácidos de uma solução. Sob as condições de pH da maioria dos mananciais (pH entre 6 e 9), a alcalinidade é devida quase exclusivamente à concentração de bicarbonatos. A alcalinidade é fator importante na coagulação e na seleção da metodologia para controle de corrosão a ser implantada na ETA.

iii) **Dureza.** É causada pela presença de íons metálicos bi e trivalentes na água, principalmente os íons Ca^{2+} e Mg^{2+}. O nível de dureza define os conceitos que deverão ser aplicados na concepção do sistema de tratamento. Um alto nível de dureza requer processos e operações específicos para sua redução e pode afetar os processos químicos de tratamento subsequentes. Da mesma forma que a alcalinidade, afeta a escolha do método de controle de corrosão.

iv) **Turbidez.** É uma medida do material particulado presente na água. Ela afeta a escolha dos métodos de clarificação e pode definir se há ou não necessidade de pré-tratamento da água a montante de outros processos.

v) **Matéria orgânica natural (MON).** A presença de MON nas águas apresenta relação com a formação de subprodutos da desinfecção (principalmente durante a cloração), aumenta a demanda de produtos coagulantes e oxidantes, e pode afetar numerosos processos de tratamento. Uma parcela significativa e importante da MON é constituída de substâncias húmicas, as quais também conferem cor às águas naturais. A MON pode ser caracterizada através de várias determinações substitutas, incluindo, principalmente, Carbono Orgânico Total (COT), absorbância de luz ultravioleta (UV) e cor verdadeira.

vi) **Sólidos dissolvidos totais (SDT).** Constituem uma medida do conteúdo de sais e de minerais da água, o qual pode afetar tanto as necessidades de tratamento, em termos de processos e operações, quanto a aceitabilidade de um manancial como fonte para abastecimento.

vii) **Oxigênio dissolvido (OD).** É um importante regulador das condições de oxidação-redução e da especiação química de inúmeras constituintes da água. Condições oxidativas são produzidas mesmo quando o oxigênio estiver presente em baixas concentrações.

Em adição a esses parâmetros gerais de qualidade da água bruta, as fontes de águas naturais podem apresentar características únicas de qualidade, com presença de inúmeros tipos de contaminantes específicos (íons de metais pesados, sulfetos, entre outros), para cuja remoção são empregados processos complementares àqueles incorporados às técnicas mais comuns e de utilização mais ampla. Esses processos serão discutidos nos próximos itens.

É senso comum que, em toda indústria de transformação, quanto melhor a qualidade da matéria-prima, mais simples são os processos e operações no interior da mesma para a obtenção do produto final com a qualidade desejada. Analogamente, em sistemas de tratamento de água, quanto melhor a qualidade da água bruta, ou seja, quanto menor a classe da água natural, mais simples será o sistema de tratamento requerido para a produção de água potável (produto final), conforme indica a Tabela 17.1.

De qualquer forma, todos os sistemas de tratamento de água para consumo humano devem incorporar o princípio de múltiplas barreiras, de forma a diminuir o máximo possível a probabilidade de fornecer água com algum tipo de contaminante para consumo humano. Esse princípio leva em conta que os sistemas de abastecimento de água devem incorporar várias barreiras sanitárias sequenciais, de forma a reduzir o risco sanitário associado à água, até sua chegada ao consumidor final. Assim, tal conceito envolve desde ações de proteção ao manancial (por exemplo, controle sanitário da bacia hidrográfica) até o emprego de técnicas de tratamento de água com várias etapas sequenciais para redução e inativação de contaminantes (por exemplo, clarificação, seguida de filtração e desinfecção). Inclui, ainda, ações que visam à manutenção da segurança inerente aos sistemas de reservação e distribuição de água, entre outras.

Estabelecido tal conceito de múltiplas barreiras, a seguir são apresentados os aspectos gerais de algumas das técnicas mais comumente utilizadas para o tratamento de águas para consumo humano, desde as mais simples, como as técnicas que utilizam a filtração lenta, até técnicas que envolvem maior número de processos e operações, como as técnicas que utilizam a filtração rápida em sistema de ciclo completo. São incluídas, também, técnicas complementares que visam à remoção de contaminantes específicos, tais como a oxidação, a adsorção em carvão ativado, a troca iônica e as membranas.

17.3.2 TÉCNICAS DE TRATAMENTO DE ÁGUA COM EMPREGO DE FILTRAÇÃO LENTA

As atividades simplificadas de operação e manutenção em ETA são fundamentais para a sustentabilidade das tecnologias em pequenas comunidades de países em desenvolvimento. A tecnologia de filtração em múltiplas etapas – FiME, a qual se encaixa nas necessidades de comunidades isoladas, quando se têm baixas vazões de demanda, é esquematicamente apresentada na Figura 17.2. Ela é constituída por pré-filtros (dinâmico e/ou ascendente) e filtros lentos. Na FiME, não há necessidade do uso de coagulantes para remover as impurezas. O tratamento é realizado quando a água passa por uma série de unidades filtrantes.

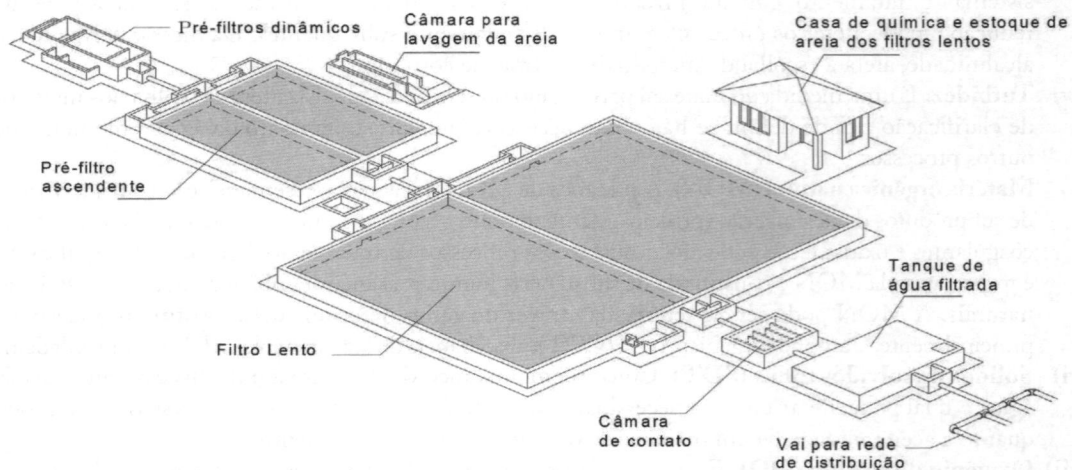

FIGURA 17.2 Tecnologia de filtração em múltiplas etapas. *Fonte: Sabogal Paz (2000).*

A FiME surgiu da necessidade de viabilizar o emprego dos filtros lentos (FL), reduzindo suas limitações. Os FL são simples, confiáveis e eficientes no tratamento de águas de abastecimento; porém, seu desempenho na produção de água potável cai quando ocorrem valores elevados de parâmetros de qualidade da água afluente às unidades. Assim, para minimizar essas restrições, foram adicionados pré--filtros aos FL criando, portanto, a FiME. A tecnologia pode ter várias combinações e a seleção do tipo de FiME depende, entre outros fatores, das características gerais da água bruta.

Os pré-filtros dinâmicos (PFD) têm a função de remover parte das impurezas presentes na água bruta. O meio filtrante é constituído por camadas de pedregulho com os maiores grãos no fundo e os menores no topo da unidade. No PFD, parte da água afluente escoa superficialmente sendo, posteriormente, descartada ou reutilizada. O restante da água infiltra através do meio filtrante para ser coletada pelo sistema de drenagem e encaminhada à unidade seguinte. A taxa de filtração do PFD é constante e comumente fixada entre 12 $m^3/m^2.d$ e 32 $m^3/m^2.d$. Na operação do PFD, existe contínua retenção de impurezas no meio filtrante, com aumento progressivo da perda de carga e diminuição da vazão filtrada em função do tempo. Assim, periodicamente, a abertura da válvula da tubulação de saída da unidade deve ser ajustada para conservar a taxa de filtração constante. No momento em que a válvula alcança sua máxima abertura, o efluente do PFD diminui e, portanto, o pré-filtro em questão deve ser retirado para limpeza.

Na lavagem do PFD, a válvula de saída é fechada. Em seguida, o operador, com ajuda de um rastelo, revolverá o material retido no topo do meio filtrante. As impurezas desprendidas são carreadas para fora da unidade pelo escoamento superficial da água. Os resíduos contidos no interior do pré-filtro são extraídos ao acionar a descarga de fundo.

Na FiME, os efluentes dos PFD, dependendo de sua qualidade, poderão ser encaminhados diretamente aos FL ou precisarão ser tratados pelos pré-filtros ascendentes (PFA).

Os PFA podem ser projetados utilizando várias camadas de pedregulho em uma mesma unidade (PFAC) ou podem ser idealizados empregando várias unidades em série com um único tamanho de pedregulho em cada uma delas (PFAS). Os grãos do pedregulho no PFAC e PFAS são dispostos de forma decrescente no sentido do escoamento da água. O PFAC é o mais utilizado em projetos de FiME porque ocupa menor área em planta. Os PFA são eficientes na remoção das impurezas contidas na água e seu objetivo principal é condicionar o efluente que é encaminhado aos FL. A taxa de filtração é constante e usualmente fixada entre 12 m^3/m^2.d e 24 m^3/m^2.d.

Na operação do pré-filtro, a perda de carga no meio filtrante aumenta em função da retenção de impurezas até um valor máximo prefixado de 0,60 m. Após essa condição, o PFA deve ser retirado para limpeza. A lavagem da unidade consiste essencialmente no acionamento da descarga de fundo, revolvimento do topo do meio filtrante e eventual limpeza das paredes.

Os filtros lentos são a última etapa da tecnologia FiME, responsáveis por gerar água conforme o padrão de potabilidade. Os FL são constituídos, basicamente, de meio filtrante de areia muito fina, camada suporte em pedregulho e sistema de drenagem. A eficiência dos FL depende da formação de uma camada biológica no topo da unidade de quase 0,40 m de profundidade em direção ao fundo, denominada *schmutzdecke*. O tempo para a formação da camada biológica, que tecnicamente recebe o nome de "período de amadurecimento do filtro", depende da qualidade da água afluente e pode demorar dias ou semanas. No início da carreira de filtração dos FL, quando o meio filtrante está limpo, ocorre pequena remoção de impurezas justamente porque o *schmutzdecke* ainda não está formado.

A taxa de filtração nos FL é constante e dificilmente ultrapassa 6,0 m^3/m^2.d em função das características do meio filtrante e do emprego de mantas sintéticas no topo da areia. Na operação do FL, para manter a taxa de filtração constante, o nível de água na unidade oscila entre um valor mínimo de 0,2 m acima do topo do meio filtrante (no início da carreira de filtração, quando o meio filtrante está limpo) até um valor prefixado máximo de 2,0 m (quando o filtro estiver sujo). O nível de água nos FL é controlado em função da abertura de uma válvula instalada na tubulação de saída da unidade. A limpeza do FL é realizada mensalmente em função da qualidade da água afluente. A atividade requer a raspagem manual (para pequenos sistemas) ou mecanizada (para sistemas de médio e grande porte) de 1,0 a 3,0 cm de areia do topo do meio filtrante. A areia retirada é lavada, estocada e recolocada no filtro somente quando a camada filtrante alcançar 0,6 m de altura.

A FiME, quando comparada com outras ETA, para uma mesma vazão, sempre ocupa maior área em planta e tem elevado investimento inicial pelas baixas taxas de filtração adotadas, segundo a Tabela 17.5;

TABELA 17.5 Características dos filtros em FiME

Pré-filtro dinâmico – PFD

Taxa média de filtração (m^3/m^2.d)	12 a 32
Meio filtrante	Pedregulho
Número mínimo de subcamadas	3
Espessura do meio filtrante (m)	0,7 a 1,0
Tamanho dos grãos (mm)	3,2 a 31,0

Pré-filtro vertical ascendente em camadas – PFAC

Taxa média de filtração (m^3/m^2.d)	12 a 24
Carga hidráulica para retenção de impurezas (m)	0,4 a 0,6
Meio filtrante	Pedregulho
Número de subcamadas	4
Espessura do meio filtrante (m)	0,9 a 1,3
Tamanho dos grãos (mm)	2,4 a 31,0

Filtro lento – FL

Taxa média de filtração (m^3/m^2.d)	≤ 6
Meio filtrante	Areia
Espessura do meio filtrante (m)	0,6 a 0,9
Tamanho da areia (mm)	0,08 a 1,0
Tamanho efetivo – D_{10} (mm)	0,15 a 0,30
Coeficiente de desuniformidade (CD)	2 a 4

Fonte: Sabogal Paz (2007, 2010).

no entanto, sua operação e manutenção são simplificadas. Em países latino-americanos, a tecnologia é recomendada para vazões de projeto de até 40 L/s, em função dos custos envolvidos (Cinara, 2001; Sabogal Paz, 2007).

17.3.3 Técnicas de Tratamento de Água com Emprego de Coagulação e Filtração Rápida

Bem diferente do que ocorre nos filtros lentos, nas unidades de filtração rápida as taxas de filtração, numericamente iguais às velocidades médias de aproximação da água no leito filtrante, são bem mais elevadas, apresentando valores usualmente na faixa de 150 a 600 m³/m².d. Além disso, nessas últimas unidades, o leito filtrante apresenta distribuição de tamanhos de grãos consideravelmente maiores que aquela adotada em filtros lentos. Como consequência, os filtros rápidos são bem mais compactos e apresentam ação de retenção de impurezas ao longo de quase toda a profundidade do leito, ao contrário dos filtros lentos, em que prepondera a ação superficial. As técnicas que utilizam filtração rápida são amplamente utilizadas em todo o mundo, pois são capazes de tratar águas com as mais variadas características de qualidade e, praticamente, sem limite de vazão.

Na Figura 17.3, são mostrados esquemas ilustrativos de três tipos usuais de sistemas que utilizam filtração rápida. Nesses esquemas, observa-se que as técnicas que utilizam a filtração rápida apresentam, em comum, a incorporação obrigatória da etapa de coagulação da água através da aplicação de produto químico coagulante e das etapas finais de filtração rápida em meio granular, desinfecção e correção final de pH da água. O primeiro esquema mostrado na Figura 17.3a é conhecido como sistema de ciclo completo, algumas vezes chamado também de convencional. Essa denominação decorre do fato de ele apresentar maior número de unidades de tratamento, o que o torna capaz de tratar águas provenientes de mananciais de pior qualidade (classes de maiores numerações na Tabela 17.1).

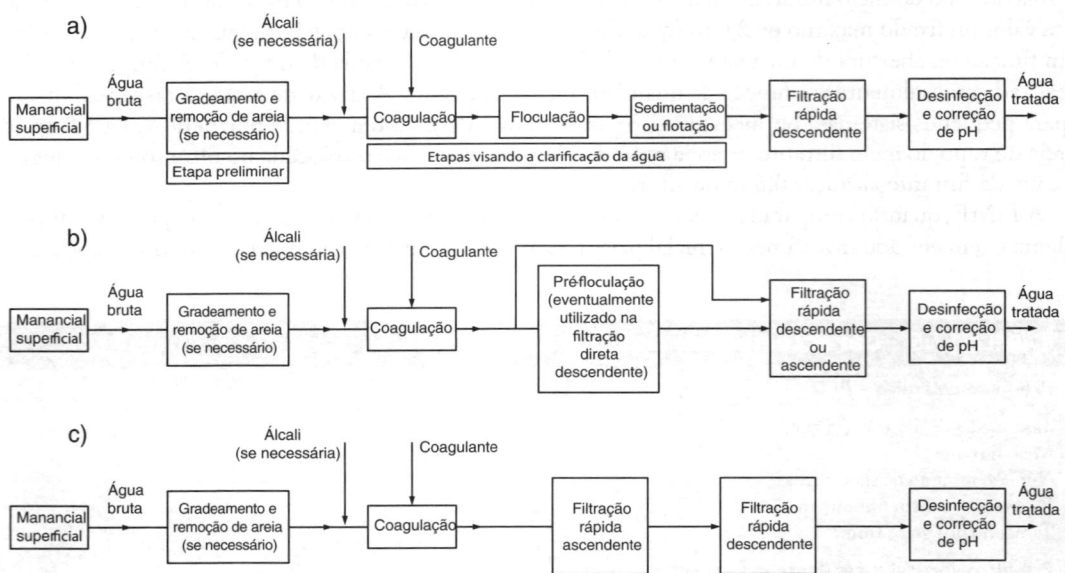

FIGURA 17.3 Sistemas de tratamento que utilizam filtração rápida: a) sistema de ciclo completo com sedimentação ou com flotação por ar dissolvido; b) sistemas de filtração direta descendente ou ascendente; c) sistema com dupla filtração.

Conforme mostrado na Figura 17.3, há duas variações do sistema de ciclo completo. A mais antiga, que prevê o emprego de unidades de sedimentação na etapa de clarificação, e a alternativa mais recente, que utiliza a flotação por ar dissolvido (FAD) para a clarificação da água. Ambas as variantes com ciclo completo apresentam, como principais etapas de tratamento:

i) **Etapa preliminar.** Ocorre geralmente junto à captação de água do manancial superficial e é constituída das operações de gradeamento – para a retirada de material grosseiro, como galhos e folhas – e de remoção de areia, prescindível no caso de captações em lagos e reservatórios.

ii) **Etapa de coagulação e floculação.** Conforme será visto com mais detalhes no próximo item, envolve a aplicação de produtos químicos (coagulante e, se necessário, um condicionador de pH ou de alcalinidade) visando à desestabilização das partículas coloidais, as quais, juntamente com precipitados formados pela reação dos coagulantes com a água e sólidos em suspensão, formam, em seguida, agregados maiores (flocos) durante a floculação. Promove-se a adição do coagulante na unidade de mistura rápida de uma ETA. Em sequência ao processo de coagulação, nas unidades de floculação, promove-se a colisão entre as partículas previamente desestabilizadas pela agitação lenta da água, proporcionando condições para a agregação destas e a formação de flocos com tamanho suficiente para serem removidos por sedimentação na etapa subsequente. Essa etapa se dá nas unidades de floculação da ETA.

iii) Etapa de clarificação da água por decantação ou por flotação (FAD). O primeiro caso ocorre nas unidades de sedimentação ou decantadores, nos quais o escoamento da água é tranquilizado, propiciando a sedimentação da maior parte dos flocos em suspensão, que se acumulam no fundo dessas unidades, de onde são descartados na forma de lodo. Em substituição aos decantadores, dependendo da qualidade da água, pode ser vantajoso o emprego de unidades de flotação por ar dissolvido (FAD) na etapa de clarificação da água floculada (ver Figura 17.3); na entrada dos flotadores, é promovida a formação de emulsão ar/água (com elevada concentração de microbolhas de ar), a qual é misturada com a água floculada. Com microbolhas de ar aderidas a sua estrutura, os flocos em suspensão tendem a subir a altas velocidades em direção à superfície, onde são separados da água e removidos.

iv) Etapa de filtração rápida descendente de alta taxa. Nessa etapa, ocorre a clarificação final da água, com a remoção da maior parte do material particulado remanescente da etapa anterior de pré-clarificação. Isso ocorre devido à passagem da água através do leito granular das unidades de filtração descendente. Essas unidades operam com altas taxas, permitindo que a retenção das impurezas da água ocorra ao longo de quase toda a profundidade do leito.

v) Etapas de condicionamento final da água filtrada (desinfecção, correção final de pH e fluoração). Após a filtração da água, ou seja, após a redução da concentração de sólidos suspensos e da turbidez da água para níveis bem baixos (de modo a atender os padrões mostrados na parte II da Tabela 17.3), promove-se a desinfecção da água e a correção final do pH com vistas a torná-la não agressiva às canalizações e aos acessórios do sistema de distribuição da água tratada. Em alguns países, como o Brasil, ainda é obrigatória a aplicação de flúor na água tratada, o que é feito nessa última etapa de tratamento.

Com relação ao segundo esquema da Figura 17.3b, se a qualidade da água do manancial superficial permitir, é possível a adoção de sistemas mais simplificados para o tratamento dessa água, como é o caso dos sistemas de tratamento por filtração direta da água pré-coagulada. Nesses casos, as etapas de floculação e de clarificação por flotação ou por sedimentação, descritas anteriormente, são eliminadas. Em alguns casos, apenas uma rápida etapa de pré-floculação pode ser vantajosa. Conforme será visto mais adiante, existem variantes da técnica de filtração direta, dependendo se o filtro adotado operar com escoamento descendente ou ascendente.

O último esquema mostrado na Figura 17.3c diz respeito aos chamados sistemas de dupla filtração, com a associação de filtros ascendentes a filtros descendentes, em que os primeiros atuam como unidades prévias de clarificação e os segundos, como unidades de polimento final, para que se atinja a qualidade da água requerida para a etapa subsequente de desinfecção.

Após essa rápida descrição geral dos tipos usuais de sistemas de tratamento que utilizam necessariamente a coagulação e filtração rápida, a seguir são apresentados os principais processos e operações envolvidos em cada um desses sistemas.

Sistema de Tratamento com Ciclo Completo

A seguir, são apresentados os conceitos básicos concernentes a cada um dos principais processos e operações envolvidos nas diversas etapas dos sistemas de tratamento de água para consumo humano de ciclo completo.

Coagulação e Mistura Rápida

Nas águas superficiais, boa parte das partículas dispersas é constituída de sólidos não sedimentáveis. Essas partículas apresentam geralmente tamanhos na faixa de 0,0001 μm a 100 μm. Nessa faixa de tamanho, encontram-se as partículas coloidais, que apresentam tamanho entre 0,001 μm e 1 μm. Ou seja, fração considerável dos sólidos não sedimentáveis são coloides, e mesmo a fração supra coloidal (de 1 μm a 100 μm) apresenta algumas características parecidas com as dos coloides, como a baixa velocidade de sedimentação.

Os coloides de maior interesse e usualmente predominantes em águas superficiais naturais são os sóis, em que a fase dispersora é a água e a fase dispersa é sólida, a qual, conforme já comentado, não sedimenta sob a ação da gravidade, mantendo o sistema coloidal estável. Esses coloides apresentam relação área/volume extremamente elevada, o que lhes confere grande facilidade para adsorverem muitas substâncias em sua superfície, tais como moléculas de água e íons presentes em sua vizinhança. Isso também lhes proporciona o desenvolvimento de carga elétrica superficial.

Os coloides são chamados hidrofílicos quando apresentam grande afinidade pela água, devido à presença de grupos solúveis em água em sua superfície, por exemplo, grupo amino, carboxil, sulfônico e hidroxila. Tais grupos promovem a hidratação do coloide, com a formação de um filme líquido em torno deste, conhecido como água de hidratação ou de ligação. Geralmente, esses coloides hidrofílicos são orgânicos, como proteínas ou seus produtos de degradação. Já aqueles chamados hidrofóbicos apresentam pouca afinidade com a água na qual se encontram dispersos e, portanto, não possuem filme líquido em seu entorno, como é o caso das partículas de argilas.

Os coloides tendem a adquirir cargas superficiais devido: i) à ionização dos grupos presentes na sua superfície; ii) à adsorção de íons da solução ao seu redor; iii) ao déficit iônico no interior da estrutura do mineral, no caso das argilas (hidrofóbicos); e iv) à ionização de grupos amino e carboxil localizados na superfície, no caso dos microrganismos e proteínas (hidrofílicos).

De maneira geral, tanto as argilas quanto os coloides hidrofílicos (proteínas e microrganismos) apresentam cargas superficiais negativas quando dispersos em águas naturais (esses últimos, desde que o pH esteja próximo ou acima da região neutra). Portanto, a maioria dos coloides em águas naturais apresenta repulsão entre si devido às cargas de mesmo sinal (negativas) presentes em suas superfícies e, por essa razão, permanecem em suspensão.

Na Figura 17.4, apresenta-se uma ilustração de um sistema coloidal, segundo o modelo da dupla camada elétrica, também conhecido por modelo de Gouy Chapman (ilustração a), juntamente com um gráfico (ilustração b) mostrando as energias de interação entre dois sistemas coloidais eletrostaticamente estabilizados. Segundo tal modelo, em uma dispersão coloidal, não pode haver desequilíbrio na carga elétrica global do sistema, que deve apresentar neutralidade. Portanto, as cargas elétricas negativas da superfície da partícula devem ser contrabalanceadas no sistema aquoso. Uma nuvem de íons (com predominância de cátions) forma-se em torno da partícula, formando uma camada difusa. Íons com carga positiva também se acumulam em região próxima à superfície do coloide (negativamente carregado), formando uma camada mais rígida, chamada de camada de *Stern*. Configura-se, assim, uma dupla camada de íons em torno do coloide, sendo que o espalhamento da camada difusa ocorre principalmente devido às forças difusas decorrentes da energia térmica da água. Próximo à partícula, devido às cargas primárias (negativas), desenvolve-se um potencial eletrostático entre a superfície e a água, o qual decresce até o final da dupla camada.

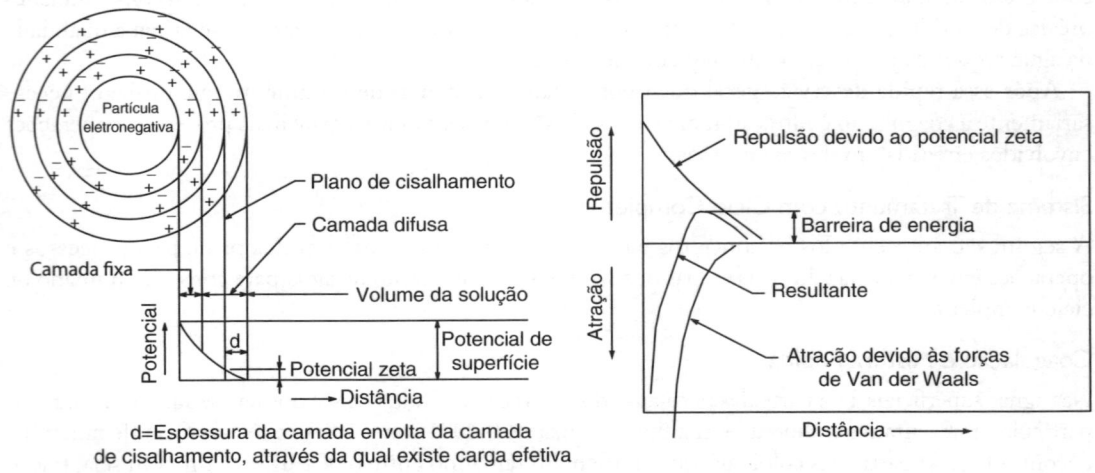

a) Dupla camada elétrica em colóide

b) Interação entre dois colóides

FIGURA 17.4 Partícula coloidal negativamente carregada e a dupla camada elétrica (ilustração a) e representação da interação entre dois sistemas coloidais estabilizados eletrostaticamente (ilustração b).

Quando a partícula é forçada a se mover no meio líquido, algumas cargas que equilibram o sistema acompanham o coloide e outras não. O invólucro líquido que se movimenta junto com o coloide é definido por uma superfície de cisalhamento, a qual apresenta potencial elétrico diferente daquele presente na superfície da partícula. Esse potencial é chamado de Zeta, e apresenta grande importância para o processo de coagulação. O plano de cisalhamento é de difícil localização e, na ilustração "a" da Figura 17.4, encontra-se posicionado na parte externa da camada de *Stern*.

Em águas naturais, quando duas partículas coloidais similares se movimentam e se aproximam uma da outra no meio líquido, as camadas de íons que as acompanham interagem entre si, gerando potenciais de repulsão entre elas devido ao fato de que, em torno de ambas, existem campos elétricos de mesmo sinal (negativos). Essa interação pode ser avaliada em termos de potencial de energia (ou seja, da quantidade de energia necessária para trazer duas partículas de uma distância infinita de separação até uma determinada distância de separação). Se a energia potencial for positiva, a interação é de repulsão, uma vez que é necessário fornecer energia ao sistema. Se a energia potencial é negativa, o efeito é de atração entre elas (AWWA, 2010).

Portanto, conforme a Figura 17.4b, à medida que os dois sistemas coloidais se aproximam, a energia potencial de repulsão aumenta. Entretanto, a distâncias muito pequenas, começam a surgir forças atrativas de Van der Waals, as quais atuam entre quaisquer tipos de partículas, pois tais forças são oriundas de interações entre dipolos, induzidos ou permanentes, no interior dos átomos que compõem as superfícies que interagem e a água. Diferentemente das forças eletrostáticas de repulsão, as forças de Van der Waals independem da composição química da solução. Em águas doces naturais, as quais apresentam pequena força iônica, a repulsão eletrostática entre coloides prevalece sobre as forças de van der Waals, impedindo a aderência entre os mesmos. Nesse caso, a suspensão é denominada eletrostaticamente estabilizada. Para se obter a aderência entre as partículas coloidais para a produção de agregados maiores, ou seja, para que se consiga a coagulação das partículas, é necessário que, de alguma forma, o sistema seja desestabilizado.

De acordo com o modelo ilustrado na Figura 17.4b, em sistemas coloidais eletrostaticamente estabilizados, dois coloides, ao se aproximarem até certa distância, provocam o surgimento de resultante de repulsão gradativamente crescente, até atingir um valor máximo, que constitui uma significativa barreira de energia, devido ao potencial Zeta negativo de ambas as partículas. Essa barreira impede que os coloides se aproximem mais uns dos outros, até uma distância em que as forças de Van der Waals pudessem aumentar sua intensidade de tal forma que fosse obtida energia resultante de atração, o que induziria à agregação dos coloides.

Portanto, de maneira simplificada, em sistemas coloidais eletrostaticamente estabilizados, para se conseguir a agregação das partículas dispersas, ou seja, sua coagulação, é preciso promover a redução ou eliminação da barreira de energia.

Vale lembrar que em águas de mananciais superficiais, normalmente se tem a presença não só de argilominerais (coloides) e outras partículas causadoras de turbidez, como também a presença de matéria orgânica natural (MON), como as substâncias húmicas. Essas substâncias são constituídas por macromoléculas (muitas na faixa de tamanho coloidal) que também desenvolvem cargas superficiais negativas nas condições usualmente apresentadas pelas águas naturais, sendo assim também suscetíveis a coagulação.

Na prática, a coagulação das partículas dispersas nas águas superficiais é conseguida pela adição de agentes químicos coagulantes. Os coagulantes mais comuns são os sais de alumínio e de ferro como o sulfato de alumínio e o cloreto férrico. Esses sais, ao serem adicionados às águas superficiais contendo, por exemplo, alcalinidade na forma de bicarbonato de cálcio, reagem e formam precipitados de hidróxidos. Assumindo que a reação do coagulante com a água prossiga até a formação do precipitado de hidróxido de alumínio ou de ferro (o que pode não ser necessariamente o caso), as equações referentes ao sulfato de alumínio e ao cloreto férrico são, respectivamente:

$$A\ell_2(SO_4)_3 . 14H_2O + 6Ca(HCO_3)_2 \leftrightarrow 2A\ell(OH)_3 + 3CaSO_4 + 6CO_2 + 14H_2O$$
$$2FeC\ell_3 + 3Ca(HCO_3)_2 \leftrightarrow 2Fe(OH)_3 + 3CaC\ell2 + 6CO_2$$

De forma mais abrangente, esses coagulantes, ao serem adicionados à água, hidrolisam e formam uma série de produtos da hidrólise do coagulante (espécies ionizadas), além do precipitado insolúvel de hidróxido de alumínio ou de ferro, conforme mostrado nos diagramas de solubilidade da Figura 17.5.

Observando, por exemplo, o diagrama da Figura 17.5, verifica-se que a concentração do precipitado de hidróxido em equilíbrio com os diversos produtos da hidrólise do coagulante utilizado (sulfato de alumínio, por exemplo), varia significativamente com o valor do pH da água após a adição desse coagulante. Assim, a alcalinidade natural da água exerce papel preponderante no processo de formação

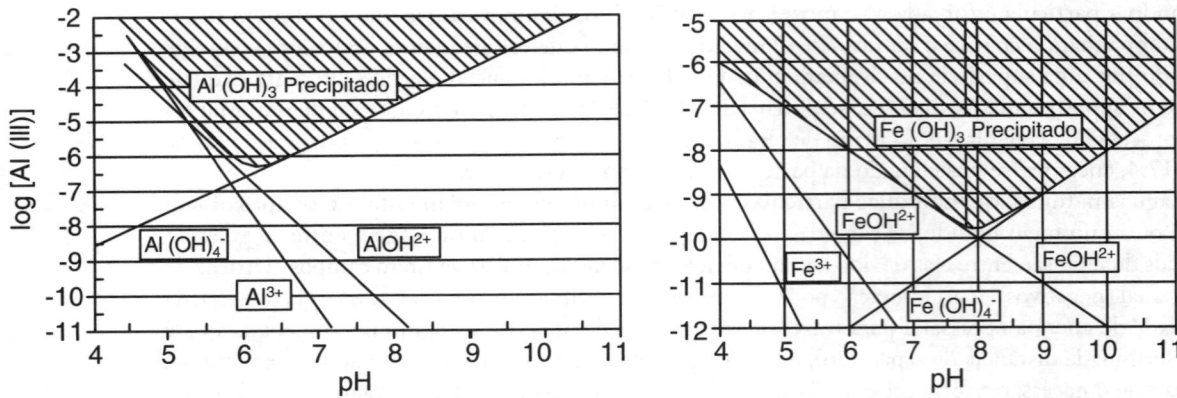

Figura 17.5 Diagramas de solubilidade a) do hidróxido de alumínio e b) do hidróxido de ferro. *Fonte: Adaptado de AWWA (2010).*

do precipitado de hidróxido e das espécies solúveis hidrolisadas do alumínio. Com os sais de ferro ocorre o mesmo, conforme mostrado no diagrama da Figura 17.5b.

Desse modo, a coagulação é possível por meio da adição de coagulantes à água, o que acarreta a alteração da sua composição iônica e/ou a promoção da formação de precipitados de hidróxido de ferro ou de alumínio, desde que as condições de alcalinidade e pH sejam adequadas.

Os dois principais mecanismos de coagulação quando são utilizados sais de ferro ou de alumínio são a **coagulação por adsorção e neutralização de cargas** e a **coagulação por varredura**. No primeiro, toma-se partido da adsorção das espécies hidrolisadas solúveis com carga positiva na superfície dos coloides (com cargas negativas), que causa diminuição do potencial Zeta destes e consequente redução ou eliminação da barreira de energia, resultando na agregação das partículas. Na prática de tratamento de água, esse mecanismo, quando utilizado, requer pequenas dosagens de coagulante e apresenta certa estequiometria entre a concentração de superfície coloidal e a dosagem de coagulante. Porém, existe risco de reestabilização dos coloides quando houver excesso de coagulante (fenômeno em que os coloides se reestabilizam após adquirirem carga superficial positiva devido à adsorção de excesso de cargas positivas geradas pelo coagulante). Além disso, este mecanismo requer faixa estreita de pH de coagulação e é usualmente utilizado em ETA com filtração direta. Nesses casos, é necessário que a água afluente aos filtros apresente pequena concentração de sólidos em suspensão, o que ocorre quando se tem a predominância do mecanismo de adsorção e neutralização de cargas (baixas concentrações do precipitado de hidróxido metálico devido às baixas dosagens de coagulante).

O mecanismo de coagulação por varredura, por sua vez, caracteriza-se pela aplicação de dosagens significativamente maiores de coagulante, o qual, desde que haja disponibilidade de alcalinidade, valores de pH adequados e concentração de certos íons na água, hidrolisa e reage com a alcalinidade da água formando grande concentração do precipitado (gelatinoso) de hidróxido de ferro ou alumínio (ver Figura 17.5). Dessa forma, promove-se a captura das partículas pelos precipitados volumosos de hidróxido metálico.

Esse mecanismo é amplamente empregado nas ETA de ciclo completo em que se tem a etapa de clarificação da água por decantação antes da filtração. De acordo com Bratby (2006), as condições de coagulação visando à subsequente flotação devem estar ainda próximas à situação em que se tem a formação de precipitados de hidróxido, porém em um mecanismo que seria influenciado pela neutralização de cargas com espécies do hidróxido do metal coagulante e/ou com espécies polinucleares que possuem cargas positivas.

A coagulação de águas pode também ser promovida pela adição de polímeros catiônicos, que apresentam longas moléculas poliméricas contendo sítios com carga positiva quando em solução. Ao serem adicionados à água, essas moléculas se estendem, expondo os sítios com cargas positivas, os quais interagem com os coloides contendo cargas superficiais negativas e provocam a desestabilização do sistema coloidal pelo mecanismo conhecido como adsorção e formação de pontes entre as partículas.

Na prática, é também muito usual a associação de coagulantes inorgânicos (sais de alumínio e ferro) a pequenas dosagens de polímeros (normalmente até menores que 0,1 mg/L) com vistas a conseguir a produção de flocos maiores. Nesses casos, os polímeros são chamados de floculantes ou auxiliares de floculação, podendo, inclusive, ser utilizado polímero aniônico ou não iônico nessas situações.

O fato é que, de maneira geral, a coagulação de partículas coloidais, de substâncias húmicas e de outras impurezas das águas superficiais, constitui fenômeno bastante complexo, o qual está aqui colocado de forma um tanto simplificada, pois o objetivo é apresentar ao leitor os conceitos introdutórios sobre o assunto.

Deve-se destacar, também, que na prática devem ser realizados ensaios de laboratório para obtenção das condições adequadas para a coagulação da água que se deseja tratar. Essas condições são, basicamente, os valores ótimos de dosagem de coagulante e respectivo valor ou faixa de valores de pH. Nesses ensaios, são variados os valores de alcalinidade através da adição de álcali e/ou ácido durante os ensaios. Com isso, é possível determinar, além da dosagem ótima do coagulante escolhido, se será ou não necessário o ajuste da alcalinidade natural da água.

Para ETA de ciclo completo com sedimentadores, os ensaios de coagulação em laboratório são conduzidos com emprego de equipamento de bancada (com seis jarros contendo agitadores mecânicos) chamado *Jar Test*. No caso de ETA contendo unidades de flotação (FAD), utiliza-se equipamento de bancada (usualmente com três ou quatro colunas de flotação) denominado *Flotatest*. Por fim, para sistemas com filtração direta, utiliza-se *Jar Test* com filtros de bancada.

Em uma ETA, a adição da solução (concentrada) de coagulante é realizada em unidades de mistura rápida, especialmente projetadas para isso, de modo a promover a dispersão rápida e o mais uniforme possível do coagulante na água bruta. Existem diversos tipos de unidades de mistura rápida, sendo as mais comuns aquelas constituídas de tanque com agitador rápido tipo turbina (ver Figura 17.6) e os misturadores hidráulicos (sem unidades mecânicas). Estes últimos, desde que bem projetados, apresentam bom desempenho, com a vantagem de apresentarem menos problemas de manutenção. Dentre os diversos tipos de misturadores hidráulicos, os mais empregados são a Calha Parshall e o vertedor retangular. Essas unidades, além de promover a mistura rápida, atuam também como medidor da vazão de água bruta afluente à ETA (ver Figura 17.7).

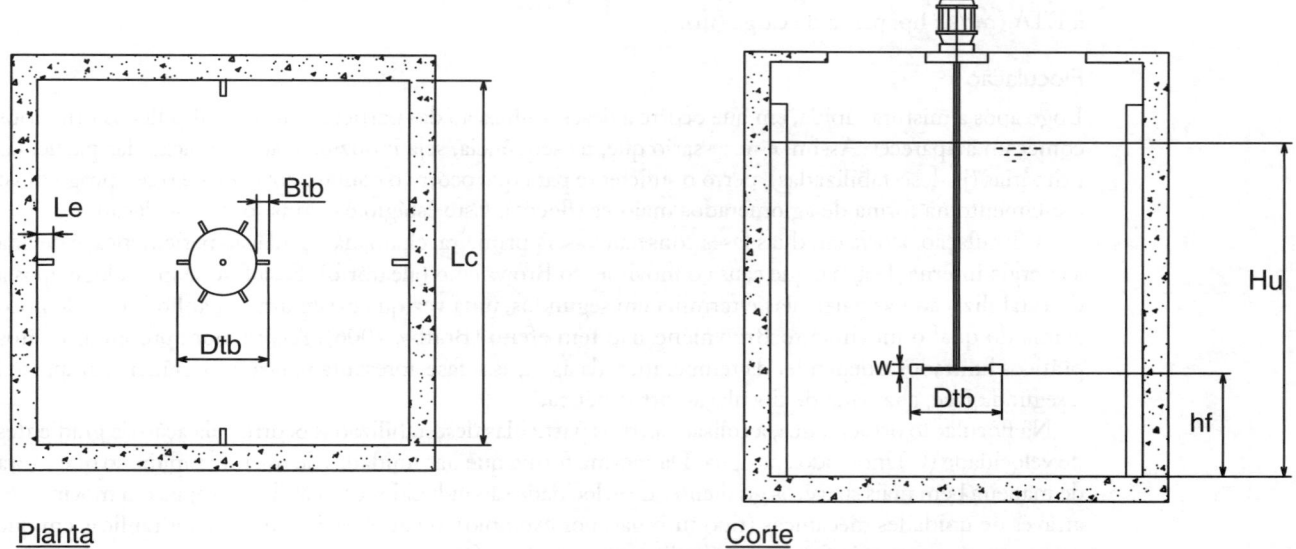

FIGURA 17.6 Vista em planta e corte esquemático de misturador mecânico.

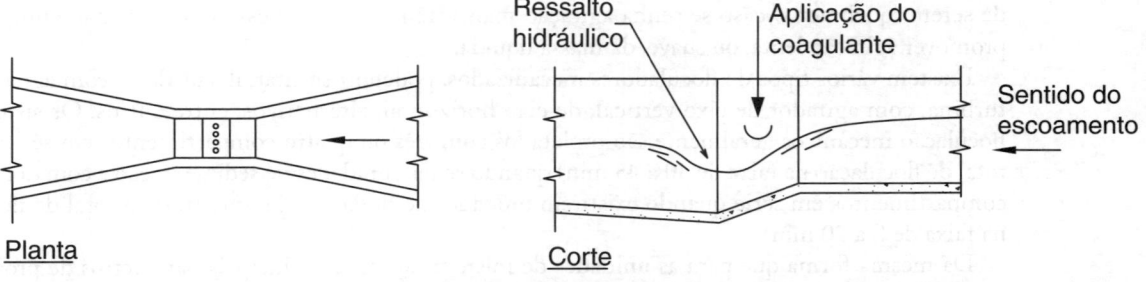

FIGURA 17.7 Esquema de misturador hidráulico (Calha Parshall). *Fonte: Campos et al. (1999).*

O projeto de unidades de mistura rápida é pautado, fundamentalmente, em dois parâmetros: i) o gradiente médio de velocidade (G), que é diretamente relacionado com a potência dissipada por unidade de volume de água no interior do misturador rápido; e ii) o tempo de detenção hidráulico nesse misturador, que se situa na faixa de 20 s a 60 s nas unidades mecânicas e em torno de 1 s (ou menos) nos misturadores hidráulicos. O valor de G (em s^{-1}) é obtido pela Equação 17.1.

$$G = [Pu / (\mu Vol)]^{0.5}$$ Equação 17.1

Pu: potência útil dissipada na água (N.m/s); μ: viscosidade absoluta da água (N.s/m); Vol: volume útil do misturador (m^3).

Para misturadores mecânicos do tipo mostrado na Figura 17.6, a potência transferida pela turbina pode ser estimada pela Equação 17.2.

$$Pu = Ktb \rho_a Nr^3 Dtb^5$$ Equação 17.2

Pu: potência introduzida na água (N.m/s); Ktb: número de potência, que é função do tipo de turbina e do número de Reynolds (Rey); ρ_a: massa específica da água (kg/m^3); Nr: rotação da turbina (rps); Dtb: diâmetro da turbina (m).

Para turbina com fluxo radial do tipo mostrado na Figura 17.6, o valor de Ktb torna-se constante e igual a 5, desde que a relação Dtb/W seja igual a 5 e que Rey seja maior que 10.000, condições usuais em unidades para tratamento de água. Devem ser respeitadas, também, as seguintes relações geométricas empíricas entre as dimensões da câmara de mistura rápida e da turbina: i) $2,70 \leq Lc/Dtb \leq 3,30$; ii) $0,75 \leq hf/Dtb \leq 1,30$; iii) $2,70 \leq Hu/Dtb \leq 3,90$; iv) W = Dtb/5; v) Btb = Dtb/4; e vi) Le = 0,1Dtb.

Em misturadores hidráulicos, a potência útil dissipada pode ser calculada a partir do valor da perda de carga (hp) no misturador hidráulico e da vazão de água (Equação 17.3).

$$Pu = \rho_a gQhp$$ Equação 17.3

ρ_a: massa específica da água (kg/m^3); g: aceleração da gravidade (m/s^2); Q: vazão de água bruta afluente à ETA (m^3/s); hp: perda de carga (m).

Floculação

Logo após a mistura rápida, em que ocorre a desestabilização das partículas, minúsculos flocos primários começam a aparecer. Assim, é necessário que, na sequência, seja induzida a aproximação das partículas primárias (já desestabilizadas), perto o suficiente para que ocorra o contato entre elas e o seu progressivo crescimento na forma de aglomerados maiores (flocos). Este estágio é chamado de floculação.

A floculação ocorre em duas fases consecutivas. A primeira, chamada floculação pericinética, é devida à energia interna da água, que causa o movimento Browniano (aleatório). Essa fase se inicia logo após a desestabilização das partículas e termina em segundos, uma vez que existe um tamanho limite de floco acima do qual o movimento Browniano não tem efeito (Bratby, 2006). Assim, por apresentar efeitos práticos limitados e depender da temperatura da água, essa fase apresenta pouca importância comparada à segunda fase, chamada de floculação ortocinética.

Na floculação ortocinética, a colisão entre as partículas desestabilizadas ocorre pela ação de gradientes de velocidade (G) induzidos na água. Da mesma forma que nas unidades de mistura rápida, só que agora de maneira bem mais suave, os gradientes de velocidade são induzidos colocando-se a água em movimento através de unidades mecânicas (tipo turbinas, por exemplo), ou através de unidades hidráulicas em que a água passa por canais formados por diversos anteparos (chicanas) sequenciais.

Entretanto, o grau de agitação requerido para a floculação ortocinética é bem menor que aquele da mistura rápida, pois nessa etapa, à medida que os flocos crescem de tamanho, tornam-se mais suscetíveis de serem "quebrados" caso se tenha agitação mais intensa. Assim, nessa fase do tratamento, deve-se promover agitação lenta, ou suave, da massa líquida.

Existem vários tipos de floculadores mecanizados, podendo-se citar: floculadores com agitador tipo turbina, com agitador de eixo vertical, de eixo horizontal, alternativos, entre outros. Os sistemas de floculação mecânicos geralmente são projetados com três ou quatro compartimentos em série (tempo total de floculação na faixa de 30 a 45 min) quando se têm unidades de sedimentação e com dois ou três compartimentos em série quando existirem unidades de flotação a jusante (tempo total de floculação na faixa de 8 a 20 min).

Da mesma forma que para as unidades de mistura rápida, os principais parâmetros de projeto dos floculadores são o tempo total de floculação e o gradiente médio de velocidade (G). Para floculadores visando à sedimentação, é usual promover o escalonamento dos valores de G de forma decrescente do primeiro para o último compartimento (valores na faixa de 20 s⁻¹ a 70 s⁻¹). Já para o caso de floculadores precedendo unidades de flotação, é recomendável que se mantenha o valor de G igual em todas as câmaras (valor esse adotado usualmente na faixa de 70 s⁻¹ a 110 s⁻¹). As condições adequadas para a floculação de um determinado tipo de água também podem ser obtidas com o emprego dos equipamentos *Jar Test* (visando à sedimentação) ou *Flotatest* (visando à flotação) citados anteriormente.

Na Figura 17.8, é mostrado o esquema de um sistema de floculação com quatro compartimentos em série, cada um deles contendo agitadores mecânicos com palhetas de madeira dispostas paralelamente ao eixo dos motores.

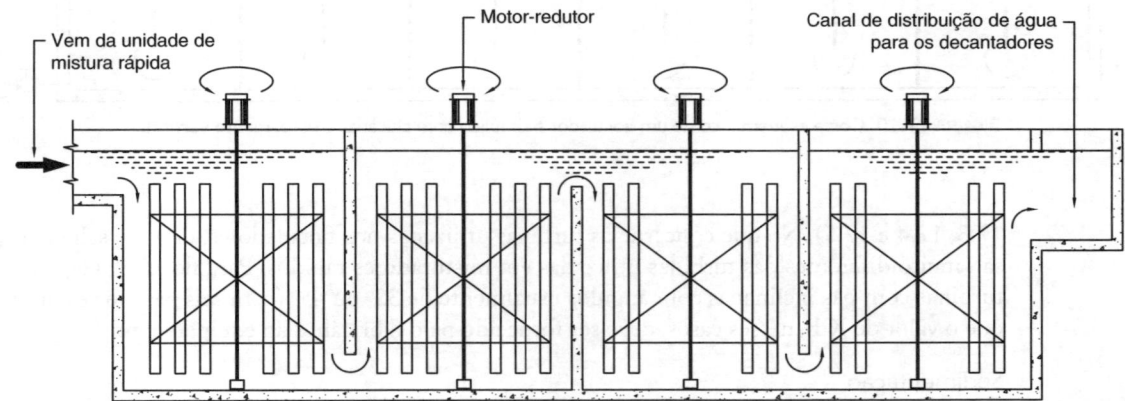

FIGURA 17.8 Corte esquemático de sistema de floculação com quatro compartimentos dotados de agitadores de eixo vertical e paletas paralelas ao eixo. *Fonte: Campos et al. (1999).*

Por fim, na Figura 17.9, é apresentado o desenho esquemático de um sistema de floculação com três câmaras em série com agitação lenta por turbinas. Nesse tipo de floculador, os compartimentos devem respeitar as seguintes relações geométricas entre o diâmetro da turbina e as dimensões do tanque: i) $2,0 \leq Lf/Dtb \leq 6,6$; $2,7 \leq P/Dtb \leq 3,9$; e iii) $0,9 \leq hf/Dtb \leq 1,1$. Em estações de menor porte, é comum a adoção de floculadores hidráulicos. Nesse tipo de unidade, geralmente, a agitação lenta é obtida pela da passagem da água em "canais" que mudam de direção constantemente. Existem várias modalidades de floculadores hidráulicos, sendo as mais comuns os floculadores com chicanas e escoamento horizontal e floculadores com chicanas e escoamento vertical, este último encontra-se representado esquematicamente na Figura 17.10.

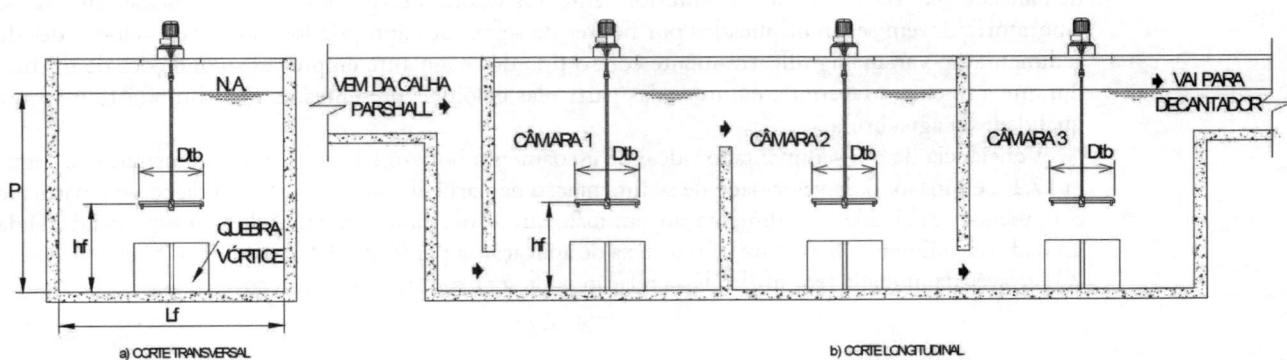

FIGURA 17.9 Corte esquemático de sistema de floculação com três compartimentos em série dotados de turbinas, com respectivas relações geométricas.

Para floculadores hidráulicos, os valores usuais de tempo de floculação são geralmente de 20% a 30% menores que aqueles indicados para floculadores mecânicos, com as mesmas recomendações de gradiente de velocidade, quando se tem sedimentação ou flotação a jusante.

As fórmulas para estimativa dos valores de G e de potência útil dissipada na água pelos sistemas de agitação lenta dos floculadores são as mesmas já apresentadas para misturadores rápidos (Equações

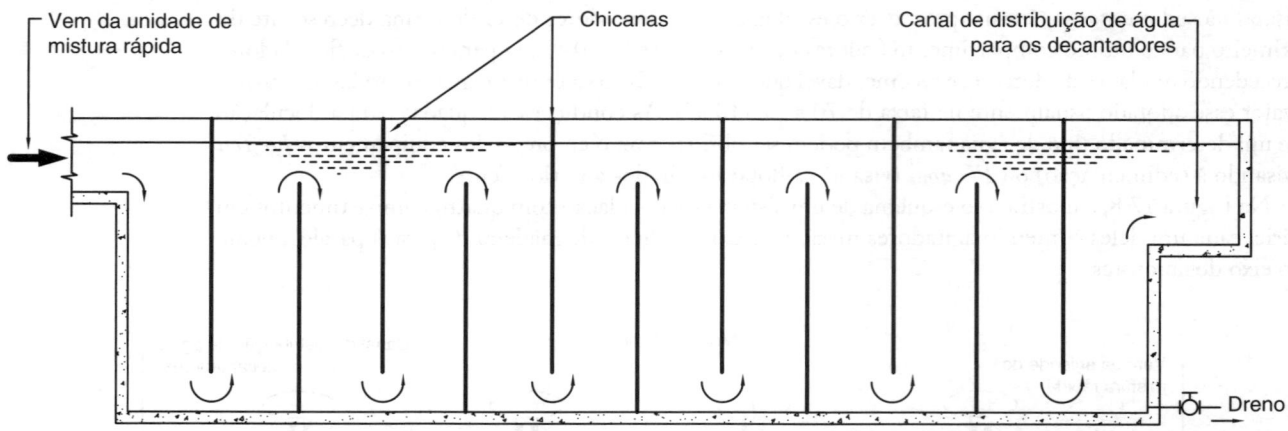

FIGURA 17.10 Corte esquemático de um floculador hidráulico com chicanas e escoamento vertical.

17.3, 17.4 e 17.5). No que concerne às turbinas utilizadas nos floculadores, deve-se salientar que estas são muito diferentes das turbinas utilizadas em misturadores rápidos. Para floculadores, são utilizadas turbinas com pás inclinadas com ângulos usualmente de 32° ou 45° (com seis pás, por exemplo), sendo que o valor de Ktb, nesses casos, deve ser fornecido pelo fabricante do equipamento.

Sedimentação

Em sistemas convencionais, a água, após a floculação, é encaminhada para os decantadores. Nessas unidades, o escoamento de água é tranquilizado o suficiente para promover a sedimentação dos flocos em suspensão. Como a velocidade de sedimentação dos flocos é diretamente proporcional ao quadrado do valor do diâmetro médio dos mesmos, é importante que a veiculação da água dos floculadores até a entrada dos decantadores seja realizada de maneira a se evitar a "quebra" dos flocos. Os dispositivos de entrada e de saída dos decantadores devem ser cuidadosamente concebidos, pois exercem influência marcante no desempenho da sedimentação.

No interior das unidades de sedimentação, os flocos são acumulados no fundo das mesmas, conforme são removidos da suspensão. Dessa forma, a água, ao chegar ao final da unidade, deverá estar livre da maior parte dos flocos. Uma pequena parcela dos flocos, relativa àqueles de menor tamanho e/ou de menor densidade, escapa dos decantadores, sendo removidos nas unidades de filtração subsequentes.

As unidades de sedimentação são dimensionadas com base na velocidade de sedimentação dos flocos induzida pela força gravitacional. Para a obtenção da velocidade dos flocos, é usual a realização de testes de bancada (*Jar Test*) comentados anteriormente. Os valores de velocidade obtidos nesses ensaios de laboratório devem ser multiplicados por fatores de segurança apropriados, pois essas velocidades de sedimentação variam significativamente com o tipo de coagulante empregado, condições de mistura durante a floculação e com a natureza das partículas coloidais presentes na água bruta, isto é, com a qualidade da água bruta.

A eficiência de um sedimentador ideal de escoamento horizontal, como aquele mostrado na Figura 17.11, é função: i) da velocidade de sedimentação da partícula crítica – v_s (definida como a partícula com menor velocidade de sedimentação, em m/h, que se queira remover), ii) da área superficial (A) da unidade de sedimentação (em m²), iii) da taxa de aplicação superficial – TAS (em m³/m².h) e iv) da vazão (Q) através da unidade (em m₃/h). Essa relação pode ser expressa pela Equação 17.4.

$$TAS = Q / A$$

Equação 17.4

Se TAS $\leq v_s$, ocorre a remoção das partículas com tamanhos maiores ou iguais ao da partícula crítica (com v_s). Assim, considerando a situação mais crítica, em que v_s= TAS, então, determinando o valor de v_s em laboratório e conhecendo-se a vazão a ser decantada, pode-se calcular a área em planta (A) da unidade. É recomendável que o valor da área encontrado seja multiplicado por um fator de segurança no mínimo igual a 1,5 (Kawamura, 2000).

Além da taxa de aplicação superficial, é necessário também adotar valor apropriado da velocidade longitudinal da água no decantador (v_l, de forma a evitar o arraste ou a ressuspensão dos flocos já sedimentados e acumulados no fundo do decantador). Assim, $v_l \leq v_a$, em que v_a é o valor da velocidade de arraste, determinada pela Equação 17.12, apresentada mais adiante (Richter & Azevedo Netto, 2003). As unidades de decantação empregadas em tratamento de água usualmente são de dois tipos.

a) Unidade de decantação convencional com escoamento horizontal

Constituídas de tanques retangulares, em planta, com profundidade geralmente na faixa de 3,0 m a 5,0 m. Na Figura 17.11, é mostrado um esquema de um decantador desse tipo. As taxas usualmente empregadas para o projeto dessas unidades se situam na faixa de 16 m^3/m^2.d a 40 m^3/m^2.d, dependendo da velocidade de sedimentação dos flocos, conforme comentado anteriormente.

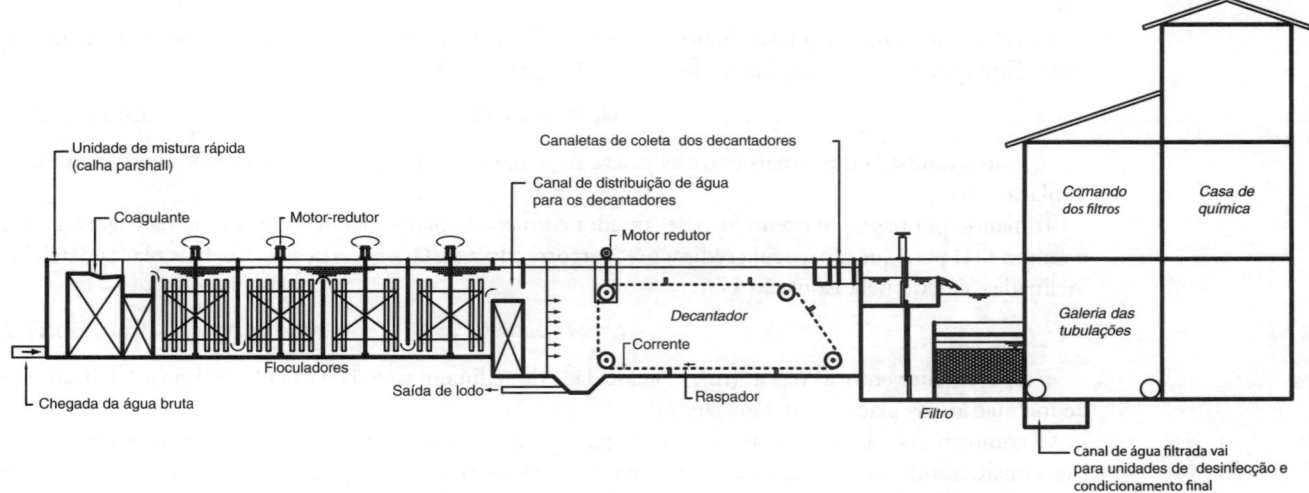

Figura 17.11 Esquema de um decantador convencional em uma ETA de ciclo completo.

b) Unidade de sedimentação de alta taxa com escoamento laminar

Esse tipo de unidade se caracteriza pela presença, em seu interior, de placas paralelas ou de elementos tubulares inclinados, que possibilitam o escoamento laminar (tipicamente número de Reynolds menor que 800) da água em seu interior. Além disso, tais elementos diminuem a distância que os flocos, em processo de sedimentação, necessitam percorrer até serem removidos.

Essa concepção resulta em unidades bastante eficientes e que necessitam de áreas de implantação bem menores que aquelas exigidas pelos decantadores convencionais. Os módulos tubulares ou as placas planas paralelas devem sempre apresentar ângulo de inclinação adequado (tipicamente entre 50° e 60°), de modo a garantir que o lodo sedimentado sobre a superfície das placas deslize em direção ao fundo da unidade, onde é acumulado e descartado em intervalos regulares de tempo. Na Figura 17.12, é apresentado esquema de uma unidade do tipo ora descrito.

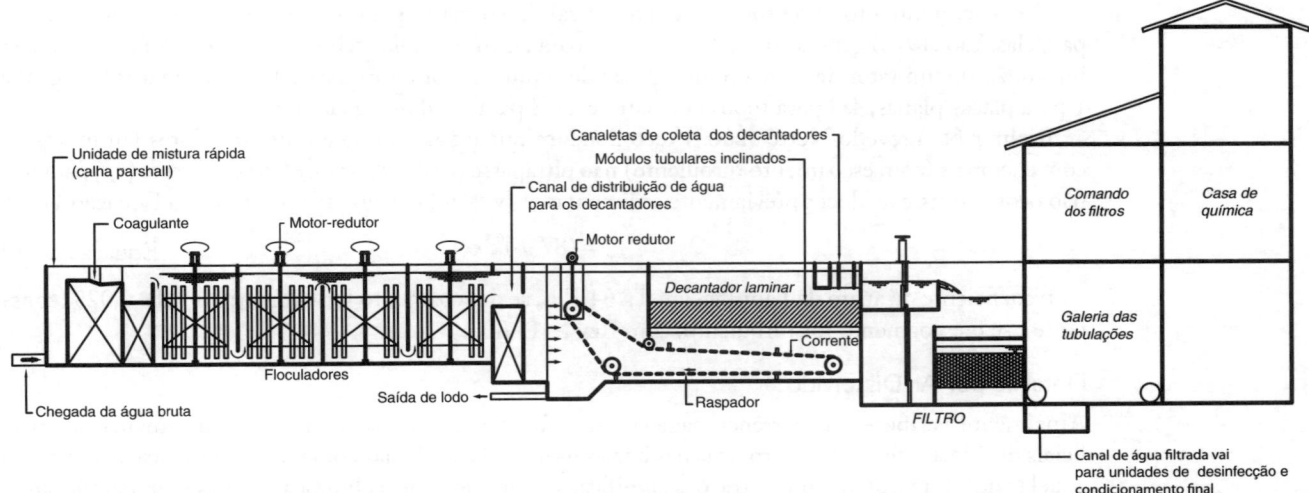

Figura 17.12 Esquema de um decantador laminar com placas planas paralelas e inclinadas numa ETA de ciclo completo.

Na prática, além de placas planas paralelas, é também usual a adoção de módulos tubulares pré-fabricados, sendo que existe no mercado uma grande variedade desses módulos, confeccionados em diversos tipos de materiais (fibra de vidro, PVC, polietileno, entre outros) e em diferentes dimensões e espaçamentos entre as superfícies dos elementos dos módulos.

Devido à grande área superficial que delimita o escoamento da água no interior dos módulos, obtêm-se, conforme já comentado, baixos valores de número de Reynolds, cujo cálculo pode ser feito pela Equação 17.5.

$$\text{Re } y = v_p D_h / v \qquad \qquad \text{Equação 17.5}$$

v_p: velocidade entre as placas inclinadas (m/s); D_h: diâmetro hidráulico dos canais entre as placas (m) – Equação 17.6; v: viscosidade cinemática da água (m²/s).

$$D_h = 4 A_m / P_m \qquad \qquad \text{Equação 17.6}$$

A_m : área molhada dos canais entre as placas paralelas (m²); P_m: perímetro molhado dos canais entre as placas (m).

Tomando por base, por exemplo, o decantador com placas planas paralelas mostrado na Figura 17.12, o tempo t (s) para que a partícula sedimente, percorrendo a distância vertical entre duas placas paralelas inclinadas, é dado pela Equação 17.7.

$$t = e / (v_s \cos\theta) \qquad \qquad \text{Equação 17.7}$$

e: espaçamento entre as placas (m); v_s: velocidade de sedimentação da partícula crítica (m/s); θ: ângulo de inclinação das placas com a horizontal.

O comprimento L das placas, necessário para permitir esse tempo t de sedimentação entre as placas, considerando que a velocidade da água entre essas placas seja igual a v_p (m/s), é calculado pela Equação 17.8.

$$L = e(v_p - v_s sen\theta) / (v_s \cos\theta) \qquad \qquad \text{Equação 17.8}$$

Rearranjando a Equação 17.8, todas as partículas com velocidade maior ou igual a v_s serão removidas se a condição da Equação 17.9 for obedecida (Gregory & Edzwald, 2010).

$$v_s \geq v_p e / (L \cos\theta + esn\theta) \qquad \qquad \text{Equação 17.9}$$

Quando são implantadas várias (N + 1) placas paralelas, formando N canais entre as placas, têm-se a Equação 17.10 e a Equação 17.11.

$$v_p = Q / (Neb) \qquad \qquad \text{Equação 17.10}$$

Q: vazão afluente à unidade de decantação (m³/s); b: largura das placas na direção ortogonal ao espaçamento "e" (m) e à direção do escoamento entre as placas (m).

$$v_s \geq Q / [Nb(L \cos\theta + esen\theta)] \qquad \qquad \text{Equação 17.11}$$

O equacionamento apresentado até aqui é válido somente para decantadores com placas planas paralelas. Yao (1973) generalizou essas equações para outros módulos tubulares com escoamento laminar, introduzindo um fator de forma S multiplicando o numerador da Equação 17.9. Esse fator S é igual a 1 para placas planas, 4/3 para tubos circulares e 11/8 para condutos quadrados.

Richter & Azevedo Netto (2003) recomendam que o valor de v_p em decantadores laminares ou convencionais (com escoamento turbulento) não ultrapasse o valor da velocidade de arraste (v_a), para que não ocorra arraste de flocos previamente sedimentados ($v_s \leq v_a$) O valor de v_a é dado pela Equação 17.12.

$$v_a = (8 / f)^{0.5} v_s \qquad \qquad \text{Equação 17.12}$$

f: coeficiente de atrito de Fanning, igual a 64/Rey, se o escoamento for laminar; e igual a 0,025 (constante), se o escoamento for turbulento, com Rey $\geq$ 15.000.

Flotação por Ar Dissolvido

Atualmente, verifica-se a ocorrência cada vez mais frequente de florações de algas em mananciais superficiais devido às atividades antrópicas nas bacias hidrográficas. Águas com tal característica, assim como aquelas que apresentam concentrações significativas de substâncias húmicas (águas com cor elevada), costumam causar grandes problemas em sistemas tradicionais de tratamento de água com unidades de decantação ou filtração direta devido às suas expressivas concentrações aliadas às baixas velocidades de sedimentação dos flocos com baixa densidade que foram formados após a coagulação dessas partículas.

Nesses casos, o aporte exagerado de material particulado aos filtros acarreta pequenas carreiras de filtração (ou seja, tempos reduzidos de operação de um filtro) e elevado consumo de água e energia para a lavagem dos leitos filtrantes. Principalmente nessas circunstâncias, a utilização de sistemas de flotação por ar dissolvido (FAD) permite a obtenção de elevada eficiência de clarificação da água antes da etapa final de filtração, resultando em sistemas eficientes e econômicos.

De acordo com Edzwald & Haarhoff (2011), a técnica de FAD para clarificação de água para consumo humano atualmente é considerada já firmemente estabelecida como opção viável, com base teórica sólida e vários exemplos de aplicação ao redor do mundo. Os autores citam que, em 2011, já havia no mundo número expressivo de ETA com FAD, totalizando pelo menos 580.000 m³/h de capacidade instalada, considerando somente estações que tratam mais que 2.000 m³/h. Na Figura 17.13, são mostrados os principais componentes de um sistema de FAD com recirculação pressurizada.

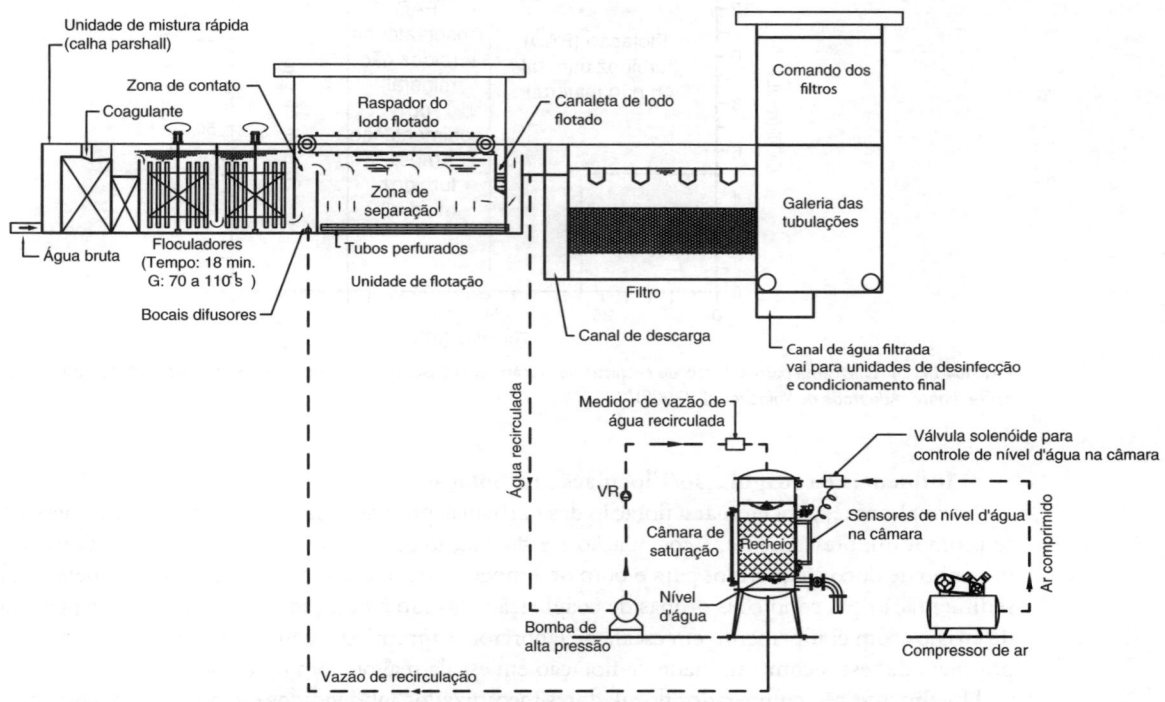

FIGURA 17.13 Diagrama esquemático de uma instalação de flotação para a clarificação de águas de abastecimento.

De forma simplificada, pode-se conceituar a FAD como um processo trifásico (líquido/sólido/gás) em que partículas sólidas (flocos) em suspensão no meio líquido (água) são separadas deste pela ação de microbolhas de gás (ar). Essas microbolhas de ar aderem à superfície dos flocos aumentando a intensidade do empuxo atuante sobre os mesmos, o que ocasiona a subida destes até a superfície do flotador, com velocidades elevadas (de 8 a 15 vezes a velocidade de sedimentação dos flocos), onde são acumulados durante certo período de tempo, até serem recolhidos por mecanismos apropriados de coleta do lodo acumulado na superfície do flotador (Reali, 1991).

Conforme mostrado na Figura 17.13, na FAD, as bolhas de gás são obtidas por meio da despressurização brusca da água de recirculação da unidade FAD através da sua passagem por dispositivos apropriados (bocais difusores). Antes de passar pelos bocais difusores, essa água de recirculação (usualmente na faixa de 6% a 10% da vazão total de água bruta a ser tratada) é submetida a pressões elevadas (de 350 kPa a 600 kPa) e, em seguida, encaminhada a uma câmara especialmente concebida para promover a dissolução de ar nessa água por meio de elevada pressão (câmara de saturação).

Após sua passagem pela câmara de saturação, a água adquire elevada concentração de ar dissolvido e é, então, encaminhada para os bocais difusores localizados na passagem entre os floculadores e as unidades FAD, onde ocorre a liberação do ar previamente dissolvido na massa líquida da vazão de recirculação devido ao abaixamento brusco da pressão a que está submetido este líquido. Desta forma, consegue-se a geração de microbolhas de ar sem a utilização de agitação violenta, que poderia causar a ruptura de parcela dos flocos presentes na água floculada afluente ao flotador.

Recentemente, Valade et al. (2009), após amplo levantamento de dados realizado junto a mais de 400 ETA nos Estados Unidos e Canadá, propuseram diagramas contendo critérios para a escolha de sistemas de tratamento de água. São comparadas três opções bastante comuns de técnicas de tratamento: ciclo completo por sedimentação, ciclo completo por flotação (FAD) e filtração direta descendente. Na Figura 17.14, é apresentado o diagrama proposto pelos autores para seleção de tecnologia com base nas condições máximas (pico) de presença de COT e de turbidez na água bruta do manancial. Os autores adotam o termo "turbidez mineral" quando os agentes causadores predominantes forem argilominerais (água de rios), e o termo "turbidez não mineral" quando for devida à presença predominante de matéria orgânica ou algas em suspensão (comum em águas de reservatórios).

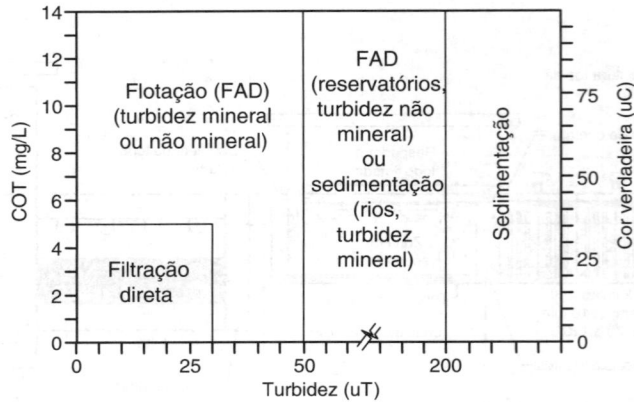

FIGURA 17.14 Diagrama para seleção de técnicas de tratamento baseadas em valores máximos de COT e de turbidez na água bruta. *Fonte: Adaptado de Valade et al. (2009).*

a) Influência da coagulação/Floculação na flotação

Normalmente, para efetuar a flotação das partículas presentes nas águas superficiais, é necessário que se promovam, previamente, a coagulação e a floculação adequadas das mesmas. Entretanto, a faixa de tamanho de flocos requeridos para o bom desempenho de flotação é bem menor que aquela exigida pela sedimentação. As condições ótimas de coagulação visando à flotação podem ser obtidas pela realização de ensaios com equipamento em escala de laboratório apropriado, conhecido como *Flotatest*, ou mesmo por meio de testes com a unidade de flotação em escala real ou com unidades piloto.

Usualmente, são empregados floculadores mecanizados subdivididos em dois ou três compartimentos de iguais dimensões, com tempo de detenção total na faixa de 8 min a 15 min. O valor médio de gradiente de velocidade nas unidades de floculação se situa na faixa de 70 s^{-1} a 110 s^{-1}, dependendo da qualidade da água.

O tratamento químico eficiente é fundamental para a obtenção de floculação adequada, sem o qual a flotação não pode ser realizada, sendo muito importante que se tenha uma dosagem correta de coagulantes em pH adequado, aliados a boas condições de mistura rápida. Nenhum agente químico especial é necessário para a flotação, sendo adequados todos os coagulantes e condicionadores de pH convencionais. Em geral, são requeridas dosagens menores de coagulantes que aquelas exigidas para a sedimentação. A dosagem pode ser reduzida ainda mais se forem empregadas, com caráter auxiliar, pequenas dosagens de polímeros (abaixo de 0,1 mg/L).

b) Colisão e aderência das microbolhas aos flocos

Apresentam-se, a seguir, alguns aspectos relacionados com a formação dos agregados bolhas/flocos, que conduzem à flotação das partículas propriamente dita. A esse respeito, Kitchener (1982) argumentou que a flotação pode ser definida como um evento estocástico no qual a chance de uma determinada partícula ascender ao topo do reator de flotação é igual ao produto de três termos de probabilidade, assim descritos:

Não existe maneira de se calcular todos os termos a partir da teoria básica. Entretanto, alguns comentários ajudam a esclarecer o processo. No interior da zona de contato, as colisões bolhas/partículas (flocos) são facilitadas pelos gradientes de velocidade presentes no interior do reator. Tais gradientes podem resultar do próprio fluxo contínuo do reator e do movimento ascendente das bolhas em relação ao movimento descendente dos flocos. Isto significa que, nesta primeira etapa do processo, o controle é exercido predominantemente por parâmetros físicos, tais como concentração de flocos, de bolhas e nível de turbulência, os quais afetam a frequência de colisões.

Quanto à formação de uma ligação estável entre bolhas e partículas (flocos), o contato permanente (aderência) depende das forças resultantes na interface gás/líquido/sólido, derivadas das forças físicas de atração e das forças físico-químicas de repulsão. Assim, esta etapa da reação é controlada predominantemente por parâmetros físico-químicos.

A hidrofobicidade dos flocos influi nas propriedades do sistema sólido/líquido/ar, que são decisivas para uma agregação permanente entre as bolhas de gás e os flocos. O ângulo de contato estabelecido entre as bolhas e os flocos representa o parâmetro mais significativo na determinação do "tamanho ótimo de bolha", que conduz a um agregado bolhas/flocos estável e está diretamente relacionado com o grau de hidrofobicidade das partículas (ou flocos). Hann (1984) apresentou um estudo que determinou, para cada tamanho de microbolha de ar, qual o ângulo de contato requerido para que se tenha uma ligação microbolha/floco estável. A partir desse estudo, ficou demonstrado que, para os ângulos de contato usualmente apresentados por flocos formados a partir da coagulação da água, são requeridas sempre bolhas com diâmetros menores que cerca de 0,12 mm para obtenção de ligação estável entre microbolhas e flocos. A técnica de flotação por ar dissolvido (FAD) é capaz de produzir microbolhas de ar com distribuição de tamanhos abaixo desses valores (usualmente com diâmetros entre 0,01 mm e 0,12 mm).

c) Sistema de geração de microbolhas

Uma unidade de geração de microbolhas convencional é composta basicamente de um conjunto motor-bomba para pressurização da água de recirculação, seguido de câmara de saturação que recebe ar comprimido de um compressor e, finalmente, de um dispositivo de despressurização que geralmente é responsável também pela mistura da recirculação com a água bruta afluente à câmara de flotação. Além disso, são requeridos vários dispositivos e equipamentos de controle, tais como medidores de vazão da água de recirculação, controlador de nível da água na câmara de saturação, válvulas de alívio, atuadores e outras válvulas.

Existem diversos tipos de câmara de saturação utilizados na FAD, sendo que, para tratamento de água, é mais comum o emprego de câmaras com recheios que apresentam elevado valor da relação área/volume. Tais recheios geralmente são patenteados, como, os anéis tipo *Pall* e *Raschig*, e são adotados geralmente com diâmetros entre 25 mm e 100 mm (o mais comum é 50 mm). A altura do recheio no interior das câmaras encontra-se, usualmente, na faixa de 0,8 m a 1,8 m (o mais comum é de 1,2 m a 1,5 m).

Durante a operação desse tipo de câmara, promove-se a formação de um colchão de ar comprimido em seu interior, de modo que todo o recheio permaneça envolto por esse ar. Assim, a água de recirculação se espalha e escoa pela superfície dos elementos do recheio (que apresentam elevada superfície específica), formando um filme líquido, através do qual ocorre, de forma eficiente, a transferência de massa de ar da fase gasosa (colchão de ar) para a massa líquida, ou seja, ocorre a dissolução de ar na água de acordo com o previsto pela lei de Henry. As taxas de aplicação superficial nessas câmaras com recheio são usualmente adotadas na faixa de 1.600 m^3/m^2.d a 3.200 m^3/m^2.d, dependendo das características da câmara e do recheio. O fator de eficiência (f) e a taxa máxima a ser aplicada a cada tipo de câmara devem ser aferidos e fornecidos pelo fabricante. A distribuição do fluxo pressurizado na superfície do recheio geralmente é feita por meio de placa perfurada. Para o controle do nível de água no interior das câmaras de saturação, é comum o emprego de eletrodos (liga/desliga) conectados à bomba de pressurização da água de recirculação ou aos compressores de ar (sistema com solenoides). Existem também dispositivos baseados no controle da rotação das bombas com o uso de variadores de frequência.

Para promover a despressurização da vazão de recirculação (na entrada da unidade de flotação), são utilizados diversos dispositivos, tais como válvulas de agulha, orifícios com anteparo logo a jusante, além de vários tipos de bocais difusores patenteados. É importante que a pressão seja liberada próximo ao fluxo de água floculada, a fim de minimizar a aglutinação das microbolhas entre si, que resulta em perda de microbolhas efetivas para a flotação dos flocos. Além disso, é necessário que se promova uma boa mistura das microbolhas com a água floculada para facilitar o contato bolha/flocos.

Nas unidades retangulares de FAD em escala real, usualmente se empregam vários dispositivos de despressurização (bocais difusores) espaçados de no máximo 0,30 m ao longo da seção transversal da parte inicial do tanque de flotação (na região de entrada da água previamente floculada). Tais dispositivos são alimentados por um *manifold*.

Deve-se salientar que, para um determinado tipo de câmara de saturação e uma dada temperatura da água, a quantidade de ar dissolvido que pode ser efetivamente fornecida para a geração das microbolhas no interior do reator de FAD pode ser controlada tanto pela pressão no interior da câmara de saturação quanto pela própria vazão de recirculação. Ou seja, a pressão aplicada ao saturador, juntamente com o valor da vazão da recirculação, define a quantidade de ar fornecida ao sistema. Para a flotação de águas de abastecimento, usualmente são requeridas 6 mg a 9 mg de ar por litro de água bruta, sendo tal parâmetro denominado C_r, conforme será descrito mais adiante. O valor adequado de C_r a ser fornecido para a flotação é dependente da qualidade da água bruta e deve ser obtido em ensaios com instalação piloto de flotação ou com base na experiência com outras águas com características parecidas.

Com base na lei de Henry, Edzwald (1992) apresentou equações para a estimativa da concentração de saturação de ar na água de recirculação (C_s), em mg/L (Equação 17.13), e da concentração de ar liberada no tanque de flotação (C_r), em mg/L, que resulta após a mistura da vazão de recirculação com a vazão afluente de água floculada junto aos bocais difusores (Equação 17.14), considerando a pressão atmosférica padrão.

$$C_s = f(\text{Pr} + 101,325) / K_H \qquad \text{Equação 17.13}$$

Pr: pressão relativa no interior da câmara de saturação (kPa); f: fator de eficiência da câmara; ele apresenta valores menores que a unidade, pois representa a fração da saturação teórica (obtida pela lei de Henry) que a câmara é capaz de produzir em condições padrão de ensaio; esse fator deve ser fornecido pelo fabricante da câmara ou obtido experimentalmente (por exemplo, com uso do método proposto por Edzwald & Haarhoff, 2011); K_H: constante da lei de Henry (kPaL/mg), com exemplos dados na Tabela 17.6.

$$C_r = [(C_s - C_a)R - k] / (1 + R) \qquad \text{Equação 17.14}$$

TABELA 17.6 Exemplos de valores da constante da lei de Henry

Temperatura da água (°C)	0	10	20	25
K_H (kPaL/mg)	2,719	3,455	4,179	4,531

Fonte: Adaptado de Edzwald (1992).

C_a: concentração de ar que permanece em solução à pressão atmosférica, após a despressurização da água de recirculação (mg/L). Pode ser estimada dividindo a pressão atmosférica pelo valor de K_H; R: razão de recirculação (Q_r/Q_a), em que Q_r é a vazão de recirculação e Q_a é a vazão de água bruta afluente; k: fator de saturação da água afluente, igual a ($C_a - C_o$), em que C_o é a concentração de ar na água afluente ao flotador; na maioria dos casos, k é igual a zero.

Rees et al. (1980) observaram que, como o oxigênio é mais solúvel na água que o nitrogênio, a pressão parcial do nitrogênio no gás presente no interior da câmara de saturação tem de subir para que se preserve a relação entre oxigênio e nitrogênio tanto na água saturada quanto no ar afluente. Como efeito, a quantidade teórica de gás que poderia ser dissolvido é reduzida de aproximadamente 9% comparada àquela que seria alcançada se o gás no interior do saturador possuísse a mesma composição do ar.

d) Tanque de flotação

Quanto à forma, em planta, a unidade de flotação pode ser circular ou retangular. A forma circular tem sido, em geral, adotada para pequenas instalações, sendo que a maioria das unidades de flotação aplicadas ao tratamento de água são construídas na forma retangular. Segundo Longhurst & Graham (1987), as unidades retangulares resultam em projeto mais adequado devido aos seguintes fatores: i) a quebra de flocos é minimizada, tendo em vista a facilidade de interligação direta com os floculadores; ii) a eficiência hidráulica é maximizada; e iii) a construção e as obras de engenharia são mais simples. O critério básico para o estabelecimento das dimensões em planta da câmara de flotação é a taxa de aplicação superficial (TAS), definida como sendo igual à relação entre a vazão total afluente ao flotador (recirculação mais vazão de água floculada) e a área útil da zona de separação do flotador, ou seja, deve ser descontada a área da zona de contato, onde o fluxo de água é ascendente. Atualmente, as unidades de FAD apresentam profundidades usualmente na faixa de 2,5 m a 3,5 m e são projetadas para operação com valores de TAS na faixa de 200 m³/m².d a 340 m³/m₂.d.

Entretanto, nos anos recentes, têm sido desenvolvidas unidades FAD com configurações apropriadas das zonas de contato e de separação, as quais permitem operação com valores bem mais elevados de TAS, na faixa de 480 m³/m².d a 720 m³/m².d. Essas unidades são chamadas de unidades FAD de alta taxa e apresentam profundidade bem maior que as unidades FAD usuais, com valores normalmente na faixa de 4,5 m a 6,0 m. Existem também unidades FAD de alta taxa com profundidades menores (2,0 m a 3,0 m), mas que apresentam módulos contendo placas planas paralelas apropriadamente dispostas no interior da zona de separação, os quais permitem a obtenção de escoamento laminar (ou próximo disso), mesmo quando operando com altas taxas. Deve-se ressaltar que, independentemente do tipo de unidade FAD (sendo ou não de alta taxa), sempre que possível, é recomendável que sejam efetuados testes em escala de laboratório e piloto para o estabelecimento dos valores adequados de: i) pH e dosagem de coagulante; ii) tempo e G na floculação; iii) TAS e quantidade de ar (C$_r$), em mg de ar por litro de água bruta, requerida para o processo de flotação.

A retirada do lodo superficial pode ser efetuada através de raspadores mecânicos de superfície, os quais podem abranger a extensão total, parcial (raspadores suspensos por correntes especiais, conforme mostrado na Figura 17.13) ou somente a borda final do flotador – raspadores de borda. Com esses tipos de raspadores, obtém-se lodo já espessado, com teor de sólidos usualmente na faixa de 3% a 6%. Também é comum a remoção de lodo pelo método de inundação, com obtenção de lodo contendo menores teores de sólidos que a faixa anteriormente indicada. Nesse caso, para promover a subida do nível de água no interior do flotador e subsequente inundação das canaletas de coleta de lodo, é fechada momentaneamente a saída de água da unidade.

Filtração em Leitos Granulares

A filtração consiste na remoção das impurezas contidas na água quando o fluido escoa por um meio poroso. A remoção de partículas nos filtros pode ser realizada por ação de profundidade (como acontece nos filtros rápidos) ou por ação superficial (como ocorre nos filtros lentos). No primeiro caso, as impurezas são retidas ao longo do meio filtrante, ocorrendo progressiva saturação (colmatação) das subcamadas que continua, no tempo, até ocorrer o fenômeno de transpasse (geração de efluente com características idênticas ao afluente). As tecnologias de tratamento de água que utilizam coagulação, floculação, decantação e flotação devem preferir a filtração por ação de profundidade porque são geradas carreiras de filtração mais longas. Na filtração por ação superficial, a remoção de impurezas é significativa no topo do meio filtrante, desta forma, a ação física de coar é o mecanismo de filtração mais importante.

a) Funcionamento dos filtros rápidos

O funcionamento dos filtros depende da taxa de filtração – T$_f$, da carga hidráulica disponível – CHD e da perda de carga total em qualquer momento da filtração – H$_t$. A T$_f$ pode ser considerada como a relação entre a vazão afluente à unidade dividida pela área em planta do filtro. A H$_t$ envolve a soma das perdas de carga devidas à retenção de impurezas, ao meio filtrante e camada suporte limpos e às tubulações, conexões e válvulas, aos acessórios e ao sistema de drenagem. A carga hidráulica disponível pode ser entendida como o desnível hidráulico necessário para vencer H$_t$ de forma a obter a taxa de filtração desejada no filtro. Em função da proporcionalidade entre T$_f$ e CHD/H$_t$, é possível descrever o funcionamento dos filtros (por exemplo, CHD constante e Ht variável; CHD constante ou variável e Ht constante; CHD e Ht variáveis). Para maiores detalhes, consultar Di Bernardo & Sabogal Paz (2008).

b) Tipos de meios filtrantes para filtração rápida

A seleção das características do meio filtrante depende da qualidade da água bruta, da taxa de filtração adotada, da carga hidráulica disponível, das características da camada suporte e sistema de drenagem, da tecnologia de tratamento de água selecionada, da qualidade desejável do efluente, das experiências obtidas em ETA existentes e da realização de testes em instalação piloto. A Tabela 17.7 mostra as diferenças entre meios filtrantes em função do tipo de ETA.

Os meios filtrantes comumente utilizados são: areia; antracito e areia (recomendado para unidades que operam com taxas de filtração elevadas); e pedregulho (para tecnologias como dupla filtração). O projeto de um filtro requer o conhecimento das características do meio filtrante, portanto, ensaios de distribuição granulométrica devem ser realizados.

c) Camada suporte e fundo de filtros

A camada suporte é constituída por pedregulho com tamanhos que diminuem a partir do fundo do filtro e aumentam em contato com o meio filtrante, conforme Figura 17.15. A seleção da camada suporte depende das características do fundo do filtro, que são função, por sua vez, do método de lavagem adotado. A figura apresenta os diferentes fundos de filtros que podem ser utilizados em projetos de ETA.

d) Lavagem de filtros

Em função do tipo de filtro (ascendente ou descendente), a lavagem pode ser realizada utilizando somente água ou ar e água. Em ETA, o ar em conjunto com a água é utilizado em sistemas de médio e grande porte, com operação qualificada, com o intuito de reduzir o consumo de água para limpeza e,

TABELA 17.7 Diferenças entre meios filtrantes por tipo de sistema

Filtração direta descendente – FDD		Filtração direta ascendente – FDA	
Taxa média de filtração (m³/m².d)	150 a 300	Taxa média de filtração (m³/m².d)	120 a 240
Carga hidráulica disponível (m)	2,0	Carga hidráulica disponível (m)	2,0 a 3,0
Meio filtrante	Areia	Meio filtrante	Areia grossa
Espessura do meio filtrante (m)	0,8 a 1,2	Espessura do meio filtrante (m)	1,5 a 2,0
Tamanho dos grãos (mm)	0,84 a 1,41	Tamanho dos grãos (mm)	0,59 – 2,00
Tamanho efetivo – D_{10} (mm)	1,0 a 1,19	Tamanho efetivo – D_{10} (mm)	0,71 a 1,0
Coeficiente de desuniformidade – CD	≤ 1,3	Coeficiente de desuniformidade – CD	1,5 a 2,0
Dupla filtração – DF		**Ciclo completo – CC**	
Filtro ascendente em pedregulho		Taxa média de filtração (m³/m².d)	150 a 300
Taxa média de filtração (m³/m².d)	80 a 120	Carga hidráulica disponível (m)	2
Carga hidráulica disponível (m)	1,0	Meio filtrante	Areia
Meio filtrante	Pedregulho	Espessura do meio filtrante (m)	0,7 a 0,9
Espessura do meio filtrante (m)	1,0 a 1,5	Tamanho dos grãos (mm)	0,42 a 1,41
Número de subcamadas	5	Tamanho efetivo – D_{10} (mm)	0,45
Tamanho dos grãos (mm)	2,36 a 38,0	Coeficiente de desuniformidade – CD	1,4 a 1,7
Filtro rápido descendente		**Floto-filtração – FF**	
Taxa média de filtração (m³/m².d)	150 a 300	Taxa média de filtração (m³/m².d)	150 a 300
Carga hidráulica disponível (m)	2	Meio filtrante	Areia
Meio filtrante	Areia	Espessura do meio filtrante (m)	0,7 a 0,9
Espessura do meio filtrante (m)	0,7 a 0,9	Tamanho dos grãos (mm)	0,42 – 1,41
Tamanho dos grãos (mm)	0,35 a 1,41	Tamanho efetivo – D_{10} (mm)	0,45
Tamanho efetivo – D_{10} (mm)	0,45	Coeficiente de desuniformidade – CD	1,4 a 1,7
Coeficiente de desuniformidade – CD	1,4 a 1,7	Carga hidráulica disponível (m): seu valor depende da instalação dos elementos associados à flotação dentro da unidade de flotofiltração. Valores entre 2,0 a 2,5 m são comumente empregados.	

Fonte: Sabogal Paz (2007, 2010). Para maiores detalhes dos parâmetros descritos, consultar Di Bernardo & Sabogal Paz (2008).

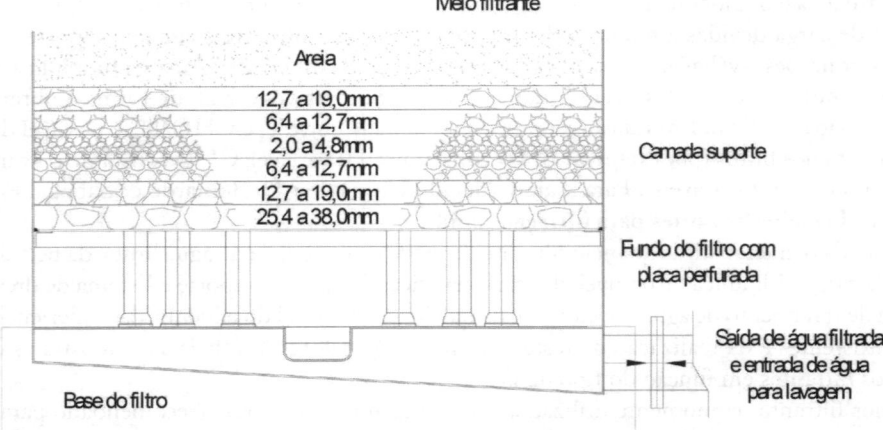

FIGURA 17.15 Exemplo da camada suporte e do sistema de drenagem de um filtro rápido descendente. *Fonte: Sabogal Paz (2010).*

como consequência, minimizar a produção de resíduos. Para detalhes sobre os diferentes métodos de lavagem dos filtros, sugere-se a leitura de Di Bernardo & Sabogal Paz (2008).

A água para lavagem dos filtros pode vir de bombeamento direto da água contida no tanque de água filtrada ou dos outros filtros em operação ou do reservatório elevado da ETA, antes da adição dos produtos químicos. A lavagem inadequada de um filtro pode gerar o surgimento de bolas de lodo no interior do meio filtrante e a redução da qualidade e do volume de água tratada por carreira de filtração. A coleta de água de lavagem é realizada por calhas de diferentes materiais (concreto, chapa de aço, fibra de vidro, entre outros), adequadamente posicionadas acima do topo do meio filtrante para evitar o arraste de grãos para fora da unidade.

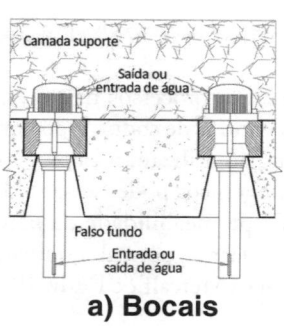

a) Bocais

b) Placas perfuradas

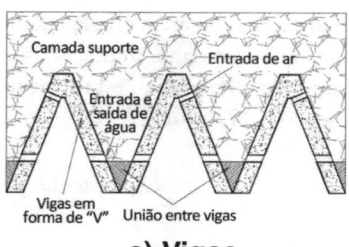

c) Vigas

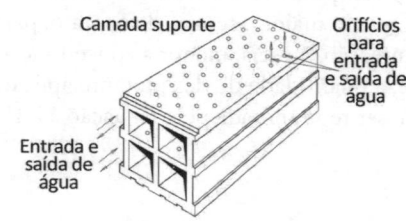

d) Blocos distribuidores

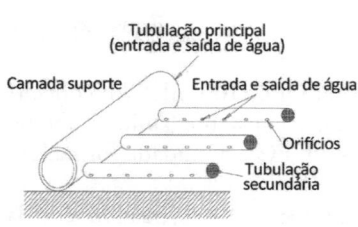

e) Tubulações perfuradas

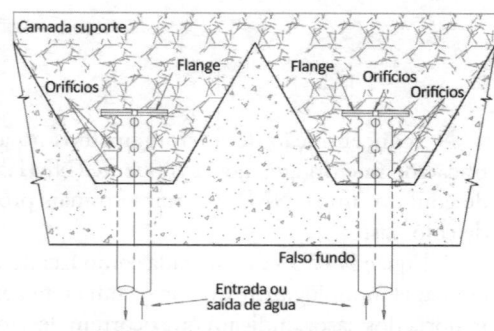

f) Troncos de pirâmide

FIGURA 17.16 Exemplos de fundos de filtros.

e) Água de lavagem dos filtros e sua recirculação na ETA

O tratamento de água para consumo gera benefícios à população, no entanto, como toda indústria de transformação, as ETA geram resíduos que precisam ser convenientemente tratados e dispostos no ambiente. A problemática dos resíduos das ETA representa um sério problema para as empresas de saneamento em relação ao atendimento da legislação vigente. Segundo o IBGE (2010), o destino mais comum do lodo, nos 1.415 municípios reportados, ainda é o manancial mais próximo.

O aproveitamento dos resíduos gerados na ETA, que inclui a água de lavagem dos filtros, pode gerar benefícios tais como: i) diminuição do consumo de energia elétrica na captação de água bruta, ii) redução do volume de resíduos a ser encaminhado para tratamento e disposição final, e iii) minimização do impacto ambiental gerado pela exploração da água na fonte de abastecimento.

A recirculação da água de lavagem dos filtros, sem tratamento prévio, em ETA, não é recomendada porque pode gerar presença acumulativa, no meio filtrante, de microrganismos indesejáveis tais como: cistos de *Giardia* e oocistos de *Cryptosporidium*. A atividade pode, igualmente, introduzir substâncias nocivas à saúde na água de consumo, por exemplo, pesticidas, metais pesados e subprodutos metabólicos de algas. Em função das características da água de lavagem dos filtros, a desinfecção e oxidação podem ser necessárias antes de sua recirculação na estação, independentemente do tipo de ETA.

Desinfecção

A desinfecção da água é uma operação necessária para eliminar os microrganismos patogênicos não removidos ou inativados nas operações de coagulação, floculação, sedimentação (ou flotação) e filtração.

Portanto, está relacionada com a inativação dos microrganismos que causam doenças e não à eliminação de todos os microrganismos, o que a diferencia da esterilização.

A desinfecção de água pode ser feita pela adição de produtos químicos, por processos físicos e por radiação. A desinfecção química utiliza, principalmente, cloro gasoso, hipoclorito de sódio, hipoclorito de cálcio, dióxido de cloro, ozônio e iodo. Os processos físicos de desinfecção utilizam o calor e a luz solar e a radiação ultravioleta. A ação do desinfetante nos organismos patogênicos pode causar a destruição da parede celular, principalmente por antibióticos; a alteração da permeabilidade da parede celular, por fenóis e detergentes; a alteração da natureza coloidal do protoplasma, por calor, radiação, ácidos e produtos alcalinos; a inibição da atividade enzimática por oxidantes (Metcalf & Eddy, 1991). A eficiência de desinfecção depende dos fatores abordados a seguir.

a) Tempo de contato do desinfetante com a água

Quanto maior o tempo de contato, para uma mesma dose de desinfetante, maior será a eficiência de desinfecção, ou seja, menor a concentração de organismos patogênicos na água tratada. Entende-se por dose, a quantidade de desinfetante aplicada, por exemplo, em mg/L. Na forma diferencial, esta relação pode ser representada pela Equação 17.15 que, integrada, fornece as Equações 17.16 ou 17.17.

$$\frac{dN}{dt} = -kN \qquad\qquad \text{Equação 17.15}$$

$$1n\frac{N}{N_o} = -kt \qquad\qquad \text{Equação 17.16}$$

$$\frac{N}{N_o} = e^{-kt} \qquad\qquad \text{Equação 17.17}$$

N_o: concentração de microrganismos no afluente (NMP/100 mL ou UFC/100 mL); N: concentração de microrganismos no efluente (NMP/100 mL ou UFC/100 mL); k: constante (/min); t: tempo de contato (min). NMP é o número mais provável de microrganismos e UFC é a unidade formadora de colônias.

A Equação 17.15 é conhecida como Lei de Chick. A forma integrada, Equação 17.16, quando plotada em papel monologarítmico, forma uma reta com declividade – k. Porém, os resultados experimentais, na maioria dos casos, indicam que ocorrem desvios desta lei. Em algumas situações, a inativação não ocorre até que o tempo de contato seja maior que determinado valor, resultando em curva com patamar, ou seja, mesmo com o aumento do tempo de contato, os microrganismos resistem à ação do desinfetante até que a quantidade de reações do desinfetante com os componentes vitais das células atinja nível para o qual a inativação inicia e progride com aumento de velocidade. Há também a possibilidade de inativação rápida nos tempos de contato pequenos e, conforme o tempo aumenta, ocorre estabilização da quantidade de microrganismos sobreviventes devido à variabilidade de resistência dos microrganismos, à proteção oferecida por material particulado em suspensão ou devido ao consumo do desinfetante.

b) Concentração do desinfetante químico

Para alguns desinfetantes químicos (por exemplo, o cloro), a eficiência de desinfecção está relacionada com a dosagem e com o tempo de contato pela Equação 17.18.

$$Ct = k \qquad\qquad \text{Equação 17.18}$$

C: concentração de desinfetante (mg/L); t: tempo de contato (min); k: constante (mg.min/L), determinada experimentalmente para cada eficiência de desinfecção.

Por essa equação, verifica-se que a eficiência de desinfecção será a mesma se o produto Ct for mantido constante. Assim, ao se aumentar a concentração do desinfetante, diminui-se o tempo de contato ou vice-versa. Essa propriedade é importante na operação da unidade de desinfecção, pois possibilita ajustar a dosagem de desinfetante à vazão afluente, ou seja, ao tempo de contato.

c) Intensidade e natureza do desinfetante físico

A ação dos desinfetantes físicos também segue a lei de Chick (Equação 17.19).

$$\frac{dN}{dt} = -KIN \qquad\qquad \text{Equação 17.19}$$

K: constante; I: intensidade do agente físico; N: concentração de microrganismos no efluente (NMP/100 mL ou UFC/100 mL).

As unidades de K e I dependem do agente físico de desinfecção. Por exemplo, se o desinfetante for a radiação ultravioleta, I é expresso em mW/cm^2 e K, em $cm^2/mW.s$

d) Temperatura

A temperatura interfere na velocidade de inativação. Maior temperatura, maior velocidade de inativação.

e) Concentração de microrganismos

Para águas destinadas ao consumo humano, a interferência da concentração de microrganismos, por ser normalmente pequena, é desprezível.

f) Tipos de organismos (forma vegetativa, esporos, cistos e oocistos)

Normalmente, os esporos, cistos e oocistos apresentam maior resistência aos agentes desinfetantes que as formas vegetativas. A eficiência de um processo de desinfecção é avaliada pela redução do número (concentração) de organismos patogênicos. É inviável econômica e operacionalmente, contudo, detectar todos os organismos patogênicos presentes. Para tornar a avaliação segura e menos dispendiosa, utilizam-se microrganismos indicadores. Como as fezes humanas sempre contêm coliformes totais, nos quais está incluída a bactéria *Escherichia coli*, estas bactérias são normalmente utilizadas como microrganismos indicadores. São, com algumas exceções, mais resistentes que os organismos patogênicos. Portanto, a presença de *Escherichia coli* indica que a água está contaminada com fezes humanas e que, dependendo da concentração destas bactérias, a água pode ser imprópria para um uso específico. De acordo com os padrões de potabilidade (definidos na Portaria de Consolidação Nº 5 de 28/09/2017 do Ministério da Saúde), as águas destinadas ao consumo humano nunca podem conter coliformes totais e *Escherichia coli* em qualquer amostra (o exame deve constatar a ausência dessas bactérias na água desinfetada). Entretanto, como existem alguns patogênicos mais resistentes à ação de desinfetantes do que os coliformes totais e a *Escherichia coli*, há a possibilidade de estarem presentes mesmo quando não se detecta a presença dos microrganismos indicadores.

g) Desinfecção com cloro

A utilização do cloro como desinfetante remonta ao início do século XX. É uma tecnologia mundialmente conhecida e emprega cloro gasoso, hipoclorito de sódio (líquido) ou hipoclorito de cálcio (sólido). O cloro é um desinfetante eficiente e de baixo custo operacional. Entretanto, em 1974, a segurança quanto ao uso do cloro foi questionada quando se observou a formação de trialometanos em águas de abastecimento cloradas. Outros produtos da cloração, potencialmente prejudiciais à saúde humana, são, por exemplo, as haloacetonitrilas, halocetonas, ácidos haloacéticos, clorofenóis, entre outros. Os trialometanos são potencialmente cancerígenos e as haloacetonitrilas podem ter ação mutagênica, induzindo o desenvolvimento de tumores.

Antes que se decida sobre a substituição do cloro por outro desinfetante ou pela não desinfecção, é necessário avaliar ponderadamente a relação benefício-prejuízo. Os males causados pelos subprodutos da cloração podem ser menos prejudiciais à saúde do que as doenças de veiculação hídrica a que a população estaria sujeita em caso de não haver nenhum tipo de desinfecção. O cloro, na forma de gás cloro ou de hipoclorito de sódio ou de cálcio, ao ser adicionado à água, reage e forma ácido hipocloroso segundo as reações:

$$Cl_2 + H_2O \leftrightarrow HOCl + H^+ + Cl^-$$
$$NaOCl + H_2O \leftrightarrow HOCl + NaOH$$
$$Ca(OCl)_2 + 2H_2O \leftrightarrow 2HOCl + Ca(OH)_2$$

O ácido hipocloroso dissocia-se segundo a reação:

$$HOCl \leftrightarrow H^+ + OCl^-$$

A quantidade de HOCl e OCl^- em equilíbrio depende do pH e é chamada de cloro residual livre disponível. A Figura 17.17 representa a distribuição percentual destas espécies com o pH, considerando temperatura de 25 °C.

O ácido hipocloroso tem maior poder desinfetante que o íon hipoclorito. Por esta razão, é aconselhável que se faça a desinfecção da água em pH não superior a 7. O cloro reage com a matéria orgânica e inorgânica presente na água e forma compostos organoclorados e cloraminas quando reage com o nitrogênio amoniacal, o que é conhecido como cloro residual combinado. As reações com amônia são:

$$NH_3 + HOCl \leftrightarrow NH_2Cl + H_2O$$
$$NH_2Cl + HOCl \leftrightarrow NHCl_2 + H_2O$$
$$NHCl_2 + HOCl \leftrightarrow NCl_3 + H_2O$$

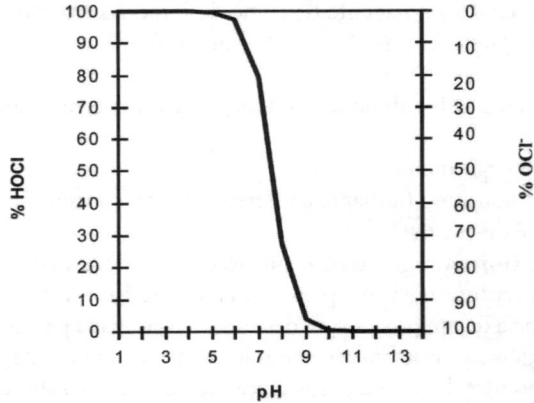

FIGURA 17.17 Distribuição de HOCl e OCl⁻ em água em função do pH a 25 °C.

As monocloraminas têm ação desinfetante, embora a eficiência seja menor que a do íon hipoclorito. A formação de dicloraminas e tricloreto de nitrogênio é desaconselhável, pois o poder desinfetante é menor e, além disso, o odor é forte. Aumentando-se a dosagem de cloro, ocorre a destruição das cloraminas com formação de óxidos de nitrogênio e nitrogênio gasoso. A curva genérica representativa de cloração está apresentada na Figura 17.18.

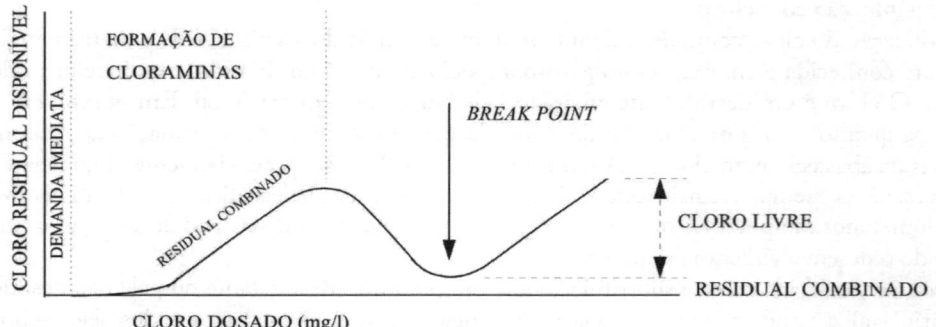

FIGURA 17.18 Cloração ao *breakpoint*.

Para a desinfecção de águas de abastecimento, é aconselhável que se utilizem dosagens maiores que a dosagem relativa ao *breakpoint*. Portanto, a desinfecção é feita com cloro residual livre.

Correção Final do pH da Água

A ocorrência de uma pequena saturação de carbonato de cálcio na água de consumo é um fator básico para o controle da corrosão e agressividade da água. A precipitação controlada do $CaCO_3$ depende do pH e pode ser obtida pela adição de quantidades adequadas de alcalinizante.

O índice qualitativo de Langelier (IL) é utilizado para indicar se uma água de consumo está insaturada, saturada ou supersaturada de $CaCO_3$. No entanto, esse índice não adverte sobre a quantidade de $CaCO_3$ que pode ser precipitada. A água terá menor tendência à corrosão quando o IL indicar saturação. O potencial de precipitação de $CaCO_3$ (PP) é um parâmetro que indica a quantidade de carbonato que pode ser precipitado ou dissolvido por uma água. O cálculo do PP é complexo e requer de testes de laboratório, uso de gráficos e softwares. A correção do pH da água de consumo é fundamental para proteger as tubulações, conexões, dispositivos e acessórios do sistema de abastecimento de água contra os fenômenos de corrosão e incrustação.

Fluoração

A fluoração consiste na adição de flúor à água de consumo com o objetivo de reduzir a incidência de cáries dentárias na população; no entanto, existe polêmica associada à eficiência do processo e aos possíveis riscos à saúde. Os compostos utilizados em ETA, para adição do flúor, são: ácido fluorsilícico, fluorsilicato de sódio, fluoreto de sódio e fluoreto de cálcio.

Sistema de Tratamento de Água por Filtração Direta

As tecnologias de filtração direta foram desenvolvidas para facilitar o tratamento de águas com baixa turbidez. A decantação e a flotação não são utilizadas nesses sistemas, sendo as impurezas totalmente retidas nos filtros. O mecanismo de coagulação utilizado para desestabilizar as partículas é o de adsorção e neutralização de cargas porque gera flocos menores e mais resistentes às forças de cisalhamento que acontecem no interior do meio filtrante. Existem três tipos de tecnologias de filtração direta: filtração direta descendente, filtração direta ascendente e dupla filtração.

As características da água bruta influenciam consideravelmente a eficiência das tecnologias de filtração direta. Assim, o uso de pré-tratamento ou pós-tratamento utilizando, por exemplo, micropeneiramento, oxidação e adsorção, é requerido quando a água apresenta elevados valores de cor verdadeira, concentrações de carbono orgânico total e microcontaminantes ou microrganismos resistentes à desinfecção (como *Giardia sp.* e *Cryptosporidium sp.*).

As tecnologias de filtração direta requerem mão de obra qualificada, porque o tempo de detenção da água no sistema é curto, cerca de 40 min. Assim, o funcionário tem pouco tempo para tomar as decisões que visem a ajustar o tratamento com o intuito de gerar água conforme o padrão de potabilidade. A Tabela 17.8 apresenta as principais vantagens e desvantagens das tecnologias de filtração direta quando comparadas com a de ciclo completo. Ensaios de tratabilidade da água, utilizando *Jar Test* com filtros de bancada, são indispensáveis para definir os parâmetros de projeto das tecnologias de filtração direta. A metodologia desses ensaios é descrita por Di Bernardo et al. (2011). Os critérios de projeto das tecnologias de filtração direta podem ser consultados em Di Bernardo & Sabogal Paz (2008).

TABELA 17.8 **Vantagens e desvantagens das tecnologias de filtração direta**

Vantagens	Desvantagens
a) A área em planta é menor porque a decantação é eliminada e, dependendo da tecnologia, não é necessária a floculação.	a) A eficiência da filtração direta cai quando a água bruta apresenta valores elevados de alguns parâmetros de qualidade da água.
b) Os volumes de resíduos são menores.	b) A filtração direta precisa de monitoramento contínuo porque o tempo de detenção da água na estação é curto.
c) As dosagens de coagulante são reduzidas porque não há necessidade de formar flocos com tendência a decantar ou flotar.	
d) Os investimentos iniciais são menores.	

a) Filtração direta descendente (FDD)

Na FDD, a água bruta é coagulada e, em seguida, encaminhada aos floculadores e/ou filtros, dependendo da configuração do sistema. Posteriormente, a água filtrada é desinfetada, fluoretada (quando necessário) e estabilizada para ser encaminhada à população. O emprego da floculação na FDD depende das características do meio filtrante, da taxa de filtração adotada e do tamanho e distribuição das partículas na água bruta – quando há predominância de partículas com tamanhos de até 5 μm, a floculação é recomendada. A Figura 17.19a apresenta um esquema da tecnologia. O emprego de floculação na FDD requer cuidados em relação à entrada da água nos filtros para evitar quedas de água que gerem ruptura dos flocos formados, fenômeno que reduz a eficiência da tecnologia. A coagulação usualmente emprega gradientes de velocidade entre 400 s⁻¹ e 1.200 s⁻¹. Na floculação, gradientes de 50 s⁻¹ a 150 s⁻¹, com tempo de floculação entre 5 min e 20 min, são comumente utilizados. Contudo, essas características de projeto devem ser definidas conforme os resultados obtidos em ensaios de tratabilidade da água.

O filtro rápido descendente (FRD), na FDD, é constituído, usualmente, por areia praticamente uniforme com as seguintes características: tamanho dos grãos entre 0,84 mm e 1,41 mm; $CD \leq 1,3$; D_{10} de 1,0 mm a 1,19 mm; e espessura do leito entre 0,8 m e 1,20 m. A taxa média de filtração oscila entre 150 m³/m²d e 300 m³/m²d. O FRD pode ser operado a taxa constante ou declinante em função da vazão a ser tratada. A seleção da camada suporte depende do tipo de fundo de filtro adotado.

b) Filtração direta ascendente (FDA)

Na FDA, a água é coagulada e conduzida à câmara de carga (CAC) de cada filtro. A CAC permite o funcionamento dos filtros à taxa constante, garantindo a execução das descargas de fundo intermediárias.

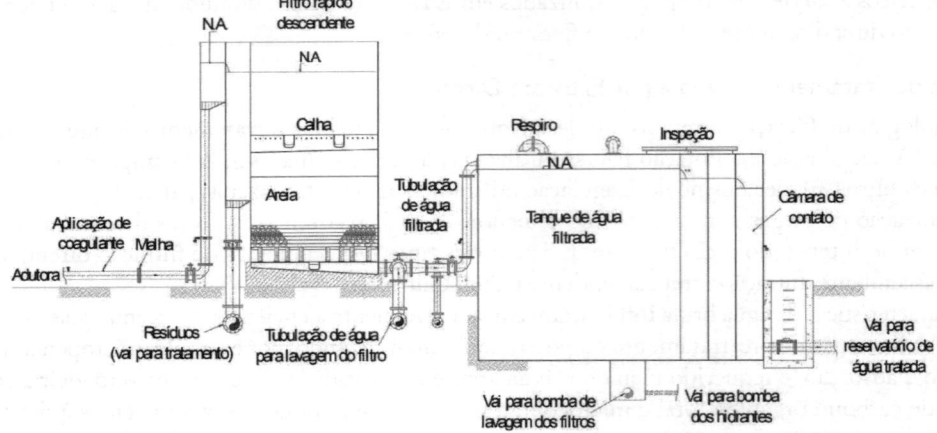

a) Tecnologia de filtração direta descendente sem floculação

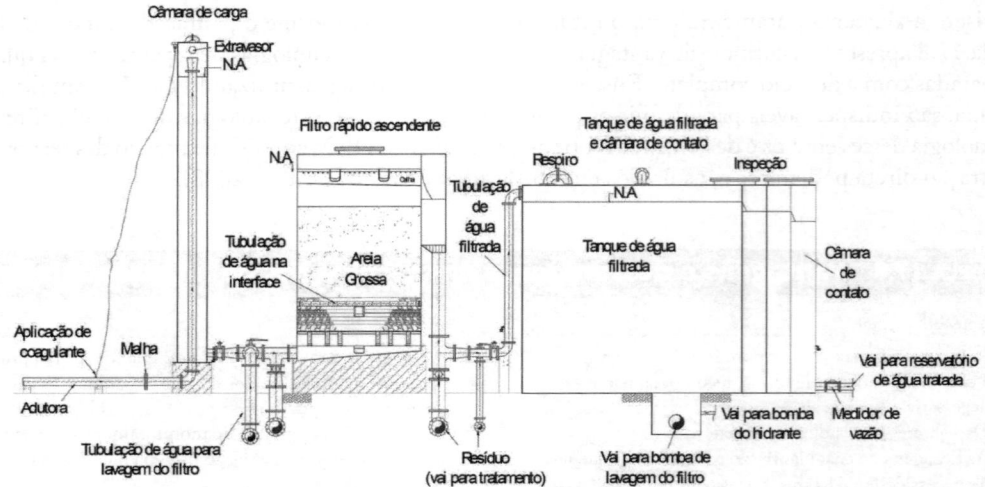

b) Tecnologia de filtração direta ascendente

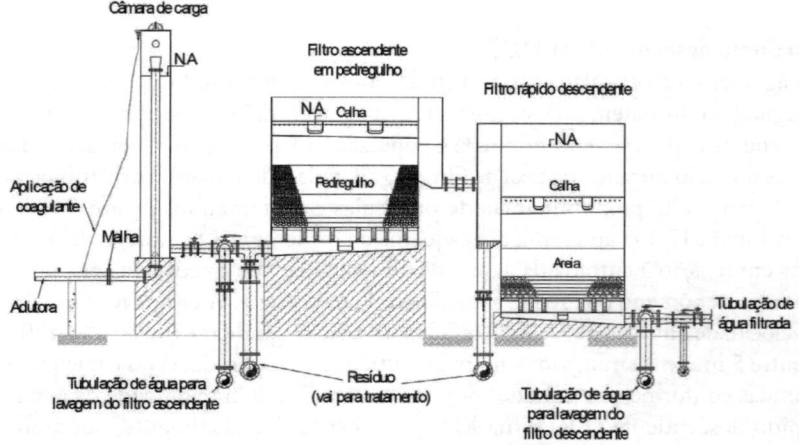

c) Tecnologia de dupla filtração

FIGURA 17.19 Esquemas das tecnologias de filtração direta. *Fonte: Sabogal Paz (2010).*

A água que sai da CAC entra pelo fundo do filtro, encontra a camada suporte de pedregulho e as primeiras camadas do meio filtrante – nesta área, acontece a floculação das impurezas com retenção de até 40% delas.

A água continua seu caminho através do meio filtrante de areia grossa com progressiva remoção das impurezas até chegar ao topo. Finalmente, a água filtrada é coletada por calhas e encaminhada às unidades seguintes para desinfecção, fluoração e estabilização. A Figura 17.19b apresenta um esquema da tecnologia de FDA.

A coagulação é realizada pelo mecanismo de adsorção e neutralização de cargas e os gradientes de velocidade comumente utilizados oscilam entre 400 s⁻¹ e 1.100 s⁻¹; porém, as características do processo devem ser definidas conforme os resultados obtidos em ensaios de tratabilidade da água.

A CAC deve ser dimensionada para que a vazão afluente seja distribuída aos filtros de forma uniforme. O uso de CAC comum a todos os filtros não é recomendável porque cada filtro tem uma taxa compatível com o grau de retenção de impurezas em seu meio filtrante, portanto, os mais limpos têm uma taxa de filtração maior se comparada com os mais sujos. Nesta condição, a execução de descargas de fundo intermediárias fica comprometida porque não é possível conseguir uma efetiva recuperação de carga hidráulica que permita obter carreiras de filtração de aproximadamente 36 h.

Na CAC de cada filtro, o nível de água oscila entre um valor mínimo (quando o filtro está limpo) e um valor máximo (quando o filtro está sujo e precisa de limpeza). O dimensionamento da CAC deve evitar grandes quedas de água que possam formar bolhas de ar, as quais podem ser arrastadas para o fundo do filtro. Esse fenômeno pode reduzir a eficiência da filtração porque as bolhas de ar formam caminhos preferenciais no meio filtrante, por onde a água passa sem ser filtrada.

O pedregulho da camada suporte deve i) permitir a distribuição da água na interface pedregulho-areia grossa, ii) reter a areia grossa para que não penetre no fundo do filtro ou a tubulação de água na interface, iii) permitir a floculação e a retenção de impurezas, e iv) distribuir uniformemente a água de lavagem. A camada suporte, comumente com espessura de 0,65 m a 0,85 m, deve ser colocada em subcamadas de pedregulho com tamanhos entre 2,4 mm e 38 mm.

A areia grossa, disposta de forma estratificada, é o meio filtrante utilizado na FDA. Três subcamadas, com tamanho dos grãos que oscilam entre 0,59 mm a 2,0 mm, usualmente são empregadas. A subcamada com os maiores grãos fica em contato com a camada suporte e a mais fina, no topo da unidade. O projeto de ETA de FDA comumente considera a espessura do meio filtrante entre 1,5 m e 2,0 m com D_{10} de 0,71 mm a 1,0 mm e CD de 1,5 a 2,0. No filtro ascendente, as impurezas são retidas ao longo do meio filtrante em função da redução do tamanho dos grãos. Portanto, é possível obter carreiras longas de filtração. As taxas médias de filtração recomendadas estão entre 120 m³/m²d e 240 m³/m²d.

Na interface entre a areia grossa e a camada suporte, existe grande acúmulo de impurezas que devem ser removidas utilizando descargas de fundo intermediárias (DFI). A instalação de um sistema de tubulações perfuradas que injetem água na interface é fundamental para evitar a formação de vácuo nessa região. Esse fenômeno acontece porque a água, movimentada pela DFI, escoa mais rapidamente no pedregulho do que na areia grossa. A duração de uma DFI é de até 2 min e, nesse período, deve ser injetada água na interface com taxas que oscilam entre 600 m³/m²d e 1.100 m³/m²d. As DFI permitem reduzir a perda de carga no filtro oriunda da retenção de impurezas. A instalação de piezômetros nos filtros é fundamental para definir o momento certo da realização de DFI. A limpeza do filtro ascendente é definida quando o operador percebe que o nível de água na CAC atinge seu valor máximo.

A lavagem do filtro requer aplicação de água com uma vazão correspondente à velocidade ascensional, de modo que se permita a expansão adequada do meio filtrante para liberar as impurezas retidas. A coleta de água de lavagem e de água filtrada é, usualmente, realizada pela mesma calha. Assim, cuidados devem ser tomados para evitar a contaminação da água filtrada.

c) Dupla filtração (DF)

A DF surgiu como alternativa para reduzir as limitações da FDD e FDA. Na DF, a água é coagulada e encaminhada à câmara de carga (CAC) de cada filtro ascendente. O efluente da CAC entra pelo fundo do filtro ascendente para remover parte das impurezas. A água pré-filtrada é coletada por calhas e encaminhada ao filtro rápido descendente, responsável por retirar as impurezas remanescentes. Por fim, a água filtrada é coletada, novamente, por calhas e encaminhada às unidades seguintes para desinfecção, fluoração e estabilização. A Figura 17.19c apresenta um esquema da tecnologia de DF.

O gradiente médio de velocidade e o tempo de mistura rápida ótimos devem ser obtidos em ensaios de tratabilidade da água utilizando *Jar Test* com filtros de bancada, conforme metodologia indicada em Di Bernardo et al. (2011). A CAC da DF possui as mesmas características daquela apresentada na FDA.

O filtro ascendente a ser utilizado como pré-tratamento do filtro rápido descendente pode ter duas configurações: i) filtro ascendente em pedregulho – FAP e ii) filtro ascendente em areia grossa – FAAG. A seleção do tipo de pré-filtro (FAAG ou FAP) deve ser analisada com critério, pois existem fatores de projeto e de operação que devem ser considerados.

Ao comparar o FAAG com o FAP, verifica-se que na FAAG, a qualidade da água filtrada é, geralmente, melhor, e a taxa de filtração é maior; portanto, são menores as áreas requeridas na filtração. No entanto, a carga hidráulica disponível necessária para a filtração é maior, a limpeza é mais difícil, a duração da carreira de filtração é menor e a vazão e o tempo de bombeamento na lavagem são maiores; logo, ocorre maior geração de resíduos. Por outro lado, ao comparar o FAP com o FAAG, constata-se que, na FAP, são menores a carga hidráulica disponível necessária para a filtração e a espessura do meio filtrante, a limpeza é mais simples e a duração da carreira de filtração é mais longa. Entretanto, o FAP é mais sensível às mudanças de parâmetros de qualidade na água bruta e as unidades requerem maior área para filtração devido às menores taxas utilizadas. A realização de um anteprojeto com os dois tipos de instalações (FAAG/FRD e FAP/FRD) pode auxiliar na escolha da melhor alternativa em função de um estudo econômico.

Os aspectos associados à câmara de carga, à coleta de água filtrada e de lavagem e à água na interface são idênticos aos discutidos na tecnologia de FDA. O filtro rápido descendente é constituído, usualmente, por areia com as seguintes características: tamanho dos grãos entre 0,35 mm e 1,41 mm; CD de 1,4 a 1,7; D_{10} de aproximadamente 0,45 mm; e espessura do leito entre 0,7 m e 0,9 m. A taxa média de filtração oscila entre 150 m^3/m^2d e 300 m^3/m^2d. O FRD pode ser operado a taxa constante ou declinante em função da vazão a ser tratada pela ETA. A seleção da camada suporte depende do tipo de fundo de filtro adotado. Na DF, nem sempre a lavagem de um filtro ascendente qualquer requer que o filtro rápido descendente associado tenha de ser lavado ou vice-versa.

17.3.4 Técnicas ou processos para Remoção de Outros Contaminantes

A remoção de compostos orgânicos e inorgânicos, além de microrganismos resistentes à desinfecção e eventualmente presentes em águas de mananciais superficiais ou subterrâneos, requer o uso de técnicas adicionais de tratamento de água, comumente denominadas de "técnicas avançadas". A oxidação, adsorção, *airstriping*, troca iônica e membranas fazem parte dessa classificação.

Até aqui, foram comentados apenas sistemas apropriados para tratamento de águas de mananciais superficiais. No que concerne à qualidade das águas oriundas de mananciais subterrâneos, na maior parte dos casos as mesmas apresentam valores de turbidez suficientemente baixos, de forma a atender os padrões adequados para uma desinfecção eficaz, tornando desnecessárias todas as etapas que antecedem à desinfecção no tratamento de águas superficiais, e que foram descritas anteriormente.

Entretanto, águas subterrâneas, assim como águas superficiais, podem algumas vezes apresentar contaminantes específicos (ver Capítulo 12) que requerem a inclusão de outros processos e operações, adequados a sua remoção. Como exemplo, podem ser citadas águas subterrâneas com concentrações de Fe e Mn acima do permitido pelos padrões de potabilidade, as quais requerem uma etapa de oxidação seguida de separação dos precipitados formados em unidades de filtração direta, ou até mesmo filtração precedida de flotação ou sedimentação em casos mais raros, em que se tenha concentração muito elevada desses íons na água.

Águas subterrâneas podem apresentar dureza acima de níveis aceitáveis, requerendo, nesses casos, a adoção de processo de abrandamento. Então, é comum o emprego de tratamento complementar por processos de troca iônica (conforme será visto mais adiante) ou de precipitação química com adição de cal e barrilha, denominado de método "cal barrilha". Nesse último método, o tratamento envolve as seguintes etapas: i) etapa de aeração (em torres tipo "cascata", por exemplo); ii) etapa de precipitação com adição de cal e barrilha; iii) etapa de recarbonatação da água com adição de CO_2 para redução da tendência incrustante; e iv) filtração da água recarbonatada seguida de desinfecção com cloro antes de sua distribuição (Edzwald & Tobiason, 2010). Outros contaminantes encontrados eventualmente em águas subterrâneas são: sulfetos, fluoretos, formas reduzidas de arsênio, entre outros; nesses casos, são requeridos processos complementares de tratamento, conforme será visto a seguir.

Oxidação

A oxidação ocorre pela transferência de elétrons e, portanto, sempre há espécies reduzidas (que receberam elétrons) e oxidadas (que cederam elétrons). Normalmente, os desinfetantes utilizados no tratamento de água são também oxidantes que removem odor, gosto, ferro, manganês, arsênio, cianetos e alguns micropoluentes.

O ferro e o manganês nos estados de oxidação +2 são mais solúveis que as formas oxidadas Fe^{3+} e Mn^{4+}. Na forma reduzida, o ferro (Fe^{2+}) e o manganês (Mn^{2+}) têm maior solubilidade na água e não conferem cor. Por outro lado, quando são oxidados, há formação de precipitados que geram cor. No caso do ferro, a cor é vermelha (como ferrugem) e no caso do manganês, é marrom. As reações de oxidação do ferro e do manganês com o oxigênio e com o cloro são:

$$4Fe(HCO_3)_2 + O_2 + 2H_2O \leftrightarrow 4Fe(OH)_3 + 8CO_2$$
$$2Fe(HCO_3)_2 + Ca(HCO_3)_2 + Cl_2 \leftrightarrow 2Fe(OH)_3 + CaCl_2 + 6CO_2$$
$$2MnSO_4 + 2Ca(HCO_3)_2 + O_2 \leftrightarrow 2MnO_2 + 2CaSO_4 + 2H_2O + 4CO_2$$
$$Mn(HCO_3)_2 + Ca(HCO_3)_2 + Cl_2 \leftrightarrow MnO_2 + CaCl_2 + 2H_2O + 4CO_2$$

Pela estequiometria das reações apresentadas, cada mg de Fe^{2+} oxidado a Fe^{3+} consome 0,14 mg de O_2 e 0,64 mg de Cl_2, respectivamente. Da mesma forma, cada mg de Mn^{2+} oxidado a Mn^{4+} consome 0,29 mg de O_2 e 1,29 mg de Cl_2, respectivamente. A reação de oxidação do ferro e do manganês gera ácido (H^+) que é neutralizado pela alcalinidade da água. Cada mg de Fe^{2+} oxidado a Fe^{3+}, respectivamente pelo oxigênio e pelo cloro, consome 1,80 mg e 2,70 mg de $CaCO_3$. Do mesmo modo, cada mg de Mn^{2+} oxidado a Mn^{4+}, respectivamente pelo oxigênio e pelo cloro, consome 1,80 mg e 3,64 mg de $CaCO_3$. Isso significa que pode ocorrer diminuição do pH se a água não contiver alcalinidade suficiente para suprir o consumo pelos ácidos gerados.

O arsênio, quando presente na água, está na forma solúvel como As(III) e As(V). A remoção de As(III) nas estações de tratamento de água é menos eficiente que o As(V). A remoção pode ser potencializada pela oxidação do As(III) a As(V) pelo cloro usado na desinfecção (Deborde & Von Gunten, 2008). O arsênio está relacionado com riscos à saúde pública, como é discutido no Capítulo 5.

Vários micropoluentes orgânicos e inorgânicos podem reagir com o cloro, porém com velocidades diferentes. Algumas reações são lentas e as transformações nas moléculas precursoras são pequenas, nas condições de desinfecção da água. Entretanto, essas modificações podem ser suficientes para que as substâncias de interesse (por exemplo, toxinas de algas) não sejam detectadas após a oxidação, o que não significa que o produto da reação seja inofensivo à saúde.

A reatividade do cloro com os principais grupos funcionais normalmente decresce na seguinte ordem: grupos reduzidos de enxofre, aminas primárias e secundárias, fenóis, aminas terciárias, ligações duplas, outros grupos aromáticos, carbonilas e amidas. A reação do cloro com a matéria orgânica pode ocorrer em três vias: reação de oxidação, reação de adição às ligações insaturadas de carbono e reação de substituição eletrófila. O produto da reação pode ser o composto orgânico oxidado a gás carbônico, redução do cloro a cloreto ou a molécula inicial com poucas alterações em sua estrutura original. Quando o cloro é adicionado na molécula, são formados compostos clorados orgânicos, que podem ter efeitos prejudiciais à saúde humana.

Os micropoluentes orgânicos não são totalmente mineralizados (transformados em CO_2 e H_2O) e, portanto, são formados vários produtos como resultado da oxidação dos compostos orgânicos durante o processo de cloração. Pouco se sabe sobre a estabilidade e os efeitos biológicos específicos desses compostos, que podem ser prejudiciais à saúde humana. A reação do cloro com alguns perturbadores endócrinos (por exemplo, nonilfenol, bisfenol-A e hormônios), alguns pesticidas e fármacos e alguns corantes azo formam produtos potencialmente tóxicos ou biologicamente ativos (Hu et al., 2002a, Hu et al., 2002b; Wu &Laird, 2003; Bedner & McCrehan, 2006; Moriyama et al., 2004; Oliveira et al., 2006; Deborde & Gunten, 2008).

Processos oxidativos para remoção de ferro e manganês porventura presentes em águas de mananciais superficiais são frequentemente utilizados de modo a complementar as técnicas usuais de tratamento já apresentadas. Porém, pelo fato de não ser rara a presença de concentrações significativas desses íons também em águas subterrâneas, apresenta-se, na Figura 17.20, um esquema ilustrativo das etapas de tratamento desse tipo de água por oxidação.

Essa técnica de tratamento é apropriada quando há águas de mananciais subterrâneos com as seguintes características de qualidade: presença de ferro e/ou manganês em concentrações que exijam redução a níveis aceitáveis; presença de sulfetos e/ou radônio; e presença de dureza a níveis que não justifiquem abrandamento (Edzwald & Tobiason, 2010). De acordo com o esquema da Figura 17.20, utiliza-se aerador tipo cascata para iniciar a oxidação do ferro e do manganês e para remoção de sulfetos, radônio e outros gases dissolvidos eventualmente presentes na água. Como a oxidação de Fe e Mn para forma insolúveis/filtráveis é lenta nas condições típicas de pH de águas subterrâneas, aplica-se cloro de modo a se manter residual de cloro livre ao longo das unidades de filtração para garantir a formação de cobertura de óxido de manganês nos grãos do leito filtrante, com aumento efetivo da eficiência de remoção do manganês.

Quando a remoção de sulfetos (gás sulfídrico) ou outros gases dissolvidos não for requerida, a etapa de aeração pode ser eliminada, com emprego da oxidação química (com cloro) do ferro e do manganês antes da filtração, de forma a diminuírem custos de construção. Em outros casos, quando somente o

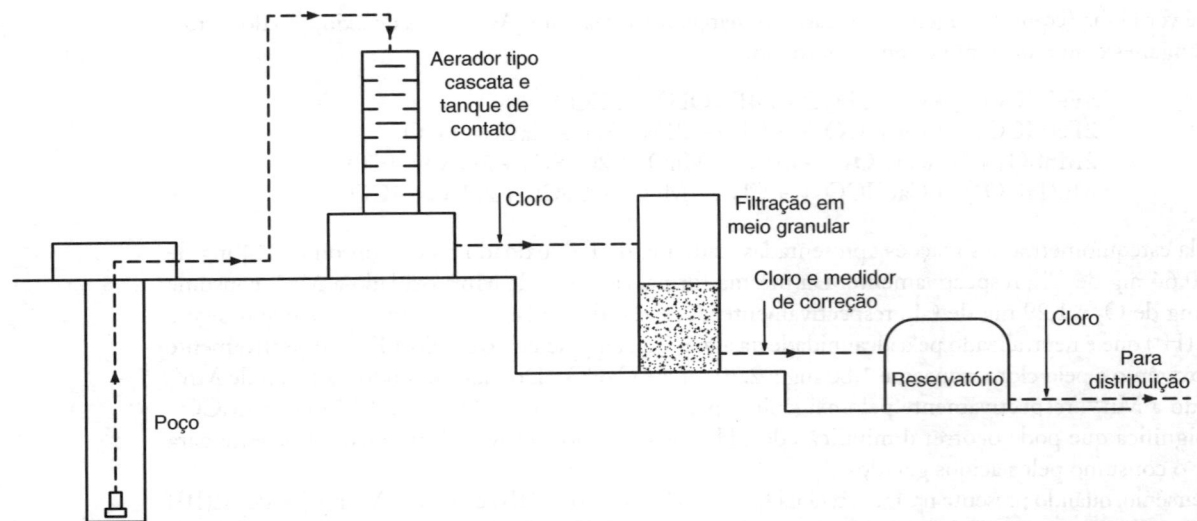

FIGURA 17.20 Esquema ilustrativo de um sistema de tratamento por aeração e oxidação química com cloro de águas subterrâneas com excesso de Fe e Mn. *Fonte: Adaptado de AWWA (2010).*

radônio estiver presente a níveis que requerem tratamento, a aeração e a desinfecção com cloro podem ser os únicos processos unitários necessários. Finalmente, se o arsênio constituir o único contaminante presente, a aeração seria prescindível, com a adição de cloro para oxidação e de um coagulante férrico seguido de filtração em meio granular.

Air Stripping

O processo de aeração consiste em colocar em contato direto uma fase gasosa (como o ar) com a água a ser tratada, com o intuito de transferir substâncias voláteis da água para o ar e de substâncias solúveis do ar para a água. Assim, obtém-se um equilíbrio satisfatório entre concentrações, conforme os objetivos do tratamento. O processo de aeração, no tratamento da água, tem duas aplicações. A primeira, chamada de *air stripping*, é a remoção de gases e substâncias voláteis da água. A segunda, denominada aeração, é a transferência de gases ou substâncias solúveis à água (AWWA, 2010).

O *air stripping* é utilizado para remover gases dissolvidos, tais como gás carbônico e gás sulfídrico, que podem tornar a água agressiva e geradora de danos a alguns componentes do sistema de distribuição. A técnica pode ser empregada para eliminar substâncias voláteis que geram gosto e odor na água e para oxidar alguns metais, como ferro e manganês, quando estes não estão associados à matéria orgânica. Em função das características físicas e químicas das águas subterrâneas e das águas profundas de reservatórios, o uso do *air stripping* pode ser indispensável.

Os métodos comumente utilizados para realizar o processo de aeração são: **i) cascata:** estrutura que permite gerar quedas artificiais da água na entrada à ETA; **ii) bandejas**: objeto que possui bandejas perfuradas sobrepostas por onde a água escoa; **iii) difusores**: equipamentos que borbulham ar dentro de um tanque e **iv) reatores diversos**: configurações que permitem o contato da água com o ar (AWWA & ASCE, 2005).

Adsorção

O processo decorre de ações interfaciais que permitem que as moléculas do adsorvato sejam transferidas para a superfície do adsorvente e fiquem ali retidas. A adsorção pode ser: **i) química**: quando há reação entre o sítio ativo de adsorção do adsorvente e o adsorvato e **ii) física**: quando envolve forças de van der Waals e interações eletrostáticas entre o adsorvente e o adsorvato (AWWA, 2010; Montgomery, 2005).

O carvão ativado (CA) é o adsorvente mais utilizado no tratamento de águas de abastecimento. O CA pode adsorver uma grande variedade de compostos que geram odor e gosto à água de consumo, tais como agrotóxicos e cianotoxinas. A eficiência do carvão ativado é atribuída ao tamanho e à estrutura dos poros, à superfície específica, à reatividade dos diferentes componentes do material, às características do adsorvato (massa molecular e grupos funcionais da molécula) e às características da água (turbidez, metais dissolvidos, pH, temperatura, carbono orgânico dissolvido). Ensaios em laboratório são indispensáveis para determinar seu desempenho. O carvão ativado pode ser adquirido em pó (CAP) ou granulado (CAG) com as características indicadas na Tabela 17.9.

TABELA 17.9 Características do CAP e CAG

Carvão ativado em pó – CAP

a) **Aplicação**. Deve ser preparada uma suspensão que é adicionada à água a ser tratada. Seu emprego usualmente é recomendado em situações emergenciais de ETA existentes como intuito de tratar eventos de curta duração (odor e gosto na água ou contaminação acidental). O CAP pode ser adicionado em vários locais da ETA, tais como na captação, antes da mistura rápida e após decantação. Cada ponto de aplicação oferece vantagens e desvantagens que devem ser analisadas pelo engenheiro projetista. O *Jar Test* é utilizado para determinar a dosagem de CAP a ser utilizada.

b) **Eficiência**. Menor desempenho se comparado ao CAG, porém é mais econômico e fácil de dosar.

c) **Limpeza**. O carvão vira resíduo, não sendo possível sua regeneração.

Carvão ativado granular – CAG

a) **Aplicação**. É disposto em colunas, similares a filtros. Pode ser aplicado antes da mistura rápida, após os filtros (mais usada) ou dentro dos filtros, quando forma parte do meio filtrante. Seu emprego é recomendado quando há presença contínua de poluentes na água (por exemplo, agrotóxicos e cianotoxinas).

b) **Eficiência**. Maior poder de adsorção se comparado ao CAP.

c) **Limpeza**. Quando o carvão não é capaz de adsorver mais moléculas na superfície interna dos poros, ele precisa ser regenerado ou substituído por um novo.

d) **Regeneração**. Envolve dois processos sequenciais: a **dessorção** da matéria aderida no carvão e a **reatividade**, restaurando ao máximo possível a superfície interna e a estrutura dos poros do carvão. A regeneração pode ser: **i)** **biológica**– em condições aeróbias, as bactérias mineralizam a matéria orgânica adsorvida no carvão; **ii) química** – consiste na lavagem do carvão com soluções eluentes específicas para cada tipo de adsorvato; **iii) térmica** — em unidades especiais de regeneração, os compostos voláteis são evaporados e a matéria orgânica é carbonizada; assim, o carvão é reativado. A regeneração normalmente aumenta o tamanho dos poros do carvão. Dessa forma, o CAG pode ficar mais eficiente para alguns tipos de compostos adicionais.

e) **Resíduos**. A disposição inadequada no solo pode levar à lixiviação dos compostos adsorvidos e, possivelmente, à contaminação do solo e das águas subterrâneas. A destruição térmica dos compostos adsorvidos é recomendada antes de sua disposição final.

O carvão ativado pode ser extraído a partir de casca do coco, ossos, carvão betuminoso e madeira. Após definida a granulometria desejada, a produção envolve, basicamente: **i) carbonização ou pirólise**: que remove material volátil da matéria-prima e cria a estrutura porosa inicial; e **ii) ativação ou oxidação**: que desenvolve os vazios internos ao aplicar gases oxidantes a elevadas temperaturas. As características do carvão ativado dependem da origem da matéria-prima e do tipo de ativação. Os parâmetros mais importantes para avaliar a capacidade de adsorção do carvão ativado podem ser encontrados em Prosab (2006) e AWWA (2010).

Para determinar a dosagem necessária de carvão ativado para alcançar uma concentração mínima desejada de uma substância na água tratada, é necessário o estudo das isotermas de adsorção que representam a relação entre a quantidade de adsorvato por unidade de adsorvente (q_e) e a concentração de equilíbrio do adsorvato na solução (C_e) sob temperatura constante. As isotermas mais utilizadas para descrever o equilíbrio da adsorção são os modelos de *Freundlich* e de *Langmuir*, sendo o primeiro o que melhor se ajusta aos dados experimentais do tratamento de água para consumo (Prosab, 2006; AWWA, 2010). Essas isotermas também foram vistas no Capítulo 12, porém sob a ótica de transporte de contaminantes em águas subterrâneas.

A presença de matéria orgânica, cloro, ferro, manganês e coagulante reduz a capacidade de adsorção das substâncias de interesse na água a ser tratada devido à competição pelos sítios de adsorção. A capacidade de adsorção para alguns poluentes normalmente aumenta com a redução do pH e da temperatura.

Troca Iônica

O processo é uma reação química reversível que acontece quando um íon de uma solução troca de lugar com outro de igual carga elétrica que se encontra ligado a uma partícula sólida imóvel. As resinas de troca iônica podem ser naturais ou sintéticas e são as responsáveis por efetuar a permuta de íons. As resinas possuem um radical fixo e um íon móvel, este último muda de lugar com o íon que se deseja eliminar da solução sempre que os íons em questão possuam igual carga elétrica (trocam-se cátions por cátions e ânions por ânions). Segundo Montgomery (2005), na troca iônica, a resina, em contato com a água a ser tratada, libera íons de sódio ou hidrogênio (resinas catiônicas) ou hidroxila (resinas aniônicas) e captura da solução os cátions e ânions indesejáveis, respectivamente.

As zeólitas foram os primeiros trocadores iônicos utilizados para remover dureza da água em escala comercial. Mais tarde, foram substituídas pelas resinas sintéticas, que são mais eficientes e possuem maior vida útil. As resinas sintéticas são compostas por uma elevada concentração de grupos polares, ácidos ou básicos, incorporados a uma matriz de um polímero sintético.

As resinas são dispostas em colunas, similares a filtros, para favorecer o processo. O escoamento é descendente, de modo que a reação de troca iônica progressivamente se movimenta em direção às camadas inferiores. Quando a capacidade de troca da resina for esgotada, é possível recuperá-la por meio de tratamento com uma solução regenerante que contenha o íon móvel original. Conforme AWWA (2010), as substâncias utilizadas para regenerar são, basicamente, i) o sal comum (NaCl), ou ácido clorídrico ou sulfúrico para resinas catiônicas, e ii) o hidróxido de sódio ou de amônio para resinas aniônicas. A regeneração é feita em contra fluxo e, após essa atividade, a resina pode iniciar um novo ciclo.

As resinas, em função dos grupos ionizáveis presos às estruturas, podem ser classificadas em: i) resina catiônica de ácido forte – RCAF; ii) resina catiônica de ácido fraco – rcaf ; iii) resina aniônica de base forte – RABF; resinas aniônicas de base fraca – rabf (AWWA & ASCE, 2005). Cada resina citada tem suas características, eficiência e aplicabilidade específicas, que devem ser verificadas pelo engenheiro projetista. Os fatores que influenciam a troca iônica são: i) regeneradores de qualidade insatisfatória: a presença de impurezas como o ferro e outros metais pode afetar a limpeza das resinas; ii) mudança brusca da qualidade da água que está sendo tratada; iii) presença de agentes oxidantes na solução; iv) mudanças de temperatura na água e consequente alteração na cinética da reação; e v) regeneração inadequada por erros na dosagem dos produtos químicos.

A aplicação da troca iônica tem se centrado na desmineralização de água, utilizando, em conjunto, resinas catiônicas e aniônicas em série. Neste processo, são substituídos cátions (Ca^{2+}, Mg^{2+}, Na^+) por H^+ e ânions (Cl^-, I^-, F^-) por OH^-. Portanto, elimina-se grande parte dos sais presentes na água, tornando-a equivalente à água destilada, suprimindo problemas de incrustação e corrosão em tubulações e equipamentos industriais. Outra aplicação da troca iônica é a remoção de dureza, nitratos, arsênio e íons de resíduos nucleares e de indústrias farmacêuticas.

Membranas

A passagem da água por uma membrana sintética, convenientemente selecionada e instalada, com o objetivo de remover partículas sólidas de pequeno diâmetro, bactérias, vírus, moléculas orgânicas e inorgânicas configura a técnica de separação por membranas. Nas membranas, não ocorre transformação química ou biológica dos componentes durante a filtração. A microfiltração (MF), ultrafiltração (UF), nanofiltração (NF), osmose reversa (OR) e eletrodiálise (ED) são as técnicas de separação mais empregadas. A diferença entre os tipos de separação por membranas está na capacidade e forma de separação dos poluentes e do tipo e intensidade da força motriz usada para promover a separação. Na MF, UF, NF e OR, a pressão hidráulica é utilizada para promover a separação entre a água e as impurezas e é a água que atravessa a membrana. Na ED, a separação é obtida pela diferença de potencial elétrico aplicada entre as membranas, assim, são as impurezas que atravessam a membrana. Na separação por membranas, sempre estão envolvidos os seguintes fluxos: alimentação, concentrado e permeado (ou purificado), conforme Figura 17.21.

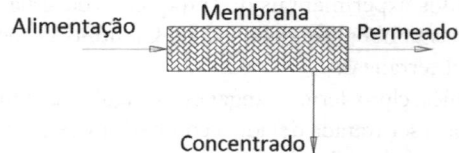

FIGURA 17.21 Esquema da separação por membranas.

A facilidade de adquirir as membranas, o custo, o treinamento do pessoal para operação e manutenção, as características da água de alimentação, os objetivos do tratamento, a vazão requerida, o rendimento da membrana e as características do material das membranas são parâmetros que devem ser considerados no momento da escolha da tecnologia. Ao selecionar o material da membrana, o potencial de formação de depósitos e a resistência aos agentes oxidantes devem ser avaliados. Segundo Prosab (2006), as membranas com polímeros hidrofílicos têm menor tendência a formar depósitos e são, assim, mais produtivas. Alguns tipos de polímeros utilizados na MF e UF não toleram agentes oxidantes, portanto, podem ser degradados rapidamente. A Tabela 17.10 apresenta algumas características das membranas.

A separação por membranas requer pré-tratamento porque valores elevados de sólidos, turbidez e algas, por exemplo, podem colmatar os poros e paralisar a produção do permeado. O emprego de

TABELA 17.10 Características das membranas

Microfiltração

a) Porosidade: 0,1 μm a 5 μm.
b) Pressão de operação: < 200 kPa.
c) Material retido: protozoários, bactérias, vírus (maioria) e partículas.
d) Configuração comum: membrana em formato cilíndrico.

Ultrafiltração

a) Porosidade: 0,001 μm a 0,1 μm.
b) Pressão de operação: 0,1 Mpa a 1,0 Mpa.
c) Material retido: material removido na microfiltração além de coloides, totalidade de vírus e perturbadores endócrinos.
d) Configuração comum: membrana em formato cilíndrico.

Nanofiltração

a) Porosidade: < 0,001 μm.
b) Pressão de operação: 0,5 Mpa a 3,5 Mpa.
c) Material retido: íons divalentes e trivalentes, moléculas orgânicas com tamanho maior do que a porosidade média da membrana e perturbadores endócrinos.
d) Configuração comum: membrana em formato de folhas planas.

Osmose reversa

a) Porosidade: < 0,001 μm.
b) Pressão de operação: 1,5 Mpa a 15 Mpa.
c) Material retido: íons e praticamente toda a matéria orgânica.
d) Configuração comum: membrana em formato de folhas planas.
e) Funcionamento: consiste na passagem da água por uma membrana semipermeável pela ação de uma pressão hidráulica superior à pressão osmótica de equilíbrio.

Eletrodiálise

a) Porosidade: < 300 Daltons.
b) Material retido e funcionamento: a força-motriz da separação é a corrente elétrica; assim, são removidos contaminantes iônicos, que são transportados através de membranas com carga elétrica em sentido contrário ao gradiente de concentração.

filtração em meios granulares antes das membranas é um arranjo comumente utilizado. Em países desenvolvidos, o uso de membranas tem-se intensificado com o objetivo de atender às legislações cada vez mais restritivas.

A operação econômica de sistemas de membranas depende da capacidade de garantir o permeado na pressão de operação mais baixa possível durante longos períodos e sem perda de eficiência. Assim, a compactação e o acúmulo reversível ou irreversível de material na superfície da membrana são fatores relevantes.

A tendência de a água de alimentação bloquear a membrana é um dos parâmetros de projeto mais importantes no dimensionamento do sistema de membranas. Segundo Schneider & Tsutiya (2001), essa tendência pode ser avaliada por testes específicos de determinação de índices de *fouling*. O *fouling* é o acúmulo de material indesejado em superfícies sólidas em detrimento de sua função. O material do *fouling* pode estar constituído de organismos vivos (*biofouling*) ou substâncias inertes orgânicas e inorgânicas.

SUGESTÕES DE LEITURA COMPLEMENTAR

Ao leitor interessado em uma abordagem mais ampla a respeito dos padrões de potabilidade internacionais, recomenda-se a consulta ao documento WHO (2008). Em relação à importância de ações que visem à qualidade sanitária e ambiental das bacias hidrográficas, sugere-se a leitura de Edzwald & Tobiason (2010). Em Di Bernardo & Sabogal Paz (2008), Galvis et al. (1999) e PROSAB (1999), podem ser encontrados maiores detalhes da tecnologia FiME. Informações detalhadas de coagulação, floculação, sedimentação e filtração podem ser consultadas em Letterman & YiaCoumi (2010), Bache & Gregory (2007), Bratby (2006), AWWA & ASCE (2005), Di Bernardo & Sabogal Paz (2008), AWWA (2010), Ritcher (2009) e Arboleda (2000). Edzwald & Haarhoff (2011) apresentam uma obra abrangente acerca da aplicação da FAD no tratamento de água para consumo humano. Técnicas avançadas de tratamento de água podem ser consultadas em AWWA & ASCE (2005), Montgomery (2005) e AWWA (2010). Para detalhes sobre desinfecção, consulte USEPA (1999) e Daniel et al. (2001).

Referências

American Water Works Association & American Society of Civil Engineers (AWWA & ASCE). (2005) *Water treatment plants design*. Estados Unidos: AWWA/ASCE.

American Water Works (AWWA). (2010)*Water quality & treatment: a handbook on drinking water*. EDZWALD, J.K. (editor). Colorado: McGraw-Hill, 1.696p.

ARBOLEDA, J.V. (2000) *Teoría y práctica de lapurificacióndel agua*. Santa Fe de Bogotá: McGraw-Hill.

BACHE, A.H., GREGORY, R. (2007) *Flocs in water treatment*. Londres: IWA Publishing, 297p.

BEDNER, M., McCREHAN, W.A. (2006) Transformation of acetaminophen by chlorination produces the toxicants 1,4-benzoquinone and N-acetyl-p-benzoquinone imine. *Environmental Science and Technology*, v. 40, p. 516-522.

BRASIL. (2005) Resolução Conama no 357 de 17 de março de 2005. Conselho Nacional do Meio Ambiente – Conama. Ministério do Meio Ambiente.

_____. (2011) Resolução Conama no 430 de 13 de maio de 2011. Conselho Nacional do Meio Ambiente – Conama. Ministério do Meio Ambiente.

_____. (2017) *Portaria de Consolidação Nº 5 de 28/09/2017*. DOU, Seção I, Nº 190, 03/10/2017, Suplemento p.360. Ministério da Saúde.

BRATBY, J. (2006) *Coagulation and Flocculation in Water and Wastewater*.Londres: IWAPublishing, 407p.

CAMPOS, J.R., REALI, M.A.P., DANIEL, L.A. (1999) Conceitos gerais sobre técnicas de tratamento de águas de abastecimento, esgotos sanitários e desinfecção. São Carlos: EESC-USP, 48p.

CINARA (2001). Modelo conceptual para laselección de tecnologíaen sistemas de potabilización de agua. Proyecto de Selección de Tecnología y Análisis de Costosen Sistemas de Potabilización de Agua, Fase III. Cali: Ministerio de Desarrollo Económico.

DANIEL, L.A., BRANDÃO, C.C.S., GUIMARÃES, J.R., LIBÂNIO, M., DE LUCA, S J. (2001) *Processos de desinfecção e desinfetantes alternativos na produção de água potável*. São Carlos: Prosab. Rima, 139p.

DEBORDE, M., von GUNTEN, U. (2008) Reactions of chlorine with inorganic and organic compounds during water treatment – kinetics and mechanisms: a critical review. *WaterResearch*, v. 42, p. 13-51.

DI BERNARDO, L., SABOGAL PAZ, L.P. (2008) *Seleção de Tecnologias de Tratamento de Água*. São Carlos: LDiBe, 1.560p.

DI BERNARDO, L., DANTAS, A., VOLTAN, P. (2011) *Tratabilidade de água e dos resíduos gerados em estações de tratamento de água*. São Carlos: LDiBE, 454p.

EDZWALD, J.K. (1992) *Dissolved air flotation: laboratory and pilot plant investigation*. Technical Report. AWWA Research Foundation, American Water Works Association, Colorado, EstadosUnidos. 108p.

EDZWALD, J.K., HAARHOOF, J. (2011) *Dissolved air flotation for water clarification*. American Water Works Association. Colorado: McGraw-Hill, 352p.

EDZWALD, J.K., TOBIASON, J.E. (2010) Chemical Principles source water composition and watershed protection. In: EDZWALD, J.K. (editor). *Water quality & treatment: a handbook on drinking water*. American Water Works Association. Colorado: McGraw-Hill, 1.696p.

GALVIS, G., LATORRE, M.J., VISSCHER, J.T. (1999) *Filtración en múltiples etapas. Tecnología innovadora para el tratamiento de agua*. Série de Documentos Técnicos. Universidad del Valle. Cali: CINARA– IRC.

GREGORY, R., EDZWALD, J.K. (2010) Sedimentation and flotation. In: EDZWALD, J.K. (editor). *Water quality & treatment: a handbook on drinking water*. American Water Works Association. Colorado: McGraw-Hill, 1.696p.

HANN, H.H. (1984) *Wastewater treatment*. In: Nato advanced study institute on the scientific basis of flotation. Cambridge, England. Proceedings. Ed. By Kennety J. Ives. The Hague, MartinusNijhoff, p. 379-415 (NATO ASI Series).

HU, J.A., AIZAWA, T., OOKUBO, S. (2002) Products of aqueous chlorination of bisphenol A and their estrogenic activity. *Environmental Science and Technology*, v. 36, p. 1.980-1.987.

HU, J.A., XIE, G.H., AIZAWA, T. (2002) Products of aqueous chlorination of 4-nonylphenol and their estrogenic activity. *Environmental Toxicology and Chemistry*, v. 21, p. 2.034-2.039.

Instituto Brasileiro de Pesquisa e Estatística (IBGE). (2010) Pesquisa Nacional de Saneamento Básico (PNSB). Disponível em <http//www.ibge.gov.br>.Acesso: abril 2012.

KAWAMURA, S. (2000) *Integrated Design and Operation of Water Treatment Facilities*. Nova York: John Wiley & Sons Inc., 691p.

KITCHENER, J.A. (1982) *The froth flotation process: past, present and future*. In: Nato Advanced Institute on the Scientific Basis of Flotation. Cambridge.

LETTERMAN, R.D., YACOUMI, S. (2010) Coagulation and flocculation. In: EDZWALD, J.K. (editor). *Water quality & treatment: a handbook on drinking water*. American Water Works Association. Colorado: McGraw-Hill. 1.696p.

LONGHURST, S.J., GRAHAM, N.J.D. (1987) Dissolved air flotation for potable water treatment: a survey of operational units in Great Britain. The Public Health Engineer, v. 14, p. 71-76.

MONTGOMERY W.H. (2005) *Water treatment: principles and design*. Estados Unidos: John Wiley & Sons Inc., 1.968p.

MORIYAMA, K., MATSUFUJI, H., CHINO, M., TAKEDA, M. (2004) Identification and behaviour of reaction products formed by chlorination of ethynylestradiol. *Chemosphere*, v. 55, p. 839-847.

METCALF & EDDY. (1991) *Wastewater engineering: treatment, disposal and reuse*. Nova York: McGraw-Hill, 1.334p.

OLIVEIRA, D.P., CARNEIRO, P.A., RECH, R.M., ZANONI, M.V.B., CLAXTON, L.D., UMBUZEIRO, G.A. (2006) Mutagenic compounds generated in drinking water. *Environmental Science and Technology*, v. 40, p. 6.682-6.689.

Programa de Pesquisa em Saneamento Básico (PROSAB). (1999) *Tratamento de água para abastecimento por filtração lenta*. Rio de Janeiro: ABES, RiMa, 114p.

_____. (2006) Contribuição ao estudo da remoção de cianobactérias e microcontaminantes orgânicos por meio de técnicas de tratamento de água para consumo humano. Belo Horizonte.

REALI, M.A.P. (1991) Concepção e Avaliação de um Sistema Compacto para Tratamento de Água Utilizando o Processo de Flotação por Ar Dissolvido e Filtração com Taxa Declinante. Tese de Doutorado. Universidade de São Paulo (USP), 373p.

REES, A.J., RODMAN, D.J., ZABEL, T.F. (1980) *Evaluationofdissolved-airflotationsaturator performance*. WRCTechnicalReport TR-143, WaterResearch Centre.

RICHTER, C.A., AZEVEDO NETTO, J.M. (2003) *Tratamento de água: tecnologia atualizada*. São Paulo: Edgar Blucher, 332p.

RICHTER, C.A. (2009) *Água. Métodos e Tecnologia de Tratamento*. São Paulo: Edgar Blucher. 352p.

SABOGAL PAZ, L.P. (2000) El Riesgo sanitario y la eficiencia de los sistemas de tratamento em la selección de tecnologías para la potabilización del agua. Trabalho de Conclusão de Curso. Cali: Universidad del Valle.

_____. (2007) Modelo conceitual de seleção de tecnologias de tratamento de água para abastecimento de comunidades de pequeno porte. Tese de Doutorado. Universidade de São Paulo (USP), 398p.

_____. (2010) Pesquisa de Pós-Doutorado: Seleção de tecnologias de tratamento de água para abastecimento de comunidades de pequeno e médio porte. Relatório Final. São Paulo: FAPESP.

SCHNEIDER, R.P; TSUTIYA, M.T. (2001) *Membranas filtrantes para o tratamento de água, esgoto e água de reúso*. São Paulo: ABES, 234p.

U.S. Environmental Protection Agency (USEPA). (1999) *Alternative disinfectants and oxidants.guidance manual*. EPA 815-R-99-014.

VALADE, M.T., BECKER, W.C., EDSWALD, J.K. (2009) Treatment Selection Guidelines for Particles and NOM Removal. *Journal of Water Supply: Research and Technology-Aqua*, v. 58, n. 6, p. 424-432.

YAO, K.M. (1973) Design of high-rate settlers. *Journal of the Environmental Engineering Division*, v. 99, n. 5, p. 621-637.

World Health Organization (WHO). (2008) *Guidelines for drinking-water quality*. Recommendations. Geneva, Suíça: WHO.

WU, J., LAIRD, D.A. (2003) Abiotic transformation of chloropyrifos to chloropyrigfosoxon in chlorinated water. *Environmental Toxicology and Chemistry*, v. 22, p. 261-264.

TRATAMENTO DE ESGOTO

18

Eugenio Foresti / Márcia H.R. Zamariolli Damianovic

Os sistemas de tratamento de esgoto sanitário são apresentados como um conjunto de unidades interligadas por canalizações, nas quais ocorrem operações de separação dos constituintes e processos para eliminação, diminuição da concentração ou conversão de poluentes em compostos mais facilmente assimiláveis pelo ambiente. A partir das principais características do esgoto, descrevem-se as etapas de remoção de poluentes. Grande ênfase é dada à apresentação de conceitos importantes relativos aos processos biológicos, destacando-se a relação entre o desempenho da unidade de tratamento biológico e o tempo de retenção celular, ou seja, o tempo em que os microrganismos responsáveis pelo processo devem permanecer na unidade para que esta possa atingir a eficiência desejada. São apresentados os sistemas usualmente empregados no Brasil nos dias atuais, bem como critérios empíricos frequentemente utilizados no dimensionamento de algumas unidades de tratamento biológico. Dada a diversidade de alternativas para sistemas de tratamento de esgoto e a necessidade de atender a critérios técnicos e econômicos, são apresentadas diretrizes gerais para análise da sustentabilidade ambiental e dos parâmetros envolvidos na composição dos custos das alternativas.

18.1 INTRODUÇÃO

Os **sistemas de tratamento de esgoto**, ou estações de tratamento de esgotos (ETE), destinam-se a remover os poluentes presentes nesse tipo de água residuária.

Nos esgotos, os poluentes encontram-se na forma de **matéria particulada** ou **dissolvida**. Assim, os sistemas de tratamento são, em geral, constituídos de unidades de tratamento sequencialmente dispostas, nas quais ocorrem operações de separação de fases (sólida, líquida e gasosa) e processos de conversão dos poluentes e contaminantes em compostos menos agressivos ao ambiente e à saúde humana, ou em substâncias mais facilmente separáveis da corrente líquida.

As **operações de separação de fases** destinam-se a concentrar os constituintes que apresentam características semelhantes e removê-los do meio líquido, tornando mais fáceis e eficientes as operações e os processos subsequentes. Por exemplo, a sedimentação promove a separação dos sólidos em suspensão, presentes na fase líquida, concentrando-os na forma de lodo que deve ser adequadamente estabilizado e disposto. O mesmo ocorre com a flotação e a filtração, a última utilizando um meio poroso para retenção dos sólidos. As operações de gradeamento, que ocorre por obstrução, e desarenação, por sedimentação, destinam-se, respectivamente, a separar sólidos grosseiros em suspensão e areia, constituintes que podem causar danos aos equipamentos, como, por exemplo, abrasão, e dificultar a operação das unidades de tratamento posteriores.

Os **processos químicos** alteram as características dos constituintes presentes no esgoto, facilitando a remoção, da fase líquida, dos compostos formados nas reações químicas. A precipitação química transforma compostos dissolvidos em precipitados, que podem ser separados em um decantador ou flotador. O lodo inerte formado é removido e deve ter destinação final apropriada. Na desinfecção por agentes químicos, há a inativação de organismos patogênicos, impedindo a contaminação do meio, em que o esgoto tratado é lançado, por agentes biológicos transmissores de doenças.

Nos **processos biológicos**, os microrganismos utilizam a energia livre das reações bioquímicas, que é liberada a partir das transformações dos compostos presentes no meio, para gerar novas células de microrganismos. Nessas reações, há a transferência de elétrons de compostos reduzidos para receptores de elétrons, de maneira a formar, em geral, produtos mais estáveis (mais oxidados). Em processos aeróbios, nos quais o oxigênio dissolvido é o agente oxidante (receptor de elétrons), a matéria orgânica é convertida em CO_2 e H_2O; o nitrogênio amoniacal é convertido em nitrito e nitrato em um processo denominado nitrificação; e o sulfeto é convertido em sulfato. Nos processos anaeróbios, a matéria orgânica é convertida nos gases CH_4 e CO_2, enquanto que o sulfato e outros compostos sulfurosos são convertidos no íon HS^-, que permanece em solução, e no gás H_2S, principalmente. Nos processos anóxicos, em que os receptores de elétrons são o nitrito e o nitrato (compostos que contêm o oxigênio combinado), os doadores de elétrons são compostos orgânicos ou inorgânicos, e o principal produto final é o gás N_2. A conversão de sulfato em sulfeto é denominada dessulfatação ou sulfetogênese. A conversão de nitrito e nitrato em nitrogênio gasoso é denominada desnitrificação.

Em todos esses processos, forma-se a biomassa (lodo biológico), ou seja, ocorre a transformação de compostos dissolvidos em matéria particulada. Formam-se, também, subprodutos que permanecem dissolvidos nos efluentes líquidos, e subprodutos gasosos, que são emitidos para a atmosfera, ou coletados na unidade de tratamento. O lodo (biomassa) gerado na unidade de tratamento biológico deve ser separado da corrente líquida por sedimentação ou flotação. O excesso de lodo produzido deve ser acondicionado (por meio das operações de espessamento e desaguamento) e receber o destino adequado.

Um sistema de tratamento de esgoto é, portanto, um conjunto de tanques interligados por canalizações de transporte de líquidos. Cada um desses tanques tem uma função definida, quer seja a retirada de alguns poluentes em operações de separação, quer seja a conversão de poluentes em compostos mais estáveis e em matéria particulada. A concepção desse sistema complexo depende do conhecimento dos fundamentos de cada operação e processo envolvido. Esse conhecimento é aplicado no projeto de cada unidade, de maneira que a função de uma unidade específica seja integrada ao conjunto de unidades que formam um sistema de tratamento de esgoto. Esta é uma condição essencial para que uma ETE atenda, de maneira econômica e eficiente, seu objetivo, que é a mitigação da poluição decorrente do lançamento de esgoto nos corpos de água.

18.2 CONCEPÇÃO DO SISTEMA DE TRATAMENTO

A concepção de um sistema de tratamento de esgoto obedece a **critérios técnicos e econômicos**. Os critérios técnicos definem o grau e o nível de tratamento a serem atingidos e estabelecem as alternativas que atendem a esses critérios. Os critérios econômicos definem, entre as alternativas tecnicamente viáveis e que apresentam desempenhos equivalentes, aquela de menor custo.

O nível ou grau de tratamento a ser obtido é estabelecido a partir da composição do esgoto, bem como das restrições quanto às concentrações máximas que os seus principais constituintes devem apresentar para que o efluente tratado possa ser lançado no ambiente.

Para atender às exigências relativas ao lançamento de efluentes em corpos receptores, o sistema de tratamento deverá remover frações consideráveis de sólidos totais, sólidos em suspensão, matéria orgânica (expressa como demanda química de oxigênio – DQO, demanda bioquímica de oxigênio – DBO, sólidos dissolvidos voláteis – SDV, e sólidos voláteis em suspensão – SVS), nitrogênio, fósforo, óleos e graxas e coliformes. Para determinados tipos de reúso, alguns íons específicos devem ser também removidos.

A Tabela 18.1 apresenta as principais características de interesse para o projeto de um sistema de tratamento de esgotos e as faixas típicas dos valores de cada um dos constituintes (Metcalf & Eddy, 2003; Programa PROSAB, 2006).

As unidades de **tratamento preliminar** (grade, caixa de areia, peneira rotativa, peneira estática) destinam-se a remover sólidos grosseiros em suspensão e areia. O tratamento preliminar está necessariamente presente em todos os sistemas de tratamento de esgoto. O material removido (sólidos grosseiros e areia) geralmente é higienizado e encaminhado para aterros sanitários.

As unidades de **tratamento primário** (decantadores, flotadores) promovem a separação e a remoção de sólidos sedimentáveis, os quais devem ser tratados e dispostos adequadamente. No caso do esgoto sanitário, o lodo primário (resultante do decantador primário que antecede a primeira unidade de tratamento biológico) é, em geral, submetido a tratamento biológico (digestão, com produção de metano) ou químico, antes das operações de deságue (em leitos de secagem, filtro a vácuo, filtro prensa ou centrífugas). O lodo tratado é, normalmente, encaminhado para aterros. Se atender a padrões específicos de qualidade, pode ser destinado ao uso agrícola.

As unidades de **tratamento secundário** removem a matéria orgânica particulada e dissolvida em unidades denominadas reatores ou em sistemas biológicos, compostos por unidades de tratamento.

TABELA 18.1 Caracterização dos esgotos sanitários e faixa de valores típicos dos principais constituintes de interesse para o projeto de sistemas de tratamento

Característica	Unidade	Faixa de valores[a]
Sólidos totais (ST)	mg/L	350 – 1.200
– Dissolvidos totais (SDT)	mg/L	250 – 800
– Dissolvidos fixos (SDF)	mg/L	150 – 500
– Dissolvidos voláteis (SDV)	mg/L	95 – 300
Sólidos totais em suspensão (STS)	mg/L	120 – 400
– Fixos em suspensão (SFS)	mg/L	20 – 80
– Voláteis em suspensão (SVS)	mg/L	90 – 300
Sólidos sedimentáveis (SS)	mL/L	5 – 15
DBO[b]	mg/L	120 – 350
DQO[c]	mg/L	250 – 800
Nitrogênio (total como N)	mg/L	20 – 70
– Orgânico	mg/L	8 – 25
– Amônia livre	mg/L	12 – 45
– Nitrito	mg/L	0
– Nitrato	mg/L	0
Fósforo (total como P)	mg/L	4 – 12
– Orgânico	mg/L	1 – 4
– Inorgânico	mg/L	3 – 8
Sulfato[d]	mg/L	20 – 60
Cloretos	mg/L	20 – 155
Óleos e graxas	mg/L	50 – 100
Coliformes totais	NMP/100 mL	106 – 1010
Coliformes fecais	NMP/100 mL	104 – 108
pH	Unidade de pH	6,5 – 7,2

a) faixa de valores baseada em publicações do Programa de Pesquisa em Saneamento Básico (PROSAB) e em Metcalff & Eddy (2003); b) Demanda Bioquímica de Oxigênio de cinco dias a 20 °C ($DBO_{5,20}$); c) Demanda Química de Oxigênio; d) muitas vezes detectado em baixas concentrações no esgoto bruto devido à conversão a sulfeto na rede coletora de esgoto.

Os processos biológicos de tratamento de esgoto geram biomassa, na forma de lodo biológico. Em alguns sistemas de tratamento, o lodo biológico é separado em decantadores secundários, sendo que uma parcela retorna ao reator. Porém, como a produção de lodo é contínua, gera-se o lodo de excesso, que deve ser removido. Em geral, em ETEs nas quais há decantadores primários e secundários, o lodo biológico (de excesso) é misturado com o lodo primário e submetido a tratamento complementar para acondicionamento e destinação final.

As unidades de **tratamento terciário** destinam-se à remoção dos macronutrientes (nitrogênio e fósforo). Embora haja sistemas de tratamento que promovem a remoção biológica conjunta de nitrogênio e fósforo, a separação desses processos em unidades independentes é a alternativa mais utilizada. A remoção de nitrogênio por processo biológico é feita convertendo-se o nitrogênio amoniacal em nitrito e nitrato, seguindo-se a desnitrificação, com a conversão dos compostos oxidados de nitrogênio no gás N_2, que é emitido para a atmosfera. A remoção de fósforo é, em geral, feita por precipitação química. Existem sistemas biológicos que utilizam bactérias capazes de acumular, em suas células, compostos fosfatados em quantidade muito superior à necessária para atender as suas necessidades nutricionais. Usualmente, esses sistemas operam com alta eficiência de remoção, exigindo, porém, operação cuidadosa. Atualmente, os processos de precipitação química, principalmente os relacionados com a formação e separação de estruvita ($NH_4MgPO_4.6H_2O$), vêm sendo investigados e aplicados.

A remoção de óleos e graxas ocorre parcialmente nos decantadores e flotadores, sendo completada nas unidades de tratamento secundário.

Os cloretos e outros sais solúveis são removidos, normalmente, por troca iônica ou osmose reversa, em unidades de tratamento avançado, destinadas a produzir água para usos mais exigentes quanto à presença de íons.

A remoção de coliformes (organismos indicadores da presença de patógenos) pode ser feita por meio da cloração, da ozonização, da aplicação de radiação ultravioleta e da aplicação de ultrassom. O tratamento físico-químico torna-se necessário porque a remoção de patógenos em reatores biológicos é, em geral, pouco significativa. Os sistemas de lagoas de estabilização são a exceção, pois, dependendo da configuração e do tempo em que o esgoto permanece em tratamento nessas unidades, é possível produzir efluente que atenda aos padrões bacteriológicos para o lançamento em corpos receptores.

Alguns sistemas simplificados utilizam unidades multifuncionais, nas quais ocorrem vários processos e operações em um mesmo espaço físico ou unidade de tratamento. O exemplo mais significativo desse tipo de sistema é o composto por lagoas de estabilização. Os sistemas de disposição sobre o solo e os baseados no processo denominado *"wetland"* construído também apresentam essa característica.

A matéria orgânica é, sem dúvida, o principal poluente presente no esgoto, uma vez que a emissão de efluentes contendo matéria orgânica, em corpos de água, causa a depleção da concentração de oxigênio dissolvido (OD). A razão é que a matéria orgânica é o alimento que propicia o desenvolvimento das populações de microrganismos que, ao utilizá-la, respiram oxigênio dissolvido presente nos corpos hídricos. O consumo excessivo de OD torna o meio impróprio para os organismos superiores, como os peixes, por exemplo. A remoção prévia de matéria orgânica é, portanto, um dos principais objetivos de um sistema de tratamento de esgoto. Os sistemas baseados em processos biológicos são considerados, até o momento, os mais econômicos para remoção de matéria orgânica, quando comparados com sistemas baseados em processos químicos. Por esse motivo, este capítulo enfatiza a apresentação de alguns sistemas de tratamento biológico usualmente empregados no Brasil.

A seguir, são abordados alguns dos principais fundamentos dos processos biológicos de tratamento de esgoto sanitário, uma vez que a concepção de uma ETE depende, essencialmente, das unidades de tratamento biológico que a compõem.

18.3 PROCESSOS BIOLÓGICOS DE TRATAMENTO DE ESGOTOS

Nas unidades de tratamento biológico, ocorrem processos de transformação de constituintes orgânicos e inorgânicos presentes nas águas residuárias. As principais reações de transformação de interesse são levadas a efeito por diferentes microrganismos, principalmente bactérias, que utilizam esses constituintes em seus processos metabólicos de crescimento, tanto para a produção de energia, quanto para a síntese celular.

Em função das fontes de carbono e de energia utilizadas para a síntese de novas células, os microrganismos podem ser classificados em heterótrofos e autótrofos (vide Capítulo 4). Os microrganismos heterótrofos usam a matéria orgânica como fonte de energia e de carbono, enquanto que os autótrofos usam carbono inorgânico e a energia liberada das reações de oxirredução (ou a luz solar, no caso das algas) para a síntese de novas células.

As substâncias nutritivas absorvidas pelos microrganismos estão sujeitas a inúmeras reações metabólicas, que podem ser divididas em dois grupos principais: reações catabólicas e reações anabólicas. As primeiras (catabólicas) são exotérmicas (variação da energia livre, $\Delta G < 0$). Essas reações liberam energia para tornar viáveis as reações anabólicas, que são endotérmicas ($\Delta G > 0$) e responsáveis pela síntese de novas células. Portanto, o crescimento celular e, como consequência, a remoção dos poluentes, somente irá ocorrer se os microrganismos forem capazes de obter energia das reações exotérmicas de catabolismo e o meio líquido contiver os constituintes indispensáveis para as reações endotérmicas de anabolismo; ou seja, todos os macro e micronutrientes que compõem as células bacterianas devem estar disponíveis no meio. Portanto, além de uma fonte de energia, o crescimento celular exige condições ambientais e nutricionais adequadas.

A Tabela 18.2 mostra algumas das principais reações de interesse para o tratamento biológico.

A composição do afluente à unidade de tratamento biológico e as condições ambientais que prevalecem nessas unidades são determinantes para o estabelecimento e a permanência das populações de microrganismos responsáveis pela remoção dos poluentes de interesse. Variações na composição do afluente e alterações nas condições ambientais (principalmente pH, temperatura e concentração de oxigênio dissolvido) têm efeito significativo na viabilidade e na velocidade de crescimento dos microrganismos e, por consequência, na eficiência dos processos de tratamento biológico. Há espécies bacterianas que se desenvolvem fora das faixas ideais de pH e temperatura, mas os processos biológicos são mais estáveis em pH entre 6,5 e 7,5 e temperaturas na faixa de 20 °C a 35 °C.

TABELA 18.2 Algumas reações de interesse para o tratamento biológico

Reações microbianas	Classificação nutricional
$CO_2 + 2H_2O$ (+luz) $\rightarrow$ $(CH_2O) + O_2 + H_2O$	Autotrófica, fotossintética[a]
$(CH_2O) + O_2 \rightarrow CO_2 + H_2O$	Respiração celular, aeróbia[b]
$C_6H_{12}O_6 + 6O_2 \rightarrow 6CO_2 + 6H_2O$	Heterotrófica, aeróbia[c]
$C_6H_{12}O_6 \rightarrow 2C_2H_6O + 2CO_2$	Heterotrófica, anaeróbia[d]
$C_2H_4O_2 \rightarrow CH_4 + CO_2$	Heterotrófica, anaeróbia[e]
$2NH_3 + 3,5O_2 \rightarrow 2HNO_3 + 2H_2O$	Autotrófica, aeróbia[f]
$H_2S + 2HNO_3 + H_2 \rightarrow H_2SO_4 + N_2 + H_2O$	Autotrófica, anaeróbia[g]

a) reação de síntese, fotoautotrófica; b) reação de catabolismo, endogênica; c) quimio-heterotrófica; d) fermentação alcoólica; e) metanogênese; f) nitrificação; g) desnitrificação autotrófica.

A presença ou ausência de oxigênio dissolvido está associada a uma das mais importantes características da unidade de tratamento, porque define o processo de obtenção de energia. A utilização, pelos microrganismos, de oxigênio dissolvido como receptor final de elétrons define o processo como aeróbio. A ausência de oxigênio dissolvido e a presença de compostos oxidados de nitrogênio (nitrito e nitrato) como receptores finais de elétrons define o processo como anóxico. A predominância de reações nas quais não há transferência de elétrons para o oxigênio livre ou combinado define o processo como anaeróbio fermentativo. A respiração anaeróbia, por sua vez, ocorre quando o receptor final de elétrons é o SO_4^{2-} e o CO_2. No primeiro caso, há a formação de sulfeto (sulfetogênese) e, no segundo, há a formação de metano (metanogênese). Nos processos anaeróbios, uma fração considerável do metano resultante pode ser formada por processo fermentativo ao invés de respiratório.

Como afirmado anteriormente, a energia liberada no catabolismo é usada nas reações de anabolismo. Por esse motivo, a maior quantidade de energia liberada, na reação catabólica, resulta em uma maior massa de novas células sintetizadas e, portanto, em uma maior produção de biomassa na unidade de tratamento. A eficiência energética das reações de catabolismo é maior quando há um receptor final de elétrons do que em processos fermentativos. Entre os receptores finais de elétrons, a energia liberada para as reações de anabolismo é maior quando o receptor é o oxigênio dissolvido, seguindo-se os compostos oxidados de nitrogênio (nitrito e nitrato), os compostos oxidados de enxofre (principalmente sulfato) e os compostos oxidados de carbono (gás carbônico e bicarbonato). Em geral, havendo disponibilidade de oxigênio dissolvido, a remoção de matéria carbonácea ocorrerá por processo aeróbio. A desnitrificação (transformação de nitrito e nitrato em nitrogênio gasoso), a sulfetogênese (transformação de sulfato em sulfeto) e a metanogênese (transformação de carbono orgânico em metano) são processos que não utilizam O_2 como aceptor final de elétrons e sim outros compostos oxidados (NO_X^-, SO_4^{2-}, CO_2, respectivamente).

As relações entre a remoção biológica do meio de algum constituinte de interesse (como carbono orgânico e compostos nitrogenados) e o crescimento de biomassa responsável pela remoção estão bem estabelecidas. Desenvolveu-se um modelo geral, baseado em conceitos de cinética de crescimento de microrganismos e na experiência acumulada na operação de unidades de tratamento biológico (Lawrence & McCarty, 1970).

A relação entre crescimento da biomassa e a utilização de um constituinte de interesse (**S**) pode ser expressa por duas equações básicas. A primeira relaciona a velocidade de crescimento da biomassa (r_g) com a velocidade de utilização de **S** (r_u).

$$r_g = yr_u - bX$$

Equação 18.1

Na expressão, r_g é a velocidade de crescimento da biomassa ($ML^{-3}T^{-1}$); y é o coeficiente de produção de microrganismos por unidade de massa de **S** consumida (MM^{-1}); r_u é a velocidade de utilização do substrato **S** por unidade de volume de reator ($ML^{-3}T^{-1}$); b é o coeficiente de decaimento da biomassa (T^{-1}); X é a concentração da massa microbiana (ML^{-3}). A Equação 18.1 foi empiricamente observada e experimentalmente comprovada. O termo b engloba vários fenômenos, tais como lise celular e respiração endógena e significa que uma fração da biomassa presente no reator é constantemente consumida. A equação mostra que a quantidade total de biomassa sintetizada é proporcional à concentração da biomassa presente no reator.

A segunda equação básica (Equação 18.2) relaciona a velocidade de utilização de S em função tanto da concentração de biomassa X, quanto da concentração do constituinte de interesse (S) no líquido em que a biomassa se encontra imersa.

$$r_u = \frac{k_{max}XS}{K_S + S}$$ Equação 18.2

Na Equação 18.2, k_{max} (T^{-1}) é a velocidade máxima de utilização de S por unidade de massa de microrganismos que ocorre quando a concentração de S não é limitante do processo; S é a concentração do constituinte de interesse (ML^{-3}); K_S (ML^{-3}) é o coeficiente de meia velocidade, ou seja, $K_S = S$ quando $r_u = k_{max}/2$. A Equação 18.2 mostra que há uma relação funcional entre a utilização de S e a sua concentração no meio. Em duas condições extremas, quando $S >> K_S$ e quando $S << K_S$, esta equação pode ser aproximada e simplificada pelas Equações 18.3 e 18.4.

$$r_u = k_{max}X \text{ para } S >> K_S$$ Equação 18.3

$$r_u = k'XS \text{ para } S << K_S$$ Equação 18.4

Na Equação 18.4, $k' = k_{max}/K_S$. A Equação 18.3 é de ordem zero em relação a S e mostra que a velocidade específica máxima de utilização de substrato ocorre quando não há limitação de S; a Equação 18.4 é de primeira ordem e ocorre quando a concentração de S é muito pequena. Combinando-se as Equações 18.1 e 18.2, obtém-se importante relação entre a velocidade específica de crescimento dos microrganismos e a velocidade específica de consumo de S (Equação 18.5). Nessa equação, $\mu = r_g/X$ é a velocidade específica de crescimento dos microrganismos (T^{-1}).

$$\mu = \frac{r_g}{X} = y\frac{r_u}{X} - b = \frac{yk_{max}S}{K_S + S} - b$$ Equação 18.5

A Equação 18.5 mostra que a velocidade específica de crescimento dos microrganismos está relacionada com os parâmetros cinéticos y, k_{max}, K_S e b, que são diferentes para cada espécie microbiana. No entanto, a biomassa presente nos sistemas de tratamento é composta por bactérias de diferentes espécies. Portanto, em casos reais, esses parâmetros são globais e representam a resposta da comunidade como um todo e não apenas a de uma ou outra espécie. No projeto e operação de sistemas de tratamento, as expressões diferenciais podem ser modificadas considerando-se que os processos ocorrem em intervalos mensuráveis de tempo. Essa consideração leva a duas expressões importantes para a operação de reatores (Equações 18.6 e 18.7).

$$U = \frac{Q(S_0 - S)}{TDH.X_t} = \left(\frac{\Delta S/\Delta t}{X_t}\right)$$ Equação 18.6

U é a velocidade específica de utilização de substrato, sendo Q a vazão de alimentação do reator ($L^3 T^{-1}$); S_0 e S são as concentrações inicial e final de substrato (ML^{-3}); e TDH é o tempo de detenção hidráulica (T).

$$\Theta_c = \frac{X.V}{Q_d \cdot X_L} = \frac{X_t}{\left(\Delta X_t/\Delta t\right)}$$ Equação 18.7

θ_c é o tempo de retenção celular (TRC), ou idade do lodo, sendo X a concentração de biomassa no interior do reator (ML^{-3}); V é o volume útil do reator (L^3); Q_d é a vazão de lodo de descarte (L^3T^{-1}); X_t é a massa total de lodo no sistema (M); X_L é a concentração da biomassa no lodo de descarte (ML^{-3}); e $\Delta X/\Delta t$ é a massa de lodo descartada por unidade de tempo (MT^{-1}). O valor de Θ_c é normalmente expresso em dias.

Conforme a Equação 18.6, o parâmetro U pode ser calculado medindo-se a quantidade de matéria orgânica removida durante um determinado período e dividindo-se pela quantidade total de biomassa (X_t) presente na unidade de tratamento. A Equação 18.7 mostra que o parâmetro Θ_c pode ser calculado conhecendo-se a quantidade total de biomassa presente e dividindo-se pela quantidade de biomassa descartada do sistema, durante um determinado período de tempo. Rearranjando a Equação 18.1 em função das definições expressas pelas Equações 18.6 e 18.7, temos a Equação 18.8.

$$\mu = \frac{1}{\Theta_c} = yU - b$$ Equação 18.8

A Equação 18.8 mostra que a utilização de substrato e o tempo de retenção celular estão intrinsecamente relacionados, de maneira que, ao se fixar um deles, o outro será controlado. Em sistemas de tratamento de esgotos sanitários, é praticamente impossível ter o valor de U ajustado, devido às variações na composição e vazão do afluente. No entanto, o valor de Θ_c pode ser controlado, em muitos casos, por meio da operação de descarte do lodo de excesso. Ou seja, para que não haja acúmulo de lodo no sistema, a quantidade de biomassa sintetizada durante certo período de tempo deve ser removida. Em muitos sistemas, o descarte de lodo de excesso pode ser controlado pelos operadores e a idade do lodo pode ser mantida aproximadamente constante por meio dessa operação. Se a concentração de biomassa no sistema tender a aumentar, aumenta-se a vazão de descarte de lodo. Se essa concentração tende a diminuir, diminui-se a vazão de descarte de lodo.

É importante observar, também, que o valor de Θ_c definirá a concentração de S no efluente, conforme a Equação 18.9 a seguir.

$$S = \frac{K_S(1 + b\theta_c)}{\theta_c(yk - b) - 1}$$

Equação 18.9

Na Equação 18.9, observa-se que os parâmetros cinéticos são, por hipótese, invariáveis para a biomassa presente no reator. Essa hipótese considera que as condições ambientais não sofrem alterações significativas e que o afluente mantém suas características principais.

A partir da Equação 18.5, pode-se definir outro parâmetro importante de projeto de sistemas de tratamento biológico, que é o tempo de retenção celular mínimo (Θ_c^{min}). Considerando S_0 a concentração inicial de matéria orgânica, o valor de S, que é a concentração da matéria orgânica no efluente, deve ser sempre menor do que S_0. No limite, o valor de Θ_c^{min} ocorrerá para um valor de S muito próximo a S_0. Então, substituindo-se S por S_0 na Equação 18.5 e considerando $\mu = \dfrac{1}{\theta_c}$, tem-se as Equações 18.10 e 18.11.

$$\frac{1}{\theta_c} \cong yk - b$$

Equação 18.10

$$\theta_c^{min} = \frac{1}{yk - b}$$

Equação 18.11

Portanto, de posse dos valores dos coeficientes cinéticos da população microbiana em um determinado processo, pode-se determinar qual deve ser o valor do TRC mínimo (ou idade do lodo mínima) no sistema de tratamento. Os valores dos parâmetros cinéticos aplicados ao tratamento de esgoto podem variar em função de características locais e específicas de algum sistema. No entanto, há faixas de valores bem determinados na literatura e que permitem a avaliação preliminar do desempenho do sistema em função do valor de Θ_c adotado.

Embora esses fundamentos se apliquem a qualquer tipo de reator biológico, o controle efetivo de tempo de retenção celular, por meio da operação de descarte de lodo de excesso, só é viável em unidades em que esta operação foi prevista em projeto.

O descarte controlado do excesso de lodo é praticamente inviável em reatores em que a biomassa cresce aderida a suporte fixo (reatores de leito fixo, aeróbios e anaeróbios), ou em reatores em que há o depósito de lodo biológico no fundo da unidade, como é o caso de lagoas anaeróbias e reatores de leito de lodo ou manta de lodo.

No entanto, como a dependência entre a eficiência do processo e o valor de TRC está bem estabelecida, os reatores de leito fixo são projetados de maneira a garantir valores de TRC elevados que, em geral, são superiores aos de reatores em que a biomassa cresce em suspensão.

A Equação 18.9 permite supor que a eficiência de remoção de DBO em um reator biológico poderia atingir valores muito próximos a 100%, se os valores de TRC, mantidos no reator biológico, fossem muito elevados. Essa possibilidade não existe, devido a fenômenos intrínsecos ao processo. A massa de microrganismos excreta metabólitos, ou seja, compostos orgânicos formados no interior das células, que são resistentes à biodegradação pela mesma biomassa que os produz. Portanto, a eficiência de remoção de matéria orgânica em um único reator biológico é limitada pela presença de produtos do metabolismo celular, embora possa atingir valores elevados em determinados sistemas (de 70% a 80% em processos anaeróbios e acima de 90% em processos aeróbios).

QUADRO 18.1 Cálculo de Θ_c para se obter a eficiência desejada na remoção de DBO

Deseja-se calcular o valor de Θ_c em um reator biológico para se obter a eficiência mínima de 90% de remoção de DBO de esgoto que apresenta DBO inicial de 400 mg/L. Os valores dos parâmetros cinéticos são: $y = 0,60$; $K_S = 100$ mg/L; $k = 10$ kgDBO/kgSSV.d; $b = 0,1/d$.

Para obter a resposta desejada, aplicam-se os valores fornecidos na Equação 18.9. Pode-se usar uma tabela Excel® lançando-se valores crescentes de Θ_c na primeira coluna, obtendo-se os valores de S calculados na segunda coluna. Como S_0 é igual a 400 mg/L, todos os valores superiores a esse são desprezados. Para a eficiência de 90%, o valor de S no efluente deverá ser de, no máximo, 40 mg/L. Fazendo-se os cálculos, obtém-se o valor de Θ_c^{min} de 0,17 d ou 4,1 h. A Figura 18.1 ilustra esse exemplo.

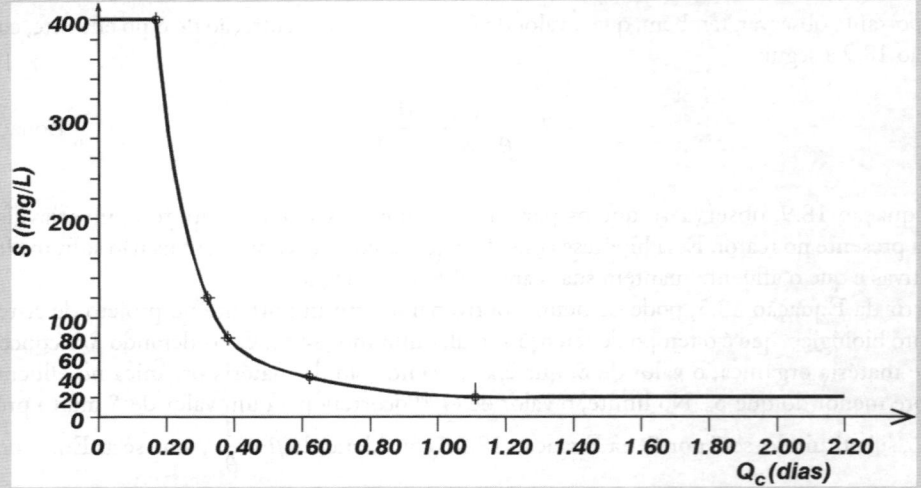

FIGURA 18.1 Valor da DBO (S) no efluente em função do tempo de retenção celular (Θ_c).

18.4 REATORES BIOLÓGICOS E SISTEMAS DE TRATAMENTO

Há grande diversidade de configurações de **reatores biológicos** disponíveis na literatura, alguns concebidos há mais de 125 anos, como é o caso das fossas sépticas (McCarty, 1982). Outros são de concepção mais recente e ainda não foram aplicados em escala plena.

De maneira geral, os reatores biológicos podem ser diferenciados quanto ao **processo biológico** predominante (aeróbio, anaeróbio e anóxico), ao **regime de alimentação** (contínua, intermitente, em bateladas sequenciais), às condições oferecidas para **crescimento da biomassa** (em suspensão, em leito fixo, em leito móvel) e ao **regime de escoamento** predominante (mistura, pistonado).

A Tabela 18.3 mostra os principais tipos de reatores usualmente empregados e suas principais características.

É pouco provável que um único reator biológico tenha desempenho satisfatório na remoção conjunta de matéria carbonácea (dissolvida e particulada), nitrogênio e fósforo, embora todos esses constituintes possam ser removidos por processos biológicos. Comumente, os sistemas de tratamento de esgoto são constituídos por vários reatores biológicos, que desempenham funções específicas. Desde os primeiros anos do século XX, as características de algumas unidades de tratamento biológico e dos sistemas de tratamento de esgoto aos quais estavam associadas já se encontravam definidas.

A Figura 18.2 apresenta os esquemas de alguns dos sistemas de tratamento de esgoto mais empregados no Brasil nos dias atuais.

Dois sistemas de tratamento predominaram amplamente até meados do século XX e receberam o nome da principal unidade de tratamento biológico da fase líquida: sistema de lodos ativados e sistema de filtros biológicos. Eles diferem quanto à maneira como a biomassa é mantida no interior do reator biológico.

No sistema de lodos ativados, a biomassa é mantida em suspensão devido à agitação mecânica provocada por aeradores superficiais, os quais são responsáveis, também, pela introdução do oxigênio na massa líquida. A mistura, aeração e manutenção da biomassa em suspensão podem ser, também, providas por difusores de ar colocados junto ao fundo da unidade e alimentados por compressores ou sopradores

TABELA 18.3 Principais tipos de reatores empregados no tratamento de esgotos e suas características principais

Reator	Processo biológico	Regime de alimentação	Crescimento da biomassa	Regime de escoamento predominante
Lodos ativados	aeróbio	contínua	em suspensão	mistura
Filtro biológico percolador	aeróbio	contínua ou intermitente	aderida em leito fixo	pistonado
Filtro biológico submerso aeróbio	aeróbio	contínua	aderida em leito fixo ou móvel	mistura
Leito fluidificado	aeróbio, anaeróbio, ou anóxico	contínua	aderida em leito móvel	mistura
Reator com membrana	aeróbio, anaeróbio ou anóxico	contínua	Em suspensão ou aderida (leito fixo ou móvel)	mistura
Manta de lodo (UASB)	anaeróbio	contínua	em suspensão e em leito móvel	indefinido
Filtro anaeróbio	anaeróbio	contínua	aderida em leito fixo	pistonado, mas não há predominância
Lagoa aerada	aeróbio	contínua	em suspensão	mistura
Lagoa anaeróbia	anaeróbio	contínua	não se aplica	não se aplica
Lagoa fotossintética	aeróbio	contínua	em suspensão	pistonado
Valo de oxidação	aeróbio	contínua	em suspensão	pistonado
Digestor de lodo	anaeróbio	intermitente	em suspensão	mistura
Bateladas sequenciais	aeróbio, anaeróbio, ou anóxico	em bateladas sequenciais	em suspensão ou, aderida em leito fixo ou móvel	mistura

de ar. A concentração de biomassa no tanque no sistema de lodos ativados é garantida pelo retorno do lodo biológico do decantador secundário. Portanto, o sistema de lodos ativados permite, ao operador, o controle efetivo do TRC.

No sistema de filtro biológico, a biomassa cresce aderida à superfície de um meio suporte e fica retida na unidade. Inicialmente, o meio suporte para crescimento da biomassa era constituído por um leito de pedra. Atualmente, o leito é feito de materiais leves, como peças de material plástico, por exemplo. O líquido é distribuído sobre a superfície, por meio de aspersores rotativos, e percola pelo leito. Como os aspersores são rotativos, há um intervalo de tempo entre um passo e outro dos braços do aspersor. Nesse intervalo de tempo, ao percolar pelo leito, o líquido entra em contato com a biomassa aderida ao leito, enquanto o ar atravessa pelos espaços vazios, em sentido ascendente, graças às aberturas nas paredes laterais e no fundo da unidade. A unidade produz continuamente o lodo biológico que se desprende do leito e sai com o efluente. No sistema de filtros biológicos, não há possibilidade de controle efetivo do TRC, pois o desprendimento da biomassa do leito é praticamente impossível de ser controlado.

Esses dois sistemas clássicos foram concebidos de maneira que a matéria orgânica dissolvida é submetida a processo aeróbio e o lodo primário e secundário é submetido a processo anaeróbio. Conforme pode ser observado na Figura 18.2, esses dois sistemas utilizam decantador primário para a separação dos sólidos em suspensão no afluente e decantador secundário para a separação do lodo do efluente. Em ambos os sistemas, o lodo proveniente do decantador primário e o lodo proveniente do decantador secundário são encaminhados para um digestor anaeróbio. É importante destacar que, no início do século XX, já havia cidades que utilizavam o gás metano, produzido nos digestores, para geração de energia (McCarty, 1982).

As evoluções mais marcantes desses sistemas ocorreram com o desenvolvimento de unidades capazes de realizar a remoção biológica de nitrogênio e fósforo. Embora existam várias configurações diferentes de sistemas capazes de remover nitrogênio e fósforo, o sistema denominado BARDENPHO (Barnard, 1976), desenvolvido na década de 1970, na África do Sul, é o mais difundido. Esse sistema baseia-se nos conceitos de lodos ativados e intercala unidades anaeróbias e anóxicas, de maneira a promover a remoção de matéria carbonácea, nitrogênio e fósforo por processo biológico. O lodo rico em fosfato é recuperado e pode ser encaminhado para uso agrícola. O lodo primário é encaminhado a digestores anaeróbios para tratamento, acondicionamento e disposição final.

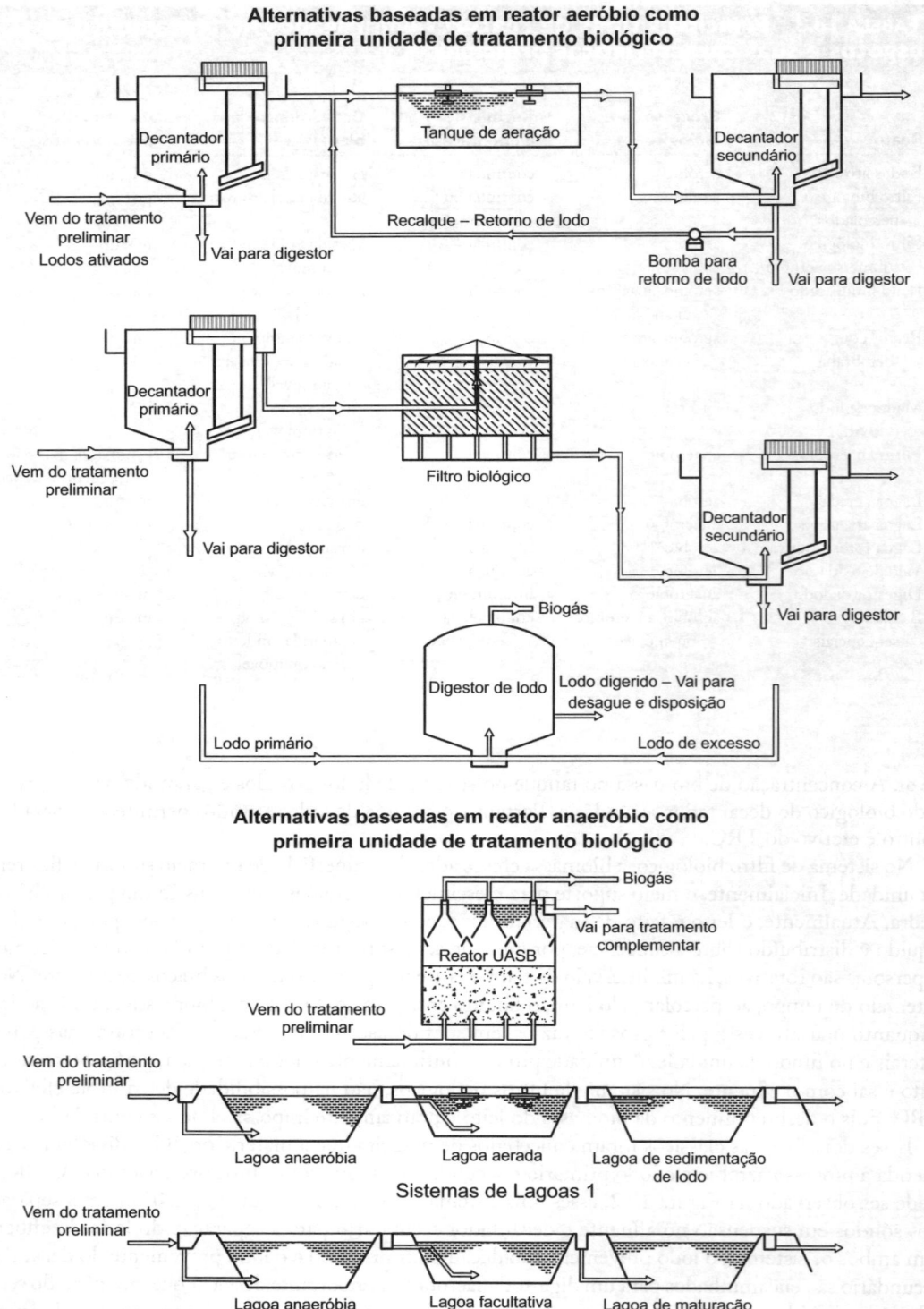

Alternativas baseadas em reator aeróbio como primeira unidade de tratamento biológico

Alternativas baseadas em reator anaeróbio como primeira unidade de tratamento biológico

FIGURA 18.2 Alguns sistemas de tratamento de esgoto empregados atualmente no Brasil.

Em meados do século XX, foram desenvolvidos os sistemas de lagoas de estabilização, denominadas inicialmente lagoas de oxidação por pesquisadores norte-americanos. A partir da experiência norte-americana, foi desenvolvido o sistema australiano (Parker et al., 1950), que era constituído por lagoa anaeróbia seguida de lagoa facultativa. Posteriormente, passou-se a incorporar uma (ou mais) lagoa (s) de maturação a esse sistema. No sistema australiano, o efluente das unidades de tratamento preliminar é encaminhado para uma lagoa profunda (4 a 5 metros), na qual ocorre a sedimentação e digestão do lodo primário junto ao fundo. A gordura e outros sólidos flutuantes (inclusive parte do lodo em digestão que se desprende do sedimento) ficam retidos na superfície da unidade e formam a escuma, a qual dificulta a penetração de oxigênio na massa líquida. O efluente dessa unidade é encaminhado para uma lagoa facultativa, na qual predomina a fotossíntese, que fornece oxigênio para a oxidação biológica da matéria orgânica. Junto ao fundo, predominam processos anaeróbios. Dependendo da carga orgânica aplicada nessa unidade, o oxigênio dissolvido pode atingir valores muito baixos no período noturno, quando as algas não realizam a fotossíntese, mas permanecem vivas no sistema utilizando o oxigênio dissolvido na massa líquida. Quando o sistema é composto também por lagoas de maturação, o efluente da lagoa facultativa é encaminhado para essa lagoa, que se mantém aeróbia inclusive no período noturno. Uma das principais desvantagens do sistema de lagoas de estabilização é o elevado tempo de detenção hidráulica (TDH), que pode facilmente atingir 30 dias. Em decorrência, o sistema exige grande disponibilidade de área. Essa condição limita a sua aplicação, pois torna o sistema de lagoas inviável para cidades de grande e médio porte.

Uma das alternativas para o uso do sistema de lagoas é a substituição da lagoa facultativa por uma lagoa aerada. A introdução forçada de oxigênio, por aeração superficial ou por difusores de ar junto ao fundo, mantém determinada concentração de oxigênio dissolvido na lagoa, inclusive durante a noite, e a atividade bacteriana aeróbia é contínua, uma vez que não depende do oxigênio produzido pela fotossíntese das algas. A retenção do lodo formado na lagoa aerada ocorre, geralmente, em uma lagoa de lodo. O lodo acumulado junto ao fundo deve ser periodicamente removido (em geral, a cada quatro anos). Embora o tempo de permanência do líquido no sistema seja menor do que no sistema australiano, ele pode chegar a seis dias, o que também limita sua aplicação generalizada. Outra desvantagem é que a eficiência de remoção de organismos patogênicos é, em geral, muito mais baixa do que nos sistemas de lagoas fotossintéticas.

Ao final da década de 1960, teve início o desenvolvimento de processos anaeróbios para remoção de matéria orgânica solúvel presente em efluentes industriais, com a concepção de filtros anaeróbios (Young & McCarty, 1969). Até então, os processos anaeróbios eram usados quase que exclusivamente em digestores anaeróbios de lodos. No entanto, por ser um reator de leito fixo, semelhante ao filtro biológico, porém com leito submerso e escoamento ascendente, essa configuração de reator anaeróbio não se prestava ao tratamento de efluentes contendo sólidos em suspensão, que colmatam o leito.

Após intensa atividade de pesquisa, Lettinga et al. (1980) publicaram um artigo sobre uma nova configuração de reator anaeróbio, o reator UASB (*Upflow Anaerobic Sludge Blanket*), que pode ser usado para tratamento de efluentes líquidos que contêm sólidos em suspensão em baixa concentração. A principal característica do reator UASB é a presença, na parte superior de seu corpo, de um sistema de separação gás-líquido-sólido (GLS), que permite a retenção do lodo biológico em seu interior. Tentativas anteriores de se proceder ao tratamento de efluentes líquidos em sistemas de lodos ativados anaeróbios esbarraram na dificuldade de separação dos sólidos em decantadores secundários, uma vez que o processo gera gases (metano e gás carbônico, principalmente). Esses gases permanecem aderidos ao lodo biológico, diminuindo a sua densidade aparente e dificultando a sedimentação. No reator UASB, o lodo contendo gases aderidos ascende no interior da unidade, mas não é encaminhado para o dispositivo de saída e sim para o separador GLS. Esse dispositivo permite que o lodo biológico, ao atingir a superfície no interior do separador GLS, entre em contato com a fase gasosa mantida na cabeça desse dispositivo. Nessa região, o gás se desprende do lodo e se dispersa na fase gasosa. Ao se libertar do gás, o lodo perde a sustentabilidade e sedimenta na própria unidade. O lodo que é arrastado com o efluente entra na zona de sedimentação do dispositivo GLS e retorna, em grande parte, para o interior do reator.

O reator UASB foi inicialmente desenvolvido para o tratamento de efluentes industriais que apresentavam DQO (ou DBO) elevadas. Devido aos processos anaeróbios serem mais lentos, sua aplicação vantajosa, em países de clima frio, somente é viável se os gases produzidos puderem ser utilizados para o aquecimento da massa líquida. Essa condição limita a aplicação do processo a efluentes que apresentem cargas orgânicas elevadas. No entanto, em países de clima tropical ou subtropical, o reator pode ser aplicado no tratamento de esgoto sanitário que apresenta baixa carga orgânica. Nesses países, não há necessidade de dispender energia no aquecimento do afluente ao reator devido à temperatura ambiente ser, em geral, superior a 20 °C. Desse modo, os sistemas baseados no reator UASB como a primeira unidade de tratamento biológico de esgoto sanitário passaram a ser empregados amplamente nesses países. O Brasil é líder na aplicação de sistemas de tratamento de esgoto baseados no reator UASB. A desvantagem desse reator é que a eficiência de remoção de DQO de esgoto sanitário raramente ultrapassa 70% e o efluente contém, além de fração remanescente de matéria orgânica, nitrogênio amoniacal e sulfeto. No Brasil, a aplicação de reator UASB requer, necessariamente, unidades de pós-tratamento dos efluentes para atender aos padrões de emissão vigentes.

Existem muitas outras configurações já desenvolvidas ou em desenvolvimento de reatores biológicos que merecem a atenção do leitor, cujas descrições e critérios de projeto podem ser encontrados nas obras referenciadas ao final deste capítulo. O aprofundamento desse tema foge ao objetivo principal do capítulo, que é o de fornecer elementos para a introdução do leitor nos principais conceitos relacionados com o tratamento de esgoto.

18.5 CRITÉRIOS DE PROJETO

Os critérios de projeto de unidades de tratamento biológico de esgoto sanitário baseiam-se na experiência acumulada ao longo dos anos, sendo, portanto, critérios empíricos. À medida que se acumula o conhecimento sobre os processos biológicos, aumenta-se a viabilidade do uso de critérios racionais, baseados nos fundamentos dos processos. Uma condição essencial para o uso de critérios racionais no projeto de reatores biológicos é a manutenção das características quantitativas e qualitativas do afluente ao reator. O esgoto sanitário apresenta variações significativas de vazão e de composição ao longo do dia, em diferentes dias da semana e em diferentes estações do ano. Alguns critérios embasados em fundamentos dos processos (principalmente nos parâmetros cinéticos) têm sido intensivamente utilizados na verificação do atendimento de condições específicas do projeto. Esse é o caso, por exemplo, da verificação do TRC em sistemas de lodos ativados.

Pretende-se, neste item, apresentar alguns critérios gerais para o dimensionamento preliminar de algumas unidades de tratamento biológico. Alerta-se para o fato de que esses critérios se destinam a permitir o projeto básico dos sistemas de tratamento, os quais podem ser usados para comparação de alternativas quanto a aspectos técnicos e econômicos.

O anteprojeto de um sistema de tratamento de esgoto inicia-se pela determinação da população a ser atendida. Essa etapa envolve estudos de previsão do crescimento da população ao longo do período de projeto (em geral, de 20 anos), ou seja, período em que o sistema projetado irá atender à população de projeto. Normalmente, o sistema é projetado para ser construído em duas etapas de 10 anos cada uma. Com os dados populacionais, determinam-se as vazões de projeto (médias, máximas e mínimas) e as cargas orgânicas (CO).

Carga Orgânica (CO) é o produto da vazão Q pelo valor da DBO (ou DQO). É usual que a CO seja expressa em kg DBO (DQO) por dia. Se Q é a vazão média diária, expressa em m³ por dia, e a DBO (ou DQO) em mg/L, deve-se dividir o produto por 10^3 para se obter a CO em kg/d.

Os principais parâmetros usualmente empregados no projeto de reatores biológicos para a remoção da matéria orgânica são:

- Tempo de detenção hidráulica (TDH). É a relação entre o volume (V) da unidade e a vazão afluente (Q). Portanto, TDH = V/Q. Se V for expresso em m³ e Q em m³/h, o valor de TDH será expresso em horas. Se Q for a vazão média diária, o valor de TDH será expresso em dias.
- Tempo de retenção celular (TRC). É o tempo médio, em dias, em que a biomassa permanece no reator biológico.
- Carga orgânica volumétrica (COV). É a razão entre a carga orgânica diária (CO) e o volume (V) do reator. A COV é expressa em kg DBO (ou DQO_b)/m³.d. A DQO_b é a fração biodegradável da DQO total.
- Carga orgânica aplicada ao lodo (CO_L). É a razão entre CO e a massa total (M_{SVS}) de sólidos voláteis em suspensão presente no reator. A CO_L é expressa em kg DBO (ou DQO_b)/kg SVS.d. M_{svs} é o produto da concentração de SVS por V.
- Taxa de aplicação hidráulica (TAH). É a razão entre a vazão diária Q aplicada e a área superficial da unidade e é expressa em m³/m².d. As únicas unidades de tratamento que são projetadas usando-se a TAH são os filtros biológicos percoladores.
- Taxa de aplicação orgânica (TAO). É a razão entre a carga orgânica diária (CO) e área superficial da unidade. A TAO é usada quase que exclusivamente no projeto de lagoas de estabilização (fotossintéticas e de maturação) e é expressa em kg DBO/ha.d. Observe-se que a área da lagoa é expressa em hectares.

A Tabela 18.4 apresenta os principais parâmetros empíricos de projeto de algumas das unidades de tratamento biológico mais comumente utilizadas no Brasil.

TABELA 18.4   Principais parâmetros empíricos de projeto de reatores biológicos para esgoto sanitário

Reator	TDH	TRC	CO$_L$	COV	TAH
Lodos ativados					
Convencional	4,0-8,0	5-10	0,2-0,6	1,0-1,3	NA
Alta taxa	1,5-3,0	1-2	1,5-2,0	1,2-2,4	NA
Filtro biológico percolador					
Baixa taxa	NA	NA	NA	0,07-0,22	1-4
Alta taxa	NA	NA	NA	0,4-2,4(*)	10-75(*)
Manta de lodo (UASB)	6-10	>30	<1	4-8	0,5-0,7(**)
Lagoa aerada					
Aeróbia	3-6	3-6	0,3-0,4	NA	NA
Facultativa	5-10	I	I	NA	NA
Lagoa anaeróbia	3-6	NA	NA	0,10-0,35	NA

Os valores do quadro são usualmente expressos em: TDH – hora; TRC – dia; CO$_L$ – kg DBO/kg SVS.d; COV– kg DBO (ou DQO)/m^3.d; TAH – m^3/m^2.d. NA – não se aplica; (*) – Valores máximos para leito de plástico; I – indeterminado; (**) – No caso do reator UASB, TAH é a velocidade do líquido no sentido ascendente.

Observe-se que alguns dos parâmetros não se aplicam a todas as unidades. O TAH se aplica exclusivamente a filtros biológicos percoladores descendentes, sendo o parâmetro determinante no projeto dessa unidade. No caso do reator UASB, o parâmetro TAH foi utilizado para expressar a velocidade ascendente limite do líquido no reator.

Em lagoas aeradas facultativas, os parâmetros TRC e CO$_L$ aparecem na Tabela 18.4 como I (indeterminado) porque, nesse tipo de unidade, parte dos sólidos voláteis em suspensão sedimenta no fundo da lagoa. Nas lagoas aeradas facultativas, os equipamentos de aeração são instalados para atender apenas à demanda de oxigênio para oxidação biológica da matéria orgânica. Como o esgoto sanitário apresenta baixos valores de DBO, quando comparado a alguns efluentes industriais, a potência instalada é, em geral, insuficiente para garantir o grau de mistura necessário para manter os sólidos em suspensão e, portanto, para permitir a avaliação correta dos parâmetros TRC e CO$_L$.

As lagoas fotossintéticas, embora não constem na Tabela 18.4, têm sido intensamente utilizadas no Brasil em cidades pequenas. Essas unidades também são dimensionadas utilizando-se critérios empíricos. O principal critério é a Taxa de Aplicação Orgânica Superficial (TAOS), que varia de 100 a 350 kg DBO (ou DQO$_b$) por hectare por dia. Os maiores valores se aplicam a locais onde prevalecem alta temperatura e intensidade luminosa elevada, ou quando o sistema projetado prevê a adoção de lagoa anaeróbia e lagoa de maturação antes e depois, respectivamente, da lagoa facultativa. O TDH nessa unidade varia de 15 a 45 dias.

Há alguns parâmetros limitantes nas unidades de tratamento biológico e que devem ser levados em consideração no projeto.

No sistema de lodos ativados, por exemplo, a concentração de SVS no tanque de aeração deve se situar na faixa de 2.000 mg/L a 3.000 mg/L. Essa limitação visa a permitir a transferência adequada de oxigênio para a biomassa. Concentrações mais elevadas de SVS e, portanto, de STS (sólidos totais em suspensão) dificultam a transferência de oxigênio para o lodo biológico. Como consequência, há queda de eficiência, o lodo torna-se menos denso e de difícil separação no decantador secundário.

No que se refere ao estudo de alternativas, o projeto básico de um sistema de lodos ativados deve incluir as unidades complementares, ou seja, decantador primário, decantador secundário, digestores de lodo e instalações para secagem do lodo digerido, que deverá ser encaminhado para o destino final.

As unidades anaeróbias (lagoa anaeróbia e reator de manta de lodo – UASB) produzem efluentes que devem ser submetidos a pós-tratamento. Portanto, as unidades de pós-tratamento são parte integrante dos sistemas em que um reator anaeróbio é a primeira unidade de tratamento biológico. Para os sistemas baseados no reator UASB, é necessário prever, também, instalações para secagem do lodo e sua destinação adequada.

18.6 ESTUDO DE ALTERNATIVAS

A escolha de um sistema de tratamento de esgoto deve estar baseada em estudo criterioso das alternativas, uma vez que não há um sistema único que atenda a todas as condições técnicas e econômicas, qualquer que seja a população de projeto e as condições locais.

As alternativas de sistemas de tratamento escolhidas para o estudo mais detalhado devem ser equivalentes quanto ao atendimento aos padrões de lançamento do efluente tratado. No Brasil, poucos são os parâmetros de lançamento estabelecidos. A Resolução Conama nº 357/2005 classifica os corpos de água de acordo com os parâmetros de qualidade que devem apresentar. Os efluentes de qualquer fonte poluidora só poderão ser lançados nesses corpos de água se não causarem alterações que possam ultrapassar os valores máximos admitidos na resolução como padrões de qualidade. A Resolução Conama nº 357/2005 também fixava os limites de lançamento de constituintes inorgânicos e orgânicos em corpos receptores. Vale destacar, no entanto, que a tal resolução foi parcialmente modificada pela Resolução Conama nº 430/2011 (Brasil, 2011), que estabeleceu condições e padrões específicos para efluentes de sistemas de tratamento de esgotos sanitários.

Esses limites de concentrações para o efluente são, em geral, facilmente atingíveis por qualquer sistema de tratamento biológico. No entanto, os padrões de qualidade a serem mantidos no corpo receptor podem resultar em parâmetros para lançamento mais restritivos, conforme demonstrado no exemplo para o parâmetro DBO (Quadro 18.1).

De maneira similar à do exemplo apresentado, devem ser avaliados todos os demais parâmetros sujeitos às restrições estabelecidas pela resolução. Para esgoto sanitário, os principais parâmetros referidos nas Resoluções Conama nº 357/2005 e 430/2011 que podem ser alterados devido ao lançamento de efluentes tratados ou não em corpos de água são: oxigênio dissolvido, turbidez, cor verdadeira, nitrogênio amoniacal total, nitrito, nitrato, fosfato total, clorofila a, densidade de cianobactérias e densidade de microrganismos indicadores de contaminação fecal (NMP/100 mL). Portanto, embora a legislação vigente no Brasil não estabeleça concentrações limites para todos os parâmetros de qualidade da água, todos eles devem ser levados em consideração na concepção do sistema de tratamento, de maneira a garantir que os dispositivos dessa resolução sejam atendidos.

Uma vez definidas as alternativas para os sistemas de tratamento de esgoto que atendem às restrições quanto à qualidade do efluente a ser produzido, são elaborados os anteprojetos de cada uma das alternativas. Nessa fase dos trabalhos, a localização do sistema de tratamento já deve estar definida e o projetista já terá disponíveis todos os elementos indispensáveis para o anteprojeto, tais como topografia e dados geológicos/geotécnicos da área.

Os anteprojetos deverão apresentar todos os elementos que permitam avaliar os custos de implantação e de operação de cada uma das alternativas, uma vez que a seleção do sistema a ser adotado será baseada na análise financeira. Destaque-se, novamente, que todas as alternativas deverão ser similares quanto ao desempenho técnico.

Os **custos de implantação** incluem os seguintes itens principais: terreno, vias de circulação, sistemas de drenagem de águas pluviais, redes de água, redes de esgoto, edificações, construção das unidades de tratamento (impermeabilização, fundações, canalizações, superestrutura e fechamento, guarda-corpo e escadas), equipamentos, sistemas de comunicação, sistemas de monitoramento de desempenho e para automação (se necessária), paisagismo e projetos (Oliveira, 2004).

Os **custos de operação** incluem os seguintes itens principais: energia, funcionário envolvidos direta ou indiretamente, remoção do excesso de lodo (acondicionamento, transporte e destinação final), manutenção geral, produtos químicos (utilizados para desinfecção, higienização do lodo, outros processos, quando existentes), produtos de limpeza, reagentes, manutenção geral e depreciações (que são função da vida útil dos equipamentos e instalações).

Os sistemas em uso no Brasil divergem, em sua concepção geral, dos sistemas mais comumente utilizados nos Estados Unidos e na Europa, principalmente quanto à tecnologia utilizada na primeira unidade de tratamento biológico.

Nos sistemas baseados na tecnologia aeróbia (lodos ativados e filtros biológicos percoladores), a unidade de tratamento biológico é, necessariamente, precedida por decantadores primários para a remoção dos sólidos sedimentáveis e seguida por decantador secundário. Como o lodo primário e o lodo secundário apresentam elevado conteúdo de matéria orgânica não estabilizada, a destinação final do lodo só deve ser feita após o tratamento anaeróbio em digestores de lodo. A digestão do lodo permite a recuperação do gás metano, se sua utilização for de interesse.

A quantidade de lodo a ser transportado para o destino final é elevada, podendo chegar a 40% (em massa) da carga orgânica inicial em sistemas de lodos ativados. Nesses sistemas, o consumo de energia para aeração pode ser elevado, pois deve atender à demanda de oxigênio para estabilizar a matéria carbonácea presente no afluente e para nitrificação parcial ou total do nitrogênio amoniacal. No sistema de filtros biológicos percoladores, somente ocorrerá nitrificação em sistemas de baixa carga. Nesse caso, porém, as TAH são muito baixas, resultando em unidades de grande área superficial.

Os sistemas baseados na tecnologia anaeróbia (reator UASB e lagoa anaeróbia) dispensam o uso de decantadores primários, mas produzem efluentes que devem, necessariamente, ser submetidos a pós--tratamento aeróbio para remover a fração remanescente de matéria orgânica e de sólidos sedimentáveis, além da oxidação de compostos reduzidos (nitrogênio amoniacal e sulfetos, principalmente). A produção de lodo nesses sistemas é significativamente menor e, no caso dos sistemas baseados no reator UASB, pode atingir até 10% da carga orgânica inicial. Esse tipo de reator promove a separação dos gases, permitindo a recuperação do gás metano, se sua utilização se mostrar economicamente viável. A energia dispendida em reator aeróbio usado no pós-tratamento do efluente da unidade anaeróbia é menor que a necessária para a remoção de matéria orgânica em sistemas de lodos ativados porque recebe carga orgânica menor.

O sistema de lagoas fotossintéticas é de operação extremamente econômica, pois exigem mínima energia em suas unidades. Porém, são sistemas que exigem grande disponibilidade de área e topografia favorável, caso contrário, os custos de implantação podem ser muito superiores aos de outros sistemas mais compactos. As lagoas fotossintéticas são, ainda, pouco eficientes na remoção de nitrogênio amoniacal e os efluentes apresentam densidade elevada de algas. Nos sistemas de lagoas de estabilização, as lagoas anaeróbias estão sendo substituídas, em alguns casos, por reatores UASB. As lagoas anaeróbias, por serem unidades desprovidas de sistema de coleta dos gases, emitem gás metano diretamente para a atmosfera. O gás metano é um dos principais gases de efeito estufa, sendo cerca de 20 vezes mais potente que o CO_2. Por esse motivo, a análise ambiental mais elaborada das alternativas de tratamento tem barrado o uso de lagoas anaeróbias.

As opções de sistemas possíveis, no entanto, não são completamente definidas apenas a partir da escolha de um ou outro processo para a primeira unidade de tratamento biológico. Há grande número de combinações que podem ser feitas a partir da escolha inicial. A opção pelo reator UASB como primeira unidade de tratamento biológico, por exemplo, resulta grande número de alternativas em função das unidades complementares de pós-tratamento, inclusive com o uso de unidades baseadas em processos físico-químicos. Cabe ao projetista conhecer, em profundidade, o potencial e a limitação de uso de cada unidade de tratamento, para que possam ser definidas e projetadas as alternativas que entrarão na análise de custos.

Começa a ganhar corpo o conceito de sustentabilidade ambiental aplicada a sistemas de tratamento de águas residuárias em geral e de esgoto sanitário, em particular.

Em princípio, um sistema sustentável de tratamento de esgoto deveria atender aos seguintes requisitos:

- **proteção à saúde**, propiciando a remoção de patógenos;
- **proteção ambiental**;
- **remoção** de maneira eficiente, e com o menor consumo de energia possível, da **carga orgânica** por meio de processos que possam permitir a recuperação de gases combustíveis (por exemplo, metano e hidrogênio);
- **recuperação de nutrientes e subprodutos** (nitrogênio amoniacal, nitrito, nitrato, fosfato e enxofre).

Como tal, os reatores anaeróbios podem ser considerados o núcleo central de uma proposta que vise a aumentar a sustentabilidade ambiental de um sistema de tratamento de esgoto (Foresti et al., 2006).

A recuperação de fósforo do esgoto sanitário, por exemplo, deveria ser considerada prioritária, uma vez que esse insumo é essencial para a agricultura e para alguns processos industriais. O fósforo é obtido de jazidas de fosfato, que já estão sendo intensivamente exploradas. Prevê-se que os maiores produtores mundiais de fosfato terão suas jazidas esgotadas dentro de cinquenta a sessenta anos. Considerando-se que cada habitante elimina da ordem de 2 a 4 g P_{total}/d, a contribuição do esgoto para atender à demanda de fósforo para a agricultura, setor responsável pela produção de alimentos, poderia ser significativa.

Mas o fósforo é apenas um dos constituintes que pode ser recuperado do esgoto. Há, ainda, o nitrogênio e o enxofre, além dos gases hidrogênio e metano. Embora ainda em caráter de pesquisa fundamental, há a possibilidade de se produzirem outros compostos, como o biodiesel e os ácidos orgânicos de cadeia curta.

No entanto, é preciso realizar uma mudança de paradigma no que se refere ao tratamento de esgoto. Atualmente, o tratamento de esgoto é considerado um ônus para a população, que raramente entende a sua importância, e um grande problema para a administração pública no Brasil que, em geral, não considera prioritário o investimento em ETE durante os mandatos de governo.

O poder público no Brasil dificilmente terá condições de transformar uma ETE em uma unidade de recuperação de produtos com valor agregado para o mercado. Esse papel poderia ser exercido por companhias privadas, que seriam remuneradas pelo serviço de remoção de poluentes e estariam mais bem capacitadas para comercializar os produtos de interesse.

Se isso vier a ocorrer, novas possibilidades de desenvolvimento de sistemas de tratamento sustentáveis poderão ser desenvolvidas e as ETE, como as atualmente existentes, farão parte dos museus que contarão parte da história do controle da poluição das águas nos séculos XX e XXI.

REVISÃO DOS CONCEITOS APRESENTADOS

Uma estação de tratamento de esgoto (ETE) é constituída por unidades interligadas por canalizações, nas quais ocorrem operações de separação de constituintes, principalmente matéria particulada, presentes na fase líquida e de conversão de constituintes, presentes como matéria dissolvida, em produtos menos impactantes ao ambiente e em sólidos em suspensão, que podem ser removidos em operações posteriores. Nos processos biológicos, os microrganismos utilizam alguns dos principais constituintes do esgoto como fonte de energia e de material para a síntese celular. Portanto, só há a remoção dos poluentes se houver crescimento dos microrganismos, com a consequente produção de lodo biológico. O crescimento dos microrganismos forma a biomassa (ou lodo biológico), que deve ser mantida durante certo período de tempo no reator biológico. Esse tempo é definido como Tempo de Retenção Celular (TRC), ou idade do lodo. O crescimento é contínuo se o reator for alimentado continuamente, sendo que, atingido o valor de TRC em dias, o excesso de lodo (equivalente à massa produzida diariamente) deve ser removido do sistema. O TRC é, portanto, a razão entre a massa total de lodo presente no reator e a massa descartada por dia. Há uma relação intrínseca entre a velocidade global de remoção de matéria orgânica por dia e o valor de TRC. Ou seja, fixado o valor de TRC, a eficiência do processo estará determinada em função dos parâmetros cinéticos de crescimento da biomassa e da velocidade específica de utilização do substrato. Por serem os mais econômicos para a remoção de matéria orgânica, que é o principal poluente presente no esgoto, os processos biológicos são os mais amplamente utilizados. Há grande número de opções de sistemas de tratamento, que utilizam diferentes reatores biológicos. A escolha da melhor opção é feita com base em critérios técnicos e econômico-financeiros, após estudo detalhado das alternativas existentes, em função das características do local, dos custos de instalação, dos custos de operação e dos critérios de adequação ambiental. É importante destacar que as alternativas a serem estudadas devem apresentar desempenho equivalente quanto aos requisitos técnicos.

SUGESTÕES DE LEITURA COMPLEMENTAR

O tratamento de esgoto é tema de enorme interesse para a área ambiental e, embora em desenvolvimento desde o final do século XIX, vem ganhando importância crescente em decorrência do esgotamento progressivo dos da capacidade de absorção de cargas e autodepuração dos mananciais superficiais e da possibilidade de contaminação de mananciais subterrâneos. O desenvolvimento de novas tecnologias de tratamento é tema de pesquisa nas maiores universidades do mundo. Além da proteção ambiental, buscam-se alternativas para o reúso de esgoto pré-tratado na indústria, na agricultura e até no comércio, como já ocorre em alguns shopping centers do país. O livro *Wastewater Engineering: Treatment and Reuse*, da empresa de consultoria METCALF & EDDY, é uma das mais completas obras sobre o tema. A consulta sistemática a esse livro é essencial para quem pretende aprofundar seus conhecimentos em projeto de sistemas de tratamento de esgoto. Constam do livro, além dos fundamentos dos processos, os valores dos parâmetros cinéticos da maioria dos processos e os parâmetros empíricos de projeto. São também apresentados exercícios resolvidos para fixação dos conceitos e que facilitam o entendimento dos critérios utilizados no dimensionamento das unidades de tratamento.

A escolha de um determinado sistema de tratamento de esgoto dentre as várias alternativas estudadas é tarefa complexa e há pouca literatura nacional sobre esse tema. A tese de doutorado de Oliveira (2004), que está disponível na Biblioteca Digital de Teses da USP, enfoca o desenvolvimento de um modelo de tomada de decisão para a escolha da melhor alternativa. O modelo é baseado em critérios ecológicos e econômicos e usa técnicas de análise de decisão, tendo sido aplicado para diversas alternativas em diferentes cidades. Todas as alternativas estudadas estão descritas e apresentadas como figuras, o que permite compreender o papel de cada unidade em cada um dos sistemas propostos. Sugere-se, também, a leitura da dissertação de Leoneti (2009), que apresenta um modelo de tomada de decisão para escolha de sistema de tratamento de esgoto sanitário, disponível na Biblioteca Digital de Teses da USP.

O Brasil destaca-se entre os países que usam um reator anaeróbio como primeira unidade de tratamento biológico para tratamento de esgoto sanitário. O Projeto PROSAB, financiado por FINEP, CNPq e Caixa Econômica Federal, criou redes cooperativas no desenvolvimento do conhecimento sobre tratamento de esgoto, com ênfase no tratamento anaeróbio, no pós-tratamento de efluentes de reatores anaeróbios e no uso agrícola de esgotos pré-tratados. Foram produzidos vários livros no tema "Esgoto", um para cada Edital lançado. Todos os livros estão disponíveis em http://www.finep.gov.br/apoio-e-financiamento-externa/historico-de-programa/prosab/produtos.

Em 2006, foi publicado, pela Springer, um volume especial do periódico *Reviews in Environmental Science and Bio/Technology* sob o título "*Anaerobic technology as the core technology for sustainable domestic sewage treatment*". São apresentados sete capítulos, sendo um de introdução, três de fundamentos do processo e três de engenharia do processo. O volume está disponível on-line através do link<https://link.springer.com/journal/11157/5/1>. Três dos sete artigos foram escritos por pesquisadores brasileiros. A sustentabilidade dos sistemas de tratamento de esgoto é o principal tema desse volume especial e deve interessar a todos os engenheiros ambientais.

Referências

BARNARD, J.L. (1976) A review of biological phosphorus removal in the activated sludge process. *Water SA.* v. 2, n. 3, p. 136-144.

BRASIL. Resolução Conama no 357, de 17 de março de 2005. D.O.U., Brasília, Seção I, p. 58-63, de 18 de março de 2005.

BRASIL. Resolução Conama no 430, de 13 de maio de 2011. D.O.U., Brasília, de 16 de maio de 2011.

FORESTI, E., ZAIAT, M., VALLERO, V. (2006) Anaerobic process as the core technology for sustainable domestic wastewater treatment; consolidated applications, new trends, perspectives and challenges. *Reviews in Environmental Science and Bio/Technology*, v. 5, n. 1, p. 3-19.

LAWRENCE, A.W., McCARTY, P.L. (1970) Unified basis for biological treatment design and operation. *Journal Sanitary Engineering Division.* American Society of Civil Engineers, v. 96, n. SA3.

LETTINGA, G., VAN VELSEN, A.F.M., HOBMA, S.W., de ZEEUW, W.J., KLAPWIJK, A. (1980) Use of the Upflow Sludge Blanket (USB), Upflow Sludge Blanket (USB) Reactor Concept for Biological Wastewater Treatment. *Biotechnology and Bioengineering*, v. 22, p. 699-734.

LEONETI, A.B. (2009) Avaliação de modelo de tomada de decisão para escolha de sistema de tratamento de esgoto sanitário. Dissertação de Mestrado (USP).

McCARTY, P.L. (1982) One Hundred Years of Anaerobic Treatment. In: HUGHES, D. E.; STAFFORD, D.A., WHEATLY, B.I., BAADER, W., LETTINGA, G., NYNS, E.J., VERSTRAETE, W. (editores). Proceedings of the Conference Anaerobic Digestion 1981. Elsevier Biomedical Press.

METCALF & EDDY. (2003) Inc. Wastewater engineering: treatment and reuse. McGraw-Hill, 1819p.

OLIVEIRA, S.V.W.B. (2004) Modelo para tomada de decisão na escolha de sistema de tratamento de esgoto sanitário. Tese de Doutorado. Universidade de São Paulo (USP), 197p.

PARKER, C.D., JONES, H.L., TAYLOR, J.S. (1950) Purification of sewage in ponds. *Sewage and Industrial Wastes*, v. 22, n. 6, p. 760-775.

Programa de Pesquisa em Saneamento Básico (PROSAB). (2006) *Tratamento e utilização de esgoto sanitário*. ABES. Coordenadores: Lourdinha Florêncio, Rafael K. X. Bastos e Miguel A. Aisse. ABES, 403p.

YOUNG, J.C., McCARTY, P.L. (1969) The Anaerobic Filter for Waste Treatment. *Journal Water Pollution Control Federation*, v. 41, n. 5, p. 160-173.

TRATAMENTO DE ÁGUAS RESIDUÁRIAS INDUSTRIAIS

Eduardo Cleto Pires / Márcia Helena Rissato Zamariolli
Damianovic / Valéria Del Nery

A diversidade dos modernos setores industriais e de seus múltiplos processos de fabricação gera desde efluentes líquidos biodegradáveis até rejeitos completamente não biodegradáveis. A partir desta constatação, apresentam-se alguns exemplos de sistemas de tratamento de águas residuárias industriais, nos quais se observa semelhança com o tratamento de esgoto sanitário. Em seguida, é introduzido um exemplo de sistema de tratamento de efluente industrial não biodegradável, proveniente da eletrodeposição de cromo em oficinas de galvanoplastia. Por fim, são abordados os princípios gerais de algumas das tendências encontradas no tratamento de efluentes industriais, como o uso da água residuária como fonte de matéria-prima, os processos de separação por membranas e os processos oxidativos avançados.

19.1 INTRODUÇÃO

O leitor do Capítulo 18 aprendeu que os esgotos sanitários se caracterizam pelo conteúdo biodegradável relativamente uniforme, tanto ao longo do tempo quanto entre as diferentes comunidades urbanas. Os efluentes industriais, por sua vez, podem ser **biodegradáveis**, com características parecidas às dos esgotos sanitários (como os efluentes de indústrias do segmento alimentício), até completamente **não biodegradáveis**, como aqueles das indústrias de tratamento superficial de produtos metálicos, exemplificadas principalmente pelas galvanoplastias.

As águas residuárias industriais são efluentes provenientes de operações e processos em que se faz uso da água sem que esta fique incorporada ao produto (como águas de lavagens) e da parcela líquida contida na matéria-prima e removida nos processos industriais (como a vinhaça da produção de etanol).

Ficam acrescidas às águas residuárias substâncias que conferem qualidades físicas, químicas e biológicas correspondentes a sua utilização e geração. Os efluentes industriais apresentam grande diversidade de características, relacionadas com a presença de diferentes contaminantes e à gestão do uso de água e de resíduos, o que dificulta generalizações mesmo dentro de um setor industrial. Assim, comumente são requeridas estratégias direcionadas a remoções de contaminantes específicos.

Os efluentes industriais, como os do segmento alimentício, de papel e celulose e sucroalcooleiro, apresentam conteúdo predominantemente orgânico e são considerados biodegradáveis. Os efluentes não biodegradáveis são caracterizados pelo conteúdo orgânico recalcitrante ou por serem efluentes predominantemente químicos, como os de galvanoplastia.

Os sistemas de tratamento de águas residuárias estão inseridos entre as fontes geradoras e os locais para disposição final dos efluentes (corpos de água receptores ou o solo) e visam a minimizar os efeitos deletérios causados ao ambiente pelo aporte de substâncias em concentrações indesejáveis. O projeto de sistemas de tratamento é um dos mais desafiadores aspectos da engenharia ambiental. Projetistas e pesquisadores envolvidos no tema de sistemas de tratamento de águas residuárias industriais deparam-se com grandes desafios para propor alternativas de mitigação do efeito do lançamento e/ou reúso de efluentes industriais. Sistemas de tratamento de efluente industrial devem ser integrados ao processo produtivo, considerando, previamente, medidas de minimização de vazão, de contaminação e de carga orgânica por meio de modificações racionais no processo industrial. A gestão ambiental em empresas será alvo de estudo no Capítulo 30.

A etapa inicial para elaboração de projeto de sistema de tratamento de efluentes industriais deve contemplar o **inventário e as modificações no processo industrial** a partir da determinação de vazões, das cargas de contaminantes, da identificação da possibilidade de reciclagem e de reúso de água no processo industrial e, por fim, da possibilidade de recuperação de subprodutos. Os sistemas de tratamento são compostos por várias unidades, cada uma delas cumprindo objetivos específicos. O **grau de tratamento** exigido para os diversos tipos de água residuária pode ser determinado comparando-se as características da água residuária bruta com as exigências previstas na legislação, respeitando os **padrões de emissão e de qualidade** do corpo receptor e as características necessárias para reciclagem ou reúso da água, que será alvo de uma análise detalhada no Capítulo 20.

A elaboração de projetos exige estudos de alternativas de tratamento que considerem as características das operações e dos processos envolvidos e as potencialidades da indústria em relação à absorção dos custos, à disponibilidade de mão de obra local para operação e manutenção e a outros fatores que sejam considerados importantes pelo projetista ou pelo proprietário das instalações. Resumidamente, as alternativas de sistema de tratamento devem ser baseadas em critérios **técnicos**, **econômicos** e **legais**.

A tendência atual de diversos segmentos industriais está pautada na redução da geração dos efluentes, na reciclagem e reúso e no aproveitamento de subprodutos com foco na cogeração de energia. Para que o leitor tenha uma apreciação dos processos de tratamento de águas residuárias industriais, dividimos este capítulo em duas seções principais: a primeira aborda os efluentes industriais biodegradáveis, e a segunda, os não biodegradáveis. Para encerrar o capítulo, apresentamos algumas das novas tendências e tecnologias que estão se consolidando no mercado, exemplificadas aqui pelos processos de filtração em membranas e pelos processos oxidativos avançados.

19.2 SELEÇÃO DOS PROCESSOS DE TRATAMENTO

O leitor já foi apresentado, no capítulo anterior, a algumas das diretivas que auxiliam na proposição do fluxograma de sistema de tratamento de esgoto sanitário. Procedimento semelhante é utilizado para definir o sistema de tratamento de águas residuárias industriais. O primeiro passo é a caracterização quantitativa e qualitativa da água residuária, visando a conhecer as frações biodegradáveis ou não biodegradáveis e demais componentes a serem removidos.

No caso de efluentes biodegradáveis, é importante conhecer a relação entre as frações facilmente biodegradáveis e as pouco ou não biodegradáveis. A **relação Demanda Bioquímica de Oxigênio/ Demanda Química de Oxigênio (DBO/DQO)** é a mais comumente utilizada para verificação do conteúdo orgânico biodegradável. Quanto mais próximo da unidade, maior é a fração de componentes biodegradáveis existente na água residuária, o que direciona à escolha por processos biológicos de tratamento. Considera-se que relações de DBO/DQO maiores que 0,3 indicam que a água residuária é passível de ser tratada por processo biológico, enquanto valores menores que 0,15 indicam que dificilmente o tratamento biológico pode ser aplicado. Esses valores não são absolutos e, em especial, deve ser avaliada a presença de compostos tóxicos aos microrganismos usados nos processos biológicos de tratamento. Na presença de compostos tóxicos, o tratamento biológico deve ser precedido de etapa para remoção desses componentes ou, quando possível, de adaptação dos microrganismos à presença dos tóxicos.

As águas residuárias geradas pela agroindústria, exemplificadas pela indústria de abate de animais e frigoríficos, indústrias de papel e celulose e indústria sucroalcooleira, são consideradas biodegradáveis. A remoção de matéria orgânica presente nestas águas residuárias pode ser realizada por processos biológicos aeróbios e anaeróbios singulares ou combinados. De acordo com as características da água residuária industrial, os sistemas biológicos podem ser precedidos de unidades para remoção de sólidos e gorduras. Os processos biológicos vastamente utilizados são lodos ativados e suas variantes, filtros biológicos, lagoas de estabilização e reatores anaeróbios de fluxo ascendente com manta de lodo.

Os efluentes não biodegradáveis, em geral, requerem caracterização detalhada para definição de processos físico-químicos destinados à formação de precipitados e sua posterior remoção por operações físicas de separação. Alternativamente, para baixas concentrações dos poluentes, podem ser indicados processos de absorção ou adsorção, sistemas de filtração, osmose reversa ou resinas de troca iônica. São exemplos típicos de efluentes não biodegradáveis, os resultantes de processos eletrolíticos de deposição de metais e de indústrias do ramo eletromecânico.

Grandes complexos industriais podem gerar, simultaneamente, efluentes biodegradáveis e não biodegradáveis e, dependendo de suas características, o tratamento segregado dessas águas residuárias é recomendado. A Figura 19.1 apresenta um fluxograma simplificado que auxilia na seleção de sistema de tratamento. Destaca-se, mais uma vez, que, antes de proceder à avaliação de alternativas de tratamento, deve ser verificada a possibilidade de controle na fonte, minimizando a geração dos efluentes. Essa é uma atividade que exige conhecimento detalhado dos processos industriais e, por isso, foge do escopo do presente capítulo.

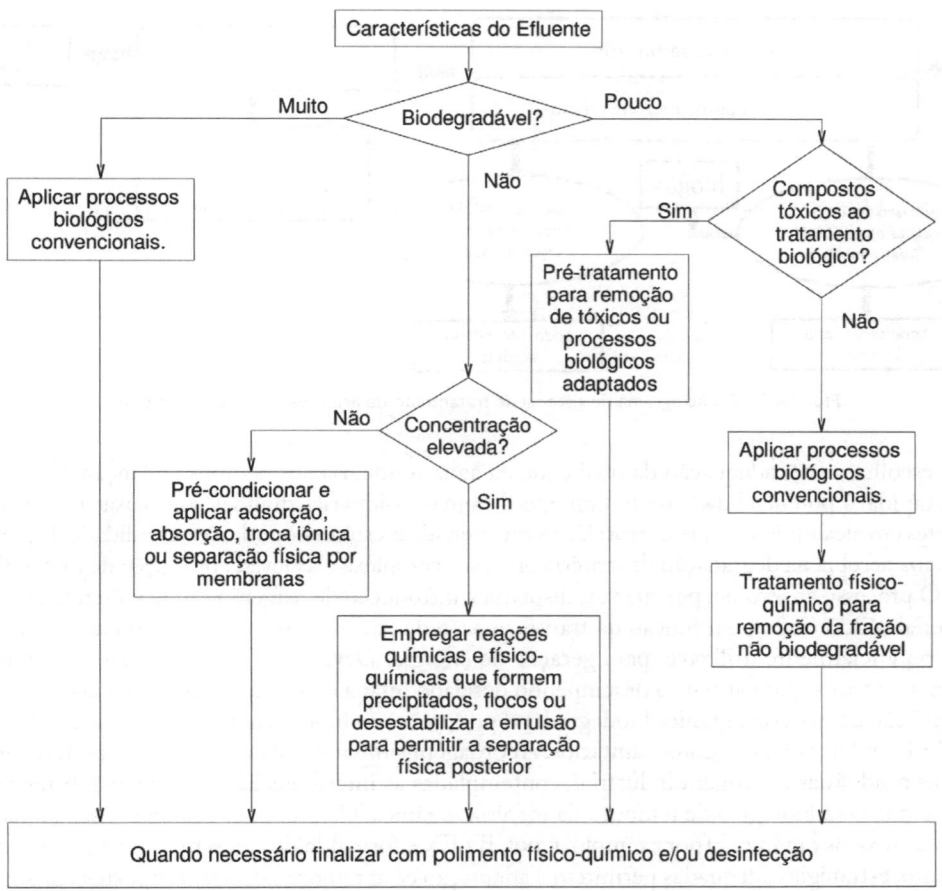

FIGURA 19.1 Fluxograma simplificado para seleção do processo de tratamento a ser aplicado a uma água residuária industrial.

19.3 TRATAMENTO DE ÁGUAS RESIDUÁRIAS BIODEGRADÁVEIS

Independentemente do grau de biodegradabilidade de uma água residuária, pode ser necessária a implantação de unidades de tratamento preliminar-primário (anteriormente aos reatores biológicos) para remoção de sólidos grosseiros, sólidos finos e gorduras, entre outros, que afetam negativamente o desenvolvimento dos processos biológicos e físico-químicos. As unidades de tratamento preliminar e primário usuais são grades, peneiras, caixa de retenção de gorduras, sistema de flotação e decantadores com ou sem auxiliar químico. Muitas vezes, para atendimento à legislação, pode ser necessária a implantação de sistema terciário de tratamento para remoção de matéria orgânica remanescente, nutrientes e microrganismos (Figura 19.2).

Nesse item, são apresentados os sistemas destinados ao tratamento de águas residuárias orgânicas geradas no segmento da agroindústria, como abate de animais, produção de papel e celulose e sucroalcooleira. Além dos compostos orgânicos biodegradáveis, a presença de compostos orgânicos nitrogenados, sulfurosos e tóxicos define a complexidade dos sistemas de tratamento aplicados a esse tipo de indústria.

A utilização de processos aeróbios, anaeróbios/anóxicos, separadamente ou combinados, possibilita a remoção da matéria orgânica biodegradável, nutrientes e demais poluentes. O processo aeróbio pode ser a

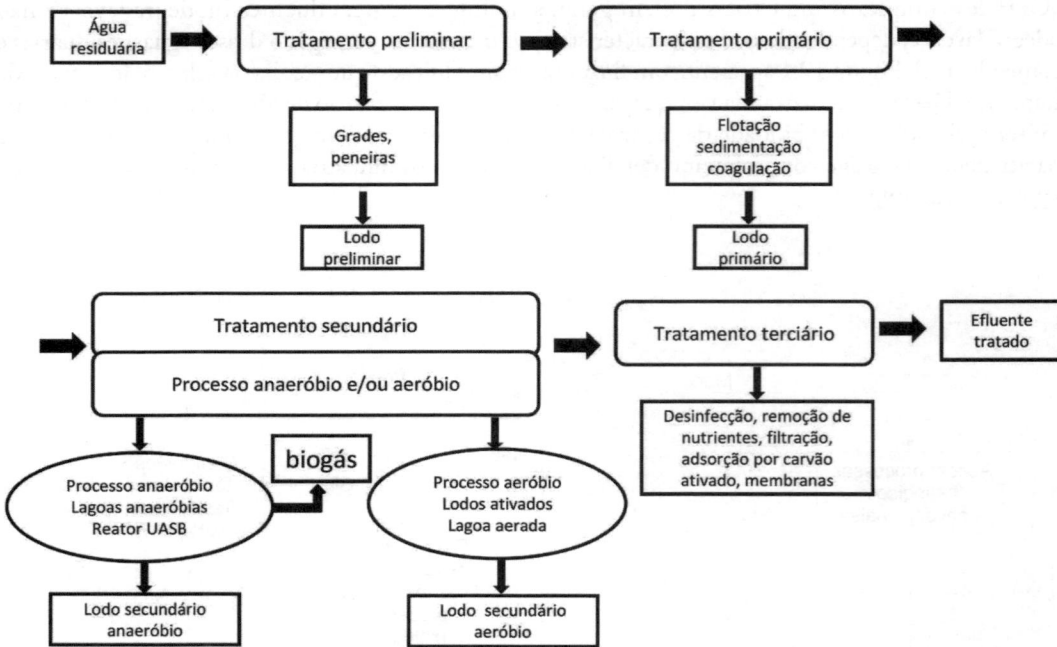

FIGURA 19.2 Fluxograma de sistema de tratamento de água residuária biodegradável.

melhor escolha para a adequação da qualidade da água residuária aos padrões de lançamento devido à partida rápida, à potencialidade de tratamento de águas residuárias diluídas, em baixas temperaturas e deficientes em alcalinidade, entre outros. Essas características estão associadas à versatilidade da população microbiana aeróbia na degradação de matéria orgânica complexa e à elevada produção de material sólido (lodo). O processo anaeróbio, por sua vez, dispensa a introdução de oxigênio e gera reduzida quantidade de material sólido (lodo), em função da transformação de parcela expressiva do conteúdo orgânico em biogás, potencialmente utilizável para geração de energia. Devido à síntese mais lenta de biomassa, requer maior tempo para atingir o desempenho desejado (etapa conhecida como partida do sistema).

A remoção de matéria orgânica biodegradável por processos biológicos foi amplamente explorada no Capítulo 18, referente aos esgotos sanitários. Abordagem similar é dada à remoção de matéria orgânica em águas residuárias de origem industrial, contempladas as interferências das demais substâncias presentes no processo biológico de remoção da matéria orgânica. Os processos biológicos são afetados por compostos tóxicos orgânicos (por exemplo, fenol, BTEX e formaldeído) presentes nas águas residuárias. Entretanto, estratégias adequadas permitem a adaptação e/ou remoção desses compostos em ambientes aeróbios, anaeróbios ou em ambos.

A atual tendência de reúso e reciclagem de águas residuárias industriais, que pode resultar em acúmulo de sais como o sulfato, sulfeto, nitrato, entre outros, e as exigências restritivas da legislação ambiental, impõem a adequação dos sistemas de tratamento, com enfoque na remoção de compostos nitrogenados e sulfurosos. A descarga de efluentes contendo esses compostos limita a possibilidade de reúso e afeta diretamente o ambiente, principalmente devido à toxicidade, propriedades corrosivas, odor desagradável e demanda de oxigênio, ocasionando a deterioração de corpos de água.

19.3.1 Remoção de Compostos Nitrogenados

Nitrogênio inorgânico (amônia) e nitrogênio orgânico (ureia e aminoácidos) são os principais compostos nitrogenados presentes em águas residuárias. A remoção destes compostos é necessária para evitar a eutrofização e a alteração das características da qualidade da água nos corpos receptores.

A remoção biológica de compostos nitrogenados presentes em águas residuárias ocorre por **nitrificação** e **desnitrificação**, segundo o ciclo biogeoquímico do nitrogênio no ambiente, que foi visto em detalhes no Capítulo 7. Nos reatores utilizados no tratamento de águas residuárias, com as condições ambientais e operacionais controladas, estas reações podem ocorrer em intervalo de tempo reduzido.

Na nitrificação, reação mediada por bactérias autotróficas, conforme as Equações 19.1 e 19.2, ocorre a oxidação biológica do amônio (NH_4^+), formando nitrato (NO_3^-) como produto final. A nitrificação é um processo aeróbio em duas etapas, em que a oxidação de 1 mg de NH_4^+ a NO_2^- (nitritação) requer

3,43 mg de O_2 e, a oxidação de 1 mg de NO_2^- a NO_3^- (nitração) requer 1,14 mg de O_2. A disponibilidade de bicarbonato é indispensável para o fornecimento de alcalinidade e carbono inorgânico. Normalmente, a nitrificação é a etapa limitante do processo de remoção de nitrogênio, devido ao crescimento lento das bactérias nitrificantes e a sua relação direta com a temperatura.

$$2NH_4^+ + 3O_2 \rightarrow 2NO_2^- + 2H_2O + 4H^+ \qquad \text{Equação 19.1}$$

$$2NO_2^- + O_2 \rightarrow 2NO_3^- \qquad \text{Equação 19.2}$$

Na desnitrificação heterotrófica, cujas principais reações sequenciais são apresentadas nas equações 19.3 e 19.4, bactérias oxidam o carbono orgânico utilizando o nitrato como aceptor de elétrons sob condições anóxicas, produzindo N_2 como produto final.

$$2NO_2^- + 6H^+ \rightarrow N_2 + 2OH^- + 2H_2O \qquad \text{Equação 19.3}$$

$$2NO_3^- + 10H^+ \rightarrow N_2 + 2OH^- + 4H_2O \qquad \text{Equação 19.4}$$

A amônia tem efeito inibidor sobre as bactérias nitrificantes, principalmente na forma não ionizada, NH_3. O equilíbrio entre as concentrações do íon amônio (NH_4^+) e amônia livre é diretamente influenciado pelo pH e pela temperatura. O controle dessas condições ambientais e a adaptação dos microrganismos são determinantes para que o processo ocorra adequadamente. A faixa ótima de pH para ocorrência da nitrificação é de 7,5 a 8,5. Quanto mais elevado o pH, maior a fração do íon da amônia livre (NH_3). A faixa de pH recomendada para desnitrificação situa-se entre 6,0 e 9,0.

A etapa de desnitrificação depende da disponibilidade de doadores de elétrons, que no caso da desnitrificação heterotrófica pode ser o carbono orgânico, presente na água residuária ou adicionado, como, por exemplo, o etanol. A disponibilidade de elétrons deve atender à demanda, calculada estequiometricamente para redução das formas oxidadas (nitrato ou nitrito) a nitrogênio gasoso. Outra via para desnitrificação é a autotrófica, em que, por exemplo, o sulfeto pode atuar como doador de elétrons. Essa via será abordada posteriormente quando se tratar da integração dos ciclos do nitrogênio e do enxofre.

Novas tecnologias empregadas para a remoção de compostos nitrogenados têm sido propostas, com base em rotas biológicas alternativas para oxidação da amônia e conversão ao nitrogênio gasoso.

O **processo ANAMMOX**, que se baseia na oxidação anaeróbia da amônia utilizando o nitrito como aceptor de elétrons, requer menos oxigênio para a nitrificação, interrompida em nitrito, e dispensa fonte externa de carbono para a desnitrificação. Apesar das vantagens citadas, o processo ANAMMOX é limitado pela baixa velocidade de crescimento das bactérias e pela demanda de nitrito. O processo destina-se à remoção de elevadas concentrações de nitrogênio amoniacal, como encontrada em águas residuárias de abatedouros, efluentes de digestores de lodo, entre outros.

Outro processo de remoção biológica de nitrogênio que merece atenção é a **nitrificação e desnitrificação simultâneas** (NDS), em que os processos de oxidação da amônia e redução das formas oxidadas (nitrito e nitrato) ocorrem em uma mesma unidade. A ocorrência dos dois processos simultaneamente é possível devido à presença de região anóxica na camada interna de biofilmes, formados em materiais suportes inseridos nos reatores. Nas camadas externas, em contato com o meio aerado, desenvolve-se a biomassa nitrificante e nas camadas internas, onde o oxigênio não consegue chegar por difusão, desenvolve-se a biomassa desnitrificante. Processos simultâneos de nitrificação e desnitrificação (SND) apresentam vantagens sobre os sistemas em que esses processos ocorrem separadamente, uma vez que ambos os processos acontecem no mesmo ambiente e sob as mesmas condições operacionais. Em plantas operadas em processo contínuo, o NDS possibilita a redução de custos e dispensa a construção de unidade destinada à etapa anóxica. O processo NDS também apresenta vantagens em relação à limitação da adição de fonte externa de álcali, que é gerado durante a desnitrificação.

19.3.2 Remoção de Compostos Sulfurosos

Entre os compostos sulfurosos presentes em águas residuárias, estão o ácido sulfúrico (usado como agente de digestão em processo *kraft* de indústria de papel), o tiossulfato (usado no branqueamento em indústria de papel) e o dióxido de enxofre (usado no branqueamento de açúcar ou como sequestrador de oxigênio). Nos abatedouros de aves, o nitrogênio e o enxofre estão presentes na composição da matéria orgânica de origem proteica.

A remoção biológica de compostos de enxofre de águas residuárias apresenta interesse crescente, principalmente pela redução de custos associados em relação às tecnologias que utilizam processos físicos e químicos e pela possibilidade de reutilização do enxofre elementar. Ocorre por **reações sequenciais de oxirredução**, segundo o ciclo biogeoquímico do enxofre (Capítulo 7). Sob anaerobiose, ocorre conversão das formas mais oxidadas de enxofre a sulfeto (Equações 19.5 e 19.6). Nas décadas de 1970 e 1980, foi dada ênfase à prevenção ou minimização do processo de redução de sulfato em sistemas de tratamento anaeróbio de águas residuárias contendo este íon, em função dos efeitos deletérios ao processo metanogênico, entendido como a principal rota para degradação da matéria orgânica, e do processo de geração de produtos com características indesejadas, como o H_2S. A relação DQO/sulfato é um dos fatores determinantes para o estabelecimento da redução de sulfato. O valor de 0,67 indica, teoricamente, que há sulfato suficiente no meio para que toda matéria orgânica seja oxidada pelas bactérias redutoras de sulfato (BRS), que geram dióxido de carbono, sulfeto e água como produtos finais. Para águas residuárias em que o conteúdo de matéria orgânica supera o valor utilizado na sulfetogênese, como no efluente de indústria de papel e vinhaça, a participação de arqueas metanogênicas (produtoras de metano) é indispensável para remoção da matéria orgânica remanescente. A aplicação de medidas operacionais adequadas possibilita a integração da metanogênese com a redução de sulfato, segundo rotas de biodegradação consideradas complexas. Em reatores anaeróbios em escala real tratando águas residuárias orgânicas ricas em sulfato, os processos de sulfetogênese e metanogênese coexistem.

$$3SO_4^{-2} + 2CH_3CH_2O \rightarrow 3HS^- + 3HCO_3^- + 3H_2O + CO_2 \qquad \text{Equação 19.5}$$

$$SO_4^{-2} + 2CH_3CH_2OH \rightarrow 2CH_3COOH + S^{-2} + 2H_2O \qquad \text{Equação 19.6}$$

O sulfeto gerado na redução do sulfato é emitido na fase gasosa ou permanece na fase líquida em função das condições ambientais (sobretudo do pH). Diferentemente da desnitrificação, em que o produto final (N_2) pode ser dispensado para a atmosfera, o gás sulfeto apresenta efeito tóxico, odor desagradável e alto poder de corrosão. Diversas medidas para mitigar os efeitos deletérios do sulfeto são propostas. Alternativas como *air stripping* (Capítulo 17), precipitação química e oxidação têm sido comumente utilizadas para remoção de sulfeto de águas residuárias. Os processos oxidativos empregados para remoção de sulfeto utilizam aeração (catalisada ou não), cloração, ozonização, tratamento com permanganato de potássio ou peróxido de hidrogênio. Nesses processos, além de enxofre elementar, podem ser formados tiossulfato e sulfato. Essas tecnologias demandam grande disponibilidade de energia e geram compostos e resíduos secundários tóxicos.

Como opção, o sulfeto gerado pode ser oxidado biologicamente em ambiente aeróbio ou anóxico a enxofre elementar (insolúvel) e ser removido das correntes líquida (efluente tratado) e gasosa (biogás) ou reoxidado a sulfato, conforme as Equações 19.7 e 19.8, respectivamente.

$$2HS^- + O_2 \rightarrow 2S^0 + 2OH^- \quad \Delta G = -169,35 \, KJ/mol \qquad \text{Equação 19.7}$$

$$2HS^- + 4O_2 \rightarrow 2SO_4^{-2} + 2H^+ \quad \Delta G = -732,58 \, KJ/mol \qquad \text{Equação 19.8}$$

A utilização da biotecnologia para remoção de sulfeto oferece como vantagens os custos reduzidos de investimento, baixa necessidade de energia, reduzida geração de resíduo secundário e possibilidade de conversão direta de sulfeto a enxofre elementar. Bactérias do gênero *Thiobacillus* estão entre os organismos presentes na natureza com capacidade de oxidar compostos inorgânicos de enxofre. *Thiobacillus* possui requerimentos nutricionais simples, com potencial de oxidação de sulfeto, sulfito e enxofre elementar. Sob baixa concentração de oxigênio (< 0,1 mg/L) e consequente baixo consumo de energia, o enxofre elementar (S^0), substância insolúvel, é o principal produto da oxidação do sulfeto. Entre os processos de separação disponíveis estão: filtração, flotação, extração, processo de membrana e sedimentação, que é considerado o método mais viável economicamente e tecnicamente desde que sejam formadas partículas mais densas que a água. Dados relativos à manutenção da estabilidade por longos intervalos de tempo dos processos integrados (condição necessária para ser considerada opção tecnológica) e técnicas adequadas de controle da geração e separação do enxofre elementar ainda estão em fase de desenvolvimento.

Os ciclos do nitrogênio e do enxofre podem interagir de diversas formas, sendo de particular importância a interação que ocorre pela ação de microrganismos quimioautotróficos capazes de promover a desnitrificação, utilizando compostos oxidados de nitrogênio como receptores de elétrons e compostos inorgânicos reduzidos de enxofre como doadores de elétrons. Este processo alternativo de desnitrificação apresenta como principais vantagens, em relação à desnitrificação heterotrófica (que necessita de matéria orgânica), menor produção de lodo, necessidade de controle menos rígido de dosagem de doadores de elétrons, e doadores de elétrons mais baratos que materiais orgânicos como metanol ou etanol. Além disso, os doadores de elétrons podem ser provenientes da própria água residuária, como é o caso de efluentes contendo sulfeto em sua composição. A utilização do processo como pós-tratamento de efluentes de reatores anaeróbios também tem merecido atenção dos pesquisadores. A oxidação de sulfeto por bactérias desnitrificantes quimiolitoautotróficas pode levar à formação de enxofre elementar ou sulfato, em função das condições fisiológicas, de acordo com as duas equações a seguir.

$$S^{2-} + 0,4NO_3^- + 2,4H^+ \rightarrow S^0 + 0,2N_2 + 1,2H_2O \; \Delta G = -191,0\,kJ\,/\,reação \quad \text{Equação 19.9}$$

$$S^{2-} + 1,6NO_3^- + 1,6H^+ \rightarrow SO_4^{2-} + 0,8N_2 + 0,8H_2O \; \Delta G = -743,9\,kJ\,/\,reação$$
$$\text{Equação 19.10}$$

19.3.3 Características de Águas Residuárias Industriais

Águas residuárias industriais biodegradáveis apresentam diversidade de características relacionadas com os diversos segmentos industriais (Tabela 19.1).

TABELA 19.1 Características de águas residuárias industriais predominantemente orgânicas

Segmento industrial	pH	DQO (mg/L)	DBO (mg/L)	O&G (mg/L)	NT (mg N/L)	Nam (mg N/L)	PT (mg PO_4^{3-}/L)	Sulfato (mg SO_4^{2-}/L)	Sulfeto (mg S^{2-}/L)
Abatedouro de frango	6,5-7,5	2.400-5.000	1.200-2.700	70-310	100-370	30-110	10-55	–	–
Abatedouro de bovinos	6,6-7,5	4.000	1.100-5.500	270	180	–	25	–	–
Abatedouro de suínos	6,6-7,6	2.500	570-1.700	150	150	–	25	–	–
Refrigerante	4,5-5,8	1.000-11.300	800-6.800	–	4-34	1-10	2-20	–	–
Graxaria: efluente de lavagem de pisos e caminhões	5,6-7,1	3.715-33.000	2.394-18.600	313-1.836	1.085-4.216	326-1.133	59-584	100-330	6-20
Graxaria: efluente do condensador do digestor de vísceras	8,4-9,7	446-3.680	471-2.611	40-91	369-1.877	300-1.004	0,01-4,8	18-29	0,5-29
Graxaria: efluente do condensador do digestor de penas	9,0-9,7	1.672-3.345	947-2.915	51-104	443-1.626	404-1.294	0,01-4,0	75-200	124-560
Reciclagem de papel	5,0-6,0	7.800-15.950	3.960-15.950	–	–	–	–	220-600	–
Açúcar e álcool (misto)	3,9-4,6	31.500-45.000	19.800	–	370-710	–	100-380	300-3.800	–
Álcool (caldo)	3,5-4,6	15.000-33.000	6.000-16.500	–	150-1.200	–	10-2.100	600-800	–
Açúcar (melaço)	3,0-5,4	65.000-150.000	25.000-60.000	–	450-200	–	70-1.200	2.000-6.800	–

O&G: óleos e graxas; NT: nitrogênio total; Nam: nitrogênio amoniacal; PT: fósforo total.

Um exercício importante é a verificação do potencial poluidor de águas residuárias industriais comparativamente aos esgotos sanitários.

*O leitor deve recordar que esgotos sanitários concentrados atingem concentração de matéria orgânica em torno de 400 mg/L como DBO e 800 mg/L como DQO e que um indivíduo gera, em média, 54 gDBO/dia (180L esgoto/dia * 300 mgDBO/L).*

Assim, a população equivalente de uma destilaria de álcool que produz 250.000 L de etanol por dia, gerando 3.500 m³/dia de vinhaça, é de aproximadamente um milhão de habitantes.

19.3.4 Estudos de Caso

Os estudos de casos apresentados neste capítulo trazem fluxogramas, projetos e dados operacionais de sistemas de tratamento de águas residuárias em **escala plena**. São apresentados dados de vazão, volume, eficiência das unidades, além de dados médios de monitoramento com caracterização físico-química do afluente e do efluente das unidades e a comparação do efluente final com os padrões de lançamento exigidos pela legislação.

Os padrões do efluente final de sistemas de tratamento de água residuárias, lançado direta ou indiretamente em corpos hídricos receptores, são apresentados no Decreto nº 8.468, de 8 de setembro de 1976, que dispõe sobre a Prevenção e o Controle da Poluição do Meio Ambiente no estado de São Paulo (Artigos 18 e 19), e na Resolução nº 357 de 2005 do Conselho Nacional do Meio Ambiente (CONAMA), que dispõe sobre a classificação dos corpos de água e diretrizes ambientais para o seu enquadramento e estabelece as condições e padrões de lançamento de efluentes (Artigo 34). A Resolução Conama nº 430, de 13 de maio de 2011, que dispõe sobre as condições e padrões de lançamento de efluentes, complementou e alterou a Resolução nº 357 (Artigo 16), conforme visto no Capítulo 18. As tecnologias disponíveis devem ser utilizadas para que o efluente do sistema de tratamento de águas residuárias atenda aos padrões de qualidade especificados.

Os padrões de lançamento utilizados nos estudos de caso apresentados são: pH entre 5-9; concentração máxima de 100 mg/L (para óleos e graxas), de 20 mg/L (para óleo mineral) e 50 mg/L (óleos animais e vegetais); concentração máxima de nitrogênio amoniacal de 20 mg/L. A DBO deve ter o valor máximo de 60 mg/L ou a eficiência de remoção de DBO do sistema de tratamento global deve ser igual ou superior a 80%. O lançamento de efluente final de sistema de tratamento de águas residuárias diretamente em corpos hídricos receptores não pode alterar o padrão de qualidade do corpo receptor. A título de exemplo, corpos hídricos de Classe 2 devem apresentar valores de DBO de até 5 mg/L em qualquer amostra coletada a jusante dos lançamentos.

Estudos de Caso 1 e 2: Abatedouro de Aves

A indústria de abate de animais caracteriza-se por elevado uso de água no processo industrial e pela geração de águas residuárias com significativas concentrações de matéria orgânica, óleos e graxas e sólidos em suspensão. As características dos efluentes variam de acordo com o tipo de animal e a quantidade de água utilizada por animal abatido. As águas residuárias industriais são geradas nas operações de higienização do processo industrial, de equipamentos e das instalações.

A indústria brasileira de abate de frango atingiu, em 2017, a produção de 13,056 milhões de toneladas de carne, colocando o Brasil como segundo produtor e primeiro exportador mundial. Em geral, sistemas de tratamento de águas residuárias de abatedouros de aves são constituídos por unidades para remoção de sólidos grosseiros, sólidos em suspensão e óleos e graxas (por tratamento biológico anaeróbio e/ou aeróbio) e, caso necessário, tratamento terciário para remoção de matéria orgânica remanescente e nutrientes. Como o processo é intermitente com vazões e concentrações variáveis, pode ser utilizado tanque de equalização.

São apresentados dois estudos de casos de sistema de tratamento de águas residuárias de abatedouro de aves com fluxogramas distintos.

O primeiro estudo de caso refere-se a um sistema de tratamento da água residuária industrial constituído por conjunto de peneiras rotativas e estáticas, tanque de equalização, sistema de flotação por ar dissolvido (FAD) (câmara de saturação de 2,5 m³ e flotador de 75 m³), reator anaeróbio de fluxo ascendente com manta de lodo (reator UASB) (1.260 m³), lagoa aerada seguida de lagoa facultativa (1,3 ha) e tratamento complementar físico-químico por flotação por ar dissolvido (FAD) (50 m³) (Figura 19.3). A vazão do efluente industrial é de 1.260 m³/dia. O efluente final é lançado em corpo hídrico receptor de Classe 2. O sistema de tratamento foi projetado para atendimento aos padrões de lançamento do Artigo 18 da legislação estadual, aos padrões de lançamento do Artigo 34 (CONAMA nº 357) e Artigo

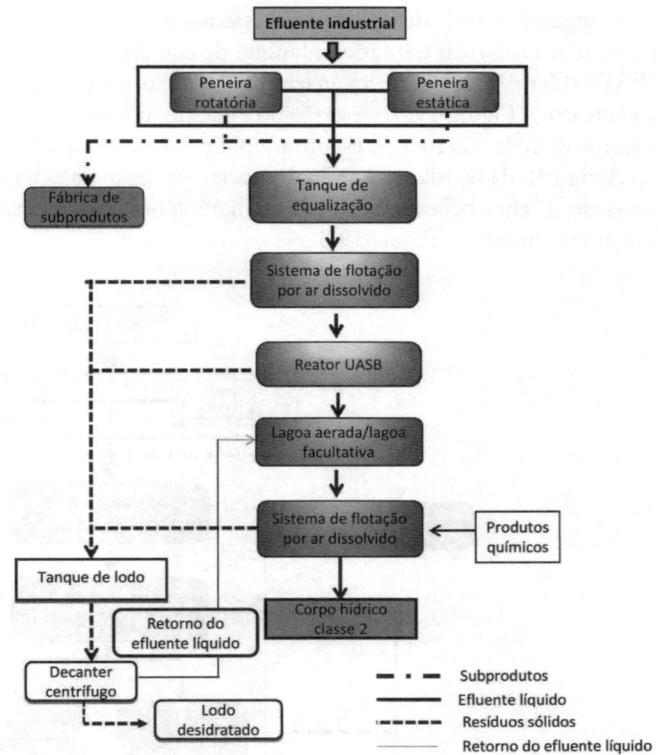

FIGURA 19.3 Fluxograma do sistema de tratamento de abatedouro de aves – Estudo de Caso 1.

16 (CONAMA nº 430), e à qualidade de corpo hídrico receptor de Classe 2. A caracterização da água residuária e do afluente e efluente de cada unidade, as eficiências de remoção de matéria orgânica e a comparação com os requisitos da legislação são apresentadas na Tabela 19.2.

TABELA 19.2 Parâmetros físico-químicos médios de monitoramento do sistema de tratamento de águas residuárias, eficiência das unidades e parâmetros da legislação – Estudo de Caso 1

Parâmetros	Efluente industrial	Efluente FAD primário	Efluente reator UASB	Efluente lagoas	Efluente final	Legislação 1*	2*
pH (faixa)	7,1-7,7	7,1-7,4	7,2-7,8	7,0-8,5	7,1-7,5	5-9	5-9
DQO (mg/L)	3.840	1.820	620	280	100	–	–
DBO (mg/L)	1.990	1.000	320	103	25	≤ 60 mg/L ou eficiência ≥ 80%	Eficiência de remoção ≥ 60%
O&G (mg/L)	130	70	45	25	10	≤ 100 mg/L	≤ 50 mg/L
NTK (mgN/L)	240	200	170	50	15	–	–
Namon (mgN/L)	45	97	145	28	3	–	≤ 20 mg/L
PT (mgPO4/L)	40	35	35	30	2	–	–

Eficiência de remoção das unidades do sistema de tratamento e do tratamento total

Eficiência de remoção (%)	FAD primário	Reator UASB	Lagoas	FAD terciário	Sistema total		
DQO	53	66	55	64	97	–	–
DBO	90	68	68	76	99	≥ 80%	≥ 60%
O&G	46	36	44	60	92	–	–

Corpo hídrico receptor

Parâmetros	Montante		Jusante			3*	
pH	7,4	7,3	–	pH	7,4	7,3	–
DBO (mg/L)	3	4	≤ 5 mg/L	DBO (mg/L)	3	4	≤ 5 mg/L

O&G: óleos e graxas; NTK: nitrogênio total Kjeldahl; Nam: nitrogênio amoniacal; *1 Artigo 18 da legislação estadual; *2 Artigo 34 da CONAMA nº 357 e Artigo 16 da CONAMA nº 430; *3 Qualidade do corpo hídrico receptor de Classe 2 (CONAMA nº 357).

O segundo estudo de caso, por sua vez, refere-se a um sistema de tratamento constituído por conjunto de peneiras rotativas e estáticas, tanque de equalização (300 m³), sistema de flotação por ar dissolvido (FAD) (80 m³) e dois reatores anaeróbios de fluxo ascendente com manta de lodo (reator UASB) (450 m³ cada reator) (Figura 19.4). A vazão do efluente industrial é de 900 m³/dia. O efluente final é lançado em sistema de rede coletora de esgoto municipal. O sistema de tratamento foi projetado para atendimento ao Artigo 18 da legislação estadual. A caracterização da água residuária e do afluente e efluente de cada unidade, as eficiências de remoção de matéria orgânica e a comparação com os requisitos da legislação são apresentadas na Tabela 19.3.

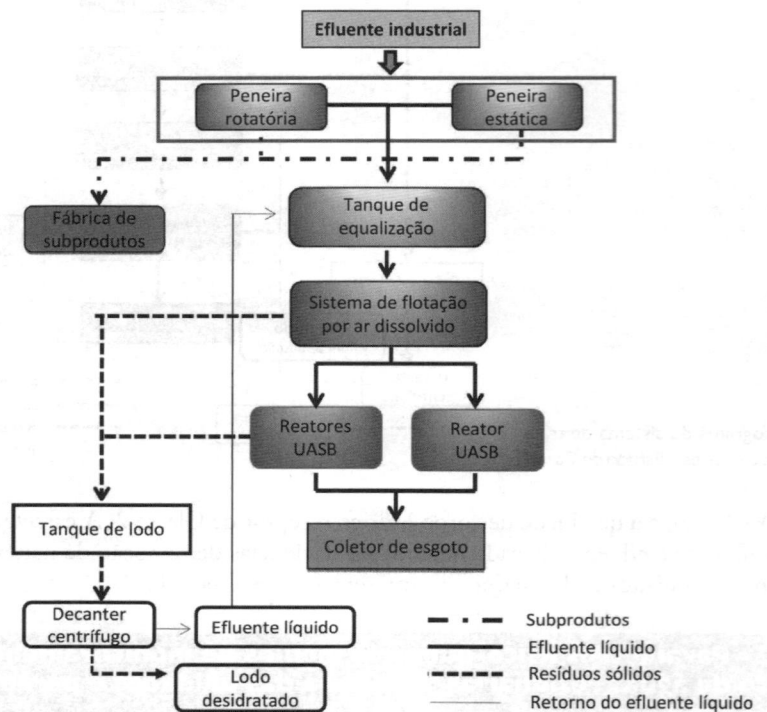

FIGURA 19.4 Fluxograma do sistema de tratamento de abatedouro de aves – Estudo de Caso 2.

TABELA 19.3 Parâmetros físico-químicos médios de monitoramento do sistema de tratamento de águas residuárias, eficiência das unidades e parâmetros da legislação – Estudo de Caso 2

Parâmetros	Efluente industrial	Efluente FAD primário	Efluente Reator UASB	Legislação 1*	Legislação 2*
pH (faixa)	6,2-6,5	5,2-6,9	7,0-7,5	5-9	5-9
DQO (mg/L)	3.400	1.370	310	–	–
DBO (mg/L)	1.840	830	160	≤ 60 mg/L ou eficiência de remoção > 80%	Eficiência de remoção ≥ 60%
O&G (mg/L)	194	75	35	≤ 100 mg/L	≤ 50 mg/L
NTK (mgN/L)	170	143	162	–	–

Eficiência de remoção das unidades do sistema de tratamento e do tratamento total					
Eficiência de (%)	FAD primário	Reator UASB	Sistema remoção total		
DQO	60	77	98	–	–
DBO	55	81	97	≥ 80%	≥ 60%
O&G	61	53	68	–	–

O&G: óleos e graxas; NTK: nitrogênio total Kjeldahl; *1 Artigo 18 da legislação estadual; *2 Artigo 34 da CONAMA nº 357 e Artigo 16 da CONAMA nº 430.

Estudo de Caso 3: Indústria de Insumos para Ração Animal (Graxaria)

A matéria-prima utilizada na indústria de produção de insumos para ração animal (graxaria) é um sub-produto dos abatedouros de aves, constituída principalmente por penas e vísceras geradas nos abatedouros. Esse material é transportado em caminhões para as graxarias e encaminhado, separadamente, para digestores de penas e vísceras no processo industrial.

O efluente líquido industrial das graxarias é gerado no processo de lavagem de pisos e de caminhões transportadores (linha 1), e nos condensadores de gases provenientes dos digestores de vísceras e penas (linha 2). O efluente gerado na linha 1 é caracterizado por elevada concentração de matéria orgânica, óleos e graxas e nutrientes. O efluente gerado na linha 2 apresenta elevado pH, baixa concentração de sólidos em suspensão e elevada concentração de compostos de enxofre e de nitrogênio.

O estudo de caso refere-se a um sistema de tratamento constituído por peneira estática, tanque de remoção de gordura (5 m³) e sistema de lagoa de estabilização com lagoa anaeróbia (4.690 m³) seguida de lagoa facultativa (0,85 ha e 17.000 m³) (Figura 19.5). As vazões do efluente industrial de lavagem de pisos e de caminhões e dos efluentes líquidos dos condensadores dos digestores de penas e vísceras são de 70 m³/dia cada, totalizando 140 m³/dia. O efluente final é lançado em sistema de rede coletora de esgoto municipal. O sistema de tratamento foi projetado para atendimento ao Artigo 18 da legislação estadual. A caracterização da água residuária e do afluente e efluente de cada unidade, as eficiências de remoção de matéria orgânica e a comparação com os requisitos da legislação são apresentadas na Tabela 19.4.

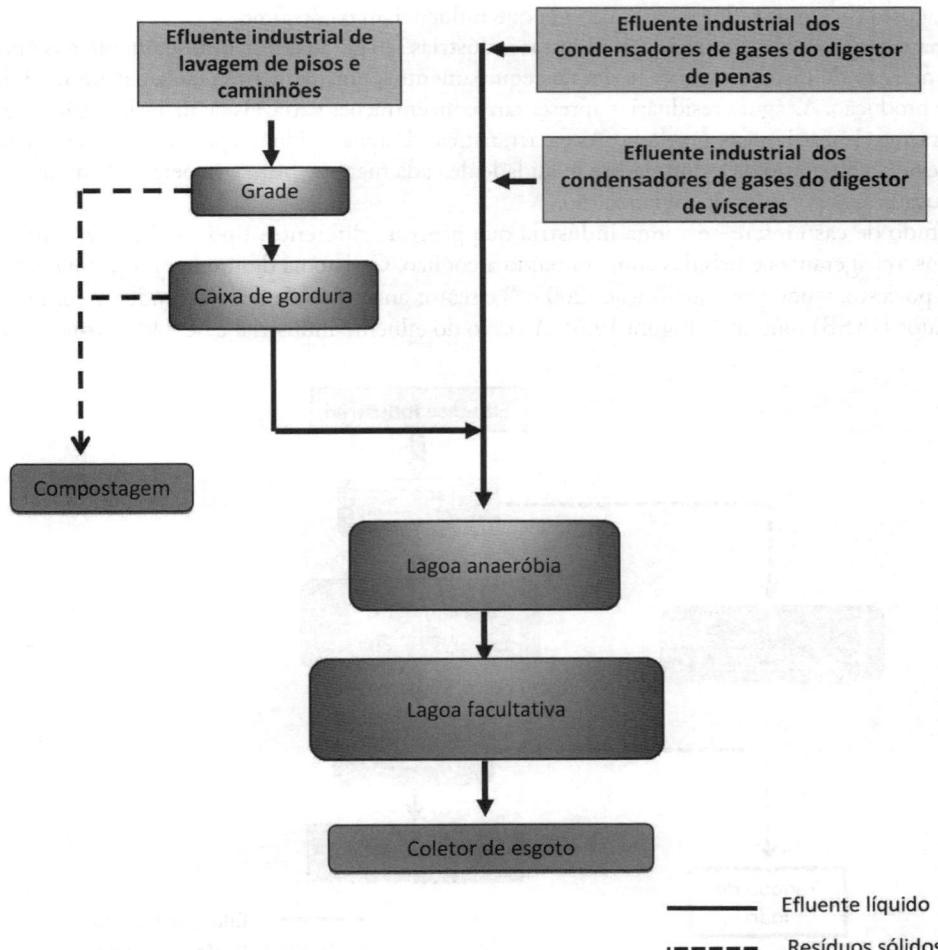

FIGURA 19.5 Fluxograma do sistema de tratamento de graxaria – Estudo de Caso 3.

TABELA 19.4 Parâmetros físico-químicos médios de monitoramento do sistema de tratamento de águas residuárias – Estudo de Caso 3

Parâmetros	Efluente industrial	Efluente de penas e vísceras	Afluente da lagoa anaeróbia	Efluente da lagoa anaeróbia	Afluente da lagoa facultativa	Efluente da lagoa facultativa	Legislação 1*	2*
pH (faixa)	5,5-6,8	8,4-9,5	5,7-6,9	6,9-7,4		7,7-8,5	5-9	5-9
DQO (mg/L)	12.290	1.726	6.299	560	1.087	567	–	–
DBO (mg/L)	6.398	1.090	3.760	349	682	274	≤ 60 mg/L ou eficiência ≥ 80%	Eficiência de remoção ≥ 60%
O&G (mg/L)	1.298	68	640	70	70	63	≤ 100 mg/L	≤ 50 mg/L
NTK (mgN/L)	1.000	768	–	–	–	205	–	–
Sulfeto (mgS^{2-}/L)	1	500	–	–	–	0	–	≤ 1mg/L

Eficiência de remoção das unidades do sistema de tratamento e do tratamento total

Eficiência de remoção (%)	Caixa de gordura	Lagoa anaeróbia	Lagoa facultativa	Sistema total		
DQO	49	91	48	92	–	–
DBO	41	91	60	85	≥ 80%	≥ 60%
O&G	51	89	10	91	–	–

O&G: óleos e graxas; NTK: nitrogênio total Kjeldahl; *1 Artigo 18 da legislação estadual; *2 Artigo 34 da CONAMA nº 357 e Artigo 16 da CONAMA nº 430.

Estudo de Caso 4: Indústria de Bebidas

A indústria de bebidas inclui os fabricantes e distribuidores de refrigerantes, água mineral, bebidas energéticas, bebidas esportivas, bebidas à base de café e chás, bebidas nutricionais e bebidas com conteúdo alcoólico. A demanda destes produtos está relacionada com a localização da indústria, fatores demográficos, gosto do consumidor e estilo de vida que influenciam o consumo.

De maneira geral, as águas residuárias nessas indústrias são geradas descontinuamente nas operações de higienização de pisos, máquinas e demais equipamentos, normalmente realizadas no final de cada etapa de produção. As águas residuárias apresentam concentrações variáveis de matéria orgânica e baixas concentrações de nutrientes e gorduras. As características da água residuária podem variar em questão de horas, devido à alteração da quantidade e qualidade de cada matéria-prima, às perdas de matéria-prima na produção e às operações de higienização.

O estudo de caso refere-se a uma indústria que processa diferentes tipos de bebidas como sucos, isotônicos, refrigerantes e bebidas com conteúdo alcoólico. O sistema de tratamento é constituído por grades tipo cesto, tanque de equalização (200 m³) e reator anaeróbio de fluxo ascendente com manta de lodo (reator UASB) (460 m³) (Figura 19.6). A vazão do efluente industrial é de 240 m³/dia. O efluente

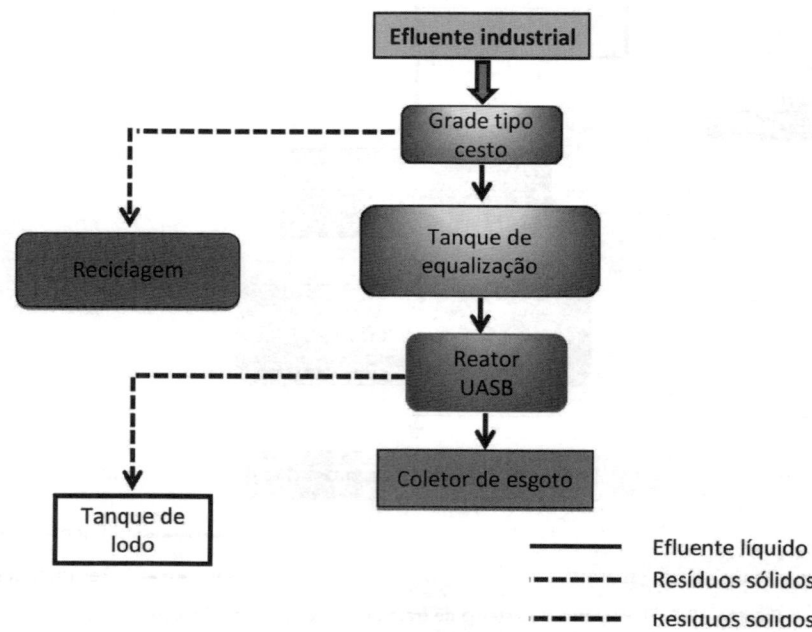

FIGURA 19.6 Fluxograma do sistema de tratamento de indústria de refrigerante – Estudo de Caso 4.

final é lançado em sistema coletor de esgoto municipal. O sistema de tratamento foi projetado para atendimento ao Artigo 18 da legislação estadual.

O efluente industrial é caracterizado por pH baixo e presença de carboidratos e alcoóis. A concentração de nutrientes (nitrogênio e fósforo) é inferior à requerida para processos biológicos. Fontes externas de nutrientes e alcalinidade são adicionadas no afluente ao reator anaeróbio. A caracterização da água residuária e do afluente e efluente de cada unidade, as eficiências de remoção de matéria orgânica e a comparação com os requisitos da legislação são apresentadas na Tabela 19.5.

TABELA 19.5 Parâmetros físico-químicos médios de monitoramento do sistema de tratamento de águas residuárias – Estudo de Caso 4

Parâmetros	Efluente industrial	Efluente reator UASB	Legislação 1*	Legislação 2*
pH (faixa)	4,9-6,5	6,9-7,5	5-7	5-7
DQO (mg/L)	4.590	491	–	–
DBO (mg/L)	2.327	235	≤ 60 mg/L ou eficiência ≥ 80%	Eficiência de remoção ≥ 60%
NTK (mgN/L)	6	1	–	
Namon (mgN/L)	1	1		≤ 20 mg/L
PT (mgPO₄/L)	6	5		

Eficiência de remoção das unidades do sistema de tratamento e do tratamento total

Eficiência de remoção (%)	Reator UASB (Sistema total)		
DQO	89	–	–
DBO	90	≥ 80%	≥ 60%

NTK: nitrogênio total Kjeldahl; Nam: nitrogênio amoniacal; PT: fósforo total; *1 Artigo 18 da legislação estadual; *2 Artigo 34 da CONAMA nº 357 e Artigo 16 da CONAMA nº 430.

19.4 TRATAMENTO DE ÁGUAS RESIDUÁRIAS NÃO BIODEGRADÁVEIS

Existem muitos processos de tratamento de águas residuárias industriais não biodegradáveis, o que impossibilita uma abordagem completa em um capítulo de introdução ao assunto. Os autores elegeram as águas residuárias de eletrodeposição de níquel-cromo (niquelação e cromação) como exemplo. Essa escolha ocorreu pelo grande número de empresas de galvanoplastia, processo mais comuns de acabamento superficial de metais ferrosos, utilizado por razões estéticas e funcionais.

Processo de cromação. A cromação eletrolítica é realizada por meio da deposição controlada de finas camadas metálicas, estabelecidas de acordo com o substrato e com a finalidade dada à cromação. Esse tipo de acabamento pode ser dado por razões estéticas, para proteção contra corrosão, para aumentar a resistência da superfície da peça, entre outras. Em todos os casos, o processo é governado pelas leis da eletroquímica e apresenta variações em função de sua finalidade.

Origens dos efluentes. O processo de eletrodeposição é dividido em três etapas: i) preparação da superfície; ii) aplicação dos metais por eletrodeposição e iii) etapas de pós-processamento. Os efluentes originam-se nas três etapas. Na primeira, formam-se águas residuárias com os produtos químicos usados para decapagem e limpeza da superfície, normalmente agentes ácidos e alcalinos, além dos próprios banhos, quando esgotados. Na etapa de pós-processamento, podem ser gerados efluentes de banhos polidores e da lavagem das peças. A cromação eletrolítica gera águas de lavagem alcalinas e ácidas, resultantes da preparação da superfície. Merecem destaque os despejos alcalinos contendo cianetos (CN⁻), despejos ácidos contendo cromo hexavalente (Cr^{6+}) e despejos ácidos e alcalinos contendo outros metais. Esses despejos apresentam composição variável, dependendo do processo eletrolítico utilizado, da finalidade da cromação e dos cuidados operacionais. As concentrações de Cr^{6+} situam-se entre 50 mg/L e 600 mg/L; de níquel, entre 25 mg/L e 200 mg/L e de cianetos, entre 30 mg/L e 500 mg/L. Podem estar presentes outros metais como cádmio, cobre, chumbo e zinco.

Tratamento químico dos efluentes. A Figura 19.7 mostra o fluxograma típico de uma estação de tratamento de efluentes de cromação.

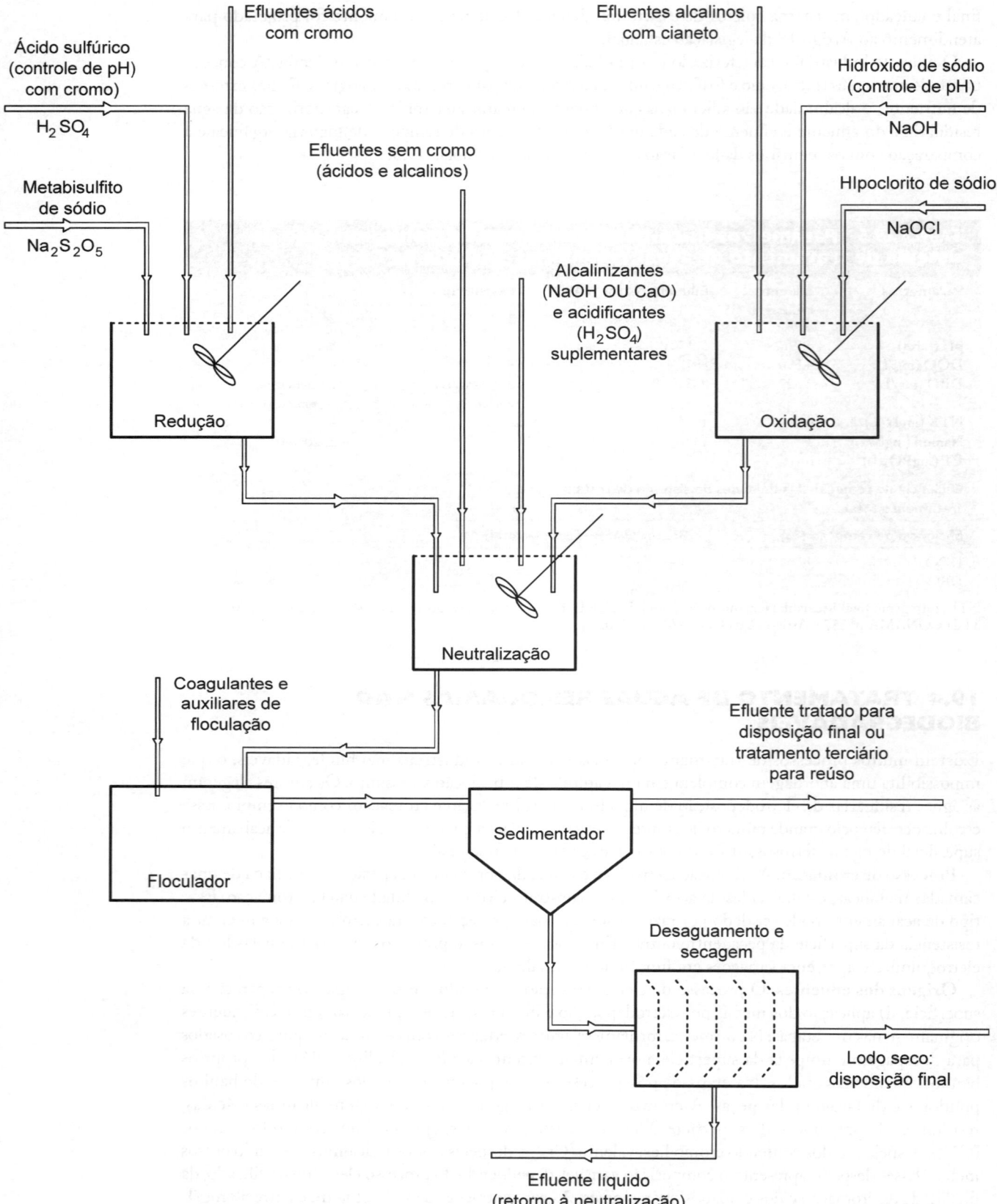

Figura 19.7 Fluxograma típico de uma estação de tratamento de efluentes de cromação. *Fonte: Adaptado de Braile e Cavalcanti (1993).*

A **remoção do cromo hexavalente** é feita em duas etapas. Na primeira, o Cr^{6+} é reduzido a cromo trivalente (Cr^{3+}) no tanque de redução e, na segunda, o Cr^{3+} é precipitado no tanque de neutralização, conforme mostra o fluxograma da Figura 19.7. A redução é conseguida com adição de metabisulfito de sódio ($Na_2S_2O_5$), por meio da seguinte cadeia de reações:

$$Na_2S_2O_5 + H_2O \rightarrow 2NaHSO_3$$
$$NaHSO_3 + H_2O \rightarrow H_2SO_3 + NaOH$$
$$2H_2CrO_4 + 3H_2SO_3 \rightarrow Cr_2(SO_4)_3 + 5H_2O$$

Nessa sequência de reações, a cor âmbar da solução original contendo Cr^{6+} torna-se azul-esverdeada, típica do cromo trivalente. Outros reagentes que podem ser empregados são o anidrido sulfuroso (SO_2), o sulfito de sódio (Na_2SO_3) e sulfato ferroso ($FeSO_4$). A redução do cromo é conduzida em pH entre 2,5 e 3,0. O pH é ajustado com adição de ácido sulfúrico (H_2SO_4) e a quantidade mínima de metabisulfito de sódio é determinada pelo balanço estequiométrico. O metabisulfito de sódio é adicionado em excesso, que pode chegar a 30%, e a quantidade de ácido sulfúrico é estabelecida experimentalmente.

A remoção dos cianetos, na forma de NaCN, dá-se por cloração em meio alcalino – pH em torno de 8,5 –, comumente se empregando o hipoclorito de sódio (NaClO), conforme a cadeia de reações:

$$NaCN + NaClO + H_2O \rightarrow CNCl + 2NaOH$$
$$CNCl + 2NaOH \rightarrow NaCNO + NaCl + H_2O$$
$$2NaCNO + 3NaClO + H_2O \rightarrow 2CO_2 + N_2 + NaOH + 3NaCl$$

Essa cadeia de reações completa-se em aproximadamente uma hora. As quantidades requeridas de hipoclorito de sódio também são determinadas por balanço estequiométrico, prevendo-se excesso de 10%.

A **neutralização** é conseguida por meio da adição de ácidos e bases em quantidades determinadas experimentalmente em *Jar Test*. Empregam-se, geralmente, ácido sulfúrico (H_2SO_4), ácido nítrico (HNO_3), hidróxido de sódio (NaOH), cal virgem (óxido de cálcio, CaO) e cal hidratada [hidróxido de cálcio, $Ca(OH)_2$]. Após a neutralização, o pH deve estar entre 8,0 e 8,5 para que ocorra a precipitação dos metais na forma de hidróxidos metálicos. A sedimentação dos hidróxidos pode ser auxiliada com a adição de coagulantes e auxiliares de floculação em um floculador.

Completada a floculação, o efluente do tanque de neutralização é encaminhado ao sedimentador, onde ocorre a separação do lodo. O efluente do sedimentador é, então, descartado ou direcionado a tratamento terciário para eventual reúso. O lodo é desaguado por meio de filtros-prensa, por exemplo. Quando não dirigido a reprocessamento, o lodo deve ser descartado em aterros industriais aptos a receberem resíduos Classe I (ver Capítulos 14 e 22).

EXEMPLO

Determinar o consumo de metabisulfito de sódio ($Na_2S_2O_5$) para tratar 1,0 m³ de água residuária de uma galvanoplastia cuja concentração de Cr^{6+} é de 500 mg/L.

SOLUÇÃO

Para simplificar o equacionamento, podemos resumir a cadeia de reações do $Na_2S_2O_5$ com o íon cromato a:

$$3Na_2S_2O_5 + 4H_2CrO_4 + 9H_2O \rightarrow 2Cr_2(SO_4)_3 + 6NaOH + 10H_2O$$

Ou seja, 4 moles de H_2CrO_4 (58 g/mol × 4 moles = 232g) reagem com 3 moles de $Na_2S_2O_5$ (94 g/mol × 3 moles = 282g)

Verificando-se que cada mol de cromo (24 g/mol) forma 58 g de H_2CrO_4 (58 g/mol), conclui-se que existem 1.208,3 g de H_2CrO_4 no efluente descartado. Assim, uma simples regra de três mostra que, estequiometricamente, são necessários 1.468,7 g de $Na_2S_2O_5$. Considerando-se que a prática indica que é necessário adicionar cerca de 10% a mais, a reação se completará com a adição de aproximadamente 1.620 g de metabisulfito de sódio.

19.5 NOVAS TENDÊNCIAS

Três forças dirigem o mercado do tratamento de águas residuárias industriais: i) a industrialização crescente requer a necessidade de **padrões mais restritos** para o lançamento de efluentes, respeitando a capacidade suporte do ambiente; ii) o **custo** da água tem aumentado, o que incentiva a **economia** em sua aplicação nos processos industriais e, sempre que possível, seu **reúso** e **reciclagem** e iii) **a produção e a recuperação de subprodutos** com valor agregado se mostram vantajosas. Para esta última força, citam-se como exemplos a produção de metano, por seu conteúdo energético, e a recuperação de enxofre, por seu valor como matéria-prima. A substituição de matérias-primas e a adoção de processos produtivos com objetivo de diminuir a geração de resíduos, incluindo-se aí os efluentes hídricos, também podem ser considerados importantes motivos de inovação no controle ambiental das indústrias.

Este livro possui um capítulo específico sobre o reúso da água, o Capítulo 20, e nele o leitor encontrará mais detalhes sobre o assunto. Aqui, basta saber que essa é uma tendência mundial e que o reúso, ou reciclagem da água, seja diretamente no processo industrial ou em outras aplicações, requer tratamento compatível com o destino desejado. É evidente, portanto, que o reúso da água, em conjunto com a legislação mais restritiva e o conhecimento de compostos que deveriam ser removidos, requer a aplicação de tecnologias de tratamento avançado, entre elas a filtração por membranas e os processos oxidativos avançados, brevemente descritos a seguir sob o viés de aplicação para águas residuárias industriais. Antes, porém, exemplifica-se o uso da água residuária como matéria-prima na produção do metano, considerando-se as potencialidades encontradas na indústria do açúcar e álcool.

Produção de energia. A indústria sucroalcooleira brasileira é mundialmente conhecida pelo pioneirismo e desenvolvimento tecnológico. O Brasil é o maior produtor e exportador mundial de açúcar e álcool, seguido pela Índia e Austrália. Na região Centro-Sul, a safra 2016/2017 produziu 607 milhões de toneladas de cana-de-açúcar, gerando 35,6 milhões de toneladas de açúcar e 25,6 bilhões de litros de álcool. Essa região responde por mais de 90% da produção nacional de cana-de-açúcar e de etanol, com importância relevante no estado de São Paulo (UNICA, 2018).

A matéria-prima para as usinas produtoras de açúcar e álcool no Brasil é a cana-de-açúcar. Os produtos da indústria sucroalcooleira são açúcar, álcool anidro (aditivo para a gasolina) e álcool hidratado. A produção de álcool pode ocorrer na fermentação do melaço (subproduto da produção do açúcar), do caldo e de misturas de caldo e melaço (mosto).

A vinhaça é o subproduto líquido proveniente do processo de destilação do álcool, gerada na proporção de 10 L a 18 L por litro de álcool produzido e é caracterizada por elevada concentração de matéria orgânica (DQO e DBO de 60 a 100 vezes superior às de esgoto doméstico), de sais e de nutrientes (potássio, cálcio, magnésio, nitrogênio e fósforo).

Da energia potencial da cana-de-açúcar, 40% são transformadas em álcool e 31% são remanescentes nos subprodutos bagaço (26%) e vinhaça (5%). O bagaço é utilizado extensivamente para atender à demanda de energia no processo produtivo, entretanto o conteúdo de energia remanescente na vinhaça, ainda inexplorado tecnologicamente, é muito significativo no balanço energético.

Usualmente, a vinhaça é usada para adubação e irrigação, processo conhecido como fertirrigação. O processo de degradação anaeróbia antes da fertirrigação reduz a carga orgânica da vinhaça, mantém os sais e os nutrientes importantes para a fertilização do solo, ao mesmo tempo em que produz metano, que pode ser utilizado para produção de energia. O biogás é gerado com 60% a 70% de metano, correspondendo a um poder calorífico de 22,7 MJ/Nm^3, ou 50,4 kJ/kg_{CH4}. Entretanto, o biogás produzido requer purificação antes de sua utilização, principalmente para a remoção do sulfeto de hidrogênio, ou gás sulfídrico (H_2S).

Um trabalho recente de pós-doutorado apresentou o potencial de recuperação de energia a partir do metano gerado em reator anaeróbio em escala piloto (Del Nery, 2012). A partir da carga aplicada de 32kgDQO/m^3dia, o conteúdo médio de metano no biogás foi de 65%, o rendimento foi de 0,299 ± 0,066 LCH_4/gDQO removida, a 20 °C e 0,907 atm (76% do rendimento teórico do metano). Assumindo a eficiência de conversão em termos de produção de metano obtida neste trabalho, uma estimativa da quantidade de energia elétrica potencialmente fornecida por uma planta de etanol pode ser realizada a partir de um simples balanço de massa e energia.

EXEMPLO

Uma indústria sucroalcooleira média gera em torno de 1.820.000 m^3 de vinhaça durante a safra. Considerando as condições de contorno do experimento em escala piloto, apresentam-se os cálculos de produção de metano e geração de energia a seguir:

AVALIAÇÃO DA PRODUÇÃO DE METANO E DA GERAÇÃO DE ENERGIA

Condições de contorno:

- Conteúdo de metano no biogás: 65%
- Temperatura média: 20°C
- DQO da vinhaça: 35 g/L

- Carga orgânica volumétrica aplicada na área de reação (COV): 32 kgDQO/m^3dia
- Carga orgânica volumétrica removida: 28 kgDQO/m^3dia
- Vazão de vinhaça (Q) = 1.820.000.m^3/safra = 6740 m^3/dia
- Rendimento (R): 0,299 ± 0,066 LCH_4/gDQO removida

CÁLCULOS

- Volume do reator (V):

$$V = (Q \times DQO) / COV$$

EXEMPLO *(Cont.)*

O volume da área de reação de um reator anaeróbio seria de 7372 m³.

- Carga orgânica removida (CO removida):

$$CO\,removida : COV\,removida \times V\,reator$$

$$CO\,removida = 206.416\,kgDQO\,/\,dia$$

- Produção de metano (CH₄):

$$CH_4 = RxCO\,removida$$

$$CH_4 = 61.719\,m^3CH_4\,/\,dia^{-1}$$

Utilizando a equação a seguir, pode ser calculada a massa de metano equivalente ao volume gerado diariamente.

$$PV = nRT$$

Em que:
P = Pressão atmosférica (0,907 atm na cidade de São Carlos-SP)
V = Volume de metano (m³)

n = Número de moles = massa/mol de CH₄
R = Constante dos gases = 0,082 atmL/molK
T = Temperatura (K)
A massa de metano gerado seria 37.279 kg/dia. Utilizando a equação a seguir, pode ser calculada a quantidade de energia que seria gerada diariamente.

$$Eel = 0,2778 \times Hc \times MCH4 \times \eta conv$$

Em que:
Eel = Quantidade de energia elétrica (kWh/dia)
0,2778 = Fator de conversão de MJ para kWh
Hc = Poder calorífico do metano = 50,6 MJ/kg (The Engineering Toolbox, 2016)
MCH₄ = Massa de metano (kg)
η conv = Eficiência da conversão da energia química do metano em energia elétrica (43,7%) (dados da Caterpillar, 2016)
Substituindo estes valores, seriam gerados 228.996 kWh por dia e 6.869.880 kWh por mês, durante a safra. Dados de 2004 a 2015, para o consumo de energia doméstica no sudeste do Brasil, indicam que o consumo médio é de 172 kWh por mês por residência. Assim, esta planta poderia fornecer energia para cerca de 40.000 residências.

Outros setores da agroindústria também podem se beneficiar do processamento de seus dejetos e existem alguns exemplos que demonstram a viabilidade técnica e econômica desse tipo de aproveitamento.

Mais complexa, mas de grande interesse, é a produção de hidrogênio, conseguida por meio de controle rigoroso da digestão anaeróbia, interrompida antes da fase metanogênica. No entanto, enquanto a produção de metano já é uma tecnologia consolidada, a de hidrogênio ainda dá seus primeiros passos. Observa-se que o processo é bastante instável e ainda não se tem notícia de instalações industriais de produção de hidrogênio por meio da digestão anaeróbia. O assunto relacionado com fontes alternativas de energia, como as exemplificadas, é tratado no Capítulo 26.

Ainda considerando a água residuária como uma fonte de matéria-prima, introduziu-se, no meio industrial, o conceito da biorrefinaria. Uma biorrefinaria é uma planta industrial que, a partir de processos bio-físico-químicos, transforma a matéria-prima em diversos produtos com valor comercial. Com esse objetivo, o processamento anaeróbio dos resíduos pode ser empregado para produção de biopolímeros e ácidos graxos, além de energia, na forma de biogás.

Filtração em membranas. Esta categoria de tratamento teve sua origem em processos industriais de purificação de produtos líquidos. Inicialmente de custo elevado, não eram economicamente viáveis para aplicação no tratamento de águas residuárias. Com o aumento da produção de equipamentos e meios filtrantes, desenvolvimento de novas membranas e configurações de filtros, o custo de aplicação desse método de tratamento está atingindo valores que o tornam econômico para um maior número de setores industriais. Aplicações das membranas no tratamento de água para consumo humano e na remediação de cursos de água podem ser encontradas nos Capítulos 17 e 24, respectivamente.

A filtração em membranas baseia-se na separação física do material poluente por meio da passagem da água residuária através de uma membrana filtrante. O líquido que atravessa a membrana, purificado, recebe o nome de filtrado (Capítulo 17). Na face que retém a matéria poluente, forma-se um líquido com elevada concentração do material retido, o retentado ou concentrado. Diversos esquemas de escoamento são empregados para minimizar a formação de uma torta sólida sobre as membranas filtrantes, prolongando a vida útil e a carreira de filtração, ou seja, o tempo que se passa entra uma limpeza e outra da membrana. No entanto, foge do escopo deste capítulo apresentar detalhes construtivos e operacionais sobre esses sistemas, podendo o leitor interessado consultar obras especializadas sobre esse tema (Schneider & Tsutiya, 2001; Stephenson et al., 2001; Tarleton & Wakeman, 2005).

Os processos de filtração por membranas são aplicados ao final da cadeia de tratamento das águas residuárias industriais, como forma de pós-tratamento. Verifica-se que as membranas são usadas para reter partículas menores do que 0,1 μm. Acima dessa dimensão, empregam-se processos convencionais. Se não for obedecido o escalonamento da filtração, haverá acúmulo excessivo de sólidos retidos, prejudicando o funcionamento do equipamento de filtração.

As membranas de osmose reversa (OR) são empregadas para eliminar sólidos dissolvidos, podendo reter íons tão pequenos quanto 10^{-4} μm. Essas membranas, como o nome indica, funcionam segundo o princípio da osmose. Uma membrana semipermeável, que separe duas soluções com concentrações diferentes, permite que as moléculas de água existentes no lado de menor concentração atravessem a membrana, diluindo a solução até que seja alcançado um ponto de equilíbrio, quando se atinge a pressão osmótica. Esse fenômeno pode ser revertido se for aplicada uma pressão contrária do lado em que há concentração elevada de soluto, de modo a compensar a pressão osmótica. Com a pressão aplicada, as moléculas de água atravessam a membrana em direção ao lado de menor concentração, fornecendo água purificada. A pureza do efluente assim obtido depende do soluto poluente e do tipo de membrana utilizada na filtração. A osmose reversa, que nos sistemas sanitários encontrava aplicação apenas na dessalinização de água do mar e água salobra, vem sendo aplicada na purificação de efluentes hídricos industriais para fins de reúso.

Processos oxidativos avançados (POAs). Como visto, os tratamentos físico-químicos convencionais proporcionam a depuração por meio de reações químicas que resultam na formação de um precipitado que é retirado do meio líquido, em alguns casos após a floculação, por um processo físico de separação sólido-líquido. Qualquer que seja o caso, a separação final da fase sólida resulta em um lodo que deve receber disposição final adequada.

Algumas classes de poluentes, mesmo que biodegradáveis, no entanto, por se encontrarem em baixas concentrações ou exigirem reações químicas ou bioquímicas muito complexas para serem aplicadas em estações de tratamento de águas residuárias, requerem outros métodos de tratamento. Atualmente, para esses casos, é comum o uso de osmose reversa ou adsorção em carvão ativado e resinas de troca iônica. Em ambos os casos, o poluente é concentrado ou em um retentado (osmose reversa) ou em uma matriz sólida (carvão ativado e resinas de troca iônica). Uma alternativa é o uso de processos oxidativos avançados, que proporcionam a eliminação do poluente empregando apenas reações químicas, com pouca ou nenhuma formação de lodo ou outros subprodutos. Esses processos empregam diversos radicais obtidos pela combinação de compostos químicos, catalisadores e fontes auxiliares de energia. Entre esses compostos, os mais comuns são o ozônio (O_3) e o peróxido de hidrogênio (H_2O_2), conhecido como água oxigenada. Como fontes de energia, empregam-se correntes elétricas, radiação γ, ultrassom e, comumente, a radiação ultravioleta. Um exemplo de catalisador é o dióxido de titânio (TiO_2), empregado em conjunto com a radiação UV. O principal radical utilizado, por sua elevada capacidade de reação e pouca seletividade, é o hidroxila (OH^O).

Alguns dos processos oxidativos mais utilizados são a ozonização em pH elevado, a ozonização na presença de H_2O_2, a ozonização catalisada por metais de transição, o processo Fenton com e sem o auxílio da radiação ultravioleta (processo foto-Fenton) e a oxidação em temperaturas supercríticas.

A maioria dos POA ainda se encontra em estágio de desenvolvimento tecnológico para que seja alcançada a viabilidade econômica. A viabilidade técnica já foi claramente demonstrada para muitas aplicações. Assim, dado o custo ainda elevado, as aplicações industriais são poucas e reservadas para casos muito particulares, nos quais os volumes de efluentes gerados são relativamente pequenos e os resíduos são muito complexos, como é o caso da produção de alguns fármacos. Nesses casos, em geral, aplicam-se processos baseados na ozonização, uma vez que a produção de ozônio em grandes volumes já é uma tecnologia estabelecida e economicamente viável.

Embora em condições ideais se consiga a completa mineralização dos compostos poluentes, sabemos que, no mundo real, as reações não têm 100% de eficiência. Em decorrência disso, uma questão que deve ser avaliada quando do uso de um POA é a formação de compostos intermediários, que não chegam à mineralização final e podem, eventualmente, ser tão ou mais tóxicos que o poluente original. Assim, deve ser feita sempre uma avaliação da evolução da toxicidade e genotoxicidade dos resíduos, antes e após o tratamento com POA, em adição à avaliação das eficiências globais de remoção e da viabilidade econômica.

REVISÃO DOS CONCEITOS APRESENTADOS

As estações de tratamento de águas residuárias industriais sempre têm a fase preliminar de tratamento em comum com as estações de tratamento de esgoto. A partir dessa etapa, as estações industriais podem diferir completamente, dependendo do tipo de água residuária a ser tratado. Quando esses efluentes líquidos são biodegradáveis, os métodos de tratamento assemelham-se aos empregados para a depuração dos esgotos. Porém, características como as cargas orgânicas, que podem ser consideravelmente maiores do que as encontradas em esgoto sanitário, e a presença de substâncias inibidoras ao crescimento microbiano, podem alterar o comportamento dessa classe de águas residuárias em relação aos esgotos sanitários. Quando os efluentes industriais são muito pouco ou completamente não biodegradáveis, os métodos de tratamento diferem totalmente dos empregados para os esgotos sanitários. Utilizam-se, então, tratamentos físico-químicos que, por meio de reações químicas, convertem a matéria poluidora em produtos sólidos e gasosos que podem ser separados da corrente líquida por mecanismos físicos. A aplicação desses processos exige conhecimento detalhado, por parte do projetista, dos processos industriais que geram os resíduos líquidos, para que possam ser proporcionadas as condições para a ocorrência de reações químicas que permitam a remoção das substâncias de interesse no sistema de tratamento. Correntes líquidas com baixas concentrações de poluentes podem exigir processos de absorção ou adsorção, filtração em membranas ou osmose reversa para a depuração. Encontram-se em desenvolvimento processos de oxidação avançada que utilizam radicais oxidantes para atingir a mineralização dos poluentes por meio de reações químicas. No entanto, o custo elevado ainda impede a difusão desses métodos. A diversidade de setores e processos industriais, continuamente em desenvolvimento, exige familiaridade do projetista com o meio industrial e sua contínua atualização. Essa diversidade também torna mais complexa a escolha da cadeia de operações e processos unitários a ser empregada no tratamento de um dado efluente industrial, requerendo do projetista uma avaliação criteriosa para que sejam alcançados os níveis de eficiência requeridos e com custos compatíveis com o bem produzido.

SUGESTÕES DE LEITURA COMPLEMENTAR

As obras em língua portuguesa que apresentam, com abrangência, os sistemas de tratamento de águas residuárias industriais são escassas. Dois livros que se destacam pela riqueza de informações são o *Handbook of industrial and hazardous wastes treatment*, de Wang et al. (2004) e *Handbook of advanced industrial and hazardous wastes treatment*, de Wang et al. (2010). Com o mesmo objetivo, porém sem a mesma abrangência dos livros citados, encontra-se em português o *Manual de tratamento de efluentes industriais*, de José Eduardo W. de A. Cavalcanti (2012). O leitor interessado neste assunto deve ter em mente que as indústrias têm alterado continuamente seus processos produtivos para melhor se adequar às restrições ao lançamento de efluentes. Assim, um método de tratamento de resíduos adequado para as condições atuais pode, em poucos anos, tornar-se antiquado, exigindo atualização contínua por parte do profissional.

Referências

CAVALCANTI, J.E.W.A. (2012) *Manual de tratamento de efluentes industriais*. São Paulo: Engenho Editora Técnica, 500p.

DEL NERY, V. (2012) *Produção de biogás por degradação anaeróbia da vinhaça de cana-de-açúcar: Investigação de taxas hidráulicas e de cargas orgânicas aplicadas em reator anaeróbio de fluxo ascendente com manta de lodo para otimização do processo*. Projeto de Pós-doutorado Sênior CNPq (9158721/2012-8).

SANTA CRUZ, L.F.L. (2011) *Viabilidade técnica, econômica e ambiental das atuais formas de aproveitamento da vinhaça para o setor sucroenergético do estado de São Paulo*. Dissertação de Mestrado. Universidade de São Paulo (USP), 142p.

SCHNEIDER, R.P., TSUTIYA, M.T. (2001) *Membranas filtrantes para tratamento de água, esgoto e água de reúso*. São Paulo: Associação Brasileira de Engenharia Sanitária e Ambiental, 234p.

STEPHENSON, T., JUDD, S., JEFFERSON, B., BRINDLE, K. (2001) *Membrane bioreactors for wastewater treatment*. Londres: IWA Publishing, 179p.

TARTETON, S., WAKEMAN, R. (2005) *Solid/liquid separation: principles of industrial filtration*. Elsevier Science, 34 p.

ÚNICA. (2018) *União da Indústria de Cana-de-açúcar*. Disponível em: <http://www.unica.com.br/dados-Cotacao/estatistica>. Acesso: março 2018.

RECUPERAÇÃO E REÚSO DE ÁGUA

20

Eduardo Lucas Subtil / Bruna Chyoshi / Jamile Gonçalves

O presente capítulo aborda diversos conceitos associados à recuperação e ao reúso de água com o objetivo de proporcionar ao leitor um entendimento para a aplicação bem-sucedida desta prática. É mostrada a importância da adoção dos elementos-chave (monitoramento, atenuação, retenção e mistura) para garantir a produção de uma água recuperada, segura e de qualidade constante para diversas aplicações de reúso. Em seguida, são apresentados os conceitos envolvidos no reúso de água para fins urbanos, industriais, agrícolas e potáveis, incluindo questões de qualidade da água, os desafios e as principais recomendações.

20.1 INTRODUÇÃO

As projeções de crescimento populacional global, em particular nas áreas urbanas, aliadas a cenários ambientais, econômicos e sociais cada vez mais complexos têm levado a uma preocupação sem precedente sobre a disponibilidade de água. Em 2025, espera-se que 1,8 bilhão de pessoas viverão em países ou regiões com escassez absoluta de água, e dois terços da população mundial poderão estar vivendo em regiões sob condições de estresse hídrico (UNESCO, 2016). Para atender a esse aumento populacional, as projeções indicam, também, um acréscimo global de 55% na demanda de água entre os anos de 2000 e 2050 para suprir a demanda impulsionada pela necessidade da produção de alimentos e energia. Esta situação pode ser ainda exacerbada no futuro, à medida que as áreas urbanas, em rápida expansão, pressionam fortemente os recursos hídricos das regiões vizinhas.

Os números são surpreendentes e as implicações para o planejamento e gestão dos recursos hídricos são complexas e profundas com potencial de desestabilizar a economia mundial, haja vista a intrínseca relação entre água, energia e alimentos. Por isso, melhorias na eficiência de utilização da água são fundamentais para reduzir a lacuna estimada entre a demanda e oferta e, assim, mitigar a escassez de água. Contudo, embora as mudanças climáticas, o aquecimento global, a crise energética e o crescimento populacional sejam amplamente discutidos, a crescente extensão da escassez de água em todo o mundo ainda não é suficientemente compreendida e levada em consideração ao planejar, em longo prazo, o abastecimento sustentável de água, especialmente nos centros urbanos. Algumas das questões e preocupações importantes que devem nortear as discussões e soluções são: por quanto tempo as fontes de água existentes poderão ser sustentadas? Como será possível garantir a confiabilidade das fontes de água atuais e futuras? Onde serão encontradas as próximas fontes de água para atender às necessidades crescentes das populações, especialmente para a produção de alimentos?

Neste contexto de aumento do estresse hídrico e de escassez de água, o maior desafio para um planejamento sustentável de longo prazo é encontrar maneiras criativas de gerenciar as fontes de água. A abordagem linear convencional da gestão dos recursos hídricos deve ser convertida em um gerenciamento integrado, considerando o potencial de recuperação de recursos das águas residuárias (água, energia e nutrientes) e o uso de fontes alternativas de água para atender à demanda crescente. Lazarova et al. (2013) destacaram que o elevado investimento necessário para a gestão do ciclo antropogênico da água (barragens, poços, transporte de água, tratamento e abastecimento, coleta e tratamento de águas residuárias etc.) seria facilmente pago pelos benefícios da recuperação de água, energia e nutrientes.

Como um componente multidisciplinar e importante da gestão de recursos hídricos, a recuperação e o reúso de água podem ajudar a encurtar o ciclo entre o abastecimento de água e a disposição das águas residuárias, tornando uma opção atrativa para conservar e ampliar o abastecimento de água disponível (Asano et al., 2007): (1) substituir, por água recuperada, usos que não exigem água de melhor qualidade; (2) aumentar as fontes de água e fornecer uma fonte alternativa de abastecimento para ajudar a atender as necessidades de água presentes e futuras; (3) proteger os ecossistemas aquáticos, diminuindo a retirada de água e a quantidade de nutrientes e outros contaminantes, (4) reduzir a necessidade de estruturas para regularização de vazão, como barragens e reservatórios; e (5) atender as legislações ambientais por um manejo adequado do consumo de água e lançamento de águas residuárias.

Ao longo das últimas quatro décadas, milhares de projetos com diversas aplicações em todo o mundo demonstraram que o reúso de água, incluindo o reúso potável, é uma solução comprovada e uma oportunidade viável para enfrentar os desafios da escassez hídrica. A experiência de longo prazo tem demonstrado também que o desenvolvimento bem-sucedido dos projetos de recuperação e de reúso de água requer uma integração efetiva entre o sistema de abastecimento de água potável e de água recuperada, sendo crucial uma estreita coordenação das políticas de água; do planejamento da infraestrutura e instalações; da participação e aceitação pública; do gerenciamento da qualidade da água recuperada e da seleção e confiabilidade das tecnologias de tratamento de águas residuárias.

20.2 TERMINOLOGIA ASSOCIADA AO REÚSO DE ÁGUA

As definições dos termos e conceitos têm papel fundamental para o sucesso e a aceitação pública dos projetos de reúso de água e devem ser expressos de forma simples e compreensível, pois o alcance das partes envolvidas no processo de planejamento do uso da água é fortemente influenciado pela terminologia utilizada. Por isso, é importante utilizar uma terminologia que ajude os tomadores de decisão e as partes interessadas a entender que a água de reúso é recuperada das águas residuárias através de um processo planejado capaz de convertê-la em uma água segura para ser novamente utilizada.

A terminologia associada ao tratamento de águas residuárias e a sua reutilização varia amplamente pelo mundo. Por exemplo, embora os termos reciclagem de água e reúso de água possuem o mesmo significado, a Califórnia adotou o termo reciclagem de água no seu regulamento (*California Water Recycling Criteria*, 2000), pois considerou que o público em geral já está envolvido na reciclagem de outros materiais (vidros, plásticos, papel e outros resíduos) e, por essa razão, a reciclagem de água seria a terminologia mais adequada e aceita pela população. Da mesma forma, os avanços nas últimas décadas das tecnologias de tratamento de águas residuárias estão permitindo a produção de água recuperada com qualidade igual ou até mesmo superior à da água potável produzida e distribuída pelo sistema convencional de abastecimento. Por este motivo, e para facilitar a aceitação pública, alguns projetos recentes de reúso de água adotaram novos termos para descrever a água recuperada, como "água purificada", "*NEWater*", "*eco-water*", e assim por diante.

Neste texto, a **recuperação de água** refere-se ao processo de tratamento das águas residuárias para controlar compostos orgânicos, inorgânicos e organismos patogênicos, visando à produção de água recuperada com qualidade adequada para usos benéficos, tanto para fins não potáveis quanto para potáveis. O **reúso de água** é a utilização desta água recuperada para aplicações adequadas. Além disso, o reúso de água frequentemente implica na existência de instalações de transporte para entregar a água recuperada aos usuários finais. Na Tabela 20.1, são apresentados os principais termos e definições relacionados com a recuperação e o reúso de água.

TABELA 20.1 Termos e definições geralmente adotados para a recuperação e reúso de água

Termo	Definição
Água Recuperada	Águas residuárias que foram tratadas para atender a critérios específicos de qualidade da água para uso benéfico. O termo água reciclada e água de reúso são sinônimos de água recuperada.
Água Residuária	Efluentes gerados em residências, comércios, instalações industriais, agroindustriais e agropecuária.
Atenuador ambiental (AA)	Corpo hídrico superficial ou subterrâneo que fica entre a descarga de água recuperada e a retirada para usos benéficos. O atenuador ambiental geralmente proporcionará uma redução adicional dos contaminantes através de diluição e tratamento natural. Além disso, proporcionam ao público em geral a percepção de que ocorre uma dissociação entre esgoto e água recuperada aumentando a aceitação do reúso de água.
Constituintes de Preocupação Emergente (CPE)	Compostos químicos de produtos de higiene pessoal, farmacêuticos, incluindo antibióticos, antimicrobianos; produtos químicos industriais, agrícolas e domésticos; hormônios; aditivos alimentares; produtos de transformação, constituintes inorgânicos; e nanomateriais.

TABELA 20.1 Termos e definições geralmente adotados para a recuperação e reúso de água (Cont.)

Termo	Definição
Diretrizes	Normas, critérios, regras ou procedimentos recomendados ou sugeridos que sejam consultivos e voluntários.
Recuperação de Água	Tratamento de água residuária para torná-la adequada para o reúso de água.
Regulamento	Normas, critérios, regras ou requisitos que tenham sido adotados legalmente e sejam executáveis pelas agências governamentais.
Reúso de Água	Utilização de água recuperada para fins benéficos.
Reúso Direto	Uso planejado de água recuperada, conduzida ao local de utilização, sem lançamento ou diluição prévia em corpos hídricos superficiais ou subterrâneos.
Reúso Indireto	Água utilizada é lançada nos corpos hídricos superficiais ou subterrâneos, diluída e depois captada para novo uso.
Reúso Planejado	Ocorre quando a água residuária é tratada de forma planejada para ser utilizada de maneira controlada no atendimento de algum uso benéfico.
Reúso Não Planejado	Ocorre quando a água, utilizada em alguma atividade humana, é descarregada no meio ambiente e novamente utilizada a jusante, em sua forma diluída, de maneira não intencional e não controlada.
Uso benéfico	Uso de água diretamente pelas pessoas por seus benefícios econômicos, sociais ou ambientais.

Fonte: USEPA (2012); Lazarova et al. (2013); Hespanhol (2014).

20.3 GARANTINDO A QUALIDADE DA ÁGUA DE REÚSO

O esgoto sanitário, principal fonte de água residuária utilizada para a recuperação de água, contém grande quantidade e ampla variedade de organismos patogênicos (bactérias, vírus, protozoários e helmintos) e compostos químicos de diferentes origens, que podem ser prejudiciais à saúde humana, ao meio ambiente, às irrigações e às aplicações industriais, dependendo da concentração e da duração da exposição. Nesse sentido, a fim de proteger a saúde pública e melhorar a aceitação e a confiança dos usuários, uma das questões mais importantes em relação ao reúso de água refere-se à produção de uma água com qualidade adequada para os usos benéficos previstos.

Como o reúso de água envolve múltiplas aplicações potenciais, os constituintes de interesse dependem do uso final da água, ou seja, alguns constituintes de preocupação para a saúde humana, podem não ter relevância em determinadas aplicações industriais ou urbanas, enquanto determinados constituintes de preocupação no reúso industrial, podem não afetar o meio ambiente ou a saúde humana. Desta forma, dependendo da aplicação da água recuperada, a necessidade de remoção desses constituintes poderá ser diferente para cada projeto de reúso de água, uma vez que cada contaminante representa perigos distintos dependendo do contexto e seus riscos dependem da dose e das formas de exposição.

Em geral, os organismos patogênicos representam a preocupação primária de qualquer projeto de reúso de água, pois são responsáveis por efeitos súbitos e de curto prazo associado a contaminação com água de reúso. Os constituintes químicos, cuja variedade e concentração dependem da fonte e condição do sistema de coleta de águas residuárias, incluem compostos químicos inorgânicos (metais, nutrientes e sais) e orgânicos que são geralmente quantificados pela concentração de Carbono Orgânico Total (COT), cuja maioria é matéria orgânica natural e oriunda de produtos microbianos solúveis. Além dos compostos químicos convencionais, um novo grupo de constituintes, principalmente orgânicos, denominado Constituintes de Preocupação Emergentes (CPE), ou poluentes emergentes, constitui uma diversa gama de químicos de origem natural ou antrópica. São considerados emergentes porque possuem potencial de causar impacto no ambiente e na saúde humana, mas ainda não constam, em sua totalidade, nos programas de monitoramento e seus efeitos não são plenamente conhecidos e documentados. Esses compostos representam um grande desafio para a aplicação prática do reúso, principalmente o potável, pois o tratamento de águas residuárias convencional não possui eficiência na remoção de muitos destes contaminantes (Paxéus, 2004; Sahar et al., 2011; OMS, 2017).

A produção de água recuperada de qualidade não se limita apenas à seleção de tecnologias de tratamento, mas deve considerar também outras estratégias incluindo controles técnicos (por exemplo, alarmes de paradas e procedimentos de inspeção frequentes), dispositivos de monitoramento (por exemplo, monitoramento on-line de turbidez e de cloro residual) e controles operacionais para reagir a perturbações e variabilidade do sistema. Semelhante às práticas adotadas para produção de água potável, o **controle da**

qualidade nos projetos de reúso de água pode ser garantido por meio de planos de monitoramento e de resposta operacional, enquanto que a **garantia da qualidade** deve incorporar os princípios de múltiplas barreiras e uma avaliação de confiabilidade do tratamento adotado. Nos tópicos a seguir é feita uma discussão sobre as medidas que podem ser adotadas para garantir a produção de uma água segura e de qualidade constante para atender os usos benéficos pretendidos.

20.3.1 Elementos-chave para garantir a qualidade da água recuperada

O objetivo primário de qualquer projeto de reúso de água é que a saúde pública seja continuamente protegida e que a água recuperada seja aceita pelos consumidores. Para isto, medidas de **monitoramento**, **atenuação**, **retenção** e **mistura**, designadas como **elementos-chave**, podem ser incorporados aos projetos de reúso de água para garantir que a qualidade da água recuperada seja sustentável para o uso pretendido durante todo o tempo (Figura 20.1).

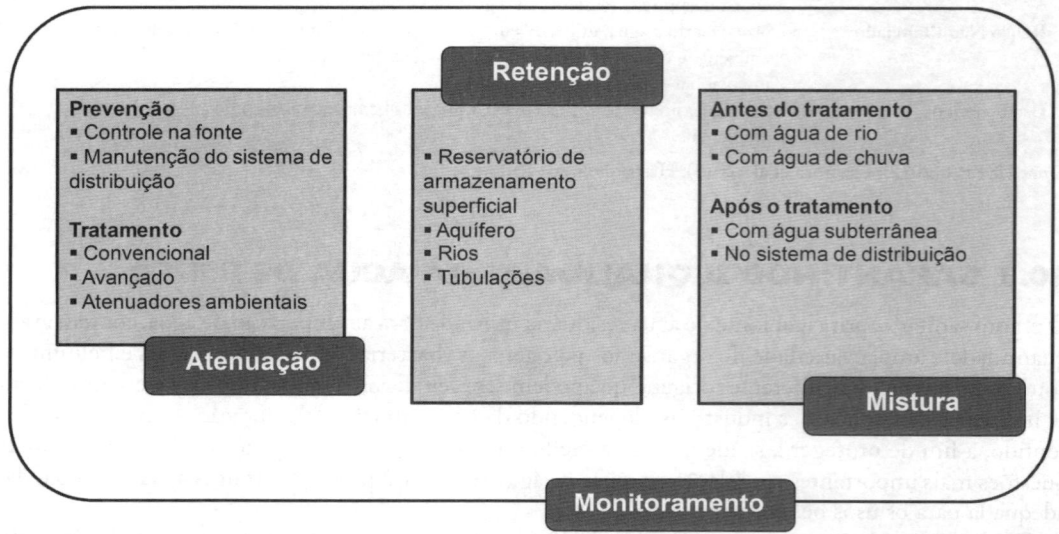

FIGURA 20.1 Elementos-chave que podem ser adotados nos projetos de recuperação e reúso de água. *Fonte: Adaptado de NRC (2012).*

Embora existam muitas medidas que podem ser adotadas para cada elemento chave, é preciso ter em mente que a extensão e a quantidade de medidas implementadas para uma aplicação particular de reúso de água dependerão dos objetivos específicos de qualidade da água do projeto em questão e dos possíveis impactos associados a falha do sistema. Por exemplo, a produção de água recuperada para reúso potável, no qual uma rigorosa garantia de qualidade da água é essencial, levará, na maioria dos casos, a adoções de todos os elementos-chave e de diversas medidas. Por outro lado, o uso para fim não potável da água recuperada, sobretudo para aplicações que não envolvem contato direto da água com o usuário, requer, em geral, menores quantidades de medidas adotadas. Além disso, a necessidade de utilizar a retenção e/ou mistura para garantir a qualidade da água está diretamente associada à **confiabilidade** e **robustez** das medidas tomadas para atenuação e monitoramento. Por exemplo, é esperado que o avanço tecnológico e o uso mais frequente de tecnologias avançadas para atenuação possibilitem a remoção de uma ampla variedade de contaminantes (robustez) com maior confiabilidade. Além disso, técnicas aprimoradas de monitoramento e controle reduzirão o significado de adoção de retenção e mistura nos projetos de reúso de água (NRC, 2012).

Monitoramento

O monitoramento é essencial para garantir qualidade e a segurança da água recuperada produzida e pode ser composto por uma combinação de dispositivos de monitoramento on-line (por exemplo, turbidez, pH e cloro residual) e medidas discretas (carbono orgânico, DQO e *Escherichia coli*) usando amostras simples ou compostas. Um programa de monitoramento ideal deve quantificar contaminantes críticos, tantos químicos quanto biológicos, na água recuperada e as técnicas de medição devem ser selecionadas com sensibilidade adequada para confirmar que os objetivos de qualidade estão sendo alcançados. Além disso, conforme ilustra a Figura 20.2, os requisitos de monitoramento geralmente se tornam mais rigorosos (por exemplo, amostragens mais frequentes e mais constituintes a serem monitorados) à medida que aumenta o potencial de contato humano com a água recuperada.

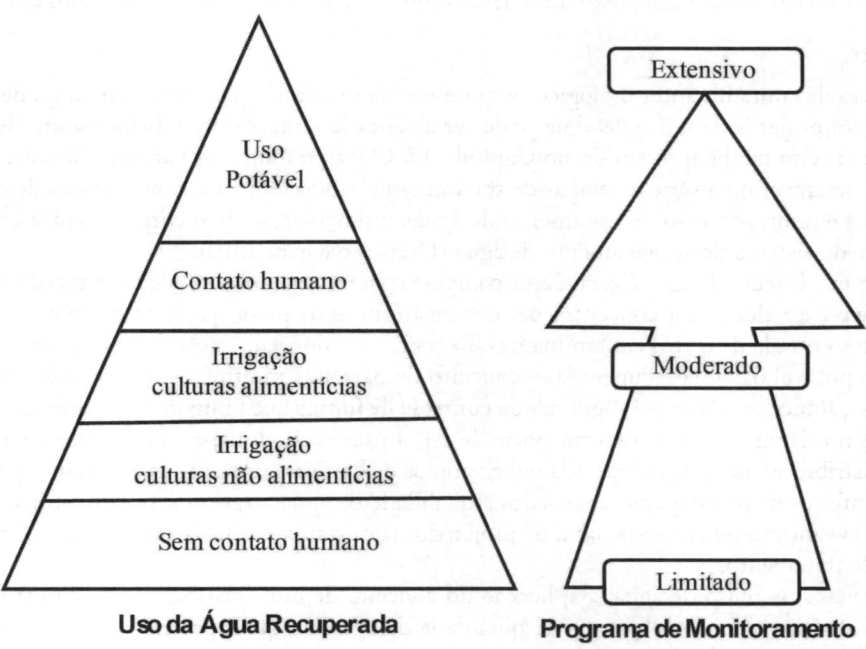

FIGURA 20.2 Necessidade de monitoramento em função dos usos da água recuperada.

Abordagens para garantir a qualidade da água recuperada, em geral, são feitas levando-se em consideração a seguinte estratégia: (1) caracterização de elementos críticos que controlam o desempenho dos processos unitários na remoção de contaminantes específicos; (2) identificação de parâmetros que podem ser monitorados de forma confiável e utilizados para confirmar que os elementos críticos estão sendo removidos e que os processos unitários estão funcionando como esperado; e (3) análise de rotina de certos constituintes em amostras retiradas da água recuperada para confirmar que as medidas anteriores são confiáveis.

Uma abordagem de monitoramento com componentes similares foi proposta para o gerenciamento de CPE em sistemas de reúso potável de água (Drewes et al., 2008). Esta abordagem combina o monitoramento de parâmetros sub-rogados (*surrogate*), que são uma propriedade física ou química mensurável, como o carbono orgânico dissolvido (COD), que pode ser usada para medir a efetividade da remoção de compostos orgânicos pelo processo de tratamento. Tais parâmetros sub-rogados constituem, portanto, indicadores de desempenho de remoção dos CPE, já que possuem características físico-químicas e biodegradabilidade semelhantes. Desta forma, a remoção de um indicador de desempenho de CPE fornece uma indicação de redução de compostos com propriedades similares, enquanto que a remoção de COD indica o funcionamento adequado do processo de tratamento. Como analogia, a medida dos indicadores tem um papel semelhante à quantificação de *E. coli* na água potável, e o monitoramento dos sub-rogados desempenha um papel semelhante ao monitoramento do cloro residual e do tempo de contato.

A fim de ilustrar o papel das estratégias operacionais e de monitoramento para minimizar e gerenciar os riscos de falhas dos processos de tratamento, é apresentada a seguir uma breve descrição da operação do sistema de reúso de água em Queensland, na Austrália. Nesse projeto, foi estabelecido o monitoramento em tempo real para criar pontos críticos de controle, para permitir que a corrente de água parcialmente tratada seja desviada da próxima etapa de tratamento caso seja identificada uma não conformidade. No início dos processos, são monitoradas concentrações de nitrato e amônia, que indicam se os processos de remoção biológica de nutrientes na estação de tratamento de águas residuárias estão operando adequadamente. Na etapa de microfiltração, a integridade da membrana é avaliada por testes automatizados de decaimento de pressão com frequência horária, enquanto que no tratamento com osmose reversa, o carbono orgânico total é monitorado e utilizado como parâmetro sub-rogado para detectar a passagem de compostos orgânicos através das membranas. Já na etapa de desinfecção/oxidação avançada, a dose de luz UV e a transmitância são constantemente medidas para detectar falhas nas lâmpadas ou presença de coloides na água, respectivamente. Esses testes em tempo real são complementados por análises laboratoriais (tanto químicas como microbiológicas) para confirmar os dados dos sensores, bem como fornecer informações sobre compostos químicos complexos, que não podem ser medidos em tempo real.

Atenuação

A atenuação de contaminantes biológicos e químicos de relevância para proteção da saúde e do meio ambiente em projetos de reúso de água pode ser alcançada através do estabelecimento de múltiplas barreiras, conceito também discutido no Capítulo 17. O termo múltiplas barreiras foi introduzido em 1970 para descrever uma série de etapas de tratamento visando reduzir a concentração de organismos patogênicos em um processo de tratamento de águas residuárias, onde o corpo receptor era utilizado como parte do sistema de abastecimento de água (Drewes e Khan, 2010).

Um sistema de reúso de água é geralmente composto por uma combinação de **barreiras de tratamento**, cujo objetivo é a redução das concentrações de constituintes de preocupação, e **barreiras preventivas**, que evitam a entrada de certos contaminantes. Para projetos de recuperação e reúso de água, sobretudo para o uso potável da água recuperada, o conceito de barreiras múltiplas foi ampliado também para compostos químicos orgânicos. Programas de **controle de fontes** que limitam o lançamento de efluentes industriais no sistema de coleta e transporte de esgoto sanitário doméstico ou a manutenção do sistema de distribuição de água recuperada são exemplos de barreiras preventivas, enquanto que a redução dos constituintes de preocupação associados a qualidade da água através do tratamento convencional, tratamento avançado ou sistemas naturais projetados (ex.: tratamento solo-aquífero) são exemplos de barreiras de tratamento.

Nos projetos de reúso de água, a aplicação do conceito de múltiplas barreiras é fundamental para garantir o atendimento dos objetivos de qualidade da água, os quais podem ser alcançados de duas maneiras: (1) expandindo a variedade de contaminantes que os processos de tratamento conseguem remover efetivamente, ou seja, **robustez**, e (2) melhorando o grau em que o processo pode remover de forma consistente qualquer um dos contaminantes, ou seja, **confiabilidade**. Além disso, as múltiplas barreiras podem também fornecer redundância, definida como uma série de processos unitários capazes de atenuar o mesmo tipo de contaminante, de modo que, se um processo falhar, haverá outro ainda para reduzir a concentração do contaminante (Haas e Trussell, 1998; Crittenden et al., 2005; NRC, 2012). Esses princípios estão ilustrados na Figura 20.3.

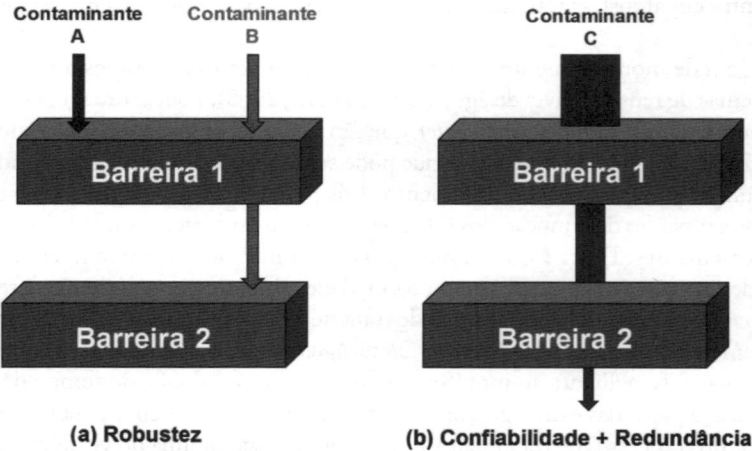

Figura 20.3 Exemplo de aplicação de múltiplas barreiras: a) robustez – aumentando a variedade de contaminantes removidos e b) confiabilidade – diminuindo a probabilidade de que qualquer contaminante não seja removido, neste exemplo incorporando redundância. *Fonte: Adaptado de NRC (2012).*

Dada a natureza do risco associado, os critérios de desempenho das múltiplas barreiras são aplicados de formas diferentes para organismos patogênicos e compostos orgânicos. Os organismos patogênicos estão associados a efeitos agudos a saúde (súbitos e potencialmente graves), enquanto que os compostos orgânicos são responsáveis, com exceção de eventos decorrentes de ligações hidráulicas cruzadas, por efeitos crônicos à saúde após exposição prolongada ou repetida devido, sobretudo, ao consumo de água. Nesse sentido, do ponto de vista de saúde pública, a desinfecção, que visa reduzir o risco agudo a níveis aceitáveis, é o elemento de processo que requer o maior grau de confiabilidade para aplicações que envolvam contato humano significativo com a água recuperada. Por exemplo, no caso de organismos patogênicos em projetos de reúso potável de água, o nível de confiabilidade e redundância deve ser suficiente para garantir que o objetivo de qualidade da água recuperada seja alcançado mesmo que ocorra uma falha em uma barreira de tratamento. Por outro lado, dada a ampla variedade de compostos químicos presentes nas águas residuárias, as múltiplas barreiras devem ser projetadas considerando uma sequência diversificada de processos de tratamento capazes de remover diferentes classes de compostos químicos, englobando diferentes propriedades físico-químicas (Drewes e Khan, 2010). Por exemplo, múltiplas barreiras para contaminantes químicos orgânicos traços podem incluir um processo oxidativo avançado (ex.: UV/H_2O_2) seguido de carvão ativado granular (CAG) cuja função é remover/atenuar as substâncias químicas que não são removidas pela oxidação avançada, bem como reter potenciais subprodutos da oxidação incompleta dos compostos orgânicos.

Retenção

No contexto de reúso de água, a retenção da água recuperada por um determinado tempo tem os seguintes propósitos: (1) possibilitar um tempo adicional para a atenuação dos contaminantes (ex.: decaimento microbiano); (2) proporcionar tempo para detectar e atuar sobre eventuais falhas ou problemas do sistema de recuperação e reúso de água; e (3) compensar a variabilidade entre a produção e a demanda de água. A retenção pode ser realizada por meio de armazenamento da água recuperada em reservatório superficial, pela sua injeção em aquífero não confinado e confinado, em reservatórios de retenção construídos, ou até mesmo na tubulação de transporte da água recuperada. Hespanhol (2014) destaca que, se o sistema envolver um grau significativo de variabilidade no processo de tratamento de águas residuárias, esse reservatório deverá ser de dimensões relativamente elevadas, permitindo tempo suficiente para responder às eventuais deficiências do processo e efetuar uma certificação extensiva do efluente produzido.

Mistura

A mistura da água recuperada é geralmente feita em aplicações de reúso potável. A água de reúso pode ser misturada com água de manancial superficial e subterrâneo antes do tratamento para abastecimento (reúso potável indireto) ou diretamente no sistema de distribuição de água (reúso potável direto). A mistura com outras fontes de água pode resultar em algum grau de diluição de contaminantes caso ocorra uma falha no sistema de tratamento. Vale ressaltar que, em muitos casos, a água de mistura pode representar uma fonte de menor qualidade. Portanto, uma avaliação cuidadosa da qualidade da água antes e depois da mistura é necessária para evitar qualquer degradação da água produzida.

Além disso, para processos avançados de tratamento que desmineralizam a água recuperada e eliminam grande parte dos elementos traços-químicos, pode ser necessário adicionar tais elementos para evitar problemas de saúde pública (por exemplo, ausência de magnésio e cálcio), para melhorar o sabor e para evitar a corrosão (ex.: índice de saturação de cálcio) (Tchobanoglous et al., 2011).

20.4 TIPOS DE REÚSO DE ÁGUA

20.4.1 Reúso Urbano

As áreas urbanas são estratégicas para aplicação do reúso de água em qualquer parte do mundo, devido ao ritmo crescente da demanda por este recurso, impulsionada pelo crescimento populacional e expansão industrial. Além disso, em alguns locais, há agravantes à escassez de água relacionados, principalmente, com a degradação dos mananciais disponíveis, como ocorre em diversas áreas do Brasil. O reúso urbano possui, portanto, imenso potencial de aplicação, não somente em áreas de escassez quantitativa, como as regiões semiáridas, mas também em áreas de escassez qualitativa, como as regiões metropolitanas, pois permite liberar as fontes de água de melhor qualidade para abastecimento público e usos prioritários.

Existem diversas classificações para o reúso urbano de água, podendo ser feitas em função das aplicações finais da água recuperada e requisitos de qualidade de cada uso. No entanto, por questões de aplicação prática, grande parte das diretrizes e normas vigentes tem proposto uma classificação do reúso urbano em função dos usos que envolvem contato direto do público (**irrestrito**) e usos em que o contato público é controlado (**restrito**), conforme ilustrado na Tabela 20.2. Os usos que envolvem contato direto do público exigem água com melhor qualidade e, consequentemente, mais etapas de tratamento, fator que

TABELA 20.2 Classificação da USEPA (2012) para reúso urbano e exemplos

Usos Urbanos Irrestritos	Usos Urbanos Restritos
• Irrigação de parques e jardins públicos, cemitérios, jardins de escolas e universidades; • Irrigação em centros esportivos, por exemplo, campos de futebol; • Usos ornamentais e paisagísticos em áreas com acesso irrestrito ao público (fontes e chafarizes, espelhos e quedas de água); • Descarga de toaletes; • Combate a incêndios; • Lavagem de veículos; • Limpeza de ruas; • Outros usos com exposição similar.	• Irrigação de gramados, árvores e arbustos ao longo de avenidas e rodovias; • Usos ornamentais e paisagísticos em áreas com acesso controlado ou restrito ao público; • Abatimento de poeira em estradas vicinais, obras de execução de aterros, terraplanagem etc.; • Usos na construção civil, como compactação do solo, abatimento de poeira, preparação de argamassa, concreto etc.

Fonte: Adaptado de Hespanhol (2008) e USEPA (2012).

pode influenciar nos custos dessas aplicações, ou seja, pode ser vantajoso economicamente priorizar as aplicações cujos padrões de qualidade não sejam tão exigentes. Além disso, alguns usos podem ser mais facilmente abastecidos do que outros. Para aplicações que envolvem irrigação de áreas verdes e reservas de proteção contra incêndios, a água recuperada pode ser distribuída por caminhões pipa, enquanto outras aplicações necessitam sistemas de dupla distribuição, isto é, encanamentos para água potável e água recuperada, separadamente. Um exemplo de uso urbano que exige sistema de dupla distribuição são as bacias sanitárias. De maneira geral, esses sistemas duplos envolvem, além de maiores custos e dificuldades operacionais, riscos quanto a conexões cruzadas e utilização da água recuperada para fins inapropriados. No entanto, é uma solução que possibilita maior alcance e benefícios do reúso de água, pois é possível reusar maiores quantidades de água recuperada.

Para reduzir os riscos à saúde associados ao contato público, os parâmetros e critérios de qualidade da água para cada modalidade de reúso urbano devem ser claros e objetivos. No Brasil, bem como em diversos países do mundo, há deficiências no quadro regulatório atual, associado à qualidade da água de reúso. Existem diversas leis e projetos de leis que visam a incentivar ou estabelecer o reúso de água não potável no Brasil. Porém, tais regulações, em sua maioria, não são bem definidas quanto aos parâmetros e critérios de qualidade da água, para a proteção da saúde pública e do meio ambiente.

Deste modo, os projetos estabelecidos baseiam-se essencialmente em diretrizes para o uso seguro de água recuperada, que orientam para consolidar uma base de riscos aceitáveis e servem como referência para estabelecer normas e padrões. No Brasil, em âmbito estadual, o governo do estado de São Paulo, no ano de 2017, em conjunto com a Secretaria de Estado da Saúde (SES), Secretaria do Meio Ambiente (SMA) e Secretaria de Saneamento e Recursos Hídricos (SARH), criou uma resolução para disciplinar o reúso urbano de água proveniente de estações de tratamento de águas residuárias. Os padrões de qualidade da água propostos na resolução foram baseados em critérios adotados por órgãos internacionais, como a Organização Mundial de Saúde (OMS), a Agência Americana de Proteção Ambiental (USEPA) e normas legais vigentes no Brasil. Para ilustrar alguns parâmetros e critérios, na Tabela 20.3 são apresentadas normas e diretrizes para reúso urbano elaboradas nos Estados Unidos pela USEPA, na Austrália pelo Departamento de Saúde da Austrália Ocidental (DHWA), na Espanha através do Real Decreto 1620, que estabelece o regime jurídico do reúso de água, e no estado de São Paulo (Brasil) pela resolução conjunta aprovada em 2017.

Como pode ser observado na Tabela 20.3, os usos que exigem maior qualidade da água recuperada, como os usos urbanos irrestritos (USEPA, 2012), alto nível de contato humano (DHWA, 2011), usos residenciais (Real Decreto 1620, 2007) e restrição moderada (SES/SMA/SSRH, 2017), apresentam recomendações semelhantes para indicadores de organismos patogênicos, ou seja, "não detectável" ou <1 unidade formadora de colônia (UFC)/100mL. Por outro lado, os usos mais restritivos, ou seja, aqueles em que o contato público é controlado, são menos exigentes nas recomendações quanto aos indicadores de organismos patogênicos, permitindo de 200 até 1000 UFC/100mL. Parâmetros como SST, DBO_5 e turbidez, apesar de não representarem risco iminente à saúde humana, estão entre os parâmetros de qualidade recomendados, isto porque indicam a qualidade estética da água recuperada, que é fundamental para aceitação pelo usuário e a partir deles é possível inferir sobre o desempenho e confiabilidade do tratamento. O teor de cloro residual é monitorado como medida de desempenho dos processos de desinfecção.

TABELA 20.3 Padrões de qualidade da água para reúso urbano em diferentes países

Parâmetro	USEPA (2012)		DHWA (2011)			Real Decreto (2007)		SES/SMA/SSRH (2017)	
	Irrestrito	Restrito	Alto	Médio	Baixo	Residencial	Público	Moderada	Severa
[1] DBO$_5$ (mg/L)	≤ 10	≤ 30	< 10	< 20	< 20	–	–	≤ 10	≤ 30
[2] SST (mg/L)	–	≤ 30	< 10	< 30	< 30	< 10	< 20	–	< 30
Turbidez (UNT)	≤ 2	–	< 2	< 5	–	< 2	< 10	≤ 2	–
Indicadores de Organismos Patogênicos	[3] N.D.	≤	< 1	< 10	<1000	[3] N.D.	< 200	[3] N.D.	< 200
Cl$_2$ residual (mg/L)	1,0	1,0	0,2–2	0,2-2	0,2-2	–	–	1	1
Tratamento	Secundário Filtração Desinfecção	Secundário Desinfecção	–	–	–	–	–	Secundário Filtração Desinfecção	Secundário Filtração Desinfecção

Nota: [1] DBO$_5$: demanda bioquímica de oxigênio em 5 dias; [2] SST: sólidos suspensos totais; [3] N.D.: não detectado.

A adequação da qualidade da água recuperada, principalmente para o **uso irrestrito,** cuja qualidade final requer turbidez ≤ 2 UNT, DBO$_5$ ≤ 10 mg/L e ausência de indicadores de organismos patogênicos, aliada a frequentes restrições de área para instalação da estação de recuperação de água em áreas urbanas, tem levado ao uso de sistema de tratamento compacto de alta eficiência e confiabilidade. Dentre as tecnologias utilizadas, os biorreatores com membranas submersas (MBRs, do inglês *Submerged Membrane Bioreactor*), que combinam um processo biológico com separação por membranas (microfiltração ou ultrafiltração) e produzem um efluente com qualidade constante de DBO$_5$ < 10 mg/L, *E. coli* < 100 NMP/100 mL e turbidez < 0,5 UNT, têm se tornado, cada vez mais, uma opção atrativa e viável para diferentes aplicações de reúso urbano (Subtil et al., 2013, 2014).

Além das recomendações de qualidade da água recuperada, algumas diretrizes e normas apresentam ainda distâncias de recuo recomendadas para proteger as fontes de abastecimento de água potável contra possível contaminação, por infiltração da água recuperada no solo (usos urbanos de irrigação), assim como os seres humanos de riscos de saúde devido à exposição à água de reúso. Os projetos de reúso urbano devem envolver iniciativas públicas em nível nacional e regional, confiabilidade em relação à qualidade e ao fornecimento, e inclusão da comunidade com iniciativas em educação e comunicação (Lazarova et al., 2013). Os desafios, por sua vez, são a ampliação da qualidade como garantia de segurança a saúde pública, a confiabilidade no abastecimento e a redução dos custos, principalmente relacionados com os sistemas de dupla distribuição.

20.4.2 Reúso Industrial

Os setores industriais contemplam uma variedade de consumo e uso de água para o fornecimento de diversos produtos e serviços e, por isso, são estratégicos para aplicação do reúso de água. Na maioria das vezes, o uso de água recuperada é uma opção mais econômica para as indústrias, particularmente para aquelas localizadas perto de áreas urbanas, pois está disponível uma grande quantidade de águas residuárias que podem ser utilizadas para produção de água de reúso com custo inferior ao praticado pelas companhias de saneamento. Por exemplo, o Aquapolo que atende o Polo Petroquímico de Capuava, no ABC Paulista, fornece água recuperada com tratamento avançado (MBR + osmose reversa) proveniente da ETE ABC, para uso em torres de resfriamento e caldeiras para geração de energia, a um custo de R\$ 6,00/m³ a R\$ 7,00/m³, enquanto que o custo da água posta à disposição das indústrias pela companhia de saneamento é de até R\$ 18,84/m³ (SABESP, 2017).

Na indústria, há duas formas para aplicação do reúso de água. A primeira é o **reúso macro externo**, que utiliza água recuperada proveniente das estações administradas por concessionárias ou outras indústrias. A segunda é o **reúso macro interno**, que se refere ao uso interno de água residuária, recuperada ou não, resultante de atividades realizadas na própria indústria. Este pode ainda ser realizado em cascata ou com efluentes tratados (água recuperada). No **reúso em cascata** (Figura 20.4-b), a água residuária de uma operação industrial é diretamente reusada na operação/processo subsequente sem a necessidade de recuperação. Nessa condição de reúso, pressupõe-se que a qualidade do efluente produzido em uma determinada operação é adequada para outro processo sem a necessidade de tratamento. As variações do reúso em cascata incluem o **reúso parcial** de efluentes, sobretudo em operações de lavagem, cuja qualidade do efluente varia em função do tempo, sendo possível descartar parte do efluente de menor qualidade e reusar apenas o de melhor qualidade. Adicionalmente, o reúso em cascata pode ser implementado com mistura do efluente com água de qualquer outro sistema de abastecimento convencional. Sempre que possível, deve ser priorizado esse tipo de reúso, pois, embora seja necessário reavaliar os procedimentos de coleta, armazenagem e transporte do efluente, não há a necessidade de tratamento, resultando em maiores benefícios econômicos e ambientais.

Por outro lado, no reúso de efluentes tratados, a água residuária gerada localmente deve passar por um processo de recuperação adequado para atender aos requisitos de qualidade exigidos aos usos pré-estabelecidos. Neste caso, a água recuperada pode ser aplicada em outra operação (Figura 20.4-c) ou retornar para a mesma operação/atividade em que o efluente foi gerado, denominado também como reciclagem de água ou reúso interno (Figura 20.4-d). Embora a modalidade de reúso de água com tratamento, em geral, resulte em maiores investimentos, ela é a opção mais adotada pelas indústrias, pois nem sempre é possível implementar o reúso em cascata devido a limitações de qualidade do efluente (FIRJAN, 2006).

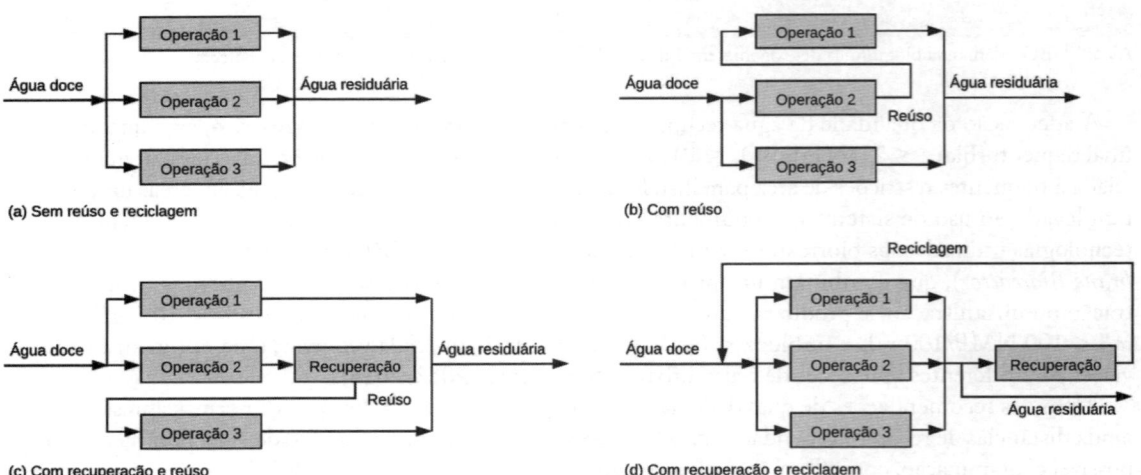

FIGURA 20.4 Usos industriais de água recuperada. *Fonte: Adaptado de Asano (2007).*

Para identificar oportunidades de otimização do uso e reúso da água na indústria, é fundamental o conhecimento dos processos industriais. Desta forma, é necessário que seja realizado um balanço hídrico que envolva (1) a avaliação dos processos desenvolvidos; (2) a identificação dos pontos de consumo de água; (3) a quantificação das demandas de água; (4) a geração e caracterização de efluentes; (5) a identificação dos requisitos de qualidade da água para cada aplicação e das opções para a redução do consumo de água; e (6) a avaliação das opções identificadas e a implantação das alternativas mais adequadas. Este estudo detalhado permite verificar o potencial e desenvolver estratégias de redução do consumo a partir do reúso da água (Mierzwa e Hespanhol, 2005).

As principais opções de reúso industrial de água incluem torres de resfriamento, alimentação de caldeiras e processos industriais. O reúso de água em processos industriais pode ser adotado de diversos modos, como em processamento, lavagem, diluição, transporte, incorporação da água em um produto ou para saneamento, bem como a própria matéria-prima de um determinado produto. Contudo, apesar de as formas associadas ao reúso industrial incluírem diversas opções, o maior consumo de água está associado às atividades de resfriamento. Por isso, as torres de resfriamento representam as aplicações mais importantes da água recuperada nas indústrias, sendo utilizada para absorver o calor do processo e transferi-lo por meio da evaporação.

O sistema de resfriamento mais empregado para aplicação do reúso de água é o de recirculação sem contato, onde a água aquecida transfere seu calor para o ar através da evaporação em uma torre de resfriamento. A água resfriada é então recirculada e reutilizada para absorver o calor, conforme ilustra a Figura 20.5. Este processo é amplamente realizado com água recuperada.

Para um bom desempenho da torre de resfriamento, torna-se necessário considerar a concentração de sais presente na água de circulação. As perdas de água por evaporação e arraste e a reposição da água perdida fazem aumentar esta concentração, sendo necessário remover parte da água de circulação (conhecido como purga) para limitar a concentração de sais na água de resfriamento. Deste modo, o balanço de massa da operação das torres de resfriamento deve considerar esses fluxos, de acordo com a Equação 20.1.

$$Q_m = Q_e + Q_a + Q_p$$

Equação 20.1

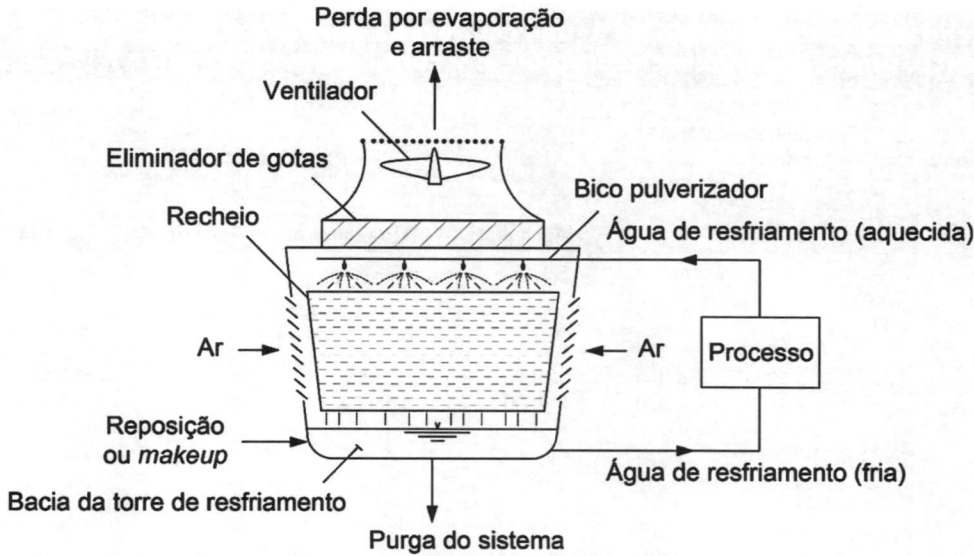

Figura 20.5 Operação da torre de resfriamento. *Fonte: Adaptado de Metcalf e Eddy (2003).*

Em que:

Q_m = fluxo de água de reposição ou *make-up* (L/h)
Q_e = fluxo de água perdida por evaporação (L/h)
Q_a = fluxo de água perdida por arraste (L/h)
Q_p = fluxo de água de purga (L/h)

A quantidade de água a ser purgada do sistema leva em consideração a qualidade da água de reposição e a concentração máxima de sais na água de resfriamento, por meio dos ciclos de concentração. Este parâmetro representa a proporção entre a concentração de sólidos dissolvidos na água da torre de resfriamento e a concentração de sólidos dissolvidos na água de reposição, conforme a Equação 20.2.

$$C = \frac{X_p}{X_m}$$ Equação 20.2

Em que:

C = ciclos de concentração
X_p = concentração dos sólidos dissolvidos na água de purga (mg/L)
X_m = concentração dos sólidos dissolvidos na água de reposição (*make-up*) (mg/L)

Os problemas mais pertinentes de qualidade da água recuperada para aplicações industriais estão relacionados com corrosão, crescimento biológico e incrustação. Os metais, por exemplo, causam corrosão e incrustação nos equipamentos. Os constituintes de cálcio, magnésio, sílica e alumínio favorecem a incrustação das caldeiras. A dureza é o principal fator de incrustação em equipamentos de troca de calor, caldeiras, tubulações, entre outros, enquanto os sólidos suspensos causam depósito nos mesmos. A alcalinidade do bicarbonato contribui para a formação de espuma, acentua a acidez do vapor e a corrosão. A matéria orgânica pode produzir espuma e, juntamente com os nutrientes, estimular o crescimento biológico. Como consequência, os microrganismos criam biofilmes, que podem interferir na transferência de calor e causar corrosão biologicamente induzida ou levar ao crescimento de algas. Por isso, Eslamian (2016) destaca que a água recuperada utilizada na indústria não deve causar precipitação em superfícies de transferência de calor, nem corrosão nos materiais estruturais dos equipamentos; não deve conter nutrientes em níveis suficientes para manter o crescimento de microrganismos; e não deve criar espuma que comprometa a operação dos equipamentos.

O tratamento necessário e a tecnologia adotada para o uso de água recuperada na indústria dependem da aplicação final, volume, grau de qualidade requerido, custo, entre outros fatores. Um resumo de padrões de qualidade recomendados pela USEPA (2012), ANA/FIESP/SINDUSCON-SP (2005) e por Florencio et al. (2006) para o uso de água recuperada em torres de resfriamento é apresentado na Tabela 20.4.

TABELA 20.4 Recomendações de qualidade da água recuperada para o reúso de água em torres de resfriamento, onde: A – sem recirculação e B – com recirculação

Parâmetros de qualidade	USEPA (2012)		ANA/FIESP/ SINDUSCON-SP (2005)		PROSAB (2006)			
					A		B	
	A	B	A	B	Água doce	Água salobra	Água doce	Água salobra
pH	6,0 – 9,0	6,0 – 9,0	5,0- 8,3	6,8 – 7,2	5,0 – 8,3	6,0 – 8,3	–	–
[1]DBO$_5$ (mg/L)	≤ 30	≤ 30		-	≤ 75	≤ 75	≤ 75	≤ 75
[2]DQO (mg/L)	-	-	≤ 75	≤ 75	–	–	–	–
[3]SST (mg/L)	≤ 30	≤ 30	≤ 5000	≤ 100	≤ 5000	≤ 2500	≤ 100	≤ 100
[4]SDT (mg/L)			≤ 1000	≤ 500	≤ 1000	≤ 35000	≤ 500	≤ 35000
Turbidez (UNT)	–	–	–	–	–	–	–	–
Coliformes termotolerantes (NMP/ 100 mL)	≤ 200	≤ 200	–	≤ 2,2	–	–	–	–
Sílica (mg/L)	–	–	≤ 50	≤ 50	≤ 50	≤ 25	≤ 50	≤ 25
Alumínio (mg/L)	–	–	–	≤ 0,1	–	–	≤ 0,1	≤ 0,1
Ferro (mg/L)	–	–	–	≤ 0,5	–	–	≤ 0,5	≤ 0,5
Manganês (mg/L)	–	–	–	≤ 0,5	–	–	≤ 0,5	≤ 0,02
Amônia (mg/L)	–	–	–	≤ 1,0	–	–	–	–
Cloretos (mg/L)	–	–	≤ 600	≤ 500	≤ 600	≤ 19000	≤ 500	≤ 19000
Dureza (mg/L)	–	–	≤ 850	≤ 650	≤ 850	≤ 6250	≤ 650	≤ 6250
Alcalinidade (mg/L)	–	–	≤ 500	≤ 350	≤ 500	≤ 115	≤ 350	≤ 115
Bicarbonato (mg/L)	–	–	≤ 600	≤ 24	≤ 600	≤ 140	≤ 24	≤ 140
Sulfato (mg/L)	–	–	≤ 680	≤ 200	≤ 680	≤ 2700	≤ 200	≤ 2700
Fósforo (mg/L)	–	–	–	≤ 1,0	–	–	–	–
Cálcio (mg/L)	–	–	≤ 200	≤ 50	≤ 200	≤ 420	≤ 50	420
Magnésio (mg/L)	–	–	–	≤ 30	–	–	–	–

Nota: [1] DBO$_5$: demanda bioquímica de oxigênio em 5 dias; [2] DQO: demanda química de oxigênio; [3] SST: sólidos suspensos totais; [4] SDT: sólidos dissolvidos totais.

20.4.3 Reúso Agrícola

A agricultura atualmente representa 11% da superfície terrestre para a produção de culturas e requer aproximadamente 70% da água retirada dos corpos hídricos de todo o planeta. Estima-se que, em 2050, o crescimento da população aumentará a demanda por alimentos em 70% em relação aos níveis de 2009 (FAO, 2011), o que resultará em maior pressão sobre os recursos hídricos e concorrência entre os demais setores. A agricultura depende de fornecimento de água em um nível tal que a sustentabilidade da produção de alimentos não poderá ser mantida sem considerar o uso de fontes alternativas, ou seja, a condição é tão crítica que o aumento da produção de alimentos não pode ser planejado apenas pela mera expansão de terra cultivada.

Uma alternativa para diminuir a demanda de água potável pelo setor agrícola é de fato o reúso de água. A aplicação de água recuperada para a produção agrícola pode auxiliar no suprimento de água neste setor e permitir a preservação de recursos hídricos de elevada qualidade para o abastecimento público. Os benefícios que o uso de água recuperada na agricultura oferece são (Dobrowolski et al., 2008; USEPA 2012):

- Fonte de água confiável e crescente com aumento populacional;
- O custo do tratamento para recuperação de água para fins agrícolas é geralmente menor do que os custos do tratamento para o lançamento de efluentes, sobretudo quando é necessária a remoção de nutrientes;
- A opção de alocação de água recuperada para irrigação promove a conservação ambiental e é, muitas vezes, a alternativa de gerenciamento preferencial e menos dispendiosa para os municípios;

- A água recuperada é uma alternativa para a suplementação e ampliação das fontes de água doce para irrigação;
- Em muitas localidades, a água recuperada pode ser a única fonte de água disponível para os agricultores e pode representar ainda uma fonte de fertilizantes mais econômica.

A irrigação com água recuperada pode fornecer nutrientes para o crescimento das culturas e reduzir a necessidade por fertilizantes industrialmente processados, ao mesmo tempo em que minimiza a carga de nutrientes e possíveis impactos no corpo receptor. Entre os nutrientes presentes, os mais importantes são o nitrogênio, o fósforo e o potássio. O nitrogênio é amplamente empregado para estimular o crescimento vegetativo, aumentando a produção de sementes e frutas e melhorando a qualidade das culturas de folhas e forragens. Contudo, em excesso, pode retardar a maturidade e reduzir a qualidade e a quantidade de culturas. O fósforo, além de promover o rápido crescimento das plantas, contribui com a floração e o crescimento das raízes, enquanto que o potássio auxilia a qualidade dos frutos e a redução de doenças, sendo absorvido em grandes quantidades. Deste modo, todos estes nutrientes agregam valor ao uso da água recuperada (USEPA, 2012; NRC, 2012).

As formas de reúso agrícola variam conforme a sua finalidade, que pode ser classificada como:

- **Irrigação de culturas alimentícias**: utilização de água recuperada para irrigação superficial ou por aspersão de culturas alimentícias destinadas ao consumo humano, consumidas cruas ou cozidas. Ressalta-se que em alguns países ainda é proibida a irrigação de culturas alimentícias consumidas cruas.
- **Irrigação de culturas alimentícias processadas e culturas não alimentícias**: utilização de água recuperada para irrigação superficial de culturas alimentícias processadas antes do consumo humano ou não consumidas por humanos (forragens, fibras, grãos, pastos, viveiros comerciais etc.).

Os padrões de qualidade para a irrigação com água recuperada têm sido propostos com o intuito de proteger a saúde pública, tanto dos operários quanto dos consumidores, os recursos hídricos, sobretudo a água subterrânea, e o solo, principalmente visando evitar a sua salinização. A irrigação de **culturas alimentícias** com água recuperada requer critérios mais rigorosos para seleção dos processos de tratamento, padrões de qualidade da água e regimes de monitoramento para minimizar os riscos de contaminação microbiana das culturas que são ingeridas pela população. Em contrapartida, a irrigação agrícola de **culturas não alimentícias** ou de culturas alimentícias destinadas ao consumo humano que serão comercialmente processadas e por isso possuem menor probabilidade de exposição humana com a água, requer critérios e padrões menos rígidos. Os padrões de qualidade recomendados pela USEPA e pela OMS, apresentados nas Tabelas 20.5 e 20.6, têm sido referência para o desenvolvimento de normas que regulam o reúso agrícola em diversos países. Enquanto a USEPA assume que a adequação da qualidade da água recuperada deve ser alcançada apenas pelos processos de tratamento, a OMS possui uma abordagem de múltiplas barreiras que classifica as categorias de irrigação e as medidas de proteção à saúde de acordo com o grau de exposição pública, que envolve tanto os consumidores quanto os agricultores.

TABELA 20.5 Diretrizes da USEPA para o reúso agrícola

Modalidades	Tratamento	Qualidade da água recuperada
Culturas alimentícias	Secundário Filtração Desinfecção	pH = 6,0 – 9,0 [1]$DBO_5 \leq 10$ mg/L Turbidez $\leq$ 2 UNT Coliformes termotolerantes [2]N.D. Mínimo de 1 mg/L de Cl_2 residual
Culturas alimentícias processadas e culturas não alimentícias	Secundário Desinfecção	pH = 6,0 – 9,0 [1]$DBO_5 \leq 30$ mg/L [3]$SST \leq 2$ mg/L Coliformes termotolerantes $\leq$ 200/100 mL Mínimo de 1 mg/L de Cl_2 residual

Nota: [1] DBO_5: demanda bioquímica de oxigênio em 5 dias; [2]N.D.: não detectado; [3] SST: sólidos suspensos totais.
Fonte: Adaptado de USEPA (2012).

Tipo de irrigação	Opção	Tratamento -remoção $\log_{10}$	*Escherichia coli*/ 100mL	Ovos helmintos/L	Descrição
TABELA 20.6		**Diretrizes da OMS para o reúso agrícola**			
Irrestrita (Consumidores de culturas)	A	4	$\leq 10^3$	≤ 1	Raízes ou tubérculos
	B	3	$\leq 10^4$		Folhagens
	C	2	$\leq 10^5$		Irrigação por gotejamento – árvores
	D	4	$\leq 10^3$		Irrigação por gotejamento – rasteiras
	E	6 ou 7	$\leq 10^1$ ou ≤ 100		Requerimentos do órgão regulador local
Restrita (Agricultores ou outras populações fortemente expostas)	F	3	$\leq 10^4$	≤ 1	Agricultura com mão de obra intensiva
	G	2	$\leq 10^5$		Agricultura altamente mecanizada
	H	0,5	$\leq 10^6$		Tratamento com baixa remoção de patógenos

Fonte: Adaptado da OMS (2006).

As medidas de proteção à saúde, recomendadas pela OMS, que podem ser aplicadas para alcançar as reduções de agentes patogênicos virais, bacterianos e protozoários menores ou iguais a 10^{-6} DALY (*Disability Adjusted Life Years*) por pessoa por ano recomendadas estão apresentadas na Figura 20.6. Embora cada uma das medidas de mitigação de risco possa ser empregada isoladamente, uma redução global do risco é mais efetiva quando essas medidas são combinadas em uma abordagem de múltiplas barreiras. Desta forma, quanto maior o risco à saúde devido ao nível de exposição pública, mais rigorosas serão as medidas de redução de patógenos. Para ilustrar, a opção A demonstra que a combinação de medidas requerida para a redução de patógenos é composta por: (a) tratamento de águas residuárias, que proporcione uma redução de patógenos de quatro ordens de magnitude (aproximadamente equivalente a um nível de *Escherichia coli* de 10^3/100 mL em efluentes não clorados); (b) decaimento de patógenos entre a última irrigação e consumo proporcionando uma redução de duas ordens de magnitude; e (c) lavagem doméstica normal das culturas de saladas ou legumes com água antes do consumo, reduzindo uma ordem de magnitude. Logo, é esperado que esta combinação de medidas promova uma redução de patógenos de sete ordens de magnitude, sendo adequada às raízes e tubérculos que podem ser consumidas

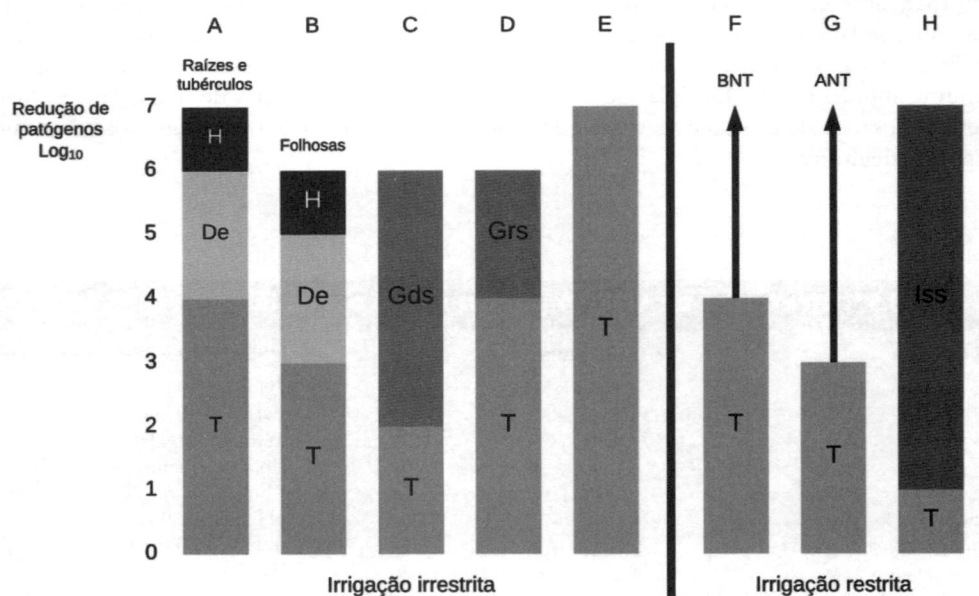

FIGURA 20.6 Exemplos de medidas para a redução de patógenos, onde: T: tratamento; De: decaimento no ambiente; H: higiene dos alimentos (lavagem); Gds: irrigação por gotejamento de plantas que se desenvolvem distantes do nível do solo; Grs: irrigação por gotejamento de plantas que se desenvolvem rentes ao nível do solo; Iss: irrigação subsuperficial; BNT: agricultura de baixo nível tecnológico (mão de obra intensiva); ANT: agricultura de alto nível tecnológico (mecanização). *Fonte: Adaptado da OMS (2006).*

cruas irrigadas com águas recuperadas (OMS, 2006). Destaca-se que esta abordagem dá flexibilidade aos agentes locais para lidar com os riscos de irrigação com as águas residuárias, proporcionando-lhes opções localmente viáveis, econômicas e combináveis, quando comparada a uma única opção regulatória voltada apenas para o tratamento da água residuária (Condom e Declecq, 2016).

Além disso, a OMS sugere que a promoção dessas práticas deve acompanhar as campanhas de conscientização sobre o risco de patógenos. Sendo assim, recomenda-se as seguintes medidas para contribuir com a mitigação do risco de contaminação (Lautze et al., 2014):

- Priorizar a irrigação de culturas de produtos que não são consumidos crus;
- Instalar sistemas de armazenamento e processamento na fazenda;
- Utilizar irrigação localizada;
- Usar roupas e luvas de proteção (agricultores);
- Lavar, armazenar e cozinhar produtos antes de consumir.

Adicionalmente, as culturas podem ser comprometidas por influência de outros três parâmetros. O primeiro é o cloro residual, que pode estar presente como resíduo de desinfecção. O cloro livre em concentrações inferiores a 1 mg/L geralmente não apresenta problemas para as plantas, e quando superiores a 5 mg/L, pode causar danos severos para a maioria delas. No entanto, algumas culturas sensíveis podem ser danificadas em níveis tão baixos quanto 0,05 mg/L. O outro parâmetro é a salinidade, que pode ser mensurada por meio da condutividade elétrica (CE) e/ou pelos sólidos dissolvidos totais (SDT) na água. De modo geral, concentrações de SDT abaixo de 500 mg/L na água de irrigação não apresentam efeitos prejudiciais às plantas; entre 500 e 1000 mg/L podem afetar plantas sensíveis e; acima de 1.000 a 2.000 mg/L podem afetar grande parte das culturas (USEPA, 2012). O último parâmetro é a sodicidade, causada pelo excesso de sódio na água de irrigação, que provoca a dispersão de minerais de argila e, consequentemente, a obstrução dos poros do solo. Tal fato é intensificado quando a proporção de cálcio em relação ao magnésio é baixa, uma vez que o cálcio é um importante contribuinte para a estabilidade dos agregados e estrutura do solo. Por esta razão, a sodicidade é expressa pelas concentrações de íons de sódio, cálcio e magnésio por meio da Relação de Adsorção de Sódio (RAS), vista na Equação 20.3, sendo indicada para a maioria das culturas RAS menor que 3 e contraindicado valores de RAS superiores a 9 (Florencio et al., 2006).

$$RAS = \frac{Na^+}{\left[\left(Ca^{+2} + \dfrac{Mg^{+2}}{2}\right)\right]^{\frac{1}{2}}} \, (mmol.L^{-1})^{0,5} \qquad \text{Equação 20.3}$$

Em que:

Na^+ = concentração de sódio na água de irrigação (mmol$_c$/L)
Ca^{+2} = concentração de cálcio na água de irrigação (mmol$_c$/L)
Mg^{+2} = concentração de magnésio na água de irrigação (mmol$_c$/L)

Estudos recentes têm investigado o efeito da exposição contínua das culturas agrícolas aos antibióticos, bactérias e genes resistentes a antibióticos. Verificou-se que esses contaminantes podem sofrer processos de sorção/dessorção e transformação e afetar a microbiota do solo, bem como serem absorvidos e bioacumulados dentro das plantas, resultando em implicações potencialmente prejudiciais para a saúde pública (Christou et al., 2017). Ainda assim, são necessárias pesquisas adicionais para suprir as lacunas do conhecimento, a fim de se obter uma conclusão mais sólida sobre o potencial impacto da entrada dos micropoluentes emergentes na cadeia alimentar, para comprovar riscos toxicológicos associados às baixas concentrações ambientalmente detectadas e que possam ser traduzidos por meio de critérios e padrões de qualidade da água.

20.4.4 Reúso Potável

O reúso potável representa uma fonte real, prática e relativamente independente das condições climáticas para abastecimento público, mas requer maior segurança quanto à qualidade e monitoramento da água, além de um sistema de gerenciamento adequado para a produção de água potável segura a partir de águas residuárias municipais. Neste sentido, em sua recente publicação, a OMS destaca que a estrutura para produção de água potável utilizando água recuperada deve conter três componentes principais (OMS, 2017):

- Alvos de saúde: objetivos com base nos riscos, que definem a segurança da água potável. Estão inclusas metas de desempenho para alcançar objetivos de segurança microbiana e qualidade de água para parâmetros químicos e radiológicos;
- Planos de segurança da água (PSA): uma abordagem abrangente de avaliação de risco e gerenciamento de riscos desenvolvida e implementada por fornecedores de água, incluindo: (1) avaliação do sistema para identificar, avaliar e garantir o gerenciamento dos riscos para a saúde pública ao longo da cadeia de abastecimento de água; (2) monitoramento para determinar se as medidas de controle implementadas são eficazes, e se o PSA está sendo implementado na prática e se o sistema, como um todo, é efetivo, atingindo os alvos de saúde; e (3) gestão e comunicação para assegurar a existência de sistemas operacionais e de gestão adequados para apoiar e manter a segurança da água;
- Vigilância independente: atividades realizadas pela agência reguladora para garantir que os PSAs sejam implementados efetivamente e que os objetivos de saúde sejam atendidos.

Embora a produção de uma água recuperada com qualidade adequada para o reúso potável, tanto o potável direto (RPD) quanto o potável indireto (RPI), envolva obrigatoriamente o estabelecimento de múltiplas barreiras, o que diferencia essas duas modalidades de reúso é o uso de atenuadores ambientais (ver Tabela 20.1). Os AA, tanto subterrâneos quanto superficiais, têm o objetivo de, por efeitos de diluição, mistura, sedimentação, adsorção, oxidação e outros processos adicionais de atenuação de contaminantes, minimizar as concentrações de poluentes remanescentes dos sistemas avançados de tratamento. Além disso, permitem uma barreira adicional para organismos patogênicos e elementos traços, tempo de resposta em caso de falhas no sistema de tratamento e proporcionam ao consumidor a percepção de que ocorre uma dissociação entre água residuária e água potável. A questão da dissociação é um fator importante na aceitação pública e por essa razão, historicamente, grande parte dos casos de reúso potável foi feita de forma indireta (NRC, 2012).

Problemas de degradação ambiental dos AA, desenvolvimento e consolidação das tecnologias avançadas, questões econômicas e novos estudos sobre o tema, têm conduzido a uma mudança de paradigma, tornando uma tendência a adoção do reúso potável direto nos novos projetos de reúso. O RPD, de fato, constitui uma solução mais segura à saúde pública do que tratar águas provenientes de mananciais extremamente poluídos com altas concentrações de efluentes domésticos e industriais, uma vez que AA poluídos não possibilitam os efeitos purificadores desejados ao reúso potável. Adicionalmente, na última década, várias pesquisas demonstraram que sistemas avançados de tratamento podem atuar tão bem ou até melhor do que AA utilizados para diluição e tratamento adicional dos contaminantes. Além disso, o uso adequado de indicadores e parâmetros sub-rogados associados às tecnologias avançadas possuem potencial de abordar muitas preocupações em relação à garantia da qualidade da água (NRC, 2012).

Um exemplo de sucesso na aplicação do reuso potável direto é o sistema que vem sendo praticado desde 1968 em Windhoek, capital da Namíbia (sudoeste da África), que mostrou que as águas residuárias domésticas podem ser tratadas de forma segura e econômica, a partir da estratégia de barreiras múltiplas para atingir níveis de segurança elevados e um plano abrangente de segurança da água.

Apesar de o reúso potável ser uma opção efetiva e viável em regiões que enfrentam problemas de escassez de água, como a Região Metropolitana de São Paulo (RMSP), a aceitação pública é ainda uma barreira a ser superada. Isso fica evidente quando se compara a dessalinização de água e o reúso potável, como fonte alternativa de água para fins de abastecimento público. Por exemplo, os custos de tratamento avançado para RPD, incluindo osmose reversa, variam entre US\$ 0,45/m³ e US\$ 0,75/m³ e demandam em média 0,95 kWh/m³, enquanto que as instalações de dessalinização de última geração requerem cerca de 3,3 kWh/m³ e podem custar até US\$ 1,80/m³ (Awerbuch e Ctrommsdorff, 2016). Ou seja, embora o RPD utilize menos energia e seja mais atrativo economicamente, sua adoção é ainda marginal quando comparado com a dessalinização de água para fins potáveis, haja vista que existem mais de 18.000 estações de dessalinização espalhadas em mais de 150 países, enquanto que o reúso potável possui menos de 30 aplicações pelo mundo.

No Brasil, bem como em diversos países, ainda não há no quadro regulatório atual parâmetros e critérios de qualidade da água para reúso potável. Além disso, há uma série de desafios adicionais, tais como: as atuais condições dos AA, cuja poluição não permite os efeitos purificadores desejados; descontrole sob o lançamento de efluentes industriais; aplicação predominantemente de tratamento em níveis secundários, que não possuem eficiência na remoção de CPE; e desconhecimento da importância e benefícios, que levam a recusa do desenvolvimento de estudos e projetos que dariam subsídios para o desenvolvimento de diretrizes e regulamentos nacionais sobre o tema. Na Tabela 20.7, estão resumidas as principais vantagens e desafios para ampliação do reúso potável. A USEPA (2012) dispõe de diretrizes para reúso potável, no entanto, abrange somente o RPI (Tabela 20.8).

TABELA 20.7 Vantagens e desafios para ampliação do reúso potável planejado

Vantagens	Desafios
Suprimento de água independente das condições climáticas; Redução dos impactos ambientais por despejos de efluentes em corpos hídricos (por exemplo, nutrientes que estimulam a eutrofização); Menor custo quando comparado às alternativas, como a importação de águas de bacias distantes e dessalinização da água do mar; A existência de precedentes bem-sucedidos, visão de segurança adicional no abastecimento de água e disponibilidade de água com qualidade elevada produzida por sistemas avançados de tratamento são fatores positivos para a aceitação comunitária da prática do reúso potável; Inovações tecnológicas: desenvolvimento de novas membranas, com menor *fouling* e menor consumo de energia, nano-membranas e dispositivos de controle *on-line* da qualidade da água.	Água residuária possui baixa qualidade com elevadas concentrações de organismos patogênicos e contaminantes químicos; Em geral, inclui processos complexos de tratamento (tratamento avançado e múltiplas barreiras) e nível elevado de conhecimento técnico; Elevados custos de monitoramento para constituintes de preocupação emergentes (CPE); As consequências das falhas podem ser catastróficas; Controle e demonstração contínua da qualidade da água (*on-line*); Colaboração de governos e consumidores na adoção dos projetos de reúso: Restrições legais/institucionais, associadas ao Princípio da Precaução e à legislação vigente sobre crimes ambientais; Incentivos públicos, subsídios, parcerias público-privadas; Mesmo com o crescimento da aceitação pública, a utilização de água recuperada como potável ainda precisa de medidas de educação e participação pública.

Fonte: Lazarova et al. (2013); Hespanhol (2014); OMS (2017).

TABELA 20.8 Diretrizes de qualidade da água para reúso potável indireto segundo a USEPA (2012)

Parâmetro de qualidade e critérios	Recarga por infiltração em aquíferos usados como fonte de água potável	Recarga por injeção em aquíferos usados como fonte de água potável	Aumento de vazão superficial para reservatórios de ETAs
pH	6,5 – 8,5 (medição diária)	6,5 – 8,5 (medição diária)	6,5 – 8,5 (medição diária)
[1] COT do efluente (mg/L)	≤ 2	≤ 2	≤ 2
Turbidez (UNT)	≤ 2 (medição contínua)	≤ 2 (medição contínua)	≤ 2 (medição contínua)
Coliformes totais/100mL	[2] N.D. (medição diária)	[2] N.D. (medição diária)	[2] N.D. (medição diária)
Cl_2 residual (mg/L)	1 (medição contínua)	1 (medição contínua)	1 (medição contínua)
Outros	Atender padrões de potabilidade após percolação através da zona vadosa (medição trimestral). O monitoramento não é necessário para vírus e parasitas: as suas taxas de remoção são prescritas nos requisitos de tratamento.	Atender padrões de potabilidade (medição trimestral). O monitoramento não é necessário para vírus e parasitas: as suas taxas de remoção são prescritas nos requisitos de tratamento.	Atender padrões de potabilidade (medição trimestral). O monitoramento não é necessário para vírus e parasitas: as suas taxas de remoção são prescritas nos requisitos de tratamento.
Nível de tratamento	Secundário Filtração Desinfecção Tratamento solo-aquífero	Secundário Filtração Desinfecção Tratamento avançado	Secundário Filtração Desinfecção Tratamento avançado
Distâncias de precaução	A distância para o poço de extração de água potável mais próximo deve ser tal que garanta a retenção mínima de 2 meses no subsolo.	A distância para o poço de extração de água potável mais próximo deve ser tal que garanta a retenção mínima de 2 meses no subsolo.	Específico do local — baseado em um tempo de retenção mínimo de 2 meses entre a introdução da água de reúso no reservatório e a captação por parte da ETA

Nota: [1] COT: Carbono Orgânico Total; [2] N.D.: não detectado.

Com relação à qualidade da água, de maneira geral, as bactérias não representam a preocupação primária para aplicação do reúso potável, pois são suscetíveis em sua maioria às práticas de desinfecção por cloração. Já os vírus representam riscos mais significativos, pois além de serem responsáveis por numerosas doenças, incluindo gastroenterite e hepatite A, possuem alta infectividade e estão presentes em grande variedade nas águas residuárias municipais, exigindo um manejo cuidadoso para desinfecção adequada. Outros organismos passíveis de preocupação são aqueles resistentes à desinfecção por cloro e que devem ser controlados por tratamentos alternativos como oxidação por ozônio e filtração por membrana. Alguns exemplos desses organismos são o *Cryptosporidium* e a *Giardia*, protozoários entéricos, geralmente associados a doenças de abastecimento de água potável com tratamento convencional completo (coagulação e floculação, filtração de granulometria e desinfecção por cloro, ver Capítulo 17).

Além dos organismos patogênicos, os CPE, que correspondem a inúmeros compostos e que geralmente não estão inclusos, em sua totalidade, entre os contaminantes controlados nos padrões de qualidade da água, tem despertado grande preocupação e sido o foco de diversas pesquisas sobre reúso potável de água. Esses CPE, que podem representar riscos à saúde humana mesmo em ng/L ou μg/L, contribuem de forma significativa na composição química das águas residuárias, pois estão presentes em milhões de formulações químicas disponíveis comercialmente, sendo cada vez maior o número de produtos químicos sintetizados nas últimas décadas (OMS, 2017). As águas residuárias podem apresentar uma composição de CPE variável, dependendo das circunstâncias locais e das atividades industriais, e, por estar em constante mistura, podem gerar subprodutos complexos.

Um CPE listado pela USEPA (2014) como poluente prioritário é o N-Nitrosodimetilamina (NDMA), devido à sua miscibilidade com a água, bem como a sua carcinogenicidade (B2 — provável humano) e toxicidade. O NDMA é um subproduto não intencional da cloração de águas residuárias nas estações de tratamento que utilizam cloraminas para desinfecção, suscitando grande preocupação como contaminante de água potável. A via oral é a principal forma de exposição humana e os métodos de detecção incluem extração em fase sólida, cromatografia em fase gasosa e cromatografia líquida. O tratamento de NDMA pode ser preventivo, isto é, eliminado seus precursores por tratamento biológico, microfiltração ou osmose reversa, mas após sua formação o tratamento comumente empregado é fotólise por radiação UV (225 a 250 nm), que rompe a ligação N-N, produzindo nitrito e dimetilamina.

REVISÃO DOS CONCEITOS APRESENTADOS

Para se ter uma compreensão mínima sobre a recuperação e o reúso de água, é necessário solidificar os seguintes conceitos:

- **Necessidade do reúso de água**. O crescimento populacional, sobretudo nas áreas urbanas, aliados a cenários ambientais, econômicos e sociais cada vez mais complexos têm levado a uma preocupação sem precedentes sobre a disponibilidade de água. Neste contexto, a abordagem linear convencional da gestão dos recursos hídricos deve ser convertida em um gerenciamento integrado, sobretudo considerando o uso de fontes alternativas de água para atender a demanda crescente. A recuperação e o reúso de água podem ajudar a encurtar o ciclo entre o abastecimento de água e a disposição das águas residuárias, tornando uma opção atrativa para conservar e ampliar o abastecimento de água disponível por potencialmente: (1) substituir, por água recuperada, usos que não exigem água de elevada qualidade; (2) aumentar as fontes de água e fornecer uma fonte alternativa de abastecimento para ajudar a atender as necessidades de água presentes e futuras; (3) proteger os ecossistemas aquáticos, diminuindo a retirada de água e reduzindo a quantidade de nutrientes e outros contaminantes nos cursos de água; (4) reduzir a necessidade de estruturas para regularização de vazão, como barragens e reservatórios; e (5) atender as legislações ambientais por um manejo adequado do consumo de água e lançamento de águas residuárias.
- **Produção de água recuperada segura**. A produção de água recuperada de qualidade consistente não se limita apenas à seleção de tecnologias de tratamento, mas deve considerar também outras estratégias. Semelhante às práticas adotadas para produção de água potável, o controle da qualidade nos projetos de reúso de água pode ser garantido por meio de planos de monitoramento e de resposta operacional, enquanto que a garantia da qualidade deve incorporar os princípios de múltiplas barreiras e uma avaliação de confiabilidade do tratamento adotado. Para isto, medidas de monitoramento, atenuação, retenção e mistura, designadas como elementos-chave, podem ser incorporados aos projetos de reúso de água para garantir que a qualidade da água recuperada seja sustentável para o uso pretendido durante todo o tempo. A extensão e a quantidade de medidas implementada para uma aplicação particular de reúso de água dependerão dos objetivos específicos de qualidade da água do projeto em questão e dos possíveis impactos associados a falha do sistema.
- **Reúso urbano**. Uso de água recuperada, aplicações não potáveis, em áreas urbanas. Os principais usos incluem: irrigação de parques e jardins, centros esportivos, gramados, árvores e arbustos ao longo de

avenidas e rodovias; usos ornamentais e paisagísticos (fontes e chafarizes, espelhos e quedas de água); descarga de toaletes; combate a incêndios; lavagem de veículos; limpeza de ruas; e usos na construção civil. De modo geral, os usos urbanos que envolvem contato direto com o público exigem critérios mais rigorosos para seleção dos processos de tratamento, padrões de qualidade da água e regimes de monitoramento.

● **Reúso industrial**. Uso de água recuperada em aplicações e instalações industriais. As principais aplicações incluem: resfriamento; alimentação de caldeiras; e processos industriais. Os processos industriais incluem processamento, lavagem, diluição, transporte, incorporação da água em um produto ou utilização da água como a própria matéria-prima de um determinado produto. Embora os processos industriais possuam variedade de aplicações, o maior consumo de água está associado a atividades de resfriamento. Na maioria das vezes, o uso de água recuperada é uma opção mais econômica para as indústrias, pois o custo pode ser significativamente inferior ao praticado pelas companhias de saneamento.

● **Reúso agrícola**. Uso de água recuperada para irrigação de culturas, sejam elas alimentícias ou não alimentícias (forragens, fibras, grãos, pastos, viveiros comerciais etc.). De modo geral, irrigação de culturas alimentícias requerem critérios mais rigorosos de tratamento, qualidade da água e monitoramento.

● **Reúso potável indireto**. Incremento de uma fonte de água potável (superficial ou subterrânea) com água recuperada via um atenuador ambiental. Esse sistema precede o tratamento convencional de água potável e requer maior segurança quanto à qualidade (múltiplas barreiras) e monitoramento da água (tanto da água recuperada quanto dos atenuadores ambientais).

● **Papel dos atenuadores ambientais no reúso potável**. Os atenuadores ambientais permitem minimizar as concentrações de poluentes remanescentes dos sistemas avançados de tratamento, por meio de diluição, mistura, sedimentação, adsorção, oxidação e outros processos adicionais de atenuação de contaminantes. Possibilitam uma barreira adicional para organismos patogênicos e elementos traços, garantem um tempo de resposta em caso de falhas no sistema avançado de tratamento e proporcionam ao consumidor a percepção de que ocorre uma dissociação entre água residuária e água potável (fator importante na aceitação pública do reúso potável). Os atenuadores ambientais não devem estar degradados e devem ser extensivamente monitorados para garantia dos efeitos purificadores desejados ao reúso potável.

● **Reúso potável direto**. Introdução de água recuperada (sem diluição prévia em Atenuador Ambiental) diretamente no sistema de tratamento convencional de água potável ou diretamente na rede de distribuição. Problemas de degradação ambiental dos atenuadores ambientais, desenvolvimento e consolidação das tecnologias avançadas, questões econômicas e novos estudos sobre o tema têm estimulado a adoção do reúso potável direto nos novos projetos de reúso.

SUGESTÕES DE LEITURA COMPLEMENTAR

● ANDERSON, J. (2003) The environmental benefits of water recycling and reuse. *Water Science and Technology: Water Supply*, 3(4).
● GROSS, A., MAIMON, A., ALFIYA, Y., FRIEDLER, E. (2015) *Greywater Reuse*. CRC Press, 301p.
● LAZAROVA, V., KWANG-HO CHOO, K.H., CORNEL, P. (2012) *Water – Energy Interactions in Water Reuse*. IWA Publishing; 1 ed., 360p.
● JIMENEZ B., ASANO T. (2008) Water Reuse: An International Survey of Current Practices, Issues and Needs. IWA Publishing, 1 ed., 648p.
● LIBHABER, M., JARAMILLO, A.O. (2012) *Sustainable Treatment and Reuse of Municipal Wastewater*. IWA Publishing; 1 ed., 576 p.
● PIDOU, M., ALI, F., WILLIAMS, R.F., JEFFREY, P., STEPHENSON, T., JEFFERSON, B. (2008) Technologies for urban water recycling. *Water Practice & Technology*, 3 (2).

Referências

Agência Nacional de Águas (ANA); Federação das Indústrias do Estado de São Paulo (FIESP); Sindicato da Indústria da Construção do Estado de São Paulo (SINDUSCON-SP). (2005) *Conservação e Reúso da Água em Edificações*. São Paulo, SP: Editora Gráfica, 151p.

ASANO, T., BURTON, F.L., LEVERENZ, H.L., TSUCHIHASHI, R., TCHOBANOGLOUS, G. (2007) *Water Reuse: Issues, Technologies, and Applications*. New York: McGraw-Hill.

AWERBUCH, L., TROMMSDORFF, C. *From seawater to tap or from toilet to tap? Joint Desalination and Water Reuse is the future of sustainable water management*. Disponível em: <http://www.iwa-network.org/from-seawater-to-tap-or-from-toilet-to-tap -joint-desalination-and-water-reuse-is-the-future-of-sustainable-water-management/>. Acesso em: 13 jan. 2018.

BRASIL. (2017) Resolução conjunta SES/SMA/SSRH n. 1, de 28 de junho de 2017. Disciplina o reúso direto não potável de água, para fins urbanos, proveniente de Estações de Tratamento de Esgoto Sanitário e dá providências correlatas. Diário Oficial do Estado de São Paulo, 29 de junho de 2017. Seção 1, p. 41/42.

CALIFORNIA WATER RECYCLING CRITERIA. (2000) *California Code of Regulations. Title 22*, Division 4, Chapter 3. California Department of Health Services, Sacramento, California, USA.

CHRISTOU, A., AGÜERA, A., BAYONA, J.M. et al. (2017) The potential implications of reclaimed wastewater reuse for irrigation on the agricultural environment: The knowns and unknowns of the fate of antibiotics and antibiotic resistant bacteria and resistance genes - A review. *Water Research*, n. 123, p. 448-467.

Companhia de Saneamento Básico do Estado de São Paulo (SABESP). (2017) Comunicado 03/17. São Paulo: SABESP.

CONDOM, N., DECLECQ, R. (2016) *Réutilisation des eaux usées pour L'irrigation agricole en zone péri-urbaine de pays en développement: pratiques, défis et solutions opérationnelles.* Egypte: Rappo Rt Ecofilae, 63p.

CRITTENDEN, J., TRUSSEL, R.R., HAND, D., HOWE, K., TCHOBANOGLOUS, G. (2005) *Water Treatment: Principles and Design.* 2ª Ed. Hoboken, NJ: John Wiley & Sons, Inc. 1920p.

Department of Health of Western Australia (DHWA). (2011) *Guidelines for the Non-potable Uses of Recycled Water in Western Australia.* Perth.

DOBROWOLSKI, J., O'NEILL, M., DURIANCIK, L., THROWE, J. (2008) *Opportunities and challenges in agricultural water reuse: Final report.*: USDA-CSREES, 89p.

DREWES, J.E., SEDLAK, D., DICKENSON, E., SNYDER, S. (2008) *Development of Indicators and Surrogates for Chemical Contaminant Removal during Wastewater Treatment and Reclamation.* Alexandria: Water Reuse Foundation, 169p.

DREWES, J.E., KHAN, S.J. (2010) *Water Reuse for Drinking Water Augmentation.* In: EDZWALD, J. Water Quality & Treatment. 6. ed. [S.l.]: McGraw-Hill, p. 16.1-16.48.

ESLAMIAN, S. (2016) Urban Water Reuse Handbook. Nova York: Taylor & Francis Group, LLC, 1141p.

ESPAN R DECRETO, ESPANHA. REAL DECRETO 1620/2007. Establece el régimen jurídico de la reutilización de las aguas depuradas.

Federação das Indústrias do Estado do Rio de Janeiro (FIRJAN). (2006) *Manual de conservação e reúso da água na indústria.* Rio de Janeiro: DIM.

FLORENCIO, L., BASTOS, R.K.X., AISSE, M.M. (Coord). (2006) *Tratamento e utilização de esgotos sanitários.* Rio de Janeiro: ABES, 427p.

Food and Agriculture Organization of the United Nations (FAO). (2011) *The State of the World's Land and Water Resources for Food and Agriculture.* Roma, 47p.

HAAS, C.N., TRUSSELL, R.R. Frameworks for assessing reliability of multiple, independent barriers in potable water reuse. *Water Science and Technology*, v. 38, n. 6. p. 1-8. 1998.

HESPANHOL, I. (2008) A new Paradigm for Water Resource Management. *Estudos avançados*, v. 22, n. 63, p. 131-157.

HESPANHOL, I.A (2014) Inexorabilidade do reúso potável direto. *Revista DAE - Artigos Técnicos*, v. 63, n. 198, p. 63-82.

LAUTZE, J., STANDER, E., DRECHSEL, P., DA SILVA, A.K., KERAITA, B. (2014) *Global Experiences in Water Reuse.* Colombo, Sri Lanka: International Water Management Institute (IWMI), 23p.

LAZAROVA, V., ANDERSON, J., ASSANO, T., BAHRI, A. (2013) *Milestones in Water Reuse: The Best Success Stories.* London, UK: IWA Publishing, 375p.

METCALF & EDDY, Inc. (2003) *Wastewater engineering: treatment and reuse.* 4 ed. Nova York, USA: McGraw-Hill Higher Education.

MIERZWA, J.C., HESPANHOL, I. (2005) *Água na indústria: uso racional e reúso.* São Paulo: Oficina de Textos.

NATIONAL RESEARCH COUNCIL (US), Committee on the Assessment of Water Reuse as an Approach to Meeting Future Water Supply Needs. (2012) *Water Reuse: Expanding the Nation's Water Supply Through Reuse of Municipal Wastewater.* Washington (DC): National Academies Press (US), 349p.

PAXÉUS, N. (2004) Removal of selected non-steroidal anti-inflammatory drugs (NSAIDs), gemfibrozil, carbamazepine, beta-blockers, trimethoprim and triclosan in conventional wastewater treatment plants in five EU countries and their discharge to the aquatic environment. *Water Science Technology.* v. 50, p 253-260.

Programa de pesquisas em saneamento básico (PROSAB). (2006) Tratamento e utilização de esgotos sanitários. Recife-PE.

SAHAR, E., ERNST, M., GODEHARDT, M. et al. (2011) Comparison of two treatments for the removal of selected organic micropollutants and bulk organic matter: conventional activated sludge followed by ultrafiltration versus membrane bioreactor. *Water Science & Technology.* v. 63, p. 733-740.

SUBTIL, E.L., HESPANHOL, I., MIERZWA, J.C. (2013) Submerged Membrane Bioreactor (sMBR): a promising alternative to wastewater treatment for water reuse. *Revista Ambiente & Água*, v. 8, p. 129-142.

SUBTIL, E.L., HESPANHOL, I., MIERZWA, J.C. (2014) Comparison between a conventional membrane bioreactor (C-MBR) and a biofilm membrane bioreactor (BF-MBR) for domestic wastewater treatment. Brazilian Journal of Chemical Engineering (Impresso), v. 31, p. 683-691.

TCHOBANOGLOUS, G., LEVERENZ, H., NELLOR, M.H., CROOK, J. (2011) *Direct: Potable Reuse: A Path Forward.* Alexandria, VA: WateReuse Research Foundation.

UNESCO. TRAN, M., KONCAGUL, E., CONNOR, R. (2016) *The United Nations World Water Development Report: Water and Jobs. Facts and Figures.*

United States Environmental Protection Agency (US EPA). (2012) *Guidelines for Water Reuse.* EPA/600/R-12/618. Washington (DC).

United States Environmental Protection Agency (US EPA). (2014) *Technical Fact Sheet - N-Nitroso-dimethylamine (NDMA).* EPA/505/F-14/005. Washington (DC).

World Health Organization (WHO). (2006) *Guidelines for the safe use of wastewater, excreta and greywater. Volume 1: Policy and regulatory aspects.* Genebra: WHO.

World Health Organization (WHO). (2017) *Potable Reuse Guidance for Producing Safe Drinking-Water.* Genebra.

TRATAMENTO DE EFLUENTES GASOSOS

21

Wiclef Dymurgo Marra Junior[1]

"A poluição do ar faz da Terra um lugar menos agradável de se viver. Reduz a beleza da natureza e agora já traz riscos ambientais bem maiores. Cada profunda inspiração preenche nossos pulmões de nitrogênio e oxigênio. Também são inalados gases e partículas consideradas poluentes, resultado de combustível queimado dos carros, incêndios florestais, fábricas e outras fontes relacionadas com atividades humanas" [Louis J. Battan (1923-1986)]. Vamos apresentar, neste capítulo, algumas informações introdutórias sobre os métodos mais usuais de controle da poluição de correntes gasosas. Veremos os dispositivos empregados na remoção de material particulado em suspensão e os equipamentos para a remoção de poluentes gasosos, e falaremos brevemente sobre poluição do ar e fontes de emissão. São textos concisos, que têm o objetivo de despertar seu interesse na procura de outras informações mais completas e profundas sobre os temas aqui apresentados. Hoje, com as possibilidades da internet, muitas informações estão "rolando por aí". Temos que tomar cuidado para buscar fontes de informações confiáveis! Um bom começo está na bibliografia apresentada no final deste capítulo. Boa leitura!

21.1 INTRODUÇÃO

A industrialização proporcionou muitos benefícios para a humanidade, mas, ao mesmo tempo, causou muitos problemas econômicos e sociais e um deles foi a poluição ambiental. Muitos reconhecem a poluição como uma séria ameaça à qualidade de nossa vida e, possivelmente, à nossa própria existência.

Embora o interesse em questões ambientais tenha aumentado nos últimos anos, com crescente mobilização da sociedade para a alteração das políticas e práticas que, no passado, resultaram em degradação do meio ambiente, ainda temos um longo caminho a percorrer para compreender e remediar todas as consequências das nossas atividades poluidoras do passado e do presente.

A Organização das Nações Unidas (ONU) definiu o dia 31 de outubro de 2011 como a data simbólica do marco populacional, quando a população da Terra atingiu 7 bilhões de habitantes. Sete bilhões de pessoas que necessitam de água e alimento de boa qualidade, bens de consumo e condições de vida decentes. Segundo projeções das Nações Unidas (World Population Prospects – The 2017 Revision), a população mundial deve chegar a 8,5 bilhões em 2030, e a 9,7 bilhões em 2050. Infelizmente, o aumento populacional trouxe consigo uma diminuição da qualidade ambiental, com uma significativa pressão sobre os recursos naturais e ecossistemas do planeta. Temos um grande desafio pela frente.

Há trinta anos (não faz tanto tempo assim!), quem poderia imaginar que teríamos hoje tantos telefones celulares "grudados" em nossos ouvidos? Televisores com telas de LCD (*liquid crystal display*) ou LED (*light-emitting diode*), ou notebooks e tablets fazendo parte do nosso cotidiano? Ou tantos automóveis "entupindo" as ruas das nossas cidades? Como escreveu Rachel Carson, em seu livro de 1962, *Primavera Silenciosa*, "*a rapidez da mudança e a velocidade com que novas situações são criadas seguem o ritmo impetuoso e insensato da humanidade, e não o passo cauteloso da natureza*".

Se considerarmos que a poluição é uma das consequências da maioria das atividades industriais (e por que não dizer de quase toda atividade humana), métodos de controle devem ser empregados. O melhor método de controle é, sem dúvida, evitar a poluição, substituindo o processo poluidor por outro que não polua. Mais fácil dizer do que fazer! Normalmente, isso não é viável, e, assim, algum método de controle deve ser utilizado.

---

[1]Seria muita presunção considerar-me o único autor deste capítulo, pois o máximo que fiz foi reunir informações dos autores citados no final deste texto e incluir algumas observações pessoais. Assim, agradeço àqueles que contribuíram com essas preciosas informações. Agradeço também à minha esposa, Ana Beatriz, pela revisão cuidadosa do texto.

Em relação à poluição do ar, uma das principais questões a que devemos responder é: qual a melhor maneira para reduzir a poluição do ar? A resposta, obviamente, envolve substancial investimento econômico, uso de processos produtivos mais eficientes e modernos, mudança de comportamentos, uso racional de energia, empenho da sociedade e de governantes, pesquisa científica e muito bom senso.

Quando o custo social da poluição é considerado – danos à saúde das pessoas na comunidade, à saúde dos trabalhadores na indústria, à propriedade –, o controle da poluição é sempre indicado. Os benefícios para a saúde, em curto prazo, resultantes da redução da poluição do ar, podem ser substanciais e compensar uma fração significativa dos custos relacionados com a mitigação da poluição.

21.2 Poluição do AR

Estamos todos imersos na atmosfera gasosa do planeta. Essa mistura de gases nos protege e sustenta a vida como nós a conhecemos. Em uma fina camada gasosa de poucos quilômetros de espessura (cerca de 50 km), acontecem os principais fenômenos que afetam a superfície da Terra, como os deslocamentos de massas de ar e os ventos, as precipitações meteorológicas, as mudanças do clima e a absorção da radiação ultravioleta.

É dessa mistura gasosa que dependemos essencialmente. Conseguimos permanecer alguns dias sem comer, poucos dias sem beber água, mas apenas alguns minutos sem respirar. A respiração é uma necessidade premente, uma das primeiras ações que fazemos ao nascer. Quando adultos, inspiramos cerca de 10.000 L de ar por dia, cuja composição (qualidade) deve ser adequada para a manutenção da nossa saúde.

O ar que respiramos tem como componentes majoritários o **nitrogênio (N_2)**, com cerca de 78%, e o **oxigênio (O_2)**, com cerca de 21%, restando 1% para outros componentes. Oxigênio e nitrogênio não são gases inertes, reagem entre si e com outros componentes da atmosfera, formando uma série de outros compostos. Eles participam do ciclo do nitrogênio, conforme visto no Capítulo 7, com a formação de uma série de moléculas nitrogenadas (proteínas, ácidos nucleicos, clorofila) que são essenciais, direta ou indiretamente, para todos os seres vivos.

O oxigênio é vital para a maioria das formas de vida, participando de seus metabolismos, e foi precursor para a formação da camada de ozônio (O_3) na estratosfera, a qual protege as moléculas orgânicas e formas de vida do poder destruidor das emissões ultravioleta incidentes na atmosfera terrestre. As concentrações de ozônio na superfície terrestre são relativamente baixas (da ordem de 0,02 ppm), mas isto muda muito com a altitude, com uma concentração máxima de cerca de 15 ppm em torno de 40 km de altitude.

Os componentes secundários da atmosfera incluem o **vapor de água (H_2O)** e o **dióxido de carbono (CO_2)**. Estes compostos têm concentração bastante variável na atmosfera.

A quantidade de CO_2 na atmosfera é relativamente baixa, cerca de 350 ppm, mas este gás é uma das principais matérias-primas que as plantas utilizam no processo de fotossíntese. A vida é baseada no carbono e o CO_2 é a fonte do carbono. Além disso, ele é o principal gás estufa, participando na manutenção de um favorável balanço energético global.

A concentração de vapor de água na atmosfera varia de 0,01 ppm até 70.000 ppm. Como o CO_2, o vapor de água também é um importante "gás" estufa, absorvendo emissões infravermelhas. Na sua condensação, formam-se as nuvens, as principais responsáveis pelo albedo[2] terrestre. O albedo tem um grande efeito na quantidade de luz solar (energia) que alcança a superfície da Terra.

Argônio (Ar), **neônio (Ne)**, **hélio (He)**, **criptônio (Kr)**, **xenônio (Xe)**, **hidrogênio (H_2)** e **óxido nitroso (N_2O)** são encontrados em quantidades muito pequenas na atmosfera. H_2 e He são os mais leves dos gases, "escapando" facilmente da força gravitacional terrestre.

A atmosfera contém traços de outros gases, incluindo amônia (NH_3), metano (CH_4), sulfeto de hidrogênio (H_2S), monóxido de carbono (CO), dióxido de nitrogênio (NO_2) e dióxido de enxofre (SO_2). Metano pode atuar como gás estufa e participar de várias reações com O_2 e CO. Várias outras substâncias gasosas mais complexas podem ser encontradas na atmosfera, provenientes, principalmente, das atividades humanas no planeta.

---

[2]Conforme visto no Capítulo 7, o albedo de um objeto é a razão entre a quantidade de radiação solar refletida pelo objeto e a quantidade total que ele recebe. Um objeto com um alto albedo é mais brilhante do que um objeto com um baixo albedo. Um objeto branco, completamente refletor, tem um albedo 1,0 enquanto um objeto preto, sem refletividade, tem um albedo 0,0 (zero).

Não podemos esquecer, ainda, do material particulado (sólidos ou líquidos finamente divididos) em suspensão na atmosfera, que inclui: bactérias, fungos, vírus, cloreto de sódio ($NaCl$), partículas de areia/solo, pólen, poeira cósmica, entre outros, cujas concentrações podem ser extremamente variáveis.

Podemos considerar que a atmosfera se torna **poluída** quando é **alterada pela adição de partículas sólidas ou líquidas, de compostos gasosos e de formas de energia (calor, radiação ou ruído) que não estão presentes normalmente na atmosfera**. Dessa forma, a atmosfera alterada é menos adequada ao homem ou causa algum impacto negativo no clima, na saúde humana, nos animais, na vegetação ou nos materiais. O conceito de poluição está diretamente relacionado com o senso de degradação, de perda de qualidade e aos efeitos adversos no ar, na água e no solo.

O problema da poluição do ar pode ser descrito pela presença de três componentes básicos: as fontes de emissão, a atmosfera e os receptores. Uma vez lançados pelas fontes de emissão, os poluentes encontram na atmosfera um ambiente propício para sua locomoção e interação. Eles estão livres para se misturarem e reagirem quimicamente com qualquer substância presente na atmosfera, com a ajuda adicional da energia radiante do Sol e da presença de vapor de água, podendo se dispersar por grandes extensões.

É sempre bom lembrar que qualquer dano ambiental que ocorra em um ponto qualquer da Terra acaba por afetar todo o planeta. Essa afirmação torna-se ainda mais adequada quando falamos de poluição do ar, pois a atmosfera é, grosso modo, a mesma para todo o planeta. O uso de limpadores de gases, a busca de combustíveis alternativos em processos de combustão e a modificação/otimização de processos produtivos para resultar em uma operação "mais limpa" são algumas ações de controle da poluição do ar.

É possível alcançar a remoção praticamente completa de qualquer substância poluente de misturas gasosas lançadas na atmosfera. Contudo, a remoção total de um poluente torna-se, muitas vezes, cara demais e é, geralmente, desnecessária. Na maioria dos casos, uma diminuta quantidade de impurezas pode ser lançada na atmosfera sem causar danos graves, pois os processos naturais de depuração podem, em princípio, remover essas impurezas e limpar a atmosfera.

A poluição do ar pode ser resultado de processos naturais ou antropogênicos (causados pelo homem). Embora os programas de controle da poluição estejam direcionados para a **poluição antropogênica**, não devemos desconsiderar a significância da **poluição natural** (erupções vulcânicas, incêndios florestais, tempestades de areia, ciclones e furações, decomposição de plantas e animais, erosão do solo, pólen, esporos de fungos, névoas oceânicas, hidrocarbonetos voláteis (HV) emitidos pela vegetação, ozônio formado em tempestades, poeira cósmica, reações fotoquímicas, entre outros). Poluentes naturais podem causar sérios problemas de alteração da qualidade do ar, principalmente quando são gerados, em quantidades significativas, próximos a aglomerados humanos. Há uma crescente evidência que os HVs emitidos pela vegetação têm grande importância na oxidação fotoquímica em áreas urbanas e rurais.

A poluição do ar é pouco seletiva, ou seja, atinge todos os que estão expostos a ela, não fazendo distinção nenhuma entre as pessoas. Ela não nos dá muitas possibilidades de escolha, diferentemente da poluição da água ou do solo, quando, por exemplo, em determinadas situações, tem-se a chance de escolher entre beber uma água poluída ou uma água de boa qualidade.

Para sabermos se o ar que respiramos tem qualidade, foram definidos os **padrões de qualidade do ar** – um padrão de qualidade do ar define legalmente um limite máximo para a concentração de um poluente atmosférico, de tal forma que seja garantida a proteção da saúde e do bem-estar das pessoas. Os padrões de qualidades do ar são baseados em estudos científicos dos efeitos produzidos pelos poluentes e são fixados em níveis que possam propiciar uma margem de segurança adequada. São estabelecidos dois tipos de padrões de qualidade do ar: os padrões primários e os secundários.

São **padrões primários** de qualidade do ar as concentrações de poluentes que, se ultrapassadas, poderão afetar a saúde da população. Eles devem ser entendidos como **níveis máximos toleráveis** de concentração de poluentes atmosféricos, constituindo, para locais poluídos, metas de **curto e médio prazos**. Os **padrões secundários** de qualidade do ar são as concentrações de poluentes atmosféricos abaixo das quais se prevê o **mínimo efeito adverso** sobre o bem-estar da população, assim como, o mínimo de dano à flora, aos materiais e ao meio ambiente em geral, podendo ser entendidos como níveis desejados de concentrações de poluentes, constituindo meta de **longo prazo**. O Conselho Nacional do Meio Ambiente (Conama), por meio da Resolução nº 03, de 28 de junho de 1990, estabeleceu os padrões nacionais de qualidade do ar, que são apresentados na Tabela 21.1.

TABELA 21.1	Padrões nacionais de qualidade do ar		
Poluente	**Tempo de amostragem**	**Padrão primário (μg/m³)**	**Padrão secundário (μg/m³)**
Partículas totais	24 horas[1]	240	150
em suspensão	MGA[2]	80	60
Partículas	24 horas[1]	150	150
inaláveis	MAA[3]	50	50
Fumaça	24 horas	150	100
	MAA[3]	60	40
Dióxido de	24 horas[1]	365	100
enxofre	MAA[3]	80	40
Dióxido de	1 hora[1]	320	190
nitrogênio	MAA[3]	100	100
Monóxido de	1 hora[1]	40.000 (35 ppm)	40.000 (35 ppm)
carbono	8 horas[1]	10.000 (9 ppm)	10.000 (9 ppm)
Ozônio	1 hora[1]	160	160

1: Não deve ser excedido mais que uma vez ao ano; 2: média geométrica anual; 3: média aritmética anual. *Fonte:* Conama nº 03/1990.

Em 2005, a Organização Mundial da Saúde (OMS) estabeleceu novos padrões de qualidade do ar. A Tabela 21.2 exibe os parâmetros de qualidade sugeridos pela OMS.

TABELA 21.2	Padrões de qualidade do ar	
Poluente	**Tempo de amostragem**	**Padrão primário (μg/m³)**
Partículas inaláveis (MP_{10})[1]	1 ano	10
	24 horas	25
Partículas respiráveis ($MP_{2,5}$)[2]	1 ano	20
	24 horas	50
Dióxido de enxofre	24 horas	20
	10 minutos	500
Dióxido de nitrogênio	1 ano	40
	1 hora	200
Ozônio	8 horas (máximo diário)	100

1: Fração do material particulado total em suspensão com diâmetro aerodinâmico médio menor que 10 μm; 2: fração do material particulado total em suspensão com diâmetro aerodinâmico médio menor que 2,5 μm. *Fonte:* OMS (2005).

21.3 FONTES DE EMISSÃO

Podemos classificar as fontes de emissão em naturais e artificiais (antropogênicas). Fontes de poluição do ar naturais incluem pólen de plantas, poeira levada pelo vento, processos biológicos, erupções vulcânicas e incêndios florestais. Fontes artificiais incluem veículos de transporte, processos industriais, usinas de energia, incineradores municipais e outros. Temos, ainda, as fontes móveis (automóveis, trens, aviões, embarcações, entre outras) e as fontes fixas ou estacionárias (indústrias, hotéis, usinas geradoras de energia, entre outras).

Cada vez mais, as fontes móveis representam um grande problema para os centros urbanos. São as principais fontes de poluição em cidades como São Paulo e Rio de Janeiro. Só para termos uma noção inicial da magnitude do problema, a frota veicular brasileira, em 2010, era de aproximadamente 29.700.000 unidades, entre automóveis, caminhões, motocicletas e outros. Em 2017, esse número subiu para cerca de 91.000.000 unidades (disponível em: https://cidades.ibge.gov.br/painel/frota.php, acesso em janeiro de 2018) – um aumento de cerca de 3 vezes em apenas 7 anos. Nesse mesmo período, a população do Brasil cresceu em torno de 9,5%, passando dos 190.000.000 habitantes, em 2010, para mais de 208.000.000, em 2017 (disponível em: <http://www.ibge.gov.br/home/>, acesso em janeiro de 2018).

As fontes de poluição do ar podem emitir poluentes gasosos ou partículas (material particulado ou pulverulento). Exemplos de emissões de poluentes gasosos incluem monóxido de carbono, hidrocarbonetos, dióxido de enxofre e óxidos de nitrogênio. Exemplos de emissões de partículas incluem fumaça e as emissões de poeira de uma variedade de fontes. Muitas vezes, uma fonte de poluição do ar emite tanto gases quanto partículas no ambiente.

Os poluentes que existem na atmosfera da mesma forma em que foram lançados pelas fontes de emissão são chamados de **poluentes primários**. Exemplos de poluentes atmosféricos primários incluem monóxido de carbono, dióxido de enxofre e partículas totais em suspensão. São **poluentes secundários** aqueles formados na atmosfera como resultado de reações, tais como hidrólise, oxidação, e oxidação fotoquímica (por exemplo, névoas ácidas e oxidantes fotoquímicos).

Em termos de gestão da qualidade do ar, as principais estratégias estão voltadas para o controle da origem dos poluentes primários, pois o meio mais eficaz de controlar os poluentes secundários é conseguir o controle da origem dos poluentes primários.

Ao avaliar os níveis de qualidade do ar em uma determinada região geográfica, um engenheiro ambiental deve ter informações precisas sobre a quantidade e as características das emissões das várias fontes de emissão que contribuem para poluição do ar. Uma abordagem para identificar os tipos e estimar as quantidades das emissões é a utilização dos fatores de emissão.

Um **fator de emissão** é a razão entre a quantidade de um poluente liberado na atmosfera, como resultado de uma atividade, tais como combustão ou produção industrial, e o nível dessa atividade. Fatores de emissão relacionam os tipos e as quantidades de poluentes emitidos para um indicador, tal como capacidade de produção, quantidade de combustível queimado, ou milhas percorridas por um automóvel.

Outra ferramenta importante para o controle da poluição do ar é o chamado **inventário de emissões**, que é uma compilação de todas as quantidades de poluentes lançados na atmosfera por todas as fontes de emissão em uma área geográfica, em um intervalo de tempo. O inventário de emissões é um instrumento de planejamento importante na gestão da qualidade do ar, fornecendo informações da origem, localização, magnitude, frequência, duração e contribuição relativa destas emissões, também ajudando para a definição de redes de amostragem do ar. A amostragem do ar é fundamental para a determinação da qualidade do ar e para a caracterização das fontes de emissão.

21.4 MÉTODOS DE CONTROLE[3]

Podemos dividir os métodos de controle da poluição do ar em duas grandes categorias: aqueles destinados à **remoção de material particulado em suspensão** nas correntes gasosas e aqueles que realizam a **remoção de poluentes gasosos** das correntes gasosas.

Os equipamentos de controle para material particulado que veremos neste capítulo são: câmara gravitacional, ciclone, filtro de mangas, precipitador eletrostático e lavador Venturi. Para o controle de poluentes gasosos, veremos: condensador, absorvedor, adsorvedor, incinerador, separador de membrana e biofiltro.

21.4.1 Dispositivos para Remoção do Material Particulado em Suspensão

Câmara gravitacional. Um dos mais simples (e mais antigos) dispositivos de controle da poluição do ar é a câmara gravitacional ou câmara de sedimentação. O equipamento consiste, basicamente, em uma câmara de expansão, na qual ocorre a redução da velocidade do gás até um ponto em que as partículas nele em suspensão são capturadas pela ação da gravidade (sedimentação). Com a diminuição da velocidade do gás, a influência da força viscosa do gás sobre a partícula é reduzida e as partículas começam a cair pela ação da força gravitacional.

Em geral, quanto maior a partícula, maior a taxa de sedimentação. Em uma dada corrente gasosa, as partículas maiores sedimentam mais rápido do que as menores. A velocidade de sedimentação de partículas, também chamada de velocidade de queda livre ou velocidade terminal, foi explorada por um cientista chamado George Gabriel Stokes (1819-1903). Sua equação para a velocidade terminal de partículas é utilizada até hoje e é chamada de Lei de Stokes (Equação 21.1).

$$V_t = \frac{d_p^2(\rho_p - \rho_g)}{18\mu}$$

Equação 21.1

V_t: velocidade terminal de sedimentação (m/s); d_p: diâmetro da partícula (m); ρ_p: densidade da partícula (kg/m³); ρ_g: densidade do gás (kg/m³); μ: viscosidade do gás (kg/m.s).

---

[3]Quando temos a movimentação de líquidos ou pós no interior de tubulações ou equipamentos, existe a possibilidade do aparecimento de cargas elétricas provenientes do atrito e contato entre os diferentes materiais envolvidos no processo (triboeletrificação), podendo ocorrer faíscas elétricas e explosões consideráveis. Assim, devemos aterrar todos os equipamentos envolvidos nos processos.

De acordo com esta equação, quanto maiores o diâmetro e a densidade da partícula, maior será a sua velocidade terminal. Quanto maior a viscosidade do gás, menor será a velocidade terminal da partícula.

O dimensionamento da câmara gravitacional deve promover condições para que a partícula de um diâmetro desejado tenha um tempo de residência no interior do equipamento suficiente para a sua captura, ou seja, o tempo de queda da partícula deve ser menor que o seu tempo de residência na câmara. As variáveis de projeto consistem, basicamente, em comprimento, largura e altura.

Existem diversas configurações para as câmaras gravitacionais, e os tipos mais comuns são: câmara de expansão simples, câmara de múltiplos pratos (ou bandejas) e câmara inercial. Uma visão simplificada desses equipamentos é exibida na Figura 21.1.

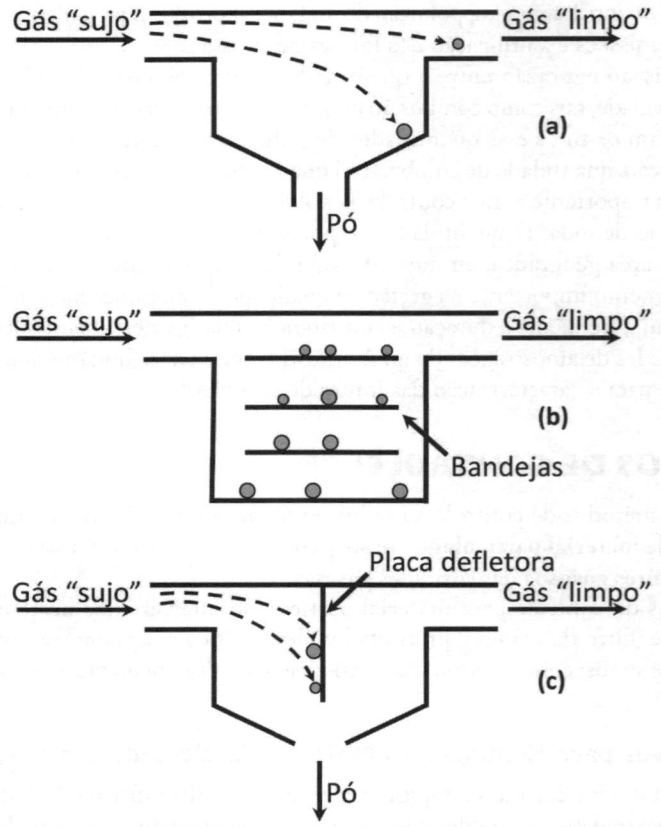

FIGURA 21.1 Câmara gravitacional (a) de expansão simples, (b) com bandejas e (c) inercial.

Habitualmente, as câmaras são usadas para a remoção da fração mais grossa da massa de partículas em suspensão, antes de dispositivos de controle de particulados mais eficientes, contribuindo para o funcionamento e para a diminuição da frequência de limpeza dos outros equipamentos. Ela é poucas vezes usada como dispositivo final de limpeza do gás, estando, geralmente, limitada à remoção de partículas com diâmetro entre 50 μm e 100 μm.

Ciclone. Também chamados de separadores centrífugos, os ciclones são muito utilizados para o controle de particulado, especialmente quando partículas relativamente grandes precisam ser coletadas (partículas com diâmetro acima de 10 μm). Em geral, são mais eficientes que as câmaras gravitacionais, mas também podem ser instalados como pré-coletores de dispositivos mais eficientes ou utilizados para a proteção de equipamentos, por exemplo, para evitar a abrasão causada pelo pó em sistemas de exaustão.

Eles apresentam baixo custo de instalação e manutenção, não possuem partes móveis, podem ser confeccionados em diversos materiais e ocupam espaço reduzido. Podem se apresentar em muitas formas e tamanhos, mas o princípio básico da separação é sempre o mesmo: atuação da força centrífuga sobre as partículas.

Como na câmara de sedimentação, a força gravitacional atua sobre a partícula; porém, no ciclone, devido à sua configuração, uma colaboração adicional da força centrífuga ajuda na remoção das partículas da corrente gasosa.

Ao entrar no ciclone, a corrente gasosa é forçada a girar no interior do equipamento. As partículas maiores que não acompanham o movimento do gás colidem com as paredes do ciclone e são direcionadas para a parte inferior do equipamento, pela ação da força gravitacional, onde são coletadas. As partículas menores giram com o gás e adquirem velocidade angular. Em virtude da rotação em torno do eixo do equipamento e de sua massa, pela ação da força centrífuga, elas são direcionadas para as paredes do equipamento e, posteriormente, seguem o mesmo caminho das partículas maiores. Dessa maneira, o material particulado capturado sai pela parte inferior do ciclone e o gás "limpo" sai pela parte superior do equipamento. A força centrífuga é diretamente proporcional à massa da partícula.

Pode ocorrer ressuspensão das partículas coletadas no interior do ciclone, com seu retorno à corrente gasosa e saída do equipamento juntamente com o gás "limpo". Neste caso, deve-se reduzir a velocidade de entrada do gás no equipamento.

A Figura 21.2 exibe a trajetória do gás e das partículas no interior do equipamento e a Figura 21.3 mostra suas principais dimensões.

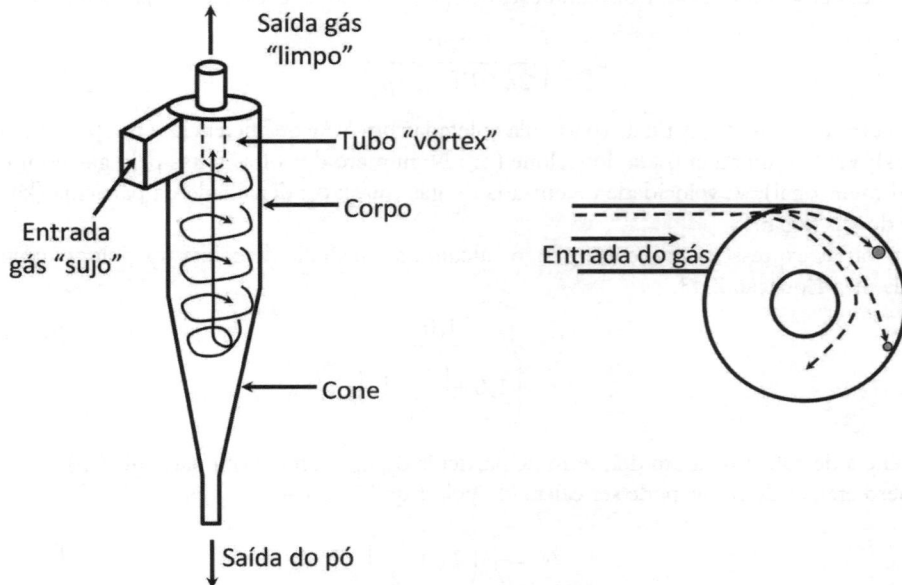

FIGURA 21.2 Caminho das partículas no interior do ciclone. *Fonte: Schenelle & Brown (2002).*

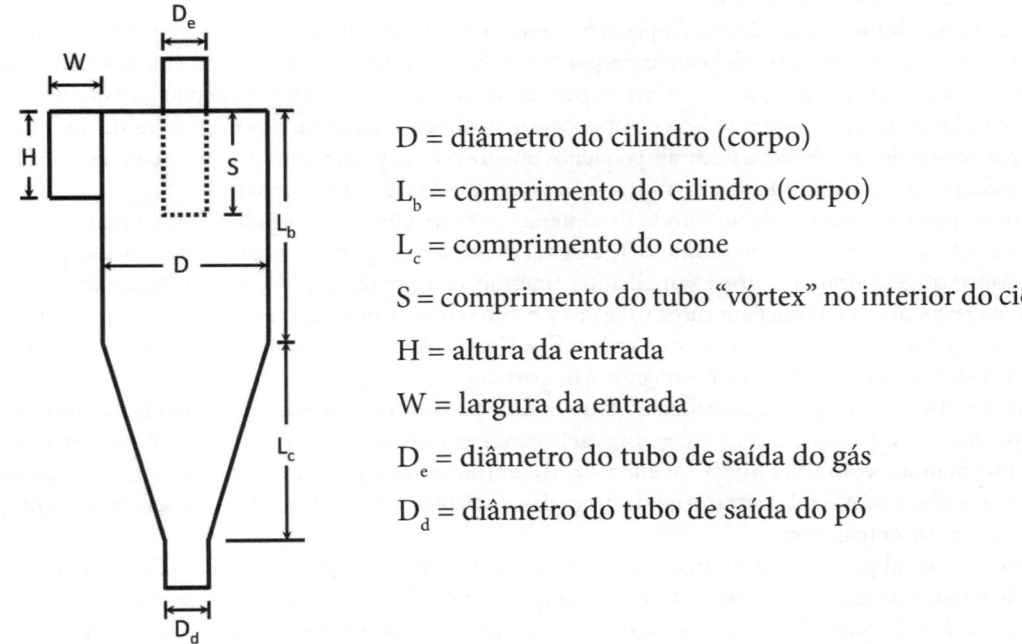

D = diâmetro do cilindro (corpo)

L_b = comprimento do cilindro (corpo)

L_c = comprimento do cone

S = comprimento do tubo "vórtex" no interior do ciclone

H = altura da entrada

W = largura da entrada

D_e = diâmetro do tubo de saída do gás

D_d = diâmetro do tubo de saída do pó

FIGURA 21.3 Esquema simplificado e dimensões de um ciclone.

D = diâmetro do cilindro (corpo)
L_b = comprimento do cilindro (corpo)
L_c = comprimento do cone
S = comprimento do tubo "vórtex" no interior do ciclone
H = altura da entrada
W = largura da entrada
D_e = diâmetro do tubo de saída do gás
D_d = diâmetro do tubo de saída do pó

A dimensão básica do ciclone é o diâmetro do corpo cilíndrico (D), sendo as demais dimensões relações de D. Para um ciclone padrão, podemos ter as seguintes relações: H/D = 0,5; W/D = 0,2; D_e/D = 0,5; L_b/D = 1,5; L_c/D = 2,5; S/D = 0,5 e D_d/D = 0,375.

O desempenho de um ciclone é usualmente avaliado em função do "diâmetro de corte" (d_{pc}), que é o tamanho da partícula coletada com 50% de eficiência. O diâmetro de corte depende das propriedades do gás e da partícula, das dimensões do ciclone e das condições de operação e pode ser estimado a partir da Equação 21.2.

$$d_{pc} = \left(\frac{9\mu W}{2\pi N V (\rho_p - \rho_g)} \right)^{0,5}$$ Equação 21.2

d_{pc}: diâmetro de corte da partícula (partícula coletada com 50% de eficiência – m); μ: viscosidade do gás (kg/m.s); W: largura da entrada do ciclone (m); N: número de voltas feitas pelo gás no interior do ciclone (adimensional); V: velocidade de entrada do gás (m/s); ρ_p: densidade da partícula (kg/m^3); ρ_g: densidade do gás (kg/m^3).

Existem várias expressões propostas para o cálculo da eficiência de coleta do ciclone; uma delas é apresentada pela Equação 21.3.

$$E = \frac{1,0}{\left(1,0 + \left(\frac{d_{pc}}{d_p} \right)^2 \right)}$$ Equação 21.3

E: eficiência de coleta para um diâmetro de partícula d_p; d_p: diâmetro da partícula (m)
O número efetivo de voltas pode ser calculado pela Equação 21.4.

$$N = \frac{1}{H} \left(L_b + \frac{L_c}{2} \right)$$ Equação 21.4

N: número de voltas do gás; H: altura da entrada do ciclone (m); L_b: comprimento do corpo do ciclone (m); L_c: comprimento do cone (m).

Precipitador eletrostático. Desde sempre, o homem esteve envolvido com fenômenos nos quais cargas eletrostáticas estavam presentes de maneira espontânea. Estas cargas estão no seu cabelo, na sua roupa, nos objetos que o cercam, nas partículas em suspensão no ar. Quem nunca sentiu pequenos choques ou ouviu estalidos ao tocar em outra pessoa ou objeto, principalmente nos períodos mais secos do ano? Ou nunca participou de brincadeiras de atrair pequenos objetos, como pedacinhos de papel, com um bastão que se esfregou num pedaço de tecido ou com um pente que se passou nos cabelos?

Eletrostática é o termo dado ao estudo das interações entre corpos carregados eletricamente ou ao estudo das causas e dos efeitos do acúmulo de cargas em sólidos e líquidos. Sabemos que cargas opostas (sinais contrários) se atraem e cargas semelhantes (mesmo sinal) se repelem – é uma lei básica da física.

Se uma partícula eletrizada com carga (q) estiver na presença de um campo elétrico com intensidade (E), sobre a partícula irá atuar uma força elétrica: F_e = Eq, paralela às linhas de força do campo elétrico. Esta força elétrica é capaz de alterar a trajetória da partícula.

Imagine uma corrente gasosa escoando no interior do espaço entre duas grandes placas planas verticais. As partículas em suspensão na corrente gasosa estão carregadas eletricamente e, entre as placas, uma alta tensão (normalmente 40 kV a 50 kV) é aplicada. Ao entrar neste espaço, as partículas serão desviadas em direção à placa com sinal contrário ao da carga das partículas, onde serão coletadas, sendo, portanto, removidas da corrente gasosa.

A velocidade adquirida pela partícula ao se deslocar em direção à placa é chamada velocidade de migração e tem a direção das linhas de força do campo elétrico. A velocidade de migração é semelhante à velocidade de sedimentação (velocidade terminal) de uma partícula sob o efeito do campo gravitacional. No primeiro caso, a partícula está sob a influência de um campo elétrico.

Na Figura 21.4, podemos observar o modo de coleta das partículas nas placas do equipamento e, na Figura 21.5, temos um desenho simplificado de um precipitador de placas planas paralelas.

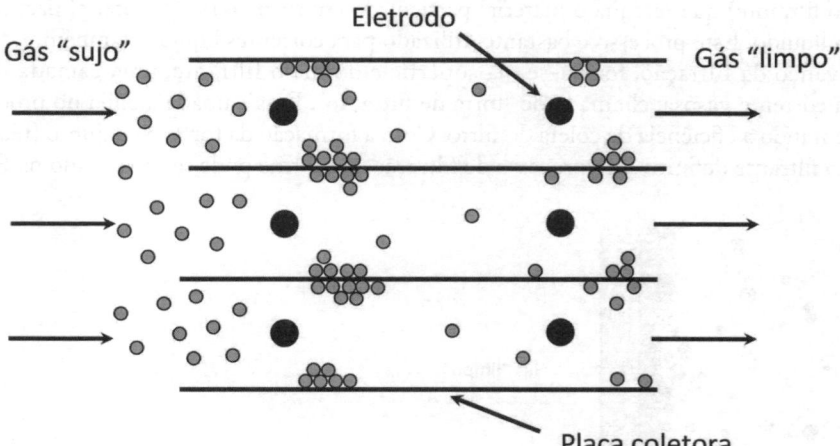

FIGURA 21.4 Movimento e coleta das partículas em precipitador eletrostático.

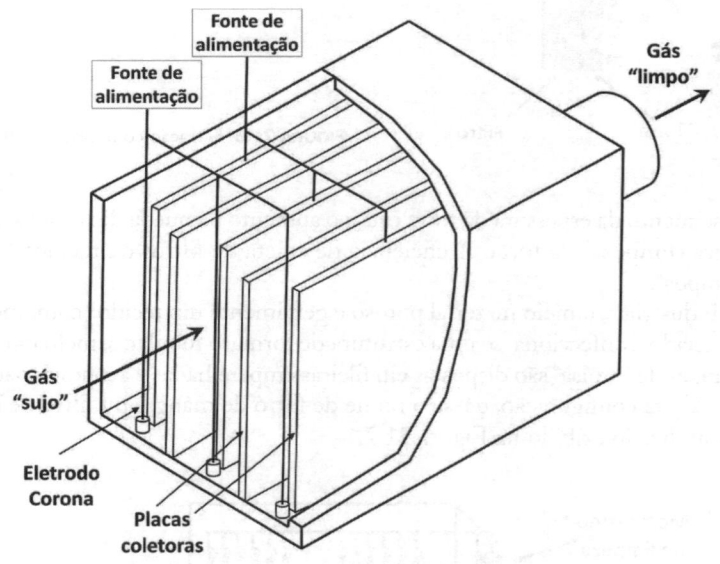

FIGURA 21.5 Precipitador eletrostático de placas planas paralelas. *Fonte: Crawford (1976).*

Existem vários mecanismos pelos quais partículas sólidas ou líquidas podem adquirir cargas elétricas e os mais comuns são: eletrificação por contato ou atrito (triboeletrificação), por indução, por corrente corona[4] e por ionização. No caso dos precipitadores eletrostáticos, o carregamento por corrente corona é o mais utilizado.

Uma corrente ou descarga corona é produzida quando uma alta voltagem é aplicada entre dois eletrodos, sendo um deles, normalmente, um fio ou uma barra de diâmetro pequeno e o outro, uma placa plana, gerando, assim, um campo elétrico não uniforme. Como resultado, o campo elétrico nas proximidades do eletrodo fino é muito intensificado.

O campo próximo ao eletrodo fino é muito alto e qualquer elétron que entre nesta região será acelerado e, eventualmente, colidirá com um átomo do gás circundante. O elétron possui energia suficiente para deslocar outro elétron, criando um íon positivo e um elétron adicional. Este elétron será também acelerado e produzirá o mesmo efeito, resultando em uma profusão de elétrons junto ao eletrodo fino. No ar, observa-se uma luz azulada, em forma de coroa, em torno do eletrodo fino, dando à descarga o

---

[4]Do Latim *corona*, "coroa", originalmente "guirlanda", do Grego *korone*, "objeto curvo, tiara".

nome de "corona". Este processo fornece íons de uma única polaridade, os quais carregam a superfície do material até limites que podem ser controlados mais adequadamente.

Filtro de mangas. Filtração consiste em passar uma corrente gasosa através de um meio material poroso (meio filtrante) que retenha o material particulado em suspensão. O material particulado pode ser sólido ou líquido. Este processo é bastante utilizado para correntes líquidas também.

Com o avanço da filtração, forma-se, na superfície do meio filtrante, uma camada do material removido da corrente gasosa, chamada de "torta de filtração". Essa camada auxilia no processo de filtração, aumentando a eficiência de coleta do filtro. Com a formação da torta, o conjunto (tecido + torta) forma o meio filtrante definitivo do processo de filtração, conforme pode ser observado na Figura 21.6.

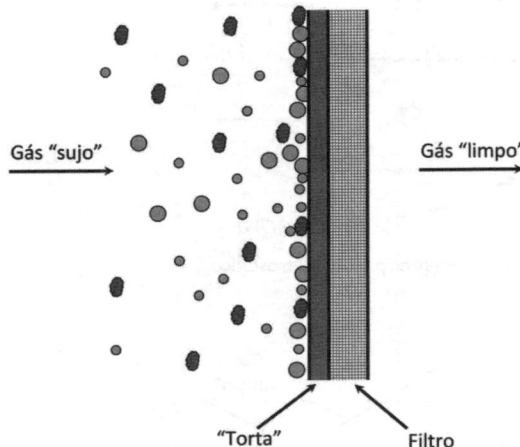

FIGURA 21.6 Filtração com formação de "torta".

Contudo, o crescimento da espessura da torta causa o aumento da queda de pressão no filtro, forçando a remoção periódica (limpeza) da torta. A eficiência de coleta de filtros ou tecidos "sujos" é maior do que a de filtros "limpos".

Em aplicações industriais, o meio material poroso é geralmente um tecido (comumente chamado de "pano"). Com este tecido, confecciona-se uma estrutura de formato tubular, semelhante a uma manga de camisa. Várias "mangas de camisa" são dispostas em fileiras emparelhadas e acondicionadas no interior de uma grande caixa. A esta configuração, dá-se o nome de filtro de mangas ou filtro de bolsas, de acordo com o desenho simplificado exibido na Figura 21.7.

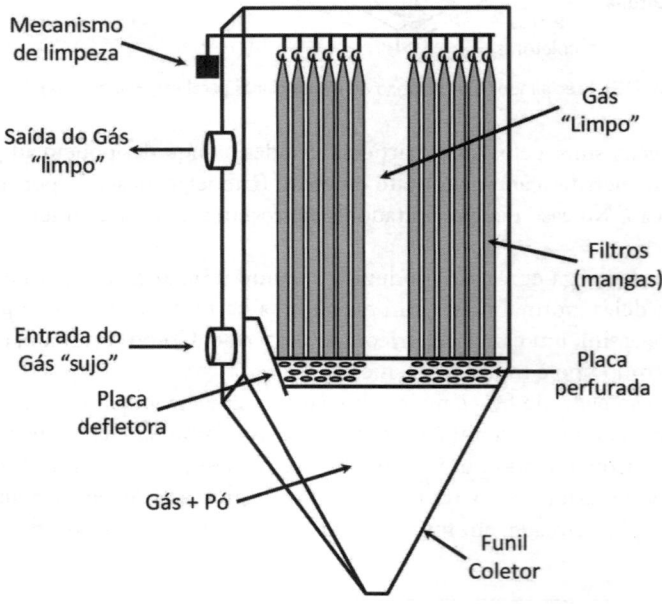

FIGURA 21.7 Filtro de mangas. *Fonte: Schnelle & Brown (2002).*

Periodicamente, as mangas filtrantes velhas devem ser substituídas por novas, causando uma parada no processo de filtração. Assim, esse período de manutenção do sistema de filtração deve ser considerado nos processos industriais. Os filtros de mangas são altamente eficientes, mesmo para partículas menores ($d_p < 1$ μm), e são capazes de tratar grandes volumes de gás, porém apresentam queda de pressão considerável (10 cmH$_2$O a 25 cmH$_2$O) e grande área de filtração, resultando no emprego de grande número de mangas filtrantes.

As variáveis importantes para a caracterização do filtro são: capacidade de filtração (vazão de gás "sujo"), tipo de meio filtrante, temperatura de operação, filtração contínua ou intermitente, tipo de mecanismo de limpeza e coleta do material particulado na superfície externa ou interna da manga.

A operação eficiente de um filtro está relacionada com uma limpeza adequada do meio filtrante. Uma limpeza deficiente provoca aumento da queda de pressão no filtro e diminuição da capacidade de filtragem, além de poder danificar o tecido, diminuindo sua vida útil. Três mecanismos básicos de limpeza são utilizados: vibração mecânica, fluxo reverso e jato pulsante.

A seleção adequada do meio filtrante também é fundamental para o bom desempenho dos filtros. Resistências química e mecânica, temperatura de operação e peso, são algumas características importantes dos tecidos filtrantes. Geralmente, os fabricantes fornecem informações sobre as características e usos de cada material.

O dimensionamento de filtros de manga segue, via de regra, um procedimento empírico – a experiência de fabricantes mostra a conduta a ser adotada. Basicamente, o parâmetro que se deve estimar é a área total de filtração, A_f (m²), a partir da vazão de gás "sujo" que se queira tratar, V' (m³/s), e da "taxa de filtração", V (m/s), também chamada de relação "gás/pano", assim: $A_f = V'/V$. Os valores da taxa de filtração são recomendados por fabricantes para alguns tipos de material particulado e para o tipo de mecanismo de limpeza empregado.

Lavador Venturi. Lavadores são usados na limpeza de correntes gasosas devido a sua capacidade de remoção tanto de poluentes gasosos quanto de material particulado em suspensão. A lavagem consiste em colocar em contato íntimo a corrente gasosa e um líquido atomizado, usualmente água. O termo "lavadores" é, em geral, utilizado para a remoção ou coleta de material particulado. Para gases, veremos mais adiante, os processos de absorção, os absorvedores.

Os tipos mais difundidos de lavadores são a torre de lavagem (*spray tower*) e o lavador Venturi (*Venturi scrubber*). Nestes equipamentos, um líquido de lavagem é atomizado para a formação de uma grande quantidade de pequenas gotas que capturam o material particulado suspenso no gás, sendo o mecanismo de coleta dominante a impactação. Quanto maior a quantidade de gotas e menor o seu diâmetro, mais efetiva será a coleta e, portanto, mais eficiente será o equipamento. A Figura 21.8 exibe uma sequência simplificada do princípio de funcionamento dos lavadores.

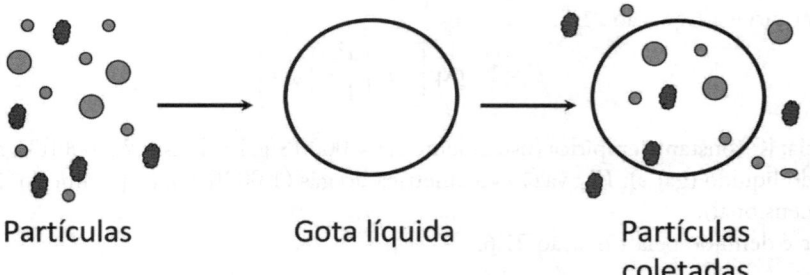

Partículas   Gota líquida   Partículas coletadas

FIGURA 21.8 Coleta de partículas por gotícula líquida.

Os lavadores Venturi são mais frequentemente utilizados para controle de particulados, pois são mais eficientes para a remoção de partículas pequenas (0,4 μm ≤ dp ≤ 20 μm). Neste equipamento, o líquido de lavagem é introduzido com pressão em sua "garganta" (*vena contracta*), por meio de bicos atomizadores, onde são geradas pequenas gotas. O gás "sujo" atravessa essa região do equipamento em alta velocidade (30 m/s a 120 m/s), o que ajuda na dispersão das gotas de líquido e na captura do material particulado. A Figura 21.9 exibe um desenho simplificado do lavador Venturi e a Figura 21.10, uma configuração comum para o uso deste dispositivo.

Neste equipamento, temos a necessidade de introdução de uma corrente gasosa, que é a corrente que queremos tratar, e uma corrente líquida, que é a corrente de "tratamento". Assim, o consumo de energia

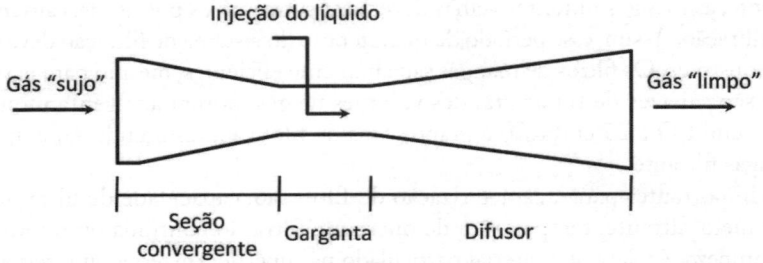

FIGURA 21.9 Lavador Venturi e suas principais partes principais.

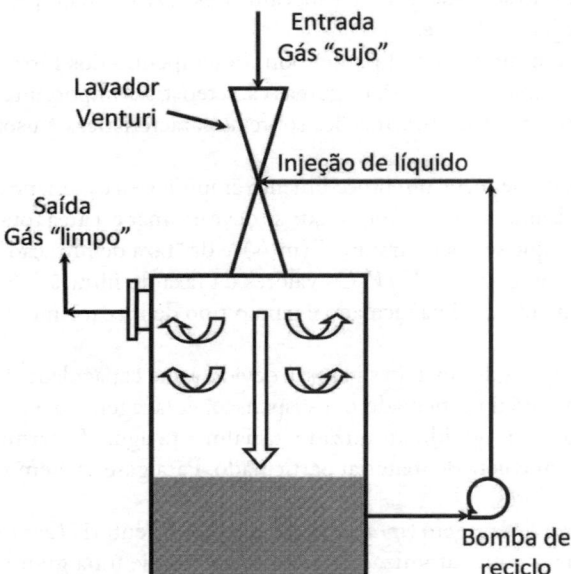

FIGURA 21.10 Lavador Venturi seguido de um separador.

no lavador é considerável, pois a queda de pressão no equipamento é significativa, sendo um parâmetro importante no seu dimensionamento. Uma das equações utilizadas para estimar-se a eficiência de coleta do lavador Venturi é a Equação 21.5.

$$E = 1 - \exp\left[-K\left(\frac{V_L}{V_G}\right)\sqrt{\varphi}\right]$$

Equação 21.5

E: eficiência; K: constante empírica (usualmente 0,1 1.000ft3/gal ≤ K ≤ 0,2 1.000ft3/gal); V'_L: vazão volumétrica do líquido (gal/s); V'_G: vazão volumétrica do gás (1.000ft³/s); φ: parâmetro de impactação inercial (adimensional).

O termo φ é definido pela Equação 21.6.

$$\varphi = \frac{d_p^2 \rho_p V C_S}{9\mu d_g}$$

Equação 21.6

d_p: diâmetro da partícula (m); ρ_p: densidade da partícula (kg/m³); V: velocidade do gás na garganta (m/s); C_S: fator de escorregamento de Cunningham (adimensional); μ: viscosidade do gás (kg/m.s); d_g: diâmetro da gota líquida (m).

O diâmetro da gota (para água) pode ser estimado pela Equação 21.7.

$$d_g = \frac{16300}{V} + 1,45\left(\frac{V'_L}{V'_G}\right)^{1,5}$$

Equação 21.7

d_g: diâmetro da gota líquida (μm); V: velocidade do gás na garganta (ft/s).

Após a exposição dos dispositivos para remoção do material particulado em suspensão, a Figura 21.11 pode nos ajudar na seleção inicial do equipamento mais adequado para uma determinada remoção de material particulado, em função do diâmetro médio do conjunto de partículas em suspensão.

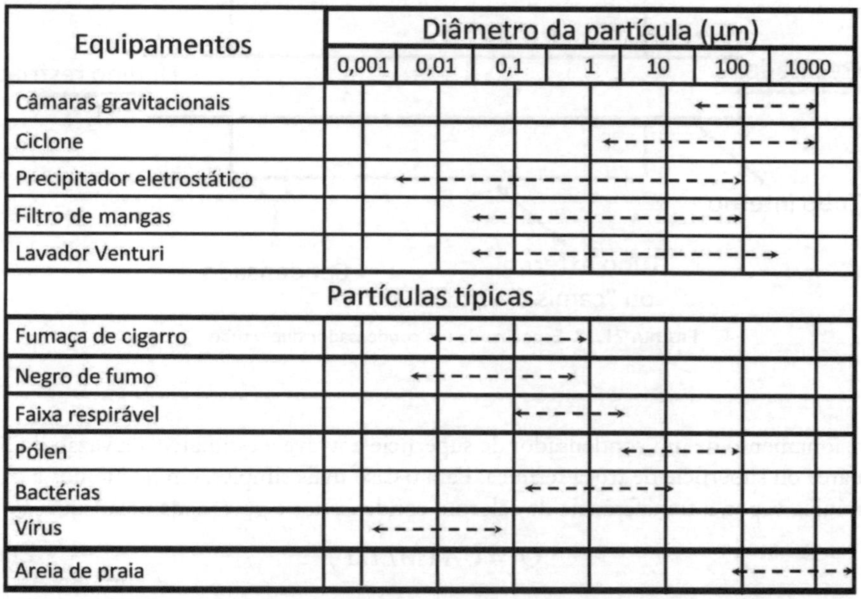

Equipamentos	Diâmetro da partícula (µm)						
	0,001	0,01	0,1	1	10	100	1000
Câmaras gravitacionais						←----→	
Ciclone					←------→		
Precipitador eletrostático		←-----------→					
Filtro de mangas			←---------→				
Lavador Venturi			←---------→				
Partículas típicas							
Fumaça de cigarro			←-----→				
Negro de fumo		←---→					
Faixa respirável				←--→			
Pólen					←---→		
Bactérias				←----→			
Vírus	←---→						
Areia de praia						←----→	

Figura 21.11 Seleção de métodos de coleta em função do diâmetro da partícula.

21.4.2 Dispositivos para a Remoção de Poluentes Gasosos

Condensador. Condensação é o processo de converter um gás ou um vapor em líquido (mudança de fase). Em princípio, qualquer gás pode ser condensado pela diminuição de sua temperatura ou pelo aumento de sua pressão. Habitualmente, a redução da temperatura é mais utilizada, pois o aumento da pressão costuma ser mais caro.

Condensadores utilizam, normalmente, água ou ar para resfriar e condensar uma corrente gasosa ou um de seus componentes. São dispositivos que não atingem temperaturas muito baixas ($\approx 30°C$), portanto não possuem alta eficiência de remoção da maioria dos gases, apenas em casos em que o vapor se condense em altas temperaturas. São equipamentos utilizados como pré-tratamento de dispositivos mais eficientes.

As condições nas quais um determinado gás pode condensar dependem de suas propriedades físicas e químicas. A condensação pode ocorrer quando a pressão parcial do poluente na corrente (mistura) gasosa é igual a sua pressão de vapor como substância pura, na temperatura considerada.

Assim, podemos condensar um gás de três maneiras: (1) em uma dada temperatura, a pressão do sistema é elevada (compressão) até a pressão parcial do gás se igualar a sua pressão de vapor; (2) em uma dada pressão, a temperatura do sistema é reduzida até a pressão parcial do gás se igualar a sua pressão de vapor; (3) usando-se uma combinação de compressão e resfriamento do sistema até a pressão parcial do gás se igualar a sua pressão de vapor.

Na prática, os condensadores operam com remoção de calor da corrente gasosa (abaixamento da temperatura). Os tipos mais comuns são: condensadores de contato, nos quais o fluido resfriador ou fluido refrigerante é colocado em contato direto com a corrente gasosa, ou seja, misturado com o gás, e os condensadores de superfície, nos quais o fluido resfriador está confinado em um compartimento distinto da corrente gasosa, por exemplo, em um conduto ou tubo.

Em geral, os condensadores de superfície são os mais utilizados e muitas configurações são possíveis, sendo as mais comuns: casco e tubos, duplo tubo, tubo espiral e placas planas. Os detalhes destas configurações você pode encontrar nas referências bibliográficas, no final deste capítulo.

A Figura 21.12 exibe um desenho simplificado de um condensador do tipo duplo tubo, no qual a corrente gasosa escoa no interior do espaço anular entre os dois tubos concêntricos, e o fluido refrigerante escoa no interior do tubo interno. O tubo externo é também chamado de "camisa". A condensação ocorre no espaço entre os tubos.

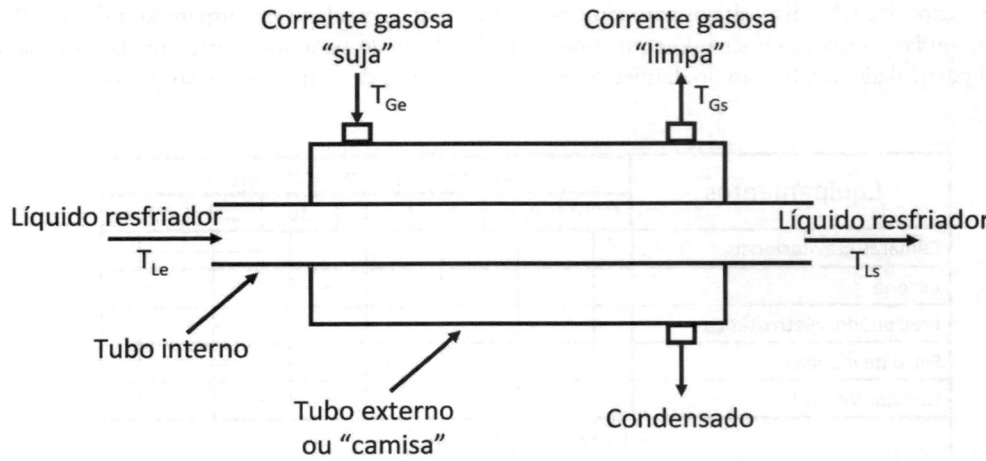

FIGURA 21.12 Esquema de um condensador duplo tubo.

O dimensionamento de um condensador de superfície envolve a estimativa da vazão do líquido resfriador e da área ou superfície de troca térmica. Para o caso mais simples, em que temos a condensação total de um único vapor, a transferência de calor no condensador é governada pela Equação 21.8.

$$Q' = UA \, (MLDT)$$
Equação 21.8

Q': taxa de transferência de calor (J/s); U: coeficiente global de transferência de calor ($J/s.m^2.°C$); A: área de contato ou área de troca de calor (m^2); MLDT: média logarítmica da diferença de temperatura (°C).

A força motriz para a transferência de calor é a diferença de temperatura entre o fluido refrigerante e a corrente gasosa, que pode ser representada pela média logarítmica da diferença de temperatura (Equação 21.9).

$$MLDT = \frac{(T_{Ge} - T_{Le}) - (T_{Gs} - T_{Ls})}{\ln \dfrac{(T_{Ge} - T_{Le})}{(T_{Gs} - T_{Ls})}}$$
Equação 21.9

T_{Ge}: temperatura de entrada da corrente gasosa (°C); T_{Gs}: temperatura de saída da corrente gasosa (°C); T_{Le}: temperatura de entrada do líquido resfriador (°C); T_{Ls}: temperatura de saída do líquido resfriador (°C).

A energia retirada, em forma de calor, da corrente gasosa necessária para a condensação do vapor é o calor latente de condensação. Para estimar a vazão do líquido refrigerante, podemos usar a Equação 21.10.

$$Q' = m'_L C_{pL} (T_{LS} - T_{Le})$$
Equação 21.10

m'_L: vazão mássica do líquido resfriador (kg/s); C_{pL}: capacidade calorífica ou calor específico do líquido resfriador ($J/kg.°C$).

Maiores detalhes do dimensionamento de condensadores podem ser encontrados em Kern (1980).

Absorvedor. A absorção envolve a remoção de poluentes gasosos (chamados de absorvatos ou solutos) de uma corrente de processo pela dissolução em um líquido (chamado de absorvente ou solvente). A condição necessária para a aplicação da absorção para o controle da poluição do ar é a solubilidade dos poluentes no líquido.

Em um processo de absorção, colocamos em contato íntimo a corrente gasosa e o líquido, tal como fizemos nos lavadores. Quanto maior a superfície de contato entre os gases e o líquido, mais favorável é a condição para a absorção, pois, sendo este um processo de transferência de massa, a elevada área interfacial líquido-gás colabora com o fenômeno. O mecanismo principal de transferência de massa é a difusão entre os constituintes das fases gasosa e líquida. Consequentemente, a taxa de absorção é determinada pelas taxas de difusão nas fases. O processo de transferência de massa ocorre até que o equilíbrio seja atingido (equilíbrio de fases).

No dimensionamento de absorvedores, devemos proporcionar: grande área interfacial líquido-gás, boa mistura (contato) entre as fases, tempo de residência elevado no equipamento e alta solubilidade do contaminante no absorvente. Normalmente, o uso de elevadas vazões de um solvente isento do contaminante que se deseja absorver é o mais adequado, pois, dessa maneira, temos a máxima força motriz para a transferência de massa entre as fases.

Outro aspecto muito importante no dimensionamento de absorvedores é a escolha do solvente, que deve possuir as seguintes características: alta solubilidade no gás; baixa volatilidade (baixa pressão de vapor); baixa viscosidade e toxicidade; alta estabilidade química e baixo ponto de congelamento; além de baixo custo. Em geral, a água atende aos requisitos necessários.

Existem diferentes configurações de equipamentos e as mais usuais são as colunas de recheio ou empacotadas (*packed beds*) e as colunas de aspersão (*spray towers*). As colunas também podem ser chamadas de torres ou leitos. A coluna recheada costuma ser a mais utilizada. A Figura 21.13 mostra desenhos simplificados das colunas absorvedoras.

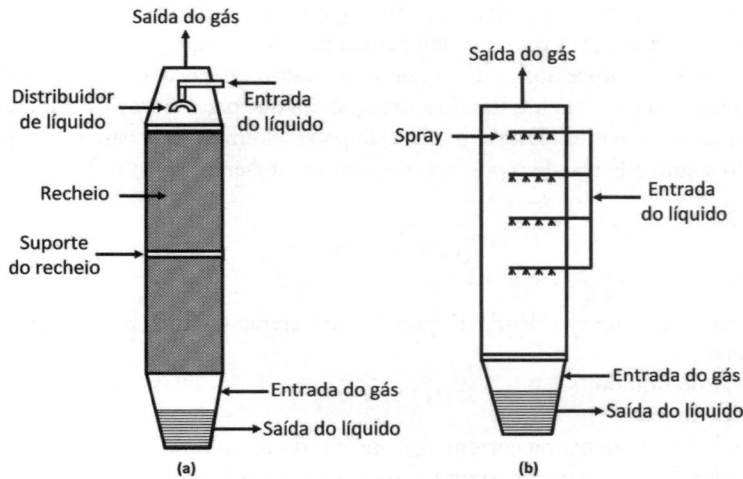

FIGURA 21.13 Coluna recheada (a) e coluna de aspersão ou *spray* (b).

Nas colunas recheadas, a escolha do recheio é fundamental, pois ele é o coração do desempenho do equipamento, e sua seleção deve observar as seguintes características: alta resistência química; alta porosidade (baixa queda de pressão); alta relação área superficial/volume de recheio (m^2/m^3); baixa relação peso/volume de recheio (kg/m^3); alta resistência mecânica e baixo custo. A Figura 21.14 exibe alguns tipos de recheio típicos.

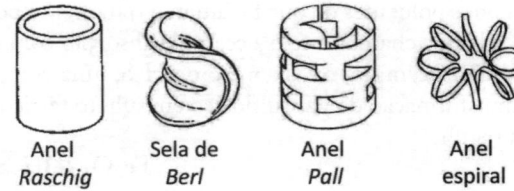

Anel *Raschig*   Sela de *Berl*   Anel *Pall*   Anel espiral

FIGURA 21.14 Alguns recheios típicos para colunas de absorção. *Fonte: Theodore & Buonicore (1988).*

Nas colunas recheadas, o líquido e o gás estão em contato ao longo da altura da coluna, geralmente em contracorrente, e a concentração do poluente (soluto) varia em cada fase (líquida e gasosa) à medida que ele avança pela coluna. Assim, a força motriz para a transferência de massa entre as fases líquida e gasosa, que é a diferença da concentração do poluente, varia ao longo da coluna.

Considerando o esquema simplificado exibido na Figura 21.15, podemos realizar um balanço de massa para o poluente gasoso e, assumindo que as vazões molares do líquido e do gás sejam aproximadamente constantes ao longo do processo, temos a Equação 21.11.

$$\frac{L'}{V'} = \frac{(y_{A2} - y_{A1})}{x_{A2} - x_{A1}}$$

Equação 21.11

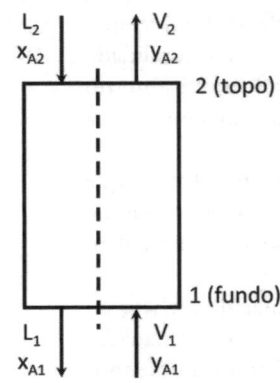

L = vazão molar do líquido

V = vazão molar do gás

y_{A1} = fração molar do poluente na corrente gasosa (fundo da coluna)

y_{A2} = fração molar do poluente na corrente gasosa (topo da coluna)

x_{A1} = fração molar do poluente no líquido (fundo da coluna)

x_{A2} = fração molar do poluente no líquido (topo da coluna)

FIGURA 21.15 Coluna de absorção operando em contracorrente.

Se um solvente puro for utilizado, então $x_{A2} = 0$ e y_{A1} é a concentração do poluente na corrente gasosa que queremos tratar. Portanto, teremos que determinar as concentrações x_{A1}, y_{A2} e a vazão de líquido, L', que deverá ser utilizada no processo, uma vez que V' é a vazão do gás que deve ser tratada.

Podemos simplificar o problema, tratando a situação em que o gás é uma mistura ideal e o líquido se comporta como uma solução ideal. Esta simplificação pode ser empregada para baixas pressões e quando a concentração do soluto é baixa, de modo que podemos escrever a Equação 21.12.

$$y_A = \frac{H}{P} x_A = K x_A \qquad \text{Equação 21.12}$$

H: constante da lei de Henry (N/m^2); P: pressão do sistema (N/m^2); K: constante de equilíbrio de fases (adimensional).

L = vazão molar do líquido
V = vazão molar do gás
y_{A1} = fração molar do poluente na corrente gasosa (fundo da coluna)
y_{A2} = fração molar do poluente na corrente gasosa (topo da coluna)
x_{A1} = fração molar do poluente no líquido (fundo da coluna)
x_{A2} = fração molar do poluente no líquido (topo da coluna)

Valores de H ou K para várias substâncias são apresentados em gráficos e tabelas, em função da temperatura e pressão. Maiores detalhes do dimensionamento de absorvedores podem ser encontrados na bibliografia citada no final deste capítulo.

É interessante acrescentar que a absorção pode ser realizada com um líquido puro ou uma solução na qual um reagente químico é adicionado para aumentar a eficiência do processo. Neste caso, o poluente gasoso, além de ser absorvido pelo líquido, sofre uma reação química para transformá-lo em compostos menos poluentes ou que facilitem o tratamento posterior dos efluentes líquidos do processo de absorção. Podemos chamar este processo de absorção com reação.

Por exemplo, na absorção de H_2S, uma solução aquosa de óxido de ferro pode ser utilizada para transformação do gás sulfídrico em sulfeto férrico, que é pouco solúvel em água, de acordo com a reação a seguir:

$$Fe_2O_3 + 3H_2S \rightarrow Fe_2S_3 + 3H_2O$$

Adsorvedor. Atualmente, são inúmeros os processos de separação e purificação que empregam o princípio da adsorção, sendo amplamente utilizados nas indústrias farmacêutica, alimentícia e petroquímicas, para a purificação de correntes gasosas até a recuperação de hidrocarbonetos aromáticos. Tais processos se desenvolveram mais fortemente a partir de 1970, com o aparecimento de novos adsorventes, principalmente as zeolitas sintéticas.

Simplificadamente, a adsorção é um fenômeno espontâneo em que as moléculas de um fluido (adsorvato) tendem a interagir e a se concentrar na superfície de um sólido (adsorvente) – pode ocorrer também sobre superfícies líquidas, geralmente em um processo exotérmico.

Os sólidos têm a habilidade de adsorver em sua superfície, preferencialmente, componentes específicos de uma mistura (gasosa ou líquida). Consequentemente, esses componentes podem ser separados um do outro ou da mistura. A essa propriedade dá-se o nome de seletividade.

A quantidade de moléculas (ou massa) que um adsorvente é capaz de reter (adsorver) é chamada de capacidade de adsorção e é, normalmente, expressa pela razão entre a massa de adsorvato e a massa de adsorvente (por exemplo, g de adsorvato/g de adsorvente; g-mol de adsorvato/g de adsorvente).

Costumamos distinguir dois tipos de adsorção, dependendo da intensidade de interação entre o sólido e as moléculas adsorvidas. Essa interação é expressa pela entalpia de adsorção e, então, temos a adsorção física (fisissorção), com entalpia entre -8 kJ/g-mol e -20 kJ/g-mol, e a adsorção química (quimissorção), com valores entre -40 kJ/g-mol e -800 kJ/g-mol. As moléculas adsorvidas podem se acomodar sobre a superfície do adsorvente em uma única camada (monocamada) ou em várias camadas (multicamada), conforme exibido na Figura 21.16.

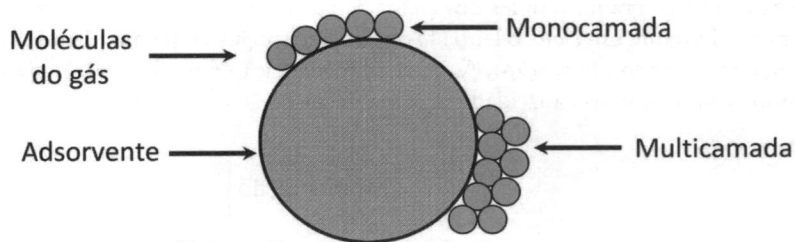

FIGURA 21.16 Moléculas de um gás adsorvidas sobre um adsorvente.

A primeira etapa para o desenvolvimento de um processo de separação por adsorção é a escolha de um adsorvente adequado, que possua seletividade, capacidade de adsorção e estabilidade química elevadas, com uma área superficial específica elevada (geralmente expressa em m^2/g ou m^2/m^3). O adsorvente deve ser altamente poroso, com poros de diâmetros reduzidos.

Os primeiros adsorventes microporosos utilizados foram a sílica gel (diâmetro de poro em torno de $20\mathring{A}$), a alumina ativada (diâmetro de poro entre $20\mathring{A}$ e $50\mathring{A}$) e o carvão ativado (diâmetro de poro entre $15\mathring{A}$ e $25\mathring{A}$), e, mais recentemente, as zeolitas (aluminossilicatos cristalinos porosos – diâmetro de poro entre $4\mathring{A}$ e $13\mathring{A}$).[5] A estrutura porosa do adsorvente é composta de diferentes tamanhos de poros (ver Figura 21.17). Chamamos de macroporosidade a porção da porosidade com tamanhos de poros maiores que 50 nm ou $500\mathring{A}$; abaixo desse valor temos a microporosidade.

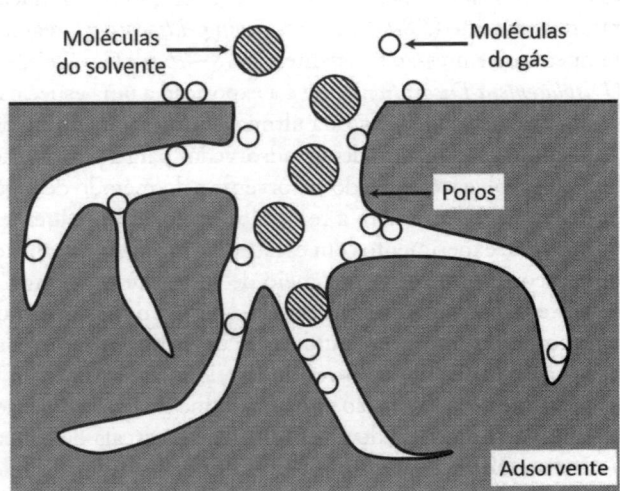

FIGURA 21.17 Detalhe da estrutura porosa de um adsorvente.

Como a adsorção é um fenômeno superficial, é fundamental que o adsorvente possua grande área superficial disponível; assim, por exemplo, temos o carvão ativado com 1.000 a 2.400 m^2/m^3, a alumina ativada com 650 a 3.200 m^2/m^3, a sílica gel com 750 a 2.400 m^2/m^3 e as zeolitas com 1.200 a 32.00 m^2/m^3.

---

[5]Lembre-se que $1\mathring{A} = 10^{-10}$ m $= 0{,}1$ nm $= 0{,}0001$ μm.

Os adsorventes podem apresentar diferentes formas e tamanhos. Em forma de pequenas esferas ou cilindros, escamas ou grânulos, com densidade entre 400 kg/m^3 e 900 kg/m^3, e com tamanho entre 2 mm e 6 mm. Existem diferentes configurações de equipamentos e as mais usuais são as colunas de recheio ou empacotadas (*packed beds*), ou ainda chamadas de leito fixo, semelhantes às colunas de absorção.

Os processos de adsorção operam, geralmente, por meio de um sistema cíclico no qual o adsorvente é submetido a uma etapa de adsorção, durante a qual as substâncias de interesse são adsorvidas, seguida de uma etapa de regeneração ou dessorção, na qual os componentes adsorvidos são removidos e o adsorvente é regenerado, ficando apto para uma nova etapa de adsorção. A esse tipo de operação dá-se o nome de batelada cíclica.

Os processos em batelada cíclica utilizam dois ou mais leitos operando simultaneamente. A Figura 21.18 exibe um diagrama simples dos ciclos de adsorção/dessorção para um conjunto de dois leitos adsorvedores. Durante um ciclo, o leito (1) opera na adsorção, enquanto o leito (2), saturado após o ciclo anterior, é regenerado (dessorção). A etapa de regeneração é fundamental para propiciar ciclos rápidos e permitir a utilização da capacidade máxima de adsorção efetiva do leito (ou coluna).

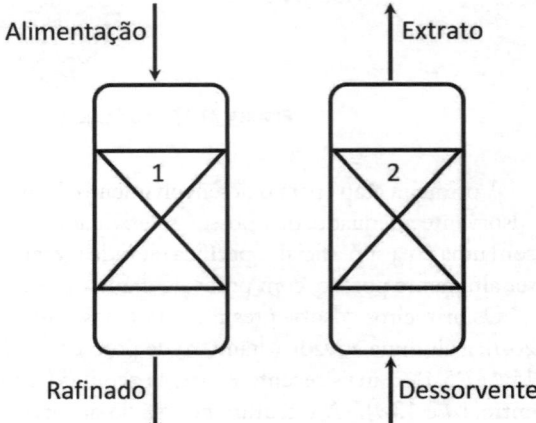

Figura 21.18 Leitos adsorvedores, (1) adsorção, (2) dessorção.

Os métodos de regeneração do adsorvente são basicamente: regeneração por aquecimento do leito (*TSA – Termal Swing Adsorption*); regeneração pela redução da pressão interna da coluna, com temperatura constante (*PSA – Pressure Swing Adsorption*); regeneração pela passagem de um gás inerte, com temperatura e pressão constantes (*PGS – Purge Gas Stripping*), e regeneração por deslocamento químico (*Displacement Desorption*), que é a exposição a uma espécie química competitiva à espécie adsorvida, que se desloca, dando lugar a esta última, com temperatura e pressão constantes.

O dimensionamento de um adsorvedor para a purificação de uma corrente gasosa ou de uma corrente líquida envolve a escolha do adsorvente e do método de regeneração, e do volume de adsorvente (volume do leito) necessário para a remoção desejada do poluente. Dados experimentais são frequentemente utilizados e experimentos em escala de bancada são realizados para obtenção dos chamados parâmetros dinâmicos do processo, por meio de testes "*breakthrough*" ou testes de efluência. Esses experimentos consistem, basicamente, em medir o tempo de saturação de um leito adsorvedor quando submetido a uma corrente, gasosa ou líquida, com uma concentração conhecida do poluente de interesse. Em função da vazão da corrente e do volume do leito adsorvente, obtemos o chamado tempo de residência, que nada mais é do que a razão entre o volume do leito e a vazão da corrente de alimentação. Em escala real, o tempo de residência deve ser o mesmo da escala de bancada.

Incinerador. Combustão é um processo químico que ocorre pela rápida combinação do oxigênio com vários compostos químicos, resultando na liberação de calor. O processo de combustão (oxidação térmica ou incineração) é mais frequentemente utilizado para o controle de emissões de compostos orgânicos. Em princípio, se tivermos uma temperatura elevada e um tempo de residência adequados, qualquer hidrocarboneto pode ser oxidado para água e dióxido de carbono, pelo processo da combustão.

Pode ser empregado, também, quando os poluentes devem ser destruídos de maneira mais eficiente, como no caso de gases tóxicos ou perigosos. Os sistemas de combustão são relativamente caros, utilizam um combustível adicional para a queima dos poluentes e geralmente possuem algum dispositivo para recuperação do calor gerado.

Um processo ideal é aquele em que a combustão é completa, ou seja, os produtos da reação são apenas H_2O e CO_2. Se outros produtos são gerados, como, por exemplo, monóxido de carbono ou óxidos de nitrogênio, a combustão é denominada incompleta. A combustão incompleta de muitos compostos orgânicos resulta na formação de aldeídos ou ácidos orgânicos, gerando problemas adicionais.

A oxidação de compostos contendo enxofre ou halogênios produz compostos indesejáveis, como dióxido de enxofre, ácido clorídrico, ácido fluorídrico, ou fosgênio ($COCl_2$). Sendo assim, um processo de absorção deve ser utilizado para tratamento das emissões.

Para alcançar a combustão completa, temos de colocar em contato íntimo os poluentes, o combustível e o ar (oxigênio), proporcionando as seguintes condições: temperatura elevada para ignição da mistura poluente/combustível, mistura turbulenta dos reagentes e tempo de residência suficiente para a reação ocorrer.

Os incineradores operam em temperaturas entre 600 °C e 650 °C, quando oxidam a maioria dos compostos orgânicos, mas, em alguns casos, as temperaturas podem variar entre 1.800 °C e 2.200 °C, para poluentes mais perigosos. Gás natural ou propano podem ser utilizados como combustíveis para a manutenção das temperaturas adequadas. A Figura 21.19 exibe um desenho simplificado de um incinerador que possui um sistema para recuperação do calor gerado na câmara de combustão.

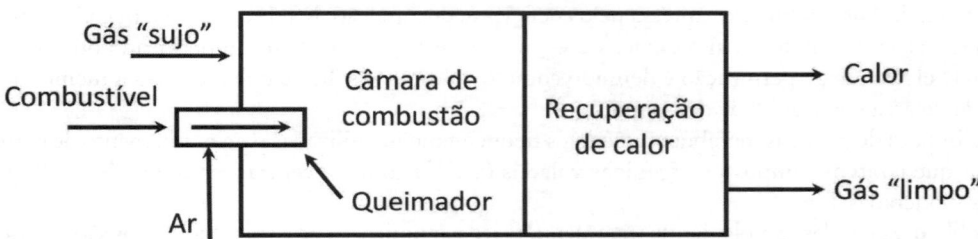

Figura 21.19 Desenho simplificado de um incinerador.

Oxigênio é necessário para a combustão ocorrer e, para a combustão completa de um composto, uma quantidade suficiente de oxigênio deve estar presente para a conversão de todo carbono a CO_2. Esta quantidade de oxigênio é denominada estequiométrica ou teórica e vem do balanceamento da equação química da combustão completa daquele composto. Lembre-se que a equação estequiométrica de uma reação química é uma declaração da quantidade relativa de moléculas ou moles de reagentes e produtos que tomam parte na reação. Se não houver oxigênio suficiente, a combustão é incompleta.

O suprimento de oxigênio nos processos de combustão vem do ar. Se assumirmos que o ar é, basicamente, uma mistura de 79% de nitrogênio e 21% de oxigênio (em base molar), um grande volume de ar é necessário para suprir as necessidades da combustão. Normalmente, mais que a quantidade estequiométrica é utilizada, caracterizando o chamado oxigênio em excesso. Vamos considerar a combustão completa de 1 mol de metano:

$$CH_4 + 2O_2 \rightarrow CO_2 + 2H_2O$$

Neste exemplo, a partir de 1 mol de CH_4, foram formados 1 mol de CO_2 e 2 moles de H_2O, com consumo de 2 moles de O_2. Na prática, para "garantir" uma combustão completa, emprega-se O_2 em excesso. Se tivermos 80% de excesso, isso significa 1,6 moles, ou um total de 3,6 moles do O_2.

Se tivermos uma boa mistura dos gases na câmara de combustão, o uso de O_2 em excesso é reduzido. Lembre-se de que o ar em excesso não participa da reação, mas absorve uma parte do calor produzido pela reação.

Separador de membrana. Processos de separação por membranas caracterizam-se pela passagem da mistura gasosa através de uma membrana permeável, ocorrendo separação seletiva dos componentes. São usados também no tratamento de efluentes líquidos, como na purificação de água na indústria de bebidas. É muito semelhante à filtração de material particulado, porém, a maioria desses processos usa o escoamento tangencial (*cross flow*), uma particularidade que os distingue da filtração convencional, na qual se promove a separação em escoamento frontal (ver Figura 21.20).

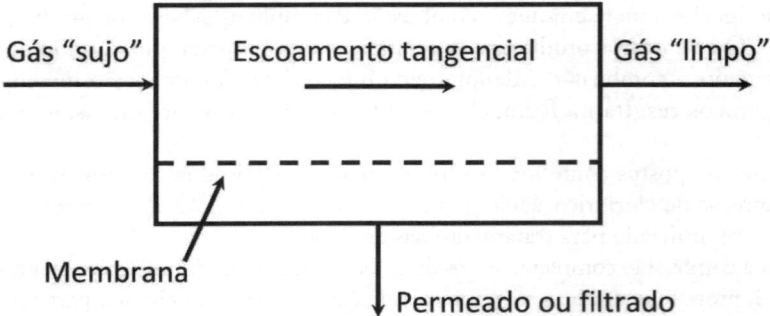

FIGURA 21.20 Separador de membranas com escoamento tangencial.

As membranas comerciais são normalmente sintetizadas a partir de materiais poliméricos. O polipropileno, a poliamida e o poliacrilonitrilo são usados na fabricação de membranas. Mais recentemente, as membranas baseadas em materiais inorgânicos, tais como alumina e sílica, são também utilizadas.

A eficiência de uma membrana é determinada, basicamente, por dois parâmetros: seletividade e fluxo. A seletividade é normalmente expressa pelo coeficiente de retenção, $R = 1-C_p/C_F$, em que C_F representa a concentração do soluto na alimentação e C_p, a concentração do soluto no permeado ou filtrado. O fluxo ou velocidade de permeação é definido como o volume de solução que atravessa a membrana por unidade de área e por unidade de tempo.

Na limpeza de gases, as membranas são mais frequentemente utilizadas para o tratamento de correntes gasosas que contêm compostos orgânicos voláteis (COV) com concentrações acima de 1.000 ppm e vazões moderadas.

Biofiltro. Além das tecnologias de tratamento físico e químico, os processos biológicos são tecnologias eficientes para o tratamento da poluição do ar. Métodos biológicos, também chamados de biorreatores, como os biofiltros, são utilizados há várias décadas. Embora sua aplicação original tenha sido a remoção de odores, principalmente em estações de tratamento de águas residuárias, atualmente, os biofiltros são utilizados para o controle de emissões gasosas contaminadas por fenóis, aldeídos, mercaptanas, ácidos orgânicos e outros hidrocarbonetos. Outros contaminantes, como H_2S, SO_2, NH_3 e PH_3 (fosfina), também podem ser removidos por biofiltros.

A biofiltração é um processo em que o ar contaminado é passado através de um meio poroso (leito empacotado ou leito fixo) que abriga uma população de microrganismos. Os contaminantes são inicialmente absorvidos do ar para a fase de água/biofilme e, em seguida, convertidos pelos microrganismos em dióxido de carbono, água, produtos inorgânicos e biomassa.

O desempenho do biofiltro depende da degradabilidade dos contaminantes. Compostos mais complexos podem resistir à ação microbiana e a oxidação pode não ser completa, com geração de subprodutos mais tóxicos que os compostos originais. Por exemplo, durante a transformação aeróbia do tricloroetileno, pode ser formado o cloreto de vinil, subproduto altamente tóxico.

Além disso, um biofiltro também deve fornecer um ambiente adequado para o crescimento dos microrganismos. O teor de umidade do meio deve ser mantido em valores ideais para suportar o crescimento microbiano sem obstruir os poros do leito. Valores aceitáveis de temperatura e pH do meio, em que os microrganismos podem prosperar, devem ser conhecidos. Com frequência, água e nutrientes adicionais podem ser adicionados ao biofiltro para a manutenção da população microbiana em condições adequadas. Fungos e bactérias estão, geralmente, presentes em um biofiltro.

Um biofiltro pode se apresentar sob diferentes configurações, mas todos operam de modo semelhante, sendo basicamente um leito fixo composto de um material inerte, por exemplo argila expandida, espuma de poliuretano ou qualquer outro recheio inerte (lembre-se das colunas de absorção) que permita o crescimento dos microrganismos em sua superfície e a formação de uma fina camada aderida, chamada biofilme.

A Figura 21.21 exibe um desenho simplificado de um biofiltro típico, que opera em sistema fechado, com a entrada do gás "sujo" pelo topo do equipamento e a saída do gás "limpo" pelo seu fundo. Nesta mesma figura, observa-se um detalhe do leito filtrante, com destaque para o material suporte inerte e o biofilme formado em sua superfície.

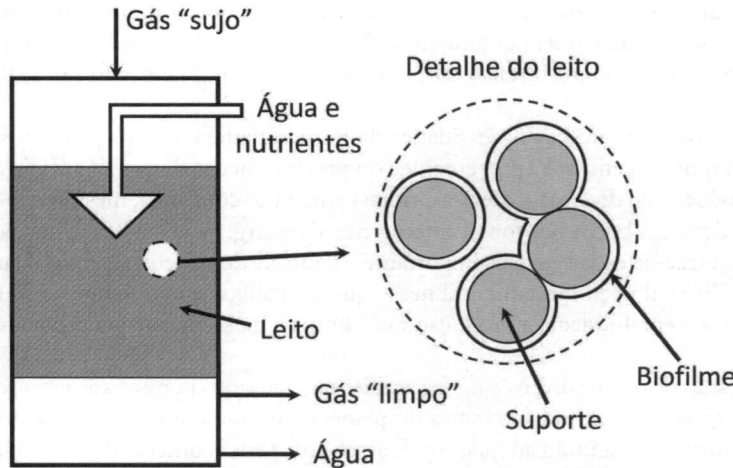

FIGURA 21.21 Biofiltro em sistema fechado e detalhe do leito.

Após a apresentação dos equipamentos para a remoção de poluentes gasosos, a Figura 21.22 pode nos auxiliar na seleção inicial do método mais adequado para uma desejada remoção de poluentes gasosos, em função da concentração do poluente na mistura gasosa e da vazão da corrente gasosa.

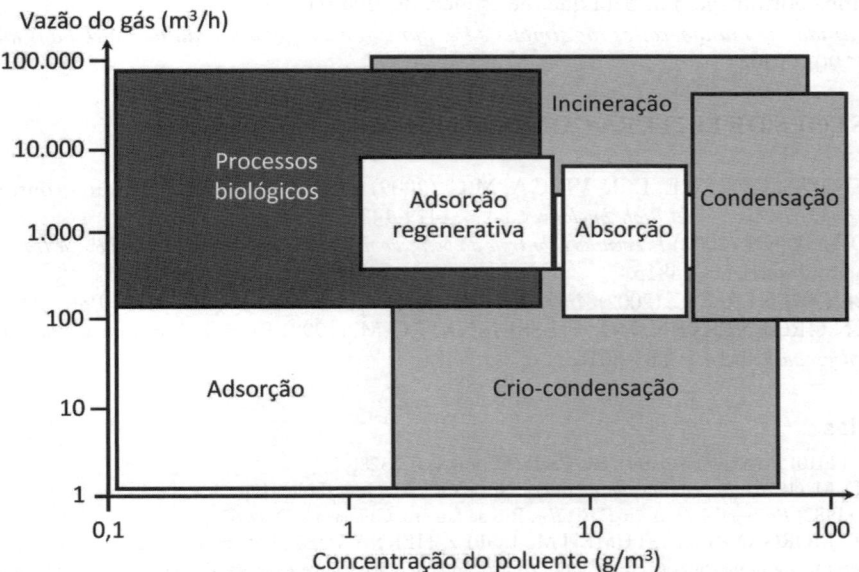

FIGURA 21.22 Aplicação das várias tecnologias para o controle da poluição do ar com base na vazão da corrente gasosa e na concentração do poluente. *Fonte: Adaptado de Noyola et al. (2006).*

21.5 CONSIDERAÇÕES FINAIS

A matriz energética mundial está fortemente baseada no uso do petróleo e as reservas mundiais do produto ainda vão perdurar por algumas dezenas de anos. Acreditamos que a exploração desse precioso recurso natural irá até o último barril possível e o uso de fontes renováveis ou alternativas não seguirá o ritmo da demanda mundial por energia.

Só para termos uma ideia disso, países como a Índia e a China têm agora uma população que começa a ter acesso aos bens de consumo que o Ocidente já possuía há muito tempo. Computadores, televisores, eletrodomésticos em geral, automóveis e melhores condições de moradia já fazem parte da vida de milhões de indianos e chineses. Na China, já são mais de 1 bilhão de aparelhos celulares em uso!

Infelizmente, temos, ainda, milhões de pessoas vivendo em condições miseráveis, sem acesso às mínimas condições de saúde e bem-estar. No entanto, essas pessoas também poderão passar para a condição de "consumidores", caso suas condições de vida sejam, de alguma forma, melhoradas, o que irá aumentar ainda mais a demanda por alimentos, bens de consumo, moradias e energia, ocasionando, consequentemente, um aumento intenso da poluição, se essas mudanças forem realizadas de modo irresponsável.

Para atender a essas gigantescas necessidades da humanidade, todos os processos produtivos irão funcionar a todo vapor e as emissões provenientes do processamento do petróleo (seja a queima de seus derivados ou a produção de diversas matérias-primas) ainda vão continuar, mesmo que em ritmo menor nos anos futuros, devido à busca por fontes alternativas de energia e ao uso racional da mesma.

Dessa maneira, torna-se cada vez mais importante o controle dos diferentes tipos de poluição, fazendo do engenheiro ambiental peça fundamental nesse quebra-cabeça que teremos de montar com muito cuidado, em que a sustentabilidade, a produção mais limpa e o uso de energia renovável devem sempre ser buscados.

Temos a impressão de que os diversos danos ambientais causados por nós até agora, e por aqueles que ainda estão por vir, vão colocar todos os seres do planeta em uma nova situação de adaptação. Alguns desaparecerão e outros conseguirão adaptar-se. É assim que vem acontecendo há milhares de anos.

Todos têm direito a uma vida saudável, mas o ritmo das mudanças ocorridas nos últimos anos, a chamada modernização, ditada principalmente pelos países desenvolvidos, impôs um modo de vida que precisa ser avaliado quanto a sua adequação para a preservação do nosso planeta. Talvez pequenas mudanças em nossos hábitos de vida devam ser consideradas e implementadas.

Então, devemos refletir: do que realmente precisamos para viver? A resposta, sem dúvida, deve contemplar: alimentação saudável, água de boa qualidade, ar de boa qualidade, abrigo (habitação/roupas), bons hábitos de higiene, atividade física moderada, lazer, silêncio e escuridão – o silêncio e a escuridão são para podermos dormir melhor. Será que me esqueci de alguma coisa?

Haverá ainda, no mundo, coisas tão simples e tão puras como a água bebida na concha das mãos? Mario Quintana (1906-1994)

SUGESTÕES DE LEITURA COMPLEMENTAR

- KENNES, C., RENE, E.R., VEIGA, M.C. (2009) Bioprocesses for air pollution control. *Journal of Chemical Technology & Biotechnology*, v. 84, p. 1419-1436.
- LORA, E.E.S. (2002) *Prevenção e controle da poluição nos setores energético, industrial e de transporte*. Rio de Janeiro: Interciência, 481p.
- SCHIFFTNER, K.C. (2002) *Air pollution control equipment selection guide*. CRC Press, 248p.
- VAN GROENESTIJN, J.W., HESSELINK, P.G.M. (1993) Biotechniques for air pollution control. *Biodegradation*, v. 4, p. 283-301.

Referências

CARSON, R. (2010) *Primavera silenciosa*. São Paulo: Editora Gaia, 328p.

CRAWFORD, M. (1976) *Air pollution control theory*. Nova York: McGraw-Hill, 512p.

KERN, D.Q. (1982) *Processos de transmissão de calor*. Rio de Janeiro: Guanabara Dois, 672p.

NOYOLA, A., MORGAN-SAGASTUME, J.M., LÓPEZ-HERNÁNDEZ, J.E. (2006) Treatment of biogas produced in anaerobic reactors for domestic wastewater: odor control and energy/resource recovery. Reviews in Environmental Science and Bio/Technology, v. 5, p. 93-114.

SCHNELLE JR., K.B., BROWN, C.A. (2002) *Air pollution control technology handbook*. CRC Press. 408p.

THEODORE, L., BUONICORE, A.J. (1988) *Air pollution control equipment*. Vol. I e Vol II. CRC Press, 184p.

RESÍDUOS SÓLIDOS

22

Gabriel D'Arrigo de Brito Souto/Jurandyr Povinelli

O presente capítulo objetiva apresentar os principais conceitos relacionados com o tratamento e a disposição final ambientalmente adequada de resíduos sólidos. O estudo se inicia pelos conceitos estabelecidos com o advento da Política Nacional de Resíduos Sólidos. Depois, é discutido o gerenciamento integrado de resíduos sólidos, que inclui a coleta, o transporte e a estimativa da sua geração. São apresentadas as características de alguns tipos importantes de resíduos, como os resíduos sólidos urbanos, os resíduos da construção civil, os resíduos de serviços de saúde e outros. Em seguida, são abordadas as técnicas de disposição final, em particular os aterros sanitários, industriais e de inertes, com maior ênfase nos primeiros. Por fim, são apresentadas algumas tecnologias para o tratamento de resíduos, entre elas a compostagem, a digestão anaeróbia, a incineração e as técnicas apropriadas para o tratamento de resíduos de serviços de saúde.

22.1 INTRODUÇÃO

Resíduos sólidos são gerados por quase todas as atividades humanas. Compreendem uma grande diversidade de materiais, nos quais se incluem restos de comida, computadores, garrafas, papelão, galhos de árvore, entulho de construção, palha de milho, papel, baterias, saquinhos plásticos, bagaço de cana, lâmpadas queimadas, lodos de estações de tratamento de água e de esgoto, pneus, peças anatômicas, remédios vencidos, materiais radioativos, aparas de couro, sucata de metal, produtos químicos perigosos, trapos e assim por diante.

Não bastasse a diversidade, os resíduos gerados mudam ao longo do tempo, tanto em quantidade quanto em qualidade, acompanhando as mudanças tecnológicas, culturais e comportamentais das sociedades humanas. Quanto mais a população aumenta e mais a economia cresce, maiores quantidades de resíduos, cada vez mais diversos, são geradas. Como ilustração, basta lembrar que o descarte em grandes quantidades de computadores e telefones celulares é um fenômeno recente.

Diante do problema, qual é a solução a ser dada? Tradicionalmente, o que se fazia era levar os resíduos para algum lugar distante dos olhos da comunidade e abandoná-los por lá. Eram os chamados lixões. Alguns tipos de resíduos, como as sucatas de metal, eram reciclados, mas a maior parte era perdida.

Com o crescimento da consciência ambiental e a constatação de que os resíduos podem constituir ameaça para a saúde e para a qualidade ambiental, além da percepção de que muitos podem ser reaproveitados para a fabricação de novos objetos, houve uma mudança de paradigma no gerenciamento dos resíduos sólidos. Passou a ser importante reaproveitar ao máximo esses resíduos e dispor os realmente inservíveis de uma maneira que evite, ao máximo, os impactos ao ambiente e à saúde pública.

Dentro dessa perspectiva, quando o profissional é colocado diante do desafio de dar a correta destinação para um determinado resíduo, ou mesmo para o conjunto dos resíduos de uma comunidade, ele deve verificar quais as características do material com que está lidando e buscar a melhor solução do ponto de vista técnico, econômico e social.

Neste capítulo, são apresentadas as características de alguns tipos de resíduos e algumas das técnicas disponíveis para o seu tratamento e disposição final. Não existe uma tecnologia melhor que as demais em qualquer situação. Compete ao profissional conhecer as diversas técnicas disponíveis e as possibilidades da sua implantação no local em que atua.

Que tipo de desafios teremos no futuro? Será que as tecnologias que mostramos aqui serão suficientes? Deveremos rever nosso modo de encarar a realidade? Aí está o campo futuro do engenheiro, qualquer que seja a sua modalidade.

22.2 CONCEITOS INICIAIS

Para iniciarmos nosso estudo, precisamos saber o que se deve entender por resíduo sólido. Existem muitos conceitos na literatura, mas, do ponto de vista da atuação profissional o que vale é a definição estabelecida em lei, no caso a Lei nº 12.305, de 2 de agosto de 2010, que instituiu a Política Nacional de Resíduos Sólidos (PNRS).

No inciso XVI do Artigo 3º, esta lei estabelece que são considerados resíduos sólidos:

a) Materiais, substâncias, objetos ou bens descartados, nos estados sólido ou semissólido;
b) Líquidos cujas particularidades tornem inviável o seu lançamento na rede pública de esgotos ou em corpos de água, ou exijam para isso soluções técnica ou economicamente inviáveis em face da melhor tecnologia disponível;
c) Gases contidos em recipientes.

Note-se que a Lei nº 12.305/2010 não se aplica aos resíduos radioativos, que são objeto de legislação específica.

Tal definição costuma causar surpresa a quem não está familiarizado com a área, principalmente porque estabelece que gases e líquidos também podem ser considerados resíduos sólidos, o que contraria o senso comum. É preciso, então, entender as razões para isso. Se o gás contido no recipiente não pudesse ser considerado resíduo sólido, ele deveria ser completamente removido do recipiente, o que muitas vezes não é viável. Em um exagero de interpretação legal, até mesmo o ar, que é uma mistura de gases, deveria ser retirado, ou seja, embalagens só poderiam ser descartadas caso se fizesse vácuo dentro delas, o que é um contrassenso. Quanto aos líquidos, o fato de poder considerá-los como resíduos sólidos permite que líquidos perigosos sejam acondicionados em tambores e dispostos em aterros de resíduos industriais. Por fim, o termo "semissólido" permite que os lodos de estações de tratamento de água (ETAs) e de tratamento de esgoto (ETEs) sejam gerenciados como resíduos sólidos e, como tais, dispostos em aterros (desde que atendidos determinados requisitos).

LEIS, NORMAS E A PRÁTICA PROFISSIONAL

Leis e normas devem ser seguidas no dia a dia da profissão tanto quanto os conhecimentos técnicos propriamente ditos. Nunca execute um trabalho ou faça uma afirmativa somente com base no que um livro ou artigo fala acerca de um dispositivo legal; leia sempre, e na íntegra, o texto original. Os capítulos do eixo "Gestão Ambiental" deste livro tratam de aspectos importantes da legislação e devem ser lidos com a mesma atenção dispensada aos capítulos considerados como de cunho mais técnico. Caso você decida não atender algum item de uma lei ou norma, deve estar muito bem fundamentado ao fazê-lo, pois seu trabalho será avaliado, inclusive e principalmente, dentro de processos judiciais, de acordo com o que está expressamente escrito nela, de acordo com a chamada "letra da lei". Também é importante estar atento para modificações no texto legal que ocorrem ao longo do tempo. Por exemplo, a Resolução CONAMA nº 307/2002 permanece em vigor, mas foi alterada em 2004, 2011, 2012 e 2015 por outras Resoluções. Quando ler um texto que se refere a um ato normativo, confira se está sendo usada a versão mais recente.

A PNRS também formalizou os conceitos de "destinação final ambientalmente adequada dos resíduos" e "disposição final ambientalmente adequada dos rejeitos".

Um resíduo passa a ser chamado de rejeito quando se esgotaram todas as possibilidades de tratamento e recuperação pelos processos tecnológicos disponíveis e economicamente viáveis, de modo que não haja alternativa que não seja a disposição final ambientalmente adequada (PNRS).

Então, o que se entende por "**destinação** final ambientalmente adequada" é o encaminhamento do resíduo para reutilização, reciclagem, compostagem, aproveitamento energético, disposição final ou outras destinações admitidas pelo poder público, de modo a evitar danos ou riscos à saúde pública e à segurança e a minimizar os impactos ambientais negativos (PNRS). O termo, portanto, se aplica a todos os tipos de resíduos.

Já a "**disposição** final ambientalmente adequada" se refere exclusivamente aos rejeitos, consistindo na sua disposição ordenada em aterros. Como a disposição final também é um tipo de destinação final, ela também deve evitar danos ou riscos à saúde pública e à segurança e minimizar os impactos ambientais negativos (PNRS). Não há como prescindir da disposição final, pois um cenário ideal, em que todos os resíduos são de alguma forma aproveitados, é economicamente inviável, tem custo proibitivo.

Por fim, cumpre notar que a PNRS instituiu a responsabilidade compartilhada pelo ciclo de vida dos produtos. Isto significa que, hoje, os fabricantes, os distribuidores, os comerciantes, os titulares dos serviços públicos de limpeza urbana e manejo de resíduos sólidos e os próprios consumidores são responsáveis pelos resíduos.

22.3 GERENCIAMENTO DE RESÍDUOS SÓLIDOS

Seria muito bom se fosse possível eliminar totalmente a geração de resíduos sólidos. Sem desperdícios, teríamos um aproveitamento muito maior dos recursos naturais e diminuiríamos nossos impactos ambientais. Infelizmente, isso não é possível, ou ao menos ainda não é técnica e economicamente viável. Algum resíduo sempre é gerado, nem que seja pelo consumidor final, e algo precisa ser feito para que não se torne um problema para a sociedade.

O conjunto de ações exercidas, direta ou indiretamente, para resolver o problema dos resíduos sólidos recebe o nome de gerenciamento de resíduos sólidos. Esse processo envolve a coleta, o transporte, o transbordo, o tratamento e a destinação final dos resíduos sólidos e a disposição final dos rejeitos. Todas essas ações devem estar de acordo com o plano municipal de gestão integrada de resíduos sólidos ou com algum plano de gerenciamento de resíduos sólidos (PNRS).

Antigamente, os diversos tipos de resíduos eram tratados e dispostos independentemente uns dos outros. Isso resolvia problemas pontuais, mas conduzia à duplicação de esforços e a um tratamento não otimizado. Com o aumento progressivo da geração de resíduos e a consequente necessidade de destinação destes, começou a ganhar força o conceito de gerenciamento integrado de resíduos sólidos. Não se pensa mais em cada tipo de resíduo como um problema em separado, mas sim, busca-se conhecer todos os tipos de resíduos produzidos em um município ou conjunto de municípios, suas quantidades e fontes geradoras e, a partir daí, conceber um planejamento de coleta, transbordo, transporte, reciclagem, tratamento e disposição final que faça o melhor uso possível dos recursos técnicos e econômicos disponíveis, aproveitando os benefícios da economia de escala.

Com a atual Política Nacional de Resíduos Sólidos, este conceito evoluiu para englobar não apenas as dimensões sanitária, econômica e ambiental, mas também a política, cultural e social, assegurando o controle social e garantindo a premissa do desenvolvimento sustentável.

A PNRS definiu a seguinte ordem de prioridades para o gerenciamento de resíduos sólidos: não geração, redução, reutilização, reciclagem, tratamento e disposição final.

Por redução, entende-se tanto a minimização dos resíduos no ambiente industrial pelo uso, por exemplo, de técnicas de Produção Mais Limpa (P + L), como será visto no Capítulo 30, quanto o desenvolvimento de produtos que gerem menores quantidades de resíduo após passarem pelas mãos do consumidor. Um exemplo disso é a diminuição na quantidade de material de embalagem.

Note-se que há diferenças entre os conceitos de reutilização e reciclagem. A reutilização é o aproveitamento do resíduo sem que ele passe por transformações físicas, físico-químicas ou biológicas. Já a reciclagem é o aproveitamento dos resíduos como matéria-prima para novos produtos mediante a alteração de suas propriedades físicas, físico-químicas ou biológicas (PNRS). Dentro desse conceito, a compostagem se inclui como um tipo de reciclagem, pois permite o aproveitamento da matéria orgânica como corretivo de solo após a sua transformação biológica em composto.

A gestão integrada dos resíduos sólidos é de competência dos municípios e do Distrito Federal. Aos estados, cabe a integração das ações dos municípios nas regiões metropolitanas, aglomerações urbanas e microrregiões. Cabe a eles, também, apoiar e priorizar as soluções consorciadas ou compartilhadas entre dois ou mais municípios (PNRS).

Nesse ponto, deve-se fazer notar que, em um contexto de gerenciamento integrado, não se pode falar em uma solução única para todos os tipos de resíduo. Não há sentido em discutir se um aterro sanitário é melhor ou pior que um incinerador. O que se deve fazer é definir quais resíduos devem ser encaminhados para um, para outro, para um depois do outro ou mesmo para nenhum dos dois. Essa definição é feita caso a caso, levando-se em conta todas as dimensões mencionadas.

Para que se possa gerenciar adequadamente os resíduos, é preciso conhecer seus aspectos qualitativos (com qual resíduo estou lidando) e quantitativos (qual a quantidade gerada desse resíduo), bem como suas variações. A avaliação técnica e econômica das alternativas de gerenciamento e tratamento depende dessas duas dimensões. Não é raro se deparar com tecnologias que são apresentadas como muito eficazes para tratar um determinado tipo de resíduo, ou mesmo qualquer tipo de resíduo, cujo custo se revela proibitivo diante das quantidades que precisam ser tratadas. Entretanto, uma tecnologia dispendiosa pode se tornar exequível quando a quantidade a ser processada é pequena.

Também é preciso prestar atenção na concentração da geração. O gerenciamento de resíduos de uma metrópole é diferente daquele feito para uma população equivalente, mas distribuída em municípios pequenos e mais ou menos isolados.

POUCOS ATERROS GRANDES OU MUITOS ATERROS PEQUENOS?

O que seria melhor:

1) um único e grande aterro servindo a todo um estado, que ganha com a economia de escala e pode ser objeto de um controle mais estrito por parte dos órgãos ambientais, com condições de licenciamento mais restritivas em função da maior capacidade econômica do agente e com maiores custos e impactos ambientais associados ao transporte por longas distâncias;

ou

2) diversos pequenos aterros municipais, com menos tecnologia agregada, maior dificuldade de supervisão por parte do órgão ambiental, necessidade de flexibilização das regras em função da pequena capacidade econômica do agente, mas com menores custos, menores impactos ambientais associados ao transporte de pequena distância e com possibilidade de um controle social mais efetivo?

22.3.1 Coleta e Transporte

A coleta é o ponto-chave no gerenciamento dos resíduos sólidos. É a etapa em que os resíduos são recolhidos junto ao gerador e encaminhados para a destinação final.

A segregação na fonte permite otimizar os sistemas de tratamento e disposição final. Quando se permite que um resíduo perigoso seja misturado a resíduos não perigosos, o resultado é que a massa total de resíduo acaba sendo classificada como perigosa e deve ser tratada e disposta como tal. Sendo assim, nunca se deve misturar os resíduos perigosos com os comuns.

Coleta Regular

A coleta regular normalmente é feita porta a porta, com caminhões compactadores. Os resíduos sólidos urbanos (RSU) podem ser acondicionados em sacos plásticos (como é usual no Brasil) ou contêineres individuais.

O sistema de contêineres individuais corresponde às antigas latas de lixo, que no Brasil se mostraram anti-higiênicas e causavam dificuldade aos coletores, que precisavam movimentá-las com a força muscular. As latas estavam sujeitas, ainda, a roubo e vandalismo. Foram, portanto, substituídas pelos sacos plásticos na maior parte das cidades brasileiras.

Entretanto, caso os contêineres individuais façam parte de um sistema de coleta mecanizada, como se observa em diversas cidades da Alemanha, podem se mostrar uma solução eficaz. Porém, mesmo em países desenvolvidos, os contêineres individuais, hoje feitos em material plástico, estão sujeitos a roubo e vandalismo.

Uma opção é o uso de contêineres coletivos, descarregados mecanicamente em caminhões específicos para esse serviço. Esse sistema foi adotado pela cidade de Porto Alegre (RS), nos bairros mais centrais, e opera desde 2011. Os munícipes devem depositar seus resíduos orgânicos e rejeitos nesses contêineres. Os resíduos recicláveis são objeto de coleta seletiva e não devem ser ali dispostos. O sistema foi dimensionado exclusivamente para a coleta de resíduos orgânicos. Casos eventuais de contêineres sobrecarregados mostraram ser fruto da disposição incorreta de resíduos recicláveis.

Sistemas de coleta a vácuo já estão implementados em empreendimentos imobiliários e cidades em diversos lugares do mundo. Uma rede de tubos subterrâneos, à semelhança dos sistemas de água e esgoto, transporta os sacos até pontos de coleta. Os munícipes colocam os sacos de lixo em bocais específicos localizados nas ruas ou mesmo dentro de edificações. A vantagem é a virtual eliminação de resíduos nas ruas e o fim do tráfego dos caminhões de coleta, que causam ruído, poluição e outros incômodos à vizinhança. A principal desvantagem é a necessidade de manutenção constante para evitar a interrupção no funcionamento do sistema, o que conduziria a um inevitável acúmulo de resíduos nas tubulações.

Coleta Especial

Há diversos resíduos que não podem ou não devem ser misturados aos RSU, devendo ser coletados em separado. É o caso dos RSS (resíduos de serviços de saúde), dos RCC (resíduos da construção civil) e de alguns outros resíduos assim definidos por lei. Para esses últimos, deve ser aplicado o que se chama de logística reversa.

Logística reversa é o nome que se dá ao processo de retornar um material do consumidor para o fabricante, o oposto da logística convencional, que se refere ao processo de levar um material do fabricante ao consumidor final. Formalmente, de acordo com a PNRS, a logística reversa é *"o conjunto de ações, procedimentos e meios destinados a viabilizar a coleta e a restituição dos resíduos sólidos ao setor empresarial, para reaproveitamento, em seu ciclo ou em outros ciclos produtivos, ou outra destinação final ambientalmente adequada"*.

Os materiais hoje sujeitos à logística reversa são as embalagens de agrotóxicos, pilhas e baterias, pneus, óleos lubrificantes, seus resíduos e embalagens, lâmpadas fluorescentes, de vapor de sódio e mercúrio e de luz mista, produtos eletroeletrônicos e seus componentes, tintas imobiliárias e demais produtos cuja embalagem, após o uso, constitua resíduo perigoso. Os fabricantes ou importadores desses produtos são responsáveis pela sua destinação final ambientalmente adequada, o que inclui a disposição final ambientalmente adequada de seus rejeitos (PNRS e CONAMA nº 307/2002, Brasil, 2002).

Os sistemas de logística reversa para esses produtos e suas embalagens devem ser estruturados e implementados pelos fabricantes, importadores, distribuidores e comerciantes, independentemente do serviço público de limpeza urbana e manejo de resíduos sólidos. Dentro desse contexto, os consumidores também estão obrigados a devolver aos comerciantes ou distribuidores todos os produtos objeto de logística reversa, bem como suas embalagens e resíduos remanescentes após o uso. Compete a estes últimos o encaminhamento dos resíduos aos fabricantes e importadores.

A PNRS prevê que a logística reversa poderá ser estendida para outros produtos, dependendo do grau e extensão do impacto de seus resíduos à saúde pública e ao meio ambiente, bem como da viabilidade técnica e econômica do processo.

Coleta Seletiva

A coleta seletiva é muito importante para o sucesso de iniciativas de reciclagem, pois aumenta a qualidade e a quantidade da matéria-prima disponível. A triagem *a posteriori* feita nas (incorretamente) chamadas "usinas de reciclagem" não consegue recuperar mais de 50% dos materiais recicláveis (Schalch & Leite, 2000). Objetos grandes podem ser separados por catadores, mas eles não conseguem separar fragmentos do restante da massa de lixo. A segregação, portanto, para ser efetiva, deve ser feita na fonte.

Transporte

Os resíduos, uma vez coletados, devem ser transportados até os pontos de destinação final, sejam eles as indústrias de reciclagem, as centrais de tratamento ou os aterros.

Quando as distâncias e os volumes são pequenos, o transporte pode ser feito pelos próprios veículos de coleta. Mas em cidades grandes ou quando os aterros estão muito distantes, é preciso lançar mão de estações de transbordo. Um exemplo desse caso é a cidade de Porto Alegre, que encaminha seus resíduos para um aterro localizado a quase 100 km de distância. Os caminhões de coleta levam os resíduos até essas estações, onde são transferidos para caminhões maiores, normalmente carretas com capacidade entre 30 m^3 e 50 m^3. Com menos veículos circulando, diminuem o custo do transporte (menores gastos com combustível, manutenção dos veículos e salários) e os impactos ao meio ambiente e ao trânsito. Há locais em que o transbordo é feito para trens ou barcaças.

22.3.2 Características dos Resíduos

A classificação dos resíduos sólidos já foi apresentada no Capítulo 14. Faremos aqui uma breve descrição das características de alguns tipos de resíduos, juntamente com indicações de algumas técnicas apropriadas para a sua destinação final.

Resíduos Sólidos Urbanos

São os resíduos com os quais estamos mais familiarizados, pois são aqueles gerados também em nossas casas. Eles são uma mistura de uma grande quantidade de materiais diferentes, entre os quais se destaca a matéria orgânica putrescível. Essa heterogeneidade os diferencia bastante dos resíduos industriais, que normalmente têm composição bem conhecida (Souto, 2005). Em 2016, foram coletadas cerca de 71 milhões de toneladas de RSU no Brasil (Abrelpe, 2017).

A composição dos RSU é bastante variável. Local, época do ano, clima, hábitos da população e mudanças tecnológicas são fatores que influem, em maior ou menor grau, nessa variabilidade (Souto, 2005). Como exemplo, vamos apresentar dados da Companhia Municipal de Limpeza Urbana (Comlurb, 2009) referentes à composição dos RSU da cidade do Rio de Janeiro nos anos de 2006 e 2009 (Figuras 22.1 e 22.2).

Nota-se um decréscimo na participação da matéria orgânica putrescível e um aumento da fração de papéis e plásticos entre 2006 e 2009. A Comlurb é de opinião que isso se deveu à queda do preço do papel e do plástico no mercado de reciclagem (Comlurb, 2009).

A caracterização dos RSU é muito importante para fins de gerenciamento, porque permite estimar a quantidade de material potencialmente reciclável, a quantidade de matéria putrescível que deve ser

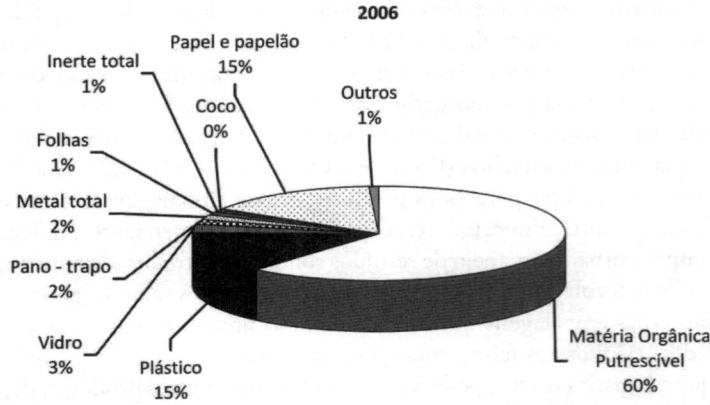

FIGURA 22.1 Caracterização dos RSU da cidade do Rio de Janeiro em 2006. *Fonte: Comlurb (2009).*

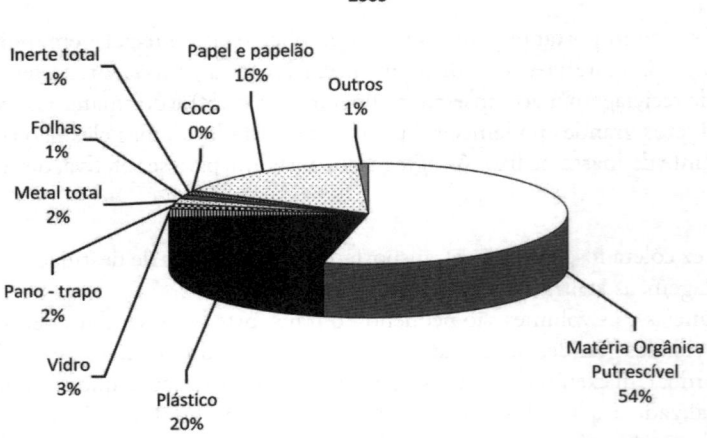

FIGURA 22.2 Caracterização dos RSU da cidade do Rio de Janeiro em 2009. *Fonte: Comlurb (2009).*

encaminhada para tratamento ou disposição final e a quantidade de rejeitos que devem, necessariamente, ir para o aterro sanitário.

Análises mais aprofundadas só necessitam ser feitas quando se busca investigar a aplicabilidade de uma determinada tecnologia de tratamento, mormente para a estabilização da fração orgânica.

Variações sazonais dos RSU são muito mais pronunciadas em países de clima temperado. Nestes, no outono, boa parte das árvores perde as folhas, o que gera grande quantidade de folhas caídas que devem ser recolhidas. Durante o inverno, há o problema das cinzas das lareiras.

Os RSU são classificados como resíduos classe II-A (não inertes) e sua disposição final pode e deve ser feita em aterros sanitários. Se a classificação estabelecida na NBR-10.004:2004 (ABNT, 2004) (vide Capítulo 14) fosse seguida à risca, eles teriam que ser classificados como perigosos, pois as fezes humanas, que neles aparecem em grande quantidade, sempre são fonte potencial de microrganismos patogênicos. Então, eles deveriam ser dispostos em aterros de resíduos perigosos, o que inviabilizaria sua destinação final ambientalmente adequada. Para evitar este impasse, a NBR-10.004:2004 estabelece que o critério de patogenicidade não se aplica aos resíduos sólidos domiciliares nem aos gerados nas estações de tratamento de esgotos domésticos.

Como os RSU são gerados em grandes quantidades e os aterros têm uma capacidade máxima de recebimento de resíduos, pode ser interessante adotar técnicas que minimizem o volume a ser disposto. A fração orgânica pode ser tratada por digestão anaeróbia ou compostagem, e os materiais recicláveis podem ser recuperados. A incineração também permite reduzir significativamente as quantidades a serem dispostas.

Resíduos Industriais

Resíduos sólidos industriais são aqueles resultantes dos processos existentes nas indústrias. São diferentes uns dos outros, mas cada um em si é muito mais homogêneo que os RSU e tem uma composição usualmente bem definida. Os processos industriais podem ser projetados para facilitar a segregação desses resíduos, que muitas vezes são reaproveitados na mesma fábrica ou entregues já "limpos" para outros agentes produtivos. Como o industrial consegue separar o resíduo de cada processo, a reciclagem é muito mais eficiente nas indústrias do que nas residências.

Muitos resíduos industriais são perigosos, mas isso não é uma regra geral (Bidone & Povinelli, 2010). A própria NBR-10.004:2004 lista alguns resíduos não perigosos, como resíduos de plástico polimerizado, de borracha, de madeira e bagaço de cana.

Ao contrário dos RSU, é muito importante conhecer as características físicas e químicas dos resíduos industriais para que se possa projetar um sistema de tratamento adequado (Bidone & Povinelli, 2010).

Rejeitos Radioativos

O gerenciamento de rejeitos radioativos deve ser feito de acordo com as normas estabelecidas pela Comissão Nacional de Energia Nuclear (CNEN), não se aplicando as determinações da PNRS e da NBR-10.004:2004.

Isótopos radioativos de origem natural existem em todos os lugares, inclusive nas nossas casas, alimentos e mesmo dentro de nós mesmos (por exemplo, pense no carbono-14). Isso significa que todo e qualquer material possui algum nível de radioatividade. É preciso que haja, portanto, um critério que permita definir se o material com que estamos lidando deve ou não ser considerado radioativo. Nessa perspectiva, considera-se rejeito radioativo qualquer material que *"contenha radionuclídeos em quantidades superiores aos limites de isenção estabelecidos pela CNEN, para o qual a reutilização é imprópria ou não prevista"* (CNEN, 2015). Esses limites estão definidos na Posição Regulatória 3.01/01:2011 (CNEN, 2011). A classificação dos rejeitos radioativos está definida na Norma CNEN NN 8.01 (CNEN, 2014).

Resíduos de Serviços de Saúde

Os Resíduos de Serviços de Saúde (RSS) constituem uma categoria especial em função do risco potencial de transmissão de doenças. Seu gerenciamento é regulado ao mesmo tempo pela Resolução RDC nº 306 de 2004 da Anvisa e pela Resolução nº 358 de 2005 do CONAMA. Estas resoluções foram elaboradas em parceria pelos dois órgãos, com o objetivo de harmonizar as exigências sanitárias e ambientais (Anvisa, 2007). Embora a ABNT tenha normas em vigor sobre RSS (NBR-12.807:1993 e NBR-12.808:1993), elas perderam a eficácia a partir destas resoluções.

De acordo com a Resolução nº 358/2005 do CONAMA (Brasil, 2005), RSS são todos os resíduos resultantes das atividades exercidas por todo e qualquer serviço de atendimento à saúde humana ou animal. Ou seja, não se limitam aos resíduos de hospitais e clínicas, mas incluem, entre outros similares, os de serviços de assistência domiciliar e de trabalhos de campo; laboratórios analíticos de produtos para saúde; necrotérios, funerárias e serviços nos quais se realizem atividades de embalsamamento; serviços de medicina legal; drogarias e farmácias, inclusive as de manipulação; estabelecimentos de ensino e pesquisa na área de saúde; centros de controle de zoonoses; distribuidores de produtos farmacêuticos; importadores, distribuidores e produtores de materiais e controles para diagnóstico *in vitro*; unidades móveis de atendimento à saúde; serviços de acupuntura; serviços de tatuagem.

A Resolução nº 358/2005 não se aplica às indústrias de produtos para a saúde, que têm licenciamento ambiental específico, nem às fontes radioativas seladas, objeto de normas da CNEN.

Em 2016, os municípios brasileiros coletaram 256 mil toneladas de RSS (Abrelpe, 2017). Nesse total, não se incluem os RSS gerados por instituições particulares, que são responsáveis pelo tratamento e destinação final de seus resíduos. Ou seja, a massa de RSS coletada não chega a 0,5% do total de RSU coletados. De acordo com a Anvisa (2007), entre 75% e 90% apresentam risco equivalente aos RSU; portanto, os cuidados especiais precisam ser aplicados somente aos 10% a 25% restantes.

Os RSS devem ser segregados (na fonte e no momento de sua geração), identificados, acondicionados, armazenados, transportados, tratados e dispostos de acordo com a Resolução RDC nº 306 de 2004 da Anvisa e a Resolução nº 358 de 2005 do CONAMA. Isso permite minimizar a quantidade de resíduo infectante e otimizar o tratamento das diversas frações. O gerenciamento dos RSS deve estar centrado na redução dos riscos ao trabalhador da saúde, à população e ao meio ambiente (Anvisa, 2007).

De acordo com estas Resoluções, os RSS são classificados em cinco grupos:

Grupo A. Resíduos com a possível presença de agentes biológicos que, por suas características de maior virulência ou concentração, podem apresentar risco de infecção. Esse grupo apresenta subgrupos importantes, mas cuja caracterização foge ao escopo deste texto.

Grupo B. Resíduos contendo substâncias químicas que podem apresentar risco à saúde pública ou ao meio ambiente pelas suas características de inflamabilidade, corrosividade, reatividade e toxicidade. Correspondem aos resíduos considerados perigosos pela NBR-10.004, com exceção dos que se caracterizam como patogênicos.

Grupo C. Materiais que contenham radionuclídeos em quantidades superiores aos limites de eliminação especificados nas normas da CNEN e para os quais a reutilização é imprópria ou não prevista.

Grupo D. Resíduos que não apresentem risco biológico, químico ou radiológico à saúde ou ao meio ambiente, podendo ser equiparados aos resíduos domiciliares.

Grupo E. Materiais perfurocortantes ou escarificantes, inclusive vidraria de laboratório quebrada.

As alternativas de destinação final para cada grupo dos RSS estão previstas na Resolução CONAMA nº 358/2005 (Tabela 22.1).

TABELA 22.1 Alternativas de tratamento e disposição final dos RSS

Grupo	Tratamentos
Grupo A	Tratamento que promova a inativação da carga microbiana; disposição final em aterro sanitário ou outro local licenciado para essa finalidade. Peças anatômicas devem ser incineradas ou cremadas. Em casos específicos, sepultamento em cemitério
Grupo B	Reutilizados, reciclados, tratados ou dispostos de acordo com a sua periculosidade
Grupo C	Processamento de acordo com as normas da CNEN
Grupo D	Reutilizados, reciclados ou dispostos em aterro sanitário
Grupo E	Tratamento específico de acordo com a contaminação (química, biológica ou radiológica)

Fonte: Resolução CONAMA nº 358/2005 (Brasil, 2005).

Resíduos da Construção Civil

Os resíduos da construção civil (RCC), anteriormente chamados de resíduos de construção e demolição (RCD), são gerados pelo desperdício de materiais nos canteiros de obras e como subproduto das obras de reforma e demolição. São bastante heterogêneos, sendo constituídos por argamassa, areia, solo, cerâmica, concreto, madeira, metais, papel, pedra, asfalto, tinta, gesso, plástico, borracha, materiais putrescíveis e outros. A proporção entre os materiais varia em função da tecnologia construtiva e a quantidade gerada depende do maior ou menor aquecimento da economia do país.

No ano de 2016, foram coletados, pelos serviços públicos municipais, cerca de 45 milhões de toneladas de RCC (Abrelpe, 2017). É uma massa equivalente a mais da metade dos RSU coletados no mesmo período. Além disso, como os municípios geralmente recolhem somente os RCC abandonados em logradouros públicos, pois a responsabilidade pela destinação final é do gerador, é de se supor que as quantidades reais sejam muito maiores (Abrelpe, 2017). Isso mostra que o setor da construção civil é um dos maiores geradores de resíduos e que boa parte deles é disposta irregularmente em terrenos baldios, mananciais e áreas de proteção ambiental, poluindo o solo e a água.

Os RCC são classificados em quatro classes (CONAMA nº 307/2002, Brasil):

Classe A. Resíduos reutilizáveis ou recicláveis como agregados (cerâmica, argamassa, concreto etc.).

Classe B. Resíduos recicláveis para outras destinações (plástico, metal, papel, vidro, madeira, embalagens vazias de tintas imobiliárias, gesso etc.).

Classe C. Resíduos para os quais não foram desenvolvidas tecnologias que permitam sua reciclagem ou recuperação de maneira economicamente viável (gesso, por exemplo).

Classe D. Resíduos perigosos.

Os resíduos da classe A deverão ser usados como agregados ou encaminhados a aterros de resíduos classe A, onde devem ser dispostos de modo que possam ser futuramente utilizados. Os da classe B deverão ser reutilizados, reciclados ou armazenados temporariamente, de modo que possam ser futuramente utilizados ou reciclados. Os resíduos das classes C e D devem receber destinação de acordo com as normas técnicas específicas. Os RCC não podem ser dispostos em aterros sanitários, áreas de "bota-fora", lotes vagos, encostas, corpos de água e áreas protegidas por lei (CONAMA nº 307/2002).

Atualmente, já se verifica a instalação de usinas de reciclagem de resíduos da classe A no próprio local de obras de demolição. Os agregados podem ser usados no próprio canteiro ou transportados para outros locais.

Pilhas e Baterias

Até poucos anos atrás, as pilhas e baterias eram descartadas no lixo comum em função da inexistência ou desconhecimento das técnicas disponíveis para reciclá-las e da ignorância em relação aos seus possíveis impactos sobre o meio ambiente.

Surgiu, então, a preocupação com os possíveis efeitos ambientais dos metais nelas contidos (chumbo, cobre, zinco, cádmio, manganês, níquel, lítio etc.). Havia receio de que, quando liberados pela decomposição da pilha, esses metais atingissem o solo e os lençóis freáticos, contaminando mananciais, alcançando a cadeia alimentar e chegando ao homem. Os efeitos dos metais sobre o ser humano foram abordados no Capítulo 5.

Em 1999, o CONAMA começou a disciplinar a destinação final de pilhas e baterias com a Resolução nº 257/1999 (Brasil, 1999), que estabelecia que pilhas e baterias que contivessem chumbo, cádmio, mercúrio e seus compostos deveriam ser devolvidas aos fabricantes ou importadores. Para aquelas que contivessem esses metais até uma determinada proporção em massa, ficava autorizado o descarte em aterros sanitários, em conjunto com resíduos domésticos. A Resolução CONAMA 401/2008 (Brasil, 2008) revogou a Resolução nº 257, colocou novos limites às concentrações de metais e fez novas exigências.

A partir da promulgação da PNRS, tornou-se obrigatória a devolução de todas as pilhas e baterias usadas aos fabricantes ou importadores, que ficaram responsáveis pela sua destinação final. Independentemente das características do produto, ele agora deve ser devolvido mediante o sistema de logística reversa.

Lixo Eletrônico

O rápido avanço da tecnologia e a popularização das aplicações dos dispositivos eletrônicos, cada vez com mais portabilidade, fazem com que o consumo de tais equipamentos aumente cada vez mais. Isto é agravado pela substituição muito rápida de um modelo por outro, o que se torna uma necessidade para muitos usuários. O resultado é o descarte, ou pelo menos a acumulação em depósitos, dos equipamentos sem serventia. Equipamentos eletrônicos descartados são considerados um resíduo atualmente denominado de "lixo eletrônico".

Estima-se que sejam descartadas anualmente no mundo 50 milhões de toneladas de lixo eletrônico. No Brasil, 96 mil toneladas de computadores são abandonadas por ano. A geração *per capita* chega a 0,5 kg/hab.ano (CREA-RS, 2010).

O que torna o lixo eletrônico um problema particular são as placas de circuito impresso e alguns tipos de monitores de vídeo. O restante é composto por materiais recicláveis, como metal e plástico, ou, ao menos, não perigosos. Andrade (2002) reporta que apenas 5% do peso dos computadores correspondem aos dispositivos eletrônicos propriamente ditos. Há 40% de plásticos, 37% de metais, 1% de borracha e 17% de outros materiais.

As placas de circuito impresso contêm uma grande diversidade de metais. Análises químicas feitas por Andrade (2002) mostraram a presença de cádmio, cobre, ferro, manganês, níquel, zinco, chumbo, estanho, ouro e prata. Ensaios de lixiviação feitos por essa autora de acordo com a NBR-10.005 (ABNT, 2005) revelaram concentrações de cádmio e chumbo acima dos limites permitidos, o que configura esse resíduo como perigoso. Cumpre notar que não foi detectado mercúrio.

A reciclagem das placas de circuito impresso objetiva a recuperação dos metais. A primeira etapa é a trituração das placas, para facilitar o manuseio e o transporte. Em seguida, as placas trituradas são enviadas para processamento em empresas especializadas, chamadas de *smelters*. A responsabilidade pelo encaminhamento à reciclagem é dos fabricantes e importadores, dado que a PNRS prevê a Logística Reversa para esses resíduos.

Parte dos computadores e periféricos descartados ainda pode ser utilizada. Há organizações que recolhem estes equipamentos, realizam a sua reforma e equipam comunidades carentes e centros de treinamento de técnicos em informática com eles. Ao se descartarem equipamentos obsoletos, deve-se pensar nessa alternativa antes de encaminhá-los como resíduo aos pontos de coleta.

Pneus

Pneus são constituídos de borracha vulcanizada e materiais de reforço (fios de aço e tecidos de náilon ou poliéster), que têm por objetivo dar as características necessárias de desempenho e segurança (Cempre, 2018).

Depois de usados e de terem sua banda de rodagem desgastada, eles podem ser recuperados mediante recauchutagem, também conhecida como recapagem ou reconstrução de pneus. A banda de rodagem original é removida por raspagem e uma nova banda é colocada mediante o processo de vulcanização. O pneu recauchutado deve ter a mesma durabilidade que um pneu novo (Cempre, 2018).

Quando o pneu apresenta danos irreparáveis na sua estrutura e não se presta mais à rodagem ou à reforma, ele é denominado pneu inservível. A destinação ambientalmente adequada dos pneus inservíveis é regulada pela Resolução nº 416 de 2009 do CONAMA (Brasil, 2009). Esta destinação é de responsabilidade dos fabricantes ou importadores, dado que a PNRS estabelece que eles sejam objeto de logística reversa.

O aço dos pneus é encaminhado para reciclagem específica. Já a borracha é usada como combustível alternativo nas indústrias de cimento, fabricação de solados de sapato, dutos pluviais, pisos industriais, pisos para quadras poliesportivas, tapetes para automóveis e asfalto-borracha (Reciclanip, 2017). Este último já é usado no Brasil para a pavimentação de rodovias. Um exemplo é um trecho da BR-290, entre Porto Alegre e o litoral gaúcho.

22.3.3 Geração de Resíduos

Tão importante quanto a caracterização qualitativa dos resíduos para o planejamento do seu gerenciamento integrado é a estimativa da sua geração, da quantidade que deverá ser tratada e disposta. Vamos tratar aqui especificamente dos RSU, mas a lógica poderá ser aplicada para qualquer outro tipo de resíduo.

Para estimar a quantidade de RSU a ser gerenciada, é preciso conhecer a geração *per capita* de resíduos e a população geradora. Por exemplo, com uma geração *per capita* de 1 kg/hab.d, uma cidade de um milhão de habitantes gera 1.000 toneladas de resíduo urbano por dia. Segundo dados da Abrelpe (2017), no Brasil, a coleta de RSU *per capita* varia entre 0,7 e 1,2 kg/hab.d, entre as cinco regiões do país.

Ao fazer previsões para o futuro, como é o caso de um Plano Diretor de Resíduos Sólidos ou do projeto de um aterro, deve-se considerar a evolução ao longo do tempo tanto da população quanto da geração *per capita*.

No Brasil, de 2009 para 2010 a geração de resíduos subiu 6,8%, superando a taxa de crescimento da população urbana, que foi de 1% (Abrelpe, 2010). Por outro lado, de 2015 para 2016 a geração de resíduos caiu quase 3%, enquanto a taxa de crescimento da população foi de 0,8% (Abrelpe, 2017).

22.4 DISPOSIÇÃO FINAL

Optamos por abordar as técnicas de disposição final antes das técnicas de tratamento, porque elas devem ser adotadas independentemente destas últimas. Por melhores que sejam os tratamentos, sempre existe a possibilidade de um dia virem a falhar ou mesmo de não terem a licença ambiental renovada em prazo hábil. Como a produção de resíduos é constante, eles dificilmente podem ficar armazenados aguardando o retorno à operação dessas unidades e, portanto, devem ser levados para os aterros.

A destinação convencional dada aos resíduos era algum lugar distante dos olhos da comunidade. Não exatamente qualquer lugar, mas sim um lugar específico, para o qual iam os caminhões de coleta: o lixão, também chamado de vazadouro a céu aberto. Ali, não havia qualquer tratamento ou cuidado, salvo eventuais queimas que se faziam para diminuir o volume de resíduo. Os lixões são focos de contaminação do ar e das águas, bem como local de alimentação e abrigo de organismos vetores de doenças. Fora isso, catadores de lixo normalmente se instalam nos arredores dos lixões, vivendo e retirando seu sustento em um ambiente insalubre por natureza. Atualmente, a legislação não admite mais os lixões como uma forma de disposição final. Eles estão proibidos e devem ser convertidos em aterros sanitários ou controlados.

A principal técnica para a disposição final ambientalmente adequada dos resíduos são os aterros. Além dos aterros sanitários, voltados para RSU, há os aterros de resíduos industriais e os aterros de inertes.

Existe outra técnica, chamada de *landfarming* ou *landspreading*. De acordo com Bidone & Povinelli (2010), é um processo relativamente simples, que consiste na mistura do resíduo com as camadas superficiais de solo, em áreas extensas, onde a microbiota do solo se encarrega de degradar os componentes orgânicos, enquanto os materiais inorgânicos são aprisionados pela matéria orgânica estabilizada. Essa técnica requer, porém, muito cuidado, e deve ser muito bem definida a quantidade de resíduos que pode ser aplicada por hectare para não causar contaminação do solo e das águas.

Os aterros podem atender a um ou vários municípios. Um exemplo interessante é o que acontece no Rio Grande do Sul, em que diversos municípios encaminham seu RSU para um aterro de grandes proporções situado no município de Minas do Leão, em uma antiga área de mineração de carvão, operado por uma empresa privada e devidamente legalizado. Mesmo envolvendo maiores custos de transporte e com a remuneração da empresa, essa pode ser uma solução interessante, porque dispensa a construção e a operação de aterros sanitários individuais, para o que os municípios talvez nem disponham de tecnologia e pessoal capacitado. Além disso, não há necessidade de iniciativa, por parte dos municípios, de obtenção de licenças ambientais e demais documentos legais, pois essas providências já foram tomadas pela empresa responsável pelo aterro.

22.4.1 Aterro Sanitário

O aterro sanitário é, hoje, a solução mais econômica para a disposição final ambientalmente adequada dos resíduos não perigosos e não inertes, entre os quais os RSU, em particular. De acordo com Bidone & Povinelli (2010), um aterro sanitário é uma obra de engenharia que possibilita o confinamento seguro dos resíduos, evitando riscos à saúde pública e minimizando os impactos ambientais negativos.

Dentro do aterro, os resíduos são biodegradados em condições de anaerobiose. Esse processo tem como vantagens a estabilização, ainda que em longo prazo, dos resíduos e uma ligeira diminuição no seu volume. Porém, tal processo gera produtos líquidos (lixiviado, conhecido popularmente como chorume) e gasosos, que escapam da massa de resíduo. É por isso que, mesmo quando bem projetados, construídos e operados, os aterros ainda podem apresentar riscos ao meio ambiente. Ironicamente, os resíduos sólidos se transformam em fontes de efluentes líquidos e gasosos.

Para que os impactos sejam os mínimos possíveis, há uma série de requisitos a serem seguidos na construção e operação de um aterro sanitário. No Capítulo 14, há uma figura que ilustra os diversos elementos que compõem o aterro.

A base deve ser impermeabilizada, o que normalmente é obtido com argila compactada coberta com mantas geotêxteis. Se houver nascentes na área que vai receber os resíduos, elas devem ser canalizadas e, sobre esta canalização, colocada uma camada de impermeabilização da base do aterro, que nestes casos se recomenda que tenha 3 m de espessura (Bidone & Povinelli, 2010).

Sobre a base, deve ser colocado um sistema de drenagem de fundo, composto por drenos dispostos em forma de espinha de peixe ou colchões drenantes. Esses drenos normalmente são feitos com brita, pois tubos ocos seriam rompidos pelo peso dos resíduos. De acordo com Bidone & Povinelli (2010), eles devem ter uma inclinação de cerca de 2% e as britas devem ser recobertas com material sintético ou mesmo capim seco para evitar a colmatação dos drenos. Os drenos conduzem o lixiviado para um sistema de armazenamento e tratamento.

Deve haver um sistema de drenagem de gases, com drenos verticais. De acordo com Bidone & Povinelli (2010), esses drenos devem ter diâmetro de cerca de um metro. Tradicionalmente, utilizam-se tubos de concreto perfurados revestidos com brita nº 4, mas outras soluções, como fardos de tela metálica de formato cilíndrico, preenchidos com brita, sem tubo condutor, também podem ser aplicadas. No topo do dreno, deve ser colocado um queimador de gases ou um tubo que conduza o gás aos geradores de energia. Recomenda-se que a distância entre um dreno e outro varie entre 30 m e 50 m.

Os resíduos devem ser dispostos em células (ver Capítulo 14) com altura entre 2 m e 4 m. Eles devem ser compactados com tratores ou outros equipamentos apropriados, sempre de baixo para cima, subindo e descendo a rampa de três a cinco vezes. Ao final do período de trabalho, os resíduos devem receber uma cobertura provisória, com 15 cm a 30 cm de terra, para evitar a propagação de moscas e outros vetores (Bidone & Povinelli, 2010).

Uma vez preenchida a célula com o volume de resíduo preestabelecido, a mesma recebe uma cobertura de argila compactada, com cerca de 40 cm a 60 cm de espessura, que impede o ingresso da água de chuva (Bidone & Povinelli, 2010). As águas do escoamento superficial devem ser interceptadas por drenos e afastadas do aterro. A frente de trabalho é um ponto de entrada preferencial para a água de chuva, pois não é impermeabilizada. Portanto, deve ser mantida com a menor extensão possível (Souto, 2009).

Por fim, uma vez encerrado, o aterro deve receber uma cobertura final, na qual normalmente se coloca vegetação para aumentar a evapotranspiração e, com isso, diminuir a produção de lixiviado (Cempre, 2018). Têm-se proposto que a cobertura incorpore características que favoreçam o desenvolvimento de bactérias metanotróficas, que usam o metano como alimento e, assim, diminuem a fuga de metano por fora dos drenos de gás e minimizam a emissão de gases estufa.

É necessário ressaltar que as áreas disponíveis para a instalação de aterros estão se tornando cada vez mais raras, o que se deve tanto ao crescimento das cidades quanto à legislação ambiental, cada vez mais exigente. Por isso, é preciso maximizar a vida útil dos aterros, o que se pode conseguir somente pela diminuição da quantidade de resíduos encaminhada a eles. Essa diminuição pode ser obtida com o tratamento prévio dos resíduos e com a reciclagem do que for possível.

Métodos Construtivos

Há três métodos convencionais para a execução de um aterro sanitário: o método da vala ou da trincheira, o método da meia encosta ou da rampa e o método da área.

O método da trincheira consiste na abertura de valas onde os resíduos são dispostos, compactados e depois cobertos com solo (Cempre, 2018). É o ideal para pequenas comunidades cuja produção de RSU não ultrapasse 10 t/d. Nesse caso, o espalhamento dos resíduos é manual e não há entrada de operadores na vala. No caso de trincheiras de grande porte, a operação pode ser feita com tratores e as células devem receber uma cobertura de argila compactada (Bidone & Povinelli, 2010).

O método da rampa é usado quando se pode aproveitar as encostas para fazer as contenções laterais do aterro e usar o ponto mais baixo para fazer a coleta do lixiviado. Os resíduos são compactados mecanicamente em células de até 3 m ou 4 m de altura. O material escavado pode ser usado para a cobertura do aterro (Bidone e Povinelli, 2010).

O método da área é usado em locais de topografia plana e lençol freático raso (Cempre, 2018). Os resíduos são dispostos em células com forma de tronco de pirâmide. É necessário construir uma primeira célula para que se possa ter apoio para a compactação dos resíduos nas demais. Como praticamente não há escavação da área, todo o material de cobertura deve ser trazido de outros lugares.

Lixiviado

O lixiviado é uma mistura dos produtos da decomposição anaeróbia dos resíduos com a água da chuva que penetra no aterro. Sua composição química é bastante variável e seu tratamento ainda se constitui em um desafio aos profissionais do setor (Souto, 2009). O lixiviado é tóxico para os organismos aquáticos, principalmente devido às elevadas concentrações de amônia. Se não for adequadamente gerenciado e tratado, pode contaminar águas superficiais e subterrâneas. As características do lixiviado mudam ao longo do tempo em função da fase em que o aterro se encontra. Há muitas maneiras de delimitar as fases da "vida" de um aterro. Vamos expor aqui uma divisão simples, focada nas necessidades operacionais, proposta por Reichert (1999):

Fase ácida. É a que acontece no início da operação do aterro, em que o lixiviado apresenta grandes concentrações de ácidos voláteis, elevada carga orgânica, pH baixo, e a microbiota metanogênica ainda não teve tempo de se desenvolver. De acordo com Souto (2009), em países de clima tropical, esta fase dura até dois anos.

Fase metanogênica. Uma vez que a microbiota metanogênica está bem desenvolvida, ela consome os ácidos voláteis e os converte em gás carbônico e metano. Com isso, o lixiviado apresenta baixos teores desses ácidos e carga orgânica mais baixa, pH elevado e concentrações significativas de nitrogênio amoniacal.

Fase de maturação. Após o encerramento da operação do aterro, a massa de resíduos vai ficando progressivamente mais estabilizada e, com isso, as emissões de gases diminuem até valores insignificantes (aterro estabilizado).

O lixiviado da fase ácida é popularmente conhecido como "chorume novo" e o da fase metanogênica como "chorume velho". Suas características são bastante diferentes e a variação é grande dentro de uma mesma fase (Tabela 22.2).

TABELA 22.2 Características típicas do lixiviado dos aterros sanitários brasileiros nas fases ácida e metanogênica

Variável	Fase ácida		Fase metanogênica	
	Mínimo	Máximo	Mínimo	Máximo
pH	5,1	8,3	7,1	8,7
DBO (mg/L)	35	25.400	60	6.000
DQO (mg/L)	540	53.700	700	13.500
Nitrogênio amoniacal (mg/L)	10	1.800	50	2.400
Cádmio (mg/L)	nd	0,09	nd	0,1
Chumbo (mg/L)	nd	1,3	nd	1,1
Zinco (mg/L)	nd	7	0,01	2

Fonte: Souto (2009). Observação: "mínimo" e "máximo" são os valores extremos observados na maioria dos aterros e a sigla "nd" significa que as concentrações são tão baixas que não são detectáveis.

Muitas vezes, manifesta-se preocupação quanto aos teores de metais pesados e à presença dos chamados poluentes orgânicos emergentes no lixiviado. Os inúmeros estudos que têm sido feitos apontam que as concentrações de metais pesados são muito inferiores ao que se imagina e, na maioria das vezes, estão dentro dos limites de emissão previstos nas resoluções do CONAMA. Já os poluentes orgânicos emergentes são de difícil identificação e quantificação em uma matriz tão complexa como é o lixiviado. Sendo assim, seu possível papel na toxicidade do lixiviado ainda é uma incógnita.

A grande variabilidade do lixiviado, mesmo dentro da mesma fase, torna bastante difícil o seu tratamento. Sucesso razoável tem sido obtido na remoção da carga orgânica da fase ácida, principalmente com o uso de sistemas anaeróbios, pois sua degradabilidade é alta. O lixiviado da fase metanogênica, porém, é extremamente refratário ao tratamento. Uma solução que tem sido dada é o tratamento conjunto com esgotos sanitários nas ETEs.

O tratamento do lixiviado tem sido alvo de intensa pesquisa no Brasil. Para o leitor interessado, sugere-se consultar Gomes (2009).

Gás do Aterro

O gás produzido pelo aterro é uma mistura de biogás com substâncias volatilizadas. O biogás é formado principalmente por metano (CH_4) e gás carbônico (CO_2), mas contém outros gases, como o gás sulfídrico (H_2S). Metano e gás carbônico são gases estufa, o que torna importante que o gás do aterro receba algum tipo de tratamento antes de ser lançado na atmosfera. Para o metano, que é o gás com efeito estufa mais pronunciado, o tratamento mais simples consiste na sua queima.

Por outro lado, o fato de o metano poder ser queimado o torna uma fonte de energia em potencial. Em alguns aterros, o gás é coletado e usado para produzir energia elétrica. Cuidados especiais devem ser tomados em sistemas como esse, pois o gás sulfídrico, ao ser queimado, converte-se em ácido sulfúrico e pode corroer os geradores. É preciso, então, fazer um tratamento prévio do gás antes da queima nas turbinas ou construir os geradores com materiais que resistam a esse tipo de ataque químico. Entretanto, embora interessante, a geração de energia a partir do gás de aterro só se torna economicamente viável nos aterros maiores.

Tanto a queima quanto o aproveitamento energético do gás podem ser usados para a obtenção de créditos de carbono em mecanismos de desenvolvimento limpo, pois, de qualquer modo, diminuem o potencial de efeito estufa do aterro.

22.4.2 Aterro de Resíduos Perigosos

Os aterros para resíduos industriais perigosos são construídos de forma análoga aos aterros sanitários. Entretanto, devem ser executados e operados de modo muito mais criterioso em função do elevado risco ao meio ambiente. Deve haver sistemas de detecção de vazamentos pela camada de impermeabilização e uma drenagem muito mais efetiva das águas pluviais (Bidone & Povinelli, 2010).

Muitas vezes, é útil encapsular os resíduos perigosos. Este processo consiste em aplicar reações químicas que transformam o resíduo em uma forma menos solúvel e menos tóxica, associando-o a polímeros impermeáveis ou cristais estáveis (Bidone & Povinelli, 2010).

22.4.3 Aterro de Resíduos Inertes

Estes são aterros principalmente voltados para os resíduos da construção civil. De acordo com a Resolução 307/2002 do CONAMA, não basta confinar estes resíduos no menor volume possível, mas se deve mantê-los segregados e reservados, de modo a possibilitar seu eventual uso futuro. Ou seja, os aterros de inertes devem funcionar, na prática, como locais de armazenamento. Deve ser possível, inclusive, uma futura reutilização da área para outros fins.

Os RCC não podem ser dispostos em aterros sanitários. Entretanto, podem sim ser usados como material de construção na operação destes, normalmente na pavimentação das vias de acesso. Para isto, é interessante licenciar uma área anexa ao aterro sanitário para que funcione como aterro de inertes.

22.5 TRATAMENTO DE RESÍDUOS SÓLIDOS

Uma vez estudadas as formas de disposição final de resíduos, passa-se ao estudo das técnicas que possibilitam a estabilização e redução de volume dos resíduos para aumentar a vida útil dos aterros sanitários. Algumas permitem o aproveitamento dos resíduos para gerar energia. Há também inúmeras que objetivam o reaproveitamento dos resíduos em alguns processos produtivos, as quais são consideradas parte das cadeias de reciclagem. Por fim, cumpre mencionar algumas outras formas de reaproveitamento, como o uso dos resíduos agrícolas no plantio direto sobre palha.

A escolha da alternativa de tratamento a ser adotada deve enfocar os seguintes aspectos: custos de implantação e operação, disponibilidade financeira dos agentes envolvidos, capacidade de atender às exigências legais, quantidade e capacitação técnica dos recursos humanos. O fato de uma alternativa apresentar um custo alto em termos absolutos, como um incinerador, não é razão suficiente para que seja descartada, pois talvez seja a mais barata e eficaz para tratar um determinado resíduo industrial ou de serviços de saúde quando comparada a outras.

As tecnologias com foco na estabilização dos resíduos podem ser divididas em processos biológicos e físico-químicos. Entre os primeiros estão a compostagem, a vermicompostagem e a digestão anaeróbia. Entre os últimos, a incineração, a pirólise, a hidrólise térmica, a secagem/desidratação e a queima em fornos para produção de cimento.

22.5.1 Compostagem

A compostagem é um processo de tratamento biológico aeróbio que transforma resíduos orgânicos em um material estabilizado, chamado de composto ou húmus. Essa técnica pode ser usada para tratar a fração orgânica dos RSU (Bidone & Povinelli, 2010). A Resolução nº 481 de 2017 do CONAMA estabelece os requisitos para garantia do controle e qualidade ambiental da compostagem.

As tecnologias de compostagem podem ser divididas em três grupos: o processo convencional (*Windrow*), o processo das leiras estáticas aeradas e os reatores aeróbios.

No processo convencional, os resíduos são dispostos em montes de forma cônica (pilhas de compostagem) ou de forma prismática com seção triangular (leiras de compostagem) (Bidone & Povinelli, 2010). Essas pilhas de resíduo devem ser periodicamente revolvidas e umedecidas, o que é conseguido com equipamentos usuais de movimento de terra (pás carregadeiras e escavadeiras) ou, preferencialmente, com equipamentos especialmente projetados para tal, chamados compostadores (em inglês, *compost-turners*).

No processo de leiras aeradas, não há revolvimento: a aeração é conseguida insuflando-se ar pela base da leira. De acordo com Bidone & Povinelli (2010), isso acelera o processo, mas exige um maior controle das condições da massa de resíduo. Há alguns sistemas patenteados em que é feita a adição de culturas microbianas para acelerar ainda mais a decomposição.

Por fim, a compostagem também pode ser feita em reatores, chamados de usinas de compostagem. Um exemplo destes é o processo Dano, em que os resíduos são compostados dentro de cilindros rotativos horizontais.

A compostagem acontece em quatro fases, de acordo com Bidone & Povinelli (2010). Na fase 1, a decomposição da matéria orgânica pelas bactérias e fungos gera um excedente de calor que faz com que a temperatura da leira suba rapidamente, atingindo a faixa ótima para o processo – entre 55 °C e 60 °C – dentro de 12 h a 24 h.

Se for deixado ao natural, a temperatura continuará a subir, podendo ultrapassar os 70 °C. Temperaturas elevadas acabam matando os microrganismos, o que interrompe o processo. Então, é preciso introduzir um fator externo de controle, que pode ser o revolvimento da leira, adição de umidade ou aeração mecânica. Com isso, mantém-se a temperatura na faixa ótima. Nestas condições, a decomposição leva entre 60 a 90 dias no método convencional (*windrow*) ou 30 dias no caso de leiras estáticas aeradas (Bidone & Povinelli, 2010). Para a eliminação de patógenos, a Resolução 481/2017 do CONAMA estabelece um tempo mínimo de manutenção de condições termofílicas de 14 dias para temperaturas acima de 55 °C ou três dias para temperaturas acima de 65 °C em sistemas abertos. Para sistemas fechados, a exigência é de no mínimo três dias a temperaturas acima de 60 °C. Esta é a fase 2.

Terminada a fase mais ativa, a temperatura da leira começa a diminuir, retornando à temperatura ambiente dentro de três a cinco dias (fase 3). Por fim, ocorre a fase de maturação ou cura do composto, com a formação de ácidos húmicos, que leva de 30 a 60 dias (fase 4) (Bidone & Povinelli, 2010).

22.5.2 Vermicompostagem

A vermicompostagem é um processo complementar à compostagem que visa a melhorar as características do composto, aumentando a disponibilização de macro e micronutrientes e produzindo um material mais estável (Bidone & Povinelli, 2010).

Os agentes do processo são as minhocas, que dependem de algumas condições para sua sobrevivência. O composto não pode estar encharcado, pois isso as levaria à morte por afogamento, mas também não pode estar ressecado. A umidade ideal está entre 60% e 80%. Também pela necessidade de ar, as leiras não podem ser muito profundas, devendo ter em torno de 30 cm de altura. Profundidades maiores somente são viáveis mediante o uso de aeração forçada. Por fim, elas preferem temperaturas entre 12°C e 25°C, de modo que o composto sobre o qual elas irão agir já deve estar estabilizado (Bidone & Povinelli, 2010).

Para uma inoculação de 1.500 a 2.500 minhocas por m² de superfície de uma leira de 30 cm de profundidade, o tempo de processamento é de 45 a 60 dias (Bidone & Povinelli, 2010).

22.5.3 Digestão Anaeróbia

Ao contrário da compostagem, a digestão anaeróbia é um processo de tratamento biológico da fração orgânica dos RSU que ocorre na ausência de oxigênio. Ela ganhou popularidade na Europa porque permite um aproveitamento mais eficaz do metano produzido, quando comparado à exploração do biogás em aterros. Além disso, o resíduo estabilizado poderia ser encaminhado para aterros (em um volume bem menor que o original) ou ser aproveitado na agricultura.

Em um artigo clássico, Mata-Alvarez et al. (2000) afirmaram que a energia produzida ultrapassaria a necessária para a operação do sistema de tratamento, além de que a digestão anaeróbia causaria menores impactos ambientais por liberar menos gases estufa por tonelada de resíduo tratado que qualquer outro sistema, inclusive a compostagem.

Os sistemas de digestão anaeróbia podem ser divididos em sistemas de fluxo contínuo e em batelada. Os de fluxo contínuo podem tratar quantidades muito maiores de resíduo, porém são de implantação mais cara que os em batelada. Estes últimos, por sua vez, requerem áreas muito maiores.

Os reatores anaeróbios também podem ser divididos em sistemas "a seco" e "a úmido", também conhecidos como sistemas com alta e baixa concentração de sólidos, respectivamente. Os sistemas com alta concentração de sólidos trabalham com os resíduos na sua umidade natural. Já os de baixa concentração requerem adição de água (Lissens et al., 2001), sendo que o meio de reação tem a aparência de uma sopa.

Por fim, os reatores anaeróbios podem ser divididos em sistemas de uma e duas fases. Os sistemas de uma fase são aqueles em que todas as etapas da digestão anaeróbia acontecem no mesmo reator. Os mais tradicionais sistemas europeus de tratamento anaeróbio são sistemas de uma fase, a seco e de fluxo contínuo. Os sistemas de duas fases são aqueles em que se procura otimizar a acidogênese em um dos reatores e a metanogênese em outro. São ideais para substratos facilmente degradáveis, em que a acidogênese é muito rápida e poderia vir a inibir a metanogênese, causando a falha do reator (Lissens et al., 2001).

Os reatores anaeróbios hoje disponíveis no mercado não conseguem estabilizar completamente a matéria orgânica. Sendo assim, faz-se necessário que os resíduos que saem do reator sejam estabilizados de forma aeróbia, ou seja, por compostagem. Cumpre ressaltar que os reatores conseguem trabalhar com cargas orgânicas muito mais altas que os sistemas de compostagem, de modo que suas vantagens residem tanto na possibilidade de aproveitamento do biogás quanto na economia de área para a instalação do sistema.

22.5.4 Incineração

A incineração é uma técnica que pode ser usada virtualmente para qualquer tipo de resíduo orgânico. De acordo com Cempre (2018), ela consiste na combustão dos resíduos em temperaturas acima de 800 °C, com injeção de ar para garantir uma queima completa (conversão total da matéria orgânica em CO_2 e água).

Praticamente toda a matéria orgânica e umidade são eliminadas. Os resíduos são convertidos em cinzas, que devem ser classificadas de acordo com a NBR-10.004:2004 e encaminhadas para a destinação final correspondente. O processo gera gases tóxicos, que devem ser tratados. De acordo com Cempre (2018), a redução média em volume é de 90% e, em massa, de 70%.

É possível dotar os incineradores de equipamentos para recuperar parte da energia gasta, aumentando a economicidade do processo.

Embora seja muito criticada pela geração de gases, ela é a técnica de escolha em países que dispõem de pouca área para aterros, como é o caso da Suíça e do Japão (Cempre, 2018). Neste último, praticamente só existem aterros de cinzas.

No Brasil, a incineração é muito usada para o tratamento de RSS, com capacidade instalada para tratar 114.026 toneladas por ano (Abrelpe, 2017).

22.5.5 Aproveitamento Energético

Determinados resíduos podem ser usados para a obtenção de energia. Neste capítulo, já abordamos o aproveitamento do metano oriundo dos aterros sanitários e digestores anaeróbios. Vamos tratar, aqui, de outras técnicas que podem ser usadas para converter resíduos em energia.

O reaproveitamento energético pode ser direto ou indireto. No reaproveitamento direto, os resíduos são usados diretamente como a fonte de energia, podendo passar antes por alguns processos simples de tratamento como fragmentação ou moagem. No aproveitamento indireto, os resíduos são convertidos por via química ou biológica em outros materiais, os quais são empregados como fonte de energia.

Resíduos com suficiente poder calorífico podem ser usados como combustível. Para isso, devem ser segregados dos demais, constituindo-se em uma mistura que, em inglês, recebe o nome de RDF (*refuse derived fuel*). Isso é muito comum na agroindústria canavieira, em que a palha da cana é usada para gerar eletricidade nas usinas. Idealmente, os resíduos devem ser triturados e secos antes de serem utilizados. Este é um exemplo de aproveitamento direto.

Bagaço e palha de cana-de-açúcar também podem ser utilizados para produzir álcool, o chamado etanol de 2ª geração. É uma tecnologia que ainda está em desenvolvimento. Este é um exemplo de aproveitamento indireto.

A PNRS admite a recuperação energética, desde que comprovada sua viabilidade técnica e ambiental e que esteja implementado um programa de monitoramento de emissão de gases tóxicos aprovado pelo órgão ambiental competente.

22.5.6 Reciclagem

A reciclagem é o reaproveitamento de resíduos em algum processo produtivo. As técnicas para o processamento de resíduos com vistas à reciclagem são normalmente específicas para cada material. Costumam envolver algum grau de fragmentação do resíduo (trituração ou moagem) para facilitar o seu transporte, armazenamento e processamento.

Entidades empresariais promovem os chamados bancos de resíduos ou bolsas de resíduos. As empresas apresentam os resíduos que geram, com detalhes de quantidade e qualidade. Outras empresas que usam esses resíduos como matéria-prima podem utilizar estes bancos para se informar a respeito de como obtê-los diretamente com o gerador.

É importante que se tenha em mente que a reciclagem só faz sentido do ponto de vista econômico se o custo do produto reciclado for menor que o custo do produto feito com material novo ou se o custo da reciclagem for menor que o custo do tratamento para disposição final (Andrade, 2002). Caso essas condições não sejam satisfeitas, a reciclagem somente vai acontecer se for obrigatória por lei.

22.5.7 Tecnologias Específicas para Tratamento de RSS

As tecnologias de tratamento de RSS têm por objetivo principal a eliminação da sua patogenicidade, permitindo sua disposição em aterros sanitários. A incineração é uma delas, mas por ser aplicada também a outros tipos de resíduo, foi abordada em um item separado. Aqui nos referimos apenas às tecnologias voltadas especificamente para o tratamento de RSS.

A Associação Brasileira de Empresas de Limpeza Pública e Resíduos Especiais (Abrelpe) faz levantamentos anuais da destinação final dos RSS dada pelos municípios brasileiros (Figura 22.3).

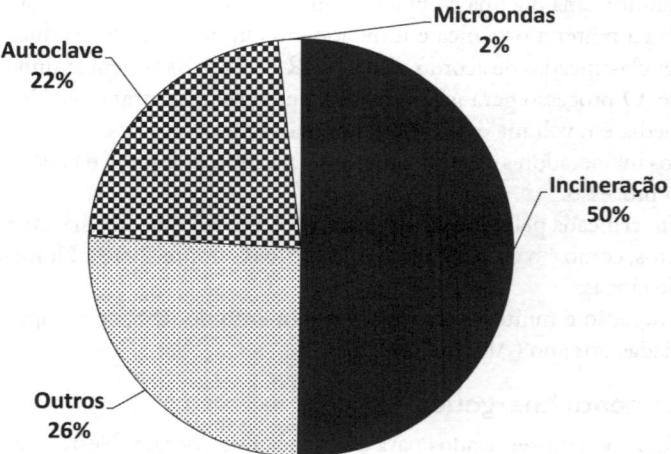

FIGURA 22.3 Destinação final dos RSS coletados pelos municípios brasileiros em 2016. A categoria "outros" engloba a destinação sem tratamento prévio a aterros, valas sépticas, lixões, etc. *Fonte: ABRELPE (2017).*

Valas Sépticas

As valas sépticas são equivalentes aos aterros em vala ou trincheira, porém se destinam exclusivamente aos RSS patogênicos. Essas valas devem ser muito bem impermeabilizadas nas laterais e no fundo e deve haver um bom sistema de drenagem de águas superficiais. Os resíduos são lançados nas valas e misturados com cal para fazer a desinfecção, embora, segundo Bidone & Povinelli (2010), esse procedimento seja ineficaz. Não é possível fazer a compactação dos resíduos, sob pena de contaminar os equipamentos e o solo ao redor. Por fim, as valas são recobertas com argila para fazer uma cobertura impermeável. É uma técnica de disposição final.

Autoclave

As autoclaves esterilizam o resíduo, expondo-o a vapor de água saturado, aquecido e sob pressão durante um tempo determinado. Após autoclavado, o resíduo deve ser triturado para garantir a descaracterização. De acordo com Bidone & Povinelli (2010), as relações tempo *versus* temperatura podem ser de 30 minutos a 121 °C ou 4 minutos a 135 °C. É preciso garantir que o vapor atinja toda a superfície do material. É a técnica para o tratamento de RSS com maior capacidade instalada no Brasil, totalizando 192.319 toneladas por ano (Abrelpe, 2017).

Micro-ondas

O princípio do tratamento é a exposição do resíduo a temperaturas elevadas durante um tempo determinado. Os resíduos são triturados, aquecidos com vapor a alta temperatura (130 °C) e então mantidos entre 95 °C e 100 °C por 30 minutos, graças à aplicação de micro-ondas. O resultado é a eliminação dos patógenos e a redução do volume a 20% do inicial. Os resíduos assim tratados podem ser dispostos em aterros sanitários (Bidone & Povinelli, 2010). É a técnica com a terceira maior capacidade instalada para o tratamento de RSS no Brasil, totalizando 56.940 toneladas por ano (Abrelpe, 2017). Tem como vantagem não emitir gases tóxicos nem efluentes líquidos. Há um processo patenteado por uma empresa norte-americana, chamado *Electro-Thermal Deactivation* (*ETD*), que é análogo ao tratamento com micro-ondas, mas usa ondas de rádio de baixa frequência.

Outras Tecnologias

Há diversas outras tecnologias que podem ser aplicadas para a eliminação da patogenicidade dos RSS. A maior parte das listadas a seguir está descrita em Bidone & Povinelli (2010).

Desinfecção por fervura em água. Método simples, que garante a desinfecção (não a esterilização) pela exposição dos microrganismos à água fervente durante alguns minutos. Organismos mais resistentes, porém, podem permanecer vivos mesmo após muitas horas de fervura.

Tyndallização ou esterilização fracionada. Consiste em submeter os resíduos a aquecimento por vapor a 100 °C por alguns minutos, repetindo-se a operação três ou quatro vezes com intervalos de 24 horas. A ideia é fazer com que os microrganismos que se protegeram na forma de esporos no primeiro aquecimento voltem à forma vegetativa e sejam destruídos mais facilmente nos ciclos de aquecimento subsequentes.

Esterilização por aquecimento a seco. Os esporos podem ser eliminados mediante a exposição a temperaturas entre 165 °C e 170 °C por duas horas. Sendo assim, até mesmo fornos caseiros podem ser empregados.

Aquecimento com óleo térmico. Segue os mesmos princípios do tratamento com micro-ondas, com a diferença de que, aqui, os resíduos são mantidos aquecidos por troca de calor com óleo aquecido.

Esterilização por radiação ionizante. Os raios gama de alta energia provenientes de fontes radioativas de cobalto-60 são muito usados para a esterilização de produtos médicos e farmacêuticos. Eles inativam os microrganismos por meio da destruição por ionização dos seus componentes celulares. São, portanto, potencialmente aplicáveis à esterilização de RSS. A eliminação dos microrganismos depende da dose de radiação aplicada. O fato de os raios gama penetrarem profundamente nos materiais faz com que não haja risco de microrganismos escaparem ao tratamento por ficarem em nichos protegidos. Embora seja uma técnica eficaz, Bidone & Povinelli (2010) citam que a literatura registra somente um caso de aplicação do processo para tratamento de RSS.

Encapsulamento. Há sistemas disponíveis no mercado em que os RSS, em particular os perfurocortantes, são armazenados em cilindros plásticos, os quais são depois colocados dentro de um cilindro metálico que aquece o material a uma temperatura de 270 °C por 70 minutos e sob pressão de 2 kgf/

cm^2 a 6 kgf/cm^2. O cilindro plástico derrete e se funde ao material contaminado, formando um bloco compacto e inerte que, segundo o fabricante, pode ser disposto em aterro sanitário.

Pirólise. Consiste na decomposição térmica dos resíduos na ausência de oxigênio. Parte dos materiais resultantes pode ser usada como combustível.

Plasma. Aquece os resíduos a temperaturas acima de 1.600 °C, gera excedentes energéticos e reduz o volume dos resíduos em cerca de 95% (Anvisa, 2007).

REVISÃO DOS CONCEITOS APRESENTADOS

- O gerenciamento de resíduos sólidos deve ser feito de acordo com as disposições da Política Nacional de Resíduos Sólidos, instituída pela Lei nº 12.305, de 2 de agosto de 2010. Fabricantes, importadores, distribuidores, comerciantes, titulares dos serviços públicos de limpeza urbana e manejo de resíduos sólidos e os próprios consumidores são legalmente responsáveis pelos resíduos (responsabilidade compartilhada pelo ciclo de vida dos produtos).

- O Gerenciamento Integrado de Resíduos Sólidos engloba os aspectos sanitários, ambientais, econômicos, políticos, culturais e sociais. Deve-se elaborar estratégias para a destinação final e disposição final dos resíduos que façam o melhor uso dos recursos disponíveis, integrando e combinando diversas tecnologias. A ordem de prioridade é: não geração, redução, reutilização, reciclagem, tratamento e disposição final.

- Alguns materiais estão sujeitos ao mecanismo de logística reversa, que consiste em devolvê-los aos fabricantes ou importadores ao término da sua vida útil. Atualmente, esses produtos são as embalagens de agrotóxicos, pilhas e baterias, pneus, óleos lubrificantes, tintas imobiliárias, eletroeletrônicos, lâmpadas fluorescentes, de vapor de sódio e mercúrio e de luz mista e demais produtos cuja embalagem, após o uso, constitua resíduo perigoso.

- Os resíduos sólidos urbanos (RSU) têm composição variável, que depende do local, época do ano, clima, hábitos da população e mudanças tecnológicas. Embora possam conter patógenos, são expressamente definidos como não perigosos. Os resíduos industriais são mais homogêneos e têm composição bem definida. Muitos são perigosos. Os resíduos de serviços de saúde (RSS) apresentam risco significativo de transmitir doenças e seu tratamento está focado na eliminação da patogenicidade. Não são classificados pela NBR-10.004:2004, mas sim por Resoluções específicas do CONAMA e da Anvisa. Os resíduos da construção civil (RCC) são gerados em grandes quantidades.

- As técnicas de disposição final mais utilizadas são os aterros sanitários (para resíduos não perigosos e não inertes, como os RSU), os aterros industriais (principalmente para os resíduos perigosos) e os aterros de inertes (para os RCC). Os aterros sanitários podem causar poluição devido à liberação de gases e lixiviado. Os gases podem ser queimados ou aproveitados para gerar energia, mas o lixiviado é muito difícil de ser tratado.

- Há diversas técnicas para o tratamento dos resíduos sólidos, quer seja com o objetivo de reciclá-los, quer seja apenas com a intenção de estabilizá-los e reduzir seu volume para ampliar a vida útil dos aterros. A compostagem (aeróbia) e a digestão anaeróbia permitem a redução da fração orgânica. A incineração propicia uma grande redução de volume, mas requer o tratamento dos gases gerados. Algumas técnicas proporcionam a geração de energia a partir dos resíduos. Entre as tecnologias mais comuns para o tratamento dos RSS, estão as valas sépticas, a autoclavagem, o tratamento com micro-ondas e a própria incineração.

SUGESTÕES DE LEITURA COMPLEMENTAR

- BIDONE, F.R.A., POVINELLI, J. (2010) *Conceitos básicos de resíduos Sólidos*. Projeto REENGE, Escola de Engenharia de São Carlos, USP. São Carlos. 109 p. Leitura ideal para aqueles que têm interesse em se dedicar aos resíduos sólidos sob o ponto de vista da engenharia e, em particular, dos processos de tratamento e disposição final. Oferece a base conceitual necessária para o aprofundamento dos estudos.

- CEMPRE – Compromisso Empresarial para a Reciclagem. *Lixo municipal: manual de gerenciamento integrado*. É uma das obras de referência sobre o gerenciamento de resíduos sólidos nos municípios. Sua mais recente edição foi lançada em 2018.

- *Lei Federal nº 12.305, de 2 de agosto de 2010*. Institui a *Política Nacional de Resíduos Sólidos (PNRS)*. O trabalho na área de resíduos sólidos não requer somente conhecimento técnico, mas também o domínio da legislação aplicável. Os textos de leis, normas e resoluções são normalmente áridos e desestimulantes, mas ali consta o que deve ser obedecido. Então, é necessário que o estudante se esforce para adquirir o hábito da leitura dos textos legais e se familiarize com a estrutura e linguagem destes. A leitura e a interpretação da PNRS é um bom começo. Como todas as Leis Federais, está disponível no Portal da Legislação: <*www4. planalto.gov.br/legislacao*>.

● ABRELPE – Associação Brasileira de Empresas de Limpeza Pública e Resíduos Especiais. *Panorama dos resíduos sólidos no Brasil 2010*. 202 p. e *Panorama dos resíduos sólidos no Brasil 2017*. 64 p. É uma publicação anual, gratuita, que fornece informações consolidadas e atualizadas sobre a situação do gerenciamento dos resíduos sólidos no Brasil, provenientes, na sua maior parte, de pesquisas abrangentes feitas pela própria ABRELPE. Disponível em <*www.abrelpe.org.br*>.

● CALDERONI, S. (2003) *Os bilhões perdidos no lixo*. 4ª ed. Humanitas FFLCH – Universidade de São Paulo, 346p. Traz uma visão do problema dos Resíduos Sólidos sob a ótica da Economia.

Referências

Associação Brasileira de Normas Técnicas (ABNT). (2004) NBR 10.004:2004. *Resíduos Sólidos – Classificação*. Rio de Janeiro: ABNT, 71p.

____. (2004) NBR 10.005:2004. *Procedimento para obtenção de extrato lixiviado de resíduos sólidos*. Rio de Janeiro: ABNT, 16p.

ANDRADE, R. (2002) *Caracterização e classificação de placas de circuito impresso de computadores como resíduos sólidos*. Dissertação de Mestrado. Universidade Estadual de Campinas (Unicamp), 125p.

Agência Nacional de Vigilância Sanitária (ANVISA). (2007) RDC ANVISA nº *306/04 – Aspectos jurídicos da Resolução da Diretoria Colegiada da Anvisa sobre Resíduos de Serviços de Saúde*. Anvisa.

BRASIL. (1999) *Resolução CONAMA no 257, de 30 de junho de 1999*. D.O.U. Brasília, Seção I, p. 28-29, de 22 de julho de 1999.

____. (2002) *Resolução CONAMA;1; no 307, de 5 de julho de 2002*. D.O.U., Brasília, Seção I, p. 95-96, de 17 de julho de 2002.

____. (2005) *Resolução CONAMA;1; no 358, de 29 de abril de 2005*. D.O.U., Brasília, Seção I, p. 63-65, de 4 de maio de 2005.

____. (2008) *Resolução CONAMA;1; no 401, de 4 de novembro de 2008*. D.O.U., Brasília, Seção I, p. 108-109, de 5 de novembro de 2008.

____. (2009) *Resolução CONAMA;1; no 416, de 30 de setembro de 2009*. D.O.U., Brasília, Seção I, p. 64-65, de 1o de outubro de 2009.

____. (2017) *Resolução CONAMA;1; no 481, de 3 de outubro de 2017*. D.O.U., Brasília, Seção I, p. 51, de 4 de outubro de 2017.

Comissão Nacional de Energia Nuclear (CNEN). (2011) *Posição Regulatória-3.01/001:2011. Critérios de Exclusão, Isenção e Dispensa de Requisitos de Proteção Radiológica*. CNEN, Rio de Janeiro.

____. (2014) Resolução CNEN 167/14. *Norma CNEN NN 8.01. Gerência de Rejeitos Radioativos de Baixo e Médio Níveis de Radiação*. CNEN, Rio de Janeiro.

____. (2015) *Glossário de Segurança Nuclear*. CNEN, Rio de Janeiro, 64p.

COMLURB. (2009) *Caracterização gravimétrica e microbiológica dos resíduos sólidos domiciliares*. Gerência de Pesquisas Aplicadas. Comlurb, Rio de Janeiro, 92 p.

Conselho Regional de Engenharia, Arquitetura e Agronomia do Rio Grande Do Sul (CREA-RS). (2010) Por que os equipamentos que facilitam a vida moderna podem ser os vilões do futuro? *Conselho em Revista*, n. 73, p. 18-21.

GOMES, L.P. (2009) *Estudos de caracterização e tratabilidade de lixiviados de aterros sanitários para as condições brasileiras*. Projeto PROSAB, ABES, Rio de Janeiro, 360p.

LISSENS, G., VANDEVIVERE, P., DE BAERE, L., BIEY, E.M., VERSTRAETE, W. (2001) Solid waste digestors: process performance and practice for municipal solid waste digestion. *Water Science and Technology*, v. 44, n. 8, p. 91-102.

MATA-ALVAREZ, J., MACÉ, S., LLABRÉS, P. (2000) Anaerobic digestion of organic solid wastes. An overview of research achievements and perspectives. *Bioresource Technology*, v. 74, p. 3-16.

RECICLANIP. Disponível em: <www.reciclanip.com.br>. Acesso: fevereiro 2017.

REICHERT, G.A. (1999) *A vermicompostagem aplicada ao tratamento de lixiviado de aterro sanitário*. Dissertação de Mestrado. Universidade Federal do Rio Grande do Sul (UFRGS), 136p. + anexos.

SCHALCH, V., LEITE, W.C.A. (2000) Resíduos sólidos (lixo) e meio ambiente. In: CASTELLANO, E.G., CHAUDHRY, F.H. (editores). *Desenvolvimento sustentado: problemas e estratégias*. Projeto REENGE, Escola de Engenharia de São Carlos, USP. São Carlos, 347p.

SOUTO, G.D.B. (2005) *Efeito da variação gradual da taxa de recirculação do lixiviado em reatores anaeróbios híbridos na digestão da fração orgânica dos resíduos sólidos urbanos*. Dissertação de Mestrado. Universidade de São Paulo (USP), 91p. + anexos.

SOUTO, G.D.B. (2009) *Lixiviado de aterros sanitários brasileiros – estudo de remoção do nitrogênio amoniacal por processo de arraste com ar ("stripping")*. Tese de Doutorado. Universidade de São Paulo (USP), 371p.

RECUPERAÇÃO DE ÁREAS DEGRADADAS

23

Lázaro Valentin Zuquette / Valéria Guimarães Silvestre
Rodrigues / Osni José Pejon

A degradação ambiental, decorrente das atividades humanas, está diretamente relacionada com o desequilíbrio dos processos físicos e/ou químicos e/ou biológicos de um ou mais sistemas que compõem o meio ambiente, o que pode gerar perda dos elementos naturais e/ou antrópicos, danos nas funções ambientais, alteração da paisagem natural e riscos à saúde e à segurança das pessoas. Neste contexto, a degradação ambiental pode estar associada à retirada de material geológico (escavação e erosão), acréscimo de material (aterro, disposição de resíduos e rejeitos), alteração da fertilidade e compactação do solo, declínio da biodiversidade, contaminação/poluição e outros. A recuperação ambiental de uma área degradada consiste em restabelecer o equilíbrio dos processos físicos e/ou químicos e/ou biológicos. A degradação ambiental pode ocorrer em diferentes magnitudes e intensidades. Assim, existem duas maneiras distintas para que um ambiente degradado se recupere, espontaneamente ou mediante intervenções que tenham caráter de correção. Para corrigir a degradação, é necessário realizar uma investigação detalhada, tanto direta como indiretamente, dos meios físico e biótico que compõem a área analisada, com uma equipe multidisciplinar, visando a identificação das causas da degradação e a determinação de medidas de recuperação mais apropriadas. Dependendo do grau de degradação ambiental, os métodos de recuperação empregados podem ser simples ou bastante complexos, envolvendo normalmente mais de uma técnica. Para cada tipo de degradação, existem métodos mais apropriados para corrigir o problema até um nível aceitável, permitindo, assim, o uso da área degradada. A recuperação da área degradada deve levar em consideração tanto a correção como a manutenção, evitando que ocorra reativação dos processos de degradação ou retorno aos níveis de degradação anteriores. A ênfase deste capítulo é o estudo de técnicas para recuperação de solos e águas subterrâneas. O Capítulo 24 aborda alternativas para a remediação e readequação de águas superficiais.

23.1 INTRODUÇÃO

A ocupação antrópica do geoambiente[1] para diversos fins provoca alterações neste volume da Terra, atingindo níveis capazes de modificar o funcionamento dos diversos componentes e sistemas ambientais e, consequentemente, a sua dinâmica, seja na intensidade, direção ou energia. Tais alterações afetam o equilíbrio dos componentes ambientais em termos específicos (no caso de um componente) ou gerais (toda uma área ou região ou sistema). As modificações estão sempre associadas às alterações de volumes, de componentes mineralógicos e químicos, do fluxo e das características físicas, químicas e biológicas das águas, do fluxo de calor, do volume de água armazenada nos materiais inconsolidados e rochosos, da biodiversidade, entre outros.

As áreas degradadas são responsáveis por perdas econômicas de bilhões de dólares na maioria dos países e ocasionam significativa depreciação dos valores dos bens de imóveis e das propriedades. Todas essas perdas trazem prejuízos maiores à sociedade em termos de serviços e de infraestrutura, e, em muitos países, afetam significativamente o Produto Interno Bruto (PIB). Segundo Stocking (1993), a degradação é um dos maiores problemas ambientais do mundo e sempre é um indicador de crise em países em desenvolvimento. A área degradada engloba a degradação do meio físico (solo e águas superficiais e subterrâneas) e biótico (alteração ou modificação das comunidades biológicas que ocorrem naturalmente em um determinado local).

---

[1]Geoambiente é considerado como a porção da Terra que é afetada por atividades humanas, compreendendo rochas, solos, fluidos, gases e organismos. Todos estes são influenciados pela atmosfera, pelo clima e pela cobertura vegetal(Aswathanarayana, 1995;Bobrowsky, 2002).

A degradação ambiental está associada às seguintes atividades: agricultura e pecuária, mineração, obras civis, urbanização e outras. Neste contexto, ela pode ser gerada devido ao uso e ocupação inapropriados, acidentes, aplicação deficiente e/ou inadequada de técnicas preventivas, entre outros. A degradação ambiental pode ocorrer em diferentes magnitudes e intensidades. Dependendo do grau em que ocorra, da extensão atingida e do tipo, há necessidade de um conjunto de informações ambientais, diretas e indiretas, para a seleção de medidas de recuperação que devem ser adotadas no sentido de corrigir o problema até um nível aceitável, permitindo que a área seja reutilizada.

As medidas de recuperação podem variar desde a possibilidade de uma recuperação natural da área até o uso de recursos tecnológicos de alto custo. Em alguns casos, a recuperação de determinada área pode levar um ambiente degradado a uma condição ambiental melhor que a anterior, desde que a condição anterior seja de um ambiente já alterado (intermediário). Dessa maneira, o processo de recuperação de uma área degradada visa a atingir as seguintes metas:

i) cessar o aumento/crescimento do processo de degradação;
ii) estabilizar as condições atuais;
iii) recuperar as condições para um nível de controle do ambiente, respeitando os critérios de resiliência;[2]
iv) restaurar a área e restabelecer todas as condições e interações existentes antes da degradação.

Para que esses quatro objetivos sejam atingidos, as atividades desenvolvidas como recuperação de uma área degradada têm por finalidade:

i) remover riscos;
ii) estabilizar uma área ou local ou remover impactos ambientais;
iii) manter ou aumentar a biodiversidade;
iv) remover as condições limitantes de tal maneira a beneficiar a continuidade de uso;
v) melhorar as condições visuais.

Assim, a **recuperação de áreas degradadas** consiste no **restabelecimento do equilíbrio dos processos físicos e/ou químicos e/ou biológicos**, permitindo o uso da área após a interrupção dos mecanismos que levaram à degradação, bem como a eliminação dos aspectos/elementos degradados.

23.2 DEGRADAÇÃO AMBIENTAL

Para os diferentes tipos de profissionais envolvidos com este tema, existem conceitos distintos de degradação ambiental em função das atividades e da formação de quem elaborou o conceito. Neste capítulo, são citados os conceitos mais empregados no meio técnico e científico. Estes podem ser agrupados em função das finalidades e origens.

DEFINIÇÕES CLÁSSICAS, LEGAIS E INSTITUCIONAIS DE DEGRADAÇÃO AMBIENTAL

DEFINIÇÕES CLÁSSICAS

Blaikie & Brookfield (1987) definem degradação do solo como sendo a perda de qualidade ou o declínio da sua capacidade produtiva. As alterações nos processos geológicos, biológicos e socioeconômicos são avaliadas por diferentes magnitudes, efeitos e extensões.

Barrow (1991) descreve as principais causas da degradação do solo: desastres naturais, mudanças populacionais, marginalização, problemas fundiários e má administração, problemas econômicos, sociais e de saúde e agricultura inadequada. Segundo o autor, para estabelecer o significado de degradação do solo, é necessário avaliar a extensão e o grau do dano, e também verificar se o processo é controlável ou reversível.

Segundo Johnson et al. (1997), a degradação ambiental é geralmente uma redução percebida das condições naturais ou do estado de um ambiente, tendo o ser humano como agente causador.

Eswaran et al. (2001) consideram que a degradação ambiental está relacionada com as alterações no comportamento dos componentes ambientais e associada a usos inadequados, erosões, desertificação, perdas de biodiversidade, incêndios, desmatamentos, destruição de áreas úmidas,

poluição do ar, solo e águas, variações do clima, elevação do nível dos mares e decaimento da camada de ozônio.

DEFINIÇÕES LEGAIS

Segundo o Decreto Federal nº 97.632/1989, a degradação ambiental pode ser definida como "*o conjunto de processos resultantes de danos ao meio ambiente, pelos quais se perdem ou se reduzem algumas de suas propriedades, tais como, a qualidade ou capacidade produtiva dos recursos ambientais*".

DEFINIÇÕES INSTITUCIONAIS

Segundo a UN/FAO (1997), a degradação é entendida como o temporário ou permanente declínio da capacidade produtiva do terreno.

A Associação Brasileira de Normas Técnicas (ABNT, 1989) considera degradação do solo como a "*alteração adversa das características do solo em relação aos seus diversos usos possíveis, tanto os estabelecidos em planejamento quanto os potenciais*". Essa definição é muito empregada na área de agronomia. Além das alterações das propriedades físicas e químicas do meio degradado, há ainda mudanças nas propriedades biológicas desse meio.

---

[2]O termo resiliência, já abordado em outros capítulos, foi conceituado inicialmente por Holling (1973) e é derivado do termo latino "*resilio*". Atualmente, possui dezenas de definições, mas, de maneira geral, significa a capacidade de um sistema, comunidade ou sociedade absorver, resistir, acomodar e recuperar-se das consequências decorrentes da ocorrência de um evento que tenha afetado negativamente determinado local. A resiliência pode ser avaliada quanto a aspectos biofísicos, sociais, atributos intrínsecos e ambientais.

De maneira geral, é possível notar, em praticamente todos os conceitos listados anteriormente, que a **degradação ambiental** está associada à **perda de qualidade ou de capacidade produtiva,** e que ela deve ser avaliada com relação à extensão e ao grau do dano ao meio ambiente.

A degradação ambiental, de fato, ocorre quando um ou mais componentes do meio ambiente afetados por processos antrópicos ultrapassam a capacidade de resiliência (ver discussão do conceito de sustentabilidade no Capítulo 6 – Figura 6.1), de tal maneira que as alterações sofridas afetam o comportamento considerado natural e/ou a produtividade.

Desta forma, a degradação ambiental pode ser entendida como: i) **perda de elementos do meio ambiente**, tais como: solo, vegetação e biodiversidade; ii) **perda de funções ambientais,** como a proteção do solo contra erosão; iii) **alteração da paisagem natural,** como: abertura de cavas, depósito de resíduos, entre outros; iv) **riscos à saúde e à segurança das pessoas** oriundos, por exemplo, do derramamento de fluidos tóxicos diversos (petróleo, gasolina e ácidos), que produz áreas contaminadas e/ou poluídas.

Conacher & Sola (1999) identificaram pelo menos oito categorias de degradações ambientais na região mediterrânea: erosão acelerada, inundação, assoreamentos, mudanças em canais de drenagem, perda de vegetação, incêndios, declínio na qualidade das águas e falta de água.

A expressão "degradação ambiental" é relativa, pois está relacionada com um estado anterior à alteração, podendo este ser considerado natural (inalterado) ou intermediário (área já alterada). Uma área de pastagem (área inicial alterada) onde ocorrem processos erosivos (degradação) é um bom exemplo de uma condição inicial intermediária em que ocorre a degradação ambiental.

Assim, a condição inicial de uma área pode ser natural ou intermediária, como foi explicado anteriormente. Após a exploração, ocupação e usos, a situação final da área pode ser de degradação ou não. No caso de a área ter sido degradada, ela pode apresentar uma das seguintes condições: i) estar abandonada; ii) abrigar etapas de recuperação intermediária; iii) estar em processo de encerramento das atividades com medidas de recuperação; iv) estar em processo de encerramento das atividades sem medidas de recuperação; e v) permanecer em espera para continuidade de uso (Figura 23.1).

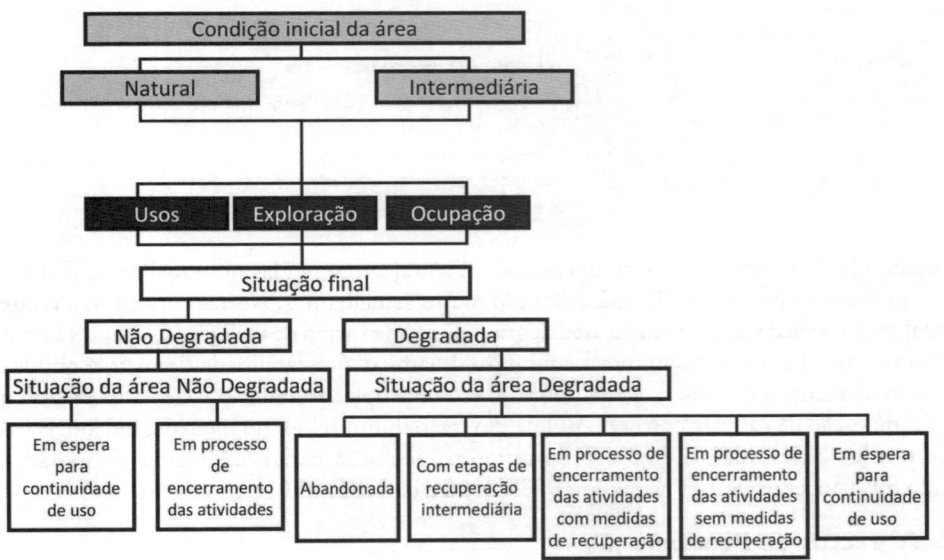

FIGURA 23.1 Condições possíveis para uma área degradada ou não degradada durante e após o uso, exploração e ocupação, levando-se em consideração a situação inicial (natural ou intermediária).

As perdas econômicas, sociais e ambientais geradas pela degradação são tão elevadas que a Organização das Nações Unidas (ONU) tem dedicado esforços no sentido de realizar uma avaliação global dos níveis de degradação existentes nas diferentes regiões do mundo. Como exemplo, em 1990, ela criou o programa *GLASOD – The Global Assessment of Human Induced Soil Degradation,* que vem desenvolvendo estudos em diversos países ou conjunto de países com o objetivo de gerar um mapa com os níveis de degradação do solo (Figura 23.2).

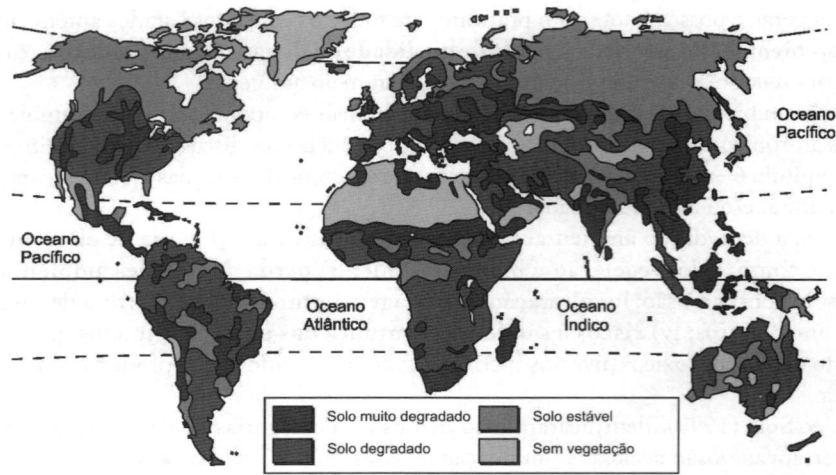

FIGURA 23.2 Mapa mundial dos níveis de degradação do solo. *Fonte: Modificado de UNEP (2012).*

23.3 RECUPERAÇÃO AMBIENTAL

Os conceitos de recuperação ambiental, assim como os de degradação, variam em função da origem dos mesmos, podendo ser agrupados em clássicos, legais e institucionais.

DEFINIÇÕES CLÁSSICAS, LEGAIS E INSTITUCIONAIS DE DEGRADAÇÃO AMBIENTAL

DEFINIÇÕES CLÁSSICAS

Para Williams et al. (1990), a recuperação ambiental significa que o sítio degradado será retomado a uma forma de utilização de acordo com um plano preestabelecido para o uso do solo. Isso implica que uma condição estável será obtida em conformidade com os valores ambientais, estéticos e sociais da circunvizinhança e indica que o sítio degradado terá condições mínimas de estabelecer um novo equilíbrio dinâmico, desenvolvendo um novo solo e uma nova paisagem.

DEFINIÇÕES LEGAIS

No caso do Decreto Federal nº 97.632/1989, a recuperação ambiental é entendida como o *"retorno do sítio degradado a uma forma de utilização, de*

acordo com um plano preestabelecido para o uso do solo, visando à obtenção de uma estabilidade do meio ambiente".

A Lei Federal nº 9985/2000, que instituiu o Sistema Nacional de Unidades de Conservação (Artigo 2º) define a recuperação como a *"restituição de um ecossistema ou de uma população silvestre degradada a uma condição não degradada, que pode ser diferente de sua condição original"*.

DEFINIÇÕES INSTITUCIONAIS

A norma técnica NBR 13.030 da ABNT (1999) define recuperação ambiental como o conjunto de procedimentos através dos quais é realizada a recomposição da área degradada para o restabelecimento da função original do ecossistema.

De modo geral, as definições de recuperação ambiental apresentadas no trabalho de Williams et al. (1990) e no Decreto Federal nº 97.632/1989 são muito semelhantes. Nestes conceitos, a **recuperação ambiental** está associada ao **retorno da área degradada a uma forma de utilização**, visando à estabilidade do meio ambiente e a busca de um novo equilíbrio dinâmico. A estabilidade do meio é obtida a partir da aplicação de técnicas que visem ao equilíbrio físico (exemplo: estabilização de taludes) e/ou químico (exemplo: aplicação de cal para corrigir o pH de um meio muito ácido) do meio degradado. É frequente, no meio técnico e científico, o emprego do termo recuperação para ecossistemas degradados, como observado nos conceitos da Lei Federal nº 9985/2000 e da NBR 13.030 da ABNT (1999).

23.3.1 Aspectos de Recuperação

Inicialmente, deve-se considerar que a recuperação de um ou mais aspectos do ambiente degradado pode ocorrer por dois caminhos distintos, ou seja, de maneira natural (espontaneamente) ou por meio de intervenções que tenham um caráter de correção. Na quase totalidade dos textos e outros documentos sobre o tema, há o predomínio das intervenções para correção e dificilmente são encontradas informações sobre a recuperação natural. Um exemplo de recuperação natural que é citado na literatura especializada é a **atenuação natural**, que consiste na resposta natural de sistemas hidrológicos à contaminação, em que processos físicos, químicos e biológicos ocorrem sem a intervenção humana e reduzem a massa, a toxicidade, a mobilidade, o volume ou a concentração de contaminantes no solo ou nas águas subterrâneas. Para que isso se processe, no entanto, o ambiente deve apresentar condições biogeoquímicas favoráveis à ocorrência destas reações.

A recuperação natural pode ser a única possibilidade para algumas situações de degradação ambiental que envolvem grandes áreas afetadas por explorações de mineração temporária, agricultura intensa, entre outras, principalmente devido à extensão, custo e medidas ou procedimentos necessários. Na região de Itaguaí (RJ), existem centenas de cavas de exploração de areia, com profundidades de até 50 m, que, em cadeia, acabam gerando uma quantidade significativa de sedimentos que são transportados até o oceano por um canal. No caso específico dos locais das cavas de exploração de areia, o ideal é que ocorra uma recuperação natural, devido ao custo envolvido em uma eventual intervenção (Figura 23.3). Já no caso dos sedimentos transportados, é necessária intervenção para correção da degradação.

FIGURA 23.3 Cavas de exploração de areia na região de Itaguaí (RJ) (que deverá passar por processo de recuperação natural) e área degradada por transporte de sedimentos (assoreamento). *Fonte: Google Earth.*

A **recuperação realizada a partir de intervenções** pode ser entendida como o conjunto de ações necessárias para a retomada de um determinado equilíbrio ambiental na área degradada, tornando a mesma apta para algum uso produtivo ou de seu retorno a condições mais próximas do seu estado original. A estabilidade física é obtida tanto por **técnicas de revegetação** (que desempenha papel importante, pois possibilita a restauração da produção biológica do solo, a redução e controle da erosão, a estabilidade de terrenos instáveis, a proteção dos recursos hídricos e a integração paisagística), como por **obras geotécnicas** (terraplenagem, sistemas de drenagem e de retenção de sedimentos, contenção de taludes, retaludamento, entre outros).

Os níveis de recuperação, tanto para as áreas cuja situação inicial era natural quanto para aquelas com condição intermediária, estão representados na Figura 23.4. Tais níveis de recuperação são: i) manter o

FIGURA 23.4 Possíveis níveis de recuperação que podem ser atingidos em áreas degradadas.

nível de degradação; i) retornar às condições naturais; iii) diminuir o nível de degradação; iv) dar novo uso para área degradada; e v) contar com a atuação da recuperação natural.

23.3.2 Níveis de Recuperação

A recuperação pode atingir níveis de eficiência distintos e denominados de **restauração, reabilitação** e **remediação**, normalmente relacionados com os diversos aspectos da área degradada como extensão, tipo, profundidade atingida, expectativa de eficiência, métodos ou procedimentos existentes. Os conceitos destes termos, que representam objetivos do processo de recuperação, apresentam variações, assim como os de degradação e recuperação ambiental.

Restauração

Segundo Sánchez (2008), a restauração é entendida como o retorno de um determinado meio degradado às **condições existentes antes da degradação**, considerando, assim, o mesmo sentido usado para restauração de bens culturais, como edifícios históricos. A Lei Federal nº 9985/2000 define restauração como a "*restituição de um ecossistema ou de uma população silvestre degradada o mais próximo possível da sua condição original*". A norma técnica NBR 13.030 (ABNT, 1999) define restauração como o conjunto de procedimentos por meio dos quais é realizada a reposição das exatas condições ecológicas da área degradada pela mineração, de acordo com o planejamento estabelecido. Assim, com base nas três definições, a restauração ambiental, de fato, está associada ao retorno do meio degradado às condições ambientais existentes antes dos processos de degradação.

Reabilitação

Segundo Bitar (1995), o termo reabilitação está associado à ideia de que o local alterado deverá ser destinado a uma dada forma de uso do solo, de acordo com um projeto prévio e em condições compatíveis com a ocupação circunvizinha. Trata-se, portanto, de **reaproveitar a área para outra finalidade**. A norma técnica NBR 13.030 (ABNT, 1999), por sua vez, define reabilitação como o conjunto de procedimentos através dos quais se propicia o retorno da função produtiva da área ou dos processos naturais, visando à adequação ao uso futuro.

A reabilitação de uma área degradada está associada ao **uso futuro** segundo um projeto prévio. A reabilitação é muito empregada na recuperação de áreas degradadas por mineração de elementos não metálicos em áreas urbanas, principalmente em áreas de extração de areia. O novo uso deverá estar adaptado às condições pós-reabilitação, podendo ter características distintas das existentes antes da degradação. Um ambiente terrestre (área de mineração) antes da degradação, por exemplo, pode ser substituído por um ambiente aquático (lago em uma área de recreação).

Remediação

O objetivo principal da remediação, segundo Yong (2001), é eliminar ou minimizar a concentração de contaminantes/poluentes a partir da implementação de técnicas e procedimentos apropriados. De acordo com a Cetesb (2001), a remediação de áreas contaminadas e/ou poluídas consiste na "*aplicação de técnica ou conjunto de técnicas em uma área contaminada, visando à remoção ou contenção dos contaminantes presentes, de modo a assegurar uma utilização para a área, com limites aceitáveis de riscos aos bens a proteger*". Segundo ABGE (2008), a remediação consiste em um conjunto de medidas para descontaminação do solo e/ou das águas subterrâneas. Dependendo do agente poluente e de sua intensidade, a descontaminação pode, por limitação tecnológica, não alcançar um estágio tal de depuração em que o grau de concentração do contaminante não seja mais considerado nocivo à saúde do homem. Nessas situações, são utilizadas, como alternativas, medidas que vão desde a retirada total do solo contaminado e a sua substituição, até o seu isolamento, ou o isolamento das águas subterrâneas, evitando a disseminação de poluentes.

A remediação, na grande maioria dos textos técnicos e científicos, está ligada à recuperação ambiental de áreas contaminadas e consiste na **eliminação ou minimização da concentração de elementos contaminantes/poluentes**, de modo a assegurar a reutilização da área. No presente capítulo, o termo contaminação é empregado de maneira genérica, sem distinção entre poluição e contaminação,[3] correspondendo à alteração na composição do solo pela introdução de substâncias que podem vir a causar ou

---

[3]Conforme Braga et al. (2003), a contaminação refere-se à transmissão de substâncias ou microrganismos nocivos à saúde, não implicando, necessariamente, em um desequilíbrio ecológico do meio, enquanto a poluição implica em tal desequilíbrio.

não risco à saúde humana. O termo contaminante também é empregado de maneira genérica, sem distinção entre contaminante e poluente,[4] como é verificado na maioria dos livros e textos especializados.

23.4 TIPOS DE ÁREAS DEGRADADAS

Considera-se uma área degradada aquela que reúne um ou diversos aspectos do meio ambiente com níveis de alteração não suportados pelas condições de resiliência. Essas áreas podem apresentar extensões variadas, desde algumas dezenas de metros quadrados até centenas de quilômetros quadrados, e podem ser originadas por atividades específicas (exemplo: postos de combustíveis) ou conjuntos de atividades como as agrícolas, urbanas, industriais, minerarias, e mesmo por processos naturais acelerados ou induzidos.

Antigas áreas industriais e/ou comerciais abandonadas representam um bom exemplo de áreas degradadas. Nos Estados Unidos, estas áreas são conhecidas como *brownfields*, e representam um passivo ambiental.[5] A USEPA (*United States Environmental Protection Agency*) define *brownfield* como áreas industriais e comerciais abandonadas, ociosas, subutilizadas, onde o redesenvolvimento da área é difícil em decorrência da contaminação. A definição de *brownfield*, segundo a OTA (*United States Office of Technology Assessment*), é parecida com a da USEPA, sendo que, para a OTA, o redesenvolvimento destas áreas é difícil não só pela contaminação, mas também pela má localização, infraestrutura antiga ou obsoleta, além de outros fatores vinculados ao declínio da área. A *brownfield* pode ser pequena, como no caso de um posto de gasolina abandonado, ou ampla, como no caso de uma fábrica e/ou indústria (Davis, 2002).

As perdas associadas à degradação ambiental são predominantemente em cadeia, pois um fator sempre interfere em outro e gera, assim, um conjunto de alterações que modificam diferentes componentes ambientais. Como exemplo, pode-se considerar o caso dos processos erosivos representados na Figura 23.5.

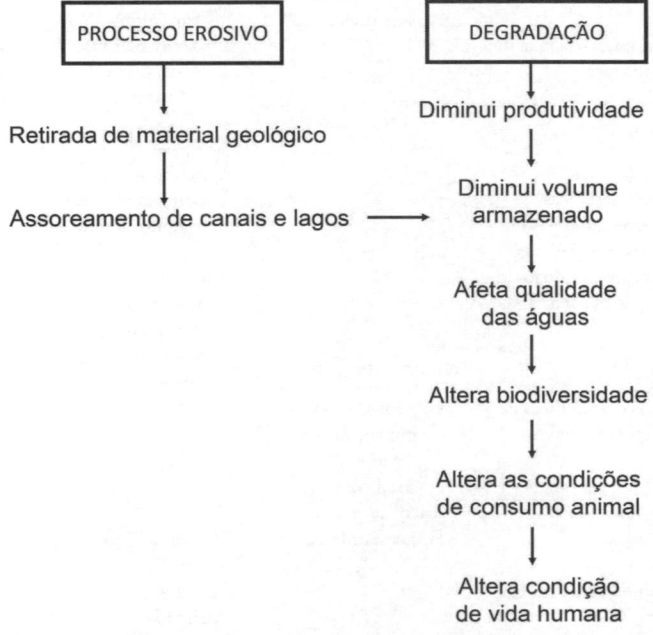

Figura 23.5 Degradação ambiental em cadeia provocada por processo erosivo.

As áreas degradadas podem ser classificadas com base em diversos aspectos, que são sempre considerados no processo de recuperação, tais como: i) tipo de evento/uso/processo; ii) intensidade da degradação; iii) extensão da área degradada; iv) componente ambiental degradado; v) atributos/propriedades degradadas; vi) grupo de geoindicadores.[6] Neste capítulo, as áreas degradadas são classificadas de acordo com o tipo de degradação, conforme exposto na Tabela 23.1.

---

[4]O termo poluente é empregado para indicar que uma dada substância, em um processo de investigação, pode ser considerada como potencial fonte de risco à saúde humana e ao meio ambiente (Yong, 2001; Yong & Mulligan, 2004).

[5]Passivo ambiental, segundo Sánchez (2001), é o acúmulo de danos ambientais que devem ser reparados a fim de que seja mantida a qualidade ambiental de um determinado local.

[6]Segundo Coltrinari e McCall (1995), os geoindicadores são informações mensuráveis de magnitudes, frequências, taxas e tendências de processos ou fenômenos geológicos, que ocorrem em períodos de cem anos ou menos, ou próximo à superfície terrestre e podem apresentar variações significativas para avaliação e compreensão das mudanças ambientais rápidas.

TABELA 23.1 Exemplos de tipos de degradação e medidas de recuperação associadas

Tipos de degradação	Tipos de modificação	Processos naturais ou induzidos	Fatores responsáveis pela degradação		Exemplos de algumas medidas de recuperação
			Uso/ ocupação		
Alteração do relevo (Forma do relevo)	Acréscimo	Estético Alteração do fluxo de água – Inundação	Movimentos de massa gravitacionais	Aterro Disposição de resíduos Pilha de rejeitos	Retaludamento Reflorestamento Barreiras de cobertura
	Retirada	Estético Concentração de água – Aumento da infiltração	Boçoroca Ravinas Sulcos Dolinas/Depressões	Escavação	Aterramento Nivelamento Reflorestamento
Alteração de canais de drenagem	Canal	Retilinearidade Margens	Erosão	Canalização Ocupação das margens	Reestruturação do canal Estruturas de proteção
	Água	Diminuição da vazão	Alteração da taxa de infiltração na bacia	Exploração para irrigação	Reestruturação da porção afetada
Assoreamento	Canais	Diminuição da vazão Mudanças na biodiversidade	Erosão	Mineração	Dragagem Barreiras
	Lagos Reservatórios Áreas Úmidas	Diminuição do volume de água acumulada	Erosão	Mineração	Dragagem
Erosão	Erodibilidade	Geração de sedimento Aumento de feições	Aumento e/ou concentração do escoamento superficial	Mineração Construções civis Estradas Agricultura	Medidas para diminuição do escoamento superficial
Selamento (Sealing)*	Infiltração	Diminuição da taxa de infiltração		Usos agrícolas Usos urbanos Usos industriais	Sulcamento Retirada do uso Demolição de construção Perfuração das superfícies
Acidificação	Superfertilização	Alteração das características físico-químicas dos solos e águas		Agricultura Lançamento de produtos químicos	Controle do uso de insumos
Compactação do solo	Antrópica	Alterações no fluxo de líquidos e gases		Uso de máquinas pesadas ou lançamento de produtos químicos cimentantes	Sulcamento
	Natural	Alterações no fluxo de líquidos e gases	Cimentação ou mudanças devido às condições físico-químicas		Sulcamento
Declínio da biodiversidade	Flora	Biomassa	Fogo espontâneo	Desmatamento Queimada	Reflorestamento
		Diminuição da diversidade	Fogo	Desmatamento Queimada	Reflorestamento Repovoamento
	Fauna	Infestações	Fogo	Desmatamento Queimada	Controle
Super-exploração de águas	Superficiais	Vazão Diminuição de áreas úmidas Taxa de sedimentos		Exploração	Parar exploração
	Subterrâneas	Rebaixamento do nível de água		Exploração	Parar exploração Áreas de recargas artificiais
Contaminação Poluição	Fonte Pontual	Alteração das propriedades físicas e químicas (materiais geológicos e água)		Usos	Tratamento in situ e ex situ

*Diminuição da capacidade de infiltração de líquidos pela superfície do solo como resultado das atividades antrópicas.

23.5 MEDIDAS DE RECUPERAÇÃO

Para facilitar o entendimento, as medidas de recuperação estão vinculadas com tipo de degradação, com as modificações geradas e com os fatores responsáveis pela degradação (processos naturais e uso/ocupação), como observado na Tabela 23.1.

23.5.1 Áreas com Alteração de Relevo

As alterações de relevo, sejam positivas (acréscimo) ou negativas (retirada), podem passar por diversas medidas de recuperação em função das extensões e dos motivos que levaram à degradação. É fundamental considerar que, normalmente, as alterações de relevo são degradações primárias. Entretanto, as mais críticas são as secundárias, em cadeias, visto que influenciam aspectos da dinâmica do escoamento superficial e do acúmulo de águas. Na Tabela 23.2, encontram-se alguns exemplos de medidas que podem ser adotadas na recuperação de áreas degradadas por alteração do relevo.

TABELA 23.2 Exemplos de algumas medidas de recuperação que podem ser empregadas na recuperação de áreas degradadas por alteração de relevo

Medidas de recuperação	Exemplos de aplicação
Retaludamento com bermas	Escavações e boçorocas
Retirada do material	Deposição de resíduos (lixões, rejeitos da mineração, entre outros)
Aterramento	Escavações e cortes
Revegetação	Escavações, cortes, boçorocas e disposição de resíduos
Macrodrenagem	Boçorocas
Microdrenagem	Boçorocas
Rip rap	Escavações e cortes
Medidas de bioengenharia	Boçorocas
Estruturas de contenção	Escavações e cortes

23.5.2 Áreas com Processos Erosivos

Para a recuperação de áreas degradadas por processos erosivos, é fundamental a realização de um estudo detalhado dos aspectos geológicos e geotécnicos, antes da elaboração do plano de recuperação. Conforme visto no Capítulo 14, os estudos geológicos e geotécnicos envolvem os seguintes itens: análises mineralógicas, granulométricas, determinação de porosidade, permeabilidade, grau de erodibilidade, grau de alteração, entre outros. No caso de processos erosivos, existem várias técnicas empregadas na recuperação destas áreas e, segundo Rotta e Zuquette (2012), as medidas mais frequentemente empregadas na recuperação, mitigação e prevenção de áreas degradadas por processos erosivos podem ser classificadas como ecológicas, agrícolas, mecânicas, estruturais e de bioengenharia (Tabela 23.3).

TABELA 23.3 Medidas que podem ser empregadas para a recuperação, controle ou prevenção de áreas degradadas por processos erosivos

Caráter	Medidas	Objetivo das medidas R	M	P
Ecológico	Revegetação	x	x	x
	Pastagem	x	x	x
	Faixa ripária	x	x	x
	Zonas de *buffer*	x	x	x
	Barreiras de galhos (*brush barrier*)	x	x	x
Agrícola	Plantas de cobertura		x	x
	Culturas em faixa	x	x	x
	Cordões de vegetação permanente		x	x
	Faixas de bordadura			x
	Alternância de capinas			x
	Ceifa do mato		x	x
	Cobertura morta	x		x
	Controle do fogo			x
	Adubação (verde, química e orgânica)		x	x
	Plantio direto		x	x
	Rotação de culturas		x	x
	Calagem		x	x

TABELA 23.3 Medidas que podem ser empregadas para a recuperação, controle ou prevenção de áreas degradadas por processos erosivos *(cont.)*

Caráter	Medidas	Objetivo das medidas		
		R	M	P
Mecânico	Plantio em contorno	x	x	x
	Terraceamento	x	x	x
	Sulcos e camalhões em contorno	x		x
	Canais escoadouros	x	x	x
	Barragens	x	x	x
	Adequações e conservação de estradas vicinais e carreadores	x	x	x
	Caixas de sedimentação	x		
	Aterramento	x	x	
	Rip rap	x	x	
	Muro de contenção		x	x
	Dique de proteção		x	x
	Cordões ou curva de nível		x	x
Estrutural Obras de microdrenagem	Meios-fios/Guias	x	x	x
	Sarjetas	x	x	x
	Bocas de Lobo/Bocas coletoras	x	x	x
	Galerias	x	x	x
	Poços de visita	x	x	x
	Tubos de ligações	x	x	x
	Caixas de ligação	x		
Estrutural Obras de macrodrenagem	Canais naturais ou artificiais	x	x	x
	Dissipadores de energia	x	x	x
	Ressalto hidráulico: canais abertos	x	x	
	Barragens	x	x	
	Vertedores: queda, calha e degrau "cacimbo"	x	x	
	Bacia de acumulação	x	x	
	Bacias dissipadoras	x	x	
	Proteção de taludes	x	x	
	Aterramento	x	x	x
	Obras de pavimentação	x		
	Drenos			x
Bioengenharia	Gabião vegetado	x	x	x
	Geogrelha vegetada	x	x	x
	Mantas de gramíneas	x	x	x
	Sistemas de celas de confinamento	x	x	x
	Tapete biodegradável		x	x

R: Recuperação; M: Mitigação; P: Prevenção. *Fonte:* Adaptado de Rotta & Zuquette (2012).

23.5.3 Áreas Contaminadas/Poluídas

Para a recuperação de uma área contaminada, é fundamental determinar o tipo de contaminante (inorgânico, orgânico ou patogênico), o estado que se encontra (gasoso, na fase líquida livre, em solução na água subterrânea, na forma sólida ou semissólida ou adsorvido nos materiais inconsolidados) e a forma de transporte (ver Capítulo 14). A recuperação deve ser realizada tanto na fonte de contaminação (material que está contaminando o meio, sendo necessária a retirada e o tratamento do mesmo), como na pluma de contaminação[7] (entende-se por pluma a extensão da contaminação no solo, na zona vadosa e na água subterrânea).

Os processos empregados na recuperação podem ser físicos, químicos e biológicos e são divididos em cinco subgrupos:

1. **Tratamento térmico**. Uso de calor para remover, estabilizar ou destruir os contaminantes.
2. **Tratamento físico**. Utilização de processos físicos para separar as substâncias tóxicas do meio hospedeiro.
3. **Tratamento químico**. Utilização de reações químicas para remover, destruir ou modificar substâncias tóxicas.

---

[7] O tratamento realizado na pluma pode ser *in situ* e/ou *ex situ*. Tratamento *in situ* – sem que ocorra retirada do material contaminado (solo e/ou água). Tratamento *ex situ* – com retirada do material contaminado (solo e/ou água) para tratamento em outro local (estação de tratamento).

4. Tratamento biológico. Uso de microrganismos e outros agentes biológicos para remover, destruir ou modificar os contaminantes.

5. Estabilização/Solidificação. Estabilização química e/ou modificação dos contaminantes.

As técnicas de recuperação empregadas dependem do material contaminado (solo, zona vadosa e água subterrânea) e da forma do contaminante. A Tabela 23.4 exibe, resumidamente, os métodos de recuperação empregados em solos contaminados.

TABELA 23.4 Métodos de recuperação empregados em solos contaminados

Processos	Métodos	
Tratamento mecânico e de contenção	Contenção	Escavação
		Revestimento
		Cobertura
		Encapsulamento geotécnico
		Barreiras verticais
		Barreiras horizontais
		Medições hidráulicas
Tratamento físico e químico	Extração por ventilação do solo	
	Extração do vapor do solo	
	Extração por adsorção com carvão	
	Extração por lavagem com vapor	
	Lavagem do solo com líquidos	
	Oxidação química	
	Processos eletrocinéticos	
	Extração com fluidos supercríticos	
	Processos de membrana	
Estabilização/Solidificação	Cimento	
	Cal	
	Silicatos solúveis	
	Argilas modificadas	
	Vitrificação	
Tratamento biológico	Fitorremediação	
	Biorremediação	

Além das técnicas adotadas na recuperação de solos contaminados, existem os procedimentos normalmente adotados para as águas subterrâneas (Tabela 23.5) e para a zona vadosa (Tabela 23.6). A contaminação na zona vadosa representa uma fase prévia da contaminação das águas subterrâneas. Existem vários casos em que a zona vadosa foi contaminada com produtos químicos que, em longo prazo, contaminaram a água subterrânea. Os procedimentos normalmente empregados na zona vadosa são *in situ* e são divididos para porção rasa e profunda (Tabela 23.6).

TABELA 23.5 Exemplos de alguns procedimentos utilizados na recuperação de águas subterrâneas

Técnicas de recuperação de águas subterrâneas	
Bombeamento da água para tratamento (*pump-and-treat*)	Tratamento da água bombeada (*ex situ*)
Poços de bombeamento	*Air stripping* (remoção de compostos voláteis)
	Carvão ativado (constituintes dissolvidos)
	Sistemas biológicos (poluentes biodegradáveis)
Barreiras hidráulicas	
Barreiras com extração e injeção	
Air sparging (injeção de ar)	
Barreiras permeáveis reativas	
Barreiras com emprego de sistema de injeção	
Oxidação química	
Biorremediação	
Controle hidrodinâmico	

23.5.4 Áreas Assoreadas

As medidas que podem ser utilizadas para recuperar canais, lagos, reservatórios e áreas úmidas assoreadas passam por dois caminhos obrigatórios: i) controlar a fonte do material granular responsável pelo assoreamento e ii) retirar o material granular das zonas assoreadas. As fontes de material granular

TABELA 23.6   Exemplos de alguns procedimentos utilizados na recuperação de águas da zona vadosa (rasa e profunda)

Zona vadosa rasa	Zona vadosa profunda	Observações
Escavação	–	
Extração de vapores por vácuo	–	Facilita também a biodegradação
Bioventing	–	Injeção contínua de pequeno volume de ar
		Facilita também a biodegradação
Biosparging	*Biosparging*	Injeção de ar
		Produz oxigenação à biota
Atenuação natural monitorada	Atenuação natural monitorada	Necessita de monitoramento e acompanhamento
Destrutivo (Biodegradação)	Destrutivo (Biodegradação)	Injeção de ar e/ou macronutrientes
Não destrutivo (sorção, dispersão, diluição e outros)	Não destrutivo (sorção, dispersão, diluição e outros)	
Volatilização com fluxo de vapor (passivo ou ativo)	Volatilização com fluxo de vapor (passivo ou ativo)	–
Fitorremediação	–	–
Vitrificação	–	
Lavagem do solo	Lavagem do solo	–
Oxidação química	Oxidação química	–
Biorremediação	Biorremediação	Injeção de ar e nutrientes

normalmente são oriundas de processos erosivos ou de movimentação de materiais geológicos por atividades de mineração ou obras de engenharia. Assim, as medidas que recaem para esta condição são aquelas citadas para o caso de processos erosivos.

A remoção dos materiais em áreas assoreadas, por sua vez, normalmente é realizada por equipamentos de dragagem ou por recursos como a alteração do gradiente dos canais e outras medidas (como por exemplo, recanalização). Estas atividades, de caráter paliativo, podem atingir custos enormes, como é o caso do Rio Tietê (SP), que muitas vezes não trazem resultados significativos porque não foram adotadas medidas de controle nas fontes de materiais granulares (ver Capítulo 24).

23.5.5 Compactação do Solo

A compactação do solo ocorre por atividades antrópicas ou naturais. Qualquer que seja o motivo, a compactação afeta a dinâmica das águas, principalmente na redistribuição da mesma nos materiais geológicos, e o desenvolvimento de vegetação (culturas perenes ou reflorestamento). Diversas medidas podem ser adotadas em função da intensidade da compactação e da profundidade atingida por tal processo. As medidas podem ser de bioengenharia (introdução de líquidos específicos), mecânicas (sulcamento, ripagem, subsolagem, perfurações) ou florestais (reflorestamento com espécies específicas).

23.5.6 Selamento (*Sealing*)

O processo de selamento (diminuição da capacidade de infiltração) de uma superfície ocorre devido a diversos tipos de atividades antrópicas e normalmente gera um conjunto de degradações em cadeia. Em determinado estágio, esse processo leva a inundações e à diminuição de recarga das águas subsuperficiais, afetando as vazões de canais de drenagem e o reabastecimento de aquíferos. As medidas de recuperação podem ir desde a remoção de superfícies selantes e sua substituição por outras mais adequadas, até mesmo a mudança do tipo de uso do solo.

23.6 EXEMPLOS DE RECUPERAÇÃO

O objetivo principal dos exemplos apresentados a seguir é mostrar ao leitor o grau de dificuldade para atingir as finalidades pretendidas pela recuperação ambiental de áreas degradadas como um todo (pensando-se na totalidade dos componentes ambientais, e não somente em seus aspectos estéticos e visuais). Os exemplos de áreas degradadas selecionados apresentam extensões variadas e os seguintes aspectos de degradação: alteração do relevo, processos erosivos, contaminação de águas subsuperficiais, alteração da vegetação, diminuição da biodiversidade e alteração no fluxo de águas, geração de sedimentos e assoreamentos, entre outros.

Caso I

A Mina de Ferro de Piçarrão, localizada no município de Nova Era (MG), em 1987, logo após seu encerramento, apresentava problemas ambientais referentes à remoção da vegetação, retirada de material geológico, processos erosivos na cava da mina, pilhas de rejeito sem cobertura, entre outros (Figura 23.6a e 23.6b). As atividades de recuperação foram iniciadas em 2000, envolvendo o retaludamento de porções com focos erosivos distintos; regularização da superfície e da drenagem; controle da sedimentação; reposição de solo após regularização e implantação da vegetação; e recuperação das pilhas de rejeito (área reconformada, drenagem regularizada, proteção da base da pilha, alinhamento/coveamento e plantio). Com a recuperação realizada, ocorreu a estabilização de parte dos processos físicos, químicos e biológicos (Figura 23.6c).

Figura 23.6 Diferentes etapas e condições desde a situação após exploração até a recuperação da Mina de Piçarrão (Nova Era – MG): a) área logo após encerramento (1987); b) aspecto da área degradada com processos erosivos; c) área recuperada. *Fonte: Ibram (2012).*

Caso 2

Este exemplo apresenta uma área degradada por mineração de bauxita localizada em Poços de Caldas (MG). Na Figura 23.7, observa-se um mapa do inventário das áreas de explotação de bauxita na região. Estas áreas normalmente apresentam diversos aspectos degradados, tais como: instabilidade da encosta, alterações na capacidade potencial de infiltração, aumento dos materiais granulares sujeitos aos processos erosivos, assoreamento de canais de drenagem, destruição da vegetação e diminuição da biodiversidade. Na Figura 23.8, observa-se a antiga área de mineração de bauxita em diversos períodos entre o encerramento da explotação e o estágio final da vegetação. As medidas de recuperação adotadas nesta área foram: retaludamento das encostas; regularização da drenagem; homogeneização da superfície; reposição de solo e serrapilheira; coveamento; e reflorestamento. Todas estas medidas visaram à reabilitação da área para manutenção de um equilíbrio mínimo dos processos físicos, químicos e biológicos.

Caso 3

Neste caso, o exemplo refere-se ao lixão de Jangurussu em Fortaleza (CE), localizado às margens do rio Cocó (Figura 23.9a). O lixão iniciou suas atividades em 1978 e as finalizou em 1998, chegando a atingir uma cota de lixo de 40 m de altura. As soluções de recuperação adotadas foram: retaludamento;

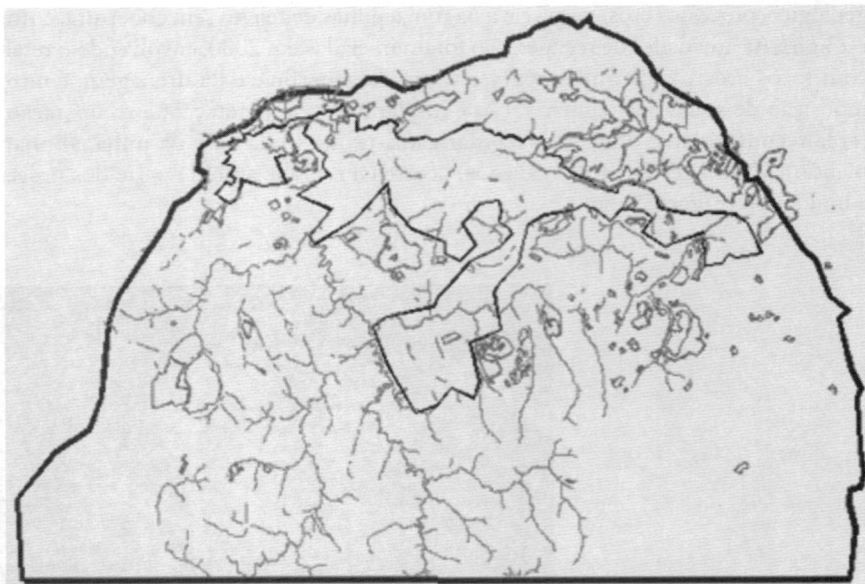

Figura 23.7 Mapa de inventário das áreas degradadas por explotação de bauxita na região de Poços de Caldas (MG). As áreas de explotação estão representadas pelo contorno cinza claro. *Fonte: Modificado de Zuquette et al. (2009).*

(a)

(b)

(c)

(d)

(e)

Figura 23.8 Diferentes etapas e condições desde a exploração até a recuperação de uma área degradada por mineração de bauxita (Poços de Caldas – MG): a) área em fase final de explotação; b) vista detalhada da superfície da área degradada; c) etapa inicial com a separação dos blocos e matacões; d) vista de uma área pronta para dar continuidade à recuperação e outra ainda sem passar pelo retaludamento e homogeneização das superfícies; e) área reflorestada. *Fonte: Modificado de Zuquette et al. (2009).*

(a)

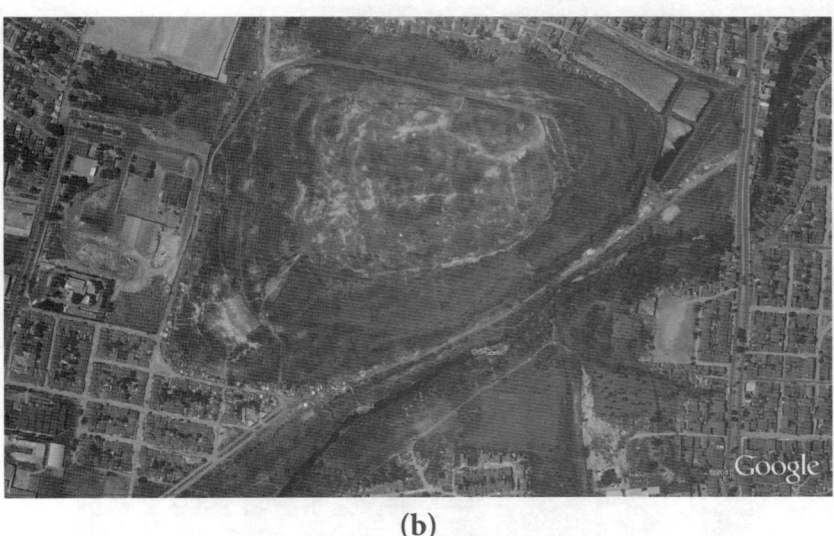

(b)

FIGURA 23.9 Área degradada pelo lixão de Jangurussu – Fortaleza (CE): a) vista do lixão; b) área após retaludamento, sistema de drenagem superficial, revegetação e coleta de líquidos percolados. *Fonte: Google Earth.*

cobertura associada a um sistema de drenagem de águas superficiais e de coleta de líquidos percolados. A recuperação do lixão foi importante tanto em termos visuais quanto em relação à estabilidade física dos resíduos e ao controle parcial dos líquidos percolados. Porém, os problemas de percolação de líquidos nos materiais geológicos continuam, mantendo, assim, as condições de contaminação das águas subsuperficiais e dos solos (Figura 23.9b).

Caso 4

As pilhas de rejeito fazem parte das áreas degradadas por atividade de mineração e geram alteração da paisagem (acréscimo de material) e contaminação/poluição do solo e das águas (dependendo do tipo de minério e minerais associados à pilha), além de afetar o fluxo das águas superficiais. Estes depósitos, atualmente, devem apresentar barreiras impermeáveis em sua base e devem ser cobertos para evitar a ação dos agentes intempéricos e o aumento dos líquidos percolados. Após o encerramento das atividades da Mina de Piçarrão em Nova Era (MG), o depósito de rejeito da mineração de ferro (Figura 23.10a) passou por um processo de retaludamento, regularização do relevo e da drenagem (Figura 23.10b), proteção da base da pilha, alinhamento/coveamento, plantio e irrigação (Figura 23.10c). Estes procedimentos de recuperação foram importantes tanto em termos visuais quanto em relação ao equilíbrio dos processos físicos, químicos e biológicos atuantes no depósito de rejeitos.

(a)

(b)

(c)

FIGURA 23.10 Pilha de rejeito após encerramento das atividades de beneficiamento e o processo de recuperação da Mina de Piçarrão (Nova Era – MG): a) depósito de rejeito sem nenhuma atividade de recuperação; b) superfície regularizada e com sistema de drenagem das águas superficiais; c) área com revegetação. *Fonte: Ibram (2012).*

Caso 5

Neste caso, o exemplo é de uma boçoroca localizada no Jardim do Líbano na cidade de Franca (SP), que passou por um retaludamento e teve a implantação de um sistema de drenagem das águas superficiais (Figura 23.11). As Figuras 23.11a e 23.11b mostram que o retaludamento também atingiu áreas que não estavam erodidas e que, em alguns pontos, existem problemas de instabilidade (esta instabilidade se deve aos minerais expansivos encontrados no material geológico da Formação Itaqueri). No caso da Figura 23.11c, nota-se que a vegetação vem se desenvolvendo, ainda que timidamente, a partir de uma recuperação natural.

(a)

(b)

(c)

Figura 23.11 Área degradada no Jardim do Líbano na cidade de Franca (SP): a e b) feição erosiva (boçoroca); área após retaludamento e instalação da drenagem superficial por meio de canaletas; c) vista atual com a vegetação se desenvolvendo por recuperação natural (fevereiro 2012). *Fonte: foto dos autores e Google Earth.*

Caso 6

Este exemplo traz uma área degradada por processos erosivos no bairro da cidade Aracy, em São Carlos (SP), onde a feição erosiva foi aterrada por resíduos de construção e demolição (Figura 23.12). Apesar da feição erosiva não existir mais (Figura 23.12b), os procedimentos adotados geraram dois novos problemas ambientais. Primeiro, criou-se uma fonte de contaminação concentrada: os materiais depositados não são resíduos sólidos inertes (ver Capítulo 22) e os gastos que a prefeitura de São Carlos teve para investigar as fontes de contaminação foram muito maiores do que teriam sido se fosse adotado procedimento de recuperação embasado em conhecimento técnico. Segundo, o aterramento provocou uma mudança do relevo, alterou o fluxo das águas superficiais e aumentou os níveis de contaminação (Figura 23.12c).

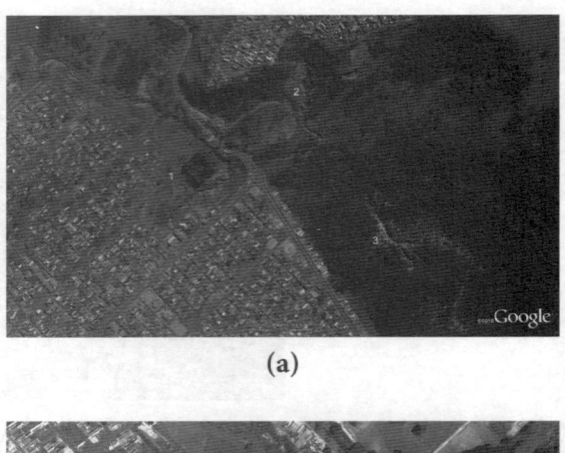

(a)

(b)

FIGURA 23.12 Área com feições erosivas no bairro cidade Aracy, cidade de São Carlos (SP): a) feições erosivas do tipo boçoroca (1, 2 e 3); b) área degradada da feição 1, que foi aterrada; c) vista da área em fevereiro de 2012, com problemas de alteração do relevo e concentração de água.

(c)

Caso 7

Este é um exemplo de uma área degradada em função da explotação de rochas para britas e blocos, na cidade de São Carlos (SP) (Figura 23.13), na zona geomorfológica das Cuestas basálticas, que há mais de 20 anos vem passando pela recuperação natural, principalmente pelo desenvolvimento da vegetação. Apesar das condições favoráveis à recuperação, como a pequena extensão afetada e a existência de materiais inconsolidados na área degradada (o que facilita o desenvolvimento da vegetação), verifica-se que o processo é lento e poderá não se efetivar caso não se promova uma reposição do solo fértil como uma medida mais eficaz. Por outro lado, nas Figuras 23.14 e 23.15, são apresentados dois exemplos de áreas degradadas, também pela explotação de britas, nas mesmas condições da apresentada na Figura 23.13, e que foram reabilitadas com sucesso. Na cidade de Ribeirão Preto (SP), existem diversos casos semelhantes bem sucedidos de reabilitação de áreas degradadas pela explotação de brita. Para maiores detalhes com relação à recuperação e à ocupação de pedreiras desativadas em Ribeirão Preto (SP), consultar o trabalho de Zuquette et al. (1994).

Caso 8

Este exemplo retrata uma área degradada estudada por Ferreira et al. (2007) na região de Seropédica e Itaguaí (RJ), onde uma cava de mineração passou por processo de recuperação com reordenamento dos taludes, preenchimento de cava com rejeitos e revegetação (Figura 23.16). Este trabalho é um bom referencial para o entendimento destes processos de recuperação ambiental em cavas de mineração de areia, qualquer que seja a região.

Figura 23.13 Área em processo de recuperação natural, cidade de São Carlos (SP). área degradada devido à exploração de rochas basálticas para produção de britas.

Figura 23.14 Área de pedreira reabilitada e ocupada por um conjunto de edifícios. Jardim das Pedras na cidade de Ribeirão Preto (SP). *Fonte: Google Earth.*

Figura 23.15 Antiga pedreira reabilitada como parque de lazer. Parque Curupira na cidade de Ribeirão Preto (SP). *Fonte: Google Earth.*

FIGURA 23.16 Área degradada por extração de areia em processo de recuperação: a) área degradada; b) regularização dos taludes; c) revegetação das cavas aterradas com rejeitos. *Fonte: Ferreira et al. (2007).*

Caso 9

Este exemplo exibe uma área degradada por erosão em margens de cursos de água no estado de Sergipe, estudada por Holanda et al. (2009). Neste caso, os autores relataram que, no Baixo São Francisco e na margem do rio Sergipe, para controlar a erosão das margens, a população ribeirinha, preocupada com o avanço das águas do rio sobre suas terras, tem procurado minimizar a degradação por meio de soluções de baixo custo, utilizando os seguintes materiais: palha de coqueiro, sacos de areia, borracha de câmaras de ar entrelaçadas e pneus usados (Figura 23.17a e 23.17b). Embora sejam tentativas para minimizar a degradação, os materiais empregados na contenção dos taludes, neste caso, principalmente o pneu, pode gerar outro tipo de degradação na área, que é a liberação de metais tóxicos como cádmio (Cd), níquel (Ni) e zinco (Zn). Dessa forma, o tipo de contenção não se mostrou adequado, pois acabou gerando outro problema ambiental.

Holanda et al. (2009) ressaltaram a importância na escolha do método para recuperar as margens dos rios. Nesse caso, eles citaram o uso de biomantas ou geotêxteis em associação a retentores de sedimentos (Figura 23.18), tendo como objetivo estabilizar os taludes marginais a partir da associação com espécies vegetais (arbustivas e gramíneas) de desenvolvimento rápido, sem gerar outro tipo de degradação. Os resultados obtidos com a técnica de bioengenharia são importantes por integrarem materiais inertes e elementos vivos na proteção física dos taludes (Figura 23.18c).

Caso 10

Este exemplo retrata uma área degradada por contaminação na região de Campinas (SP). Segundo Pereira et al. (2011), a água subterrânea foi contaminada por metais tóxicos provenientes das operações industriais de uma empresa de galvanoplastia. A descontaminação da água subterrânea foi realizada a partir da implantação de um sistema de remediação por bombeamento e tratamento em uma Estação de Tratamento de Esgoto (ETE). A implantação do sistema de remediação englobou a instalação de poços de extração de 4 polegadas, nos quais foram instaladas bombas para realização do bombeamento da água subterrânea até a ETE, poços multiníveis (com sensores de níveis) e de monitoramento.

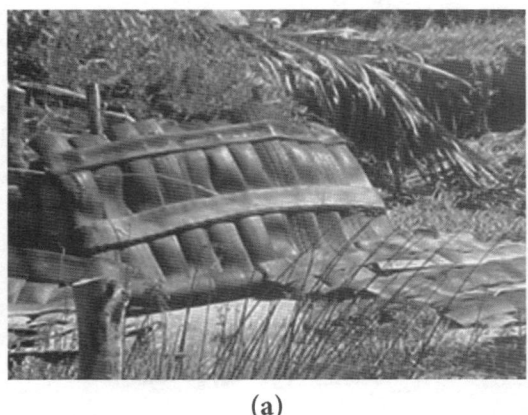

(a)

(b)

FIGURA 23.17 Contenção dos taludes marginais: a) borracha de câmara de ar trançada e pneus velhos; b) sacos de areia, nas proximidades do município de Brejo Grande/SE (março de 2004). *Fonte: Holanda et al. (2009).*

(a)

(b)

FIGURA 23.18 Implantação da bioengenharia de solos no talude marginal do rio São Francisco, no perímetro irrigado Cotinguiba-Pindoba: a) talude antes da instalação; b) instalação do geotêxtil; c) talude 60 dias após a implantação (período de julho de 2004 a março de2006). *Fonte: Holanda et al. (2009).*

(c)

O estudo realizado por Pereira et al. (2011) indicou redução na concentração de níquel (Ni) que diminui, aproximadamente, de 17.000 μg/L (Figura 23.19) para cerca de 7.500 μg/L (Figura 23.20). Assim, o sistema de recuperação instalado mostra-se adequado ao propósito de promover a diminuição da concentração de Ni no lençol freático (Pereira et al., 2011).

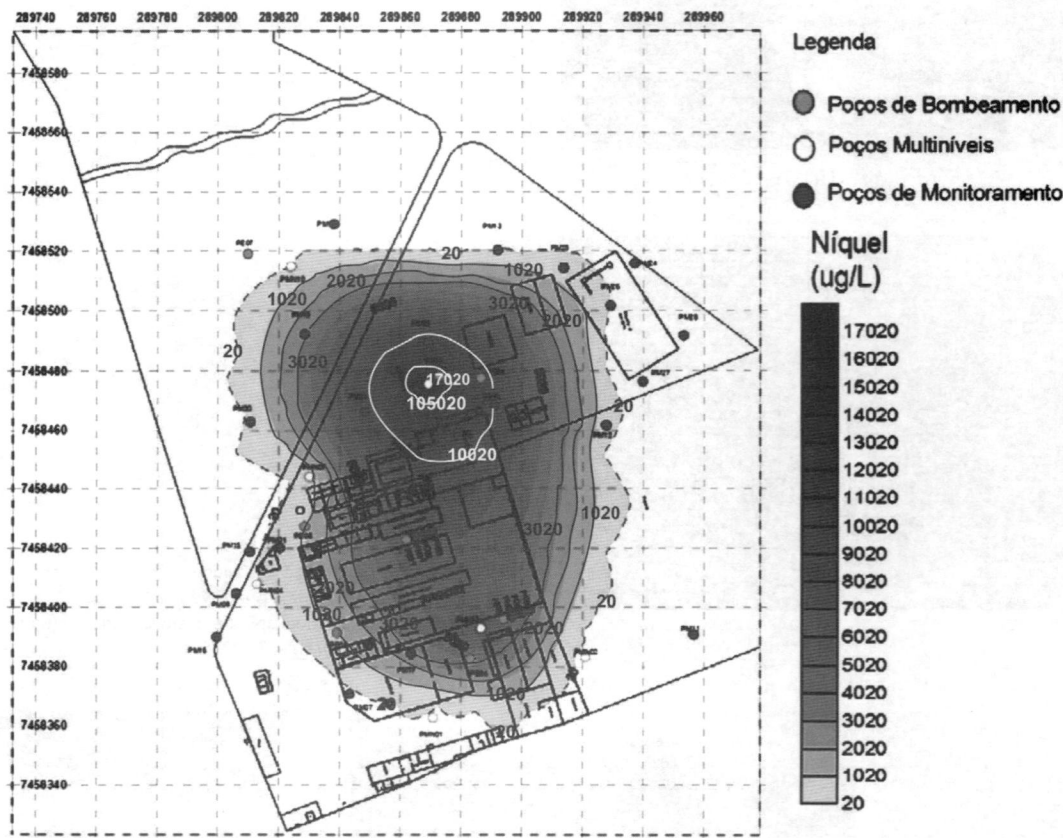

FIGURA 23.19 Concentração inicial de níquel (Ni). *Fonte: Pereira et al. (2011).*

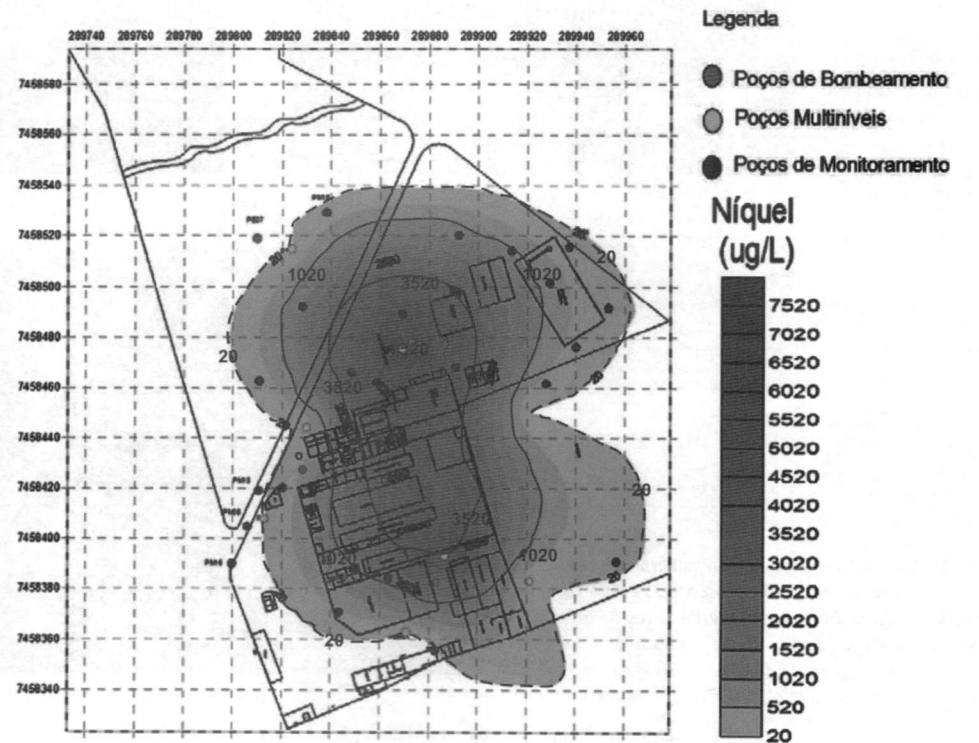

FIGURA 23.20 Concentração final de níquel (Ni). *Fonte: Pereira et al. (2011).*

REVISÃO DOS CONCEITOS APRESENTADOS

- **Degradação ambiental:** ocorre quando um ou mais componentes do meio ambiente afetados por processos antrópicos ultrapassam a capacidade de resiliência, de tal maneira que as alterações sofridas afetam o comportamento considerado natural e/ou a produtividade.
- **Recuperação ambiental:** está associada ao retorno da área degradada a uma forma de utilização, visando à estabilidade do meio ambiente e à busca de um novo equilíbrio dinâmico.
- **Restauração:** está associada ao retorno do meio degradado às condições ambientais existentes antes dos processos de degradação.
- **Reabilitação:** está associada ao uso futuro, segundo um projeto prévio. O novo uso deverá estar adaptado às condições pós-reabilitação, podendo ter características distintas da existente antes da degradação.
- **Remediação:** consiste na eliminação ou minimização da concentração de elementos contaminantes/poluentes, de modo a assegurar a reutilização de uma área contaminada/poluída.
- **Área degradada:** reúne um ou diversos aspectos do meio ambiente com níveis de alteração não suportados pelas condições de resiliência. Pode apresentar extensões variadas, desde algumas dezenas de metros quadrados até centenas de quilômetros quadrados, e pode ter origem em atividades específicas ou conjuntos de atividades.

SUGESTÕES DE LEITURA COMPLEMENTAR

- BARROW, C.J. (1991) *Land degradation: An overview.* Nova York: Cambridge University Press, 295p.
- BERGER, A.R., IAMS, W.J. (1996) *Geoindicators: assessing rapid environmental changes in earth systems.* Rotterdam: Balkema, 466p.
- HARBOR, J. (1999) Engineering geomorphology at the cutting edge of land disturbance: Erosion and sediment control on construction sites. *Geomorphology*, v. 31, p. 247-263.
- HUDSON, P.F., ALCANTARA-AYALA, I. (2006) Ancient and modern perspectives on land degradation. *Catena*, v. 65. p. 102-106.
- SHARMA, H.D., REDDY, K.R. (2004) *Geoenvironmental engineering: site remediation, waste containment, and emerging waste management technologies.* John Wiley & Sons, 992p.

Referências

Associação Brasileira de Geologia de Engenharia e Ambiental (ABGE). (2008) *Glossário geotecnologia ambiental.* IPT/ABGE, 42p.

Associação Brasileira de Normas Técnicas (ABNT). (1989) *NBR 10703. Degradação do solo – Terminologia.* São Paulo.

_____. (1999) NBR 13030. Elaboração e apresentação de projeto de reabilitação de áreas degradadas pela mineração – Terminologia. Rio de Janeiro.

ASWATHARAYANA, U. (1995) *Geoenvironment: an introduction.* Roterdam, Brokfield: Balkema, 270p.

BITAR, O.Y. (1995) *Curso de geologia aplicada ao meio ambiente.* Associação Brasileira de Geologia de Engenharia: Instituto de Pesquisas Tecnológicas, Divisão de Geologia, São Paulo, 247p.

BLAIKIE, P., BROOKFIELD, H. (1987) Defining and debating the problem. In: BLAIKIE, P., BROOKFIELD, H. (editores). *Land degradation and society.* Estados Unidos e Canadá: Routledge, 299p.

BOBROWSKY, P.T. (2002) *Geoenvironmental mapping: Methods, theory and practice.* Washington DC: Taylor & Francis, 734p.

BRAGA, B., HESPANHOL, I., CONEJO, J.G.L. et al. (2001) Introdução à engenharia ambiental. São Paulo: Prentice Hall, 2003. 305 p. Cetesb – Companhia Ambiental do Estado de São Paulo. *Manual de gerenciamento de áreas contaminadas.* São Paulo: Cetesb, 389p.

COLTRINARI, L., McCALL, G.J.H. (1995). Geoindicadores: ciência da terra e mudanças ambientais. *Revista do Departamento de Geografia/USP*, n. 9, p. 5-11.

CONACHER, A.J., SOLA, M. (1999). *Land degradation in Mediterranean environments of the world: nature and extent, causes and solutions.* Chichester: Wiley, 491p.

DAVIS, T.D. (2002) *Brownfields: a comprehensive guide to redeveloping contamined property.* Section of Environment, Energy, and Resources American Bar Association, Chicago, 1136p.

DEFLOR. (2012) Deflor bioengenharia – Soluções ambientais: áreas degradadas. Disponível em: <http://www.deflor.com.br>. Acesso: abril 2018.

ESWARAN, H., LAL, R., REICH, P.F. (2001) Land degradation: an overview. In: BRIDGES, E.M., HANNAM, I.D., OLDEMAN, L.R., PENING DE VRIES, F.W.T., SCHERR, S.J., SOMPATPANIT, S. (editores). Responses to land degradation. International Conference on Land Degradation and Desertification, Jhon Kean, Thailand. Nova Deli: Oxford Press. Disponível em: <http://soils.usda.gov/. Acesso: abril 2018.

FERREIRA, A.P., CAMPELLO, E.F.C., FRANCO, A.A., RESENDE, A.S. (2007). Uso de leguminosas. arbóreas fixadoras de nitrogênio na recuperação de áreas degradadas por mineração no polo produtor de Itaguaí/Seropédica (RJ). Rio de Janeiro: Embrapa, 31p.

Food and Agriculture Organization of the United Nations (UN/FAO). (1997) Land quality indicators and their use in sustainable agriculture and rural development. FAO Land and water bulletin 5, co-published with World Bank, UNEP and UNDP, Roma, Itália. Disponível em: <http://www.fao.org/docrep/>. Acesso: abril 2018.

HOLANDA, F.S.R., BANDEIRA, A.A., ROCHA, I.P., ARAÚJO FILHO, R.N., RIBEIRO, L.F., ENNES, M.A. (2009) *Controle da erosão em margens de cursos d'água: das soluções empíricas à técnica da bioengenharia de solos.* Curitiba: UFPR, p. 93-101.

HOLLING, C.S. (1973) Resilience and stability of ecological systems. *Annual Review of Ecology and Systematics*, v. 4. p. 1-23.

Instituto Brasileiro de Mineração (IBRAM). (2012) Vale – Mineração e meio ambiente. Disponível em: <http://www.ibram. org.br/>.Acesso: abril 2018.

JOHNSON, D.N., LAMB, P., SAUL, M. et al. (1997) Meanings of environmental terms. *Journal of Environmental Quality*, v. 26, n. 3, p. 581-589.

MOHAMED, A.M., PALIOLOGOS, E., RODRIGUES, V.G.S., SINGH, D. (2017) Fundamentals of geoenvironmental engineering: Understanding soil, water, and pollutant interaction and transport. Oxford: Elsevier. 688p.

PEREIRA, P.R.A., BARRAZA LARIOS, M.R., SARTORI, M.V., ALMEIDA, M.R.H., TOLEDO, P.C.T., COSTA, A.C. (2011) Sistema de remediação por bombeamento em águas subterrâneas contaminadas. *Interciência & Sociedade*, p. 137-147.

ROTTA, C.M., ZUQUETTE, L.V. (2012) *Estudo da recuperação de áreas degradadas por erosão no município de São Pedro – São Paulo, Brasil.* In: 13º Congresso Nacional de Geotecnia. Lisboa.

SÁNCHEZ, L.E. (2001) Desengenharia. O Passivo ambiental na desativação de empreendimentos industriais. São Paulo: EDUSP. 254p.

_____. (2008).;1; *Avaliação de impacto ambiental. Conceitos e métodos.* São Paulo: Oficina de Textos. 495p.

STOCKING, M.A. (1993) *Soil erosion in developing countries: where geomorphology fears to tread.* School of Development Studies Discussion, Experimental Geomorphology and Landscape Ecosystem Changes, p. 253-267.

United Nations Environment Programme (UNEP). (2012) Environmental knowledge for change. Degraded soils. Disponível em: <http://maps.grida.no/graphic/degraded-soils>. Acesso: janeiro 2012.

United States Environmental Protection Agency (USEPA). (1994) Remediation guidance document, EPA 905--R94-003, Assessment and remediation of contaminated sediments program. Great Lakes National Program Office, Chicago, Estados Unidos. Disponível em: <http://www.epa.gov/greatlakes/ arcs/EPA-905-B94-003/B94-03.ch7.html#RTFToC4>. Acesso: fevereiro 2012.

ZUQUETTE, L.V., PEJON, O.J., SINELLI, O. (1994) *Problemas relacionados à recuperação e à ocupação de pedreiras desativadas na cidade de Ribeirão Preto (SP), Brasil.* In: III Congresso Italo-Brasiliano di Ingeneria Mineraria, Verona.

ZUQUETTE, L.V., PEJON, O.J., DANTAS-FERREIRA, M., PALMA, J.B. (2009) Environmental degradation related to mining, urbanization and pollutant sources: Poços de Caldas, Brazil. Bull. Eng. Geol. Environ. n. 68, p. 317-329.

WILLIAMS, D.D., BUGIN, A., REIS, J.L.B.C. (1990). *Manual de recuperação de áreas degradadas pela mineração: Técnicas de revegetação.* Brasília: MINTER/Ibama. 96p.

YONG, R.N. (2001) Geoenvironmental engineering: Contaminated soils, pollutant fate and mitigation. Estados Unidos: CRC Pres. 307p.

YONG, R.N., MULLIGAN, C.N. (2004) *Natural attenuation of contaminants in soils.* Flórida: CRC Press, 319p.

REMEDIAÇÃO E READEQUAÇÃO DE SISTEMAS AQUÁTICOS SUPERFICIAIS CONTAMINADOS

24

Doron Grull

O presente capítulo se propõe a discutir o tema expresso no título sem ênfase em uma abordagem acadêmica ou formal. São apresentadas as principais medidas estruturais de remediação e readequação de sistemas aquáticos superficiais (lóticos e lênticos) contaminados pelas atividades antrópicas. As seguintes tecnologias/técnicas são abordadas: recuperação de matas ciliares, wetlands construídas, flotação em fluxo, coagulação e flotação eletrolíticas, membranas em fluxo, processos oxidativos avançados, remediadores químicos, físico-químicos e estimuladores, dragagem, remoção mecânica de algas e macrófitas, aplicação de algicidas e precipitadores. Para cada processo, busca-se uma ponderação entre vantagens e desvantagens e uma estimativa dos custos envolvidos. Por fim, discute-se a problemática dos resíduos gerados pelos processos de remediação.

24.1 INTRODUÇÃO

O título do presente capítulo enseja uma discussão em face das possíveis interpretações dos seus termos: "sistemas aquáticos", "contaminados" e "remediação". Vale lembrar, inicialmente, que **todo sistema é um subsistema e todo subsistema é um sistema** e que, portanto, sempre lidamos com subsistemas com condições de contorno nem sempre muito bem definidas. Embora a definição destes sistemas seja espacial, a variável **tempo** deve ser considerada, pois, por serem "aquáticos", são intrinsecamente estocásticos e nem sempre as condições ditas **médias** expressam uma realidade decisional, isto é, permitem a tomada de decisões corretas, como será exemplificado adiante.

Os sistemas aquáticos devem ser considerados em dois grandes grupos, superficiais e subsuperficiais, conforme visto no Capítulo 8. Os sistemas superficiais são formados por cursos de água lóticos, naturais ou artificiais, e corpos de água lênticos, que drenam as bacias hidrográficas correspondentes e recebem, diretamente, as contribuições de chuvas e/ou de degelos. Os sistemas subsuperficiais, por sua vez, podem ser divididos em dois tipos: freáticos e profundos. O denominado **lençol freático**, adjacente às superfícies de escoamento, é o que tem maior interação com os sistemas de superfície, alimentando-os e sendo alimentado por eles. O sistema profundo, usualmente chamado de **águas subterrâneas**, encontra-se bem abaixo do freático, separado deste por alguma camada impermeável, que limita a interação natural com os outros sistemas aquáticos, exceto quando da ocorrência de descontinuidades geológicas e topográficas.

Stricto sensu, a contaminação está relacionada com o uso que se pretende dar à água. Porém, de uma forma mais geral e usual, denomina-se "**contaminação**" qualquer alteração na qualidade da água do corpo hídrico que ponha em risco a **saúde humana**, conforme estudado no Capítulo 5. As contaminações podem ocorrer por causas **naturais** ou **antrópicas**, sendo essas últimas o principal foco deste capítulo.

A **remediação** corresponde às medidas adotadas para mitigar ou eliminar a contaminação efetiva ou potencial do sistema hídrico. Usualmente, dividem-se estas medidas em **i) estruturais**, quando são intervenções diretas por meio de obras ou equipamentos, e **ii) não estruturais**, quando são intervenções indiretas, em geral nas causas da contaminação, por meio de procedimentos comportamentais (por exemplo, com caráter educacional ou jurídico). O termo "remediação" é mais aplicado a casos com contaminação efetiva e, portanto, indica uma **medida corretiva** e não preventiva. É nesse sentido de "readequação" que o termo deve ser entendido no presente capítulo.

Embora a remediação seja necessária em muitos casos, é válido salientar que a adequada gestão dos recursos hídricos de uma bacia deve priorizar as ações **preventivas**, buscando evitar ou minimizar as contaminações e enfatizando as ações não estruturais. Nesse sentido, a continuidade dessas ações é de vital importância, uma vez que elas correspondem a resultados inerentes a um planejamento de médio e longo prazos.

24.2 BARREIRAS

Ainda que possa ser considerada, em alguns casos, uma medida preventiva, por coibir ou mitigar o aporte dos poluentes aos corpos de água, a utilização de barreiras corresponde, de fato, a uma atuação sobre um escoamento superficial – via de regra, difuso – de uma água já contaminada. Duas barreiras são consideradas: matas ciliares e *wetlands*.

As matas ciliares são sistemas fitogeográficos com formação tipicamente longitudinal, que ladeiam os corpos de água. A mata ciliar tem características típicas dos diversos biomas existentes, mesmo não estando diretamente ligada a eles. Algumas árvores, por exemplo, apresentam diferenciações/adaptações sutis e dependem da formação topológica e geológica da bacia hidrográfica, bem como, obviamente, dos aspectos climáticos da região. Seu papel na preservação da qualidade dos sistemas aquáticos é muito significativo, visto que as matas ciliares atuam, principalmente, em dois aspectos:

- **Mitigação dos efeitos de assoreamento**. Retêm grande parte dos sólidos carreados pelos escoamentos superficiais que alimentam os corpos de água;
- **Redução das concentrações dos nutrientes que alcançam os corpos de água**. O ecossistema ripário absorve nutrientes do escoamento subsuperficial.

Conforme visto no Capítulo 10, a mata ciliar possui diversas funções ambientais. A eventual recuperação de mata ciliar degradada, portanto, é uma intervenção estrutural e deve ser vista como uma medida de remediação. Além disso, a legislação pertinente (por exemplo, o Código Florestal, que será abordado no Capítulo 28), em face do seu caráter genérico, não leva em consideração características locais, ou mesmo regionais, devendo, pois, sempre que possível, ser complementada por avaliações específicas para a correta efetivação da recuperação pretendida.

Em relação às *wetlands*, introduzidas no Capítulo 8, apresenta-se, a seguir, uma descrição sucinta da concepção de tratamento em que elas são exploradas. Como já se sabe, a tradução direta para o termo *wetland* é "terra úmida". Porém, sob o viés ecológico, as *wetlands* representam vários ecossistemas com características variadas e apenas um ponto em comum: a presença de **água em abundância durante pelo menos algum período do ano**.

As *wetlands* desempenham funções fundamentais no equilíbrio dos ecossistemas. Embora elas já tenham sido descritas no Capítulo 8, apresentam-se algumas delas novamente, a título de recordação, também ressaltadas por Brega Filho (1998):

- capacidade de modificar e controlar a qualidade das águas;
- capacidade de amortizar os picos de qualidade, gerando redução dos custos de tratamento de água, bem como uma maior segurança neste tratamento;
- controle de erosão e assoreamento dos canais dos rios.

Nesse sentido, as ***wetlands* construídas** são sistemas artificiais, projetados e construídos com técnicas de engenharia e diferentes níveis de tecnologia, que procuram atingir as mesmas funções ecossistêmicas básicas das ***wetlands* naturais**.

Conforme destacado por Brega Filho (1998), dependendo dos processos utilizados, as *wetlands* construídas podem ser classificadas como: *wetlands* com plantas emergentes (WPE), *wetlands* com plantas flutuantes (WPF) e *wetlands* com solos filtrantes, que podem ser de fluxo ascendente ou descendente (Sistema DHS). A Figura 24.1 indica esquematicamente esses tipos de *wetlands*.

Diferentes configurações de sistemas de *wetlands* podem ser propostas em consonância com o "problema" a ser equacionado e a qualidade dos recursos hídricos (por exemplo, o poluente-alvo a ser removido), a disponibilidade de área para sua construção, o eventual interesse paisagístico a ser agregado à área com a presença da *wetland*, e a possibilidade de utilização da biomassa produzida. No que diz respeito ao aproveitamento da biomassa, é sempre possível a participação das comunidades, principalmente as de baixa renda, na utilização dos subprodutos das *wetlands* construídas. Um exemplo é a cultura de arroz ou, ainda, a utilização da biomassa para ração animal e produção de adubos orgânicos. Assim, as w*etlands* podem ser compostas por sistemas mistos de plantas emergentes e/ou flutuantes. Se for o caso, pode-se considerar a incorporação de células de solo filtrante para melhoria adicional da qualidade da água.

Os sistemas de *wetlands* construídas devem ter as seguintes funções: purificar as águas do corpo receptor, detectar e controlar possíveis contaminações dos recursos hídricos, servir como sistema de barragens de sedimentação e controlar os picos de cheia. Para atendimento a essas questões, os sistemas devem ter as seguintes características, segundo Brega Filho (1998):

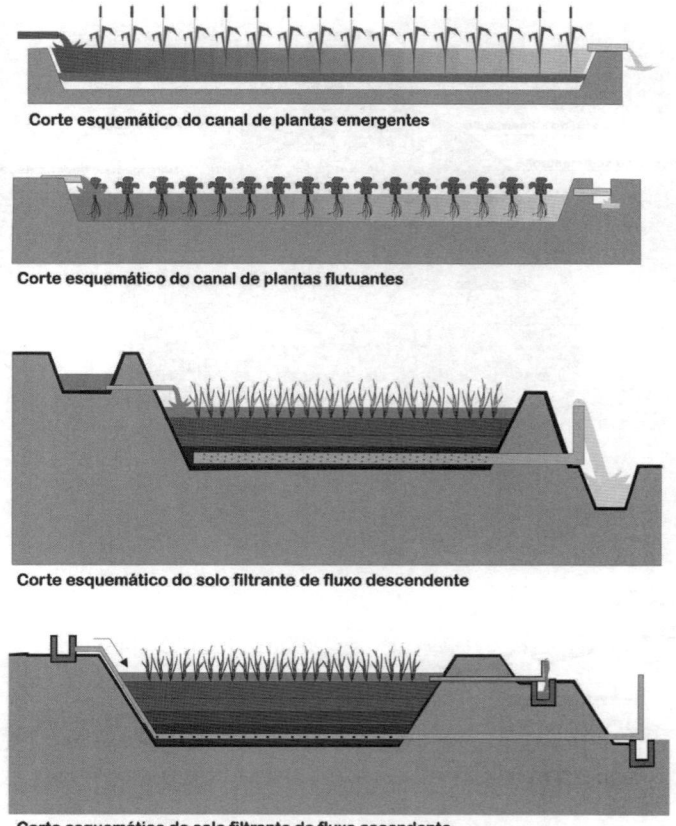

Corte esquemático do canal de plantas emergentes

Corte esquemático do canal de plantas flutuantes

Corte esquemático do solo filtrante de fluxo descendente

Corte esquemático do solo filtrante de fluxo ascendente

FIGURA 24.1 Tipos de *wetland*: com plantas emergentes (WPE), com plantas flutuantes (WPF) e com solos filtrantes, incluindo as de fluxo descendente e ascendente. *Fonte: Sabesp (1997).*

- Uma barragem a montante com a finalidade de remoção de partículas sedimentáveis (barragem de sedimentação). Esta barragem serve, ainda, para aumento do nível de água visando a sua distribuição no sistema de *wetlands*.
- Um conjunto (sistema) de *wetlands*, separadas por diques, formando células independentes que permitam o controle do fluxo da água. Essas divisões possibilitam, também, o manejo adequado da biomassa formada, quando necessário.
- Canais coletores das águas provenientes das *wetlands* para recompor as águas do rio no canal principal.

As Figuras 24.2 a 24.4 ilustram algumas opções de construção de *wetlands*.

A seguir, são feitas considerações importantes a respeito de alguns itens fundamentais para o projeto de *wetlands* construídas. Os sistemas de *wetlands* naturais possibilitam, em algum período do ano, a proliferação de vetores de doenças. O controle dos mesmos normalmente é feito por meio de técnicas de drenagem, eliminando-se o excesso de água desses ecossistemas, bem como por meio de outras ações, tais como capina e aplicação de inseticidas. O projeto de uma *wetland* construída deve, igualmente, considerar o risco de transmissão de doenças e prever a possibilidade do manejo do fluxo de água de modo a eliminar, quando necessário, as condições favoráveis à proliferação dos vetores. Uma opção relativamente simples para controlar as larvas dos insetos é o cultivo de algumas espécies de peixes que se alimentam dessas larvas.

Como as *wetlands* construídas são usualmente projetadas para as vazões médias afluentes, elas acabam sendo subutilizadas nos períodos de estiagem. Assim, nesses períodos de seca, os desempenhos são ainda mais favoráveis (em decorrência do maior tempo de residência da água), o que aumenta a segurança do sistema.

Tendo em vista que não apenas a qualidade, mas também a quantidade de água é um fator crítico no projeto, é importante que sejam consideradas as perdas por evapotranspiração nos circuitos hidráulicos projetados. Tomando-se como taxa média de evapotranspiração no inverno (região sudeste do Brasil, período crítico) o valor de 4 mm/dia, a perda total de água no sistema, por este processo, é da ordem de 2%. Recomenda-se, pois, que seja adotada uma margem de segurança de 5% para o balanço hídrico no sistema projetado.

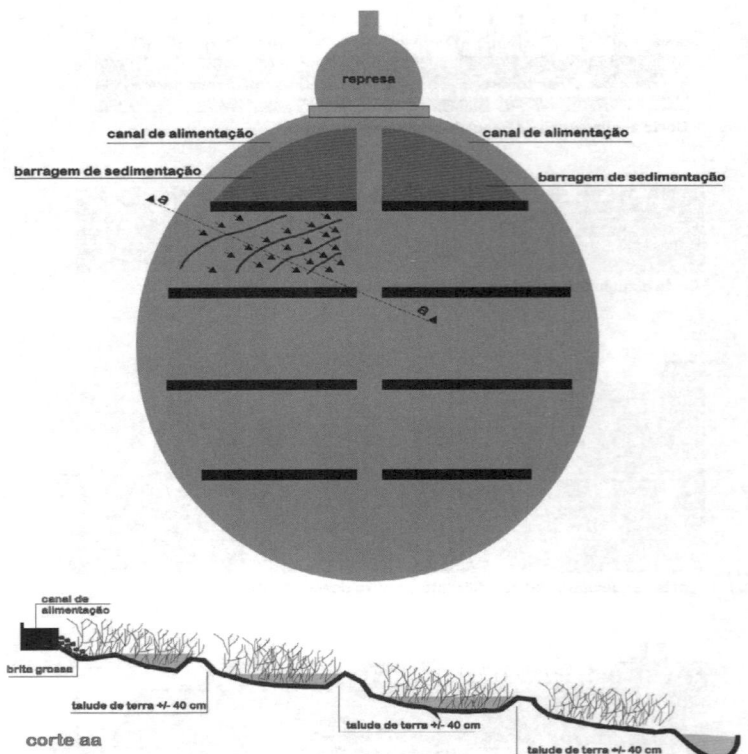

FIGURA 24.2 Esquema construtivo de *wetland. Fonte: Sabesp (1997).*

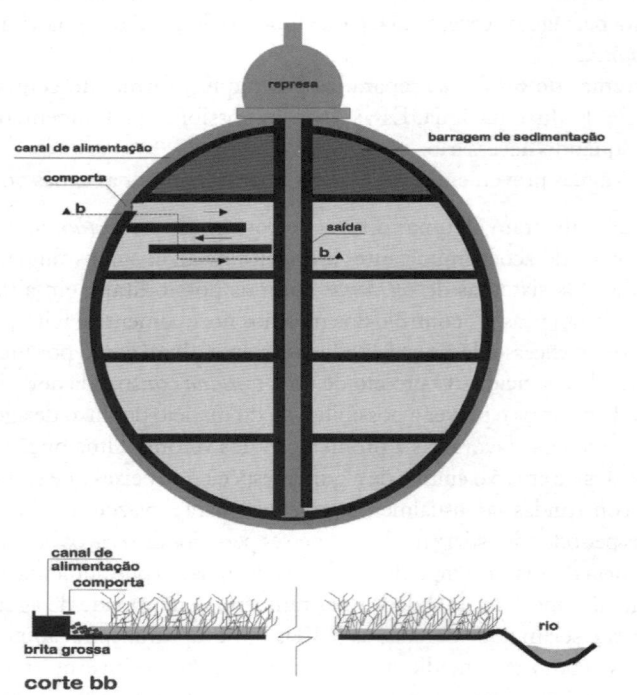

FIGURA 24.3 Esquema construtivo de *wetland. Fonte: SABESP (1997).*

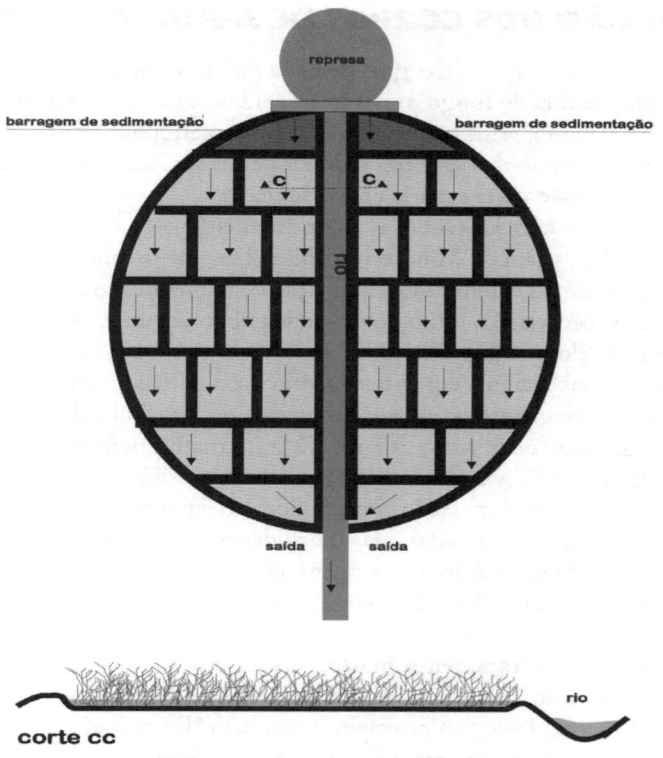

FIGURA 24.4 Esquema construtivo de *wetland*. Fonte: SABESP (1997).

No caso das *wetlands* de solos filtrantes, recomenda-se a utilização de uma manta plástica na parte inferior do sistema com a finalidade de evitar a contaminação do lençol subterrâneo, caso as águas estejam poluídas por substâncias tóxicas. As *wetlands* são muitas vezes construídas em locais onde já existem *wetlands* naturais, estando o solo, pois, frequentemente saturado; neste caso, a perda de água adicional deverá ser mínima. Além disso, a água de infiltração alimentará os cursos de água em cotas mais baixas, tornando as perdas desprezíveis.

É necessário atentar que a utilização da tecnologia de *wetlands* pode implicar no uso da terra e, em particular, de várzeas. Não obstante o propósito e a tecnologia envolvidos na implantação de *wetlands* construídas serem totalmente condizentes com o papel natural das várzeas, sendo até um modo de sua preservação, é importante considerar a legislação pertinente e os procedimentos adequados a serem adotados, conforme exposto a seguir.

Os processos biodinâmicos são complexos e intensos em uma várzea natural, envolvendo ampla gama de microrganismos transformadores de matéria orgânica e outros elementos. Estes materiais são infiltrados juntamente com a água e incorporados ao solo. Por deflúvio, essa água atinge os corpos de água, porém mais purificada ou depurada. As várzeas são, em geral, áreas férteis e, quando adequadamente drenadas, excelentes para agricultura, o que justificava, até pouco tempo atrás, a manutenção, por parte do governo, de um programa de financiamento para drenagem para uso agrícola (denominado Provárzeas). Este programa não existe mais devido à polêmica ambiental criada em seu entorno e a mudanças na política agrícola. As várzeas são diretamente associadas ao leito sazonal maior de rios, que é a calha alargada, atingida pelo maior nível na época das cheias do ano. São áreas que estão no limite com as áreas de preservação permanentes (APP), que serão detalhadas no Capítulo 28. Do ponto de vista da regulamentação do uso de várzeas, há que se observar as legislações estaduais. No estado de São Paulo, por exemplo, os principais instrumentos são o Decreto Estadual nº 34.663, de 26 de fevereiro de 1992, e a Resolução Conjunta SAA/SNA/SRHSO-4, de 11 de novembro de 1994, que disciplinam a forma e os requisitos para as autorizações para exploração das áreas de várzeas no estado de São Paulo.

A autorização para uso específico das várzeas deve ser expedida pelas Equipes Técnicas da CETESB/DEPRN da Secretaria Estadual de Meio Ambiente à vista dos pareceres técnicos emitidos pelos órgãos locais das Secretarias da Agricultura e Abastecimento e os da(s) Secretaria(s) de Recursos Hídricos e Saneamento do(s) município(s) onde se localiza a várzea.

24.3 REMEDIAÇÃO DOS CORPOS DE ÁGUA LÓTICOS

A recuperação da qualidade da água de corpos de água poluídos em decorrência da ação antrópica é entendida como uma medida de **longo prazo** que depende da concretização de todas as medidas preventivas cabíveis. No entanto, principalmente nas maiores metrópoles brasileiras e suas vizinhanças, o que se observa é que a poluição dos sistemas hídricos dessas regiões vem se acentuando, com pouca ou nenhuma chance de reversão deste cenário em curto prazo.

Assim, diante das pressões exercidas sobre as autoridades competentes, sejam de cunho diretamente popular (em geral via mídia), sejam do Ministério Público, buscam-se soluções localizadas para mitigar este problema. Os objetivos mais comuns são: eliminação de odores desagradáveis, melhoria no aspecto (cor, turbidez, manchas superficiais), promoção de saúde pública, controle da eutrofização ou da proliferação de algas e proteção dos mananciais.

A possibilidade mais convencional em sistemas lóticos é a derivação da vazão veiculada (ou parte dela) para uma estação de tratamento ou *wetland* localizada nas proximidades do canal de escoamento, devolvendo a água tratada para o seu curso original. Esta alternativa pode permitir a produção de água para fins industriais não potáveis (ver Capítulo 19), mas esta possibilidade depende da localização da estação com relação a um eventual mercado consumidor. No entanto, além dos custos do tratamento propriamente dito, devem ser consideradas duas dificuldades adicionais que inibem ou até impedem esta abordagem: os **custos da derivação**, que exigem, via de regra, bombeamento, além da **pequena disponibilidade de espaço** (áreas adequadas), sobretudo em regiões densamente urbanizadas, para a implantação do sistema de tratamento.

Assim, resta a alternativa do **tratamento *in situ***, cuja ideia é o aproveitamento do próprio leito do curso de água para a implantação do sistema de tratamento, minimizando o uso das margens para a infraestrutura necessária. Descartando-se, em princípio (ver o item "Remediadores" adiante), o tratamento biológico, por demandar um tempo mínimo de contato muito superior ao viável em ambientes lóticos, e ainda por poder causar problemas de odores, consideram-se, a seguir, as possibilidades dos tratamentos físico-químicos e de separação.

24.3.1 Flotação "em Fluxo"

O tratamento físico-químico consiste basicamente na adição de produtos químicos ditos coagulantes e floculantes para a formação de flocos da matéria indesejável (poluentes) e remoção destes flocos, seguindo-se (ou não) uma filtração. Esse esquema básico de tratamento já foi detalhadamente abordado no Capítulo 17. A remoção dos flocos dá-se a partir de sua sedimentação (limpeza pelo fundo) ou flutuação (limpeza pela superfície). A sedimentação dá-se por processo gravitacional e a flutuação, usualmente, demanda a injeção de bolhas de ar (microbolhas) que, aderidas aos flocos, levam-nos à superfície. Este último processo é a flotação por ar dissolvido, ou simplesmente flotação, também estudado no Capítulo 17.

A sedimentação exige um tempo para a deposição dos flocos no fundo cerca de sete vezes (ordem de grandeza) superior àquele necessário para a suspensão dos flocos para a superfície. Como em ambientes lóticos – em decorrência da velocidade do escoamento – tempo representa espaço, o tratamento físico-químico por meio do processo de flotação se torna mais atraente. Assim, o sistema de flotação em fluxo consiste na utilização **setorizada** (sem separação física) de um trecho do canal de escoamento do próprio corpo hídrico para:

- injeção e mistura de coagulantes;
- espaço-1 – para mistura e coagulação (tempo necessário: 1 min a 2 min);
- injeção de floculante (polieletrólito) e de bolhas de ar (por exemplo, via água clarificada pressurizada a 5 atm);
- espaço-2 – para formação dos flocos (tempo necessário > 15 min);
- espaço-3 – para suspensão dos flocos (bacia de flotação);
- mecanismo de remoção do lodo flotante arrastado pelo fluxo.

Usualmente, é colocada uma barreira para a retenção e remoção de flutuantes grosseiros (garrafas pet, por exemplo), infelizmente encontrados em abundância em diversos cursos de água urbanos no Brasil. Os tanques de produtos químicos, as unidades de pressurização e as de tratamento do lodo são instaladas fora do curso de água, via de regra nas margens. A Figura 24.5 ilustra esta instalação.

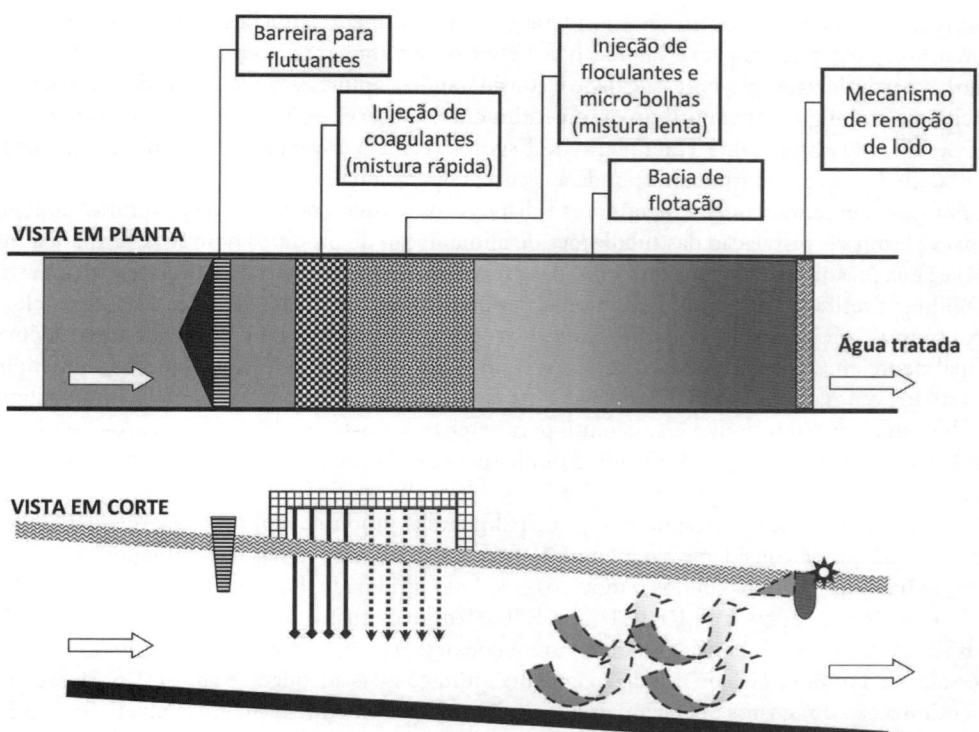

FIGURA 24.5 Vista em planta e em corte de possível configuração para sistema de flotação em fluxo.

Embora o processo de flotação seja de domínio público, o sistema denominado *Flot-flux*® é proprietário, ou seja, a sua aplicação foi patenteada. Ressalte-se que esta patente é brasileira. Há diversas aplicações do sistema no Brasil, com diferentes eficiências e eficácias com relação aos objetivos buscados. Sugere-se a leitura complementar do artigo de Cunha et al. (2010), referenciada ao final do capítulo, que avaliou a eficiência de um sistema piloto de flotação em fluxo no rio Pinheiros (SP).

Embora apresente os componentes de um sistema convencional de flotação por ar dissolvido, o *Flot-flux*® encontra-se instalado em ambiente bem menos controlado (o próprio leito do rio ou do corpo hídrico a ser tratado), o que reduz sua eficiência em função dos seguintes fatores:

- As vazões e a própria qualidade da água pode apresentar variações significativas e, frequentemente, sem muita possibilidade de previsão com a antecedência desejável para o ajuste da operação.
- As linhas de fluxo dependem da topologia do canal e nem sempre são favoráveis ao bom desempenho da mistura.
- Existe uma pequena possibilidade de controle do tempo de permanência do lodo flotante formado, que é arrastado em direção ao mecanismo de remoção pelo próprio fluxo. Tempos muito elevados de permanência permitem a desagregação/dissolução natural dos flocos, que podem sedimentar e passar por baixo do mecanismo (junto com a água clarificada), carreando, inclusive, parte dos produtos químicos que foram adicionados.
- Há necessidade de desativação do processo quando ocorrem cheias mais significativas ou há desvio da vazão excedente à capacidade máxima do sistema.
- Observa-se pouca ou nenhuma atuação sobre alguns nutrientes (por exemplo, nitrogênio amoniacal), por não envolver nenhum processo biológico.

Não obstante, a água efluente do sistema é de qualidade superior à afluente, com significativo efeito de remediação a jusante. Dois cenários favorecem a utilização deste sistema: i) quando as vazões e qualidade da água afluente têm pouca oscilação e são razoavelmente bem conhecidas ou ii) quando o objetivo é a melhoria da água a jusante, melhoria essa não necessariamente vinculada a restrições de ordem legal ou sanitária.

Em relação aos custos, devem ser considerados os investimentos iniciais e os custos de operação e manutenção. A regra básica para a valoração de sistemas de tratamento é buscar o custo unitário (R\$/m^3 tratado)[1] a partir do valor presente calculado e considerando a amortização dos investimentos e os custos operacionais ao longo da vida útil do empreendimento. Observe-se que em Estações de Tratamento de Água (ETA) e Estações de Tratamento de Esgotos (ETE) convencionais, via de regra, o principal componente do custo unitário corresponde aos custos operacionais.

O *Flot-flux*®, embora requeira menos área e dispense os tanques, necessita de estruturas-ponte metálicas para permitir a instalação das tubulações de alimentação de produtos químicos, ar (para a mistura rápida) e água pressurizada (para a formação das microbolhas). O motivo para a utilização desta estrutura é possibilitar a retirada (suspensão) das tubulações quando houver cheias significativas, cuja velocidade (e força trativa correlacionada) poderia danificar os equipamentos imersos no curso de água. Além disso, principalmente em zonas urbanas, os resíduos sólidos flutuantes são muito volumosos, aumentando o potencial do eventual dano, além de implicar a necessidade de uma limpeza de equipamentos submersos, pois a barreira a montante não é suficiente para reter todos estes resíduos. Nos casos de uma vazão controlada/limitada, sem a possibilidade da influência de cheias, podem ser utilizados equipamentos submersos, dispensando-se a ponte metálica.

Os custos operacionais correspondem principalmente a: produtos químicos, energia e mão de obra. Além disso, há que se considerar a manutenção preventiva e corretiva dos equipamentos e os custos da disposição final dos resíduos sólidos removidos e do lodo produzido. Para sistemas do tipo *Flot-flux*®, os investimentos ficam na faixa de R\$0,01/m^3 a R\$0,03/m^3 e os custos operacionais, na faixa de R\$0,07/m^3 a R\$0,18/m^3, ambos já considerando o sistema de deságue e tratamento/disposição do lodo.

Ressalte-se a importância do uso do coagulante químico mais adequado e aplicado na dosagem certa para a otimização dos custos operacionais. Como isso varia com o meio e com os objetivos prioritários, recomenda-se a realização de testes de bancada, mencionados no Capítulo 17 (como o Flotateste), além de testes de campo com o próprio protótipo.

Uma alternativa para o uso de coagulantes químicos é a eletroflotação. Esse processo de tratamento é uma tecnologia que se baseia em reações de eletrólise e consiste na aplicação de um potencial elétrico à solução aquosa, através de eletrodos metálicos, com a geração de íons e gases (oxigênio e hidrogênio). Tais subprodutos propiciam reações de oxidação e redução com as substâncias/impurezas existentes no meio líquido. À semelhança da adição de sais (coagulantes) no tratamento químico convencional, neste caso os sais (comumente alumínio e/ou ferro) estão representados pelos eletrodos, que atuam como fontes destes metais (que formam hidróxidos insolúveis). Assim, ocorre a desestabilização dos coloides existentes no meio líquido e a sua coagulação-floculação. Além disso, é promovida a geração (eletrolítica) de microbolhas (< 0,01 mm), que favorecem a suspensão dos flocos.

A associação de coagulantes químicos e de compostos oxidantes com a ação das microbolhas capacita o processo a atuar sobre substâncias coloidais e/ou em suspensão, metais e compostos orgânicos. Além disso, o volume de lodo produzido é muito inferior ao do processo químico convencional. Embora seja bastante utilizada em estações de tratamento de efluentes municipais e industriais com vazões até da ordem de 350 L/s, não se tem notícia da aplicação desta tecnologia eletrolítica *in situ* em cursos de água. Este processo, em fluxo, não tem patente registrada no Brasil.

Considerando-se o *layout* do sistema *Flot-flux*® apresentado na Figura 24.5, há a possibilidade de substituir as tubulações de injeção de produtos químicos e ar por eletrodos, que ficariam imersos no curso de água. Estudos de viabilidade feitos com essa alternativa mostraram sua vantagem com relação ao uso de produtos químicos, levando a custos unitários inferiores, considerando tanto a energia gasta quanto a substituição periódica dos eletrodos (aproximadamente a cada 10 meses em cursos de água poluídos).

24.3.2 Membranas "em Fluxo" (MEF)

Como visto, existem tecnologias para precipitar os sólidos do fluxo de água bruta, levando-os a flotar ou sedimentar em zonas de recolha. Dependendo das dimensões do curso de água, essas tecnologias podem ser razoavelmente aplicadas. No entanto, produtos químicos são dosados diretamente no meio ambiente e, em seguida, fisicamente recuperados de alguma forma. O problema é que nem todos os

---

[1] Os valores monetários neste capítulo referem-se a dezembro de 2011.

precipitados são recuperados e o impacto para a vida aquática pode ser significativo. O último passo/processo de qualquer sistema de tratamento de água é a remoção dos resíduos indesejáveis que podem ser separados. Deve existir uma barreira absoluta para garantir uma solução adequada para o fluxo a jusante.

Nesse sentido, as membranas, introduzidas resumidamente no Capítulo 17, aparecem como uma alternativa interessante. O tratamento de água com o uso de membranas tem estado, nos últimos 30 anos, na vanguarda do avanço tecnológico, mas só recentemente vem assumindo uma posição de destaque na competitividade de custos e implementação.

Nos anos 1980, as membranas foram inicialmente utilizadas em sistemas de pequeno porte, mas eram muito caras e demandavam muita energia para atingir e manter pressões da ordem de 6 bar, necessárias para forçar a água através delas. Até meados dos anos 1990, esses sistemas, chamados *cross flow*, foram utilizados na purificação de água de processo ou, excepcionalmente, em pequenos sistemas de tratamento de águas residuárias. Na década de 1990, o desenvolvimento de membranas submersas elevou a aplicabilidade de membranas a um novo nível. Essas membranas submersas exigiam muito menos energia para funcionar e foram adequadas para sistemas de maior porte. As membranas submersas tornaram os custos competitivos com as tecnologias convencionais de tratamento de águas residuárias, introduzindo o processo denominado biorreator de membrana (MBR). Desenvolvimentos recentes no Brasil apresentam plantas de grande porte, visando à produção de água de reúso a partir de efluentes de ETE convencionais (por exemplo, Sistema Aquapolo, de 600 L/s a 1.000 L/s, no ABC na região metropolitana de São Paulo, e Sistema Alegria, de 2.500 L/s, no Rio de Janeiro).

Não obstante, ainda há ajustes importantes a serem considerados para empreendimentos de maior porte. A tecnologia de membranas submersas requer numerosas bombas, tanques de concreto de filtração, injetores de ar e uma infinidade de instrumentos, além de operadores experientes. Há, pois, um grande potencial em levar a tecnologia de membranas submersas para o patamar técnico seguinte e utilizá-la para remediar cursos de água urbanos e produzir, simultaneamente, água de excelente qualidade. Esta inovação pode ser economicamente viável e ambientalmente favorável e corresponde à concepção do sistema de **membranas em fluxo (MEF)**. O processo de MEF já tem patente requerida no Brasil, mas, embora já projetado, não se conhece nenhuma aplicação prática deste processo em fluxo. As principais vantagens dessa concepção são vinculadas aos seguintes fatores:

- Não há a adição de produtos químicos no meio hídrico.
- As membranas atuam apenas como um complemento físico para o curso de água, como um sistema de comportas, sem, no entanto, interferir no fluxo de água.
- As membranas podem ser alimentadas com a pressão e fluxo do próprio curso de água e o fluxo pode ser desviado através, ao redor, acima ou abaixo do sistema de membrana para acomodar a circulação, contornando os fluxos de pico e aproveitando a força motriz energética necessária.
- Os contaminantes concentrados podem ser bombeados para fora e eliminados de forma adequada.
- O sistema de membranas utiliza pouco da área do curso de água e atinge melhor qualidade da água em comparação com outras técnicas.
- O impacto visual do sistema de membrana é mínimo sobre o ambiente.
- As membranas submersas requerem aeração, processo que pode contribuir para a degradação biológica da matéria orgânica.

As membranas submersas contam com a gravidade para forçar a água através delas (energia potencial e cinética) ou, de modo complementar, com uma bomba de sucção para extraí-la. As membranas submersas operam normalmente em uma pressão de 0,2 bar a 0,4 bar (2 m a 4 m), mas o sistema pode ser levado para 0,6 bar a 0,7 bar. Como é necessária uma bomba para realizar a retrolavagem das membranas, esta bomba pode, também, ser utilizada para complementar a carga e, assim, aumentar a eficiência do sistema. O consumo de energia deste equipamento é relativamente baixo, requerendo de 30 W/m^3 a 40 W/m^3.

Espera-se que a membrana produza de 30 L/m^{2}h a 35 L/m^{2}h em operação normal e de 50 L/m^{2}h a 60 L/m^{2}h em condições de pico. Ou seja, para um sistema de 1 m^3/s (vazão média), isto representa cerca de 120.000 m^2 (superfície de membranas), que podem ser instaladas em uma estrutura de cerca de 70 m de comprimento por 5 m de largura e 3 m de altura (em grande parte submersa) em ambas as margens. O sistema exige alguns produtos químicos para a limpeza periódica das membranas, mas o seu volume (e custos) não são muito elevados. A Figura 24.6 representa a instalação de um sistema MEF, conforme descrito na sequência.

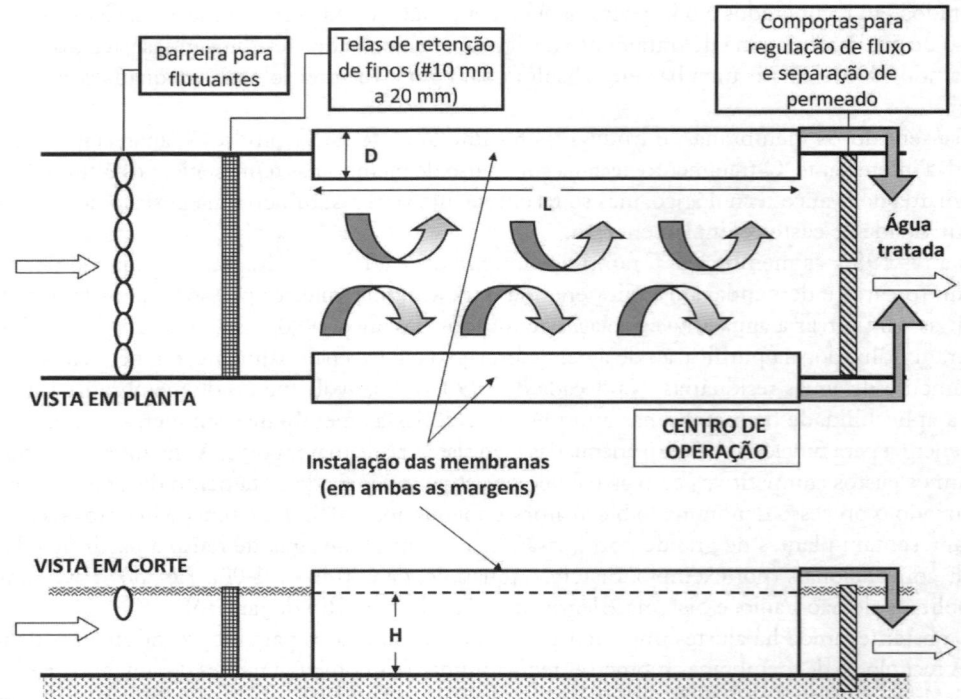

FIGURA 24.6 Esquema em planta e corte de sistema MEF.

A montante, além da barreira para sólidos grosseiros flutuantes, é recomendável a instalação de uma tela de proteção, autolimpante, cuja malha tem uma dimensão inferior a 20 mm (preferencialmente inferior a 10 mm). A função desta malha é a proteção física das membranas, evitando choques que possam danificá-las. Os resíduos removidos desta tela, bem como os retirados da barreira de flutuantes, devem ser destinados a aterros sanitários.

O sistema necessita da instalação de um sistema de comportas a jusante, formando um tanque de alimentação das membranas, cuja função é a separação da água bruta da água tratada, bem como – e principalmente – a regulação da vazão escoada, permitindo a passagem de cheias com vazão superior à capacidade de tratamento do sistema.

Salientem-se dois pontos importantes:

• Um sistema de MEF é capaz de suportar, por cerca de 12 h – sem perda de eficiência –, o dobro da vazão nominal de projeto. Isso significa que grande parte das cheias ocasionadas por efeitos convectivos (chuvas de verão), pode ser suportada pelo sistema.
• O sistema de MEF não precisa ser desativado na ocorrência de cheias que superem a sua capacidade, permitindo uma combinação (em inglês, *blend*) da água tratada com a água excedente que passa pelo sistema de comportas, oferecendo assim, sempre, uma melhora na qualidade de água a jusante.

Conforme visto no Capítulo 17, um sistema de membranas produz dois fluxos de saída, **o permeado** (a vazão tratada) e o **concentrado** (as impurezas e os resíduos separados). O concentrado corresponde a cerca de 5% a 8% da vazão tratada, sendo caracterizado por uma elevada concentração de sólidos suspensos (da ordem de 20 vezes superior à da água bruta do rio).

A proposta usual de um sistema de MEF é submeter este rejeito (concentrado) a um segundo sistema de membranas (denominado secundário), compacto, situado na margem, com uma produtividade de 25 L/m²h, o qual, por sua vez, também gera um permeado (que é encaminhado a jusante, pois é uma água tratada) e um concentrado, que possui uma concentração de sólidos suspensos da ordem de 80 vezes superior à da água bruta do rio. Este rejeito também é submetido a um terceiro sistema de membranas (denominado de redução ou terciário), compacto, situado na margem, com uma produtividade de 20 L/m²h e significativa aeração. Novamente, são produzidos um permeado (que também é encaminhado para jusante, pois é uma água tratada) e um concentrado, com uma concentração de sólidos muito superior à da água bruta do rio, podendo ser encaminhado para um sistema convencional de deságue. A cada passo, a vazão do concentrado (rejeito) diminui, conforme exemplifica a Tabela 24.1.

TABELA 24.1 Exemplo da variação da vazão de concentrado e das concentrações de SST no concentrado em um sistema de MEF subsequentes

Variável	Água bruta do rio	1º concentrado (rejeito)	2º concentrado (rejeito)	3º concentrado (rejeito)	Total na água tratada
Vazão (L/s)	1.000	50	12,5	6,25	993,75
SST (mg/L)	100	2.000	8.000	> 16.000	<1

SST: Sólidos Suspensos Totais.

Os custos unitários de um sistema de MEF como o acima descrito são da ordem de R$0,04/m³ para amortização do investimento e o mesmo valor, cerca de R$0,04/m³, referente aos custos de operação e manutenção. A Tabela 24.2 exemplifica o consumo de energia e a distribuição de custos para uma planta de MEF de 1.000 L/s.

TABELA 24.2 Exemplos do consumo de energia e dos custos envolvidos em uma planta de MEF com capacidade para tratar 1.000 L/s

Energia utilizada (MWano)	
Pré-tratamento	239,84
Primário	581,66
Secundário	86,90
Redução (terciário)	32,76
Adicional	1,00
Total	942,16 (107,5 kWh/h)

Investimentos (milhões R$)	
Pré-tratamento	0,50
Primário	10,00
Secundário	0,75
Redução (terciário)	0,25
Adicional	0,50
Total	12,00

Custos de operação e manutenção (milhões R$/ano)	
Pré-tratamento	0,08
Primário	0,20
Secundário	0,03
Redução (terciário)	0,01
Itens adicionais	0,001
Substituição de membranas em 8 anos	0,92
Total	1,25

24.3.3 Remediadores

Segundo a Instrução Normativa IBAMA nº 05, de 17 de maio de 2010:

"I. REMEDIADOR – Produto, constituído ou não por microrganismos, destinado à recuperação de ambientes e ecossistemas contaminados, tratamento de efluentes e resíduos, desobstrução e limpeza de dutos e equipamentos, atuando como agente de processo físico, químico, biológico ou combinados entre si, podendo caracterizar-se, dentre outros, como:

a) *Biorremediador. Remediador que apresenta como ingrediente ativo microrganismos capazes de se reproduzir e de degradar bioquimicamente compostos e substâncias contaminantes.*

b) *Remediador químico ou físico-químico. Remediador que apresenta como ingrediente ativo substância ou composto químico oxidante, surfactante ou dispersante, ou, ainda, polímeros, enzimas, entre outros, capaz de degradar, adsorver ou absorver compostos e substâncias contaminantes.*

c) *Bioestimulador. Remediador que contém nutrientes em sua composição que favorecem o crescimento de microrganismos naturalmente presentes no ambiente em que vier a ser aplicado o produto, acelerando o processo de biorremediação.*

II. INGREDIENTE ATIVO – Agente químico, físico ou biológico que confere eficácia ao remediador."

Portanto, remediador é todo produto (ou substância) que, acrescentado ao meio líquido, favorece, de alguma forma, a sua despoluição. Observe-se que a aplicação dos remediadores deve ser, em geral, continuada, para a manutenção dos efeitos buscados. Inicialmente aplicados a ETE, os remediadores tiveram sua aplicação estendida a Estações Elevatórias de Esgotos, às redes de esgotos e, mais recentemente, a corpos de água.

O principal remediador utilizado é o oxigênio e/ou o ozônio, embora os custos ainda estejam inibindo este uso. Em Santos (SP), para redução dos odores nos canais, vinha sendo utilizado o oxigênio (com ótimos resultados). No entanto, buscou-se solução mais barata, substituindo o oxigênio pelo nitrato de amônio, cujo uso foi também coibido por se tratar de um produto controlado (pois pode ser utilizado na fabricação de explosivos). Atualmente, utiliza-se peróxido (água oxigenada) ou mesmo oxigênio em alguns pontos.

Nos últimos anos, entretanto, os Processos Oxidativos Avançados (POA), abordados no Capítulo 19, sob a ótica de aplicação a águas residuárias industriais, e no Capítulo 20, sob a ótica de reúso de água, têm sido intensamente estudados. Tais processos promovem a mineralização da maioria dos contaminantes orgânicos, isto é, significativa parte dos contaminantes é transformada em dióxido de carbono, água e substâncias inorgânicas (não tóxicas, ou de menor potencial tóxico, visto que se sabe como tratá-las).

Recentemente, os POA têm merecido destaque devido a sua elevada eficiência na degradação de inúmeros poluentes e custos operacionais relativamente baixos. Sua aplicação é ampla e inclui o tratamento ou a remediação de águas superficiais e subterrâneas, efluentes e até solos contaminados. Conforme Teixeira & Jardim (2004), *"os POA são processos de oxidação que geram radicais hidroxila, os quais são espécies altamente oxidantes, em quantidade suficiente para provocar a mineralização da matéria orgânica a dióxido de carbono, água e íons inorgânicos. Esses radicais podem ser formados por vários processos, que podem ser classificados em sistemas homogêneos ou heterogêneos, conforme a ausência ou a presença de catalisadores na forma sólida"*.

Os POA apresentam uma série de vantagens, conforme destacaram os mesmos autores, incluindo 1) a conversão/mineralização do poluente e não somente a sua transferência de fase, 2) a adequação a compostos refratários e de difícil remoção por outros tipos de tratamento, 3) o elevado poder oxidante, com cinética de reação favorável, 4) a melhoria geral das propriedades organolépticas da água tratada e 5) a possibilidade de tratamento *in situ*, o que pode dispensar a necessidade de grandes áreas.

Alguns dos mecanismos utilizados para a formação de radicais hidroxila para os POA estão citados a seguir:

- Dióxido de titânio
- Radiação ultravioleta (UV)
- H_2O/UV
- H_2O_2
- H_2O / Fe^{2+} (Fenton)
- H_2O_2/ Fe
- Ozônio /UV (Foto-Fenton)
- Fotólise do Ozônio O_3/UV
- O_3/H_2O_2
- O_3/OH^-

No caso de matrizes aquosas, os POA podem ser associados a outras tecnologias como gradeamento, floculação, flotação, filtração/separação, adsorção em carvão ativado, *air stripping* e membranas. Em todos esses casos, os POA podem atuar como a unidade principal de tratamento ou como um pré ou pós-tratamento. Seus custos, no entanto, ainda são elevados para aplicações mais intensivas em cursos de água. Podem ser aplicados, contudo, em pontos/zonas específicos com degradação significativa.

Aos POA, podem ser associadas as nanobolhas, geradas a partir de diferentes líquidos e gases. As nanobolhas possuem diâmetro entre 20 e 1.000 nm. A área superficial de bolhas de gases é inversamente proporcional ao seu diâmetro. Assim, 1 mL de bolhas com diâmetro 100 nm tem 1000 vezes mais superfície (240 m²) do que 1 mL de bolhas maiores, com 0,1 mm (0,24 m²). Com a diminuição no tamanho das microbolhas para a formação das nanobolhas e, devido à efetiva dissolução dos gases no meio líquido, são geradas "Espécies Reativas de Oxigênio" (ROS), que podem oxidar matéria orgânica e outros poluentes presentes no ambiente aquático. O aumento da taxa de dissolução do oxigênio na água a ser tratada traz vantagens como maior eficiência energética, menor geração de resíduos sólidos (lodo), menor dependência de utilização de produtos químicos, economia de área para instalação dos equipamentos e eficiência significativa para remoção de diversos contaminantes. Sugere-se a leitura de Alheshibri et al. (2016) e o acesso ao site www.sbgeo.com.br para mais detalhes.

A partir da década de 1990, novas famílias de remediadores surgiram no mercado, oferecendo diversas soluções alternativas. Esses remediadores podem ser divididos em dois grandes grupos: **com microrganismos viáveis** (bactérias) e **sem microrganismos viáveis** (compostos químicos).

Em relação aos remediadores com microrganismos viáveis, no Brasil, inicialmente, surgiram bactérias importadas dos Estados Unidos que, não obstante terem obtido o licenciamento do IBAMA e da ANVISA, encontraram resistência dos órgãos estaduais, sobretudo da CETESB que, pelo princípio da precaução, coibiu o uso de bactérias alóctones, eventualmente inexistentes nos ecossistemas locais. Com o passar do tempo, a tecnologia foi desenvolvida no Brasil e já são produzidos remediadores a partir de cepas de bactérias "nacionais", principalmente oriundas da Mata Atlântica. O licenciamento pela CETESB é necessário.

A aplicação do produto é simples, bastando sua dispersão no meio líquido ou no fluxo, na dosagem adequada. Existe em forma de pó ou líquido, sendo este último mais adequado para aplicação em água corrente. O parâmetro básico usualmente utilizado para definir a dosagem de aplicação é a Demanda Bioquímica de Oxigênio (DBO), cuja redução costuma ser o principal foco do remediador. Outros benefícios, como redução de odor e lodos e melhoria do aspecto, também podem ser obtidos.

Como há diferentes fornecedores e diversas formas de apresentação/concentração dos produtos, não é possível definir quantitativamente as necessidades de aplicação. No entanto, estima-se que o custo seja de cerca de R\$0,20/kg$_{DBO}$. Os valores da carga (kg de DBO presentes no meio líquido ao longo do tempo) podem ser estimados para as concentrações e vazões médias observadas e a aplicação deve ser contínua. Por exemplo, para um corpo de água com 100 mg$_{DBO}$/L, o custo aproximado seria de R\$0,02/m^3.

Os remediadores sem organismos viáveis, que incluem remediadores químicos, físico-químicos e estimuladores, ainda hoje são conhecidos informalmente como "pó de *pirlimpimpim*". Os avanços tecnológicos dos últimos 20 anos, tanto nas ciências básicas (como física e química), quanto nas ditas "coadjuvantes" (como a informática e a nanotecnologia), possibilitaram a pesquisa e a determinação de novos componentes/substâncias voltados ao tratamento de águas poluídas e que desempenham diversos papéis (incluindo funções enzimáticas, de oxigenação, estimulação, entre outras).

Assim, os usos e aplicações destes produtos abrangem desde a lavagem de pistas de aeroportos (remoção e degradação de óleos e graxas) até a remediação de águas e praias afetadas por vazamentos de plataformas de petróleo, passando – com ênfase – pela melhoria do desempenho de ETE (em complementação a processos aeróbios ou anaeróbios) e remediação de corpos de água poluídos. Esta grande gama de aplicações, obtidas com uma mesma linha de produtos (e algumas pequenas variações) resultou em sua caracterização como "pó de *pirlimpimpim*".

De um modo simplista, grande parte destes remediadores mais avançados é constituída por substâncias formadas por enzimas/proteínas e surfactantes. Geralmente, são totalmente biodegradáveis em menos de 20 dias. A tecnologia baseada em proteínas é conhecida por *Protein-Surfactant Complex* (*PSC*) ou *Protein-Surfactant Synergy* (*PSS*). As proteínas utilizadas, extraídas, por exemplo, de levedura (*Saccharomyces cerevisiae*), são de baixo peso molecular, altamente estáveis em soluções aquosas e atuam em ampla faixa de pH e temperatura. O metabolismo das bactérias já existentes é alterado pelo meio. As bactérias aeróbias sofrem perda (vazamento) de prótons, íons de hidrogênio (H$^+$) através de suas membranas, que se alteram na presença do remediador PSC. Dessa forma, ocorre o desacoplamento da fosforilação oxidativa da bactéria, ou seja, a redução da formação de ATP (energia da bactéria). Com essa perda de energia, observa-se uma reação natural das bactérias a sua sobrevivência. Passam a consumir mais nutrientes do meio, preservando sua energia para mobilidade e manutenção de sua saúde e sacrificando sua reprodução. Assim, há uma redução substancial da biomassa e formação de lodo.

No caso de uso de enzimas, cujo peso molecular é elevado, sua atuação se dá mais sobre os contaminantes orgânicos, porém não tem efeito direto nas bactérias. As enzimas não possuem estabilidade em longo prazo em condições aquosas ou quando expostas ao calor e a mudanças no pH. Elas não afetam a taxa com a qual os contaminantes orgânicos são "consumidos" pela bactéria. As enzimas são bastante específicas e não "consomem" matéria. Por exemplo, lipase e esterase quebram ou convertem os óleos de origem animal ou vegetal para uma forma que é mais facilmente assimilável, neste caso, pelas bactérias. Outro exemplo é a celulase, que atua sobre a celulose.

Analogamente à aplicação de bactérias, há diferentes fornecedores e diversas formas de apresentação/concentração dos produtos, não sendo possível generalizar quantitativamente as necessidades de aplicação.

Saliente-se que os remediadores mais avançados, baseados em proteínas, ainda não são produzidos no Brasil, mas admitindo que venham a sê-lo, e baseando-se em custos praticados na origem (principalmente nos Estados Unidos), pode-se estimar o custo da aplicação em cerca de R\$0,30/kg$_{DBO}$, pouco superior ao das bactérias, resultando, para um corpo de água com 100 mg$_{DBO}$/L, em cerca de R\$0,03/m^3.

24.4 REMEDIAÇÃO DE CORPOS DE ÁGUA LÊNTICOS

Há três aspectos que devem ser atentados quando se trata de remediação ou recuperação de lagos ou reservatórios: o porte do corpo de água, considerando-se seu volume/superfície e o tempo de residência hidráulico (TRH); os usos da água no corpo hídrico; e a viabilidade/interesse econômico da remediação.

Em lagos ditos "pequenos", sobretudo lagoas de parques urbanos (área de superfície inferior a 1 km^2 e profundidade máxima inferior a 5 m), a remediação considera o lago como um todo, buscando-se sua recuperação ou adequação integral. Por outro lado, em lagos ou reservatórios ditos "grandes", que possuem TRH sazonal ou superior, além de área de superfície superior a 50 km^2, a remediação é praticada por setores, trechos ou braços individualizados, buscando-se sua recuperação local e melhoria gradativa no todo, quando possível. Para os demais lagos, ditos de porte "médio", a remediação a ser aplicada pode ser de um ou outro tipo, dependendo do caso. Observe-se que esta não é uma regra, mas apenas uma indicação aproximada.

Principalmente para os lagos "pequenos", existe a possibilidade da utilização de uma ETA convencional, situada à margem do sistema aquático, que recebe as águas do lago (por bombeamento), promove o tratamento e devolve a água tratada ao próprio lago. Na sequência, no entanto, serão abordados outros procedimentos de atuação nos próprios corpos hídricos, visando a sua remediação.

24.4.1 Dragagem

Este procedimento tem larga aplicação principalmente em dois casos:

- Em lagos pequenos, quando a limpeza total pode recuperar a qualidade das águas, considerando-se que as novas águas que virão a atingir o lago já estejam despoluídas. Esta medida está associada a cuidados especiais com a (eventual) vida aquática existente, principalmente a ictiofauna.
- Em áreas/zonas específicas de grandes ou médios lagos, e até mesmo em estuários, cujos sedimentos de fundo causam ou agravam a contaminação presente na água. Este procedimento também é utilizado para remediação de ambientes lóticos, mas, neste caso, está principalmente associado à recuperação da seção/capacidade de escoamento.

A remoção por dragagem de sedimentos poluídos envolve alguns cuidados:

- A dragagem deve ser executada com o mínimo revolvimento do fundo para evitar possíveis impactos de poluentes ressuspensos.
- O material dragado deve ser depositado em local adequado e o seu deságue, via de regra contaminado, deve ser adequadamente tratado, mesmo que venha a ser devolvido para a própria zona de dragagem.
- Os resíduos sólidos resultantes devem ter sua disposição final em aterros especiais.

Assim, a dragagem é uma medida com elevado custo e muito variável em função dos condicionantes de cada caso.

24.4.2 Mantas/Cortinas Separadoras

Trata-se de uma separação física de linhas/zonas de fluxo que, embora não totalmente impermeável, permite, de modo significativo e eficiente, a separação de zonas dentro do ambiente lêntico considerado, preservando ou recuperando – prioritariamente – uma delas.

Este procedimento teve início com a proteção de ambientes externos às zonas de dragagem e, em face aos resultados apresentados, foi estendido para permitir criar verdadeiros "rios" de qualidade e mesmo sentido predominante de fluxo. Seu uso mais frequente é o "isolamento" de braços (ainda de boa qualidade) com relação às águas que transitam pelo corpo central de um lago ou reservatório, ou, dentro da mesma linha, a segregação de trechos selecionados para remediação complementar.

Os investimentos envolvidos são relativamente baixos e podem apresentar uma relação benefício-custo bastante interessante. Os custos de operação e manutenção também não são elevados, mas, dependendo do caso, podem exigir uma presença (náutica) constante para a abertura/fechamento de passagem para embarcações em pontos e/ou horários preestabelecidos.

24.4.3 Remoção de Algas e Macrófitas

A remoção mecânica (simples retirada) das algas ou macrófitas é tecnicamente simples, mas se torna mais complexa quando há grandes extensões/áreas ocupadas por essas comunidades biológicas. Dessa forma, o processo pode se tornar oneroso em face aos equipamentos necessários (já que ainda se trata, afinal, de uma dragagem da superfície) e às áreas demandadas para a disposição final da biomassa removida. A eficácia da medida é baixa, uma vez que não inibe a reaparição ou desenvolvimento de novas florações e proliferações, mas o uso das algas ou macrófitas removidas pode ser implementado, aproveitando-se a biomassa, por exemplo, para transformação em diversos tipos de rações ou preparo de adubo orgânico por compostagem. No entanto, o procedimento de remoção mecânica, usualmente, é mais emergencial do que sistemático.

24.4.4 Aeração e Oxigenação

A aeração e a oxigenação do hipolímnio e/ou a aeração/circulação artificial em lagos é possivelmente a medida mais eficaz para a sua recuperação e prevenção de degradação. Embora considerada aqui no rol das medidas ditas "físicas" ou "mecânicas", abrange também a atuação no campo das medidas químicas e biológicas em face dos efeitos obtidos, já que a movimentação da coluna de água pode ocasionar efeitos benéficos (por exemplo, dificultar o desenvolvimento das algas).

Sem aeração, um lago antropicamente impactado passa por um ciclo de envelhecimento e degradação. Isso pode ser minimizado com uma simples aeração. A aeração oxida a matéria orgânica, pode melhorar a transparência da água, reduzir os odores do gás sulfídrico (H_2S) e das mercaptanas, controlar o lodo do fundo do sistema aquático e reduzir significativamente a proliferação de algas.

Enquadram-se no rol dos aeradores desde geradores de nanobolhas, até os grandes aeradores e circuladores de água, instalados na superfície de grandes lagos e que têm uma área de influência que chega a vários hectares ($\sim$20 ha). Estes últimos se tornaram viáveis a partir da utilização de energia solar para o acionamento dos equipamentos.

24.4.5 Algicidas e Precipitadores

A aplicação direta de algicidas, entre os quais um dos mais comumente utilizados é o sulfato de cobre ($CuSO_4$), embora eficiente em situações emergenciais, tem a desvantagem de um tempo de ação muito reduzido (devido a sua rápida precipitação). Isso requer, na prática, aplicação de maiores volumes do algicida, o que pode trazer efeitos colaterais indesejáveis, tais como: ação tóxica para a vida aquática no entorno, acúmulo (no fundo) de poluentes precipitados, degradação de algas mortas e não removidas, risco à segurança de mananciais de água potável, efeito corrosivo em contato com outros metais, além de riscos à saúde dos aplicadores.

Os principais inconvenientes da aplicação de sulfato de cobre estão relacionados com seu efeito temporal restrito (normalmente os resultados duram dias, com reaparecimento das algas, caso as fontes de nutrientes não sejam eliminadas), os custos elevados e os prejuízos a organismos não alvo, como os peixes, e a acumulação nos sedimentos, como já foi observado na represa Guarapiranga, em São Paulo (Sáfadi & Beyruth, 1998; Beyruth, 2000).

Além disso, a lise celular das algas e cianobactérias, motivada pela aplicação do sulfato de cobre, pode ocasionar a liberação de substâncias tóxicas (Gadd, 1988). Assim, a exposição a toxinas produzidas por cianobactérias (Capítulo 8) pode trazer sérios prejuízos à saúde humana e a produção de tais toxinas tem sido associada não apenas à senescência natural das cianobactérias, mas também ao uso indiscriminado de algicidas (Bourke et al., 1983; Carmichael & Falconer, 1993; Jochimsen et al., 1998; Beyturh, 2000).

O uso de precipitadores de microalgas e nutrientes, por sua vez, é uma técnica que vem sendo preferida à aplicação de algicidas, como o sulfato de cobre ou o peróxido de hidrogênio. O produto mais comumente utilizado é o policloreto de alumínio (PAC), que não apresenta efeitos danosos como o sulfato de cobre, embora ainda haja incertezas em relação às consequências do aumento da disponibilização do alumínio em sistemas aquáticos, sobretudo em mananciais de abastecimento de água. Saliente-se ainda que, em grandes lagos, a aplicação exige uma infraestrutura náutica e de monitoramento bastante onerosa.

24.5 O PROBLEMA DE SEMPRE: E OS LODOS?

A disposição final de resíduos oriundos dos processos de remediação abordados neste capítulo, traduz-se, atualmente, em um dos problemas mais graves a serem equacionados – de modo sustentável – em um sistema de tratamento e/ou de remediação de sistemas aquáticos contaminados.

Não se deve resolver um problema criando outro, tão (e por vezes mais) impactante ao meio ambiente do que o que foi resolvido. A solução usual para o lodo gerado – remoção, deságue e disposição em aterros –, além de onerosa, causa impactos ao meio ambiente e exacerba os já tão graves problemas da disposição final de resíduos sólidos das áreas urbanas e da carência de locais adequados para a instalação de novos aterros. Assim, devem ser buscadas soluções que minimizem os volumes de resíduos e seu potencial poluidor e, principalmente, que permitam a reciclagem e/ou reaproveitamento destes resíduos.

Deve-se observar que a qualidade dos resíduos/rejeito/lodos é bastante variável, pois depende da contaminação do meio que foi remediado, mas, via de regra, situa-se "entre" a qualidade dos lodos de uma ETA e a qualidade dos lodos de uma ETE. Não se aponta, pois, para nenhuma solução, apenas se destaca o problema, cuja solução deve **integrar** a solução de remediação adotada, e não ser deixada para "resolver depois", uma vez que pode até inviabilizar a solução de tratamento/remediação proposta.

REVISÃO DOS CONCEITOS APRESENTADOS

- A remediação de sistemas aquáticos se refere a um conjunto de medidas empregadas para minimizar ou eliminar a contaminação efetiva ou potencial de rios, lagos, reservatórios e demais corpos de água.
- As matas ciliares e as *wetlands* construídas são alternativas que representam uma barreira ao aporte de poluente aos cursos de água. Existem *wetlands* com plantas emergentes, com plantas flutuantes e com solos filtrantes.
- A concepção do tratamento *in situ* surgiu da ideia de aproveitar o próprio leito dos cursos de água para a implantação de um sistema de tratamento. Tal concepção é interessante à medida que dispensa grande parte dos mecanismos de bombeamento, necessários em tecnologias de tratamento *ex situ*, e minimiza dificuldades na busca por espaço para construção de estruturas, já que a área requerida é menor.
- A flotação e as membranas em fluxo são tecnologias viáveis e cada vez mais atraentes para a remediação de cursos de água poluídos, sobretudo os situados em regiões densamente povoadas e urbanizadas.
- Os remediadores (químicos, físico-químicos e estimuladores), incluindo-se os processos oxidativos avançados, também podem atuar, por meio de mecanismos físicos, químicos e biológicos, dependendo do remediador, na recuperação de sistemas aquáticos antropicamente contaminados.
- Especificamente para sistemas lênticos (lagos e reservatórios), medidas emergenciais (e paliativas) de dragagem de sedimentos, remoção de algas/macrófitas e aplicação de algicidas podem ser necessárias. Além disso, a instalação de cortinas separadoras e de mecanismos de aeração/circulação artificial pode ser conveniente.
- A destinação ambientalmente adequada de todo e qualquer resíduo gerado pelas inúmeras técnicas de remediação deve ser contemplada já na fase de análise da viabilidade da proposta de remediação considerada. Não se deve resolver um problema e se criar outro. A geração de resíduos deve ser minimizada e, quando gerados, esses materiais devem ser reciclados e reaproveitados sempre que possível.

SUGESTÕES DE LEITURA COMPLEMENTAR

- CUNHA, D.G.F., GRULL, D., DAMATO, M. et al. (2010) On site flotation for recovering polluted aquatic systems: is it a feasible solution for a Brazilian urban river? *Water Science and Technology*, v. 62, p. 1603-1613.
- PODELLA, C.W., HOOSHNAM, N., KRASSNER, S.M., GOLDFELD, M.G. (2009) Yeast protein-surfactant complexes uncouple microbial electron transfer and increase transmembrane leak of protons. *Journal of Applied Microbiology*, v. 106, p. 140-148.
- PODELLA, C.W., BALDRIDGE, J. (2005) Changing the natures of surfactants. *Industrial Biotechnology*, v. 1, n. 4, p. 288-291.
- POMPÊO, M. (2008) Monitoramento e manejo de macrófitas aquáticas. *Oecologia Brasiliensis*, v. 12, n. 3, p. 406-424.
- TEIXEIRA, C.P.A., JARDIM, W.F. (2004) *Processos Oxidativos Avançados – Conceitos teóricos*. Disponível em: <http://lqa.iqm.unicamp.br/cadernos/caderno3.pdf>. Acesso: abril 2018.
- VON SPERLING, M. (2011) *Introdução à qualidade das águas e ao tratamento de esgotos*. Belo Horizonte UFMG, 452p.

Referências

ALHESHIBRI, M., QIAN, J., JEHANNIN, M., CRAIG. V.S.J. (2016) A History of Nanobubbles. *Langmuir*, v. 32, n. 43, p. 11086-11100.

BREGA FILHO, D. (1998) Reabilitação, expansão e conservação do manancial Baixo Cotia na Região Metropolitana de São Paulo, Brasil. Congreso Interamericano de Ingeniería Sanitaria y Ambiental, 26 (AIDIS 98), Lima, 1-5 nov.

BEYRUTH, Z. (2000) As Algas e a Previsão da Qualidade Ambiental – Represa do Guarapiranga". XXVII Congreso Intera-mericano de Ingenieria Sanitaria y Ambiental. Las Américas y la Acción por el Medio Ambiente en el Milenio. Porto Alegre, RS. CDROM, II-036 (Doc. 512).

BURKE, V., GRACEY, M., ROBINSON, J., PECK, D., BEAMAN, J., BUNDELL, C. (1983) The microbiology of childhood gastroenteritis: Aeromonas species and other infective agents. *Journal of Infectious Diseases*, v. 148, p. 68-74.

CARMICHAEL, W.W., FALCONER, I.R. (1993) Diseases related to freshwater blue-green algal toxins, and control measures. In: FALCONER, I.R. (editor). *Algal toxins in seafood and drinking water*. Cambridge: Academic Press, 224p.

GADD, G. (1988) Accumulation of metals by microorganisms and algae. In.: REHM, H.J. *Biotechnology – a comprehensive treatise*. Special Microbial Processes. V.H.C. Verlagsgesellschaft, Volume 6.

JOCHIMSEN, E.M., CARMICHAEL, W.W., NA, J. et al. (1998) Liver failure and death following exposure to microcrystal toxins at a hemodiálisis center in Brasil. *The New England Journal of Medicine*, v. 36, p.373-378.

SABESP. (1997) *Projeto de reabilitação, expansão e conservação do Baixo Cotia*. Relatório Conclusivo – FBDS/ SABESP.

SÁFADI, R.S., BEYRUTH, Z. (1998) Heavy metals, organochlorine pesticide and microbiological contamination in fishes from Guarapiranga reservoir., SP. *Verh. int. Ver. Limnol*. Abstracts. 1p.

SISTEMAS DE INFORMAÇÕES GEOGRÁFICAS APLICADOS À ENGENHARIA AMBIENTAL

25

Oswaldo Augusto Filho

São abordados neste capítulo: um breve histórico dos programas computacionais denominados Sistemas de Informação Geográfica – SIG; alguns princípios da cartografia e o SIG; os componentes básicos da arquitetura moderna de um SIG; tipos de dados, sua aquisição e preparação em ambiente de SIG (CAD, Sensoriamento Remoto, Banco de Dados); as funções e as ferramentas de análise espacial disponíveis no SIG; os Modelos Digitais de Terreno – MDT e sua importância nos projetos de SIG; e os princípios gerais de estruturação de projetos e modelos em SIG. Cada aspecto conceitual apresentado é ilustrado, sempre que possível, com casos práticos desenvolvidos no âmbito dos diferentes instrumentos de gestão e das ações mitigadoras de impactos ambientais.

25.1 INTRODUÇÃO

Os profissionais formados em Engenharia Ambiental devem estar familiarizados com os métodos e as técnicas de análise espacial, que são componentes fundamentais em todas as atividades relacionadas com os instrumentos de gestão ambiental, sejam os vinculados aos diferentes tipos de empreendimentos (avaliação de impacto ambiental, recuperação de áreas degradadas, monitoramento ambiental, investigação do passivo ambiental, análise de riscos ambientais, entre outros), sejam os voltados à gestão ambiental de diferentes regiões fisiográficas, como bacias hidrográficas, unidades de conservação, áreas costeiras e cidades.

Atualmente, os Sistemas de Informação Geográfica (SIG), mais do que programas computacionais de elaboração de mapas, constituem poderosas ferramentas para o gerenciamento e a análise de informações de qualquer natureza que sejam dependentes da sua localização (informação espacial ou geográfica).

O SIG é uma **ferramenta tecnológica** para o desenvolvimento de abordagens críticas para compreender, representar, gerenciar e comunicar os vários aspectos das paisagens naturais e humanas, e para a melhor compreensão da Terra como um sistema ambiental. O SIG possibilita que o conhecimento e o intercâmbio destas informações de natureza espacial e que os conceitos sobre o nosso mundo sejam compartilhados utilizando diferentes formas abstratas, tais como mapas, imagens, gráficos, símbolos, textos, representações matemáticas e estatísticas, animações/vídeos e sons.

Tanto tarefas simples quanto as mais complexas do dia a dia do engenheiro ambiental, como traçar Áreas de Proteção Permanente (APP) associadas aos recursos hídricos ou classes de declividade (ver Capítulo 28), elaborar diferentes perfis topográficos de ramais de adução ou de esgotamento sanitário, desenvolver modelos e cenários de dispersão de poluentes em recursos hídricos subterrâneos, escolher traçados de obras lineares com menores custos ambientais, ficam facilitadas e otimizadas com a utilização do SIG (Figura 25.1).

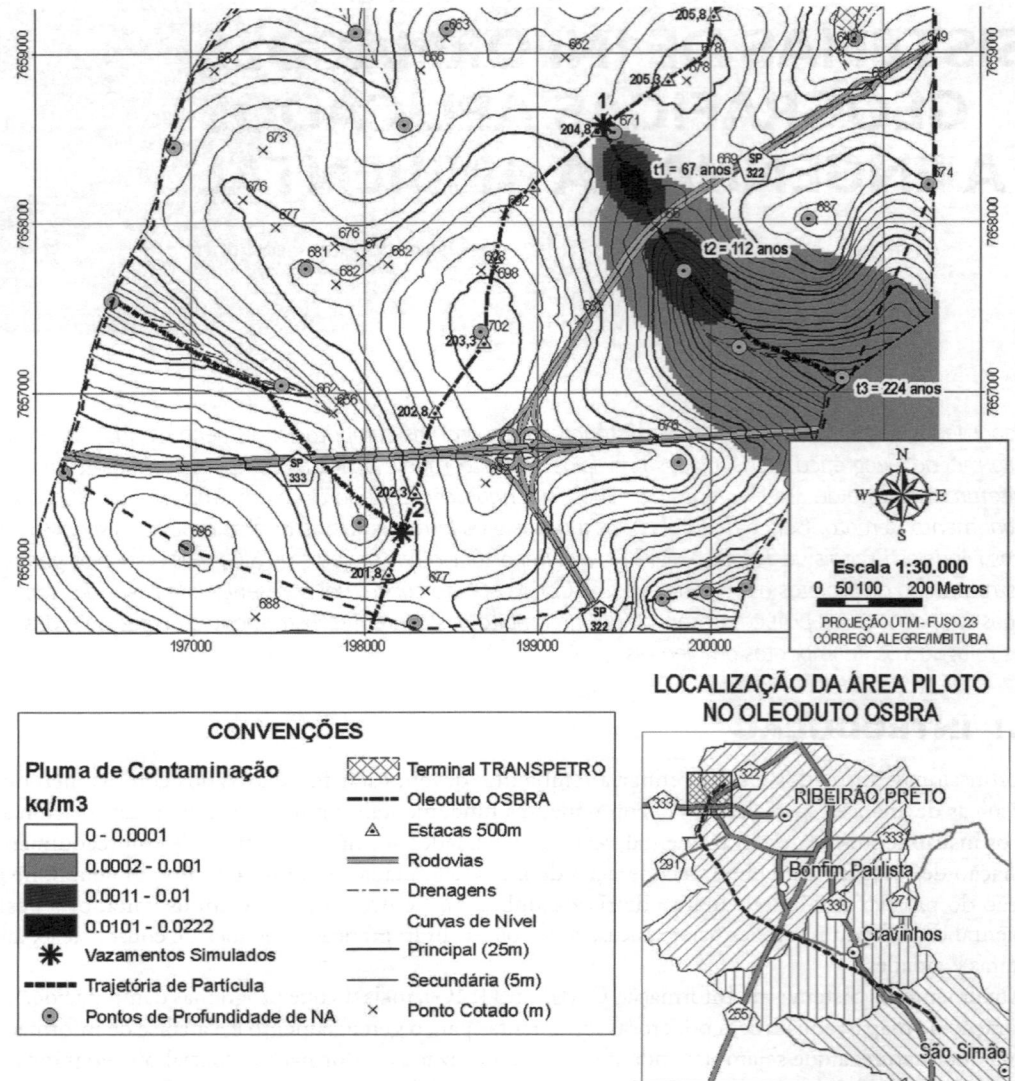

FIGURA 25.1 Modelagem de pluma de contaminação em SIG. *Fonte: Oliveira e Augusto Filho (2008).*

25.2 BREVE HISTÓRICO DO SIG

O SIG pode ser considerado uma tecnologia bem recente, com rápido desenvolvimento teórico e tecnológico associado à evolução geral da engenharia da computação. A diversidade de aplicações (usuários) induz denominações e conceitos sobre SIG com enfoques variados.

Entre as diversas definições propostas para SIG (em inglês, GIS – *Geographic Information System*) na literatura atual, adotaremos como referência geral neste texto a proposta por ESRI (1997): "*Conjunto composto de computador, programas, dados geográficos e pessoal com capacidade de capturar, armazenar, atualizar, analisar e apresentar todas as formas de informações geograficamente referenciadas*". A Tabela 25.1 apresenta um breve histórico da evolução do SIG até chegar as suas configurações e arquiteturas atuais.

A introdução do geoprocessamento no Brasil iniciou-se a partir do esforço de divulgação e formação de pessoal feito pelo professor Jorge Xavier da Silva (UFRJ), no início dos anos 1980. A visita ao Brasil em 1982 do Dr. Roger Tomlinson, responsável pela criação do primeiro *Canadian Geographical Information System* formal (SIG), incentivou o aparecimento de vários grupos interessados em desenvolver a tecnologia.

TABELA 25.1	Breve histórico do desenvolvimento do SIG
Período	**Desenvolvimento do SIG**
Séculos XVIII–XIX	Raízes do SIG com a consolidação da Cartografia como ciência moderna e elaboração dos primeiros mapas com bases técnicas e científicas.
Anos 1940	Aparecimento dos primeiros computadores eletrônicos e consolidação das ciências da computação. Possibilidade de manipulação de grandes quantidades de dados.
Anos 1960	Em 1962, é lançado o *Canadian Geographic Information System – CGIS*, considerado o primeiro SIG formal moderno. Projetado para atender a várias aplicações: armazenar mapas em formato digital com atributos do uso e cobertura do solo do Canadá; reclassificar os atributos; mudar a escala de apresentação; realizar operações de superposição de polígonos; criar polígonos; gerar relatórios.
Anos 1980 a 2000	Início de um período de acelerado crescimento da tecnologia de sistemas de informação geográfica que dura até os dias de hoje. Redução dos custos dos equipamentos e aumento da quantidade de pesquisa específica sobre o tema, massificação do SIG, causada pelos avanços da microinformática e pelo estabelecimento de centros de estudos sobre o assunto.
	Nos Estados Unidos, a criação dos centros de pesquisa que formam o *National Centre for Geographical Information and Analysis* (*NCGIA*) marca o estabelecimento do Geoprocessamento como disciplina científica independente.
	Grande popularização e barateamento das estações de trabalho gráficas, além do surgimento e da evolução dos computadores pessoais e dos sistemas gerenciadores de bancos de dados relacionais, gerando uma grande difusão do uso de SIG. A incorporação de muitas funções de análise espacial proporcionou, também, um alargamento do leque de aplicações do SIG.
Atual (2001 em diante) (Século XXI)	Observa-se um grande crescimento do ritmo de penetração do SIG nas organizações, sempre alavancado pelos custos decrescentes dos equipamentos e dos programas e, também, pelo surgimento de alternativas menos custosas para a construção de bases de dados geográficas.

Fonte: Câmara & Davis (2009).

O Instituto Nacional de Pesquisas Espaciais (INPE) tem papel fundamental na consolidação do uso do SIG em nosso território. A partir de 1991, foi desenvolvido o Sistema para Processamento de Informações Geográficas (Spring) inicialmente para o ambiente Unix, e posteriormente para o sistema MS/Windows. O SPRING unifica o tratamento de imagens de sensoriamento remoto (ópticas e micro-ondas), mapas temáticos, mapas cadastrais, redes e modelos numéricos de terreno, além de ser um SIG com licença livre, facilitando sua disseminação no meio acadêmico e profissional.

25.3 PRINCÍPIOS DA CARTOGRAFIA E SIG

A utilização correta do SIG demanda o conhecimento de alguns princípios básicos da engenharia cartográfica, com destaque para os sistemas de projeção. O entendimento das principais características dos sistemas de projeção cartográfica é fundamental para a estruturação de bases de dados digitais adequadas e o controle do erro.

Ressalta-se que a estruturação da base de dados demanda, em geral, a maior parte do tempo e dos recursos totais envolvidos no desenvolvimento de um projeto de SIG. Além disso, a qualidade de todas as análises e dos planos de informação gerados posteriormente depende diretamente da elaboração adequada da base de dados.

Geodésia é a ciência que se dedica à determinação da forma, das dimensões e da distribuição do campo gravitacional da Terra. Geoide é a forma real da Terra, que pode ser descrita como uma esfera achatada nos polos e intumescida no Equador. O elipsoide de revolução biaxial é a forma geométrica (matemática) que melhor se ajusta a esta forma real da Terra, sendo o elemento básico dos sistemas de projeção cartográfica. Cada país adota o elipsoide que melhor caracteriza a posição geográfica em que se encontra e este é denominado elipsoide de referência.

O Sistema Geodésico Brasileiro (SGB) utiliza o elipsoide de referência Internacional e marcos (pontos) geodésicos implantados na porção da superfície terrestre delimitada pelas fronteiras do país. Os Estados Unidos utilizam o elipsoide de referência Clark para os sistemas de projeção cartográfica do seu território. Outro importante elipsoide de referência é o *World Geodetic System* – WGS84 (Sistema Geodético Mundial), obtido por técnicas de medição bem precisas, para poder ser utilizado em qualquer parte do globo terrestre. Esse elipsoide é utilizado, inclusive, pelos aparelhos de *Global Positioning System* – Sistema de Posicionamento Global (GPS). A Tabela 25.2 resume as principais características dos dois tipos de sistemas de projeção cartográfica mais utilizados nos projetos de SIG.

Tabela 25.2	Principais características dos sistemas de projeção cartográfica mais utilizados em projetos de SIG
Sistema de projeção	**Principais características**
Geográfico	As coordenadas geográficas são constituídas por meridianos e paralelos que formam uma rede de **coordenadas esféricas** sobre a superfície da Terra. Utiliza-se sistema sexagesimal (1 grau = 60 minutos = 3.600 segundos).
	Paralelos são linhas que unem os pontos de mesma latitude. Meridianos são linhas que unem os pontos de mesma longitude. Latitude é a posição a norte ou a sul do Equador, que é o grande círculo que divide a Terra em dois hemisférios iguais (Equador = 0°; Polos = 90°). Longitude é a posição a leste e a oeste (até 180°) do meridiano referencial de *Greenwich* – Inglaterra (0°).
	Por convenção, as coordenadas geográficas são positivas para cima do Equador e a Leste de Greenwich, e negativas abaixo do Equador e a oeste de Greenwich (Figura 25.2).
Universal Transversa de Mercator (UTM)	Possibilita a correspondência matemática entre coordenadas esféricas e coordenadas plano-retangulares. No caso do sistema UTM, a representação da superfície curva terrestre é feita sobre planos gerados a partir de cilindros transversos e secantes ao elipsoide (projeção cilíndrica transversal, Figura 25.3).
	Os limites da projeção UTM são as latitudes 80 °S e 80 °N, acima das quais as deformações são muito acentuadas. Dentro destes limites, o sistema é composto pela planificação de 60 cilindros, formando retângulos com dimensões de 6° (longitude) por 4° (latitude), que são denominados fusos (Figura 25.4).
	O sistema UTM é conforme, os ângulos das figuras representadas não se modificam e, portanto, a forma é preservada e é fácil a obtenção das medidas de distância. A rede de coordenadas UTM são linhas retas ortogonais espaçadas regularmente (metros ou quilômetros).

Fonte: Silva (1999).

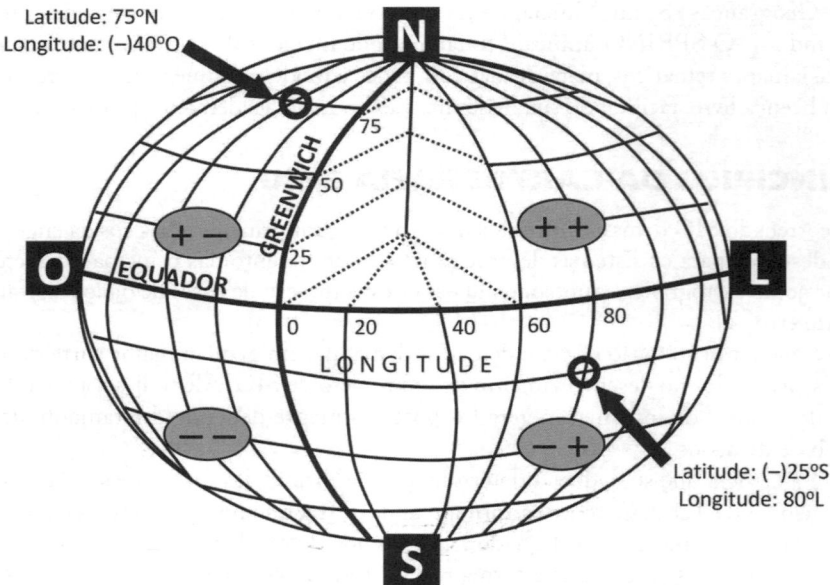

Figura 25.2 Ilustração de coordenadas no sistema de projeção geográfico.

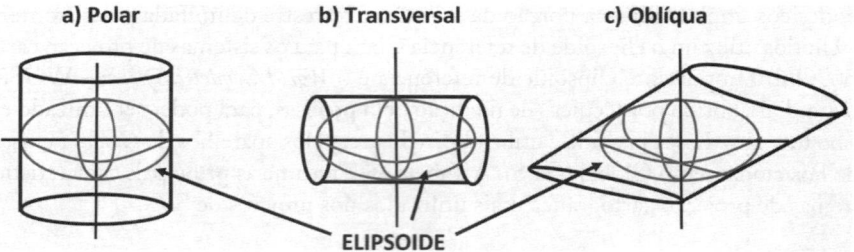

Figura 25.3 Sistemas de projeção cilíndrica (destaque para a transversal – UTM).

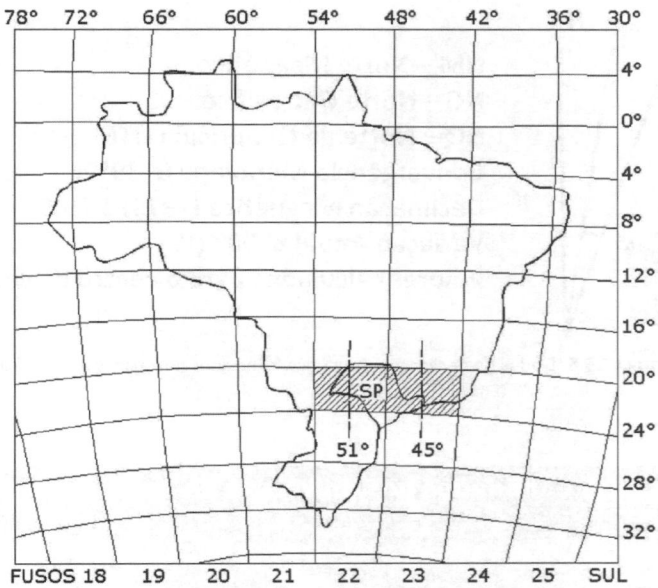

Figura 25.4 Fusos do sistema UTM no território brasileiro. Destaque para os fusos 22 e 23 no estado de São Paulo, com os respectivos meridianos centrais.

Outro aspecto importante relativo aos sistemas de projeção cartográfica é o *datum*. Ele é o marco físico no território que representa o ponto ou plano de referência horizontal e vertical para as projeções cartográficas. No Brasil, os mapas topográficos utilizam dois *datums* horizontais. Até 1979, foi utilizado o *datum* Córrego Alegre, localizado em Uberaba (MG). Após 1979, passou-se a utilizar o *South American Datum – 69* (*datum* SAD-69), localizado no vértice Chuá (MG). O *datum* vertical utilizado (marégrafo: registrador de marés) está localizado em Imbituba (SC).

Desde 25 de fevereiro de 2015, o SIRGAS2000 (Sistema de Referência Geocêntrico para as Américas) passou a ser adotado como o sistema geodésico de referência no Brasil. Os sistemas de projeção com datum Córrego Alegre e SAD-69 são topocêntricos, ou seja, seus pontos de origem e orientações estão na superfície terrestre. O sistema SIRGAS2000 é geocêntrico, com um referencial que tem a origem dos seus três eixos cartesianos localizada no centro de massa da Terra. As redes de referência que materializam esses sistemas também foram determinadas com técnicas de posicionamento diferentes. Enquanto no caso do Córrego Alegre e SAD-69 foram utilizadas as técnicas de triangulação e poligonação, no SIRGAS2000 foram empregados os sistemas globais de navegação (posicionamento) por satélites.

A conversão de coordenadas geográficas para UTM e vice-versa, operação frequente nos projetos de SIG, demanda o conhecimento dos *datums* e dos fusos UTM dos mapas topográficos utilizados, a fim de evitar a geração de erros grosseiros nestas mudanças entre os sistemas de projeção.

O campo magnético da Terra sofre variações diárias, anuais e de longos intervalos de tempo (vários milhares de anos). Estas variações em intervalos mais longos de tempo incluem a inversão de polaridade do campo. A declinação magnética no mapa topográfico representa a diferença entre o norte verdadeiro (magnético), o norte geográfico (intersecção entre o eixo de rotação da Terra e a sua superfície) e o norte da quadrícula UTM (coordenadas planas). Os mapas topográficos trazem esta informação, bem como a variação anual do campo magnético na região para permitir a correção das medidas realizadas com bússola nos levantamentos de campo (estruturas geológicas, por exemplo) e o seu lançamento adequado na base cartográfica elaborada em SIG (Figura 25.5).

Por fim, o correto entendimento do conceito de escala dos dados espaciais é fundamental para o desenvolvimento adequado de um projeto de SIG. Os dados espaciais, na maioria das vezes, são representados em dimensões menores que aquelas do mundo real. O conceito de escala foi introduzido na cartografia para que estes dados espaciais reproduzam e representem o mundo real de forma adequada em termos de dimensões. A escala representa a razão entre a unidade linear no universo da representação (mapa, projeto de SIG) e no universo real (Tabela 25.3). A utilização da escala gráfica (Figura 25.6) é importante nas saídas impressas dos projetos de SIG, pois permite correções das dimensões originadas por eventuais distorções na impressão, ou mudanças na área do meio impresso (dilatação e contração do papel, por exemplo).

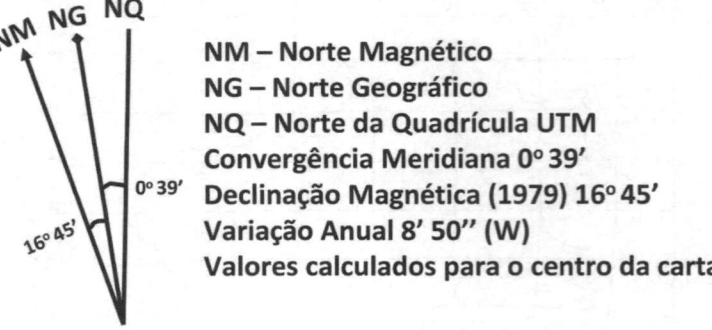

NM – Norte Magnético
NG – Norte Geográfico
NQ – Norte da Quadrícula UTM
Convergência Meridiana 0° 39'
Declinação Magnética (1979) 16° 45'
Variação Anual 8' 50'' (W)
Valores calculados para o centro da carta

FIGURA 25.5 Dados de declinação magnética fornecidos nos mapas topográficos.

TABELA 25.3 Escalas e unidades nos universos da representação (mapa) e real

Escala	Unidades	
	Representação (Mapa)	Real
1:100.000	1	100.000
1:10.000	1	10.000
1:1.000	1	1.000

ESCALA 1:50.000

1000 m   1000   2000   3000 m

FIGURA 25.6 Exemplo de escala gráfica.

25.4 ARQUITETURA DO SIG MODERNO

Atualmente, existe uma grande diversidade de programas de SIG disponíveis no mercado. Porém, é possível estabelecer um conjunto de características comuns a todos eles, entre as quais se destacam: utilizam meios digitais; necessitam de uma base de dados integrada, georreferenciada e com controle do erro; contêm funções de análise desses dados; realizam operações algébricas simples, complexas e lógicas (igual a, maior que, pertence a, entre outras); e estão relacionados com outras técnicas e tecnologias digitais e computacionais (banco de dados, desenho digital, sensoriamento remoto etc.).

Pode-se apontar uma estrutura geral para estes programas com os seguintes componentes principais: banco de dados espacial e de atributos; sistema de representação cartográfica; sistema de digitalização de mapas; sistema de gerenciamento de dados; sistema de análise geográfica; sistema de processamento de imagens; sistema de análise estatística (Figura 25.7).

Os programas de SIG podem realizar diversas análises e pesquisas espaciais devido, basicamente, à referência geográfica e ao armazenamento da topologia dos dados espaciais. Define-se topologia como o conjunto de informações implícitas sobre as relações espaciais de um objeto dentro de um projeto de SIG (exemplos: geometria do objeto, sentido de fluxo, entre outros).

Outra característica básica destes programas é sua natureza dual, que utiliza um banco de dados relacional (tabelas nas quais as linhas e as colunas contêm, respectivamente, os dados e os seus atributos) para armazenar as informações convencionais dos objetos geográficos e arquivos para guardar as representações geométricas destes objetos.

Os programas atuais de SIG, em geral, também têm uma estrutura modular, que permite sua aquisição e montagem conforme os interesses específicos do usuário. Além disso, é possível desenvolver interfaces personalizadas (menus) para usuários não especialistas, com o desenvolvimento de programas e aplicações próprias utilizando linguagens de programação externas (por exemplo, *Visual Basic*) ou internas ao SIG (*Avenue*, Legal, entre outras).

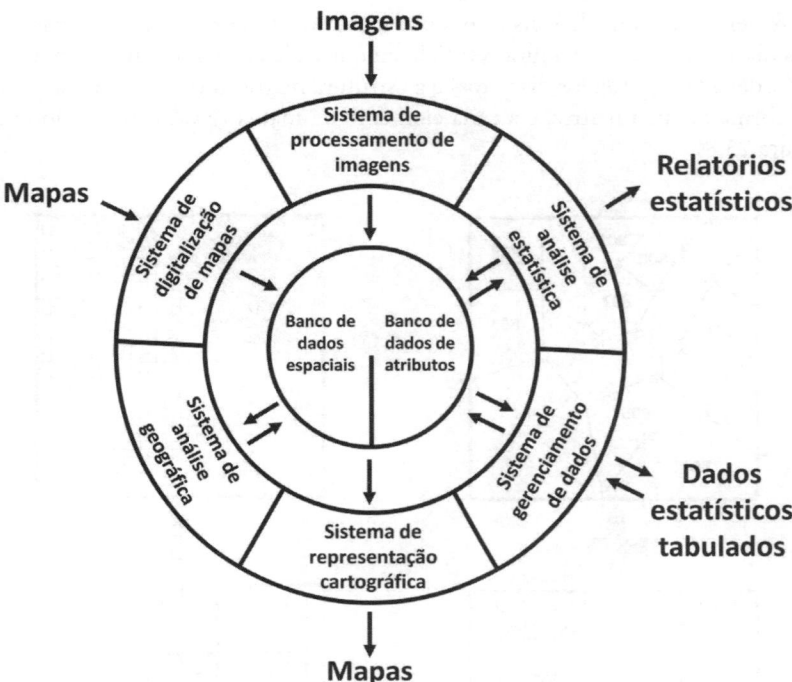

FIGURA 25.7 Arquitetura, saídas e entradas típicas de um SIG atual. *Fonte: Eastman (1992).*

25.5 TIPOS DE DADOS EM SIG

Dentro de um ambiente de SIG, as descrições dos fenômenos reais podem ser arquivadas ora como dados, ora como informações. Dentro desse contexto, considera-se dado como o conjunto de valores numéricos ou não que corresponde à descrição de fatos do mundo real. A informação é definida como o dado ou conjunto de dados que possui um significado específico para uma determinada aplicação ou uso, ou seja, agrega algum tipo de interpretação.

Os dados podem ser classificados como primários, quando são obtidos por medidas executadas diretamente em levantamentos de campo, utilizando técnicas de sensoriamento remoto ou ensaios de campo e de laboratório (levantamentos topográficos, GPS, imageamento, análises químicas), ou como secundários quando são derivados de mapas, planos de informação ou banco de dados pré-existentes (mapa de declividade, direção de vertentes).

Dados (ou informações) espaciais (geográficos) são definidos por coordenadas x, y e, eventualmente, coordenadas z, em um determinado sistema de projeção cartográfica (geográfico, UTM) e com determinada precisão. Possuem dependência espacial, ou seja, a localização pode influenciar os atributos da variável analisada. Como exemplos, é possível citar as cotas altimétricas, os teores (ou concentrações) químicos, entre outros. Os dados espaciais podem ser codificados por dois tipos principais de representações. Na analógica, a disposição das entidades espaciais é feita em papel (mapas, cartogramas). Na digital, a disposição das entidades espaciais é feita em formato numérico ou binário (computacional). Os dados espaciais em mapas analógicos (impressos) necessitam de procedimentos específicos para serem transformados em formato digital. Estes procedimentos são denominados captura de dados.

O entendimento das representações computacionais do espaço utiliza um arcabouço conceitual baseado na definição de quatro "universos": **universo do mundo real**, que inclui as entidades da realidade a serem modeladas no sistema; **universo matemático** (conceitual), que inclui uma definição matemática (formal) da(s) entidade(s) a ser(em) representada(s); **universo de representação**, em que as diversas entidades formais são mapeadas para representações geométricas e alfanuméricas no computador; **universo de implementação**, em que as estruturas de dados e os algoritmos são escolhidos, baseados em considerações como desempenho, capacidade do equipamento e tamanho da massa de dados. É neste nível que acontece a codificação (Câmara & Davis, 2009).

No universo conceitual (matemático), são distinguidas duas grandes classes formais de dados espaciais: **dados contínuos** (limites graduais) e **objetos discretos** (limites definidos). Estas duas classes comportam os tipos de dados espaciais utilizados comumente em projetos com SIG (temáticos, cadastrais, modelos numéricos de terreno, imagens de sensoriamento remoto). A representação destas duas classes de dados espaciais digitais utiliza a estrutura vetorial, em que cada elemento é representado por uma lista ordenada de coordenadas x, y (dados discretos) e a estrutura matricial (*raster*), em que os elementos são codificados na forma de uma matriz, e a cada elemento da malha (*grid*) é atribuído um valor (dados contínuos, Figura 25.8).

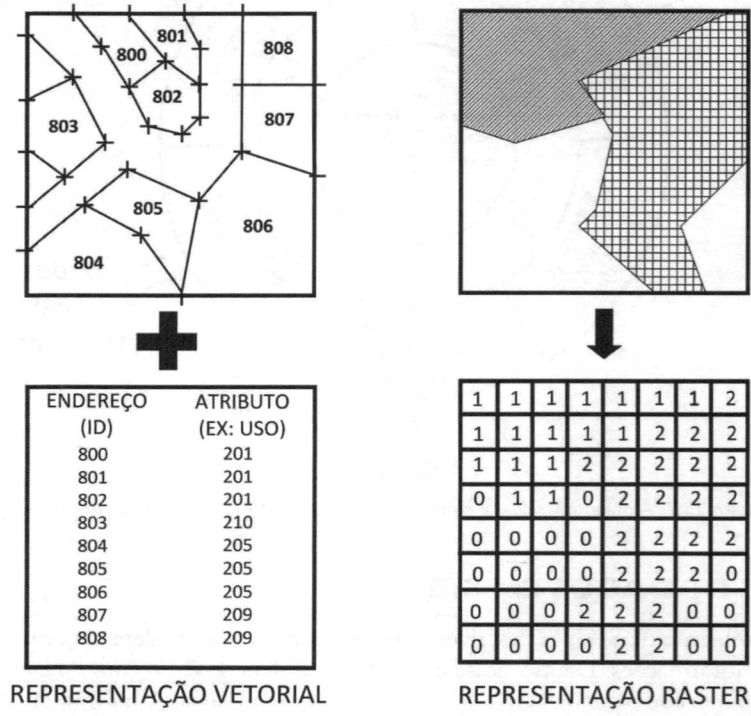

REPRESENTAÇÃO VETORIAL   REPRESENTAÇÃO RASTER

FIGURA 25.8 Tipos básicos de estrutura de dados digitais em SIG. *Fonte: Eastman (1992).*

Os dados espaciais, abrangendo objetos ou condições do mundo real, podem ser representados através dos seguintes elementos geométricos básicos: **pontos**, que são adimensionais e representados por uma única coordenada; **linhas** (arcos), que são unidimensionais e formadas por uma sequência de pontos conectados; **nós**, que são pontos que representam a intersecção de duas ou mais linhas; **polígonos**, que são áreas delimitadas por uma sequência de linhas que não se cruzam e se encontram em um único nó (bidimensionais); e **cadeias**, que são conjuntos de linhas que representam os limites de um polígono (Figura 25.9).

Em geral, em um projeto de SIG, há a necessidade de converter dados no formato *raster* para vetorial e vice-versa. Exemplos: Planta topográfica escanerizada (*raster*) => vetorização das curvas de nível e drenagens (vetor, linhas) e pontos cotados (vetor, pontos). Vetores => Interpolação => Modelo Digital do Terreno – MDT (*raster*) => Criação de linhas de contorno do MDT (vetor).

A conversão vetorial para *raster* é conceitualmente simples, porém acarreta algumas dificuldades práticas. Na conversão de pontos (vetorial) em *raster*, por exemplo, o *grid* (pixel, em imagens) correspondente no formato *raster* terá as coordenadas geográficas no seu centro e será codificado com o atributo do ponto. Desta forma, pode ocorrer um deslocamento na coordenada original do ponto. Dependendo do espaçamento do *grid*, pontos muitos próximos poderão ser perdidos (mesmo pixel). Para linhas e polígonos no formato vetorial, a conversão para *raster* acarreta o efeito escada.

A princípio, quanto menor for tamanho da célula do arquivo matricial (*raster*), mais precisa será a conversão. Porém, *grids* muito pequenos podem aumentar significativamente o tempo do processamento de dados, tornando inviável o desenvolvimento de análises espaciais em escalas de detalhe e áreas de estudo de grande porte.

Como regra geral de procedimento, deve-se utilizar o conceito de erro admissível da Engenharia Cartográfica, que define este valor como de 0,5 mm na escala original da base topográfica utilizada (acuidade visual máxima do olho humano). Exemplos de erros admissíveis: escala 1:50.000 (0,5 mm = 25 m) e escala 1:5.000 (0,5 mm = 2,5 m). Portanto, os *grids* máximos a serem adotados nestas escalas seriam

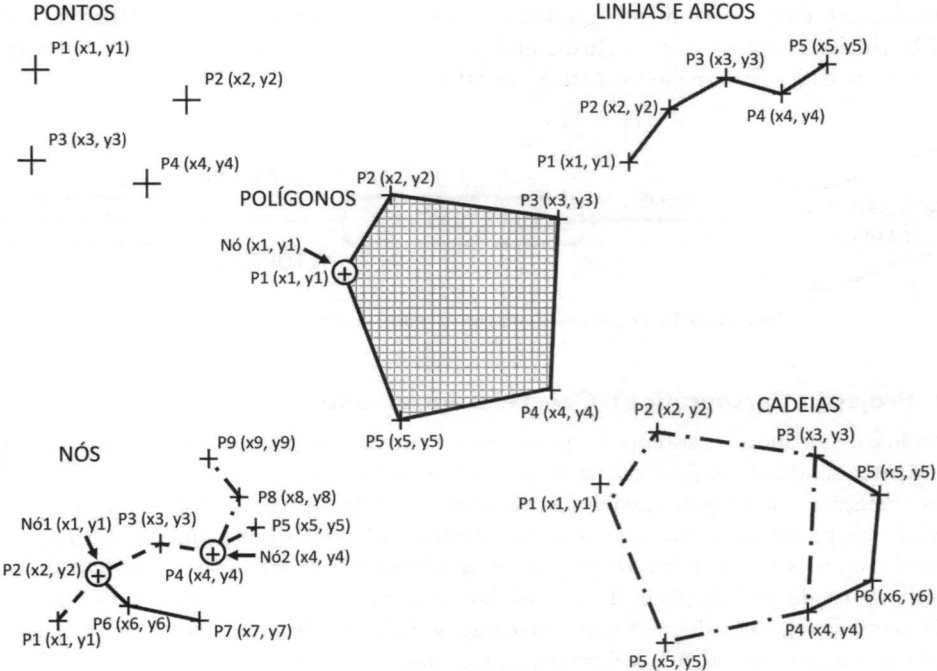

Figura 25.9 Elementos geométricos utilizados para representar dados espaciais em SIG.

de 25 e 2,5 m, respectivamente. Salienta-se que a adoção de tamanhos de *grid* inferiores ao máximo definido pelo critério acima não significa maior precisão nas análises espaciais subsequentes, uma vez que esta depende da escala original dos dados básicos de entrada, mas pode resultar em desenhos mais agradáveis visualmente.

25.6 AQUISIÇÃO E PREPARAÇÃO DE DADOS EM SIG

A entrada ou captura de dados e a sua preparação para a realização das análises desejadas é uma das etapas básicas dos projetos de SIG que requer mais cuidados. A necessidade de que os dados estejam em uma linguagem aceita pelos computadores, ou seja, em formato digital, torna essa tarefa difícil e exige procedimentos específicos. Até mesmo os dados digitais requerem ajustes no formato, sistema de projeção e escala dos arquivos. Estes procedimentos geralmente correspondem a aproximadamente 80% dos esforços físicos, financeiros e intelectuais de um projeto de SIG.

Os mapas topográficos constituem os planos de informação iniciais principais para a estruturação da base de dados de um projeto de SIG. No Brasil, os mapas topográficos em diferentes escalas estão disponíveis principalmente no formato analógico (em papel), necessitando de procedimentos de digitalização ou vetorização. Entre os órgãos e institutos junto aos quais é possível obter estes mapas topográficos, destacam-se a Fundação Instituto Brasileiro de Geografia e Estatística (FIBGE), a Diretoria do Serviço Geográfico do Exército (DSG) e o Instituto Geográfico e Cartográfico, no estado de São Paulo (IGC).

Todos os processos utilizados na captura dos dados que se utilizam do teclado do computador para acionar os comandos são conhecidos como digitação. O processo de captura de dados feito através de mouse ou mesa digitalizadora é conhecido como digitalização. Os processos de digitalização geram uma série de problemas na captura de dados entre os quais se destacam: i) o meio analógico (em papel) é instável. Cada vez que o mapa é removido da mesa, a nova sessão deve iniciar pelo reconhecimento dos pontos de controle; ii) nem sempre os mapas em papel originais têm precisão adequada e foram desenhados para serem digitalizados; iii) a fadiga do operador deve ser levada em consideração; iv) os mapas em papel, com o passar do tempo, podem sofrer efeitos da dilatação térmica.

Atualmente, a captura de dados a partir de mapas em papel é feita principalmente por meio da vetorização automática ou semiautomática. Neste procedimento, o mapa original é digitalizado por meio de um equipamento de escâner que, por um processo de varredura, transforma textos, gráficos e imagens em sinais digitais e produz arquivos matriciais (*raster*) que podem ser carregados pelo computador. Este arquivo é georreferenciado e vetorizado em ambiente de SIG, utilizando rotinas automáticas e semiautomáticas. Este procedimento é muito mais eficaz e preciso que o da digitalização tradicional (Figura 25.10). Nos subitens a seguir, são discutidos outros tópicos diretamente relacionados com captura e preparação de dados para análises espaciais em SIG.

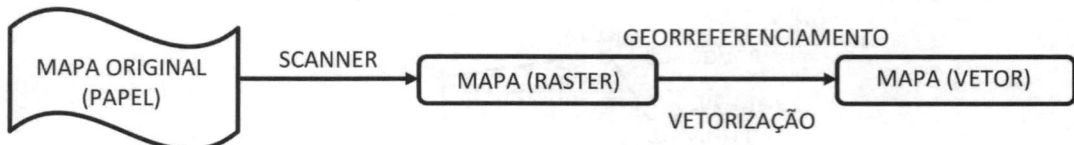

FIGURA 25.10 Etapas da vetorização de mapas em papel para uso em SIG.

25.6.1 Projeção Cartográfica e Georreferenciamento

A definição e a mudança dos sistemas de projeção cartográfica e o georreferenciamento de arquivos são procedimentos fundamentais nas etapas de preparação dos dados para sua utilização em análises em SIG. As operações com projeção cartográfica (definição e mudança) estão disponíveis nas ferramentas dos módulos de preparação, tratamento e análise de dados. Arquivos *raster* (imagens) em pixels podem ser georreferenciados para sistemas de projeção e coordenadas (esféricas e planas) utilizando o SIG.

Os programas de SIG dispõem de uma biblioteca com os sistemas de projeções mais utilizados mundialmente. Em geral, a definição do sistema de projeção está armazenada em um arquivo auxiliar, vinculado ao arquivo vetorial ou *raster* principal. Em alguns programas de SIG (por exemplo, Arcinfo/Arcview/Arcgis), este arquivo auxiliar recebe o mesmo nome dos arquivos principais vetoriais, acrescido da extensão "prj". Desta forma, a estrutura dos arquivos em SIG é complexa e, na verdade, composta por vários arquivos. A Figura 25.11 ilustra os arquivos que compõem um plano de informação vetorial do tipo polígono (objeto geométrico, topologia, tabela de atributos e dados da projeção cartográfica).

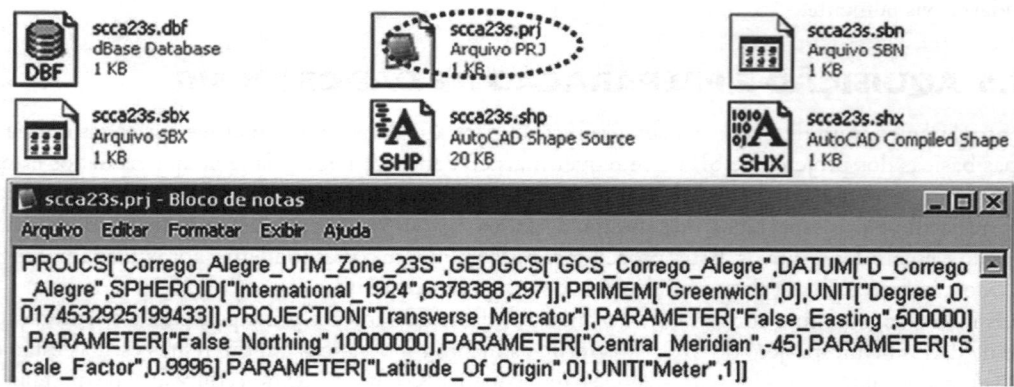

FIGURA 25.11 Componentes de um arquivo vetorial em SIG (*Arcview 3.2a*). Destaque para o arquivo "prj" com os parâmetros do sistema de projeção.

Para realizar o georreferenciamento de arquivos *raster*, é necessário conhecer as coordenadas em um determinado sistema de projeção cartográfico de alguns pontos da área a ser processada. Quanto maior o número de pontos de controle, melhor o ajuste a ser conseguido. Após o procedimento de georreferenciamento, o programa cria um arquivo auxiliar para armazenar os dados do sistema de projeção (*World File*). No georreferenciamento de uma imagem no formato *joint photographic group* (*jpg*), por exemplo, o arquivo auxiliar terá o mesmo nome do arquivo imagem principal, acrescido da extensão "jpw". Este arquivo auxiliar deverá estar disponível junto ao arquivo principal da imagem para esta ser carregada de forma georreferenciada no projeto de SIG. Existe um formato de arquivo de imagem *Geotiff* (arquivos *tagged image file format – tiff*), que armazena os dados do georreferenciamento no arquivo principal, sem a necessidade do arquivo auxiliar.

As imagens (arquivos *raster*) de satélite e de fotos aéreas de médias a grandes escalas e em áreas de relevo acentuado necessitam do processo de ortorretificação além do georreferenciamento. Neste procedimento, as cotas do terreno e os dados do sensor empregado no imageamento são utilizados, ou seja, a imagem é retificada considerando os deslocamentos devidos à inclinação da aeronave e ao relevo. Os módulos de ortorretificação podem estar disponíveis como módulos no SIG ou em programas específicos de tratamento e de análise de imagens.

Alguns programas de SIG colocam, como condição necessária para incorporar um plano de informação no projeto, a definição do sistema de projeção, ou seja, esta informação deve constar, necessariamente, em algum arquivo auxiliar. Outros programas permitem fazer as operações básicas com os planos de informação vetoriais projetados, mesmo sem a presença dos arquivos auxiliares com as informações sobre o sistema de projeção. Neste caso, apenas quando o usuário fizer operação de mudança do sistema de projeção, é imprescindível a existência dos arquivos auxiliares (por exemplo, SIG Arcinfo/Arcgis/Arcview).

25.6.2 Arquivos CAD

Os programas de SIG modernos podem adquirir dados digitais gerados por outros programas computacionais utilizados para o armazenamento e representação de dados espaciais e não espaciais. Entre eles, destacam-se os arquivos gerados em programas tipo *Computer-Aided Draft and Design* (*CAD*). Estes programas são muito utilizados atualmente e foram concebidos para desenhar, armazenar, classificar e simbolizar objetos. Em geral, possuem recursos limitados de banco de dados e de análise espacial e não armazenam a topologia dos dados.

A maioria dos SIG consegue carregar diretamente os arquivos gerados em programas de CAD e convertê-los para os seus próprios formatos de arquivos vetoriais. Quando se digitalizam, em programas tipo CAD, desenhos que representem áreas adjacentes (por exemplo, polígonos de uso e cobertura), os limites podem não ser corretamente interpretados quando estes arquivos são importados e convertidos para o SIG, resultando em polígonos diferentes dos originais. Uma das formas de se contornar esta limitação é duplicar os limites adjacentes das áreas digitalizadas em programas de CAD (Figura 25.12).

Também é possível converter arquivos vetoriais gerados em SIG para arquivos que possam ser carregados por programas tipo CAD. Neste caso, em geral, utiliza-se o arquivo de intercâmbio com extensão "*Drawing Exchange Format File*" (*dxf*).

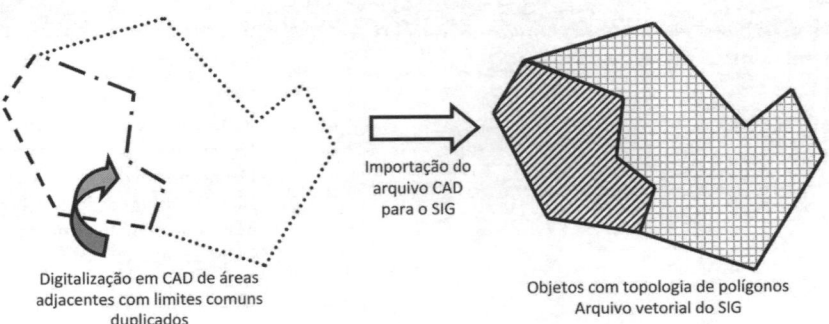

Digitalização em CAD de áreas adjacentes com limites comuns duplicados

Importação do arquivo CAD para o SIG

Objetos com topologia de polígonos Arquivo vetorial do SIG

FIGURA 25.12 Cuidados na importação de arquivos tipo CAD para SIG.

25.6.3 Sensoriamento Remoto

As imagens geradas por técnicas de sensoriamento remoto representam outro meio comum de aquisição de dados espaciais para utilização em projetos de SIG. A maioria dos programas de SIG disponibiliza algumas ferramentas básicas de tratamento de imagens (filtros, classificação, georreferenciamento, composição falsa cor, entre outras). Porém, existem programas específicos de tratamento de imagens com muito mais ferramentas disponíveis. Apesar de SIG e sensoriamento remoto estarem bastante associados, este último constitui-se em um campo técnico-científico específico e vasto, sendo neste item apresentado um brevíssimo resumo sobre este tema.

Sensoriamento remoto pode ser definido como o conjunto de técnicas que utiliza sensores na captação e no registro da energia refletida ou emitida (radiação eletromagnética) por elementos na superfície (ou subsuperfície) terrestre. Salienta-se que a astronomia e a astrofísica também utilizam técnicas de sensoriamento remoto para investigar outros corpos celestes do universo (sensoriamento remoto interplanetário).

O sistema sensor é o equipamento capaz de transformar a energia eletromagnética em sinal digital. Os sensores podem ser classificados em dois grandes grupos quanto à fonte de energia: **ativos**, que produzem sua própria radiação (por exemplo, radar), e **passivos**, que captam a energia solar refletida ou a energia emitida por alvos na superfície terrestre (por exemplo, sistemas fotográficos). A Figura 25.13 ilustra as diferentes faixas do espectro de radiação eletromagnética captado pelos sensores ativos e passivos. A Tabela 25.4 ilustra algumas aplicações para os diferentes comprimentos de onda eletromagnética captados pelo sensor TM do projeto Landsat do INPE.

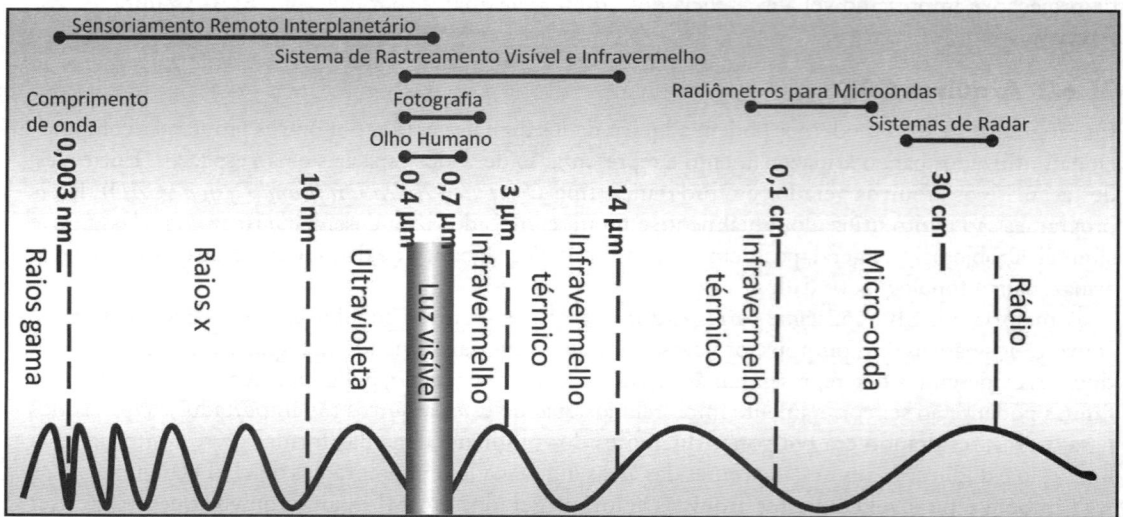

FIGURA 25.13 Espectro eletromagnético captado pelas técnicas de sensoriamento remoto.

TABELA 25.4 Aplicações das faixas espectrais captadas pelo sensor TM Landsat 5

Faixa espectral (μm)	Banda	Aplicações
0,45 – 0,52	1	Mapeamento de áreas costeiras
0,52 – 0,60	2	Refletância de vegetação verde sadia
0,63 – 0,69	3	Diferenciação de espécies vegetais
0,76 – 0,90	4	Delineamento de corpos d'água
1,55 – 1,75	5	Medidas da umidade da cobertura vegetal
2,08 – 2,35	7	Mapeamento hidrotermal
10,4 – 12,5	6	Mapeamento térmico

Fonte: Novo (1989).

Os sensores também são caracterizados a partir de quatro características principais, denominadas resoluções: **espacial**, que é a menor separação espacial entre dois objetos captada pelo sensor; **espectral**, que é o número de bandas do sensor e a largura das faixas de cada banda; **radioelétrica (radiométrica)**, que é o número de níveis de cinza usados pelo sensor; e **temporal**, que é o intervalo de tempo entre dois imageamentos sucessivos. A título de exemplo, o sensor TM do satélite Landsat 5 apresenta as seguintes resoluções: espacial = 30 m; espectral = 7 bandas; radiométrica = 256 níveis de cinza; temporal = 16 dias.

Entre as ferramentas de tratamento de imagens produzidas pelas técnicas de sensoriamento remoto e disponíveis na maioria dos programas de SIG, destaca-se a geração de imagens coloridas. O processo baseia-se na atribuição de diferentes intensidades das cores primárias a cada um dos pixels originalmente registrados em tons de cinza nas bandas utilizadas nos imageamentos de alguns tipos de sensores multiespectrais.

A composição falsa cor RGB (*red* – vermelho; *green* – verde e *blue* – azul) é muito utilizada na produção de planos de informação de uso e cobertura do solo de uma determinada área. Exemplo: imagem TM landsat com as bandas 3, 4 e 5 (ver Tabela 25.4) na composição 3R, 4G e 5B, resultando em áreas de mata com cor verde e áreas antropizadas com cor vermelha, ou na composição 4R, 5G e 3B, resultando em áreas de mata com cor vermelha e áreas antropizadas com cor azul.

25.6.4 Banco de Dados

O estudo de banco de dados constitui um vasto campo da engenharia e da programação computacional, sendo destacados, neste tópico, apenas alguns poucos aspectos de maior interesse para os usuários de programas de SIG.

Bancos de dados preexistentes podem ser uma fonte importante de informações para a estruturação de projetos em SIG, uma vez que, em geral, estes programas conseguem trocar informações de forma eficiente. Isto acontece porque os programas de SIG podem ser considerados como resultado da combinação de programas de banco de dados, desenho digital e de tratamento de imagens (sensoriamento remoto) dentro de uma única estrutura funcional.

Os programas de banco de dados são aplicativos especializados em armazenar e recuperar dados não gráficos (textos e números). Alguns mais sofisticados também têm a capacidade de armazenar gráficos, imagens e sons (por exemplo, *Access*, *Excel*, *Oracle*, *Visual Basic*). As associações que existem entre as várias entidades de um banco de dados denominam-se de relacionamento (por exemplo, tipo de solo e formação vegetal). A cardinalidade expressa o número de entidades ao qual outra entidade pode estar associada por meio de um relacionamento dentro de um banco de dados (um para um, um para muitos, muitos para um e muitos para muitos).

Os tipos ("arquiteturas") principais de bancos de dados são definidos em função do relacionamento e da cardinalidade que seus dados possuem, sendo agrupados em **hierárquico**, **em rede**, **relacional** e **orientado ao objeto**.

Os programas de SIG, por armazenarem dados/informações espaciais, possuem a arquitetura de um banco de dados orientado ao objeto. Neste tipo de banco de dados, a unidade fundamental de recuperação e de armazenamento de informações passa a ser o objeto. O objeto é uma estrutura de dados que contém, além de suas informações gráficas e alfanuméricas, informações sobre o relacionamento deste objeto com outros objetos (topologia).

Além desta característica, a maioria dos programas de SIG utiliza um banco de dados relacional para armazenar os atributos convencionais dos objetos geográficos (na forma de tabelas) e arquivos para guardar as representações geométricas destes objetos. Os atributos convencionais e as representações geométricas dos objetos estão relacionados biunivocamente no SIG.

Dados e informações, incluindo suas coordenadas espaciais, armazenadas na forma de um banco de dados relacional (tabelas), podem ser facilmente importados e convertidos para objetos geométricos (em geral, pontos) dentro de um projeto de SIG, procedimento este com ampla aplicação em estudos ambientais (Figura 25.14). Outra ferramenta disponível nos programas de SIG para agregar informações

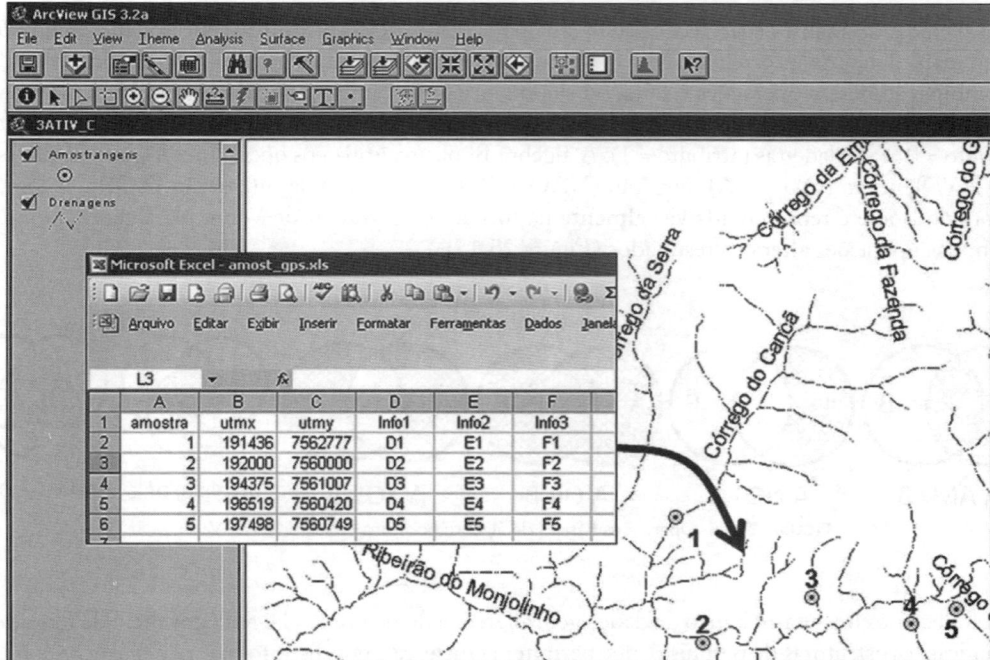

FIGURA 25.14 Importação e conversão de informações pontuais em BD relacional (*Excel*) para objetos geométricos (pontos) em ambiente de SIG (*Arcview 3.2a*).

de bancos de dados já existentes e com muito potencial de aplicação é a que possibilita vincular diferentes bancos de dados relacionais com os objetos geométricos dos planos de informação de um projeto de SIG. Para tal, basta que exista uma coluna comum entre a tabela de atributos destes objetos e as tabelas dos bancos de dados que se desejam vincular (por exemplo, os dados censitários a um plano de informação contendo os limites de municípios).

25.7 FUNÇÕES E FERRAMENTAS DE ANÁLISE ESPACIAL

As funções e ferramentas de análise espacial constituem-se no principal diferencial dos programas de SIG em relação aos programas de banco de dados tradicionais, de desenho digital e de tratamento de imagens. Com estas funções, é possível desenvolver uma série de análises espaciais, diagnósticos, prognósticos e modelagens que podem ser muito úteis, e até mesmo imprescindíveis, em estudos e projetos ambientais. Elas podem ser agrupadas em funções de manipulação e de análise.

As **funções de manipulação** já foram indiretamente abordadas nos itens relativos à aquisição e à preparação de dados em um projeto de SIG (georreferenciamento, ortorretificação, mudança de sistema de projeção cartográfica e de escala, conversão de dados matriciais em vetoriais e vice-versa e controle de erro). As **funções de análise** abrangem técnicas de sobreposição, classificação, cruzamento e interpolação de dados e, dependendo do programa de SIG, podem variar bastante com relação ao número, tipo e funcionalidade. A Tabela 25.5 sintetiza os principais grupos de funções de análise de dados disponíveis na maioria dos programas de SIG atuais e que podem estar distribuídas em diferentes módulos e aplicativos específicos, dependendo do tipo e da capacidade destes programas.

TABELA 25.5 Principais grupos de funções de análise de dados em SIG	
• Consulta ao banco de dados georreferenciado	• Ponderação
• Medidas	• Análise de vizinhança
• Reclassificação	• Interpolação determinística e geoestatística
• Normalização	
• Tabulação cruzada	• Análise estatística
• Sobreposição	• Análise de rede

As técnicas de análise espacial consistem em operações espaciais primitivas, que podem ser aplicadas a um ou mais planos de informação, com o objetivo de criar planos de informação ou de calcular medidas. A combinação destas operações é feita, na sua maioria, utilizando os recursos da álgebra booleana. A álgebra booleana estabelece determinados limites (conjuntos) a partir de informações consideradas falsas (atributo = 0) e verdadeiras (atributo = 1). A álgebra Booleana utiliza os operadores lógicos de interseção (E – *AND*), união (OU – *OR*), negação (NÃO – *NOT*) e negação da interseção (XOR). A lógica da álgebra de Boole é representada visualmente na forma de diagramas de Venn. Na álgebra booleana, a ordem das operações altera os resultados (Figura 25.15).

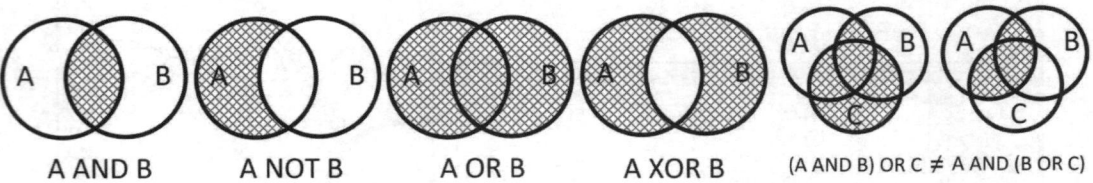

A AND B   A NOT B   A OR B   A XOR B   (A AND B) OR C ≠ A AND (B OR C)

FIGURA 25.15 Operações básicas de álgebra booleana e diagramas de Venn.

A função de consulta ao banco de dados georreferenciado de um SIG é feita por meio de ferramentas específicas (construtoras de pesquisa), que permitem cruzar campos distintos para satisfazer as condições desejadas. As pesquisas podem ser realizadas tanto por meio dos atributos alfanuméricos quanto dos objetos geométricos armazenados no projeto de SIG.

Existe uma grande variedade de medidas possíveis de serem obtidas utilizando o SIG (funções de medidas). No caso de dados no formato *raster*, a precisão das medidas é limitada pelo tamanho da célula; já no caso de dados no formato vetorial, ela é limitada pela precisão da localização dos dados armazenados. Os principais tipos de medidas possíveis de serem obtidas por meio dos SIG são distância, perímetro, área e volume. A maioria dos SIG também dispõe de ferramentas de cálculo de distância e de área para serem aplicadas diretamente na tela, durante a visualização dos dados de interesse.

As funções de reclassificação ou fatiamento são aplicadas para melhorar a apresentação visual dos dados ou quando os atributos dos dados originais não são apropriados para a análise do problema em questão, por exemplo, para reagrupar as classes de declividade de uma área em função de sua aptidão ou restrição para implantação de loteamentos. Esta aplicação da ferramenta de reclassificação, considerando determinadas aplicações ou propriedades dos dados originais, é muito comum em projetos de SIG para estudos ambientais.

Os programas de SIG permitem fazer a reclassificação de dados apenas na legenda (melhorar a visualização) ou gerando novos planos de informação a partir dos dados originais. A reclassificação de dados numéricos reais (contínuos, formato *raster*), com a produção de novos planos de informação, resulta em classes de números inteiros (discretos), o que permite sua posterior transformação em dados vetoriais (polígonos). Além do número de classes, o usuário do SIG pode escolher o método a ser utilizado na reclassificação (manual, intervalos iguais, intervalo definido, quantil, quebras naturais, intervalo geométrico e desvio padrão, Figura 25.16).

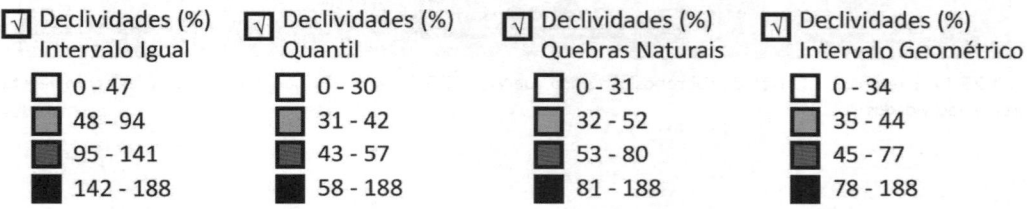

FIGURA 25.16 Reclassificação de declividades (%) em quatro classes com diferentes métodos.

A função de normalização, em geral, é utilizada em associação com a de reclassificação de dados. Esta função expressa os relacionamentos entre os atributos através de uma razão ou proporção. A densidade demográfica dos municípios é a população dos mesmos normalizada pelas suas respectivas áreas (número de habitantes/km^2). Nós poderíamos, por exemplo, normalizar as áreas das classes de declividades obtidas por qualquer um dos métodos de reclassificação ilustrados na Figura 25.16 em relação à área total analisada, obtendo as percentagens de ocorrência de cada classe em relação à área total estudada.

A função de tabulação cruzada permite calcular a área das interseções entre as classes de dois planos de informação (por exemplo, tipos de uso e cobertura e classes de declividade). Os dados podem estar no formato vetorial ou *raster* (discreto) para realizar esta operação. Os dados dos dois planos de informação devem ter a mesma resolução espacial, o mesmo número de pixels e estarem no mesmo tipo de projeção e coordenadas.

A função de sobreposição também é bastante importante para aplicações em projetos de SIG para estudos ambientais. Por meio desta função, vários planos de informação podem ser sobrepostos, buscando identificar regiões que satisfaçam determinadas condições simultaneamente. Esta função é uma aplicação direta da lógica Booleana.

A partir dos planos de informação de cobertura e uso, de declividade e de solos de uma determinada área, podemos definir as áreas indicadas para preservação ambiental, satisfazendo critérios específicos, tais como, áreas que sejam cobertas por mata ou cerrado ou que tenham uma declividade >12% ou que tenham a presença de solos hidromórficos (Equação 25.1). Nos programas de SIG, esta função pode receber nomes diferentes, tais como pesquisa de mapas (*map query*) ou operações lógicas com matrizes (*math/logical*). Existem aplicativos específicos para facilitar a montagem dos critérios de sobreposição desejados (Figura 25.17). Os planos de informação têm que estar no formato *raster* discreto ou inteiro.

$$X = (A \text{ } or \text{ } B) \text{ } or \text{ } C \text{ } or \text{ } D \qquad \text{Equação 25.1}$$

X: áreas para preservação ambiental; A: categoria de cerrado; B: categoria de mata; C: categoria de declividade >12%; D: categoria de solos hidromórficos; *or*: operador lógico booleano de união.

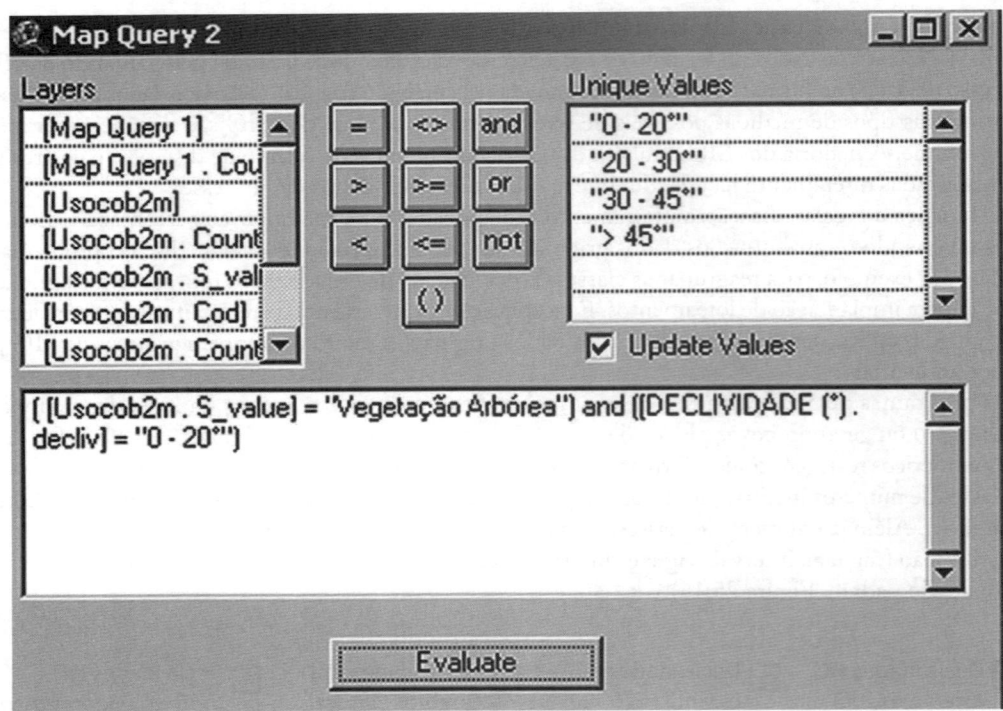

FIGURA 25.17 Exemplo de função de sobreposição (*map query*) no SIG *Arcview 3.2a* (identificação de áreas com vegetação arbórea e declividades <20°).

A função de ponderação também é bastante útil em projetos de SIG voltados à análise ambiental. As operações de ponderação consistem em gerar um plano de informação (mapa) síntese a partir da média ponderada dos planos de informação contidos na base de dados (solos, relevo, geologia, cobertura vegetal). Um exemplo típico de aplicação da função de ponderação em estudos ambientais é a geração de mapas de restrição ou aptidão ambiental a partir de vários planos de informação contendo os atributos de interesse. O valor de cada classe do plano de informação síntese (mapa de restrição/aptidão ambiental final) pode ser definido como o somatório (Σ) do produto dos pesos ou pelo produtório (P) do produto dos pesos (Equação 25.2).

$$V = \sum PI.PC \text{ ou } V = (PI.PC) \qquad \text{Equação 25.2}$$

V: valor de cada categoria no mapa final; PI: peso de cada plano de informação; PC: peso de cada categoria dos planos de informação.

A função de análise de vizinhança seleciona uma área localizada a certa distância de uma feição interesse. Geralmente, o usuário pode especificar um critério de distância (por exemplo, raio ou cota) de um objeto contido no plano de informação, e esta função gera um novo plano de informação contendo a zona de impacto em torno do objeto selecionado. Uma aplicação comum da função de vizinhança em estudos ambientais é a determinação de Áreas de Proteção Permanente – APP em relação aos recursos hídricos (nascentes, cursos de água, reservatórios), feições de relevo, áreas de amortecimento em torno de parques, reservas, entre outras. Esta função recebe geralmente o nome de *buffer* nos programas de SIG (Figura 25.18).

As funções de interpolação constituem um modelo matemático de uma superfície contínua interpolada a partir de um conjunto de variáveis discretas, definidas por coordenadas de posição em um determinado sistema de projeção cartográfica. Ou seja, elas permitem a generalização ou a definição de superfícies de tendência a partir de dados discretos (não contínuos).

Essas funções estão presentes nos módulos e nas ferramentas de análise espacial ou análise tridimensional dos programas de SIG, sendo fundamentais para a maioria dos estudos ambientais. Uma das aplicações básicas destas funções de interpolação é a obtenção dos Modelos Digitais de Terreno (MDT). O item 25.9 discute aspectos específicos do MDT em projetos de SIG. As funções de interpolação podem ser agrupadas, em um primeiro momento, em determinísticas e geoestatísticas. As determinísticas

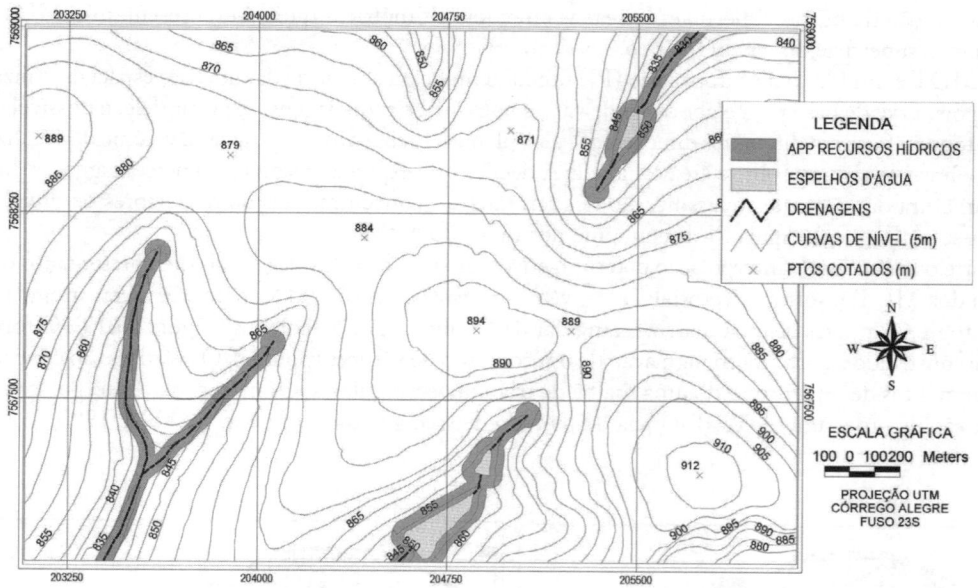

FIGURA 25.18 Delimitação de APP de recursos hídricos com a função de análise de vizinhaça (*SIG Arcview 3.2a*).

assinalam valores para determinadas localizações baseadas nos valores medidos nos arredores e em fórmulas específicas que determinam a suavidade da superfície resultante da interpolação. Os métodos de interpolação determinísticos usualmente disponíveis na maioria dos SIG são: inverso ponderado da distância, vizinho natural, tendência e *spline*. Os métodos geoestatísticos, por sua vez, são baseados em modelos estatísticos que incluem autocorrelação (relação estatística entre pontos medidos). Devido a esta característica, estes métodos têm a capacidade de produzir uma superfície de previsão e de fornecer alguma medida da certeza destas previsões. Krigagem é um método de interpolação geoestatístico comumente presente em ambiente de SIG.

As funções de análise estatística envolvem vários procedimentos da estatística descritiva que são comumente utilizados em projetos de estudos ambientais em SIG. Entre os parâmetros que podem ser obtidos com estas funções, destacam-se a média, a mediana, a variância e a covariância dos valores dos atributos dos planos de informação. A elaboração do histograma de um conjunto de dados apresentando a distribuição da frequência de ocorrência dos valores dos atributos é outra aplicação usual destas funções, e nos permite identificar quais os valores que têm maior probabilidade de ocorrer. Em vários programas de SIG, os histogramas são apresentados em associação com as funções de reclassificação de dados para orientar o usuário com relação aos métodos e aos intervalos a serem utilizados. Alguns programas de SIG disponibilizam, além das funções de análise estatística descritiva, módulos de análise estatística espacial com funções de análise de padrões, medidas da distribuição geográfica, análise de agrupamento (*cluster analysis* – classificação não supervisionada) e de modelagem de relações espaciais.

As funções de análise de redes, em geral, são disponibilizadas em módulos específicos dentro dos programas de SIG e comercializadas em separado dos módulos principais. Existem diversas análises espaciais que são baseadas em redes. As aplicações principais são a determinação de menor caminho, funções de fluxo e hidrologia. Uma parte destas funções pode estar disponibilizada em ferramentas de análise hidrológica, como a separação de bacias de drenagem a partir do cálculo da direção de escoamento superficial. Outro exemplo interessante de análise de rede em estudos ambientais é avaliar o melhor caminho para coleta de lixo, baseado na combinação da distância total do caminho, sentido de tráfego das vias e dados de congestionamento em função do horário.

25.8 MODELOS DIGITAIS DE TERRENO

O Modelo Digital do Terreno (MDT) ou Modelo Numérico do Terreno (MNT) ou Modelo Digital de Elevação (MDE) constitui um modelo matemático de uma superfície contínua interpolada a partir de valores de cota em relação a um nível médio de mar e definidos por coordenadas de posição em um determinado sistema de projeção cartográfica. Também é comum se utilizarem as funções de interpolação para obtenção de outras superfícies baseadas em cotas altimétricas que não representem o MDT, por exemplo, a superfície do lençol freático.

O MDT é um Plano de Informação (PI) fundamental para a maioria das análises espaciais utilizando SIG, pois serve de base para elaboração de vários outros PI e modelagens. A partir dele, é possível obter perfis topográficos em diferentes direções, cálculos planimétricos (distâncias, áreas e volumes), visualização 3D e sobrevoos virtuais sobre a área estudada. A declividade expressa em graus ou percentagens, a direção e a curvatura das vertentes (classificação dos terrenos em concentradores ou dispersores de fluxo) destacam-se entre os principais PI diretamente derivados do MDT.

Entre os métodos de interpolação determinísticos, existem duas formas usuais de representação digital básica dos MDT, o formato vetorial *Triangular Irregular Network* – TIN (rede triangular irregular) e o formato *raster*, através de uma matriz retangular de "m" linhas por "n" colunas (Figura 25.19). O formato TIN é construído a partir da triangulação de um conjunto de vértices (pontos). Os vértices são conectados por segmentos de reta formando uma malha de triângulos irregulares. Os métodos de interpolação mais usuais são de ordenamento da distância ou método de triangulação Delaunay (Wahba, 1990).

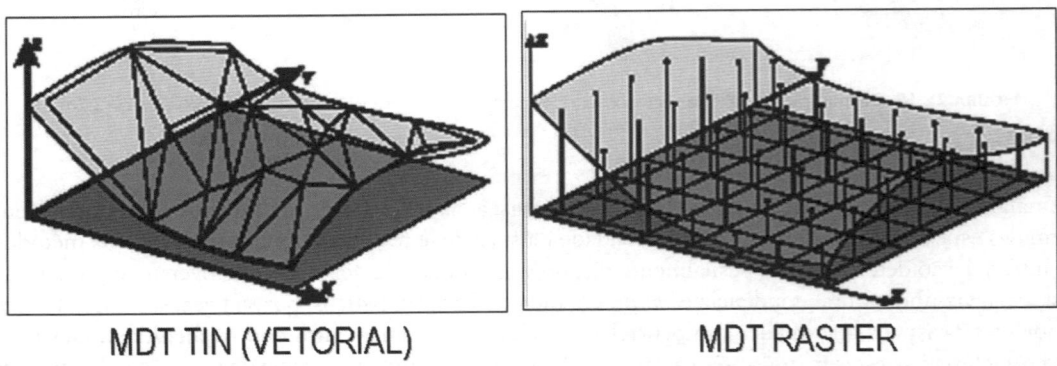

MDT TIN (VETORIAL)   MDT RASTER

FIGURA 25.19 Ilustrações das grades e superfícies do MDT nos formatos TIN e *raster*.

O formato matricial retangular de representação do MDT é definido por uma série linhas e colunas, que geram uma malha de células quadradas de dimensões definidas pelo espaçamento adotado. Cada valor de célula assume um valor de cota altimétrica.

Ambos os formatos podem ser utilizados nos projetos de SIG, dependendo das condições de contorno analisadas. O MDT no formato TIN pode ser usado para capturar a posição de feições lineares naturais (divisores e linhas de drenagem) e não naturais (taludes de corte e aterro) que exercem papel importante em uma superfície de terreno, particularmente em áreas modificadas por serviços de terraplenagem e que requerem mais detalhes.

O MDT no formato *raster*, principalmente nas rotinas de interpolação que incorporam a dinâmica de fluxo superficial nas superfícies geradas (modelos hidrologicamente corretos), tende a produzir melhor resultados em áreas com relevo natural (Figura 25.20).

O MDT também pode ser obtido por meio de imagens de sensoriamento remoto, sem a interpolação a partir de dados topográficos, como no caso das imagens geradas pelo projeto SRTM (*Shuttle Radar Topography Mission*, escalas regionais), ou nos levantamentos específicos realizados com sistemas de varredura a *laser* aerotransportado (ALS – *Airborne Laser Scanning*, escalas de detalhe). Nesse caso, os arquivos em geral possuem o formato tiff (*tagged image file format*).

Dada a importância deste plano de informação, é fundamental, dentro de um projeto de SIG, ter um controle da qualidade do MDT produzido, pois os erros podem ser propagados para todos os demais PI derivados e para as modelagens espaciais subsequentes. Independentemente do tipo de MDT utilizado no projeto de SIG, deve-se adotar uma rotina de controle de erro e de validação do mesmo. O método qualitativo de validação mais usual é a produção de curvas de nível a partir do MDT interpolado e a sua posterior comparação visual com as curvas de nível originais.

Para a validação quantitativa do MDT, é comum o estabelecimento de uma malha de pontos de amostragem sobre as curvas de nível originais com espaçamento adequado à escala de trabalho. Para cada ponto desta malha, devem ser extraídos os valores de cota interpolados e calculado o *Root Mean*

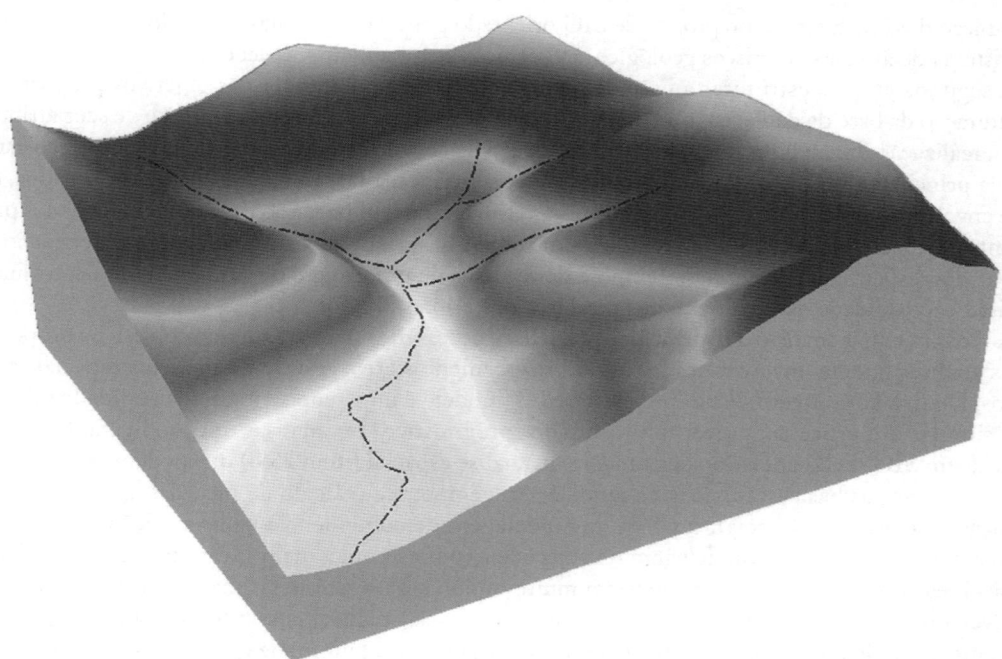

FIGURA 25.20 Visualização 3D de MDT raster (rotina *topo to raster* – curvas de 5 m).

Square Error – RMS ou erro médio quadrático, considerando-se os valores originais e os obtidos no MDT (Equação 25.3).

$$RMS = \sqrt{\sum_{i=1}^{N}(Z_0 - Z_i)^2/N}$$

Equação 25.3

RMS: erro quadrático médio; z_0: cota da curva de nível original no ponto; z_i: cota do MDT no ponto; N = número de dados.

25.9 PROJETOS E MODELOS EM SIG

A primeira etapa para a elaboração de um projeto de SIG envolve a definição clara dos seus objetivos. Estes objetivos podem ser orientados a partir de algumas perguntas padrão: Qual é o problema a ser resolvido? Quais são os produtos finais do projeto (relatórios, mapas, visualização na tela do computador)? Quem vai utilizar os produtos do projeto (público leigo, técnicos, planejadores, educadores)? A Figura 25.21 ilustra

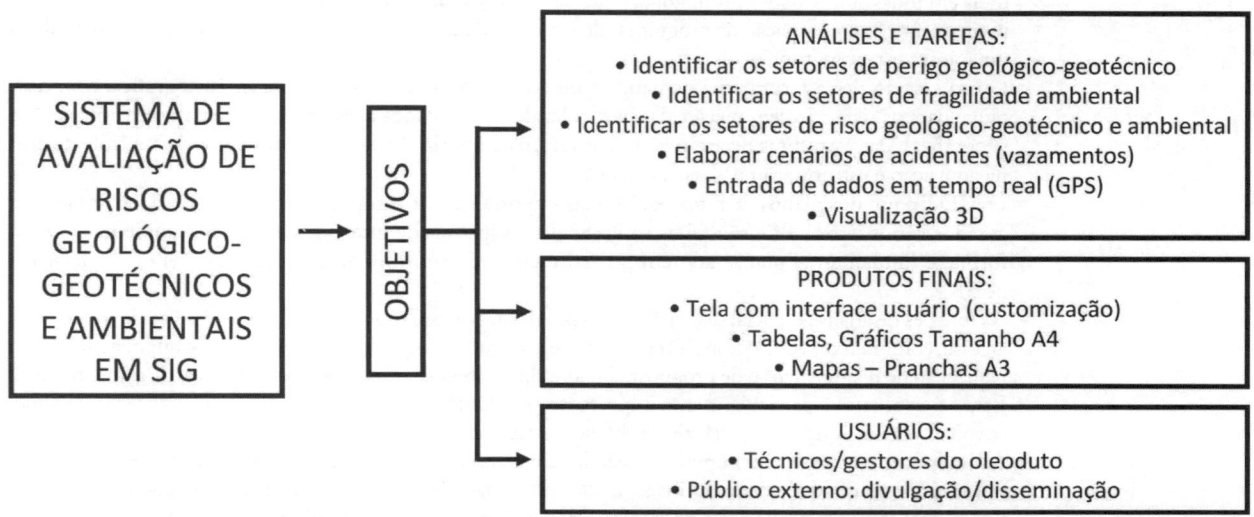

FIGURA 25.21 Exemplo de definição dos objetivos de um projeto de SIG. *Fonte: Augusto Filho et al. (2010).*

a definição dos objetivos de um projeto de SIG orientado por estas perguntas e voltado à estruturação de um sistema de avaliação de riscos geológico-geotécnicos e ambientais em oleodutos.

A segunda etapa é estruturar a base de dados necessária para atender aos objetivos propostos. A estruturação da base de dados envolve a identificação dos dados espaciais necessários e de seus atributos para a realização das análises propostas, a delimitação da área de estudo e do sistema de projeção cartográfica principal a ser utilizado. Em seguida, é necessária a realização da aquisição destes dados, que pode envolver os procedimentos de digitalização, vetorização ou importação e formatação de dados preexistentes. Como já destacado no item 25.7, a estruturação da base de dados, em geral, é a etapa crítica no que diz respeito ao consumo de tempo e de recursos de um projeto de SIG, além de determinar a precisão e a qualidade das análises e dos produtos posteriores obtidos.

A terceira etapa envolve a realização das análises necessárias para atender aos objetivos propostos. Estas análises podem envolver desde simples mapeamentos até a criação de modelos espaciais complexos. Dentro do contexto de um projeto de SIG, modelo é uma representação da realidade utilizada para simular um processo, prever um resultado (prognóstico) ou analisar um problema. O modelo espacial em SIG inclui aplicação das funções de análise espacial (item 25.8) que podem ser agrupadas em três categorias básicas: funções de modelagem geométrica (cálculo de medidas, geração de vizinhanças, *buffers*, entre outras); funções de modelagem de coincidência (sobreposição, ponderação, entre outras); e funções de modelagem de adjacência (por exemplo, melhor caminho). Com o SIG, é possível realizar análises que demandariam muito tempo para serem feitas manualmente, além de ser possível alterar facilmente as condições de contorno destas análises, possibilitando a investigação de diferentes cenários. Além disso, a maioria dos SIG permite a automatização destes modelos, como veremos a seguir.

A quarta etapa envolve a definição das formas de apresentação dos resultados das análises desenvolvidas pelo projeto de SIG. Os meios utilizados devem conseguir comunicar efetivamente as respostas obtidas. O SIG permite combinar diferentes formas de apresentação com mapas, gráficos, imagens, tabelas e animações/vídeos (Figura 25.22).

A etapa de análise de um projeto de SIG, em geral, envolve uma sequência de operações que podem ser automatizadas por meio da criação de modelos. Muitos programas de SIG dispõem de ferramentas para a criação destes modelos que facilitam o desenvolvimento de análises espaciais complexas que envolvam várias operações individuais combinadas. Estes modelos podem ser criados graficamente (fluxogramas) ou a partir de linguagens de programação internas ou externas ao SIG (*scripts*). Os modelos podem conectar várias entradas, funções, outros modelos e *scripts*, sendo possível incorporar o mesmo modelo em diferentes projetos de SIG (Figura 25.23).

REVISÃO DOS CONCEITOS APRESENTADOS

- SIG são poderosas ferramentas computacionais de armazenamento e de análise espacial que podem ser úteis em todas as atividades profissionais e de pesquisa do engenheiro ambiental. O SIG moderno evoluiu basicamente da combinação de programas de banco de dados, sensoriamento remoto e desenho digital em uma única estrutura funcional.
- O uso correto dessa ferramenta demanda conhecimentos básicos de engenharia cartográfica, com destaque para os sistemas de projeção, das particularidades dos dados e das variáveis de natureza espacial (ou geográfica), das estruturas de arquivo digital vetorial e matricial e dos procedimentos de controle de erro na aquisição e estruturação da base de dados.
- O MDT é um dos planos de informação mais importantes em um projeto de SIG, pois a partir dele são gerados vários outros PI e são feitas várias análises espaciais de interesse em estudos ambientais. Dessa forma, é fundamental que se adotem procedimentos de controle da qualidade do MDT em projetos de SIG.
- As funções de análise espacial disponíveis nos programas de SIG e a possibilidade de criação de modelos de análise, combinando várias destas funções em uma estrutura lógica e automatizada, permitem ao usuário a realização de diagnósticos e de prognósticos com diferentes cenários, o que seria inviável de forma manual. Esta característica é particularmente importante em estudos ambientais, nos quais, frequentemente, estão envolvidos muitos dados e variáveis de diferentes naturezas.
- As interfaces amigáveis, incluindo a possibilidade de criação de menus específicos em função do tipo de usuário, a interatividade com arquivos gerados por outros programas e a sua total inserção em ambiente da internet, tornam o SIG uma poderosa ferramenta técnica em projetos ambientais, de comunicação e de educação ambiental.

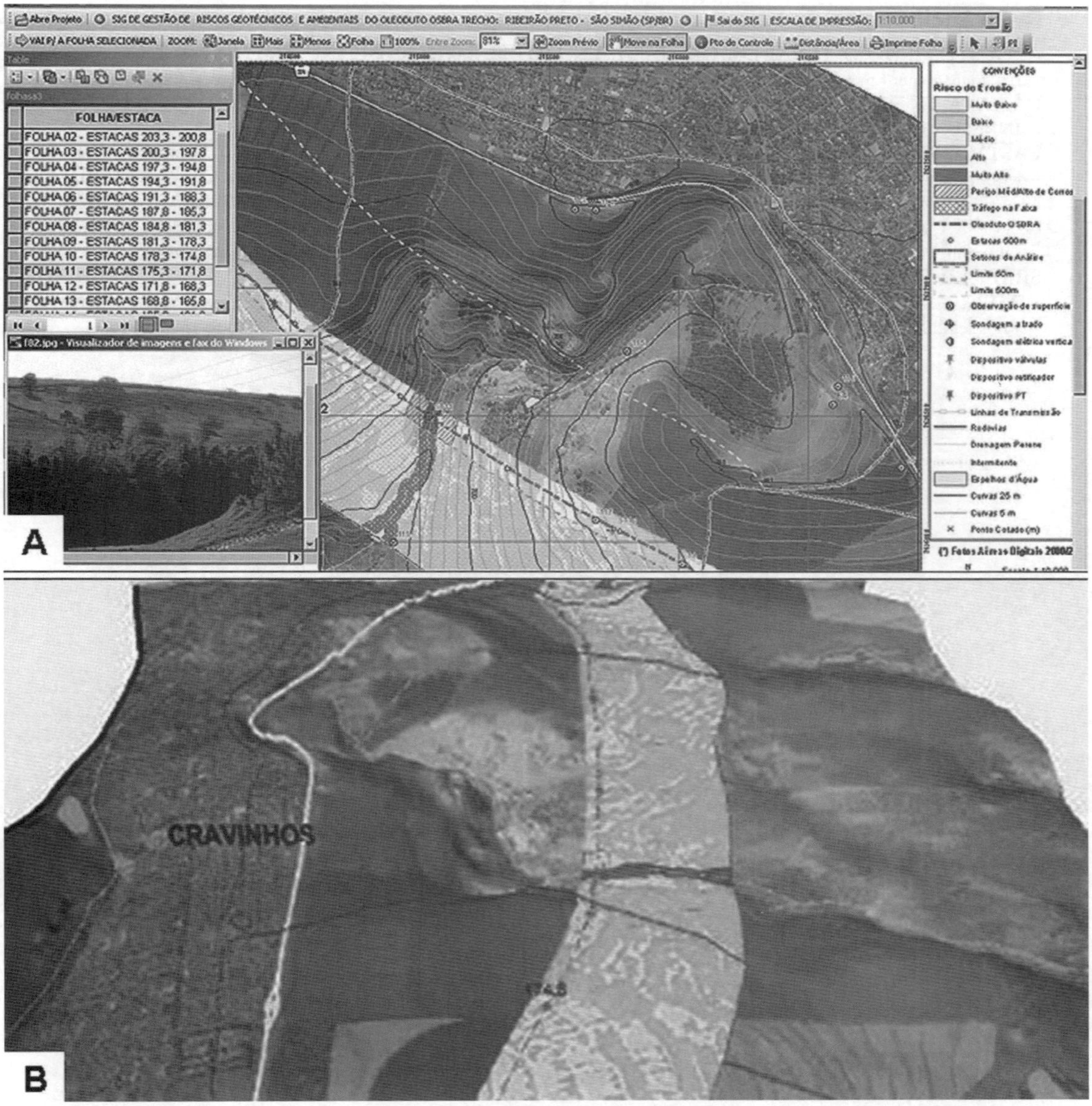

FIGURA 25.22 Resultados de um projeto de SIG. A – Tela do computador e impressão. B – Sobrevoo virtual sobre o oleoduto. *Fonte: Augusto Filho et al. (2010).*

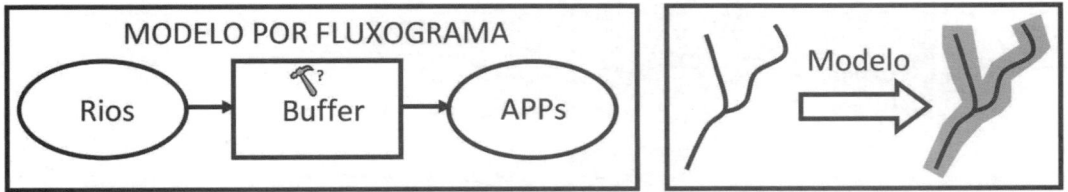

FIGURA 25.23 Exemplo de modelo para delimitação de APP em rios.

SUGESTÕES DE LEITURA COMPLEMENTAR

Existe uma vasta bibliografia nacional e internacional abordando os vários aspectos dos Sistemas de Informação Geográfica – SIG, inclusive disponibilizada na internet, além de eventos técnicos nacionais e internacionais (congressos, simpósios) especificamente voltados para geoprocessamento e SIG. Diante dessa vastidão de possibilidades de leitura complementar, destacamos dois sites na internet como fonte de publicações técnicas, didáticas, de aplicativos, imagens, mapas e até mesmo de programas de SIG: o *www.inpe.br* (material em português) e *www.esri.com* (material em inglês).

Referências

AUGUSTO FILHO, O., HIRAI, J.N., OLIVEIRA, A.S., LIOTTI, E.S. (2010) GIS applied to geotechnical and environmental risk management in a Brazilian oil pipeline. Bulletin of Engineering Geology and the Environment, v. 69, p. 631-641.

CÂMARA, G., DAVIS, C. (2009) Introdução. Apostilas de geoprocessamento do Instituto Nacional de Pesquisas Espaciais – INPE. Disponível em: <http://www.dpi.inpe.br/spring>. Acesso: abril 2018.

EASTMANN, J.R. (1992) *IDRISI: user's guide*. Massachussetts: Clark University Graduate School of Geography, 17 p.

Environmental Systems Research Institute (ESRI). (1977) *Getting to know ArcView GIS for everyone*. Califórnia: ESRI, 500p.

NOVO, E.M.L.M. (1989) *Sensoriamento remoto – princípios e aplicação*. São Paulo: Edgard Blücher, 308p.

OLIVEIRA, A.S., AUGUSTO FILHO, O. (2008) Análise e aplicação de modelos numéricos de simulação de fluxo de água subterrânea e dispersão de poluentes em ambiente de Sistema de Informação Geográfica (SIG). *Revista Minerva*, v. 5, p. 267-276.

SILVA, A.B. (1999) *Sistemas de Informações Geo-referenciadas*. Campinas: Unicamp, 236p.

WAHBA, G. (1990) *Spline models for observational data*. In: CBMS-NSF Regional Conference Series in Applied Mathematics. Philadelphia: Society for Industrial and Applied Mathematics.

FONTES DE ENERGIA RENOVÁVEIS E ENERGIA NUCLEAR

26

Maria Lúcia Calijuri / Paula Peixoto Assemany
/ Aníbal da Fonseca Santiago

Neste capítulo, são apresentados e discutidos os principais conceitos relacionados com fontes de energia alternativas aos combustíveis fósseis. Inicialmente, é feita uma breve contextualização sobre a problemática envolvendo sistemas energéticos e questões climáticas globais, bem como a conceituação de fontes de energia renováveis e não renováveis. Em seguida, abordam-se diferentes fontes alternativas de energia: biomassa, eólica, hidrelétrica, hidrogênio, nuclear e solar. Cada fonte é conceituada, com discussões sobre pontos favoráveis e desfavoráveis, forma de geração, desafios e situação de difusão nacional e global. Posteriormente, são descritos os panoramas atuais dos cenários energéticos brasileiro e mundial. Para finalizar, são apresentadas as perspectivas futuras para o tema.

26.1 INTRODUÇÃO

Energia pode ser conceituada como a capacidade de realizar trabalho ou, ainda, como a capacidade de movimento. A sociedade humana, da maneira como se desenvolveu, depende, atualmente, de cada vez mais energia para sua subsistência. O movimento é item imprescindível no nosso cotidiano. Assim, o aproveitamento, a geração e a transformação de energia são considerados como principais componentes para o desenvolvimento social e econômico, e trazem sérias implicações ao meio ambiente.

As alterações locais ou globais do clima caracterizam-se como grande desafio da atualidade. Tais alterações, provocadas pela interferência humana, apesar de incertas quanto a sua magnitude (uma discussão sobre o tema foi apresentada no Capítulo 16), tornaram-se aceitas por parte da comunidade científica. Durante as últimas décadas, o risco e a realidade da degradação ambiental ficaram mais evidentes. A acentuação dos problemas ambientais deve-se a uma combinação de vários fatores, desde o impacto ambiental das atividades humanas, que cresce devido ao aumento da população mundial, até os padrões exagerados de consumo desta sociedade e de atividades industriais ineficientes e poluidoras. A obtenção de soluções para os problemas ambientais enfrentados atualmente requer ações integradas de curto, médio e longo prazos, que estejam em consonância com as premissas e preceitos do desenvolvimento sustentável (Yuksel, 2010).

Como mencionado anteriormente, **recursos energéticos** são essencialmente usados para suprir as necessidades humanas e para **melhorar nossa qualidade de vida**, embora também possam causar **impactos negativos ao meio ambiente**. Por isso, medidas estratégicas para proteção ambiental incluem o setor energético e prezam, por exemplo, pelo aumento da eficiência e a mudança para sistemas de produção de energia menos agressivos. Reduções na emissão de poluentes como o dióxido de carbono precisam ser incentivadas por meio da minimização da utilização de combustíveis fósseis na matriz energética e da introdução de fontes renováveis de energia (Rosen et al., 2008).

O Sol, cuja importância foi destacada nos Capítulo 2 e 7, é a fonte de todas as energias. As formas primárias de energia solar são o calor e a luz. A luz solar e o calor são transformados e absorvidos pelo meio ambiente por uma infinidade de maneiras. **Energia renovável** é obtida de fontes naturais capazes de se regenerarem, portanto virtualmente inesgotáveis, ao contrário dos **recursos não renováveis**. Como exemplos de energias renováveis, têm-se a energia solar, eólica, energia hidráulica dos rios, a biomassa, entre outras. Em seus ciclos naturais, a conversão da radiação solar é a fonte das energias renováveis no planeta e, portanto, não alteram seu balanço térmico. As fontes energéticas, além de classificadas em renováveis e não renováveis, podem ser divididas em três categorias: fósseis, renováveis e nuclear (Demirbas, 2000). Com o objetivo de apresentar soluções energéticas que seriam alternativas aos **combustíveis fósseis**, de forma a minimizar os efeitos adversos dos sistemas energéticos, o foco deste capítulo é a discussão das fontes renováveis e nuclear. Os combustíveis fósseis, por serem reconhecidamente grandes fontes de emissão de gases de efeito estufa, não são abordados.

26.2 BIOMASSA

Do ponto de vista de fonte renovável de energia, biomassa pode ser considerada como qualquer matéria orgânica capaz de ser transformada em energia (ANEEL, 2008). A biomassa pode ser de origem agrícola (grãos, cana-de-açúcar, entre outros), florestal (madeira) ou oriunda de rejeitos domésticos, industriais ou agroindustriais.

O potencial de crescimento dessa fonte de bioenergia nos próximos anos é grande, uma vez que é considerada como a principal alternativa para diversificação da matriz energética nacional e internacional (ANEEL, 2008). A redução da dependência dos combustíveis sólidos com o uso da biomassa como fonte de energia se faz possível pela grande versatilidade desse substrato, possibilitando a obtenção tanto de energia elétrica quanto de biocombustíveis (biodiesel e etanol).

Inicialmente, a biomassa não pode ser utilizada para produzir energia. Tornam-se necessários, assim, alguns processos intermediários para adequá-la à sua posterior conversão em energia. Esses processos podem ser divididos, simplificadamente, em três grupos, descritos a seguir: físicos, químicos e biológicos.

- Físicos: são processos que atuam fisicamente sobre toda a biomassa e estão associados às fases primárias da transformação, como: preparação, corte, compactação, secagem, entre outros.
- Químicos: são os processos relacionados com a digestão química, geralmente por meio de hidrólise, pirólise ou gaseificação.
- Biológicos: são processos implementados através da atuação direta de microrganismos ou pelas suas enzimas (fermentação).

As utilizações da biomassa são diversas, e, dentre elas, destacam-se a geração de energia elétrica, a utilização térmica final e a produção de biocombustíveis e biogás. Ao contrário de outras fontes de energia, a biomassa pode ser convertida em combustíveis sólidos, líquidos e gasosos. Na geração de energia elétrica, a biomassa é convertida em eletricidade em centrais de vapor de ciclo simples, por meio de gaseificação ou, ainda, por meio de um processo de biodigestão. Quando empregada para fins térmicos, a biomassa pode ser utilizada como combustível para gerar um fluido térmico de aplicações industriais, por exemplo, na produção de água quente. Os biocombustíveis têm a biomassa como matéria-prima para a produção de combustíveis alternativos à gasolina (bioetanol) ou gasóleo (biodiesel). Na produção de biogás, a biomassa é usada como um substituto do gás natural.

Além de ser uma fonte energética renovável, as principais vantagens da utilização da biomassa para conversão em energia são: baixo custo de operação, implantação e manutenção de uma unidade de conversão; facilidade de armazenamento e transporte; e possibilidade de reaproveitamento e valorização dos resíduos. Porém, o seu uso sem o devido planejamento pode ocasionar a formação de grandes áreas desmatadas pela remoção indiscriminada de vegetação, perda dos nutrientes do solo, erosões e emissão de gases, dentre eles os de efeito estufa.

Entre as principais dificuldades e limitações da utilização de biomassa como fonte de energia, citam-se a baixa densidade e produção dispersa; o estado físico inicial sólido, requerendo tratamento prévio do material; e o elevado teor de umidade inicial. A baixa eficiência dos processos de obtenção de energia que utilizam a biomassa como matéria-prima é outra dificuldade encontrada. Ou seja, há uma elevada demanda de matéria-prima para a produção de pequenas quantidades de energia (ANEEL, 2008). Uma exceção é a utilização da madeira (biomassa florestal) em processos de cogeração industrial, como acontece com o aproveitamento do licor negro, que é um resíduo de um dos processos de separação da celulose, nas indústrias de papel e celulose.

Pesquisas futuras para o desenvolvimento tecnológico do processo concentram-se, principalmente, em melhorias das tecnologias de colheita e logística, aprimoramento das tecnologias de conversão energética e aumento da eficiência dos processos de produção de energia e de combustíveis líquidos.

Fontes de energias renováveis foram responsáveis por suprir cerca de 19% do consumo final mundial de energia em 2014 e 23,7% da produção mundial de eletricidade em 2015 (REN21, 2016). A biomassa é, de longe, a maior fonte de energia renovável, correspondendo a 78% do total de energia renovável produzida no mundo (WEC, 2016). A participação dessa fonte foi de 14% no consumo total final de energia, sendo o setor de aquecimento de prédios responsável por 10,4% desse consumo (REN21, 2016). O restante é consumido para aquecimento industrial, transportes e eletricidade.

O abastecimento primário de energia a partir da madeira utilizada em todo o mundo é estimado em cerca de 56 EJ. Esse tipo de biomassa e seus derivados fornecem cerca de 90% da energia primária proveniente anualmente de todas as formas de biomassa (Figura 26.1). A madeira também é a fonte de mais de 52 milhões de toneladas de carvão, além de ser usada em indústrias de fundição de ferro e outros metais (WEC, 2016).

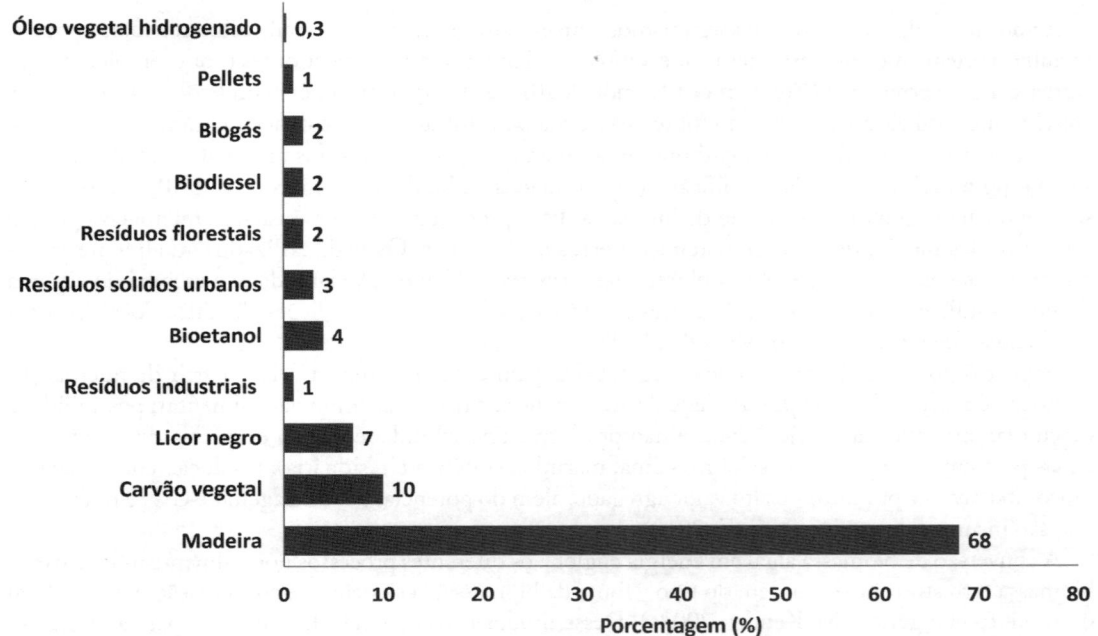

FIGURA 26.1 Contribuição das diferentes fontes de biomassa no total do fornecimento global de energia primária a partir de bioenergia em 2013. *Fonte: WEC (2016).*

Segundo o Conselho Mundial de Energia, o comércio internacional é conduzido por *pellets* (27 milhões de toneladas em 2015) e biocombustíveis líquidos. Com os biocombustíveis sendo a opção mais viável e sustentável na substituição da dependência do petróleo, a demanda futura provirá da necessidade de renováveis nos transportes, seguidos dos setores de aquecimento e eletricidade (WEC, 2016). Entre os biocombustíveis, a produção mundial em 2015 foi dominada por etanol (74%), seguida de biodiesel (22%) e óleo vegetal hidrogenado (4%). No ranking dos países produtores, os Estados Unidos eram os líderes, responsáveis por 46% da produção mundial de biocombustíveis, o Brasil ocupava o segundo lugar, com 24% e a União Europeia vinha atrás, com 15% (REN21, 2016).

Ainda de acordo com o Conselho Mundial de Energia, no ano de 2015 a geração de energia elétrica utilizando como fonte a biomassa foi de 106 TWh. Os Estados Unidos ocuparam o primeiro lugar em capacidade total de geração de eletricidade a partir de biomassa, seguidos de China, Alemanha, Brasil e Japão (REN21, 2016).

Segundo os dados do Balanço Energético Nacional (EPE, 2017), no ano de 2016, a biomassa obteve a segunda maior participação na oferta interna de energia no Brasil, de 25,5%. Petróleo e derivados foram as fontes com maior participação. Derivados da cana-de-açúcar (17,5%) e lenha e carvão vegetal (8%) foram os tipos de biomassas que contribuíram para essa participação. Em se tratando de fonte de energia elétrica de origem interna, a biomassa também ocupou o segundo lugar, respondendo por 8,2% da oferta. O primeiro lugar foi ocupado pela energia hidráulica, com 68% de participação (EPE, 2017).

Ademais, de acordo com ANEEL (2008), comparativamente a outros países, o etanol produzido no Brasil, oriundo da cana-de-açúcar, possui custos reduzidos e similar potencial energético, projetando o país como o segundo maior produtor de etanol do mercado internacional. O crescimento da produção do etanol no país pode ser devido à crescente atividade da agroindústria da cana-de-açúcar, assim como à experiência advinda do Pró-Álcool e a inclusão da atividade no Programa de Aceleração do Crescimento (PAC), em 2007 (ANEEL, 2008).

Em relação ao biodiesel, a produção também apresenta crescimento ao longo dos anos. Parte da produção é exportada para países como os países membros da União Europeia, por exemplo, e outra parte utilizada para suprir a demanda interna pelo combustível. Historicamente, a atividade é impulsionada por programas de estímulos do governo federal, como o Programa Nacional de Produção e Uso de Biodiesel, em vigor desde o ano de 2004 (ANEEL, 2008). Em 2016, 7% de B100 (combustível a base de 100% de biodiesel) foi compulsoriamente adicionado ao óleo mineral. A principal matéria-prima do biodiesel foi o óleo de soja (72%), seguido do sebo bovino (14%) (EPE, 2017).

26.2.1 Estudo de Caso: a Biomassa Algal

O termo microalga abrange microrganismos unicelulares e organismos multicelulares mais simples, incluindo organismos procariontes (por exemplo, as cianobactérias) e eucariontes (por exemplo, as algas verdes e algas vermelhas) (Brennan & Owende 2010). Esses organismos, em condições fototróficas de crescimento (utilização de luz como fonte de energia para a síntese de substâncias orgânicas), absorvem luz solar e assimilam dióxido de carbono do ar, bem como nutrientes dos ambientes aquáticos. Possuem o potencial de acumular significativas quantidades de lipídios (até mais do que 50% do seu peso seco) e de gerar grande quantidade de biomassa. Para produção em larga escala, as microalgas podem ser cultivadas mediante o uso de sistemas abertos ou fechados. Os mais utilizados atualmente são as *raceways*, sistemas abertos, e os fotobioreatores, sistemas fechados. A viabilidade e escolha do sistema devem ser influenciadas pelas características da espécie a ser cultivada, condições climáticas locais e custos de obtenção de água e terra (Borowitzka, 1997).

Aspectos positivos da geração de energia, principalmente biocombustíveis, a partir de microalgas, incluem: alta produtividade por unidade de área; matéria-prima é de fonte não alimentar; possibilidade de cultivo em áreas não agricultáveis e não produtivas; possibilidade de uso de ampla diversidade de águas para cultivo (água doce, salobra, salina, marinha, sintética e residuária); produção combinada de biocombustíveis e produtos de alto valor agregado, além do potencial de reciclagem de CO_2 e nutrientes, que são insumos do cultivo (USDE, 2010).

A conversão de biomassa algal em energia engloba os diferentes processos normalmente usados para a biomassa terrestre, que dependem do tipo e fonte da biomassa, das opções de conservação e do uso final do produto energético (McKendry, 2002a). Desse modo, as tecnologias de conversão para a utilização da biomassa algal podem ser divididas em duas categorias básicas: conversão termoquímica e conversão bioquímica. Há uma terceira categoria (conversão química) que, apesar de utilizar a biomassa algal por um método indireto (através da extração química para a geração de energia), também pode ser incluída, como mostrado na Figura 26.2.

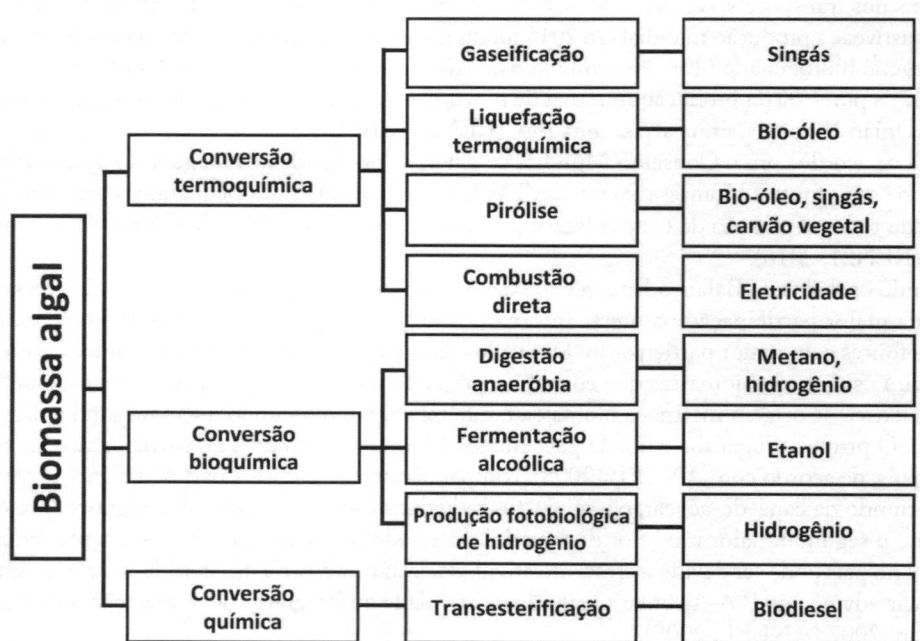

FIGURA 26.2 Processos potenciais de conversão de biomassa algal em energia e produtos energéticos obtidos. *Fonte: Adaptado de Tsukahara & Sawayama (2005).*

Os fatores que influenciam a escolha de determinado processo de conversão incluem o tipo e a quantidade de matéria-prima, a forma desejada de energia, a contrapartida econômica e a forma final requerida do produto (McKendry, 2002b). Apesar do potencial energético das microalgas, alguns desafios precisam ser superados para tornar o processo comercialmente viável e possibilitar a produção sustentável. Dentre eles, podem ser citados: selecionar espécies de modo a equilibrar os requisitos para a produção de biocombustíveis e a extração de coprodutos de alto valor agregado; alcançar maior eficiência fotossintética por meio do desenvolvimento contínuo de sistemas de produção; desenvolver técnicas de extração para redução da evaporação e perdas na difusão de CO_2; tornar positivo o balanço energético após contabilização das necessidades de bombeamento de água, transferência de CO_2, colheita e extração; oferecer dados em escala real, e não apenas em escala piloto ou de bancada (Brennan & Owende, 2010).

26.3 ENERGIA EÓLICA

A energia cinética do movimento das massas de ar é o que se conhece como energia eólica. Entre as alternativas renováveis, a energia eólica tem um potencial importante e os parques (ou fazendas) eólicos estão se tornando amplamente utilizados em todo o mundo. De acordo com Sahin (2004), durante a década de 1990, a energia eólica foi desenvolvida e ampliada para uso industrial em alguns países europeus, incluindo a Alemanha, Dinamarca e Espanha. O sucesso obtido por essas nações estimulou outros países a considerarem a energia eólica também para geração de eletricidade. A energia eólica para a produção de eletricidade é uma tecnologia madura, competitiva, praticamente livre de poluição e amplamente utilizada mundialmente (Balat, 2009).

As diferentes tecnologias de aproveitamento da energia eólica baseiam-se na conversão da energia disponível nos ventos em eletricidade ou energia mecânica através da utilização de turbinas eólicas (Balat, 2005). Nessas estruturas, a energia cinética de translação é transformada em energia cinética de rotação, que por sua vez é convertida em eletricidade, nos chamados aerogeradores. Quando o objetivo é o aproveitamento da energia mecânica, utilizam-se cata-ventos ou moinhos, por exemplo, para o bombeamento de água (ANEEL, 2008).

As turbinas eólicas capturam a energia do vento por meio de lâminas aerodinamicamente projetadas e a convertem em energia mecânica de rotação. As lâminas da turbina eólica usam aerofólios para a geração de energia mecânica (Blaabjerg et al., 2004). A função de uma turbina eólica é converter o movimento do vento em energia rotacional usada para acionar um gerador, conforme ilustrado na Figura 26.3. O desenvolvimento de turbinas eólicas maiores com melhor desempenho e de altas torres aumentou a captura de vento e a produção de eletricidade.

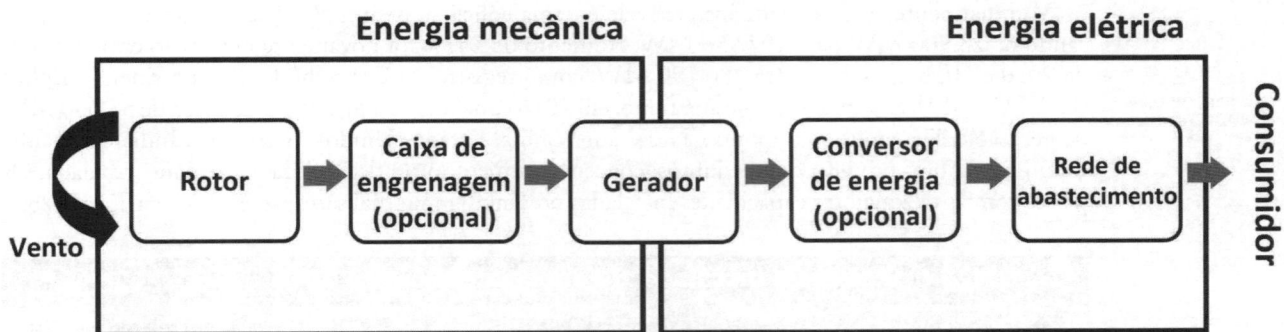

FIGURA 26.3 Conversão de energia eólica em energia elétrica em uma turbina eólica. *Fonte: Adaptado de Panwar et al. (2011).*

As instalações eólicas podem ser classificadas, de acordo com a localização, em dois tipos: sistemas *onshore* e sistemas *offshore*. *Onshore* são instalações em terra e *offshore*, instalações marítimas, que representam uma importante fronteira de utilização da energia eólica. As instalações *offshore* têm crescido principalmente pelo comprometimento, questionamentos ou restrições quanto ao uso de áreas de grande potencial eólico em terra. Dessa forma, muitos investimentos da indústria eólica tem sido direcionados para o desenvolvimento e inovação tecnológica para uso no mar de turbinas eólicas. Há uma série de razões para a implantação de plantas de energia eólica *offshore*. Dentre elas, é possível citar: a velocidade do vento é maior no mar do que na terra; o perfil de vento não mostra grandes variações com a altura; há aumento da vida útil das turbinas (em até 10 anos) se comparadas àquelas *onshore*, devido à menor turbulência do vento no mar (superfície mais lisa e regular) e maior duração dos ventos. As plantas eólicas *offshore* são mais caras do que as *onshore*. No entanto, devido à elevada eficiência, maior e mais contínua produção de eletricidade, a tendência atual é a construção de parques *offshore*. Em países como Alemanha, Dinamarca, Suécia e Reino Unido, as instalações *offshore* predominam sobre as *onshore* (Sahin, 2004).

Além da classificação de acordo com a localização, os parques eólicos podem ser divididos em: (i) sistemas isolados que podem armazenar energia, como exemplo, em baterias para seu posterior uso em equipamentos elétricos. (ii) sistemas isolados que não armazenam energia, como por exemplo, cata-ventos que garantem o bombeamento de água para sistemas de irrigação, e nos quais toda água bombeada é colocada em uso diretamente; (iii) sistemas híbridos não conectados à rede convencional, nos quais a fonte de energia eólica é diversa, incluindo além das turbinas eólicas, outras fontes não renováveis, que estão interligadas, e que possuem maior aplicabilidade para um maior número de usuários, ou seja, são sistemas de médio porte; e, (iv) sistemas interligados à rede que, compostos por numerosos aerogeradores e considerável capacidade instalada, não armazenam energia e a disponibilizam à rede de distribuição.

Segundo Kadelis & Zafirakis (2011), o desenvolvimento da tecnologia eólica reflete-se no aumento do tamanho das máquinas, com base no melhor aproveitamento do terreno, economia de escala, redução na manutenção e operação e financiamento para programas de desenvolvimento. Mais especificamente, embora as áreas de bom potencial eólico sejam, atualmente, difíceis de serem encontradas, a exploração da energia eólica (em termos de kW) tem aumentado devido à maior eficiência de turbinas atuais, à sofisticada avaliação dos locais para instalação dos parques eólicos, à redução considerável no tempo de inatividade e ao potencial dos parques *offshore*.

Nenhuma fonte de energia é livre de efeitos indesejáveis ao meio ambiente. No caso da energia eólica, a discussão é voltada para os efeitos visuais, efeitos de ruído, possível distúrbio da fauna local, principalmente dos pássaros e possíveis interferências em sinais eletromagnéticos, como os de televisão e rádio (WEC, 2010). Segundo a ANEEL (2008), as vantagens da fonte eólica são: a grande disponibilidade, a perenidade, a renovabilidade, a independência de importações e custo zero para obtenção de suprimento. Além disso, é possível desenvolver outras atividades que convivam com os parques eólicos, tal como a agropecuária. A maior desvantagem é o custo, que, embora em contínua diminuição, permanece elevado se comparado a outras fontes. Para se entender melhor como está a dinâmica do mercado de energia eólica, a ANEEL (2008) cita como exemplo que, no ano de 2008, no Brasil, já considerando os impostos embutidos, o preço do MWh de energia eólica era de cerca de R$230,00, por outro lado, o custo da energia hidroelétrica era em cerca de R$100,00 por MWh. Contudo, o valor da energia eólica tem ficado cada vez mais competitivo sendo que o valor médio leiloado no Brasil foi de aproximadamente R$170 por MWh entre 2009 e 2015. Isso demonstra uma tendência mundial de aumento de competitividade desta fonte de energia.

Mundialmente, a capacidade instalada de energia eólica aumentou 828% entre 2001 e 2010, passando de 23.900 MW para 197.956 MW. Aumento de 247% foi novamente detectado entre os anos de 2010 e 2016, passando para 486.790 MW, como registrou o Conselho Global de Energia Eólica (GWEC, 2017). Segundo essa mesma fonte, em 2016 concluiu-se a instalação de cerca de 55.000 MW de geração eólica em todo o mundo. Nesse ano, China, Estados Unidos, Alemanha, Índia e Espanha foram os maiores produtores, que juntos, concentravam em torno de 73% da capacidade instalada. Os países com as dez maiores capacidades instaladas no ranking mundial são apresentados na Tabela 26.1.

TABELA 26.1 Potência instalada de energia eólica em 2016

País	Potência (MW)	% em relação ao total
China	168.732	34,7
Estados Unidos	82.184	16,9
Alemanha	50.018	10,3
Índia	28.700	5,9
Espanha	23.074	4,7
Reino Unido	14.543	3,0
França	12.066	2,5
Canadá	11.900	2,4
Brasil	10.740	2,2
Itália	9.257	1,9
Outros países	75.576	15,5
Total	486.790	100,0

Fonte: GWEC (2017).

Segundo a WWEA (2011), em 2010 o Brasil ocupava a 21ª posição no ranking mundial, passando para as dez maiores potências em energia eólica em 2016 em termos de potência instalada, segundo a GWEC (2017).

Em relação ao Brasil, as principais vantagens do país em termos de vento dizem respeito à presença superior à média mundial e à baixa volatilidade ou oscilação de sua velocidade, possibilitando prever com maior confiança o montante de energia a ser gerado no país a partir da fonte eólica. Ademais, há, no país, a possibilidade de integrar a produção de energia eólica dos parques eólicos com a produção de energia elétrica nas hidrelétricas. Isso ocorre devido à maior velocidade dos ventos nos períodos de estiagem, o que complementaria a baixa produção das hidroelétricas nesse período. Dessa forma, seria possível a preservação da água dos reservatórios em períodos de menor precipitação (ANEEL, 2008).

A produção de eletricidade no Brasil a partir da fonte eólica alcançou 32,07 TWh em 2016, 7,1% de toda energia elétrica produzida no país. Isso representa um aumento de 55,5% em relação ao ano anterior, quando se alcançaram 20,62 TWh. Ainda de acordo com o Banco de Informações da Geração (BIG) da ANEEL, o parque eólico nacional cresceu 9.812 MW entre 2010 e 2016. Os cinco estados com maior geração no período de 2016 foram Rio Grande do Norte (10,59 TWh), Bahia (6,08 TWh), Ceará (5,87 TWh), Rio Grande do Sul (4,56 TWh) e Piauí (2,91 TWh). Em energia eólica existe o que se chama de **fator de capacidade**, ou seja, a proporção entre a geração efetiva da usina ou parque em um período e a capacidade total no mesmo ínterim. O valor médio para 2016 foi 40,7%, bem maior que a média mundial, que está em torno de 25% (ABEEólica – Associação Brasileira de Energia Eólica, 2016). Uma vez mais, informações que reforçam o potencial de contribuição dessa fonte para a diversificação da matriz energética brasileira.

26.4 ENERGIA HIDRELÉTRICA

A energia hidrelétrica é aquela alcançada pelo aproveitamento do potencial hidráulico – energia cinética ou potencial da água dos rios e reservatórios – que é transformado em energia mecânica e depois em energia elétrica. Por isso, para se obter esse tipo de energia é necessário que exista um fluxo de água, ou seja, uma determinada vazão, e um desnível. Uma central hidrelétrica – termo genérico para designar o sistema onde ocorre o aproveitamento da energia hidráulica – é composta principalmente, pela barragem, pela captação ou condutos de adução de água, pela casa de máquinas e pelo sistema de restituição de água. A barragem constitui-se em uma obra transversal ao rio que bloqueia a passagem da água e possui a função de elevar o nível, e/ou acumular água. A sua instalação é imprescindível para que o sistema de captação receba e conduza a água à casa de máquinas e posteriormente a restitua ao rio. Esse tipo de obra, via de regra, exige estudos e planejamentos diligentes de cada caso particular, objetivando mitigar os impactos ambientais negativos e o custo de investimento por kW instalado.

Segundo ANEEL (2008), no mundo, a primeira hidrelétrica foi instalada nas quedas de água das Cataratas do Niágara, no final do século XIX. Nessa época, o principal combustível era o carvão e a utilização do petróleo ainda estava no âmbito de pesquisas. Também nessa época, foi construída no município de Diamantina (MG) a primeira hidrelétrica do Brasil. O sistema foi instalado no Ribeirão do Inferno, um afluente do Rio Jequitinhonha, e contava com uma potência de 0,5 MW e dois quilômetros de linha de transmissão.

Depois de cerca de um século, a potência instalada das unidades hidrelétricas brasileiras aumentou vertiginosamente e alcançou patamares como o da Binacional Itaipu, de 14.000 MW (ANNEL, 2008). Isso se deve ao extraordinário desenvolvimento de equipamentos e técnicas de construção civil. Para se ter ideia, segundo Schreiber (1978), o peso das máquinas instaladas por kW produzido sofreu decréscimo aproximado de 50% nos primeiros 50 anos do século XX. Assim, a confiabilidade e a eficiência dos sistemas hidrelétricos fazem com que essa seja uma forma de aproveitamento energético com importante papel nas matrizes energéticas dos países que dispõem de condições naturais favoráveis.

Muitas são as formas de distinguir-se os aproveitamentos hidrelétricos: quanto à potência (centrais geradoras, pequenas centrais hidrelétricas e usinas hidrelétricas); quanto à altura da queda (alta, baixa ou média altura); quanto ao tipo de turbina empregada; e, finalmente, quanto à forma de se utilizar as vazões naturais. Essa última, segundo Schreiber (1978), é a classificação mais importante: reservatórios de acumulação ou unidades a fio de água.

Os reservatórios de acumulação geralmente localizam-se na cabeceira dos rios, ou seja, em locais de grandes quedas de água. Em função do seu grande porte, permitem o acúmulo de grande volume de água, favorecendo a estocagem de água para utilização nas épocas de estiagem. A localização desse tipo de reservatório à montante de outras hidrelétricas permite, ainda, a regulação da vazão da água que irá fluir para jusante, de forma a integralizar um sistema de usinas visando a otimização da produção de energia elétrica. As unidades a fio de água, por sua vez, geram energia com o fluxo de água do rio, havendo mínimo ou nenhum acúmulo do curso d'água. A operação em cascata de várias usinas a fio de água, com reservatório a montante, pode ser otimizada para proporcionar a geração de energia quando se fizer necessário.

Outra importante classificação é a adotada pela Agência Nacional de Energia Elétrica (ANEEL) em função da potência instalada de determinada usina: centrais geradoras hidrelétricas (CGH, com até 1 MW de potência instalada), pequenas centrais hidrelétricas (PCH, entre 1,1 MW e 30 MW de potência instalada) e usina hidrelétrica de energia (UHE, com mais de 30 MW). Tal classificação é muito importante durante o licenciamento ambiental e a avaliação de impactos ambientais desses empreendimentos, pois vai determinar se o licenciamento necessitará de estudos mais simples ou mais complexos. Para a determinação das dimensões da rede de transmissão também é importante essa classificação. Por exemplo, uma UHE tende a estar mais longe dos grandes centros, necessitando, assim, de construção de longas linhas de transmissão em tensões alta e extra-alta (de 230 kV a 750 kV), que podem atravessar grande parte do território de um estado ou do país. Por outro lado, as CGHs e PCHs, podem ser instaladas em pequenas quedas de água e geralmente abastecer centros consumidores de pequeno ou médio porte – por exemplo, indústrias. Nesse caso, não são necessárias instalações complexas para o transporte da energia. Os reservatórios das hidrelétricas frequentemente suportam outros usos da água, tais como irrigação, controle de inundações e abastecimento de água potável (são os chamados usos múltiplos). A água é um recurso vital que suporta todas as formas de vida na Terra, embora não se encontre distribuída uniformemente ao longo das estações do ano ou de regiões geográficas. Algumas partes do mundo são propensas a secas, tornando a água um bem escasso e precioso. Em outras regiões, as inundações que causam a perda de vidas e propriedades são os maiores problemas. Ao longo da história, barragens e reservatórios artificiais, descritos no Capítulo 8, têm sido utilizados com sucesso na coleta, no armazenamento e no gerenciamento de água, necessários para sustentar as civilizações.

No Brasil, de acordo com o Banco de Informações de Geração (BIG) da ANEEL, em janeiro de 2018, havia 658 CGHs em operação, com potência total de 592 MW; 431 PCHs (5,0 mil MW de potência instalada) e 219 UHEs, com uma capacidade total instalada de 101,887 mil MW. Em setembro de 2017, as usinas hidrelétricas foram responsáveis por 64,5% da potência total instalada no país. Em tempos pretéritos, 90% da capacidade instalada era o que representava o parque hidrelétrico nacional. A mudança foi, possivelmente, forçada pela necessidade de se diversificar a matriz energética, objetivando maior confiabilidade e segurança do abastecimento. Também é necessário destacar que o sucesso dos empreendimentos de aproveitamento hidrelétrico passa por difíceis decisões técnicas e políticas, que sofrem influência de questões tanto socioambientais quanto jurídicas.

As hidrelétricas possuem várias vantagens, entre elas a baixa emissão de poluentes de efeito estufa, grande eficiência energética, baixos custos operacionais e de manutenção. Porém, também concentram pontos desfavoráveis, que são essencialmente relacionados com a questão socioambiental. O processo de construção e instalação de uma hidrelétrica gera conflitos no uso da água e inundação de áreas, o que impacta a vida da comunidade e do ecossistema do local, acarreta modificação de regimes hidrológicos da região e pode alterar a qualidade dos recursos hídricos localizados próximos ao reservatório (Bartle, 2002; Yuksel, 2010).

26.5 HIDROGÊNIO

As fontes de energia do futuro precisam ser ambientalmente limpas, seguras e de fácil transporte até os usuários finais (Sherif et al., 2005). O hidrogênio, como combustível, atende a maioria desses requisitos. A principal limitação a seu uso como combustível é a dificuldade de armazenamento, já que o gás é altamente inflamável, mesmo em baixas concentrações. Para armazená-lo na forma líquida, são necessárias temperaturas muito baixas (Midilli et al., 2005). O aproveitamento energético do hidrogênio pode ser realizado das seguintes formas (Sherif et al., 2005):

- *Combustão do hidrogênio em motores de combustão interna e turbinas*. O hidrogênio é um combustível que pode ser aproveitado por motores de combustão interna. Movidos a hidrogênio, tais motores são, em média, aproximadamente 20% mais eficientes do que os a gasolina.

● *Geração de vapor direto por meio da combustão de hidrogênio com uso de oxigênio.* O hidrogênio, queimado com oxigênio puro, resulta em vapor de água com elevada temperatura (3.000 °C).

● *Combustão catalítica do hidrogênio.* Neste processo, o hidrogênio e o oxigênio são queimados na presença de um catalisador adequado em temperaturas relativamente mais baixas (500 °C). O único produto de combustão catalítica do hidrogênio é o vapor de água. Devido às baixas temperaturas, não há formação de óxidos de nitrogênio (quando se utiliza ar). Possíveis aplicações dos queimadores catalíticos estão em eletrodomésticos, como fogões e aquecedores.

● *Geração de eletricidade por reação eletroquímica (células de combustível).* Em uma célula de combustível, o hidrogênio se combina com o oxigênio, sem combustão, em uma reação eletroquímica (reverso da eletrólise) e produz energia elétrica diretamente, tendo água e calor como produtos finais. Em alguns equipamentos, é realizado o aproveitamento dessa energia térmica, o que os torna ainda mais eficientes.

A **célula de combustível** é um dispositivo semelhante a uma bateria de recarga contínua e gera eletricidade pela reação eletroquímica de baixa temperatura entre o hidrogênio e o oxigênio (puro ou presente no ar). Uma bateria armazena energia, enquanto as células de combustível podem produzir eletricidade continuamente à medida que combustível e ar forem fornecidos. Em tal processo, há apenas a emissão de água e não ocorre geração de poluentes, como óxidos de nitrogênio, mesmo porque essas células operam a temperaturas mais baixas do que os motores de combustão interna. A Figura 26.4 apresenta um modelo de uma célula de combustível.

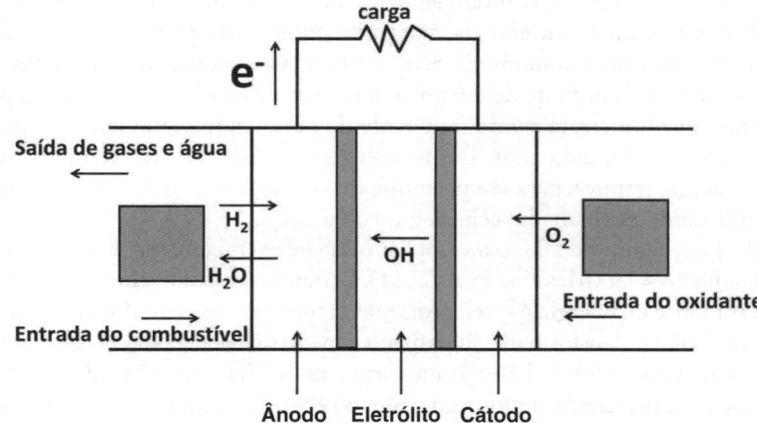

FIGURA 26.4 Modelo de uma célula de combustível. *Fonte: Adaptado de Sherif et al. (2005).*

Embora seja o elemento químico mais comum no planeta, o hidrogênio não ocorre, nas condições normais de temperatura e pressão, em sua forma elementar. Portanto, para obter hidrogênio (gás ou líquido) é necessário gasto de energia. Isso pode ser realizado por diferentes processos, como eletrólise da água, pirólise, gaseificação de biomassa ou, ainda, pela produção biológica de hidrogênio. Ainda hoje, grande parte do hidrogênio gerado no mundo se dá por utilização de combustível fóssil. Porém, a eletricidade utilizada para a eletrólise pode vir, eventualmente, de fontes limpas e renováveis, tais como a radiação solar, a energia cinética do vento e da água, ou o calor geotérmico. Portanto, o hidrogênio pode se tornar um importante elo entre a energia renovável e energia química portátil. A fotoeletrólise da água, um método que utiliza sistemas de coleta de luz (pelo processo fotoeletroquímico) para alimentar a eletrólise da água, é um exemplo dessa integração. Na Figura 26.5, apresenta-se um diagrama esquemático de um modelo proposto por Fujishima & Honda em 1972. Quando exposto à luz solar, um fotoeletrodo semicondutor (ânodo ou cátodo), submerso em um eletrólito aquoso, gera tensão suficiente para dividir moléculas de água. Normalmente, o outro eletrodo é um metal. A reação das células, em geral, é a seguinte (h é a constante de Planck e ν é a frequência):

$$2h\nu + H_2O(l) \rightarrow \frac{1}{2}O_2(g) + H_2(g)$$

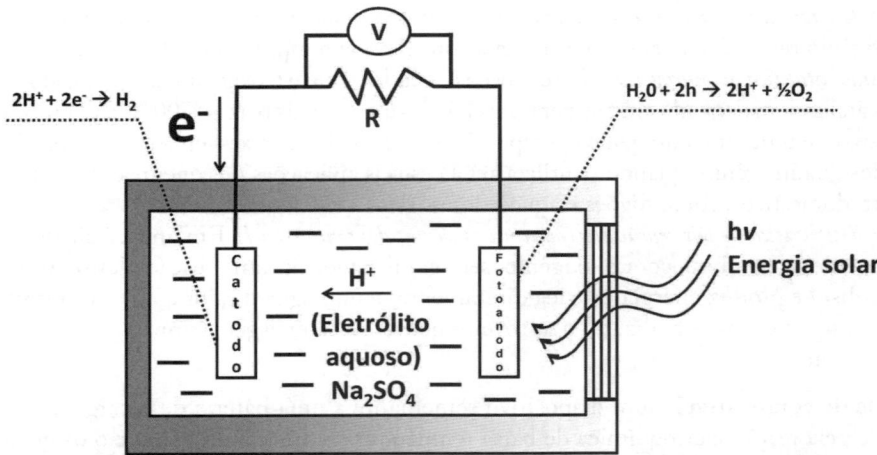

FIGURA 26.5 Diagrama esquemático de um modelo proposto pela PEC Fujishima & Honda em 1972.

26.6 ENERGIA SOLAR

O Sol emite em torno de 100.000 TW de energia para a Terra, que é aproximadamente 10 mil vezes maior que a taxa de consumo atual de todo planeta, estimada em 13 TW (Grätzel, 2007). A radiação solar é uma das fontes mais limpas de energia, não emite ruídos e não provoca nenhum tipo de poluição. Além disso, o seu uso imprime o mínimo de riscos ambientais e ecológicos associados. Isso é um fator importante quando se pensa em fonte de energia e melhoria de qualidade de vida das pessoas. Grande variedade de tecnologias foi e está sendo desenvolvida para o aproveitamento da energia solar nos setores doméstico, comercial e industrial. Tais tecnologias têm por objetivo capturar a radiação solar e transformá-la em energia térmica, para seu posterior aproveitamento, ou diretamente transformá-la em energia elétrica, utilizando as chamadas células fotovoltaicas.

Existem, atualmente, alguns desafios para ampliar o uso de energia solar em função da natureza periódica e variável da radiação solar (Mekhilef et al., 2011). Portanto, um ponto chave para o desenvolvimento das aplicações dessa fonte de energia é o seu armazenamento para os períodos sem Sol.

Quando a energia solar é transformada diretamente em eletricidade, pode ser armazenada em baterias e, nesse caso, o desafio está em obter baterias menores e mais eficientes. Quando captada em forma de calor, a energia pode ser armazenada em forma de calor ou em reações químicas endotérmicas que, quando revertidas (com auxílio de um catalisador), liberam a energia nelas armazenada novamente em forma de calor. O diagrama apresentado na Figura 26.6 sintetiza, esquematicamente, as principais formas de utilização da energia proveniente do Sol.

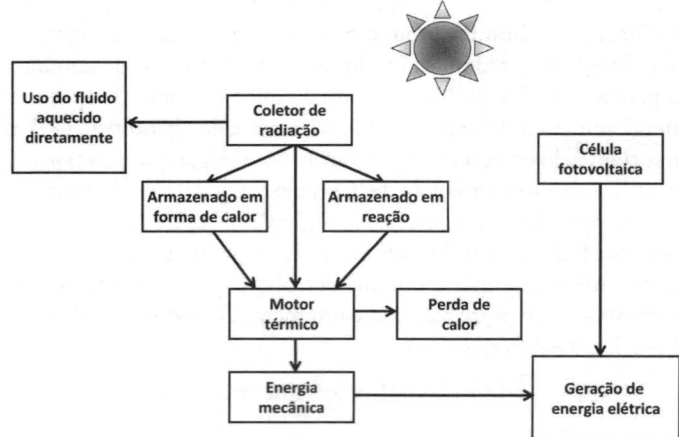

FIGURA 26.6 Principais formas de utilização da energia proveniente do Sol.

A energia solar pode ser aproveitada diretamente em forma de energia térmica, principalmente em menor escala. Essa energia é, na atualidade, uma das que mais recebeu investimento, em nível mundial, para seu desenvolvimento, ficando atrás apenas da energia eólica. Ressalta-se que grande parte dos investimentos em energia solar é revertida para instalações pequenas e descentralizadas, o que demonstra a importância dos sistemas de pequeno porte para o aproveitamento desta fonte de energia. São vários os sistemas simplificados que utilizam tecnologia solar para os mais diversos usos, como: fogão solar do tipo caixa, em que a temperatura pode chegar a 150 °C, painel coletor plano utilizado para baixas temperaturas e sistema simples de secagem de grãos.

A **energia solar térmica** é proveniente da transformação de radiação solar em calor. Os fótons (partículas de luz) interagem com as moléculas de uma determinada substância, seja sólida ou líquida, e fazem com que as moléculas vibrem e gerem calor. A energia solar, uma vez transformada em energia térmica, pode ser convertida em energia elétrica, principalmente em larga escala, com o uso dos chamados **concentradores solares**. Tais sistemas captam a energia solar incidente em grandes áreas e a concentram em uma área muito menor, fazendo com que a temperatura desta última área aumente consideravelmente. Alguns tipos de concentradores, como os parabólicos de alta concentração, podem atingir elevados valores de temperatura e índices de aproveitamento da energia solar incidente (14 a 22%), características que os tornam adequados para a geração de energia elétrica por meio do vapor produzido (ANEEL, 2002).

Um dos sistemas de torres solares (a CESA-1) da Plataforma Solar de Almeria, na Espanha, pode produzir até 3,3 W/m². Na estação de produção de energia elétrica Andasol, em Granada (também na Espanha), a produção de energia elétrica se dá em dois estágios. Primeiramente, espelhos parabólicos concentram e captam a radiação solar em forma de calor e a transferem para um tubo com óleo sintético. Em seguida, o óleo aquecido flui pelo trocador de calor onde é gerado o vapor que movimenta as turbinas e produz eletricidade. Parte do óleo aquecido é desviada para o outro trocador de calor, que faz com que a solução salina seja bombeada de um tanque frio (290 °C) para um tanque quente (390 °C). Nos períodos sem insolação, esse fluido do tanque quente é transferido para o tanque frio, passa pelo trocador de calor, devolve calor para o óleo que volta a aquecer, movimenta as turbinas e gera eletricidade. Esta seria uma forma de armazenar energia solar. O desafio está no desenvolvimento de materiais que possam participar desses processos de forma a minimizar as perdas e otimizar as transferências e o armazenamento de calor.

Outra maneira de se armazenar energia térmica proveniente do Sol é pela utilização do calor obtido para excitar uma reação endotérmica reversível. O calor estocado na reação pode ser recuperado pela reversão da reação, normalmente com auxílio de um catalisador. Na Figura 26.7, apresenta-se um esquema de como a radiação solar poderia ser aproveitada com o uso de sulfato de magnésio. Ela envolve a separação e recombinação de sulfato de magnésio hidratado, uma reação de adsorção-dessorção, o que teoricamente poderia armazenar 2,8 GJ/m³ de energia.

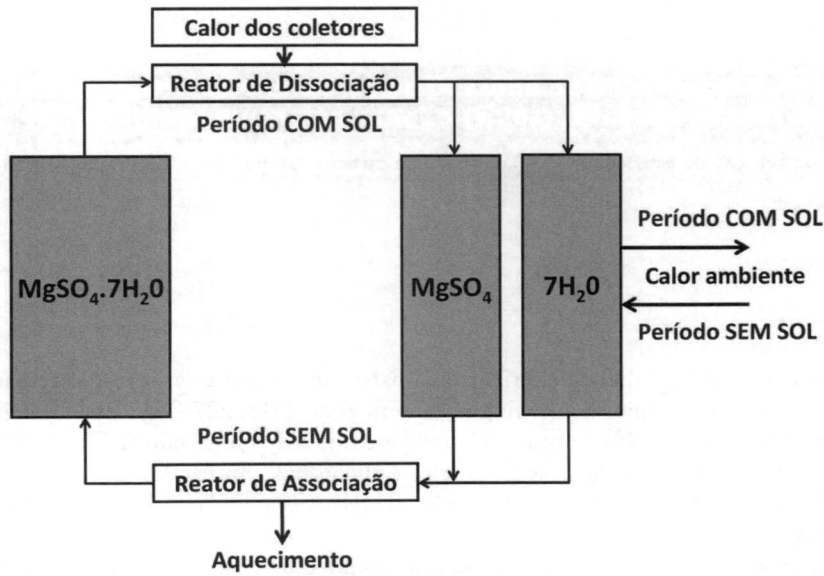

FIGURA 26.7 Possível aproveitamento da radiação solar com o uso de sulfato de magnésio. *Fonte: Pinel et al. (2011).*

A reação química é:

$$MgSO_4 7H_2O(s) + calor \leftrightarrow MgSO_4(s) + 7H_2O(g)$$

Células fotovoltaicas convertem luz solar diretamente em eletricidade. Em 1954, cientistas do laboratório *Bell Telephone* apresentaram para a comunidade científica que o silício, quando exposto à luz, criava uma carga elétrica — o chamado efeito fotovoltaico. A Figura 26.8 mostra um diagrama simples de como um dispositivo convencional fotovoltaico funciona.

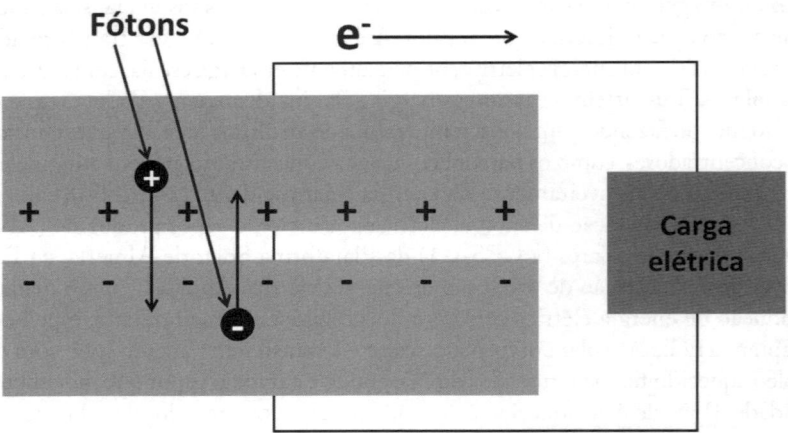

FIGURA 26.8 Esquema de um painel fotovoltaico. *Fonte: Grätzel (2007).*

Existe uma diversidade de materiais utilizados no lugar do silício, inclusive materiais flexíveis, que podem acompanhar o molde de telhas e fachadas de edifícios. Atualmente, painéis fotovoltaicos têm a capacidade de capturar de 10% a 20% da energia do Sol e transformá-la em eletricidade.

A principal dificuldade para geração de eletricidade a partir de energia solar em escala comercial é o custo das células, porém a tendência apresentada é a queda de preços desses materiais (ANEEL, 2002). Na Tabela 26.2, comparam-se dois tipos de energia em termos de poluição e custo de geração. Nota-se que a energia solar pode chegar a ser oito vezes mais cara que a energia proveniente de fonte fóssil. Porém, em termos de emissão de carbono, é extremamente vantajosa, tendo em vista que sua emissão é zero, caso sejam desconsideradas as emissões a partir da fabricação do material e da instalação das usinas.

TABELA 26.2 Comparação de emissão de carbono e custos de geração de energia de fonte renovável (solar) e fonte não renovável (carvão)		
*Tecnologia de geração de eletricidade	Emissão de carbono (gC/kWh)	Custos de geração (US$/kWh)
Solar térmica e fotovoltaica	0	9 – 40
Turbina a gás de carvão	100 – 230	5 – 7

Fonte: Demirbas (2000).

A capacidade instalada global de eletricidade a partir de energia solar tem apresentado um crescimento exponencial nos últimos anos, atingindo no final de 2015, 227 GW. Essa fonte de energia é responsável pela produção de 1% de toda a eletricidade utilizada no mundo (REN21, 2016). Grande parte das instalações solares para geração de energia é encontrada em regiões com escassez de recursos (Europa e China), enquanto o potencial em regiões de recursos abundantes (África e Oriente Médio) permanece inexplorado.

Na Figura 26.9, é apresentada como a produção mundial de energia elétrica por meio de células fotovoltaicas foi distribuída no ano de 2015.

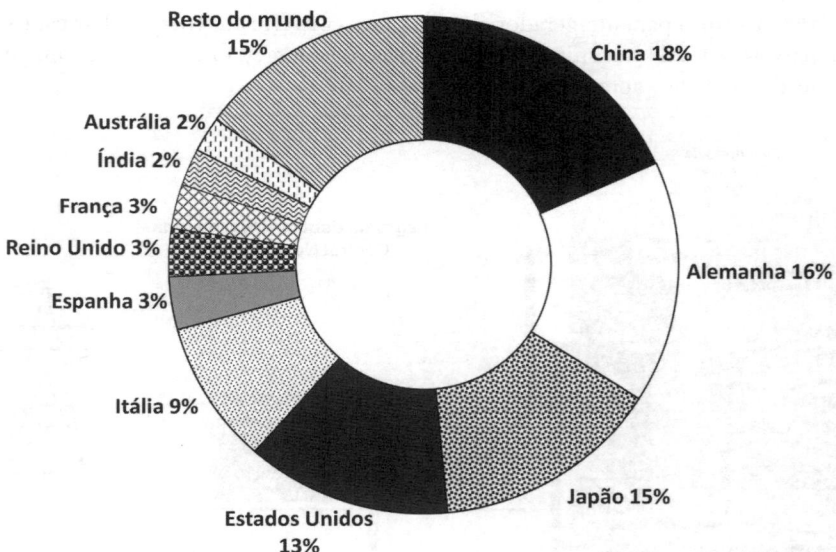

Figura 26.9 Participação dos países na produção mundial de energia elétrica a partir de painéis fotovoltaicos em 2015. *Fonte: IEA (2017).*

26.7 ENERGIA NUCLEAR

Reações nucleares são transformações da composição do núcleo atômico de um elemento. A energia nuclear consiste no uso controlado dessas reações para, por exemplo, realizar movimento, obter calor e gerar eletricidade. Energia nuclear pode ainda ser definida como a energia liberada dos núcleos atômicos ao serem conduzidos a condições instáveis, seja de forma espontânea (mais rara) ou através de processos artificiais, como as técnicas de bombardeamento de nêutrons.

A energia nuclear pode ser convertida em calor via **fissão nuclear** e **fusão nuclear**. No processo de fissão, há a quebra do núcleo atômico, que é subdivido em duas ou mais partículas. Caso haja uma grande quantidade de núcleos disponíveis para fissão, a probabilidade de ocorrerem outras fissões é elevada, gerando assim novos nêutrons (elementos responsáveis pela ruptura dos núcleos) e ocasionando, sucessivamente, novas fissões. Esse processo autossustentável, que uma vez iniciado é capaz de se manter sem a necessidade de provocar uma nova fissão, é chamado de **reação em cadeia**. Já no processo de fusão, dois ou mais núcleos atômicos se unem para formar um novo núcleo. Os reatores de fusão são uma tecnologia ainda não totalmente desenvolvida, enquanto os reatores de fissão já são utilizados há muito tempo nas plantas atômicas.

De acordo com as formas de aproveitamento citadas, a energia nuclear pode ser obtida através da fissão nuclear do urânio (U), do plutônio (Pu), do tório (Th) ou da fusão nuclear do hidrogênio (H).

Existem dois tipos de combustível para as reações nucleares. O **combustível tipo físsil** é aquele com o qual é possível obter uma reação de fissão em cadeia. O **combustível tipo fértil** é o combustível que pode se transformar em físsil. A transformação do combustível fértil em físsil é denominada regeneradora. Como exemplo, o U_{235} e Pu_{238}, que são os elementos mais comuns utilizados no processo de fissão, são combustíveis do tipo físsil, assim como o Pu_{239} e Pu_{241}. Já U_{238}, Th_{232}, Pu_{240} e Pu_{242} são combustíveis do tipo fértil.

Usinas ou centrais nucleares são instalações que produzem eletricidade a partir de energia nuclear. Apesar de existirem diversos tipos, o princípio de funcionamento das usinas nucleares é basicamente o mesmo. O combustível nuclear, independentemente da forma (pastilhas, *pellets* ou varetas) em que é usado, é o responsável pela geração de energia. O processo de geração se inicia com a fissão do combustível, que, além de gerar grande quantidade de energia, produz calor. Esse subproduto é aproveitado para aquecimento da água, que possui papéis importantes de refrigeração e força motriz. A água é responsável pela rotação da turbina que gira o gerador elétrico, além de possuir a função de controle da temperatura do processo de fissão, evitando o superaquecimento do combustível nuclear. A água, ao ser aquecida, é transformada em vapor, que passa pelas turbinas a temperaturas muito altas. O ciclo é contínuo, ou seja, através de um sistema de troca de calor (líquidos ou gases refrigerantes), o vapor é transformado em água líquida novamente. Além da água, hastes de controle são utilizadas para controlar a temperatura no reator. Hastes de controle são inseridas no reator para diminuir a taxa de reação por meio da absorção de nêutrons, evitando novas quebras atômicas e, consequentemente, ajudando a diminuir a temperatura no interior do reator. As turbinas, ao serem impulsionadas pelo vapor, transmitem a energia cinética na forma de energia mecânica para um gerador elétrico que a converte em energia elétrica. Essa energia é, então, levada para as redes de transmissão e distribuição de energia. O esquema de uma usina nuclear para geração de eletricidade é apresentado na Figura 26.10.

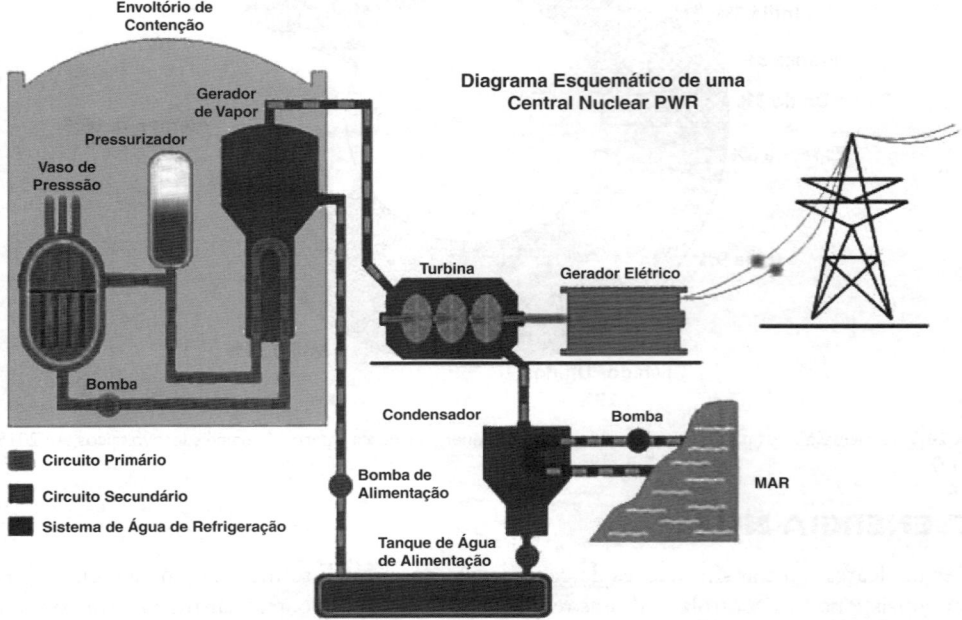

FIGURA 26.10 Esquema de uma usina nuclear para geração de eletricidade. *Fonte: https://www.mundodaeletrica.com.br.*

Os diferentes reatores nucleares se caracterizam por:

- Combustível utilizado – urânio natural, urânio enriquecido, plutônio ou tório.
- Moderador empregado – grafite, água pesada ou água leve.
- Refrigerante usado – água pesada, água leve, dióxido de carbono, hélio ou sódio líquido.

Existem seis tipos principais de reatores nucleares, cada um deles com um desenho diferente do sistema primário para produzir o calor necessário para gerar vapor. Esses tipos são os reatores de água a pressão (PWR), os de água em ebulição (BWR), os de água pesada, refrigerados por gás, os reprodutores rápidos e os de alta temperatura.

O processo de geração de energia nuclear, como todo processo produtivo, apresenta vantagens e desvantagens. De acordo com a ANEEL (2008), as principais vantagens da energia nuclear são: o combustível, relativamente abundante, barato e eficiente; o processo independe das condições climáticas e ambientais; e, a contribuição para o efeito estufa é praticamente inexistente no processo de geração. Entretanto, considerando o ciclo do combustível nuclear desde a obtenção do mineral até o armazenamento do combustível irradiado ou seu reprocessamento e sua reutilização, há que se considerar os impactos na emissão de gases de efeito estufa e demais impactos negativos no ambiente. Por outro lado, as desvantagens mais destacadas na literatura são de que as usinas requerem um grande investimento nos sistemas de emergência, proteção, condicionamento e armazenamento de resíduos radioativos e necessidade de pessoal altamente qualificado. Atualmente, inexiste uma solução definitiva para o armazenamento do combustível irradiado e outros tipos de resíduos. Além disso, existe o risco potencial de uso da tecnologia para fins militares.

Avanços na área de energia nuclear se concentram no desenvolvimento de tecnologias que permitam a melhoria da segurança das instalações, vida útil e eficiência das unidades (ANEEL, 2008). Além disso, existe a preocupação com a disposição final dos resíduos nucleares e dos impactos ambientais associados. Atualmente, por meio da tecnologia existente, consegue-se atenuar, mas não eliminar os riscos de acidentes ambientais causados pelas usinas nucleares (ANEEL, 2008). Outra questão é a limitação futura da oferta dos combustíveis nucleares. De acordo com Duffey (2005), as reservas mundiais de urânio são estimadas em seis milhões de toneladas. No sentido de aumentar a oferta desse combustível, pesquisas se concentram em: reciclagem do urânio usado, o que poderia dobrar a disponibilidade de energia desse combustível; utilização do tório, que é quatro vezes mais abundante que o urânio; exploração de fontes não convencionais de urânio e uso dos reatores regeneradores (em inglês, *breeder-reactors*).

Ainda segundo Duffey (2005), um papel relevante da energia nuclear no futuro será a sua ligação com o hidrogênio. A obtenção de energia via produção de hidrogênio por meio nuclear-elétrico será uma forma decisiva para suprir a demanda crescente de energia. Essa alternativa energética pode ser obtida como avanço do design dos reatores nucleares e a integração da rede elétrica com o hidrogênio. A energia nuclear pode ser usada para promover a eletrólise da água e produzir hidrogênio, bem como ser usada para diversas outras aplicações térmicas.

De acordo com o Instituto de Energia Nuclear, em 2017 existiam 449 reatores nucleares em operação, espalhados por 30 países, sendo a fissão nuclear responsável por 11% da eletricidade mundial em 2015 (WEC, 2016). Alguns países desenvolvidos têm seu abastecimento de energia elétrica com um elevado porcentual de geração nuclear, correspondendo a grandes consumidores mundiais de energia nuclear. A Tabela 26.3 mostra os dez maiores consumidores e a situação do Brasil no cenário mundial em 2016.

TABELA 26.3 Maiores consumidores mundiais de energia nuclear		
País	**Consumo (mtep*)**	**%**
Estados Unidos	191,8	32,4
França	91,2	15,4
China	48,2	8,1
Rússia	44,5	7,5
Coreia do Sul	36,7	6,2
Canadá	23,2	3,9
Alemanha	19,1	3,2
Ucrânia	18,3	3,1
Reino Unido	16,2	2,7
Suécia	14,2	2,4
Brasil	3,6	0,6

Fonte: BP Global (2017).
*mtep = milhões de toneladas equivalentes de petróleo.

Em 2016, 13 países dependeram da energia nuclear para fornecer pelo menos um quarto da sua eletricidade total. O maior número de unidades se concentrou nos Estados Unidos, com um total de 99 unidades em 2015. No entanto, a França foi o país que apresentou mais elevada dependência da produção nuclear, com 58 reatores (WEC, 2016). Nesse país, a energia nuclear representou 77,6% da energia total produzida, como ilustrado na Figura 26.11. A confiança na utilização de energia nuclear para geração de energia elétrica sofreu impactos em anos recentes devido a acidentes. O primeiro, em 1979, foi o de *Three Mile Island* (Estados Unidos). Apesar da não ocorrência de consequências radiológicas significativas, os países ocidentais passaram a considerar a necessidade de uma revisão das medidas de segurança nas usinas nucleares em funcionamento, aumentando o rigor do licenciamento nuclear. O segundo acidente foi o de Chernobyl (Ucrânia), em 1986, que lançou grande quantidade de material radioativo na atmosfera. Em 2011, ocorreu outro acidente na cidade de Fukushima, em decorrência de um tsunami que atingiu o Japão.

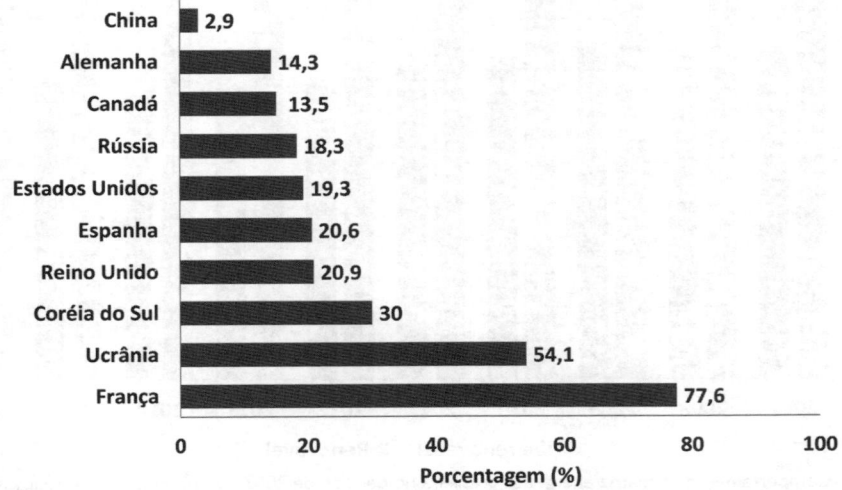

FIGURA 26.11 Participação da energia nuclear na energia elétrica doméstica produzida (dados de 2015). *Fonte: IEA (2017).*

O Brasil, de acordo com a Associação Nuclear Mundial, possui dois reatores nucleares que respondem por 3% elétrica do país. Um terceiro reator (Angra III) está em fase de construção com operação comercial prevista para início em 2023. Segundo dados da ANEEL (2008), com a operação do terceiro reator, a participação da capacidade nuclear instalada no país deve aumentar de 1,98% (2,01 GW) para 2,50% (3,36 GW). Reservas de urânio e domínio da tecnologia de enriquecimento, apesar de não aplicada em escala comercial, fazem do Brasil um país competitivo no segmento nuclear (ANEEL, 2008).

26.8 PANORAMA BRASILEIRO

Segundo dados do Balanço Energético Nacional (EPE, 2017), a oferta interna de energia no Brasil alcançou aproximadamente 2% da energia mundial com produção de 288 milhões de toneladas equivalentes de petróleo em 2016. A participação de fontes renováveis de energia representou 43,5% desse total, conforme pode ser observado na Figura 26.12. A Figura 26.13 mostra a evolução da oferta interna de energia nacional nos últimos dez anos.

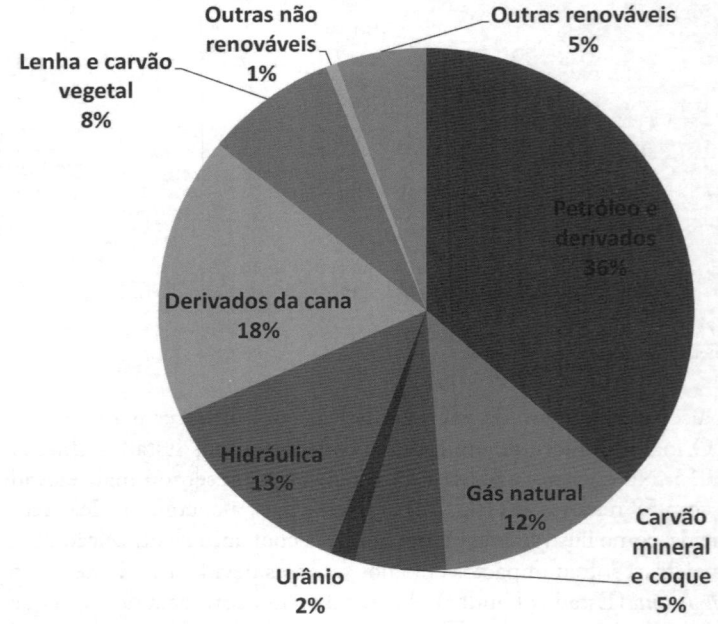

FIGURA 26.12 Composição da matriz energética brasileira em 2016. *Fonte: EPE (2017).*

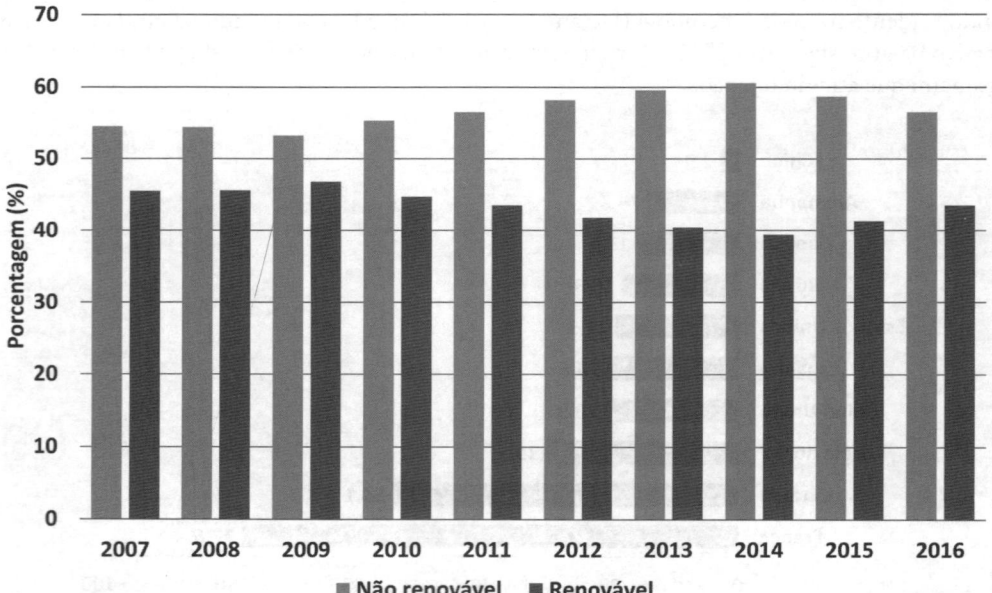

FIGURA 26.13 Comportamento da matriz energética brasileira no período de 2007 a 2016. Fontes Não renováveis: petróleo, gás natural, vapor carvão e carvão mineral e coque, urânio e outras; Fontes Renováveis: energia hidráulica, lenha e carvão vegetal, produtos de cana, eólica, solar e outras. *Fonte: EPE (2017).*

Em termos de consumo final, o país consumiu, em 2016, 42,6% da energia proveniente de derivados de petróleo, 18% oriunda de biomassa (lenha e bagaço de cana) e 17,5% de eletricidade. A Figura 26.14 mostra a evolução do consumo final de energia por fonte entre 2007 e 2016.

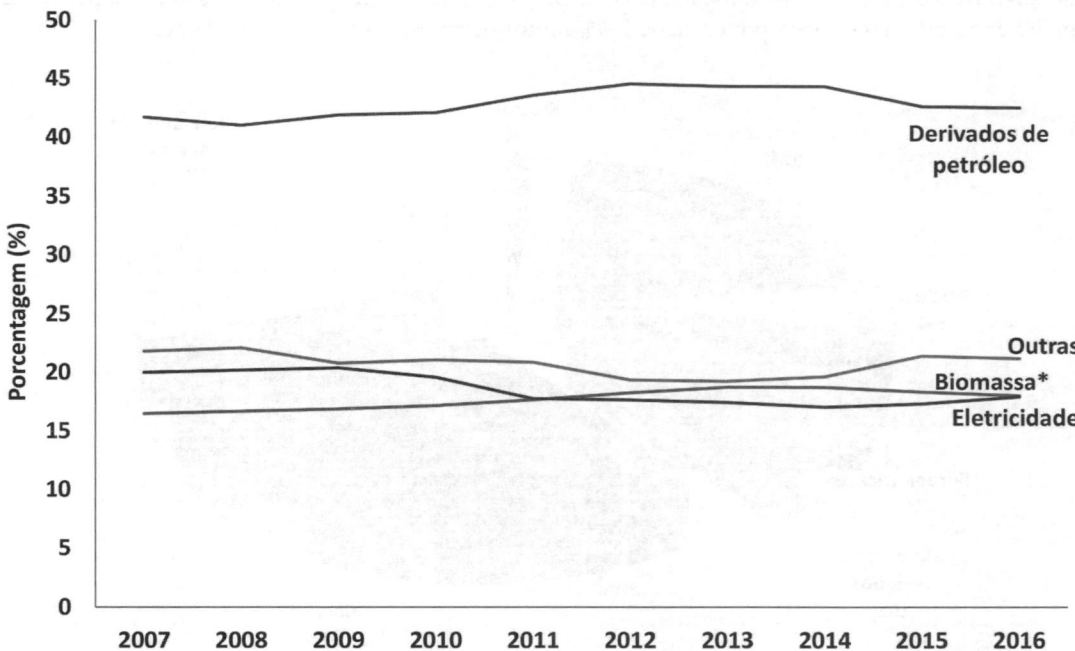

Figura 26.14 Evolução do consumo final de energia no Brasil. *Fonte: EPE (2017). Observação: * indica lenha e bagaço de cana de açúcar.*

De acordo com dados do Balanço Energético Nacional (EPE, 2017), o Brasil obteve uma oferta interna de energia elétrica de 619,7 TWh (importações líquidas de 40,8 TWh, somadas à geração interna), com consumo de 520 TWh. A Figura 26.15 apresenta a estrutura da oferta interna de eletricidade no Brasil em 2016.

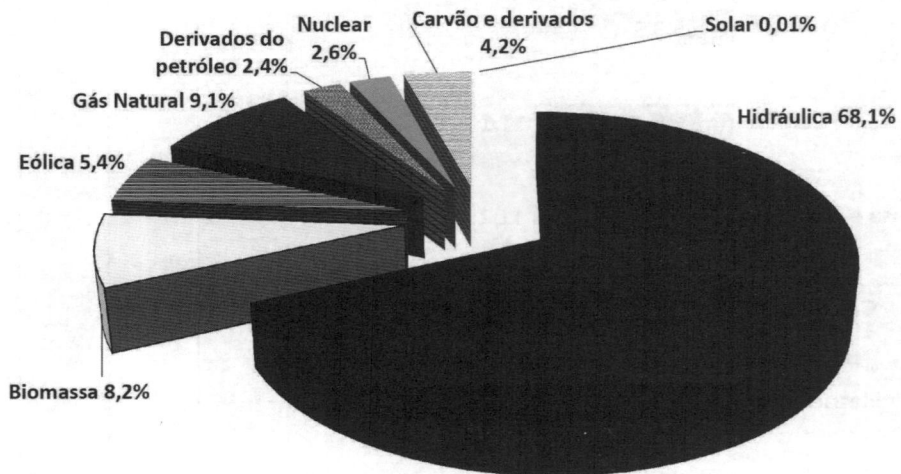

Figura 26.15 Oferta interna de eletricidade no Brasil em 2016.

A matriz de geração elétrica do país é predominantemente renovável, com maior contribuição da energia elétrica hidráulica, que respondeu por uma quantidade de 68% da oferta interna em 2016. Pode-se afirmar que aproximadamente 81,7% da eletricidade no Brasil no ano de 2016 foi oriunda de fontes renováveis (EPE, 2017).

26.9 PANORAMA MUNDIAL

De acordo com dados da Agência Internacional de Energia (IEA, 2017), a oferta total de energia mundial foi de 13.647 milhões de toneladas equivalentes de petróleo em 2015. A participação de fontes não renováveis contribuiu com aproximadamente 81% do total, a fonte nuclear foi responsável por suprir em 5% e as fontes renováveis, por cerca de 14%, conforme apresentado na Figura 26.16.

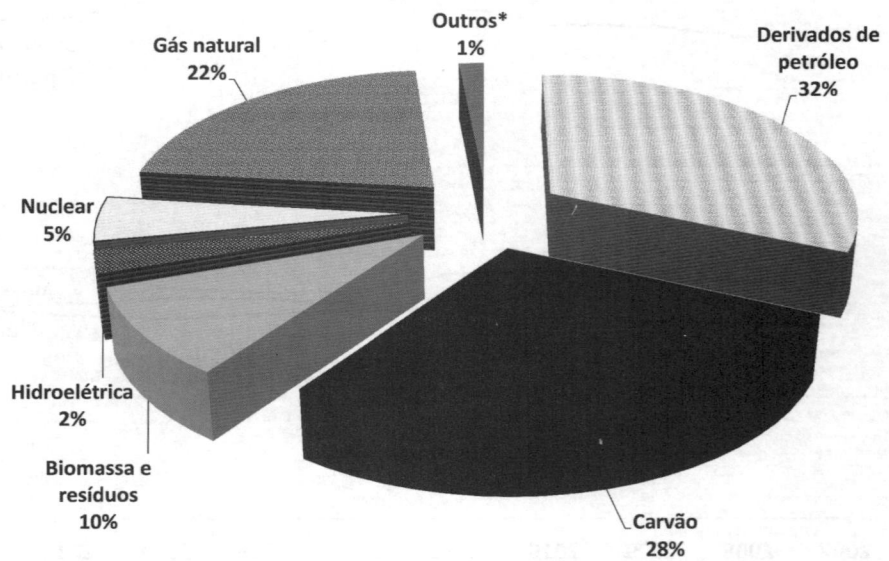

FIGURA 26.16 Matriz energética mundial no ano de 2015. *Observação*: * inclui energia geotérmica, solar, eólica, térmica, entre outras fontes. *Fonte: IEA (2017).*

No que se refere ao consumo final, a população mundial consumiu a maioria de energia, em 2015, gerada por combustíveis fósseis, seguida de eletricidade e gás natural, como apresentado na Figura 26.17.

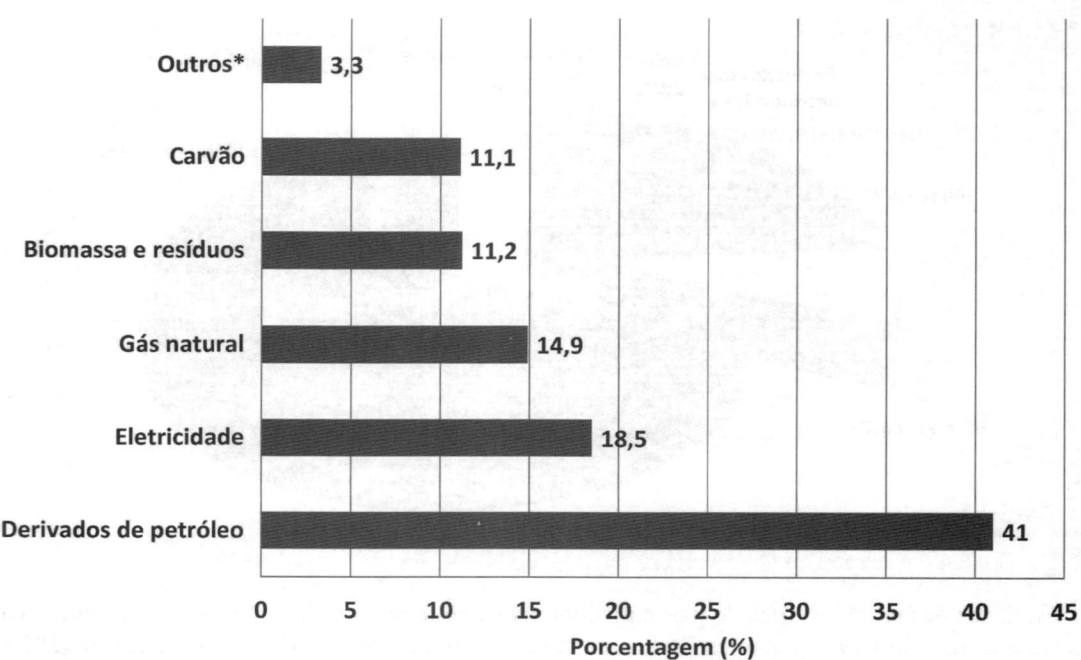

FIGURA 26.17 Consumo total final de energia por fonte no ano de 2015. *Observação*: * inclui energia geotérmica, solar e térmica. *Fonte: IEA (2017).*

Ao contrário do Brasil, a matriz de geração elétrica do mundo é de origem predominantemente fóssil, com o carvão e derivados de petróleo representando quase a metade da geração elétrica no ano de 2015. A Figura 26.18 mostra a composição da matriz elétrica mundial em 2015.

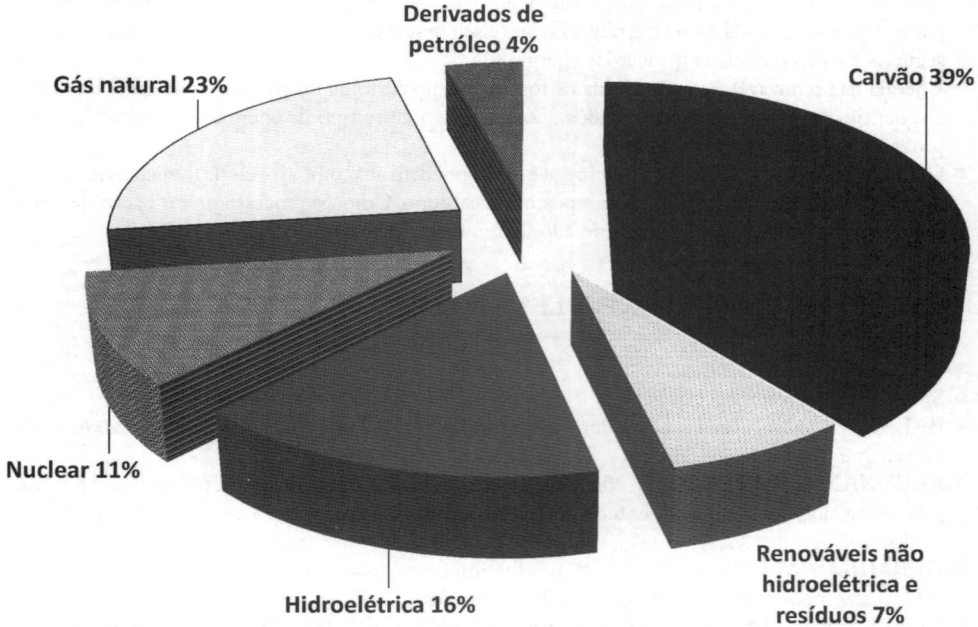

FIGURA 26.18 Composição da matriz elétrica mundial em 2015. *Fonte: IEA (2017).*

Em um cenário futuro, a Agência Internacional de Energia intensifica a preocupação com o crescimento da demanda mundial de energia. Previsões afirmam que, em 2035, a China consumirá 70% a mais de energia do que os Estados Unidos, reforçando sua posição mundial de maior consumidor de energia (IEA, 2011). No entanto, deve-se destacar que o consumo de energia *per capita* no país asiático corresponderá a menos da metade do mesmo valor nos Estados Unidos, e que a tendência de crescimento do consumo de energia na Índia, Indonésia, Brasil e países do Oriente Médio apresentará taxa superior do que o ritmo de crescimento chinês. Segundo o mesmo estudo da Agência Internacional de Energia, para todos os combustíveis, a demanda por energia será superior. No entanto, a tendência é de queda na participação dos combustíveis fósseis no consumo global de energia, com uma redução de 81% em 2010 para 75% em 2035 (IEA, 2011). Exceção a essa tendência, será representado pelo gás natural, como o único combustível fóssil, cuja porcentagem provavelmente aumentará no contexto energético global até 2035. As fontes renováveis de energia, lideradas pelas energias hidrelétrica e eólica, abrangerão metade da nova capacidade instalada do setor elétrico em 2035 (IEA, 2011). A Tabela 26.4 apresenta o cenário de expansão de energia renovável até o ano de 2040.

TABELA 26.4 Cenário para uso de fontes de energia renovável até 2040					
	2001	**2010**	**2020**	**2030**	**2040**
Consumo Total (10^6 tep)	10.038	10.549	11.425	12.352	13.310
Biomassa (10^6 tep)	1.080	1.313	1.791	2.483	3.271
Hidrelétrica (grande porte) (10^6 tep)	22,7	266	309	341	358
Geotérmica (10^6 tep)	43,2	86	186	333	493
Pequenas centrais hidrelétricas (10^6 tep)	9,5	19	49	106	189
Eólica (10^6 tep)	4,7	44	266	542	688
Solar térmica (10^6 tep)	4,1	15	66	244	480
Solar fotovoltaica (10^6 tep)	0,2	2	24	221	784
Solar térmica (eletricidade) (10^6 tep)	0,1	0,4	3	16	68
Marítima (10^6 tep)	0,05	0,1	0,4	3	20
Total de uso de fontes de energia renovável (10^6 tep)	1.365,5	1.745,5	2.694,4	4.289	6.351
% de contribuição de fontes de energias renováveis	13,6	16,6	23,6	34,7	47,7

Fonte: Kralova & Sjoblom (2010).

REVISÃO DOS CONCEITOS APRESENTADOS

- Energia renovável é aquela obtida de fontes naturais capazes de se regenerarem, sendo consideradas, portanto, como inesgotáveis. São exemplos de fontes renováveis de energia: biomassa, eólica, hidrelétrica, hidrogênio e solar. Cada fonte possui vantagens e desvantagens. É desejável que a matriz energética dos países seja diversificada e versátil, o que favorece seu desenvolvimento econômico e social em face à maior segurança e perenidade na geração de energia.
- Energia não renovável é aquela obtida de fontes que, no curto ou longo prazo, podem se esgotar. Ou seja, as quantidades dos recursos explorados para a geração desse tipo de energia são limitadas e esgotam-se progressivamente com o consumo.
- Combustíveis fósseis são de origem mineral e correspondem aos combustíveis provenientes da decomposição da matéria orgânica, formados de compostos de carbono. Como o processo de formação desses combustíveis é muito longo, esses são considerados como fontes de energia não renovável.

SUGESTÕES DE LEITURA COMPLEMENTAR

- Site: <http://www.nrel.gov/>
- Site: <http://www.aneel.gov.br/>
- BALAT, M. (2009) Review of modern wind turbine technology. *Energy Sources, Part A: Recovery, Utilization, and Environmental Effects*, v. 31, p. 1561-1572.
- BRENNAN, L., OWENDE, P. (2010) Biofuels from microalgae: a review of technologies for production, processing, and extractions of biofuels and co-products. *Renewable and Sustainable Energy Reviews*, v. 14, p. 557-577.
- DERMIBAS, M.F. (2007) Electricity production using solar energy *Energy Sources, Part A: Recovery, Utilization, and Environmental Effects*, v. 29, p. 563-569.
- DUFFEY, R.B. (2005) Sustainable Futures Using Nuclear Energy. *Progress in Nuclear Energy*, v. 47, p. 535-543.
- KAZMERSKI, L.L. (2006) Solar photovoltaics R&D at the tipping point: A 2005 technology overview. *Journal of Electron Spectroscopy and Related Phenomena*, v. 150, p. 105-135.
- McKENDRY, P. (2002) Energy production from biomass (part 1): overview of biomass. *Bioresource Technology*, v. 83, p. 37-46.
- MIDILLI, A., AYA, M., DINCER, I., ROSEN, M.A. (2005) On hydrogen and hydrogen energy strategies I: current status and needs. *Renewable and Sustainable Energy Reviews*, v. 9, p. 255-271.
- YUKSEL, I. (2010) Hydropower for sustainable water and energy development. *Renewable and Sustainable Energy Reviews*, v. 14, p. 462-469.

Referências

Associação Brasileira de Energia Eólica (ABEEólica). (2016) Boletim Anual de Geração de Energia Eólica 2016. Disponível em: <http://www.abeeolica.org.br/dados-abeeolica/>. Acessado em janeiro de 2018.

Agência Nacional de Energia Elétrica (ANEEL). (2008) *Atlas de energia elétrica do Brasil*. Brasília, 3 ed.

_____. Banco de Informações da Geração (BIG). Disponível em: <http://www.aneel.gov.br/>. Acessado em janeiro de 2018.

_____. (2002) Elétrica. *Atlas de energia elétrica do Brasil*. Brasília, 1 ed.

BALAT, M. (2005) *Usage of energy sources and environmental problems*. Energy Exploration and Exploitation, v. 23, p. 141-168.

BARTLE, A. (2002) *Hydropower potential and development activities*. Energy Policy, v. 30, p. 1231-1239.

BLAABJERG, F., TEODORESCU, R., CHEN, Z., LISERRE, M. (2004) *Power converters and control of renewable energy systems*. In: Proceedings of 6th International Conference on Power Electronics, Busan, Korea: ICPE'04.

BOROWITZKA, M. (1997) Microalgae for aquaculture: opportunities and constraints. *Journal of Applied Phycology*, v. 9, p. 393-401.

BP Global. (2017) BP Statistical Review of World Energy *2017*. 66th ed. Londres.

BRENNAN, L., OWENDE, P. (2010) Biofuels from microalgae: a review of technologies for production, processing, and extractions of biofuels and co-products. *Renewable and Sustainable Energy Reviews*, v. 14, p. 557-577.

DEMIRBAS, A. (2000) Recent advances in biomass conversion technologies. *Energy Educational Science and Technology*, v. 6, p. 19-40.

DUFFEY, R.B. (2005) Sustainable Futures Using Nuclear Energy. *Progress in Nuclear Energy*, v. 47, p. 535-543.

Empresa de Pesquisa Energética (EPE). (2017) *Balanço Energético Nacional*. Rio de Janeiro.

FUJISHIMA, A., HONDA, K. (1972) Eletrochemical photolysis of water at a semiconducto electrode. *Nature*, v. 238 p. 37-38.

Global Wind Energy Council (GWEC). (2017) *Global Wind Report 2016 – Annual Market Update*. Mongolia.

GRÄTZEL, M. (2007) Photovoltaic and photoelectrochemical conversion of solar energy. *Philosophical Transactions of the Royal Society A*, v. 365, p. 993-1005.

International Energy Agency (IEA). (2017) *Key World energy Statistics*. Paris.

_____. (2011) World Energy Outlook – Sumário *2011*. Paris.

KALDELLIS, J.K., ZAFIRAKIS, D. (2011) The wind energy (r)evolution: A short review of a long history. Renewable Energy, v. 36, p. 1887-1901.

KRALOVA, I., SJÖBLOM, J. (2010) Biofuels–Renewable Energy Sources: A Review. *Journal of Dispersion Science and Technology*, v. 31, p. 409-425.

McKENDRY, P. (2002). Energy production from biomass (part 2): conversion technologies. *Bioresource Technology*, v. 83, p. 47-54.

MEKHILEF, S., SAIDUR, R., SAFARI, A. (2011) A review on solar energy use in industries. Renewable and Sustainable Energy Reviews, v. 15, p. 1777-1790.

PANWAR, N.L., KAUSHI, S.C., SURENDRA, K. (2011) Role of renewable energy sources in environmental protection: A review. *Renewable and Sustainable Energy Reviews*, v. 15, p. 1513-1524.

PINEL, P., CRUICKSHANK, C.A., BEAUSOLEIL-MORRISON, I., WILLS, A. (2011) A review of available methods for seasonal storage of solar thermal energy in residential applications. *Renewable and Sustainable Energy Reviews*, v. 15 p. 3341-3359.

Renewable energy policy Network for the 21st Century (REN21). (2016) Energias Renováveis 2016, Relatório da Situação Mundial. Resultados Principais. Paris.

ROSEN, M.A., DINCER, I., KANOGLU, M. (2008) Role of exergy in increasing efficiency and sustainability and reducing environmental impact. *Energy Policy*, v. 36, p. 128-137.

SAHIN, A.D. (2004) Progress and recent trends in wind energy. *Progress in Energy and Combustion Science*, v. 30, p. 501-543.

SCHREIBER, G.P. (1978) *Usinas hidrelétricas*. Edgard Blüncher. São Paulo, 1 ed.

SHERIF, S.A., BARBIR, F., VEZIROGLU, T.N. (2005) Wind energy and the hydrogen economy – review of the technology. *Solar Energy*, v. 78, p. 647-660.

TSUKAHARA, K., SAWAYAMA, S. (2005) Liquid fuel production using microalgae. *Journal of the Japan Petroleum Institute*, v. 48, p. 251-259.

United States Department of Energy (USDE). (2010) *National algal biofuels technology roadmap*. U.S. Department of Energy, Office of Energy Efficiency and Renewable Energy, Biomass Program, Estados Unidos.

World Energy Council (WEC). World Energy Resources 2016. Londres, *2016*.

_____. (2010) Survey of Energy Resources. Londres, 2010, 22 ed.

World Wind Energy Association (WWEA). (2011) World Wind Energy Report *2010*. Bonn.

POLÍTICA E GESTÃO AMBIENTAL

27

Severino Soares Agra Filho

Este capítulo, que inicia o eixo "Gestão Ambiental" desse livro, pretende contribuir para uma compreensão referencial sobre a gestão ambiental no âmbito público, especificando seu objeto, sua finalidade primordial e seu escopo de atuação, bem como as perspectivas que devem nortear a condução das suas ações. Essa abordagem é complementada com uma descrição da política ambiental no Brasil e com uma explicação sobre seus objetivos e os instrumentos de aplicação preconizados na legislação vigente. Nesse propósito, inicialmente, o texto contextualiza a problemática ambiental visando a propiciar um balizamento que se entende necessário para o entendimento sobre o objeto, a finalidade primordial e o universo que envolve a gestão ambiental. Em seguida, fornece uma orientação objetiva sobre os aspectos conceituais da gestão ambiental, formas de condução e sustentabilidade do desenvolvimento, finalizando com a conexão dos conceitos apresentados com a Política Nacional de Meio Ambiente.

27.1 INTRODUÇÃO

A condução de uma **gestão** constitui-se, em geral, de **um conjunto de ações e medidas articuladas e regidas por um determinado objetivo e orientação**. A gestão torna-se indispensável em qualquer atividade e processo que envolve e requer um equacionamento entre fatores favoráveis e desfavoráveis. A gestão empresarial, por exemplo, busca um retorno satisfatório do investimento, o lucro, com medidas que potencializem os fatores favoráveis e minimizem os fatores desfavoráveis, os custos. Assim, a gestão sempre está vinculada à busca de **equacionar, da melhor maneira possível, os fatores conflitantes**. A gestão ambiental está submetida à mesma lógica analítica.

A premência em **equacionar os problemas ambientais** tem sido percebida como sendo a função mais imediata da gestão ambiental. Entretanto, esta percepção estaria mais associada a uma atuação **reativa** e a uma ação mais pragmática. Não tem sido considerado que um equacionamento satisfatório dos problemas ambientais requer uma atuação **preventiva** com ações direcionadas para os fatores determinantes causadores da problemática ambiental. Para tanto, torna-se indispensável uma reflexão a partir das seguintes indagações: quais são os fatores determinantes da problemática ambiental? Em que consiste a gestão ambiental? Quais as suas funções primordiais? Qual a sua abrangência e as suas variáveis de atuação? Qual a concepção de gestão ambiental requerida para atender essa abrangência de atuação? A partir das respostas a estas perguntas, torna-se possível identificar as formas de atuação e os instrumentos e procedimentos necessários para se lograr uma gestão satisfatória. Essas questões são abordadas nos tópicos a seguir.

27.2 A PROBLEMÁTICA AMBIENTAL

Para atender as suas necessidades básicas, a sociedade interfere no ambiente, provocando alterações nas suas condições e na sua disponibilidade e qualidade. A compreensão da problemática ambiental passa pela identificação das motivações e ações motrizes geradoras dessas alterações ambientais. Desse modo, torna-se indispensável o entendimento do processo de geração dos impactos ambientais ocasionados pela sociedade na busca da satisfação de suas necessidades e aspirações sociais.

As demandas sociais estão associadas aos objetivos de desenvolvimento de uma sociedade, e esses objetivos são determinados em função das pretensões de padrões de produção e consumo de cada sociedade. Esses padrões estão vinculados aos bens e produtos produzidos e consumidos por uma determinada sociedade e se refletem nas demandas sobre os recursos naturais e nas intervenções. Assim, o processo de geração dos impactos ambientais ocorre mediante o seguinte encadeamento de ações: as demandas sociais, movidas pelas necessidades e aspirações da sociedade, levam à condução de determinadas intervenções que constituem o conjunto de atividades sociais e econômicas para a produção de bens e serviços. Para a produção de bens e serviços, são feitas alterações nos sistemas ambientais e utilizados recursos desses sistemas, o que resulta em diferentes possibilidades de impactos ambientais, favoráveis e desfavoráveis. A realidade ambiental é, portanto, uma consequência de processos dinâmicos e interativos que ocorrem entre os diversos componentes do ambiente natural e social, os quais são determinados pelo padrão de consumo e modo de vida almejado pela sociedade.

O desafio da gestão ambiental reside, portanto, em atingir resultados benéficos necessários para a sociedade sem prejuízo e comprometimento da disponibilidade e das condições ambientais. Nessa perspectiva, torna-se fundamental que as ações da gestão ambiental sejam direcionadas para atuar nas necessidades sociais prioritárias, induzindo alternativas de intervenções compatíveis com a sustentabilidade das condições, recursos e sistemas ambientais. Além disso, a gestão ambiental deve possuir mecanismos de equacionamento dos conflitos que, em geral, se apresentam no atendimento das prioridades sociais. As intervenções formas de utilização de um determinado recurso natural, podem comprometer outros usos deste ou de outros recursos e sistemas ambientais. Assim, observa-se, por exemplo, que a qualidade das águas de um rio pode ser comprometida para o uso de consumo humano quando o mesmo rio é utilizado para destinação final de efluentes industriais ou de esgotos urbanos. O mesmo ocorre quando o uso para a irrigação na agricultura compromete a disponibilidade para uso industrial ou para a geração de energia. Situação similar também se constata quando um ecossistema ou um sítio natural de relevantes atributos ecológicos e paisagísticos, destinado ao uso turístico, é atingido pela ocupação urbana ou pela instalação de obras portuárias, por exemplo. Esses conflitos surgem na escala macro quando se observa o desmatamento da região amazônica. Os conflitos de uso da Amazônia envolvendo, de um lado, a sua importância florestal, a relevância da sua biodiversidade e do seu potencial como reserva extrativista e, do outro, a defesa do seu uso para a agropecuária, evidenciam o confronto de visões sobre o modelo de desenvolvimento que se pretende para esta região. Assim, os conflitos de uso surgem das necessidades da sociedade na apropriação dos recursos ou sistemas ambientais e do desejo de se buscar a sustentabilidade das suas condições. A gestão ambiental abrange o equacionamento entre os usos conflitantes gerados pelas diversas demandas da sociedade em relação a um determinado recurso ou sistema ambiental e a busca de alternativas de intervenções sem comprometimento das condições ambientais socialmente aceitáveis.

A partir dessa compreensão, pode-se inferir que a problemática ambiental emerge da inadequação ou conflito das formas e alternativas de produção e de consumo adotados em cada região, que constituem seu modelo de desenvolvimento (Maia & Guimarães, 1997), com a necessidade de qualidade ambiental almejada pela sociedade. Nesse sentido, os impactos ambientais podem ser diferenciados em função das intervenções ocasionadas nos recursos e sistemas ambientais correspondentes às demandas sociais de cada estilo ou modelo de desenvolvimento. Essa compreensão sobre a problemática ambiental foi reconhecida no Relatório do Brasil elaborado para a Conferência das Nações Unidas no Rio de Janeiro, em 1992, ao afirmar que, "*o esgotamento de um modelo de desenvolvimento que se revelou ecologicamente predatório, socialmente perverso e politicamente injusto*" (Brasil, 1991). Assim, torna-se imperativa a busca de alternativas ao modelo de desenvolvimento vigente. Surge, então, o conceito de **desenvolvimento sustentável**.

> *A problemática ambiental surge da inadequação ou insustentabilidade dos padrões de produção e consumo adotados em cada sociedade e que expressam o seu modelo de desenvolvimento.*

Esta percepção foi reconhecida e consignada internacionalmente na Declaração do Rio sobre Meio Ambiente e Desenvolvimento, como pode ser constatado na leitura do seu Princípio 4°: "*A fim de alcançar o desenvolvimento sustentável, a proteção ambiental deverá constituir parte integrante do processo de desenvolvimento e não poderá considerar-se de forma isolada*" (São Paulo, 1993). A partir da Conferência do Rio, o desenvolvimento sustentável tornou-se uma referência conceitual para a gestão ambiental. Suas bases conceituais são abordadas no próximo tópico.

27.3 DESENVOLVIMENTO SUSTENTÁVEL

Existem inúmeras explicações sobre os motivos históricos, sociais e religiosos que determinaram a postura e as condutas do homem em relação ao ambiente natural. A percepção antropocêntrica da civilização ocidental foi algo incontestável até o século passado. A noção de civilização estava associada ao grau de intervenção humana com o seu saber e sua convicção de superioridade absoluta sobre as coisas naturais.

Com o desenvolvimento de tecnologias cada vez mais poderosas de apropriação dos recursos naturais, a noção de civilização se agrega à perspectiva da produção de riqueza, entendida como a capacidade da sociedade de dispor dos bens considerados indispensáveis ao homem civilizado. A capacidade de produzir bens tornou-se, assim, um indicador de riqueza, e os incrementos sucessivos dessa produção passaram a indicar o progresso ou o grau de desenvolvimento das sociedades ou países. A ideia de crescimento da produção de bens materiais emergiu como sinônimo de desenvolvimento. Com essa conotação econômica, todos os esforços foram, a partir de então, destinados ao incremento crescente de meios capazes de elevar os níveis de desenvolvimento ou crescimento econômico.

O aprofundamento do desenvolvimento industrial propiciou à humanidade o acesso e o consumo de bens jamais atingidos na sua história e, com as tecnologias resultantes, gerou facilidades e melhorias significativas nas condições de vida do homem. Contudo, esse "desenvolvimento" veio acompanhado da exigência de elevadas magnitudes de recursos naturais finitos e da geração de efeitos indesejáveis aos bens públicos, sobretudo à qualidade ambiental. Além disso, os seus benefícios foram distribuídos sem equidade social. Os dados do Brasil sobre a evolução da economia, da pobreza e do nível de renda nas décadas de 1970 e 1980 têm sido ilustrativos dessa desigualdade, conforme mostram Jaguaribe e colaboradores (1989). Como sugerem os dados dos autores, embora tenha ocorrido um significativo crescimento da economia no período,[1] não se observou nenhuma correspondência de melhoria nas condições de pobreza e na renda (Figura 27.1).

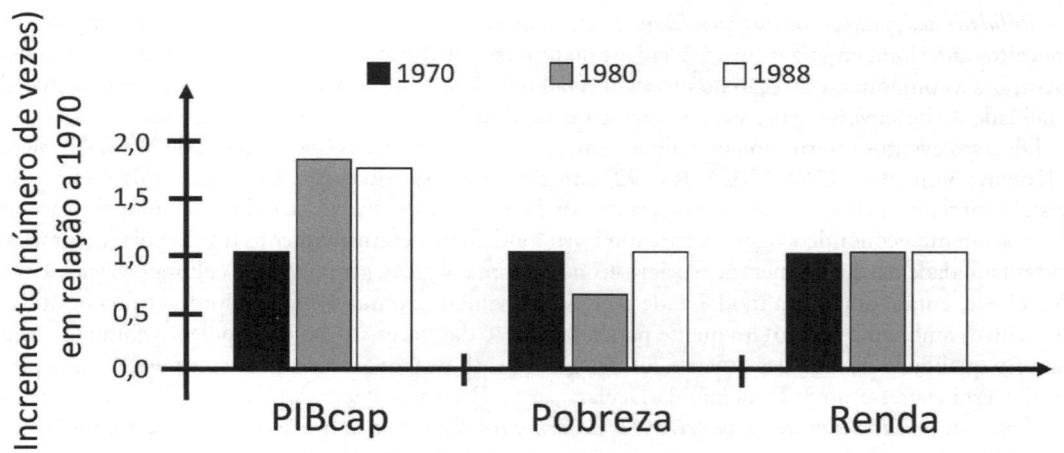

FIGURA 27.1 Evolução do PIB *per capita* (PIBcap), da pobreza e da renda (1970, 1980 e 1988) no Brasil. *Fonte: Adaptado de Jaguaribe e colaboradores (1989).*

Esse desenvolvimento revelou-se, portanto, socialmente injusto e perverso, e ecologicamente insustentável. Assim, torna-se visível a existência de um "outro lado da moeda". A partir da constatação que esses dados revelam, diversos questionamentos sobre a postura da humanidade em relação à apropriação dos recursos ambientais e surgem controvérsias quanto ao grau de determinação que o crescimento econômico representa na obtenção de um desenvolvimento pleno em suas diversas dimensões: sociais, ecológicas e outras, além da econômica. Mostra-se relevante a questão da finitude dos recursos ambientais em relação à sustentação do desenvolvimento, o que nos remete à questão dos **limites do crescimento** como requisito indispensável à sustentabilidade do desenvolvimento almejado. Nesse sentido, destaca-se o relatório "Os Limites do Crescimento" (Meadows e colaboradores, 1978), elaborado por iniciativa do Clube de Roma, que prognosticava um colapso no planeta em um futuro próximo se fossem mantidas *"as atuais tendências de crescimento da população mundial – industrialização, poluição, produção de alimentos e diminuição dos recursos naturais"* (Meadows e colaboradores, 1978). Diante das discussões em torno dessas preocupações e de sua ressonância internacional, em 1972, a Organização das Nações Unidas (ONU) promoveu, em Estocolmo, a primeira "Conferência Mundial sobre o Ambiente Humano".

---

[1] A evolução do Produto Interno Bruto (PIB) e Produto Interno Bruto per capita (PIBcap) entre os anos de 1945 e 1984 no Brasil foi de cerca de 800% e 300%, respectivamente.

Apesar das controvérsias e da heterogeneidade de interesses envolvidos, os princípios e recomendações resultantes dessa conferência representaram um marco no enfoque conceitual do desenvolvimento. Proclama-se a falência do modelo de desenvolvimento existente e preconiza-se a necessidade de alternativas que privilegiem a qualidade do crescimento e reconheçam o ambiente como dimensão fundamental e base de sua sustentação. Introduz-se, então, o conceito de desenvolvimento ecologicamente sustentável e socialmente justo, o "desenvolvimento sustentável". A partir desse evento, tem havido substancial esforço das autoridades governamentais e da comunidade científica em explicitar os contornos conceituais do desenvolvimento sustentável visando a configurar os objetivos e as estratégias para a sua consecução. Apesar de existirem visões contrárias a quaisquer limites ao crescimento econômico, sob o argumento de que o progresso tecnológico se tem mostrado capaz de atender às demandas da sociedade, predominou a convergência da percepção da necessidade de que se imponham limites ao sistema econômico e de que o crescimento é um requisito **insuficiente** para se atingir o desenvolvimento. Em paralelo à intensificação do debate pelas autoridades governamentais e comunidade científica para explicitar os contornos conceituais e os objetivos e estratégias para configurar a condução do desenvolvimento sustentável, tornam-se mais evidentes os dados sobre as relações do desenvolvimento com as questões sociais e das mudanças climáticas (CMMAD, 1988).

As iniciativas e manifestações internacionais evoluíram para a criação da Comissão Mundial sobre o Meio Ambiente (Cima), instituída pela ONU, que resultou no relatório "Nosso Futuro Comum", em que se propõe uma definição para o desenvolvimento sustentável. Para recordar o que foi visto no Capítulo 6 deste livro: "*o desenvolvimento sustentável é aquele que atende às necessidades do presente sem comprometer a possibilidade das gerações futuras atenderem a suas próprias necessidades*" (CMMAD, 1988). Enquanto os conceitos anteriores enfatizavam a velocidade do processo de desenvolvimento, o novo enfoque proposto incorpora a componente direção no processo (Gallopin, 1981), ou seja, abriga uma intenção objetiva da qualidade do desenvolvimento expressa na sustentabilidade em suas diversas dimensões.

Diversos eventos internacionais e, finalmente, a Conferência das Nações Unidas de Meio Ambiente e Desenvolvimento – CNUMAD (Rio-92) consagraram essa percepção. Os compromissos firmados nesta conferência pelos governos nacionais consolidaram a perspectiva de se redirecionarem os processos de crescimento econômico vigentes para um novo modelo de desenvolvimento regido pela integração e sustentabilidade nas suas dimensões sociais, econômicas, ecológicas, geopolíticas e culturais (Sachs, 1993). Postula-se, então, uma nova modalidade de desenvolvimento: o que esteja comprometido em utilizar os recursos ambientais prioritariamente para a satisfação das necessidades da população como forma de elevar a qualidade de vida das atuais e futuras gerações (o **desenvolvimento sustentável**).[2] Essa perspectiva está expressa no 3º Princípio da Declaração do Rio sobre Meio Ambiente e Desenvolvimento: "*O direito ao desenvolvimento deve exercer-se de forma tal que responda equitativamente às necessidades de desenvolvimento e ambientais das gerações presentes e futuras*" (São Paulo, 1993).

A busca por um desenvolvimento sustentável reflete o consenso internacional, sobretudo quanto à íntima relação entre pobreza e degradação, o que, por sua vez, permitiu a superação da visão tradicional que opõe a melhoria da qualidade ambiental ao desenvolvimento. Consolida-se, dessa forma, uma nova visão de que os problemas ambientais e sociais são resultantes da dinâmica e da estratégia de um modelo de crescimento econômico que não promove o desenvolvimento social e se revela nefasto na apropriação do patrimônio natural. Desse modo, preconiza-se a necessidade da adoção de novas estratégias de condução do processo de desenvolvimento, privilegiando a qualidade do crescimento como uma dimensão a ser respeitada e valorizando os recursos ambientais como base fundamental de sua sustentação.

Conforme ressalta o relatório da referida Comissão da ONU, a conceituação do desenvolvimento sustentável suscita questões essenciais relativas ao conceito de **necessidades** e aos **limites** de intervenção ambiental, que são função do estágio atual da organização social, da tecnologia disponível e da capacidade de assimilação de impactos pela biosfera (CMMAD, 1988). O atendimento das necessidades essenciais das populações pobres é certamente a perspectiva social preconizada pelo desenvolvimento. Contudo, essas necessidades não poderão ser atendidas se forem mantidos os padrões de produção e consumo vigentes, sobretudo pelos países mais industrializados, sem o comprometimento dos limites ambientais. Impõe-se, então, maior equidade no acesso aos recursos finitos, como também as buscas de alternativas tecnológicas de produção que se enquadrem nos limites de sustentação da biosfera. Forma-se um consenso de que a

---

[2]Concepção adotada pelo Relatório "Nosso Futuro Comum", elaborado pela Comissão Mundial sobre Meio Ambiente instituída pela ONU para subsidiar a Rio-92.

condução do desenvolvimento sustentável abrange, simultaneamente, as dimensões sociais, econômicas e ecológicas. Esse desenvolvimento considera, como suas características fundamentais, a equidade na distribuição dos bens econômicos e ecológicos, o consenso social dos seus propósitos econômicos e a prudência na apropriação dos recursos ambientais (CMMAD, 1988; Acselrad, 1997; Sachs, 2007). Nessa perspectiva, como sugere Sachs (2007, pg. 181), o processo de planejamento do desenvolvimento deve ser regido pelas seguintes dimensões da sustentabilidade:

- **A sustentabilidade social**, visando à construção de uma civilização com maior equidade na distribuição de renda e de bens, de modo a reduzir o abismo entre os padrões de vida dos ricos e dos pobres.
- **A sustentabilidade cultural**, incluindo a procura de raízes endógenas de processos de modernização e de sistemas agrícolas integrados, processos que busquem mudanças dentro da continuidade cultural e que traduzam o conceito normativo de ecodesenvolvimento em um conjunto de soluções específicas para o local, o ecossistema, a cultura e a área.
- **A sustentabilidade espacial**, que deve ser dirigida para a obtenção de uma configuração rural-urbana mais equilibrada e uma melhor distribuição territorial dos assentamentos humanos e das atividades econômicas, com ênfase na proteção da biodiversidade, na redução da concentração excessiva das áreas metropolitanas, na reversão da destruição de ecossistemas frágeis, na exploração do potencial da industrialização descentralizada, acoplada à nova geração de tecnologias, entre outros.
- **A sustentabilidade econômica**, que deve ser viabilizada através da alocação e do gerenciamento mais eficientes dos recursos e de um fluxo constante de investimentos. A eficiência econômica deve ser avaliada em termos macrossociais, e não apenas pelo critério de rentabilidade empresarial de caráter microeconômico.
- **A sustentabilidade ecológica**, que pode ser melhorada: pela ampliação da capacidade de carga da Terra e pela intensificação do uso do potencial de recursos dos diversos ecossistemas, com um mínimo de danos aos sistemas de sustentação da vida; pela limitação do consumo de combustíveis fósseis e de outros recursos e produtos que são facilmente esgotáveis ou danosos ao meio ambiente, substituindo-os por recursos ou produtos renováveis e/ou abundantes, usados de forma não agressiva; pela redução do volume de resíduos e de poluição, através da conservação da energia e de recursos e da reciclagem; pelo estímulo à pesquisa para a obtenção de tecnologias de baixo teor de resíduos e eficientes no uso de recursos.

Nesse sentido, os processos de intervenção e/ou de apropriação dos recursos ambientais para o atendimento das necessidades básicas das atuais e futuras gerações devem ser priorizados e regidos pelo enfoque da sustentabilidade. Contudo, o advento da sustentabilidade como parte integrante do desenvolvimento torna-se um desafio na lógica de formulação e implementação das intervenções públicas. Esse desafio consiste, essencialmente, em identificar alternativas sustentáveis de produção social, ou seja, as que compatibilizem as demandas sociais com as potencialidades e restrições ambientais. Nesse contexto, a noção de sustentabilidade pressupõe a integração simultânea de objetivos sociais, econômicos e ecológicos; e o desafio primordial para a implementação dessa forma de desenvolvimento reside, portanto, na efetivação dessa perspectiva de integração. Essa efetivação exige, por sua vez, a adoção e aplicação de novos enfoques metodológicos de condução do processo de planejamento governamental.

> O desenvolvimento sustentável é um conceito multidimensional que integra simultaneamente as dimensões sociais, culturais, ecológicas econômicas e institucionais.

Ao se promover o desenvolvimento a partir dessa perspectiva, insere-se uma nova questão relativa às ações necessárias para a sua condução e, sobretudo, para a configuração da natureza e características dos limites exigidos. Estabelece-se uma clivagem relativa à capacidade ou disponibilidade de que as margens desses limites se ampliem com o desenvolvimento tecnológico e/ou com a reorientação dos padrões de consumo. Assim, uma vertente de pensamento argumenta que a ultrapassagem desses limites pode ser postergada, ou mesmo evitada, com medidas conjugadas de esforços tecnológicos bem direcionados e gerenciamento do crescimento; outra vertente, por acreditar na restrita margem desses limites ou mesmo que alguns deles já tenham sido ultrapassados, defende uma abordagem mais absoluta, considerando a necessidade de uma ação mais contundente para evitar aumento nas taxas de crescimento.

Esse debate reflete a existência de racionalidades distintas sobre a noção de sustentabilidade. A noção de sustentabilidade pressuposta em qualquer planejamento está sempre associada a uma concepção de mundo e a determinados valores sociais. Portanto, o debate sobre a noção de sustentabilidade inscreve-se, necessariamente, em uma disputa conceitual. Para Acselrad (1997), o debate conceitual abrange essencialmente duas racionalidades básicas:

- **A razão prática**, *"fundada na teoria da utilidade e na lógica da vantagem material na relação entre meios e fins"*, constrói a sustentabilidade como um princípio de conservação social, articulando duas matrizes conceituais: *"o discurso da eficiência"*, da economia de meios para o mesmo fim (o crescimento econômico), e o *"discurso da escala"*, propondo limites quantitativos dos mesmos fins (Acselrad, 1997);
- **A razão cultural**, regida pela sustentabilidade no campo da transformação social, entendendo que *"a ação do homem no mundo é mediatizada por um projeto cultural que ordena a experiência prática para além da simples lógica utilitária (...) [e] que comporta projetos de mudança social na direção de valores como eqüidade, democracia, diversidade cultural, auto-suficiência, ética e outras temáticas que dirigem o debate para além da relação entre os meios e os fins dominantes do crescimento econômico (...)"* (Acselrad, 1997).

À medida que a incorporação da sustentabilidade no processo de desenvolvimento requer a identificação de alternativas de produção mais compatíveis com a realidade social e ambiental, ela se torna um mecanismo abrangente e indutor de busca de oportunidades endógenas e, sobretudo, um propulsor na busca de maior conhecimento das potencialidades locais e regionais. Nesse sentido, impõe-se uma abordagem que permita, mais do que observar as restrições, identificar e maximizar as potencialidades. Assim, a incorporação da sustentabilidade representa uma mudança de conduta dos agentes econômicos e governamentais. A efetivação da sustentabilidade compreende, portanto, o atendimento a essas condições e o enfrentamento dessas demandas. O seu desenvolvimento operativo constitui-se, no momento, em um desafio primordial.

27.4 GESTÃO AMBIENTAL: SIGNIFICADO E FUNÇÕES PRIMORDIAIS

Com a crescente preocupação da sociedade com as questões relacionadas com o meio ambiente, o imperativo de uma atuação efetiva para o equacionamento da problemática em relação ao meio ambiente se tornou indispensável a uma condução sistematizada de um conjunto de ações com o objetivo de se promover a **gestão ambiental**.

A superação dos problemas ambientais é certamente uma preocupação básica da gestão ambiental. Nesse sentido, a abordagem convencional da gestão ambiental enfatiza a ação de restringir o **uso dos recursos ambientais**, tornando esta forma de atuação a perspectiva de equacionamento da questão ambiental. Assim, é comum encontrarmos o conceito de gestão ambiental calcado em termos de **controle** como, por exemplo:

i) *"A condução, a direção e o controle pelo governo do uso dos recursos naturais, através de determinados instrumentos, o que inclui medidas econômicas, regulamentos e normalização, investimentos públicos e financiamentos, requisitos interinstitucionais e judiciais"* (Selden, 1973, citado por FEEMA, 1990).

ii) *"A tarefa de administrar o uso produtivo de um recurso renovável sem reduzir a produtividade e a qualidade ambiental, normalmente em conjunto com o desenvolvimento de uma atividade"* (Hurtubia, 1980, citado por FEEMA, 1990).

iii) *"O controle apropriado do meio ambiente físico, para propiciar o seu uso com o mínimo abuso, de modo a manter as comunidades biológicas, para o benefício continuado do homem"* (Encyclopaedia Britannica, 1978, citado por FEEMA, 1990).

Essa perspectiva conceitual convencional exprime o senso comum de que a gestão ambiental se destina a "controlar" os limites de uso dos recursos biofísicos, ou seja, a definir e fiscalizar as restrições de uso e qualidade ambiental que devem ser consideradas nas intervenções promovidas pelas atividades humanas. Caberia, então, o seguinte questionamento: restringir ou estabelecer limites de uso seria satisfatório para se lograr o equacionamento dos problemas ambientais?

A partir da compreensão de que a problemática ambiental é determinada pelas intervenções que constituem o conjunto de atividades da sociedade para atender aos seus padrões de produção e consumo, a ingerência nessas intervenções, que representam o modelo de desenvolvimento adotado, torna-se fundamental para se lograrem os propósitos da gestão ambiental. Uma ação exclusiva de restrição aos usos reduz a abrangência da gestão ambiental na medida em que a desvincula da ingerência necessária nas dimensões e formas de intervenção nos recursos e sistemas ambientais. Além disso, obscurece a importância de se induzir, mesmo nos limites permitidos, uma racionalidade de usos que considere as incertezas desse limite e propicie a identificação de alternativas de intervenção mais compatíveis com a disponibilidade dos recursos em questão e mais comprometida com a ecoeficiência e a promoção dos objetivos do desenvolvimento sustentável. Desse modo, o campo de atuação da gestão ambiental deve envolver ações que possam evitar os impactos indesejáveis mediante a restrição de usos, como também, e sobretudo, a indução de atividades que contribuam para a perspectiva da sustentabilidade do modelo de desenvolvimento.

À medida que as demandas sociais exigem tanto a disponibilidade dos recursos naturais e dos ecossistemas para uso social e econômico quanto a preservação das suas condições de uso, impõem-se mediações que garantam a compatibilização desses propósitos potencialmente conflitantes, ou seja, a **gestão ambiental**. A gestão ambiental consiste, então, na harmonização de conflitos de interesses sociais quanto às destinações dos recursos naturais e quanto aos requisitos para assegurar a manutenção das condições ambientais para a qualidade de vida da sociedade e outras formas de vida. Cabe ressaltar que o equacionamento adequado desses conflitos deve considerar, entre esses usos, o **uso intrínseco ou de existência** dos recursos e sistemas ambientais envolvidos como sendo essencial para se preservar a integridade de determinados recursos ou ecossistemas. O uso de existência representa o uso de preservação de determinadas espécies, sítios ou ecossistemas e se constitui um valor fundamental da ética de sustentabilidade. Negligenciar o uso de existência significaria um reducionismo no equacionamento dos conflitos.

A efetivação da gestão ambiental consiste, portanto, na condução harmoniosa dos diversos processos de intervenções humanas, visando à sustentabilidade do desenvolvimento. Isto significa, objetivamente, exercer uma real influência ou interferência nas diversas atividades que constituem os diferentes modos de interação humana com o ambiente, mediante formas e instrumentos de gestão sociocultural que implementem um processo de desenvolvimento compatível com as capacidades ecológicas do ambiente natural e com as aspirações de qualidade de vida da população. O reconhecimento dessa percepção no Brasil foi explicitado posteriormente pelo governo brasileiro no "Relatório do Brasil para a Conferência das Nações Unidas sobre Meio Ambiente e Desenvolvimento", em que consta:

- *"Não é mais possível reduzir a crise ambiental a uma questão de manter limpo o ar que respiramos, a água que bebemos ou o solo que produz nossos alimentos (...);*
- *"Não tem sentido opor meio ambiente e desenvolvimento, pois a qualidade do primeiro é o resultado da dinâmica do segundo"* (Brasil, 1991).

Assim sendo, as funções da gestão ambiental devem compreender tanto ações destinadas a assegurar a manutenção das condições indispensáveis a um ambiente sadio, ou melhorar essas condições, quanto aquelas que promovam a condução de alternativas de desenvolvimento social com sustentabilidade ambiental. Nesses termos, a gestão ambiental envolve ações para garantir as condições da qualidade ambiental indispensável para a vida em todas as suas formas como também de indução de produções de bens e serviços sustentáveis para atender às reais demandas da sociedade.

> As funções da gestão ambiental abrangem tanto as ações destinadas à manutenção e melhoria das condições ambientais quanto as que promovam o desenvolvimento sustentável.

Diante desse universo de atuação, a condução da gestão ambiental não pode se restringir às ações governamentais e muito menos estar limitada a uma agência governamental específica. Ao contrário, conduzir a gestão ambiental torna-se um desafio para diversos agentes e atores sociais que exigirá uma **responsabilidade coletiva**. Assim, uma gestão ambiental efetiva deve superar a visão convencional de contrapor ambiente natural com ambiente social e concentrar-se na busca da construção coletiva de uma sustentabilidade para o desenvolvimento em suas distintas dimensões.

27.5 GESTÃO AMBIENTAL: ABRANGÊNCIA E VARIÁVEIS DE ATUAÇÃO

Uma gestão ambiental comprometida com a sustentabilidade representa, em última instância, atuar na orientação ou indução dos processos de intervenção nos recursos ambientais, visando a promover a condução de alternativas ambientalmente sustentáveis para o desenvolvimento social sem comprometimento da sua base de sustentação, o **patrimônio ambiental**. Agir a partir da perspectiva de viabilizar a sustentabilidade ambiental do desenvolvimento significa buscar o equacionamento integrado entre patrimônio ambiental e as demandas e formas de intervenções sociais. A necessidade de identificar alternativas que compatibilizem essas duas dimensões tem promovido o surgimento de visões e proposições estratégicas. Para Sachs (1986, 1993), a compatibilização dessas dimensões requer uma estratégia de harmonização do processo de desenvolvimento com a gestão ambiental, envolvendo o padrão de consumo, o sistema sociopolítico, as tecnologias utilizadas a partir de recursos naturais e de energia, o padrão de uso do espaço e a população (o número, a taxa de crescimento e a sua distribuição). Conforme sugere o referido autor, este equacionamento requer determinações orientadas pelas seguintes variáveis-chave (Sachs, 1975, 2007):

i) **Estrutura de produção e consumo**, que envolve a definição das demandas e os bens essenciais para a sociedade. Esta variável é função do regime sociopolítico e suas implicações em termos dos padrões de produção e consumo que se pretende promover.

ii) **Fatores locacionais**, que envolvem a determinação sobre a ocupação do território, indicando **onde** as intervenções podem ser desenvolvidas, ou seja, a definição dos fatores locacionais que devem determinar a compatibilidade das intervenções com as condições ambientais.

iii) **Opções tecnológicas**, que envolvem **como** fazer as intervenções, ou seja, os fatores tecnológicos requeridos na definição de tecnologias poupadoras de recursos naturais ou que suscitem poucas perdas de materiais e não geradoras de resíduos.

Na mesma linha de raciocínio, Guimarães & Maia (1997) defendem que a viabilização da sustentabilidade seja função das relações promovidas entre a população (tamanho e densidade demográfica), a organização social (padrões de produção e estratificação social), o entorno (hábitat físico e construído e processos ambientais), a tecnologia (progresso técnico e utilização de energia) e as aspirações sociais (padrão de consumo e valores sociais).

A definição de um modelo de desenvolvimento regido pela sustentabilidade ambiental requer, assim, a escolha de uma trajetória de desenvolvimento baseada no conhecimento prévio das potencialidades de uso e das fragilidades ambientais de cada domínio territorial objeto da intervenção social. Torna-se fundamental, então, considerar as potencialidades e particularidades territoriais nas trajetórias de desenvolvimento, moduladas pelas distintas disponibilidades e condições ambientais territoriais e pelas tecnologias disponíveis para se efetivarem as intervenções.

A gestão ambiental não pode se restringir, portanto, ao gerenciamento das manifestações dos problemas da qualidade ambiental; deve, sobretudo, atuar nos componentes determinantes do modelo de desenvolvimento, expressos na estrutura de consumo, na organização espacial e nas opções tecnológicas. Diante dessa abrangência de ações, o processo de gestão do ambiente exige uma atuação sistêmica que possa influenciar as diversas instâncias de decisão da sociedade e, principalmente, os diferentes processos de decisões governamentais, nas suas distintas esferas de competência (federal, estadual e municipal). Requer, também, uma atuação integrada das diferentes políticas de intervenção e de utilização dos recursos ambientais, de tal forma que se propicie uma convergência de objetivos e a coordenação das ações dos diversos setores que atuam direta ou indiretamente nos recursos ambientais.

Nessa perspectiva, as ações de gestão ambiental devem se voltar para a incorporação da questão ambiental na formulação e execução das diversas políticas setoriais e regionais, assim como nos seus desdobramentos normativos e, consequentemente, indutores das atividades econômicas específicas. Essas políticas devem ser condicionadas pelo grau de conhecimento sobre as formas de exploração e de transformação dos recursos requeridos, bem como pelo grau de conhecimento das potencialidades e disponibilidades existentes. Uma condição prévia para o estabelecimento dessas políticas seria a indispensável legitimidade pública em relação à prioridade das demandas sociais. Nesses termos, torna-se fundamental a adoção de mecanismos de **participação da sociedade nos sistemas decisórios da gestão ambiental**.

27.6 GESTÃO AMBIENTAL PARA A SUSTENTABILIDADE

Uma gestão ambiental comprometida com a perspectiva da sustentabilidade ambiental impõe novas concepções de atuação das instituições responsáveis, visando à superação das concepções vigentes, orientadas essencialmente para ações reativas aos problemas ambientais e constituídas das seguintes características (Cerqueira, 1992; Godard, 2000):

- Gestão segmentada e restrita aos efeitos incidentes nos elementos do ambiente (água, ar, floresta, entre outros);
- Busca pelo atendimento dos diversos tipos de demanda com o menor custo, restrito aos interesses de segmentos da sociedade;
- Desenvolvimento de ações após as definições sobre as opções de desenvolvimento;
- Atuação centrada na adaptação da oferta à demanda.

Para se efetivar a gestão ambiental regida pela sustentabilidade, essa concepção reativa deve ser substituída pela concepção global e prospectiva de **caráter pró-ativo**, cuja característica fundamental compreende a abordagem dos **princípios da precaução e da prevenção**, integrando os diferentes componentes do ambiente natural e social e os agentes intervenientes no processo de desenvolvimento. Nesse propósito, torna-se indispensável uma abrangência maior do universo de atuação que compreenda, entre outros, aspectos como os listados a seguir, citados por Cerqueira (1992) e Godard (2000):

- Inter-relações entre sistemas socioeconômicos e sistemas naturais;
- Participação nas definições sobre as opções de desenvolvimento;
- Planejamento inscrito em um contexto mais amplo de gestão permanente de recursos, espaço e da qualidade do ambiente natural e construído;
- Estratégias buscando modular as demandas sociais;
- Inserção no processo de desenvolvimento sustentável;
- Adoção do enfoque sistêmico como alternativa de interação e integração dos diferentes enfoques de gestão e das ações dos diferentes níveis de governo;
- Incorporação da dimensão ambiental nos processos decisórios;
- Responsabilidade setorial (gestão corresponsável);
- Materialização da participação pública;
- Participação na formulação das políticas públicas;
- Conhecimento e dimensionamento da realidade ambiental (diagnóstico integrado).

Conforme se pode depreender observando as principais características dessas duas concepções, a gestão ambiental pró-ativa requer um esforço de coordenação e integração do poder público e a efetivação satisfatória da participação pública. A sua efetivação exige também a implementação de medidas de estruturação das condições operativas que promovam a substituição paulatina das práticas reativas. Para tanto, torna-se indispensável um esforço contínuo de adoção procedimentos de gestão ambiental adaptativa que se materializa na formulação de indicadores ambientais (ver Capítulo 33) que reflitam os avanços e desempenhos das medidas de gestão implementadas.

27.7 A POLÍTICA AMBIENTAL NO BRASIL

A Política Nacional de Meio Ambiente (PNMA) foi estabelecida como uma política pública com a edição da Lei n° 6.938, de 31 de agosto de 1981 (Brasil, 1981), e se constituiu um marco divisor na evolução da gestão ambiental no Brasil (Assis, 1992). A sua institucionalização foi concebida a partir de uma reflexão crítica sobre as diversas visões e as diferentes características que marcaram a evolução da gestão ambiental praticada no país durante décadas (Monosowiski, 1989). Essa evolução reflete e acompanha a dinâmica à qual a economia brasileira foi submetida ao longo desse período (Monteiro, 1981).

As primeiras iniciativas institucionais de gestão ambiental no Brasil foram conduzidas com a perspectiva da administração de recursos naturais (Monosowiski, 1989). Desse modo, as preocupações ambientais eram consideradas essencialmente nos códigos de recursos naturais (da água, florestal, de mineração, da pesca). Esse período foi caracterizado por políticas setoriais de gestão dos recursos naturais (gestão do estoque) acompanhadas de algumas medidas de proteção de determinados ecossistemas. Denota-se, portanto, a predominância de uma orientação que se propunha a assegurar a disponibilidade desses recursos para as atividades econômicas e de uma visão sobre gestão ambiental de natureza essencialmente reativa. Essa fase coincidiu com o período de industrialização no Brasil entre as décadas de 1940 e 1960. Em um segundo momento, um período caracterizado como sendo de controle da poluição, a abordagem de gestão foi orientada primordialmente para atuar sobre os efeitos do processo de industrialização (década de 1970) (Monosowiski, 1989).

Constata-se que as ações de gestão ambiental conduzidas até então, restritas basicamente às políticas de controle da poluição industrial e dos seus efeitos na saúde, caracterizam uma atuação calcada em uma abordagem reativa e limitada aos componentes ambientais específicos (água, ar e solo). Além disso, as ações de gestão ambiental se realizavam em um contexto político em que predominava a visão de que a questão ambiental era um empecilho para o crescimento econômico e um fator determinante para o desenvolvimento. Nesse período de controle da poluição, emergiram os primeiros órgãos estaduais de meio ambiente, com atribuições restritas, basicamente, à fiscalização da qualidade do ar e das águas. No âmbito federal, foi instituída a Secretaria Especial de Meio Ambiente (SEMA), com atribuições muito limitadas e sem estrutura para uma atuação nacional e, sobretudo, sem dispor de competência institucional para exercer as funções de articulação e coordenação de uma política nacional (Assis, 1992). Conforme depoimentos e registros existentes, a iniciativa de criação da SEMA surgiu como uma resposta ao contexto internacional, diante da participação conservadora do Brasil na Conferência da ONU sobre o Ambiente Humano (Estocolmo, 1972) (Assis, 1992).

A fase posterior, conforme relata Monosowiski (1989), está associada ao período em que as políticas de desenvolvimento nacional estavam orientadas para a integração do espaço nacional. Nesse sentido, foi adotada a primeira iniciativa de planejamento ambiental ao se determinar a formulação do zoneamento industrial para as áreas críticas de poluição. Contudo, persistia, nesse instrumento, a visão setorial e desarticulada que caracterizava a abordagem vigente.

A experiência e os resultados insatisfatórios das ações desenvolvidas nesses períodos revelaram a ineficácia do modelo de gestão ambiental que vinha sendo praticado, impondo uma reflexão mais profunda sobre as causas dessa questão. Aliado a esse fato, foi determinante a influência dos fóruns internacionais – destacando-se a Conferência de Estocolmo, em 1972 –, que alertavam sobre a necessidade de uma visão mais abrangente da problemática ambiental e sobre a sua vinculação direta com o desenvolvimento em suas diversas dimensões, sociais, ecológicas e econômicas.

Contribuíram, ainda, para essas reflexões as mudanças políticas e sociais em curso na sociedade brasileira, que clamava pelo retorno à democracia (CONAMA, 2006). Cabe lembrar que as políticas desses períodos foram aplicadas sem quaisquer mecanismos de participação pública. Diante desse cenário, consolidou-se a convicção da necessidade de se formular um modelo de gestão capaz de superar as deficiências identificadas. Nesse sentido, a Política Nacional de Meio Ambiente foi formulada a partir das seguintes ideias norteadoras (Cerqueira, 1992; Assis, 1992):

- Visão integrada da questão ambiental, em substituição à abordagem setorial existente, considerando a problemática ambiental como um reflexo do modelo de desenvolvimento.
- Visão abrangente da problemática ambiental, compreendendo as diversas relações entre os fatores ou componentes do ambiente, bem como as suas distintas dimensões (social, ecológica e econômica).
- A integração e descentralização institucional da gestão ambiental, visando ao compromisso com a questão ambiental em todos os níveis de decisão governamental, mediante uma ação administrativa integrada e coordenada, envolvendo e corresponsabilizando todas as instituições da administração pública.
- A necessidade de efetivar a participação pública nas diferentes instâncias decisórias.

A Política Nacional de Meio Ambiente definiu uma nova fase de abordagem da gestão ambiental, enfatizando o reconhecimento da relação do desenvolvimento socioeconômico com a questão ambiental, preconizando, de forma orgânica, princípios e objetivos fundamentais como forma de promover um enfoque sistêmico no tratamento da questão ambiental e estabelecendo uma nova estrutura institucional. Assim, a referida política dispõe sobre:

i) Os objetivos e princípios da Política Nacional de Meio Ambiente
ii) A constituição do Sistema Nacional do Meio Ambiente (SISNAMA)
iii) A criação do Conselho Nacional de Meio Ambiente (CONAMA)
iv) Os instrumentos de atuação e condução da gestão ambiental.

A referida Lei n° 6.938/1981 expressa claramente o reconhecimento da relação do desenvolvimento socioeconômico com a questão ambiental como sendo um dos objetivos da Política Ambiental ao estabelecer, em seu Artigo 2°: *"A Política Nacional do Meio Ambiente tem por objetivo a preservação, melhoria e recuperação da qualidade ambiental propícia à vida, visando assegurar, no País, condições ao desenvolvimento sócio-econômico, aos interesses da segurança nacional e à proteção da dignidade da vida humana (...)"* (Brasil, 1981).

Pode-se observar que a perspectiva do desenvolvimento sustentável já se manifesta nos propósitos dessa lei. Esse objetivo é reafirmado em seu Artigo 4°: *"A Política Nacional do Meio Ambiente visará: I - à compatibilização do desenvolvimento econômico-social com a preservação da qualidade do meio ambiente e do equilíbrio ecológico (...)"* (Brasil, 1981).

Como estrutura institucional de implementação da Política Nacional do Meio Ambiente, foi criado o Sistema Nacional do Meio Ambiente (SISNAMA). A constituição do SISNAMA foi concebida como uma forma de promover uma abordagem integrada no tratamento da questão ambiental nas diversas instâncias governamentais. Nesse sentido, a sua estrutura institucional[3] foi constituída compreendendo os seguintes componentes organizacionais:

> "*I – órgão superior: Conselho de Governo:[4] com a função de assessorar o Presidente da República na formulação da política nacional e nas diretrizes governamentais para o meio ambiente e os recursos ambientais; (Redação dada pela Lei n° 8.028, de 1990).*
>
> *II – órgão consultivo e deliberativo: Conselho Nacional do Meio Ambiente (CONAMA), com a finalidade de assessorar, estudar e propor ao Conselho de Governo, diretrizes de políticas governamentais para o meio ambiente e os recursos naturais e deliberar, no âmbito de sua competência, sobre normas e padrões compatíveis com o meio ambiente ecologicamente equilibrado e essencial à sadia qualidade de vida; (Redação dada pela Lei n° 8.028, de 1990).*
>
> *III – órgão central: o Ministério de Meio Ambiente, com a finalidade de planejar, coordenar, supervisionar e controlar, como órgão federal, a política nacional e as diretrizes governamentais fixadas para o meio ambiente;[5]*
>
> *IV – órgão executor: o Instituto Brasileiro do Meio Ambiente e dos Recursos Naturais Renováveis, com a finalidade de executar e fazer executar, como órgão federal, a política e diretrizes governamentais fixadas para o meio ambiente; (Redação dada pela Lei n° 8.028, de 1990).*
>
> *V – órgãos setoriais:[6] os integrantes da Administração Federal direta e indireta, bem como as fundações instituídas pelo Poder Público, cujas atividades estejam associadas às de proteção da qualidade ambiental ou àquelas que disciplinam o uso dos recursos ambientais;*
>
> *VI – órgãos seccionais: os órgãos ou entidades estaduais responsáveis pela execução de programas, projetos e pelo controle e fiscalização de atividades capazes de provocar a degradação ambiental; (Redação dada pela Lei n° 7.804, de 1989).*
>
> VII – órgãos locais: os órgãos ou entidades municipais, responsáveis pelo controle e fiscalização dessas atividades, nas suas respectivas jurisdições"[7] (Brasil, 1981).

Essa concepção estrutural foi reproduzida nas esferas estaduais e municipais, observando-se as adequações necessárias à dinâmica operacional exigida nesses níveis governamentais e as relativas a competências institucionais. Entre outras especificidades, destaca-se a competência dos conselhos estaduais como instância decisória do licenciamento ambiental, que será estudado em detalhes no Capítulo 29, e a maior participação de membros da sociedade civil na sua composição.

O Conselho Nacional de Meio Ambiente (CONAMA) é o órgão colegiado instituído com o propósito de articular os diversos setores e instâncias governamentais, bem como os agentes sociais e empresariais, na formulação de diretrizes de política ambiental. Assim, a composição do CONAMA compreende:[8]

i) O Ministro de Estado do Meio Ambiente e o Secretário-Executivo do Ministério do Meio Ambiente;[9]

ii) Um (1) representante de cada um dos Ministérios, das Secretarias da Presidência da República e dos Comandos Militares do Ministério da Defesa, do Ibama e da ANA, indicados pelos respectivos titulares.

iii) Um (1) representante de cada um dos governos estaduais e do Distrito Federal, indicados pelos respectivos governadores, totalizando 27 Conselheiros;

iv) 8 representantes de governos municipais;

v) 21 representantes da sociedade civil (entidades de trabalhadores, ONGs, entre outras);

vi) 8 representantes de entidades empresariais;

vii) Um (1) membro honorário indicado pelo Plenário;

---

[3]Artigo 6° da Lei n° 6.938 de 1981, com a redação dada pela Lei n° 8.028, de 1990.

[4]Colegiado incluído com a Lei n° 8.028, de 1990.

[5]Redação de acordo com a Lei 8.490, de 19 de novembro de 1992, capítulo III, que trata da transformação, criação e transferência de órgãos e cargos e, em seu Artigo 21, determina a transformação da Secretaria do Meio Ambiente em Ministério do Meio Ambiente.

[6]Componente suprimida, sem registro de justificativa, após a edição de incorporação da alteração da Lei n° 8.028, de 1990.

[7]Incluído pela Lei n° 7.804, de 1989.

[8]A composição atual está sujeita a alteração quando ocorrem reformas administrativas.

[9]A presidência é exercida pelo titular do órgão central, que no momento é o Ministério de Meio Ambiente.

3 Conselheiros sem direito a voto

i) Um (1) representante do Ministério Público Federal;

ii) Um (1) representante dos Ministérios Públicos Estaduais, indicado pelo Conselho Nacional dos Procuradores Gerais de Justiça;

iii) Um (1) representante da Comissão de Meio Ambiente e Desenvolvimento Sustentável da Câmara dos Deputados.

Tendo em vista a sua composição, o CONAMA constitui uma importante instância de interação entre representantes da União, dos estados e municípios, da iniciativa privada e de organizações da sociedade civil. Dessa forma, torna-se um mecanismo de participação social e, principalmente, uma alternativa de cooperação propícia para a resolução dos conflitos ambientais. A relevância do perfil da composição do CONAMA está associada às funções e competências institucionais que este conselho representa. O CONAMA é presidido pelo órgão central (Ministério de Meio Ambiente). Entre as suas competências,[10] constam:

"I – Estabelecer normas e critérios para o licenciamento de atividades efetiva ou potencialmente poluidoras; (Redação dada pela Lei n° 7.804, de 1989) (...)

III - Decidir, como última instância administrativa em grau de recurso, mediante depósito prévio, sobre as multas e outras penalidades impostas pelo IBAMA (Redação dada pela lei n°. 7.804, de 1989) (...)

V – Determinar, mediante representação do Ibama, a perda ou restrição de benefícios fiscais concedidos pelo Poder Público, em caráter geral ou condicional, e a perda ou suspensão de participação em linhas de financiamento em estabelecimentos oficiais de crédito (Redação dada pela lei n°. 7.804, de 1989);

VI – Estabelecer, privativamente, normas e padrões nacionais de controle da poluição por veículos automotores, aeronaves e embarcações, mediante audiência dos ministérios competentes;

VII – Estabelecer normas, critérios e padrões relativos ao controle e à manutenção da qualidade do meio ambiente com vistas ao uso racional dos recursos ambientais, principalmente os hídricos (...)" (Brasil, 1981).

Cabe esclarecer que as deliberações do CONAMA devem ser consideradas como diretrizes e normas gerais de desdobramentos necessários para a implementação da política ambiental da política nacional. Contudo, os estados e os municípios, na esfera de suas competências e nas áreas de sua jurisdição, podem elaborar normas supletivas e complementares e padrões relacionados com o meio ambiente, desde que sejam observados aqueles estabelecidos pelo CONAMA.

Para a implementação dos princípios e objetivos da Política Nacional de Meio Ambiente, foram estabelecidos os seguintes instrumentos de atuação e condução da gestão ambiental:

"I – o estabelecimento de padrões de qualidade ambiental;

II – o zoneamento ambiental; (...)

III – a avaliação de impactos ambientais;

IV – o licenciamento e a revisão de atividades efetiva ou potencialmente poluidoras;

V – os incentivos à produção e instalação de equipamentos e a criação ou absorção de tecnologia, voltados para a melhoria da qualidade ambiental;

VI – a criação de espaços territoriais especialmente protegidos pelo Poder Público federal, estadual e municipal, tais como áreas de proteção ambiental, de relevante interesse ecológico e reservas extrativistas; (Redação dada pela Lei n° 7.804, de 1989)

VII – o sistema nacional de informações sobre o meio ambiente;

VIII – cadastro Técnico Federal de Atividades e Instrumento de Defesa Ambiental;

IX – as penalidades disciplinares ou compensatórias ao não cumprimento das medidas necessárias à preservação ou correção da degradação ambiental;

X – A instituição do Relatório de Qualidade do Meio Ambiente, a ser divulgado anualmente pelo Instituto Brasileiro do Meio Ambiente e Recursos Naturais Renováveis – Ibama;[11]*

XI – A garantia da prestação de informações relativas ao Meio Ambiente, obrigando-se o Poder Público a produzi-las, quando inexistentes;*

---

[10]Artigo 8° da Lei n° 6.938, de 1981.

[11]Incluído pela Lei n° 7.804, de 1989.

XII – O Cadastro Técnico Federal de atividades potencialmente poluidoras e/ou utilizadoras dos recursos ambientais; *

XIII – instrumentos econômicos, como concessão florestal, servidão ambiental, seguro ambiental e outros".[12]

Conforme Bustamante & Torres (1990) ressaltam, os instrumentos que têm sido aplicados, em geral, na gestão ambiental podem ser agrupados como os que se aplicam a um *"determinado recurso ou sistema ambiental"* com intuito de *"proibir ou restringir quantitativamente o seu uso"* e aqueles cujo objetivo é *"exercer um controle mais marcadamente qualitativo sobre as ações que implicam transformações ambientais"*. Pode-se observar que os **instrumentos estabelecidos na Política Nacional de Meio Ambiente** se caracterizam pelas diversas formas de sua aplicação: instrumentos que incidem **diretamente nas atividades** e agentes potencialmente impactantes (licenciamento ambiental, padrões de efluentes e emissão e avaliação de impactos ambientais); instrumentos que incidem **indiretamente** mediante o estabelecimento de restrições de uso e intervenções em recursos e ecossistemas específicos (padrões de qualidade, áreas protegidas, que podem ser vistas no Capítulo 28, zoneamento ambiental, instrumentos econômicos) e instrumentos que **subsidiam a aplicação e o acompanhamento dos demais** (relatório de qualidade, penalidades, entre outros). Assim, é possível afirmar que os instrumentos estabelecidos na política abrangem o perfil básico de formas de aplicação, havendo ainda outros mecanismos subsidiários de acompanhamento do desempenho e de resultados de sua aplicação.

Portanto, em consonância com a nova abordagem de gestão ambiental adotada pela Política Nacional de Meio Ambiente, os instrumentos estabelecidos rompem com a visão tradicional de órgão ambiental meramente fiscalizador e incorporam a perspectiva do **planejamento** nas ações de gestão ambiental, sendo os exemplos mais ilustrativos: a inclusão do zoneamento ambiental e da avaliação de impactos ambientais. O mesmo seria válido para os padrões ambientais. Além de cumprirem as funções de fiscalização, estes instrumentos incluem também uma perspectiva de planejamento e exercem um papel de relevância ao integrarem os programas de médio e longo prazo determinando a classificação de rios. Deve-se ressaltar que, à medida que a efetividade de cada instrumento requer o suporte dos demais, é impossível eleger algum como determinante. Assim, a efetividade da gestão ambiental é determinada pela capacidade de integração da aplicação desses instrumentos previstos na Política Nacional entre si e com outros disponíveis nas políticas setoriais, por exemplo, na política de gestão das águas. Dessa forma, a gestão ambiental requer uma atuação integrada das diversas políticas públicas, que se tornam corresponsáveis da efetivação dos objetivos da política ambiental. Caberia ressaltar ainda que, em observância aos princípios e objetivos da Política Nacional de Meio Ambiente, a aplicação desses instrumentos deve considerar mecanismos de participação pública. Nesse sentido, os procedimentos de aplicação desses instrumentos são estabelecidos pelos conselhos de meio ambiente, nas suas diferentes esferas de atuação, o que possibilita uma participação sistemática da sociedade civil.

Os propósitos da Política Nacional de Meio Ambiente foram fortalecidos com a promulgação da Constituição Federal de 1988 (ver quadro a seguir), que incorpora e amplia diversos princípios e objetivos fundamentais dessa política e explicita alguns dos seus instrumentos no texto constitucional.

Assim, destacam-se como principais elementos de consolidação da PNMA:

- A consideração do ambiente como bem de uso comum do povo e de que, como tal, a sua apropriação deve se subordinar ao interesse público, exigindo responsabilidade e ação determinante de planejamento do poder público.
- A participação pública nas instâncias decisórias, a partir da determinação da responsabilidade coletiva na sua gestão.
- A perspectiva da sustentabilidade quando está prevista a preservação para as presentes e futuras gerações.
- A explicitação das responsabilidades do poder público, envolvendo o poder executivo, judiciário e legislativo.
- A exigência da avaliação de impactos ambientais como instrumento preventivo fundamental para a gestão ambiental.
- A exigência de recuperação de áreas degradadas pelas atividades de mineração.
- A ampliação e o fortalecimento da ação de fiscalização nas atividades lesivas ao meio ambiente.

---

[12]Incluído pela Lei n° 11.284, de 2006.

CAPÍTULO IV (CONSTITUIÇÃO FEDERAL) – DO MEIO AMBIENTE

"Art. 225 - Todos têm direito ao meio ambiente ecologicamente equilibrado, bem de uso comum do povo e essencial à sadia qualidade de vida, impondo-se ao poder público e à coletividade o dever de defendê-lo e preservá-lo para as presentes e futuras gerações.

§ 1° - Para assegurar a efetividade desse direito, incumbe ao poder público:

I – Preservar e restaurar os processos ecológicos essenciais e prover o manejo ecológico das espécies e ecossistemas;

II – preservar a diversidade e a integridade do patrimônio genético do País e fiscalizar as entidades dedicadas à pesquisa e manipulação de material genético;

III – definir, em todas as unidades da Federação, espaços territoriais e seus componentes a serem especialmente protegidos, sendo a alteração e a supressão permitidas somente através de lei, vedada qualquer utilização que comprometa a integridade dos atributos que justifiquem sua proteção;

IV – exigir, na forma da lei, para instalação de obra ou atividade potencialmente causadora de significativa degradação do meio ambiente, estudo prévio de impacto ambiental, a que se dará publicidade;

V – controlar a produção, a comercialização e o emprego de técnicas, métodos e substâncias que comportem risco para a vida, a qualidade de vida e o meio ambiente;

VI – promover a educação ambiental em todos os níveis de ensino e a conscientização pública para a preservação do meio ambiente;

VII – proteger a fauna e a flora, vedadas, na forma da lei, as práticas que coloquem em risco sua função ecológica, provoquem a extinção de espécies ou submetam os animais a crueldade.

§ 2° – Aquele que explorar recursos minerais fica obrigado a recuperar o meio ambiente degradado, de acordo com solução técnica exigida pelo órgão público competente, na forma da lei.

§ 3° – As condutas e atividades consideradas lesivas ao meio ambiente sujeitarão os infratores, pessoas físicas ou jurídicas, a sanções penais e administrativas, independentemente da obrigação de reparar os danos causados.

§ 4° – A Floresta Amazônica brasileira, a Mata Atlântica, a Serra do Mar, o Pantanal Mato-Grossense e a Zona Costeira são patrimônio nacionais, e sua utilização far-se-á, na forma da lei, dentro de condições que assegurem a preservação do meio ambiente, inclusive quanto ao uso dos recursos naturais.

§ 5° – São indisponíveis as terras devolutas ou arrecadadas pelos Estados, por ações discriminatórias, necessárias à proteção dos ecossistemas naturais.

§ 6° – As usinas que operem com reator nuclear deverão ter sua localização definida em lei federal, sem o que não poderão ser instaladas." (Brasil, 1988)

Cabe observar, ainda, que outros dispositivos complementam este capítulo constitucional. Destacam-se, entre outros, a maior capacidade de atuação do judiciário com a instituição do Ministério Público, que possui competência explícita de vigilância do cumprimento dos objetivos constitucionais e da Política Nacional de Meio Ambiente.

REVISÃO DOS CONCEITOS APRESENTADOS

Neste capítulo, foram descritas as bases conceituais da gestão e dos elementos constitutivos da política ambiental no Brasil. Assim, a abordagem desenvolvida ressaltou as ideias-chave que envolvem essas questões, destacando-se as seguintes:

- A realidade ambiental é uma consequência dos processos dinâmicos e interativos que ocorrem entre os diversos componentes do ambiente natural e social, os quais são determinados pelo padrão de consumo almejado pela sociedade.
- A origem e geração da questão ambiental residem nas prioridades sociais e formas de apropriação e intervenção adotadas para a produção de bens e serviços, que se expressam nos seus padrões de produção e consumo, os quais configuram um estilo de vida e o respectivo modelo de desenvolvimento.
- A superação dos problemas ambientais passa pela busca de uma alternativa ao atual modelo de desenvolvimento, que integre as dimensões sociais, ecológicas, culturais, econômicas e institucionais.
- A gestão ambiental comprometida com a sustentabilidade envolve ações no plano biofísico como também no âmbito social e econômico, visando à indução de alternativas ambientalmente apropriadas para atender às necessidades básicas e legítimas da sociedade.
- A concepção da política ambiental no Brasil inclui entre suas ideias norteadoras e tem como finalidade primordial, uma gestão ambiental direcionada para o desenvolvimento sustentável e para a manutenção e melhoria da qualidade das condições ambientais.

SUGESTÕES DE LEITURA COMPLEMENTAR

- MERINO, G.A., RAMOS, G.C.D., DOMÍNGUEZ, D., MELLO, C.C.A., MONTERROSO, I., WILDE, G. (2008) *Gestión ambiental y conflicto social en América Latina.* Consejo Latino Americano de Ciencias Sociales (CLASCSO), Buenos Aires, Argentina. 272p.
- NEDER, R.T. (2002) *Crise socioambiental - estado e sociedade civil no Brasil (1982-1998).* Annablume, Fapesp, São Paulo, Brasil. 438p.
- NOBRE, M., AMAZONAS, M.C. (2002) *Desenvolvimento Sustentável: a institucionalização de um conceito.* IBAMA, Brasília, Brasil. 368p.
- PHILIPPI JR., A., ROMÉRO, M.A., BRUNA, G.C. (2004) *Curso de Gestão Ambiental.* Manole, Barueri, Brasil. (Coleção Ambiental, 1).
- SILVA, C.L., SOUZA–LIMA; J.E. (2010) Políticas públicas e indicadores para o desenvolvimento sustentável. Saraiva, São Paulo, Brasil. 177p.

Referências

ACSELRAD, H. (1997) Desenvolvimento sustentável: a luta por um conceito. *Revista Proposta*, n. 71, p. 11-16.

Agenda 21, Organização das Nações Unidas (ONU). Disponível em: <www.mma.gov.br/estruturas/agenda21/_arquivos/ag21. zip>. Acesso: maio de 2018.

ASSIS, L.F.S. (1992) *Meio Ambiente e Políticas Públicas*. Texto resumo do Seminário do Projeto Diretrizes de Ação para o Meio Ambiente no Brasil. Brasília, Câmara dos Deputados.

BRASIL. (1981) *Lei no 6.938 de 31 de agosto de 1981*. Dispõe sobre a Política Nacional de Meio Ambiente, seus fins e mecanismos de formulação e aplicação, e dá outras providências. Diário Oficial da União, Brasília, Brasil.

____(1988) *Constituição Federal de 1988*. Constituição da República Federativa do Brasil. Brasília, Brasil.

____(1989) *Lei n(7.804, de 18 de julho de 1989*. Altera a Lei n(6.938, de 31 de agosto de 1981, que dispõe sobre a Política Nacional do Meio Ambiente, seus fins e mecanismos de formulação e aplicação, a Lei no 7.735, de 22 de fevereiro de 1989, a Lei no 6.803, de 02 de julho de 1980, e dá outras providências. Diário Oficial da União, Brasília, Brasil.

____(1990) *Lei n(8.028 de 12 de abril de 1990*. Dispõe sobre a organização da Presidência da República e dos Ministérios, e dá outras providências. Diário Oficial da União, Brasília, Brasil.

____(1991) *O desafio do desenvolvimento sustentável*. Relatório do Brasil para a Conferência das Nações Unidas sobre o Meio Ambiente e Desenvolvimento. Presidência da República. Comissão Interministerial para a Preparação da Conferência das Nações Unidas sobre Meio Ambiente e Desenvolvimento - CIMA Brasília, Brasil.

____(1992) *Lei no 8.490 de 19 de novembro de 1992*. Dispõe sobre a organização da Presidência da República e dos Ministérios e dá outras providências. Diário Oficial da União, Brasília, Brasil.

____(2006) *Lei n(11.284, de 02 de março de 2006*. Dispõe sobre a gestão de florestas públicas para a produção sustentável; institui, na estrutura do Ministério do Meio Ambiente, o Serviço Florestal Brasileiro - SFB; cria o Fundo Nacional de Desenvolvimento Florestal - FNDF; altera as Leis nos 10.683 de 28 de maio de 2003, 5.868 de 12 de dezembro de 1972, 9.605 de 12 de fevereiro de 1998, 4.771 de 15 de setembro de 1965, 6.938 de 31 de agosto de 1981 e 6.015 de 31 de dezembro de 1973; e dá outras providências. Diário Oficial da União, Brasília, Brasil.

BUSTAMANTE, M.I., TORRES, S. (1990) Elementos para una política ambiental eficaz. *Revista de la CEPAL*, n. 41, p. 109-122.

CERQUEIRA, F. (1992) Formação de recursos humanos para a gestão ambiental. *Revista da Administração Pública*, v. 26, n. 1, p. 50-55.

CMMAD (1988) *Our Common Future*, Relatório da *World Commission on Environment and Development*, Organização das Nações Unidas (ONU). Disponível em: <un-documents.net/wced-ocf.htm>. Acesso: maio de 2018.

Conselho Nacional de Meio Ambiente (CONAMA). (1984-2006). *Resoluções do CONAMA*. Resoluções vigentes publicadas entre julho de 1984 e janeiro de 2012. Brasília: MMA. Disponível em: <http://www.mma.gov.br/port/conama/processos/61AA3835/LivroConama.pdf>. Acesso: maio de 2018.

FUNDAÇÃO ESTADUAL DE ENGENHARIA DO MEIO AMBIENTE. (1990) *Vocabulário Básico de Meio Ambiente*. Conceitos básicos de meio ambiente. Rio de Janeiro, Brasil.

GALLOPIN, G. (1981) *El ambiente humano y planificación ambiental. Opiniones.* Fascículos de Medio Ambiente, Centro Internacional de Formación en Ciencias del Ambiente, Madrid, Espanha. 30p.

GODARD, O. (2000) A gestão integrada dos recursos naturais e do meio ambiente: conceitos, instituições e desafios de legitimação. In: VIEIRA, P.F., WEBER, J. (editores). *Gestão de Recursos Naturais Renováveis e Desenvolvimento: novos desafios para a pesquisa ambiental*. Cortez, São Paulo, Brasil. 500p.

JAGUARIBE, H., SILVA, N.V., ABREU, M.P., ÁVILA, F.B., FRISTCH, W. (1989) *Brasil: Reforma ou Caos*. Paz e Terra, Rio de Janeiro, Brasil. 308p.

MAIA, K.D., GUIMARÃES, R.P. (1997) Padrões de Produção, e Padrões de Consumo, Dimensões e Critérios de Formulação de Políticas Públicas para o Desenvolvimento Sustentável. In: LEROY, J.P., MAIA, K D., GUIMARÃES, R.P. (editores). *Brasil Século XXI: Os Caminhos da Sustentabilidade Cinco Anos Depois da Rio-92*. (Fórum Brasileiro de ONGs e Movimentos Sociais para o Meio Ambiente e o Desenvolvimento). Fase, Rio de Janeiro, Brasil. 503p.

MEADOWS, H.D., MEADOWS, L.D., RANDERS, J. (1978) *Os Limites do Crescimento*. Perspectiva, São Paulo, Brasil.

MONOSOWISKI, E. (1989) Políticas Ambientais e Desenvolvimento no Brasil. *Cadernos Fundap*, São Paulo, p. 15-24.

MONTEIRO, C.A.F. (1981) *A questão ambiental no Brasil, 1960-1980*. IGBOG-USP, São Paulo.

SACHS, I. (2007) *Rumos à ecossocieconomia. Teoria e prática do desenvolvimento*. Cortez, São Paulo, Brasil.

SÃO PAULO (1993) *Meio Ambiente e Desenvolvimento*: *Documentos oficiais* Secretaria do Meio Ambiente. Coordenadoria de Educação Ambiental. Organização das Nações Unidas. Organizações não-governamentais. São Paulo (série documentos).

ÁREAS PROTEGIDAS: POR QUE PRECISAMOS DELAS?

28

Victor Eduardo Lima Ranieri / Evandro Mateus Moretto

As áreas protegidas (AP) são espaços terrestres ou marinhos que têm como objetivo propiciar a conservação in situ da biodiversidade, assim como de outros elementos naturais (água, solos) e dos elementos culturais a eles associados, como a paisagem e os diferentes modos de vida das populações humanas que fazem uso direto ou indireto dos recursos naturais. São diversos os tipos de AP existentes, desde os mundialmente conhecidos parques nacionais – destinados à conservação da biodiversidade e das belezas cênicas, nos quais costumam ser permitidas apenas atividades de turismo, recreação, educação ambiental e pesquisa científica – até espaços criados para a proteção de atributos naturais, específicos ou não, em propriedades rurais, por meio de mecanismos obrigatórios, voluntários ou de incentivos econômicos. Neste capítulo, são abordados aspectos relevantes para a compreensão da importância das AP, como a justificativa para a sua criação, o panorama mundial, as modalidades de proteção utilizadas no Brasil, os pontos de vista dos setores da sociedade que são afetados de diferentes formas pela criação de tais áreas e os desafios para a sua efetiva gestão.

28.1 INTRODUÇÃO

A destruição de ambientes naturais, as mudanças climáticas e a redução da camada de ozônio estão entre os mais reconhecidos problemas ambientais de âmbito global, ou, nas palavras de Dovers et al. (1996), macroproblemas relacionados com sustentabilidade. Tal processo, associado à superexploração de recursos (caça, pesca, coleta), à introdução de espécies exóticas (as quais podem se tornar dominantes em um dado ambiente) e de elementos patogênicos e à fragmentação de hábitats, vem provocando a extinção de espécies.

A perda da biodiversidade provocada por ação humana ocorreu com maior intensidade na segunda metade do século XX se comparada com qualquer outro período da história da humanidade (Millennium Ecosystem Assessment, 2005). Utilizando-se de diferentes métodos e indicadores, cientistas estimam que a taxa atual de extinção de espécies pode já ter extrapolado o limiar considerado seguro para garantir a integridade do sistema planetário (Rockström et al., 2009; Barnosky et al., 2011; Mace et al., 2014; Steffen et al., 2015). Tal situação é preocupante, pois a biodiversidade possui não somente valor de existência (ou intrínseco), mas também desempenha papel fundamental no fornecimento dos chamados "serviços ecossistêmicos" (Millennium Ecosystem Assessment, 2005; The Economics of Ecosystems and Biodiversity for local and regional policy makers - TEEB, 2010; Cardinale et al., 2012; Loreau, 2014). Para piorar, os fatores de pressão que promovem a perda da biodiversidade ou permanecem estáveis, não apresentando tendência de redução de intensidade ao longo do tempo, ou têm crescido (Millennium Ecosystem Assessment, 2005; Butchart et al., 2010; Foley et al., 2011 Millennium Ecosystem Assessment, 2005; Butchart et al., 2010; Foley et al., 2011; Secretariat of the Convention on Biological Diversity, 2014).

Não menos importante que a perda da biodiversidade é a degradação dos solos e das águas superficiais, decorrente do manejo inadequado das terras nas quais se praticam atividades agrosilvopastoris. A erosão hídrica, processo de desprendimento e arraste acelerado das partículas do solo causado pela água (Bertoni & Lombardi Neto, 1990), vista nos Capítulos 11 e 14, além de contribuir para a perda de solos férteis, tem efeitos adversos sobre os cursos de água, tais como assoreamento e poluição, este último comumente causado por fertilizantes e outros insumos químicos levados com o solo erodido, os quais podem afetar negativamente a vida aquática e comprometer a qualidade e disponibilidade dos recursos hídricos, tornando-os impróprios para os usos múltiplos (Millennium Ecosystem Assessment, 2005).

São amplamente reconhecidos os impactos negativos em larga escala da agricultura e da pecuária sobre a biodiversidade, o solo e a água. Estes impactos podem ser observados nas áreas de ocupação mais antigas, onde se intensificam o uso de agroquímicos, e nas áreas de expansão das atividades agropecuárias. De acordo com Foley et al. (2011), a substituição de florestas pela agropecuária nas regiões tropicais responde pela maior parte das emissões dos gases de efeito estufa e, como agravante, as imensas áreas destinadas ao plantio de cana-de-açúcar, soja e outras culturas não contribuem de forma significativa para o atendimento das necessidades de calorias e proteínas demandadas pela população mundial.

É certo, portanto, que a manutenção dos sistemas ambientais, originados a partir das relações entre a biodiversidade, os elementos físicos e os socioculturais, representa a garantia da continuidade do acesso aos recursos naturais e dos serviços ambientais essenciais para a manutenção dos diferentes modos de vida da própria sociedade. Nesse sentido, diversas são as estratégias adotadas para mitigar os processos de perda da biodiversidade e de degradação dos solos e das águas. Entre elas, destaca-se a criação de áreas protegidas (AP), por se tratar de uma estratégia adotada mundialmente. As AP são espaços delimitados que visam, entre outros objetivos, a promover a conservação *in situ* dos atributos naturais (flora, fauna, solo, água) e dos processos biológicos, sem os quais não seria possível a vida no planeta (incluindo a do ser humano). Para tal, são restritas nas AP, em maior ou menor grau, atividades humanas que possam afetar negativamente e de forma significativa a qualidade ambiental, ainda que não intencionalmente.

É muito provável que você, leitor que tenha nascido e crescido em alguma cidade média ou grande, já tenha passeado por uma trilha, tomado banho em alguma cachoeira ou feito uma visita monitorada a algum parque nacional ou estadual. E é certo que, independentemente de onde você more no Brasil, tenha a alguns metros ou, no máximo, poucos quilômetros de sua casa, uma área de preservação permanente, mesmo que não preservada. Parques nacionais ou estaduais e áreas de preservação permanente são alguns exemplos de áreas protegidas e é sobre essas e outras figuras de proteção que trata este capítulo.

Conhecer as bases conceituais e os principais aspectos de gestão das AP é um diferencial do engenheiro ambiental, uma vez que este profissional pode atuar diretamente não apenas na gestão dessas áreas, como também no planejamento e gestão do espaço rural e urbano[1] e na elaboração de estudos para os quais tal conhecimento é fundamental para a tomada de decisão sobre a viabilidade ambiental de políticas, planos, programas e projetos.

28.2 ORIGENS E CONCEITO DE ÁREA PROTEGIDA

Para entender o conceito de área protegida, é importante, inicialmente, diferenciar o uso do termo no Brasil e na literatura internacional e, para isso, é necessário introduzir alguns aspectos históricos relacionados com proteção ambiental.

O reconhecimento da necessidade de criação e manutenção das AP é um processo que vem evoluindo ao longo dos anos e que apresenta peculiaridades conforme as diferenças naturais, históricas, econômicas, sociais e culturais dos países e povos ao redor do mundo. Mas, reforçando o entendimento da maioria dos autores que escrevem sobre o tema, pode-se dizer que um dos principais marcos históricos no contexto das AP foi a criação do Parque Nacional de Yellowstone, em 1872, nos Estados Unidos (Morselo, 2006; Araújo, 2007). Isso não significa que anteriormente não tenha havido iniciativas de outros povos em estabelecer restrições de determinados usos humanos a espaços delimitados. De fato, ações voltadas para evitar a modificação de paisagens natural e/ou culturalmente significativas são adotadas há milênios (Worboys et al., 2015). Muito antes de 1872, em diversas partes do mundo, áreas eram reservadas aos reis e suas cortes para práticas de caça, a indivíduos de uma comunidade para realização de práticas religiosas, ou, ainda, tinham seu uso controlado para fins econômicos e sociais (por exemplo, restrição do corte de árvores nas margens de rios para evitar o desbarrancamento com prejuízos à navegação, como ocorreu na época do Brasil Colônia) (Diegues, 2004; Viana, 2004; Medeiros, 2006; Lima, 2014).

---

[1] Embora as áreas protegidas possam constituir interessantes alternativas de intervenção não estrutural para o equacionamento de problemas como as enchentes e as ilhas de calor nas cidades, o foco deste capítulo são as áreas protegidas em espaços não urbanos.

Apesar das críticas ao "modelo Yellowstone", multiplicaram-se, ao redor do mundo, as iniciativas por parte do poder público de criação de AP por meio da delimitação de um espaço no qual certos usos são restritos ou proibidos, a fim de se protegerem atributos naturais e culturais associados. Inicialmente, tais iniciativas foram focadas na proteção da beleza cênica (paisagens singulares e de grande apelo para a prática de atividades turísticas e recreativas), como foi o caso de Yellowstone e de muitos outros parques surgidos nas décadas seguintes nos Estados Unidos e em outros países. Na Europa, apesar de terem sido criadas áreas protegidas públicas seguindo o modelo Yellowstone, prevalecem outros modelos, ora baseados na criação voluntária de reservas naturais privadas (a Inglaterra foi pioneira nesse tipo de iniciativa), ora na delimitação do espaço a ser protegido por parte do poder público, mas se mantendo a propriedade privada das terras.

Independentemente do modelo utilizado, ao longo do tempo, as AP passaram a ser vistas como estratégias interessantes para proteger outros valores naturais, em especial para conservar espécies de animais, plantas e outros organismos, seus locais de ocorrência, abrigo e reprodução, seja para fins de uso direto (aquele que envolve caça, coleta ou outras formas de extração para consumo próprio das comunidades ali existentes ou para comercialização) ou indireto (preservação *stricto sensu* das espécies e ecossistemas para resguardar os processos evolutivos com a menor pressão ocasionada pela presença humana).

A partir do modelo pioneiro do Parque Nacional de Yellowstone, nos Estados Unidos, que se constituiu por meio da publicação de uma lei do governo federal daquele país, muitos outros parques foram criados da mesma forma e, ao longo do tempo, outras AP foram criadas com nomes e objetivos distintos. Segundo dados do último *Protected Planet Report*, publicado em 2016 pela ONU, até abril daquele ano existiam 202.467 áreas protegidas terrestres (incluindo águas interiores), cobrindo 14,7% (19,8 milhões de km^2) da extensão mundial desses ecossistemas (excluindo a Antártida). Já em relação aos oceanos, a publicação apontava a existência de 14.688 áreas marinhas protegidas, o equivalente a 4,12% (14,9 milhões de km^2) do oceano global e 10,2% das áreas costeiras e marinhas sob jurisdição nacional (UNEP; UICN, 2016). Estes números são mensalmente atualizados e disponibilizados para consulta no website *World Database on Protected Areas* (www.protectedplanet.net).

PARQUE NACIONAL DE YELLOWSTONE: MARCO HISTÓRICO REPLICADO E CRITICADO

A criação do Parque Nacional de Yellowstone em 1º de março de 1872 é um importante marco histórico, a partir do qual se estabelece um novo modelo de conservação baseado na criação de espaços territoriais especialmente protegidos. Com a sua criação, cujo objetivo era proporcionar uma área pública para turismo e recreação da população em um sítio de rara beleza, os povos indígenas que habitavam a região foram proibidos de ali permanecer. O "modelo Yellowstone" foi copiado e adaptado em muitos países, mas também duramente criticado por ser considerado, por muitos, um modelo que desconsidera a existência, as práticas, os anseios e necessidades de populações que vivem/viviam nos espaços convertidos em parques ou outras modalidades de AP, que, uma vez criadas, implicavam na mudança de tais práticas ou, simplesmente, na remoção daquelas populações do local.

Com o passar do tempo, verificou-se que havia uma profusão de AP criadas em diversos países, algumas com nomes similares, mas objetivos diferentes ou, ao contrário, com nomes distintos, mas objetivos iguais ou muito parecidos. Para auxiliar a compreensão dos objetivos das diferentes AP criadas ao redor do mundo e tornar possível a geração de dados estatísticos a respeito do tema, algumas tentativas de padronização da nomenclatura ocorreram ao longo do século XX (Bishop et al., 2004).

Atualmente, a nomenclatura mais aceita pelos profissionais envolvidos com o tema e pelos países interessados em manter sistemas de áreas protegidas é aquela proposta em 1994 pela União Mundial para a Natureza (IUCN), que estabeleceu seis categorias de proteção definidas segundo os objetivos de manejo da AP (ver quadro a seguir). No contexto das áreas protegidas, o termo manejo pode se referir ao conjunto das ações e atividades necessárias ao alcance dos objetivos de conservação desses espaços, incluídas as atividades de proteção, recreação, educação, pesquisa, manejo dos recursos, administração e gerenciamento (MMA, 2006), ou a "*todo e qualquer procedimento que vise assegurar a conservação da diversidade biológica e dos ecossistemas*" (Brasil, 2000).

Seja qual for a categoria na qual se enquadre, uma área protegida é definida pela IUCN como: "*Um espaço geográfico claramente definido, reconhecido, com objetivo específico e manejado através de meios eficazes, sejam jurídicos ou de outra natureza, para alcançar a conservação da natureza no longo prazo, com serviços ecossistêmicos e valores culturais associados*" (Dudley, 2008, p. 8). A nomenclatura das categorias proposta pela IUCN é apenas uma sugestão para os países que possuem ou pretendem implantar áreas protegidas, havendo total liberdade para que tal classificação seja adotada integral ou parcialmente.

UMA NOMENCLATURA COMUM: CATEGORIAS DE ÁREAS PROTEGIDAS SEGUNDO CLASSIFICAÇÃO DA IUCN

A IUCN é uma entidade fundada em 1948 que agrega países, agências governamentais e ONGs que se propõem a influenciar, encorajar e ajudar os povos de todo o mundo a conservarem a integridade e a diversidade da natureza e assegurarem que todo o uso dos recursos naturais seja feito de maneira equitativa e ecologicamente sustentável (IUCN, 1994). A entidade adota a seguinte nomenclatura para enquadramento das áreas protegidas, conforme os objetivos e manejo (IUCN, 1994; Dudley, 2008):

Ia– Reserva natural estrita: Áreas destinadas à conservação da biodiversidade e, em certos casos, de características geológicas e geomorfológicas. Devem ter sofrido pouca ou nenhuma alteração humana e servir como referência para pesquisa científica e monitoramento. As atividades humanas que causam impactos, inclusive visitação, são limitadas e controladas.

Ib – Área silvestre: Áreas de grandes dimensões, com pouca ou nenhuma alteração humana que descaracterize sua condição natural, administradas com o objetivo de preservar tal condição.

II – Parque nacional: Áreas extensas, com características naturais ou quase naturais, nas quais os processos ecológicos, as espécies e ecossistemas devem ser protegidos e que, ao mesmo tempo, propiciam oportunidade para atividades espirituais, científicas, educativas, recreativas e de visitação compatíveis com os valores conservados.

III – Monumento natural: Áreas destinadas à proteção de um elemento natural específico (como uma montanha, caverna ou bosque antigo), geralmente de pequena dimensão territorial e com excepcional valor de visitação, histórico ou cultural devido a sua raridade, beleza estética ou significância.

IV – Área de manejo de hábitats/espécies: Áreas destinadas à proteção de determinadas espécies ou hábitats que, muitas vezes, podem necessitar de intervenções ativas e contínuas de manejo para que seus objetivos sejam alcançados.

V – Paisagem terrestre/Marinha protegida: Áreas com objetivo de proteger valores ecológicos, biológicos, culturais e estéticos resultantes da interação entre populações humanas e a natureza ao longo do tempo. Nessas áreas, garantir a integridade de tal interação socioambiental é essencial para a conservação dos valores protegidos.

VI – Área protegida com recursos manejados: Áreas geralmente de grandes dimensões e contendo predominantemente sistemas naturais não modificados, destinadas à conservação de ecossistemas, hábitats, valores culturais associados e sistemas tradicionais de manejo sustentável dos recursos que proporcionem um fluxo de produtos e serviços naturais para atender as necessidades das comunidades.

No Brasil, as diretrizes da IUCN desdobraram-se na Lei do Sistema Nacional de Unidades de Conservação – SNUC (Lei nº 9.985, de 18 de julho de 2000), conhecida como Lei do SNUC, a qual estabelece as diretrizes e regras gerais para a criação e manejo das Unidades de Conservação (UC).

De acordo com a Lei do SNUC, uma unidade de conservação é definida como *"espaço territorial e seus recursos ambientais, incluindo as águas jurisdicionais, com características naturais relevantes, legalmente instituída pelo Poder Público, com objetivos de conservação e limites definidos, sob regime especial de administração, ao qual se aplicam garantias adequadas de proteção"* (Brasil, 2000). Assim, unidade de conservação é a denominação dada, no Brasil, para as áreas protegidas criadas e manejadas segundo o referido conceito da IUCN. Ou seja, o termo unidade de conservação adotado no Brasil equivale ao conceito mundialmente adotado de área protegida (em inglês, *protected area*).

Entretanto, no Brasil existem ainda espaços especialmente protegidos que também são enquadrados como áreas protegidas, embora não sejam definidos pela Lei do SNUC e não tenham, necessariamente, alguma correlação com as categorias da IUCN. Estes outros tipos de áreas protegidas podem ser observadas em normas federais, como é o caso do Decreto Federal 5.758 de 13 de abril de 2006, que define o Plano Estratégico Nacional de Áreas Protegidas, no qual as Terras Indígenas (TI) e as comunidades quilombolas são tratadas como AP.

As TI e as comunidades remanescentes de quilombos são áreas que recebem proteção especial, de modo a garantir a manutenção das populações humanas que ali habitam e dependem dos recursos naturais disponíveis para sua sobrevivência (alimentação, vestuário e práticas culturais). Ambas seguem regras distintas das aplicáveis às UC e são administradas por outros órgãos governamentais.

Também no Brasil, são colocados sob a mesma definição genérica de área protegida os espaços territoriais definidos pela Lei Federal nº 12.651 de 2012: as áreas de preservação permanente (APP) e as reservas legais (RL). Estas modalidades de AP constituem-se em elementos integradores da paisagem, fundamentais na conservação da biodiversidade, dos solos e dos recursos hídricos, como veremos adiante.

Por fim, devem ser mencionadas outras figuras de proteção definidas por meio de convenções e tratados internacionais dos quais o Brasil é signatário, como a convenção sobre os sítios do Patrimônio Natural da Humanidade, as reservas da biosfera e os sítios Ramsar. Alguns espaços no Brasil possuem características peculiares que permitem seu enquadramento no contexto desses tratados e convenções e, uma vez que tais espaços sejam oficialmente reconhecidos como tal, podem ter prioridade entre as políticas públicas e para acesso a financiamento. Atualmente, o Brasil possui sete sítios do Patrimônio Natural da Humanidade,[2] seis reservas da biosfera[3] e 27 sítios Ramsar.[4]

Neste capítulo, são abordadas com maior profundidade as Unidades de Conservação e as figuras de proteção definidas pela Lei Federal nº 12.651 de 2012, as quais são bastante presentes no universo de atuação profissional do engenheiro ambiental.

28.3 O SISTEMA NACIONAL DE UNIDADES DE CONSERVAÇÃO (SNUC)

A primeira unidade de conservação (UC) brasileira foi o Parque Nacional de Itatiaia, criado em 1937. Houve, até 1990, diversas iniciativas de criação de UC em âmbito dos governos federal, dos estados, dos municípios e, inclusive, por parte de proprietários privados. Tais iniciativas, motivadas por diferentes circunstâncias políticas e históricas, foram importantes para evitar a destruição de muitos milhares de quilômetros quadrados (que teriam sido provavelmente transformados em áreas de monocultura agrícola, cidades ou obras de infraestrutura), embora tenham também resultado em um cenário bastante confuso no que diz respeito aos nomes utilizados, objetivos das UC, procedimentos de criação, formas de obtenção e utilização de recursos financeiros para gestão, sobreposição territorial com outros espaços protegidos, conflitos com populações residentes e do entorno.

Ainda que a partir de 1937 a legislação brasileira tenha buscado disciplinar a criação e a gestão de UC, somente no ano 2000, após mais de uma década de discussões no Congresso Nacional, foi promulgada a Lei nº 9.985 que 1) instituiu o Sistema Nacional de Unidades de Conservação – SNUC, seus objetivos e diretrizes, 2) estabeleceu uma nomenclatura padrão para as UC do país, as regras básicas para criação, implantação e gestão dessas áreas protegidas, e 3) definiu os órgãos responsáveis pela gestão, entre outros aspectos relativos ao tema.

Conforme reconhecem diversos profissionais envolvidos com o tema no país, o maior desafio na elaboração do texto da Lei do SNUC foi contemplar, de forma equilibrada, os interesses de diversos atores sociais que, por vezes, possuíam visões conflitantes sobre temas como: 1) a presença de populações humanas habitando o interior de UC cujos objetivos de manejo eram compatíveis com as categorias I e II definidas pela IUCN, 2) a necessidade de envolvimento da sociedade na criação de unidades (o que não ocorria sistematicamente até a década de 1990), 3) a pertinência de determinadas categorias no contexto brasileiro, 4) a sobreposição das UC com terras indígenas e o conceito de populações tradicionais (Ranieri et al., 2011).

Segundo os mesmos autores, embora alguns desses pontos ainda continuem causando divergência, o principal mérito da Lei do SNUC foi consolidar as normas dispersas temporalmente, dando ao poder público (em âmbito federal, estadual e municipal) maior flexibilidade para criar UC conforme as especificidades locais e os interesses dos diversos atores sociais, estabelecendo a obrigatoriedade da elaboração dos planos de manejo e prevendo a participação pública nos processos de criação e gestão das UC.

Em seu Artigo 4º, a Lei do SNUC define os objetivos do sistema, a saber: *"I – contribuir para a manutenção da diversidade biológica e dos recursos genéticos no território nacional e nas águas jurisdicionais; II – proteger as espécies ameaçadas de extinção no âmbito regional e nacional; III – contribuir para a preservação e a restauração da diversidade de ecossistemas naturais; IV – promover o desenvolvimento sustentável a partir dos recursos naturais; V – promover a utilização dos princípios e práticas de conservação da natureza no processo de desenvolvimento; VI – proteger paisagens naturais e pouco alteradas de notável beleza cênica; VII – proteger as características relevantes de natureza geológica, geomorfológica, espeleológica, arqueológica, paleontológica e cultural; VIII – proteger e recuperar recursos hídricos e edáficos; IX – recuperar ou restaurar ecossistemas degradados; X – proporcionar meios e incentivos para atividades de pesquisa científica, estudos e monitoramento ambiental; XI – valorizar econômica e socialmente a diversidade biológica; XII – favorecer condições e promover a educação e interpretação ambiental, a recreação em contato com a natureza e o turismo ecológico; XIII – proteger os recursos naturais necessários à subsistência de populações tradicionais, respeitando e valorizando seu conhecimento e sua cultura e promovendo-as social e economicamente"*.

---

[2]http://www.unesco.org/new/pt/brasilia/natural-sciences/environment/natural-heritage/

[3]http://www.unesco.org/new/pt/brasilia/natural-sciences/environment/biodiversity/biodiversity/

[4]https://www.ramsar.org/wetland/brazil

Como se nota, a lei contempla objetivos para o SNUC que reforçam a importância da existência de diferentes categorias de UC que possam, cada uma com objetivos específicos, atingir, em conjunto, os 13 objetivos previstos.

Considerando a necessidade de atingir os mencionados objetivos, a Lei do SNUC, em seu Artigo 7º, estabelece que as UC criadas no país devem ser enquadradas em dois grupos: as **unidades de proteção integral** e as **unidades de uso sustentável**. As primeiras têm por objetivo "*preservar a natureza, sendo admitido apenas o uso indireto dos seus recursos naturais*", sendo que o uso direto pode ocorrer em casos excepcionais. Já as unidades de uso sustentável visam a "*compatibilizar a conservação da natureza com o uso sustentável de parcela dos seus recursos naturais*". No total, são definidas 12 categorias de UC, como mostra a Tabela 28.1, na qual se nota que algumas possuem nomes distintos, mas objetivos de manejo semelhantes.

TABELA 28.1 Categorias de UC previstas no SNUC

	Categoria	Objetivos de manejo
Unidades de Proteção Integral	Estação Ecológica (ESEC)	Preservação da natureza e realização de pesquisas científicas.
	Reserva Biológica (REBIO)	Preservação integral da biota e demais atributos naturais existentes em seus limites, sem interferência humana direta ou modificações ambientais, excetuando-se as medidas de recuperação de seus ecossistemas alterados e as ações de manejo necessárias para recuperar e preservar o equilíbrio natural, a diversidade biológica e os processos ecológicos naturais.
	Parque Nacional (PARNA)	Preservação de ecossistemas naturais de grande relevância ecológica e beleza cênica, possibilitando a realização de pesquisas científicas e o desenvolvimento de atividades de educação e interpretação ambiental, de recreação em contato com a natureza e de turismo ecológico.
	Monumento Natural (MONA)	Preservação de sítios naturais raros, singulares ou de grande beleza cênica.
	Refúgio de Vida Silvestre (REVIS)	Preservação de ambientes naturais onde se asseguram condições para a existência ou reprodução de espécies ou comunidades da flora local e da fauna residente ou migratória.
Unidades de Uso Sustentável	Área de Proteção Ambiental (APA)	Proteção da diversidade biológica e utilização sustentável dos recursos naturais por meio do disciplinamento do uso de áreas geralmente extensas e com certo grau de ocupação humana, dotadas de atributos abióticos, bióticos, estéticos ou culturais especialmente importantes para a qualidade de vida e o bem-estar das populações humanas.
	Área de Relevante Interesse Ecológico (ARIE)	Proteção de ecossistemas naturais de importância regional ou local em áreas geralmente de pequena extensão, com pouca ou nenhuma ocupação humana e características naturais extraordinárias ou que abriguem exemplares raros da biota.
	Floresta Nacional (FLONA)	Promoção do uso múltiplo sustentável dos recursos florestais e a pesquisa científica em áreas de cobertura vegetal de espécies predominantemente nativas. A pesquisa, nesse caso, deve ter ênfase em métodos para exploração florestal sustentável.
	Reserva Extrativista (RESEX)	Proteção dos meios de vida, da cultura e das formas de uso sustentável dos recursos naturais de populações extrativistas tradicionais cuja subsistência baseia-se no extrativismo e, complementarmente, na agricultura de subsistência e na criação de animais de pequeno porte.
	Reserva de Fauna (REFAU)	Proteção de áreas destinadas à realização de estudos técnico-científicos sobre o manejo econômico sustentável de recursos faunísticos (populações animais de espécies nativas, terrestres ou aquáticas, residentes ou migratórias).
	Reserva de Desenvolvimento Sustentável (RDS)	Proteção de áreas naturais que abrigam populações tradicionais, cuja existência baseia-se em sistemas sustentáveis de exploração dos recursos naturais, desenvolvidos ao longo de gerações e adaptados às condições ecológicas locais e que desempenham um papel fundamental na proteção da natureza e na manutenção da diversidade biológica.
	Reserva Particular do Patrimônio Natural (RPPN)	Proteção da diversidade biológica no longo prazo (perpetuidade) em área privada destinada voluntariamente pelo proprietário para essa finalidade.

Fonte: Adaptado da Lei nº 9.985/2000.

Outro aspecto que merece destaque na tabela é o fato de as RPPN estarem enquadradas no conjunto das unidades de uso sustentável, embora as atividades permitidas nessas UC sejam somente aquelas que preveem o uso indireto dos recursos naturais, a saber: pesquisa científica e visitação com objetivos turísticos, recreativos e educacionais. A explicação para esse aparente equívoco no enquadramento das RPPN no texto do SNUC está relacionada com o processo de elaboração e promulgação da lei. O texto aprovado pelo Congresso Nacional, que previa a "*extração de recursos naturais, exceto madeira, que não coloque em risco as espécies ou os ecossistemas que justificaram a criação da unidade*" nas RPPN, foi vetado pelo presidente da república.

CONSERVAÇÃO OU PRESERVAÇÃO? ALGUNS CONCEITOS IMPORTANTES QUE CAUSAM CONFUSÃO

Alguns termos tratados neste capítulo têm como referência os conceitos definidos pela Lei do SNUC e merecem ser destacados pois, às vezes, são usados de maneira incorreta. Abaixo são dadas as definições tal como constam na lei (Brasil, 2000):

- **Conservação da natureza**: "o manejo do uso humano da natureza, compreendendo a preservação, a manutenção, a utilização sustentável, a restauração e a recuperação do ambiente natural, para que possa produzir o maior benefício, em bases sustentáveis, às atuais gerações, mantendo seu potencial de satisfazer as necessidades e aspirações das gerações futuras, e garantindo a sobrevivência dos seres vivos em geral".
- **Preservação**: "conjunto de métodos, procedimentos e políticas que visem a (sic) proteção a longo prazo das espécies, hábitats e ecossistemas, além da manutenção dos processos ecológicos, prevenindo a simplificação dos sistemas naturais".

- **Uso indireto**: "aquele que não envolve consumo, coleta, dano ou destruição dos recursos naturais".
- **Uso direto**: "aquele que envolve coleta e uso, comercial ou não, dos recursos naturais".
- **Proteção integral**: "manutenção dos ecossistemas livres de alterações causadas por interferência humana, admitido apenas o uso indireto dos seus atributos naturais".
- **Uso sustentável**: "exploração do ambiente de maneira a garantir a perenidade dos recursos ambientais renováveis e dos processos ecológicos, mantendo a biodiversidade e os demais atributos ecológicos, de forma socialmente justa e economicamente viável".
- **Extrativismo**: "sistema de exploração baseado na coleta e extração, de modo sustentável, de recursos naturais renováveis".

Até o final da década de 1980, o Brasil possuía mais superfície protegida na forma de UC de proteção integral do que de uso sustentável. Entretanto, a partir da década de 1990, essa situação se inverteu e, de acordo com os dados do Cadastro Nacional de Unidades de Conservação do Ministério do Meio Ambiente,[5] no mês de fevereiro de 2019, o conjunto das UC federais, estaduais e municipais, sem considerar as sobreposições, ocupava uma superfície total de 2.544.917,26 km^2 (cerca de 18,6% do território continental e 26,4% da área marinha do país), sendo cerca de três quartos dessa superfície composta por UC de uso sustentável. Em relação à distribuição espacial das UC no território brasileiro, a maior parte da superfície continental protegida (1.178.814 km^2 em fevereiro de 2019) estava no bioma Amazônia.

Segundo a Lei do SNUC, a criação de uma nova UC pode ser feita pela União, pelos estados ou pelos municípios e deve ser precedida de consulta pública às populações afetadas[6] pela unidade a ser criada e de estudos técnicos que justifiquem a necessidade da criação, a escolha da categoria, a definição dos limites, entre outros aspectos. A criação ou ampliação de uma UC pode ser feita por meio de lei (pelos órgãos do poder legislativo) ou decreto (pelo presidente, governadores ou prefeitos), mas a desafetação (processo de desconstituição da UC) ou redução dos seus limites somente pode ser feita por meio de lei específica, ou seja, de lei que trate daquela UC que está sendo desafetada ou tendo seus limites reduzidos.[7]

Algumas categorias de UC devem ser constituídas apenas por áreas de domínio público (federal, estadual ou municipal, dependendo do ente federativo que criou a UC). São elas: Estação Ecológica, Reserva Biológica, Parque Nacional, Floresta Nacional, Reserva Extrativista, Reserva de Fauna e Reserva de Desenvolvimento Sustentável. No caso de UC dessas categorias serem criadas englobando terras privadas, o poder público deve providenciar a desapropriação dos imóveis inseridos no perímetro da unidade. As RPPN são constituídas exclusivamente em terras privadas e, no caso das demais categorias, é possível a criação da UC englobando territórios sob domínio público e privado.

Em relação à responsabilidade sobre a gestão das UC, apenas as RPPN são administradas pelos proprietários privados que tiveram sua reserva reconhecida pelo poder público. Nas demais categorias, com exceção das RESEX e RDS, a gestão é atribuição dos entes federativos que criaram a unidade, por meio de seus órgãos destinados a essa finalidade. No caso das UC criadas no âmbito do poder público federal, a gestão cabe ao Instituto Chico Mendes de Conservação da Biodiversidade (ICMBio). Os estados costumam ter seus órgãos gestores, normalmente ligados às Secretarias Estaduais de Meio Ambiente, e os municípios, por sua vez, também estabelecem sua estrutura própria de gestão de UC, podendo criar órgãos específicos para essa função ou atribuir a tarefa a departamentos ou setores das suas Secretarias Municipais que tratam das questões ambientais. As RESEX e RDS são geridas por Conselhos Deliberativos.

---

[5] http://www.mma.gov.br/areas-protegidas/cadastro-nacional-de-ucs

[6] Esta obrigatoriedade não existe para as categorias Estação Ecológica e Reserva Biológica que podem ser criadas sem necessidade de consulta pública prévia, conforme disposto no artigo 22, parágrafos 2º e 4º da Lei do SNUC.

[7] No momento da elaboração deste capítulo, tramitam no Congresso Nacional diversas Propostas de Emenda Constitucional (PEC) que dispõem sobre a modificação das regras referentes ao processo de criação, desafetação e redução dos limites de UC e outras áreas protegidas. Tais PEC, apesar de se diferenciarem em alguns detalhes, de modo geral, propõem que não somente a desafetação e redução dos limites das UC como também a sua criação passem a ser de competência exclusiva do poder legislativo.

Nas unidades do grupo de proteção integral, bem como nas FLONA e APA, a gestão da UC é acompanhada pelo Conselho Consultivo, órgão colegiado presidido pelo representante do órgão responsável pela administração da UC e constituído por representantes de órgãos públicos, de organizações da sociedade civil e, quando cabível, por proprietários de terras e representantes das populações tradicionais residentes. Compete aos Conselhos das UC, entre outras funções, acompanhar a elaboração e implantação do Plano de Manejo, compatibilizar interesses de diversos setores e opinar sobre obras na UC ou no seu entorno.

A gestão de uma unidade de conservação deve ser realizada conforme seu Plano de Manejo, que é o "*documento técnico mediante o qual, com fundamento nos objetivos gerais de uma unidade de conservação, se estabelece o seu zoneamento e as normas que devem presidir o uso da área e o manejo dos recursos naturais, inclusive a implantação das estruturas físicas necessárias à gestão da unidade*" (Lei nº 9.985/2000, Artigo 2º, inciso XVI). Toda UC deve ter um Plano de Manejo e "*são proibidas, nas unidades de conservação, quaisquer alterações, atividades ou modalidades de utilização em desacordo com os seus objetivos, o seu Plano de Manejo e seus regulamentos*" (Artigo 28).

Os Planos de Manejo podem ser elaborados seguindo roteiros metodológicos predefinidos, mas sempre respeitando as características específicas de cada unidade. Devem ser atualizados periodicamente, de modo a incorporar novos conhecimentos disponíveis sobre a unidade, traçar novas metas e propor novas ações, sempre no sentido de fazer com que a UC possa atingir, de forma mais efetiva, seus objetivos.

O zoneamento é uma peça fundamental dentro do Plano de Manejo de uma UC e consiste na "*definição de setores ou zonas em uma unidade de conservação com objetivos de manejo e normas específicas, com o propósito de proporcionar os meios e as condições para que todos os objetivos da unidade possam ser alcançados de forma harmônica e eficaz*" (Lei nº 9.985/2000, Artigo 2º, inciso XVII).

Além de definir os usos permitidos no território da UC por meio do zoneamento, o Plano de Manejo também deve incluir medidas que promovam a integração da unidade com o seu entorno, em especial em sua zona de amortecimento, a qual corresponde ao "*entorno de uma unidade de conservação, onde as atividades humanas estão sujeitas a normas e restrições específicas, com o propósito de minimizar os impactos negativos sobre a unidade*" (Lei nº 9.985/2000, Artigo 2º, inciso XVIII). Com exceção das APA e RPPN, todas as unidades de conservação devem possuir zona de amortecimento, que pode ser definida no ato da criação da UC ou posteriormente.

A promulgação da Lei do SNUC representou um importante marco na história das unidades de conservação do Brasil, mas a dificuldade de gestão das UC constitui um grande desafio (Ranieri et al., 2011). Embora as unidades de conservação possam trazer muitos benefícios socioeconômicos diretos e indiretos para as regiões onde são criadas (e isso é uma realidade em muitos países e também pode ser observado em diversas UC brasileiras), a grande maioria dessas áreas protegidas no Brasil sofre de problemas decorrentes da falta de investimentos públicos que viabilizem seu funcionamento adequado, de forma a atingirem seus objetivos e proporcionarem melhores condições de vida para as populações humanas diretamente afetadas (Medeiros et al., 2011; Godoy & Leuzinger, 2015).

A escassez de recursos públicos para a gestão das áreas protegidas é um problema que afeta muitos países (Emerton et al., 2006; Eagles, 2013; Wyman et al., 2011), inclusive o Brasil. Em virtude disso, e acompanhando a tendência mundial, gestores e outros profissionais ligados ao tema têm buscado fontes alternativas e complementares entre si para viabilizar o funcionamento das UC brasileiras (Medeiros et al., 2011; Godoy & Leuzinger, 2015).

Uma dessas fontes é a compensação financeira decorrente de empreendimentos causadores de significativa degradação ambiental. Segundo o Artigo 36 da Lei do SNUC, todo empreendimento com essa característica, e que, portanto, necessita ser licenciado mediante apresentação de Estudo de Impacto Ambiental (EIA), deve destinar um percentual de no máximo 0,5% (definido pelo órgão ambiental competente pelo licenciamento)[8] do valor total de implantação da obra para apoiar a implantação e manutenção de UC do grupo de proteção integral. Se o empreendimento tiver interferência em UC de uso sustentável ou seu entorno, parte do recurso de compensação deve ser destinado a esta unidade afetada. Tal fonte, embora seja insuficiente para atender a toda a demanda das UC, em determinadas circunstâncias pode representar aporte significativo de recursos para viabilizar o manejo em diversas unidades (Pellin et al., 2007). Contudo, a aplicação prática da compensação apresenta uma elevada complexidade tanto do ponto de vista jurídico quanto do arranjo institucional necessário, o que tem dificultado a implementação

---

[8] O artigo 36 da Lei do SNUC determinava que o percentual de 0,5% deveria ser o mínimo para fins de cálculo da compensação. Contudo, no julgamento da Ação Direta de Inconstitucionalidade no. 3.378, o Supremo Tribunal Federal declarou inconstitucional a determinação de um percentual mínimo e a não determinação de um percentual máximo, desdobrando-se na prática que o valor da compensação ambiental passasse a ser fixado abaixo de 0,5% a partir de então, dependendo dos parâmetros aplicáveis à fórmula do Decreto nº 6.848/2009.

do instrumento e diminuído sua relevância enquanto fonte de financiamento do SNUC (Godoy & Leuzinger, 2015). Além disso, esse tipo de compensação apresenta um potencial efeito contrário ao seu objetivo: a aprovação de empreendimentos com capacidade de gerar grandes impactos negativos (que, idealmente, deveriam ser implantados o mais longe possível dessas áreas protegidas) pode ser interessante para os gestores das UC, posto que a compensação deles decorrentes pode aumentar, ainda que por um curto período de tempo, a entrada de recursos financeiros para a unidade (Ranieri et al., 2011).

Outra fonte de receita, sempre lembrada quando o assunto é o financiamento de UC, é aquela oriunda da cobrança de ingressos e de outras rendas associadas ao uso público, como cobrança por serviços recreativos (por exemplo, *rafting*, arvorismo, serviços de guia etc.), arrendamento de restaurantes e lojas, cobrança pelo uso de áreas de camping e estacionamento, entre outros. Tal arrecadação, entretanto, depende de vários fatores. O principal deles é a possibilidade da UC receber ou não visitantes. Em algumas das categorias previstas no SNUC a visitação não está entre as atividades permitidas por lei. Mesmo naquelas categorias onde a visitação é permitida, para que ela ocorra é necessário haver uma combinação de condições. Diversidade de atrativos de interesse por parte do público, facilidade de acesso (aeroportos próximos, rodovias ou outros meios) e existência de estrutura física de apoio ao visitante (como hospedagem e alimentação, por exemplo) estão entre as condições mais elementares (Rodrigues & Godoy, 2013). Além disso, para a cobrança de ingressos ser viabilizada, é necessário algum tipo de controle de entrada e fiscalização, que podem ser mais difíceis quanto maior o tamanho da área e a quantidade de rotas alternativas de acesso. É importante lembrar que as receitas obtidas mediante "taxa de visitação e outras rendas decorrentes de arrecadação, serviços e atividades da própria unidade" não são aplicadas exclusivamente nas unidades que as geraram, mas devem ser distribuídas também entre outras UC que compõem o sistema, conforme especificado no artigo 35 da lei do SNUC (Godoy & Leuzinger, 2015).

Ainda em relação à geração de receitas associadas à visitação, nas últimas décadas, tem crescido no mundo e no Brasil a tendência de transferência da gestão das atividades de apoio ao uso público de UC para a iniciativa privada por meio de concessões ou outras formas de parcerias (Emerton et al., 2006; Wyman et al., 2011; Rodrigues & Godoy, 2013). Se, por um lado, tal transferência pode potencializar os ganhos econômicos oriundos da visitação para a UC e comunidades próximas (Thompson et al., 2014; Godoy & Leuzinger, 2015; World Bank Group, 2016), por outro, existem riscos associados à lógica da iniciativa privada. Entre os riscos apontados, estão a concentração de renda nas mãos de determinados grupos em detrimento dos interesses das comunidades locais (Sandbrook & Adams, 2012; Gezon, 2014) e o difícil equilíbrio entre os objetivos econômico-financeiros almejados pelo setor privado (com possível superexploração dos atributos ambientais protegidos em função do interesse da empresa concessionária em aumentar o número de visitantes/clientes) e os objetivos da função pública de uma área protegida (que incluem a conservação do patrimônio natural e a democratização do seu acesso) (Rodrigues & Godoy, 2013).

No mesmo contexto político-econômico neoliberal mundial que explica o crescimento da tendência das concessões para apoio aos serviços de visitação, tem aumentado o interesse por parte de pesquisadores e gestores em demonstrar que as UC são importantes prestadoras de serviços ecossistêmicos ou ambientais[9] e que a recompensa financeira por tais serviços pode ser outra fonte de recursos. Conforme visto no Capítulo 10, o conceito de serviços ambientais, popularizado a partir da publicação da Avaliação Ecossistêmica do Milênio, refere-se aos benefícios que os seres humanos obtêm dos ecossistemas e abarcam serviços de provisão (alimentos, fibras, madeira, água etc.), serviços reguladores (relativos ao clima, inundações, qualidade da água, resíduos e doenças), serviços culturais (dizem respeito aos aspectos estéticos, recreativos e espirituais) e serviços de suporte (como a fotossíntese, a ciclagem de nutrientes e a formação dos solos, entre outros) (Millennium Ecosystem Assessment, 2005).

Gómez-Baggethun et al. (2010) e Gómez-Baggethun & Ruiz-Perez (2011) afirmam que, originalmente, o conceito de "serviços ecossistêmicos" foi usado com um objetivo pedagógico, para alertar o público sobre a necessidade da conservação da biodiversidade e sobre como o bem-estar humano depende dos ecossistemas. Entretanto, segundo os mesmos autores, este conceito foi, aos poucos, popularizado e incorporado à lógica econômica neoliberal, com o desenvolvimento de métodos de valoração monetária, "mercantilização"[10] e construção de esquemas de pagamentos por esses serviços. De acordo com esta lógica, o valor econômico total de um recurso ambiental pode ser calculado pela soma dos bens e serviços por ele fornecidos e, não havendo preços de mercado definidos para estes bens e serviços, é possível adotar técnicas de valoração ambiental para conferir valores monetários a tais benefícios, de forma que a supressão

---

[9] Embora haja divergências entre autores sobre o assunto, os conceitos de "serviços ambientais" e "serviços ecossistêmicos" serão tratados aqui como sinônimos.

[10] Para entender o conceito de "mercantilização" ou "*commodification*", recomenda-se a leitura de Kosoy e Corbera (2010).

desses serviços ambientais não seja tratada como de "custo zero". No Brasil, já foram realizados estudos baseados em métodos de valoração ambiental para estimar qual o impacto econômico das UC sobre o abastecimento público de água, a geração de energia elétrica, a irrigação entre outras atividades, como o de Medeiros et al. (2011) e Young & Medeiros (2018). Vale lembrar que a Política Nacional de Recursos Hídricos (Lei 9.433 de 1997) estabelece a água como um bem público, de uso comum do povo, dotado de valor econômico e como um recurso natural limitado, de uso múltiplo. A cobrança pelo uso da água é um dos instrumentos daquela Lei e os recursos oriundos da cobrança devem ser investidos na mesma bacia hidrográfica onde foram arrecadados. Já a Lei do SNUC estabelece que órgãos ou empresas (públicas ou privadas) responsáveis pelo abastecimento de água, geração e distribuição de energia elétrica ou que façam uso de recursos hídricos devem contribuir financeiramente para as unidades de conservação que propiciam a proteção desses recursos.

O tema da valoração ambiental e, principalmente, da estruturação de esquemas de remuneração ou pagamento pelos serviços ambientais (PSA) para compensar financeiramente unidades de conservação que provêm tais serviços é, contudo, polêmico, pois parte de uma abordagem econômica "coaseana"[11] questionada por economistas de outras vertentes. De forma simplificada, na visão dos economistas "coaseanos", os problemas ambientais (como a poluição e a perda da biodiversidade) se resumem a "falhas de mercado" que podem ser resolvidas com definição clara de direitos de propriedade sobre os recursos naturais, seguida da valoração e da comercialização dos serviços ambientais em um mercado, no qual provedores/vendedores dos serviços negociam com os beneficiários/compradores até atingir uma situação "ótima" do ponto de vista econômico (Muradian et al., 2010). Um questionamento de ordem teórica a essa visão diz respeito à redução de todos os problemas ambientais apenas a uma "falha de mercado". Conflitos de natureza ambiental se caracterizam pela interação entre a complexidade ecológica (múltiplas incertezas envolvidas na tentativa de relacionar causas e efeitos, principalmente em diferentes escalas espaço-temporais) e a complexidade social (diferentes capacidades/poderes dos muitos interessados para influenciar a decisão, questões éticas como os interesses das futuras gerações etc.) (Wittmer; Rauschmayer; Klauer, 2006). Questionamentos de ordem prática também não faltam, como, por exemplo: dificuldade para definir o "design" dos esquemas de PSA, para garantir sua viabilidade econômica (os custos de transação podem ser impeditivos), para realizar o monitoramento e garantir governança institucional (Pascual et al., 2010; Pattanayak et al., 2010; Vatn, 2010). Também é relevante mencionar, como aponta Harring (2014), que os instrumentos econômicos são mais bem aceitos pelas populações de países com menores índices de corrupção e menor desigualdade econômica.

Além das compensações, das receitas associadas à visitação e de esquemas de pagamentos baseados na valoração dos serviços ambientais, Godoy & Leuzinger (2015) apontam ainda outras fontes alternativas e complementares de recursos para UC, tais como: (a) concessões florestais, nas quais o poder público, mediante processo de licitação, confere à pessoa jurídica nacional o direito de explorar por prazo determinado produtos e serviços de florestas públicas (aí incluídas unidades de conservação do grupo de uso sustentável) por meio de manejo florestal sustentável, gerando pagamentos do concessionário ao órgão público gestor da área, aos estados e municípios; (b) fundos públicos, como o Fundo Nacional do Meio Ambiente (FNMA) e o Fundo de Defesa dos Direitos Difusos (FDDD), para os quais são destinados recursos oriundos de multas, condenações judiciais entre outras fontes e que podem ser utilizados para financiar projetos em UC; (c) doações e empréstimos internacionais (também conhecidos como "cooperação internacional") de instituições intergovernamentais como, por exemplo, as Nações Unidas (por meio do PNUMA, PNUD etc.), a União Europeia e o Banco Mundial ou organizações não governamentais, como o Fundo Mundial para a Natureza (WWF), e (d) bioprospecção e extrativismo, cuja lógica como fonte de financiamento se aproxima daquela mencionada para os recursos hídricos, ou seja, como retribuição financeira ou pagamento pelos serviços ambientais.

28.4 INDO ALÉM DAS UNIDADES DE CONSERVAÇÃO: IMPORTÂNCIA DA CONSERVAÇÃO NA ESCALA DA PAISAGEM

As pesquisas científicas e a experiência acumulada por planejadores e gestores de unidades de conservação têm mostrado que o conjunto dessas áreas protegidas não é suficiente para garantir a conservação da biodiversidade (Morselo, 2006; Declerck et al., 2010; Stolton et al., 2014; Kamal; Grodzińska-Jurczak & Brown, 2015). Isto porque, muitas vezes, tais áreas possuem tamanho insuficiente para garantir a

---

[11]Baseada nos trabalhos de Robert Coase, agraciado com o prêmio Nobel de Economia em 1992, e um dos teóricos mais influentes no campo da economia ambiental.

proteção de populações geneticamente viáveis de espécies que necessitam de grandes áreas para viverem e a região no entorno não reúne as condições adequadas para tal. Além disso, o padrão de ocupação do território rural por diferentes atividades (campos agrícolas, pastos, áreas de vegetação nativa) também interfere nos fluxos de água e, consequentemente, na dinâmica dos processos erosivos. Nesse sentido, atualmente predomina a visão de que a conservação da natureza depende da gestão de espaços que extrapolam as unidades de conservação e ganham espaço as estratégias baseadas nos conhecimentos desenvolvidos no campo da Ecologia da Paisagem, que também foi explorada no Capítulo 10.

Embora ciências como a Ecologia e a História Natural tenham uma longa tradição no estudo da distribuição geográfica dos organismos, somente a partir da primeira metade do século XX as relações espaciais e temporais entre os componentes bióticos e abióticos com o enfoque em paisagens passaram a ser alvo de pesquisas (Turner, 1989). O alemão Carl Troll usou pela primeira vez o termo Ecologia da Paisagem (em inglês, *Landscape Ecology*) para designar a linha de pesquisas que estuda estas interações (Forman & Godron, 1986). A contribuição que a ecologia da paisagem trouxe para os estudos ecológicos, de forma geral, está na busca da compreensão dos efeitos do padrão espacial dos ecossistemas sobre os processos biológicos e não biológicos (Turner, 1989).

São diversas as definições encontradas na literatura para o termo paisagem (por exemplo, Forman & Godron, 1986; Turner, 1989; Hobbs, 1995). Metzger (2001) discute as abordagens "geográfica" (da escola europeia da ecologia da paisagem) e "ecológica" (da escola norte-americana), buscando uma visão integradora entre elas.[12] Desta visão integradora, o autor extrai a definição de paisagem adotada no presente capítulo: "*um mosaico heterogêneo formado por unidades interativas, sendo esta heterogeneidade existente para pelo menos um fator, segundo um observador e numa determinada escala de observação*".

As "unidades interativas" podem ser ecossistemas (como lagos, florestas, pastagens, entre outros), unidades de "cobertura" (estágios sucessionais de um ecossistema específico, por exemplo) ou, ainda, unidades de "ocupação" (áreas urbanas, agrícolas, de vegetação natural, estradas), cabendo ao observador definir, entre as três alternativas, aquela que lhe parece mais adequada à sua análise (Hobbs, 1995; Metzger, 2001). Atualmente, a identificação de unidades de ocupação pode ser bastante facilitada com a utilização técnicas de geoprocessamento. Com o uso de tais técnicas, uma série de medidas quantitativas (ou índices de paisagem) pode ser obtida, permitindo comparar e monitorar paisagens ao longo do tempo (Turner, 1989, 2005; Gustafson, 1998; Li & Wu, 2004).

As principais características de um espaço que interessam à Ecologia da Paisagem são aquelas relacionadas com sua estrutura (ou padrão), função (ou processo) e mudança (Forman & Godron, 1986). Esses três aspectos são estreitamente ligados: a estrutura da paisagem influencia a função dos seus elementos que, por sua vez, modificam aquela estrutura. As mudanças ao longo do tempo afetam tanto a estrutura da paisagem quanto a função dos seus elementos. O conjunto das diferentes unidades forma um mosaico no espaço e a estrutura da paisagem diz respeito à configuração espacial desse mosaico, que é resultante da interação de fatores físicos, biológicos e antrópicos.

28.4.1 Fragmentação e Biodiversidade

A fragmentação dos ambientes naturais é um dos principais responsáveis pela configuração estrutural de muitas paisagens em regiões ocupadas pelo ser humano (Turner, 1989; Collinge, 1996; Bennett & Saunders, 2010). A fragmentação pode ser entendida como a ruptura da continuidade de uma determinada unidade de paisagem (florestas nativas, por exemplo) que apresentam melhores qualidades (em termos de recursos) para uma ou um conjunto de populações, resultando em mudanças na composição e diversidade das comunidades (Metzger, 1999; Villard & Metzger, 2014). O reconhecimento de que a fragmentação de ambientes naturais pode causar perdas importantes em termos de biodiversidade estimulou a realização de muitas pesquisas nessa área, principalmente enfocando as consequências biogeográficas da criação de "ilhas" de hábitats rodeadas de terras agrícolas (Saunders et al., 1991; Harris & Silva-Lopez, 1992). Nesse contexto, entende-se por fragmento qualquer área de vegetação natural contínua ao redor da qual predominem outros tipos de uso do solo (campos agrícolas, pastagens, estradas, cidades).

---

[12]De modo bastante simplificado, pode-se dizer que a escola europeia de ecologia da paisagem teve influência da geografia humana, da fitossociologia, da biogeografia e de disciplinas relacionadas com o planejamento territorial e centra seu foco na compreensão global da paisagem e no ordenamento territorial. Já a escola americana foi influenciada pela ecologia de ecossistemas e pela modelagem e análise espacial (com o auxílio de produtos de sensoriamento remoto), em uma tentativa de biogeógrafos e ecólogos norte-americanos de adaptar a teoria da "biogeografia de ilhas" para o planejamento de reservas em ambientes continentais, sendo, portanto, mais centrada em estudos bioecológicos (relações entre animais, plantas e o meio abiótico) (Metzger, 2001; Wu, 2013).

Diversos autores apontam os fatores que relacionam a fragmentação (e, particularmente, a redução do tamanho dos remanescentes) com a diminuição da diversidade biológica (por exemplo, Metzger, 1999; Wilcox & Murphy, 1985; Bennett & Saunders, 2010). O primeiro deles refere-se à questão das populações geneticamente viáveis (por exemplo, Shaffer, 1981; Gilpin & Soulé, 1986) e de metapopulações (por exemplo, Hanski & Gilpin, 1991).[13] O segundo fator diz respeito à diminuição do número de espécies em função da diminuição da heterogeneidade interna do hábitat, decorrente da perda de área. O terceiro fator relaciona a perda de riqueza com o aumento do chamado efeito de borda (discutido adiante). A diminuição dos recursos e o consequente aumento da competição intra e interespecífica constituem o quarto fator apontado na literatura. O quinto e último é a extinção de espécies-chave, o que provoca "extinções secundárias" de espécies que dependem das primeiras (relações de mutualismo, comensalismo, vistas no Capítulo 7).

Assim, a fragmentação interfere na estrutura da paisagem e, consequentemente, nos processos biológicos. Parâmetros estruturais de paisagens podem ser representados por índices obtidos por métodos quantitativos, permitindo a comparação de diferentes áreas, identificando mudanças ao longo do tempo e relacionando padrões com processos ecológicos (Turner, 1989; Bennett & Saunders, 2010; McGarigal et al., 2012). No contexto deste capítulo, três parâmetros relativos à estrutura da paisagem são de especial importância: (1) a área dos fragmentos, (2) o isolamento dos fragmentos e (3) a conectividade dos hábitats. A seguir, são feitas breves considerações a respeito desses três parâmetros.

Área dos Fragmentos

MacArthur & Wilson (1967) propuseram uma teria segundo a qual o número de espécies que se espera encontrar em uma ilha oceânica tem relação com o tamanho da ilha e o seu isolamento em relação ao continente. A "Teoria de Biogeografia de Ilhas", como foi denominada, é um marco importante para os profissionais ligados à conservação de áreas naturais. A equação que relaciona tamanho das ilhas com a quantidade de espécies presentes é bastante conhecida e, graficamente, é representada por uma curva: a curva espécie-área. Nos anos subsequentes, a teoria de MacArthur & Wilson foi usada como referência para pesquisadores dedicados ao estudo de paisagens continentais, onde os fragmentos remanescentes de habitats favoráveis à presença de determinadas espécies foram tomados como equivalente às ilhas em meio a áreas circundantes de "não habitat".

Enquanto alguns estudos de campo mostraram haver relação entre tamanho das áreas e riqueza de espécies vegetais e animais (exemplos em Shafer, 1990), outros trabalhos demonstram que nem sempre a curva espécie-área representa bem a realidade e, por este motivo, muitos autores apontam restrições para a sua utilização (Harris & Silva-Lopez, 1992; Simberloff et al., 1992). Obviamente, a equação que relaciona o número de espécies com o tamanho da área deve ser entendida como uma generalização empírica que não responde a muitas questões. A equação não esclarece, por exemplo, quais ambientes em uma dada região contribuem mais para a riqueza de espécies (uma floresta primária, uma floresta secundária, uma área alagada?) e que, portanto, devem ser prioritariamente protegidos, independentemente do tamanho (Saunders et al., 1991). Também é importante considerar que aspectos qualitativos estruturais e funcionais do hábitat podem influenciar na riqueza, ou seja, fragmentos de mesmo tamanho, mas com diferentes disponibilidades de recursos, podem abrigar mais ou menos espécies.

Além da questão da riqueza, outros aspectos apontam para a importância da conservação de grandes fragmentos. De maneira bastante simplificada, pode-se dizer que quanto maior o tamanho do fragmento, maior tende a ser o tamanho das populações ali existentes (em função da maior quantidade de recursos disponíveis) e, portanto, menor tende a ser o risco de extinção de espécies (Shaffer, 1981; Gilpin & Soulé, 1986). Além disso, quanto maior a dimensão de um fragmento, maior a probabilidade do mesmo possuir uma área central (em inglês, *core area*) não influenciada (ou menos influenciada) pelo entorno e, portanto, com maior possibilidade de abrigar espécies mais dependentes de hábitats inalterados (Saunders et al., 1991; Harris & Silva-Lopez, 1992). Por outro lado, um conjunto de pequenos fragmentos pode garantir a conservação de uma maior diversidade de hábitats do que um único grande fragmento e, assim, garantir a proteção de mais espécies (Shafer, 1990). Esse tema gerou uma grande controvérsia no meio científico no que diz respeito ao estabelecimento de áreas a serem protegidas na forma de parques e reservas. A polêmica sobre as vantagens e desvantagens de criar uma grande reserva ou várias pequenas

---

[13]De forma simplificada, uma metapopulação pode ser entendida como um conjunto de populações locais (cujos indivíduos não interagem com outras populações no curso das suas atividades rotineiras) que se conectam por meio de indivíduos que se dispersam na paisagem (Hanski & Gilpin, 1991).

que somadas teriam o mesmo tamanho da primeira ficou conhecida entre os especialistas como *single large or several small* (do inglês: SLOSS).

Outro aspecto importante relacionado com o tamanho dos fragmentos e sua forma é a influência do chamado efeito de borda. Estruturalmente, bordas são locais de interface entre duas unidades de paisagem (Hobbs, 1995). Sob o aspecto funcional, Metzger (1999) afirma que "*as bordas são áreas onde a intensidade dos fluxos biológicos entre as unidades da paisagem se modifica de forma abrupta*". "Efeito de borda" foi o termo cunhado para descrever o conjunto de fenômenos observados nesses locais.

Murcia (1995) realizou um levantamento de diversos trabalhos sobre o efeito de borda em fragmentos florestais e apontou os três principais tipos de efeitos: **efeitos abióticos** (envolvendo mudanças nas condições ambientais resultantes da proximidade com outros elementos da paisagem), **efeitos biológicos diretos** (relacionados com mudanças na abundância e distribuição das espécies causadas pelas condições físicas locais, como umidade e vento, por exemplo) e **efeitos biológicos indiretos** (envolvendo mudanças nas relações entre as espécies, como predação, parasitismo, competição, polinização e dispersão de sementes).

A extensão do efeito de borda é um parâmetro de difícil determinação porque depende dos parâmetros e processos considerados (Murcia, 1995; Metzger, 1999), não sendo possível definir um valor que seja aplicável a todo e qualquer tipo de fragmento. A título de exemplo, Broadbent et al. (2008) realizaram revisão em 62 artigos científicos sobre efeito de borda em florestas tropicais e temperadas, e identificaram 146 efeitos classificados em quatro categorias: estrutura da floresta, mortalidade de árvores, microclima e biodiversidade. Dos 146 efeitos reportados, 45% foram observados a até 100 metros de distância no sentido da borda para o interior dos fragmentos e 99% a até 2000 metros.

Isolamento dos Fragmentos

O isolamento é um parâmetro também derivado da "Teoria de Biogeografia de Ilhas" de MacArthur & Wilson (1967). O isolamento entre fragmentos exerce influência sobre as taxas de migração ou de recolonização de populações. Algumas espécies animais podem ter capacidade física de se dispersarem por longas distâncias, mas esta capacidade pode ser restrita para a movimentação em ambientes inalterados, ou seja, áreas agrícolas podem se tornar barreiras para algumas espécies (Saunders et al., 1991; Bierregaard Jr. et al., 1992).

Metzger (1999) afirma que o isolamento explica uma pequena parte da variância de riqueza de espécies entre fragmentos pois, em hábitats continentais, além das distâncias, as áreas dos fragmentos vizinhos e o arranjo espacial das unidades, entre outros fatores, podem interferir na noção de distância. Além disso, o tempo de isolamento dos fragmentos pode ser um fator importante, como demonstraram Metzger et al. (2009) no caso da Mata Atlântica. Fragmentos com pouco tempo de isolamento podem ter sua riqueza repentinamente aumentada, mas tendem a perder espécies ao longo do tempo, enquanto que em fragmentos isolados há muito tempo, pode-se esperar a perda de espécies originalmente presentes e o aparecimento de espécies invasoras capazes de se adaptar às condições ambientais pós-fragmentação (Saunders et al., 1991).

Nesse sentido, o isolamento é visto, geralmente, como algo a ser evitado. Entretanto, Shafer (2001) aponta, como aspecto benéfico do isolamento, a diminuição do risco de propagação de eventos catastróficos, como incêndios e pragas.

Conectividade dos Hábitats

Por conectividade, entende-se a capacidade da paisagem de facilitar os fluxos biológicos entre unidades de um dado tipo (florestas, por exemplo) (Metzger, 1999; Tischendorf & Fahrig, 2000). O grau de conectividade de uma paisagem é determinado pelo arranjo espacial dos fragmentos, pela densidade e complexidade dos corredores e pela permeabilidade da matriz (Metzger, 1999) e depende do padrão de deslocamento das espécies (animais ou vegetais), o que significa dizer que uma paisagem pode estar mais ou menos conectada dependendo da espécie em análise (Tischendorf & Fahrig, 2000).

Do ponto de vista estrutural, corredores são elementos lineares da paisagem que ligam pelo menos dois fragmentos (Rosemberg et al., 1997; Metzger, 1999; Tischendorf & Fahrig, 2000). Exemplos clássicos de corredores são as florestas ciliares ao longo de cursos de água, mas qualquer outra faixa de vegetação nativa que interligue fisicamente dois fragmentos também pode ser considerada um corredor. A largura mínima ou máxima para um elemento da paisagem ser considerado estruturalmente como um corredor, obviamente, depende da escala de análise. Assim, corredores podem ser desde renques de árvores até largas faixas de vegetação (Rosemberg et al., 1997).

Do ponto de vista funcional, há bastante controvérsia entre pesquisadores sobre o papel dos corredores. Entre as possíveis vantagens desses elementos lineares na paisagem, estão a promoção da movimentação da fauna, o incremento de áreas para alimentação e refúgio e o aspecto estético. Entre as desvantagens, estão a facilitação na propagação de pragas, doenças, fogo e o aumento da predação. Uma interessante revisão sobre os corredores e seus diferentes papéis na paisagem é feita por Hess & Fischer (2001).

A matriz corresponde à mais extensa e conectada unidade da paisagem e que, portanto, apresenta papel dominante no funcionamento da mesma (Forman & Godron, 1986). Metzger (1999), por sua vez, define matriz como sendo a área heterogênea da paisagem que contém uma variedade de unidades de não hábitat. Embora o termo "não hábitat" não seja exatamente correto do ponto de vista da ecologia (posto que qualquer ambiente pode ser hábitat para alguma espécie), adotamos esta segunda definição, considerando como "não hábitats" os ambientes menos favoráveis ao abrigo, alimentação e reprodução da maioria das espécies silvestres. Assim, se considerarmos uma paisagem predominantemente agrícola com fragmentos mais ou menos isolados de vegetação nativa e sendo estes últimos os hábitats de interesse para a(s) espécie(s) ou processo(s) analisado(s), chamamos de matriz o conjunto de todas as unidades (culturas anuais, pomares, pastagens) que não os fragmentos de vegetação natural.

As diferentes unidades que compõem a matriz podem apresentar características mais ou menos favoráveis para utilização por parte de espécies encontradas nos fragmentos, ou seja, podem oferecer maior ou menor resistência ao deslocamento de uma ou outra espécie (Metzger, 1999). Na matriz, também podem ocorrer, de forma dispersa, pequenas unidades de hábitat (que podem ser desde árvores isoladas até pequenos remanescentes de vegetação nativa), às quais alguns autores dão o nome de "pontos de ligação" ou "trampolins" e que, em inglês, recebem o nome de "*stepping stones*" (ver Figura 28.1).

A principal característica de um ponto de ligação (e que o diferencia de um fragmento) é o seu tamanho extremamente reduzido, o que permite a utilização por parte de animais em trânsito na paisagem, mas não dá suporte para a alimentação e reprodução dos indivíduos por um longo período de tempo (Jordán, 2000). A resistência imposta pelas unidades da matriz para movimentação de espécies animais e vegetais na paisagem, juntamente com densidade dos pontos de ligação, determinam a permeabilidade da matriz (Metzger, 1999).

Outro conceito importante dentro do aspecto da conectividade da paisagem é a percolação. A teoria da percolação foi desenvolvida por Stauffer (1985), no campo da física, para "*explicar e predizer os processos que levam à condutividade (conectividade) de um elemento através de espaços bidimensionais*" (Metzger, 2002). Quando aplicado a paisagens, o estudo da percolação fornece importantes informações sobre o arranjo espacial dos fragmentos. Quando uma determinada espécie, restrita a um tipo de hábitat (por exemplo, floresta), consegue atravessar de um extremo ao outro uma paisagem sem ter que sair desse hábitat, diz-se que a paisagem "percola" (O'Neill et al., 1988; Metzger, 1999).

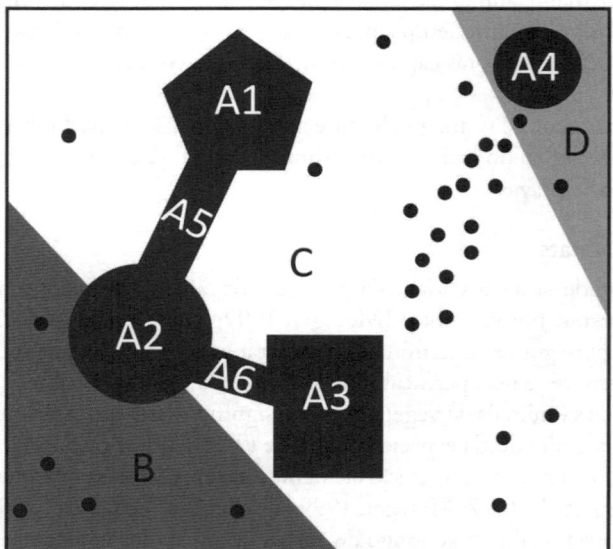

Figura 28.1 Os diferentes tons de cinza representam as unidades que compõem uma paisagem hipotética. Com a letra A, é identificada a unidade composta de vegetação nativa, e com as letras B, C e D, aquelas ocupadas com culturas agrícolas. As áreas identificadas como A1, A2, A3 e A4 são fragmentos, enquanto que A5 e A6 são corredores. B, C e D compõem a matriz. Os pequenos pontos distribuídos na paisagem representam "*stepping stones*".

De acordo com os cálculos de Stauffer (1985), e adaptando-os ao campo da ecologia, em uma paisagem composta apenas por hábitat e não hábitat, quando a área ocupada por hábitat é reduzida a proporção crítica de 59,28% do total, a paisagem deixa de "percolar". No campo da ecologia da paisagem, tal percentual foi calculado a partir da geração e análise computacional de milhares de modelos neutros de paisagem compostos por "células" (pixels) de habitat e não habitat distribuídas aleatoriamente em um grid bidimensional.

28.4.2 Paisagem e Recursos Hídricos

Assim como acontece com o fluxo biológico, o fluxo de água e os processos dele decorrentes (como a erosão dos solos) sofrem influência do arranjo estrutural das unidades da paisagem (Baudry & Papy, 2001; Merritt et al., 2003; Ziegler et al., 2004).

A título de recordação do que foi visto no Capítulo 3, em ecossistemas florestais, a água proveniente da chuva, antes de atingir o solo, pode ser interceptada pela vegetação (árvores, arbustos e herbáceas) e pela camada de folhas, ramos e outras estruturas vegetais que compõem a serrapilheira. Uma vez interceptada pela vegetação, a água pode evaporar ou cair na forma de gotejamento. A água que atinge o solo sob uma floresta (diretamente ou após ser interceptada) pode infiltrar ou escorrer superficialmente, dependendo das características topográficas, das características do solo (como a textura) e da umidade já existente. A água que infiltra pode percolar até o aquífero ou gerar um escoamento subsuperficial até atingir a superfície ou o canal fluvial, possibilitando sua perenização em períodos de estiagem (Tucci & Clarke, 1997).

Embora nem toda a área da bacia contribua efetivamente para o escoamento direto (Lima & Zakia, 2000), quanto maior a quantidade de água infiltrada e mais rápida a velocidade de infiltração, menor o escoamento superficial (Bertoni & Lombardi Neto, 1990) e, em condições de cobertura de floresta natural não alterada, a taxa de infiltração é máxima, e o escoamento superficial é mínimo (Tucci & Clarke, 1997). Mesmo em situações em que ocorre o escoamento superficial em áreas florestadas, os obstáculos representados pela serrapilheira, troncos e raízes são determinantes para a redução da velocidade de escoamento, o que, por sua vez, reduz a intensidade da erosão causada pelo arraste das partículas do solo pela água (Bertoni & Lombardi Neto, 1990).

Uma vez removida a floresta e implantada qualquer atividade agrícola, este cenário modifica-se drasticamente (Ziegler et al., 2004). A alteração da cobertura do solo da bacia tem impacto significativo sobre o escoamento superficial, o que se manifesta nas vazões médias dos corpos de água, no comportamento das enchentes (Tucci & Clarke, 1997) e na dinâmica dos processos erosivos (Bertoni & Lombardi Neto, 1990).

Por isso, emerge a importância da presença de faixas-tampão de vegetação nativa ao longo dos corpos de água, que funcionam como filtros para a entrada de nutrientes e sedimentos transportados pelo escoamento proveniente das áreas agrícolas adjacentes (Phillips, 1989a; Phillips, 1989b; Mander et al., 1997; Sparovek et al., 2002), diminuindo os impactos dos processos erosivos.

Uma vez reconhecida a necessidade de haver o planejamento e a gestão do espaço voltado para objetivos de conservação da biodiversidade, do solo e dos recursos hídricos, considerando a paisagem como um todo, resta a questão: como é possível incorporar, na prática, os conhecimentos teóricos aqui apresentados? Ou, em outras palavras: quais são os meios para que seja possível promover a modificação do uso do solo do espaço de forma a compatibilizar as atividades econômicas convencionais (agricultura, pecuária e silvicultura) com a conservação da natureza além das unidades de conservação?

28.5 COMO PROMOVER A CONSERVAÇÃO *IN SITU* ALÉM DAS UNIDADES DE CONSERVAÇÃO?

Conforme exposto no item anterior, qualquer estratégia voltada para a conservação *in situ* da biodiversidade que esteja baseada somente na criação de UC tende a esbarrar no problema da criação de um conjunto de "ilhas" nas quais nem sempre o objetivo central pode ser alcançado de forma satisfatória. Além disso, a distribuição das florestas e outras formas de vegetação nativa na paisagem – dentro ou fora das UC – também interfere em processos não biológicos, como erosão dos solos, assoreamento e contaminação dos cursos de água.

Por este motivo, é plausível que o tema da conservação dos recursos naturais deva ser baseado em estratégias de gestão que extrapolem os territórios das unidades de conservação e incluam mecanismos voltados para conservação da biodiversidade, do solo e da água nas terras que compõem todo o conjunto da paisagem – envolvendo a sociedade. Embora tal necessidade seja aparentemente evidente, a viabilidade de aplicação prática da conservação além das UC esbarra em um problema crucial: boa parte das terras nas quais devem ser adotadas ações para promover a conservação da natureza se encontra sob domínio de proprietários privados, cujos interesses nem sempre são compatíveis com os objetivos preconizados pela conservação.

As estratégias de ação possíveis para a conservação de áreas naturais em terras privadas variam bastante em função de particularidades legais, sociais, econômicas e culturais. Uma possível forma de abordar a questão é classificar as estratégias de acordo com os tipos de mecanismos utilizados, separando aquelas baseadas em mecanismos de caráter obrigatório (a conservação, nesses casos, é um dever do proprietário, independentemente dos custos privados envolvidos) daquelas pautadas em mecanismos de caráter voluntário (a conservação é uma opção do proprietário e podem existir incentivos econômicos, programas educativos e premiações para estimular a iniciativa voluntária).

No contexto internacional, o Brasil se destaca por possuir uma legislação ambiental que estabelece, no nível constitucional, que a conservação da natureza nas terras de propriedade privada é um dever do proprietário (Peters, 2006; Borges, 2015). De acordo com o Artigo 186 da Constituição Federal Brasileira de 1988, a função social da propriedade rural é cumprida quando o imóvel atende, simultaneamente, aos seguintes requisitos: aproveitamento racional e adequado; utilização adequada dos recursos naturais disponíveis e preservação do meio ambiente; observância das disposições que regulam as relações de trabalho e exploração que favoreça o bem-estar dos proprietários e dos trabalhadores.

No Brasil, portanto, promover a conservação ambiental em todos os seus aspectos (aí incluídos a biodiversidade, o solo e as águas) não é uma opção dos proprietários rurais de acordo com seus interesses e critérios econômicos. Trata-se de uma obrigação constitucional a estes proprietários. Uma vez que a conservação da natureza é um valor da sociedade expresso na Constituição, todas as normas infraconstitucionais (leis, decretos, entre outros) devem refletir tal valor, ou seja, devem estabelecer regras, padrões e critérios no sentido de promover a conservação, entendida como um dever dos proprietários dos imóveis rurais. Isso não significa que não possa haver iniciativas voluntárias ou incentivos econômicos aos proprietários que adotem práticas conservacionistas. Essas iniciativas e incentivos existem e serão abordados mais adiante neste capítulo.

É importante salientar que alguns setores da sociedade, notadamente uma parte considerável dos proprietários rurais, enxergam a obrigação de conservar como uma interferência inaceitável que aumenta os custos de produção ou limita as possibilidades de uso das terras (Gonçalves & Castanho-Filho, 2006; Oliveira & Bacha, 2007; Paulino, 2014). Esse fenômeno não é uma exclusividade brasileira. Em todo o mundo, quando o poder público estabelece regras sobre o uso da propriedade privada que interferem na produtividade econômica, cria-se um conflito e é comum haver rejeição a essas regras por parte dos setores representantes do sistema econômico, ou seja, do próprio mercado (Doremus, 2003; Shogren et al., 2003; Swift et al., 2004; Cooke et al., 2012).

Porém, cabe mencionar que a produção agropecuária, assim como as atividades industriais, comerciais e de serviços, são atividades econômicas e, como tal, segundo os valores expressos na Constituição Federal, devem estar sujeitas a regras que evitem que os interesses privados se sobreponham aos interesses públicos e da coletividade, quando estes são incompatíveis. Assim, da mesma forma que existem leis que fazem com que uma indústria química, por exemplo, não possa ter sua viabilidade econômica baseada em um processo produtivo que implique no lançamento de efluentes que contaminem o solo, a água ou o ar, as leis brasileiras também estabelecem padrões e critérios que devem ser observados nos imóveis rurais para que as atividades agropecuárias sejam desenvolvidas sem provocar danos ao ambiente e à sociedade em geral.

Desde a década de 1930, diversos dispositivos legais estabeleceram regras para compatibilizar o uso econômico da propriedade rural privada com a conservação da biodiversidade, do solo e das águas. O primeiro deles foi o Código Florestal promulgado por meio do Decreto Federal nº 23.793, de 1934, que definiu limitações ao uso das propriedades privadas de acordo com a tipologia de vegetação nelas existente, além de regulamentar a exploração de florestas de domínio público e privado e estabelecer a estrutura de fiscalização das atividades florestais, as infrações, penas e processos (Viana, 2004; Medeiros, 2006; Lima, 2014).

Posteriormente, em 1965, após ampla discussão técnica e debates no Congresso Nacional (Monteiro Filho, 1962), foi promulgado o novo Código Florestal (Lei nº 4.771/1965), considerado um marco divisório na legislação sobre florestas no Brasil, pois passou a subordinar o uso da propriedade ao interesse coletivo e a função protetora da floresta passou a constituir restrição não indenizável (Viana, 2004). O Código de 1965, que sofreu alterações na sua redação nas décadas posteriores, estabeleceu dois institutos jurídicos com o objetivo de proteger flora, fauna e outros atributos naturais: as chamadas áreas de preservação permanente e as reservas legais.

Em relação às áreas de preservação permanente (APP), à época do Código Florestal de 1965, a maior preocupação que levou ao seu estabelecimento era com a erosão e perda de fertilidade dos solos e com o assoreamento e degradação dos corpos hídricos (Monteiro Filho, 1962). Posteriormente, começou a ser reconhecida a importância dessas áreas na conservação da biota – por exemplo, pelo seu papel na constituição de corredores ecológicos (Mercadante, 2001; Metzger, 2010, Silva et al., 2011; Lima, 2014).

A reserva legal (RL) é o outro instrumento estabelecido no Código Florestal de 1965 que merece destaque. O objetivo original desse instrumento seria assegurar, nas áreas de colonização mais antiga e, consequentemente, mais desmatadas, uma reserva mínima de recursos florestais (lenha, carvão e madeira) para uso na propriedade e abastecimento de mercados locais. Nas áreas não desbravadas, a finalidade da manutenção das RL era controlar o desmatamento, assegurando a exploração sustentável da floresta em longo prazo (Mercadante, 2001; Lima, 2014).

Devido à preocupação crescente com a conservação de processos ecológicos, a função dessas áreas na proteção dos solos, da água e da biodiversidade tornou-se mais reconhecida pelos cientistas e pela sociedade, e as reservas legais passaram a ser tratadas como elementos importantes no contexto da paisagem rural (Metzger, 2002; Metzger, 2010), tendo a legislação se adaptado aos novos conhecimentos trazidos pela ciência (Siva et al., 2011; Lima, 2014).

As APP e as RL, tal como previstas no Código Florestal de 1965, se constituíam nos principais meios de promover a proteção da natureza em propriedades privadas no Brasil. Tais figuras de proteção, uma vez respeitadas, teriam o potencial de fazer com que a conservação da natureza se desse na escala de paisagem (Metzger, 2010; Lima, 2014; Silva et al., 2011), complementando o papel das unidades de Conservação. Entretanto, embora não haja dados oficiais disponíveis sobre o assunto, pesquisas apontam que a grande maioria das propriedades rurais não cumpria o que determinava o Código Florestal a respeito das APP e RL (Alston & Mueller, 2007, Oliveira & Bacha, 2007, Sparovek et al., 2010).

As razões que podem explicar o baixo percentual de cumprimento das normas referentes às APP e RL são várias: elevado custo para os proprietários, falta de recursos financeiros e humanos do poder público para fazer cumprir a lei, morosidade da justiça, falta de incentivos econômicos, corrupção, entre outras. Entretanto, estudos mostram que, ao menos em relação às RL, a vontade política por parte dos agentes governamentais responsáveis por fazer cumprir as normas refletiu no maior sucesso na averbação de tais reservas (Bernardo, 2010; Marques & Ranieri, 2012). Assim, quando o poder público priorizou ações voltadas à implantação de RL, os proprietários responderam positivamente e registraram formalmente a existência desta área protegida.

Apesar do reconhecimento do importante papel das APP e RL para a conservação, no período compreendido entre o final da década de 1990 e o ano de 2012 ocorreram diversas tentativas, por parte de parlamentares da chamada "bancada ruralista" do Congresso Nacional, de alterar o Código Florestal de forma a reduzir as áreas a serem protegidas nos imóveis rurais. A alegação dos membros da bancada ruralista era de que tais áreas estariam prejudicando a produção e os ganhos econômicos dos proprietários e que as figuras de proteção do Código Florestal não tinham base científica que as sustentasse tecnicamente. A despeito da opinião contrária da população (expressa em pesquisas de opinião e em manifestações públicas) e da comunidade científica ter demonstrado não haver necessidade de redução da proteção para aumentar a produção agropecuária (Martinelli et al., 2010; Sparovek et al., 2010; Silva et al., 2011), em 25 de maio de 2012, o Congresso Nacional aprovou a Lei nº 12.651, que revogou o Código Florestal e criou novas regras para regular o assunto, desconsiderando as recomendações da comunidade científica (Ferreira et al., 2012, Lima, 2014) e reduzindo a proteção da vegetação nativa no país. Ainda no mesmo ano, em 07 de outubro, outra lei foi aprovada no Congresso Nacional (Lei nº 12.727) alterando trechos da Lei nº 12.651, mas sem modificar substancialmente os principais aspectos que implicaram em redução da proteção em comparação com o Código Florestal revogado.

Com as novas regras, embora os nomes das figuras de proteção APP e reserva legal tenham sido mantidos, suas definições, objetivos, formas de delimitação e as restrições aos usos dessas áreas por atividades impactantes foram modificados, o que implica na redução das suas funções de proteção. Além disso, o grande número de situações excepcionais previstas na norma legal, torna complexa sua aplicação em condições reais de campo, fazendo com que a fiscalização seja mais difícil. Não menos importante, foi o fato de a nova Lei determinar que proprietários que não cumpriram a norma vigente nas décadas anteriores tivessem seus crimes anistiados.

Embora a legislação brasileira sobre a proteção de florestas e demais formas de vegetação nativa nas propriedades privadas seja considerada, por alguns setores da sociedade brasileira, como extremamente restritiva mesmo após a revogação do Código Florestal de 1965, outros países também possuem regras que limitam diretamente os direitos dos proprietários rurais em converter vegetação nativa em outros usos. Estudo realizado pelo Imazon e *The Proforest Initiative* (Veríssimo & Nussbaum, 2011) mostra que países com realidades diversas em termos histórico-culturais, socieconômicos, de regime político e de extensão territorial, tais como Alemanha, China, Estados Unidos, França, Holanda, Índia, Japão, Polônia, Reino Unido e Suécia, vêm mantendo ou aumentando o percentual de cobertura florestal de seus territórios ao longo dos últimos 50 anos graças a uma combinação de normas que proíbem ou dificultam sobremaneira o desmatamento (exigindo autorizações especiais, pagamento de taxas, recomposição florestal, comprovação de inexistência de alternativa para a atividade a ser implantada no local que se deseja desmatar) e incentivos para promover o reflorestamento (incentivos fiscais, empréstimos do governo e doações, apoio por parte de ONGs e instituições filantrópicas). Isto evidencia que a combinação entre instrumentos de comando e controle (obrigatórios) e instrumentos econômicos (voluntários) tem maior possibilidade de gerar resultados efetivos na gestão ambiental (Doremus, 2003; Swift et al., 2004; Fernandes & Moretto, 2011; Kostyack et al., 2011; Van Gossum, et al., 2012; Barton et al., 2014; Young & Bakker, 2015; Worboys et al., 2015).

As iniciativas voluntárias de destinação de áreas privadas para a conservação da natureza, comuns em muitos países europeus e nos Estados Unidos, vem ganhando espaço também em países latino-americanos nas últimas décadas (Solano & Chacón, 2008, Stolton et al., 2014). Essas iniciativas se materializam de diversas maneiras, seja por meio da criação de reservas privadas (por indivíduos, empresas, ONGs) ou de propriedade comunal, com ou sem reconhecimento oficial por parte do poder público, com ou sem incentivos governamentais.

No caso brasileiro, o Código Florestal de 1965 possibilitava, aos proprietários que assim desejassem, gravar com perpetuidade suas áreas como reservas naturais particulares (Artigo 6°). O Decreto 1.922/91 regulamentou a figura da reserva privada, sob o nome de Reserva Particular do Patrimônio Natural (RPPN) que, em 2000, foi reconhecida como categoria de UC no âmbito do SNUC, conforme visto anteriormente. Segundo dados da Confederação Nacional de RPPNs (https://www.rppn.org.br/indicadores-de-rppns), até fevereiro de 2019 havia 1.536 reservas desta categoria no país, cobrindo, no total, 779.862,93 ha.

Aos proprietários de RPPN, o poder público oferece alguns tipos de incentivos, como a isenção de pagamento do Imposto Sobre a Propriedade Territorial Rural (ITR) sobre a área, preferência na análise de pedido de crédito agrícola, possibilidade de recebimento de compensação ambiental de empreendimentos causadores de significativo impacto e apoio na fiscalização da área (Pellin & Ranieri, 2009a). As principais motivações que levam proprietários a criar RPPN, entretanto, não são tais incentivos, mas a predisposição e a satisfação pessoal em conservar a biodiversidade e os recursos hídricos (Pellin & Ranieri, 2009b; Stolton et al., 2014).

Ao contrário do que ocorre em países como Estados Unidos, diversos países europeus (como Inglaterra, Finlândia, Áustria, entre outros) e até mesmo latino-americanos (com destaque para a Costa Rica), no Brasil, são incipientes os mecanismos de estímulo financeiro para a conservação da natureza em terras privadas. Além da isenção do ITR (aplicada às RPPN e também às APP, RL e áreas de Servidão Florestal), são poucos os instrumentos dessa natureza utilizados no país para estimular os proprietários de terras a conservarem e recuperarem florestas e outras formas de vegetação nativa. Em anos recentes, algumas possibilidades nesse sentido começam a ser experimentadas.

Iniciativas que envolvem o pagamento pelos serviços ambientais a proprietários que mantêm ou recuperam áreas de vegetação nativa em seus imóveis começam a surgir no Brasil. Destaca-se, nesse contexto, o Programa Produtor de Água, desenvolvido pela Agência Nacional de Águas (ANA) (www.produtordeagua.ana.gov.br). Baseado na lógica do pagamento por serviços ambientais, segundo a qual o proprietário rural que evita a degradação do solo e da água está prestando um serviço para a sociedade e deve ser compensado financeiramente por isso, o programa, de adesão voluntária, remunera proprietários que desenvolvam projetos e adotem ações voltadas à redução da erosão e assoreamento de mananciais no meio rural, como o reflorestamento de APP e RL. Outras iniciativas, como o Projeto Oásis, da Fundação Grupo Boticário de Proteção à Natureza, caminham na mesma direção (FBPN, 2011).

Devido à resistência de proprietários rurais em cumprir a legislação florestal brasileira, cada vez mais se observam iniciativas para incluir, no arcabouço jurídico do país, mecanismos de incentivo econômico voltados para a conservação em terras privadas baseados na lógica da valoração dos serviços ambientais (discutida anteriormente neste capítulo). Embora atualmente se verifique uma tendência no sentido de afirmar que os mecanismos financeiros apresentam muitas vantagens em relação àqueles baseados em regulação direta, as peculiaridades socioconômicas, culturais, institucionais e territoriais exigem que a adoção de estratégias baseadas em tais mecanismos seja amplamente discutida pela sociedade para garantir que seu uso promova a conservação da biodiversidade, dos solos e das águas nos patamares necessários.

REVISÃO DOS CONCEITOS APRESENTADOS

Neste capítulo, procuramos mostrar a importância das áreas protegidas para a conservação da biodiversidade, dos solos e das águas. São diversas as modalidades de áreas protegidas, sendo que estas podem ser criadas pelo poder público (como, no caso brasileiro, as unidades de conservação e as figuras de proteção estabelecidas pelo Código Florestal, por exemplo) ou voluntariamente por proprietários de imóveis rurais. Também pode haver incentivos financeiros para que os proprietários promovam a conservação da natureza em suas terras. Os conhecimentos científicos acumulados na área da Ecologia da Paisagem apontam para a necessidade da distribuição das áreas protegidas no território de modo a garantir que fragmentos de ecossistemas naturais remanescentes não fiquem isolados como "ilhas" na paisagem e que haja a efetiva proteção dos solos contra os processos de erosão e assoreamento que comprometem a qualidade dos recursos hídricos. No contexto do planejamento do uso e ocupação do território, as áreas protegidas são importantes elementos dentro das estratégias destinadas a compatibilizar os interesses e ganhos individuais privados com o direito da sociedade em geral (presentes e futuras gerações) de viver em um ambiente saudável.

SUGESTÕES DE LEITURA COMPLEMENTAR

● Histórico das áreas protegidas no Brasil, aspectos de gestão e perspectivas: Pureza et al. (2015), Morselo (2006) e Ranieri et al. (2011).
● LANG, S., BLASCHKE, T. (2009) Análise da Paisagem com SIG. São Paulo: Oficina de texto.

Referências

ALSTON, L.J., MUELLER, B. (2007) Legal Reserve requirements in Brazilian forests: path dependent evolution of de facto legislation. *Revista Economia*, v. 8, n. 4, p. 25-53.

ARAÚJO, M.A.R. (2007) Unidades de conservação no Brasil: da República à gestão de classe mundial. Belo Horizonte: Segrac, 272p.

BARNOSKY, A.D., MATZKE, N., TOMIYA, S., WOGAN, G.O.U., SWARTZ, B., QUENTAL, T.B., MARSHALL, C., McGUIRE, J.L., LINDSEY, E.L., MAGUIRE, K.C., MERSEY, B., FERRER, E.A. (2011) Has the Earth's sixth mass extinction already arrived? *Nature*, v. 471, p. 51-57.

BARTON, D.N., RING, I., RUSCH, G., BROUWER, R., GRIEG-GRAN, M., PRIMMER, E., MAY, P., SANTOS, R., LINDHJEM, H., SCHRÖTER-SCHLAACK, C., LIENHOOP, N., SIMILÄ, J., ANTUNES, P., ANDRADE, D.C., ROMERIO, A., CHACÓN-CASCANTE, A., DECLERCK, F. (2014) *Guidelines for multi-scale policy mix assessments*: Technical brief. n.12 s.l.

BAUDRY, J., PAPY, F. (2001) The role of landscape heterogeneity in the sustainability of cropping systems. In , NÖSBERGER, J., GEIGER, H.H., STRUIK, P.C., (editores)., Crop, Science, CAB., International, in, press.,

BENNETT, A.F., SAUNDERS, B.A. (2010) Habitat fragmentation and landscape change. In: SODHI, N.S., EHRLICH, P.L. *Conservation biology for all*. Oxford: Oxford University Press, 344p.

BERNARDO, K.T. (2010) *Análise do êxito dos sistemas estaduais de gestão de reservas legais com foco no mecanismo de compensação*. Dissertação de Mestrado. Universidade de São Paulo (USP), 120p.

BERTONI, J., LOMBARDI NETO, F. (1990) *Conservação do solo*. São Paulo: Ícone, 355p.

BIERREGAARD JR., R.O., LOVEJOY, T.E., KAPOS, V., SANTOS, A.A., HUTCHINGS, R.W. (1992) The biological dynamics of tropical rainforest fragments: a prospective comparison of fragments and continuous forest. *BioScience*, v. 42, n. 11, p. 859-866.

BISHOP, K., DUDLEY, N., PHILLIPS, A., STOLTON, S. (2004) *Speaking a common language: the uses and performance of the IUCN system of management categories for protected areas*. Cardiff University, IUCN – The World Conservation Union and Unep.

BORGES, F.S. (2015) Áreas de preservação permanente: uma análise jurídica sobre as normas do Código Florestal de 1965 e da Lei 12.651 de 2012. In: LEUZINGER, M.D., SILVA, S.T.D.A., CUREAU, S. (Ed.). Espaços territoriais especialmente protegidos: extensão, limites e oportunidades. Brasília: UniCEUB, p. 11-53.

BRASIL. (2000) Lei no 9.985, de 18 de julho de 2000. Regulamenta o art. 225, § 1o, incisos I, II, III e VII da Constituição Federal, institui o Sistema Nacional de Unidades de Conservação da Natureza e dá outras providências, Brasília, DF.

BROADBENT, E.N., ASNER, G.P., KELLER, M., KNAPP, D.E., OLIVEIRA, P.J.C; SILVA, J.N. (2008) Forest fragmentation and edge effects from deforestation and selective logging in the Brazilian Amazon. Biological Conservation, v. 141, n. 7, p. 1745-1757.

BUTCHART, S.H.M. et al. (2010) Global biodiversity: indicators of recent declines. *Science*, v. 328, n. 5982, p. 1164-1168.

CARDINALE, B.J., DUFFY, J.E., GONZALEZ, A., HOOPER, D.U., PERRINGS, C., VENAIL, P., NARWANI, A., MACE, G.M., TILMAN, D., WARDLE, D.A., KINZIG, A.P., DAILY, G.C., LOREAU, M., GRACE, J.B., LARIGAUDERIE, A., SRIVASTAVA, D.S., NAEEM, S. (2012) Biodiversity loss and its impact on humanity. *Nature*, v. 486, n. 7401, p. 59-67.

COLLINGE, S.K. (1996) Ecological consequences of habitat fragmentation: implications for landscape architecture and planning. *Landscape and Urban Planning*, v. 36, p. 59-77.

COOKE, B., LANGFORD, W.T., GORDON, A., BEKESSY, S. (2012) Social context and the role of collaborative policy making for private land conservation. *Journal of Environmental Planning and Management*, v. 55, n. 4, p. 469-485.

DECLERCK, F.A.J., CHAZDON, R., HOLL, K.D., MILDER, J.C., FINEGAN, B., MARTINEZ-SALINAS, A., IMBACH, P., CANET, L., RAMOS, Z. (2010) Biodiversity conservation in human-modified landscapes of Mesoamerica: Past, present and future. *Biological Conservation*, v. 143, n. 10, p. 2301-2313.

DIEGUES, A.C. (2004) *O mito moderno da natureza intocada*. São Paulo: HUCITEC: CEC, 198p.

DOREMUS, H. (2003) A policy portfolio approach to biodiversity protection on private lands. *Environmental Science and Policy*, v. 6, p. 217-232.

DOVERS, S.R., NORTON, T.W., HANDMER, J.W. (1996) Uncertainty, ecology, sustainability and policy. *Biodiversity and Conservation*, v. 5, p. 1143-1167.

DUDLEY, N. (2008) *Guidelines for applying protected area management categories*. Gland, Switzerland: IUCN, v. 3.

EAGLES, P.F.J. (2014) Research priorities in park tourism, *Journal of Sustainable Tourism*, v. 22, n. 4, p. 528-549.

EMERTON, L., BISHOP, J., THOMAS, L. (2006) *Sustainable financing of protected areas*: a global review of challenges and options. Gland, Switzerland and Cambridge, UK: IUCN, 97p.

FOLEY, J.A., RAMANKUTTY, N., BRAUMAN, K.A., CASSIDY, E.S. et al. (2011) Solutions for a cultivated planet. *Nature*, v. 478, n. 7369, p. 337-342.

Fundação Grupo Boticário de Proteção à Natureza (FBPN). (2011) *Projeto Oásis São Paulo: resumo executivo*. 8p.

FERNANDES, B.L.D., MORETTO, E.M. (2011) Possibilidades para a gestão de programas indicados na Avaliação de impacto ambiental de empreendimentos hidrelétricos, através de sistemas de gestão ambiental. *Revista Ciências Exatas e Naturais*, v. 13, p. 73-99.

FERREIRA, J., PARDINI, R., METZGER, J.P., FONSECA, C.R., POMPEU, P.S., SPAROVEK, G., LOUZADA, J. (2012) Towards environmentally sustainable agriculture in Brazil: challenges and opportunities for applied ecological research. *Journal of Applied Ecology*, v. 49, n. 3., p. 535-752.

FORMAN, R.T.T., GODRON, M. (1986) *Landscape ecology*. Nova York: Wiley, 619p.

GEZON, L.L. (2014) Who wins and who loses? Unpacking the "local people" concept in ecotourism: a longitudinal study of community equity in Ankarana, Madagascar. *Journal of Sustainable Tourism*, v. 22, n. 5, p. 821-838.

GILPIN, M.E., SOULÉ, M.E. (1986) Minimum viable populations: processes of species extinction. In: SOULÉ, M.E. (editor). *Conservation biology: the science of scarcity and diversity*. Sunderland: Sinauer Associates, 598p.

GODOY, L.R.C., LEUZINGER, M.D. (2015) O financiamento do Sistema Nacional de Unidades de Conservação no Brasil: características e tendências. *Revista de Informação Legislativa*, v. 52, n. 206, p. 223-243.

GÓMEZ-BAGGETHUN, E., DE GROOT, R., LOMAS, P.L., MONTES, C. (2010) The history of ecosystem services in economic theory and practice: from early notions to markets and payment schemes. *Ecological Economics*, v. 69, n. 6, p. 1209-1218.

GÓMEZ-BAGGETHUN, E., RUIZ-PEREZ, M. (2011) Economic valuation and the commodification of ecosystem services. *Progress in Physical Geography*, p. 1-16.

GONÇALVES, J.S., CASTANHO-FILHO, E.P. (2006) Obrigatoriedade da reserva legal e impactos na agropecuária paulista. *Revista Informações Econômicas*, v. 36, n. 9, p. 71-84.

GUSTAFSON, E.J. (1998) Quantifying landscape spatial pattern: what is the state of the art? *Ecosystems*, v. 1, p. 143-156.

HESS, G.R., FISCHER, R.A. (2001) Communicating clearly about conservation corridors. *Landscape and Urban Planning*, v. 55, n. 3.

HANSKI, I., GILPIN, M. (1991) Metapopulation dynamics: brief history and conceptual domain. *Biological Journal of the Linnean Society*, v. 42, p. 3-16.

HARRING, N. (2014) Corruption, inequalities and the perceived effectiveness of economic pro-environmental policy instruments: A European cross-national study. *Environmental Science & Policy*, v. 39, p. 119-128.

HARRIS, L.D., SILVA-LOPEZ, G. (1992) Forest fragmentation and the conservation of biological diversity. In: FIEDLER, P.L., SUBODH, K.J. (editores). *Conservation biology: the theory and practice of nature conservation, preservation and management*. Nova York: Chapman & Hall, 507p.

HOBBS, R.J. (1995) Landscape Ecology. In: *Encyclopedia of Environmental Biology*. San Diego: Academic.

IUCN. (1994) Guidelines for protected area management categories. CNPPA with the assistance of WCMC. IUCN, Gland, Switzerland and Cambridge, 1994. 216p.

JORDÁN, F. (2000) A reliability-theory approach to corridor design. *Ecological Modelling*, v. 128, p. 211-220.

KAMAL, S., GRODZIŃSKA-JURCZAK, M., BROWN, G. (2015) Conservation on private land: a review of global strategies with a proposed classification system. *Journal of Environmental Planning and Management*, v. 58, n. 4, p. 576-597.

KOSOY, N., CORBERA, E. Payments for ecosystem services as commodity fetishism. *Ecological Economics*, v. 69, n. 6, p. 1228-1236, 2010.

KOSTYACK, J., LAWLER, J.J., GOBLE, D.D., OLDEN, J.D., SCOTT, J.M. (2011) Beyond reserves and corridors: policy solutions to facilitate the movement of plants and animals in a changing climate. *BioScience*, v. 61, n. 9, p. 713-719.

LANG, S., BLASCHKE, T. (2009) *Análise da paisagem com SIG*. São Paulo: Oficina de Textos.

LI, H., WU, J. (2004) Use and misuse of landscape indices. *Landscape Ecology*, v. 19, n. 4, p. 389-399.

LIMA A., BENSUSAN N., RUSS, L. (2014) *Código Florestal*: Por um debate pautado em ciência. Brasília: Instituto de Pesquisa Ambiental da Amazônia, 75p.

LIMA, W.P; ZAKIA, M.J.B. (2000) Hidrologia de matas ciliares. In: RODRIGUES, R.R., LEITÃO FILHO, H.F. (editores). *Matas ciliares*: conservação e recuperação. São Paulo: Universidade de São Paulo, 320p.

LOREAU, M. (2014) Reconciling utilitarian and non-utilitarian approaches to biodiversity conservation. *Ethics in Science and Environmental Politics*, v. 14, n. 1, p. 27-32.

MACARTHUR, R.H., WILSON, E.O. (1967) *The theory of island biogeography*. Princeton University Press, 203p.

MACE, G.M., REYERS, B., ALKEMADE, R., BIGGS, R., CHAPIN, F.S. et al. (2014) Approaches to defining a planetary boundary for biodiversity. *Global Environmental Change*, v. 28, p. 289-297.

MANDER, U., KUUSEMETS, V., LÕHMUS, K., MAURING, T. (1997) Efficiency and dimensioning of riparian buffer zones in agricultural catchments. *Ecological Engineering*, v. 8, p. 299-324.

MARQUES, E.M., RANIERI, V.E.L. (2012) Determinantes da decisão de manter áreas protegidas em terras privadas: o caso das reservas legais do Estado de São Paulo. *Ambiente & Sociedade* [online], v. 15, n.1, p. 131-145.

MERRITT, W.S., LETCHER, R.A., JAKEMAN, A.J. (2003) A review of erosion and sediment transport models, *Environmental Modelling & Software*, v. 18, p. 761-799.

MARTINELLI, L.A., JOLY, C.A., NOBRE, A.D., SPAROVEK, G. (2010) A falsa dicotomia entre a preservação da vegetação natural e a produção agropecuária. *Biota Neotropica* [online], v. 10, n. 4.

McGARIGAL, K., CUSHMAN, S.A., ENE, E. (2012) FRAGSTATS v4: Spatial Pattern Analysis Program for Categorical and Continuous Maps. [Computer software program produced by the authors] Amherst: University of Massachusetts. Disponível em: http://www.umass.edu/landeco/research/fragstats/fragstats.html. Acesso: janeiro 2018.

MEDEIROS, R. (2006) Evolução das tipologias e categorias de áreas protegidas no Brasil. *Ambiente & sociedade*, v. 4, n. 1, p. 41-64.

MEDEIROS, R., YOUNG; C.E.F., PAVESE, H.B., ARAÚJO, F.F.S. (2011) *Contribuição das unidades de conservação brasileiras para a economia nacional: Sumário Executivo*. Brasília: Unep-WCMC, 44p.

MERCADANTE, M. (2001) As novas regras do Código Florestal: repercussão sobre a gestão dos recursos naturais na propriedade rural. Apresentado ao Seminário Interno sobre "Dilemas y Perspectivas para el Desarrollo Regional en Brasil, con Énfasis en el Agrícola y lo Rural en Brasil en la Primera Década del Siglo XXI". [S.l.]: Oficina Regional de la FAO para América Latina y el Caribe. Disponível em: <http://www.fao.org/tempref/GI/Reserved/FTP_FaoRlc/old/prior/desrural/brasil/mercad.PDF> Acesso: janeiro 2018.

METZGER, J.P. (1999) Estrutura da paisagem e fragmentação: análise bibliográfica. *Anais da Academia Brasileira de Ciências*, v. 71, p. 445-463.

_____. (2001) O que é ecologia de paisagens? *Biota Neotropica*, v. 1, n. 1/2.

_____. (2002) Bases biológicas para a "reserva legal". *Ciência Hoje*, v. 31, n. 183, p. 48-49.

_____. (2010) O Código Florestal tem base científica? *Natureza e Conservação*, v. 8, n. 1, p. 92-99.

METZGER J. P., MARTENSEN, A.C., DIXO, M., BERNACCI, L.C., RIBEIRO, M.C., TEIXEIRA, A.M. G., PARDINI, R. (2009) Time-lag in biological responses to landscape changes in a highly dynamic Atlantic forest region. *Biological Conservation*, v. 142, n. 6, p. 1166-1177.

Millennium Ecosystem Assessment. (2005) *Current State and Trends, Volume 1*. Washington, Covelo, Londres: Island.

Ministério do Meio Ambiente (MMA). (2006) *Diretrizes para visitação em Unidades de Conservação*. Secretaria de Biodiversidade e Florestas. Diretoria de Áreas Protegidas. Brasília: Ministério do Meio Ambiente.

MONTEIRO FILHO, A. (1962) Anteprojeto de Lei Florestal. Série Documentária no 23 (Serviço de Informação Agrícola). Ministério da Agricultura, Rio de Janeiro. Disponível em: <http://portal.rebia.org.br/artigos/artigos-e-opinioes/codigo-florestal/3308-anteprojeto-de-lei-florestal.html>. Acesso: novembro 2017.

MORSELO, C. (2006) *Áreas protegidas públicas e privadas: seleção e manejo*. São Paulo: Annablume/FAPESP, 344p.

MURADIAN, R., CORBERA, E., PASCUAL, U., KOSOY, N., MAY, P.H. (2010) Reconciling theory and practice: an alternative conceptual framework for understanding payments for environmental services. *Ecological Economics*, v. 69, n. 6, p. 1202-1208.

MURCIA, C. (1995) Edge effects in fragmented forests: implications for conservation. *Trends in Ecology and Evolution (TREE)*, v. 10, n. 2, p. 58-62.

OLIVEIRA, S.J.M., BACHA, C.J.C. (2007) Avaliação do cumprimento da reserva legal no Brasil. *Revista de Economia e Agronegócio*, v.1, n. 2, p. 177-203.

O'NEILL, R.V., MILNE, B.T., TURNER, M.G., GARDNER, R.H. (1988) Resource utilization scales and landscape pattern. *Landscape Ecology*, v. 2. n. 1, p. 63-69.

PASCUAL, U., MURADIAN, R., RODRÍGUEZ, L.C., DURAIAPPAH, A. (2010) Exploring the links between equity and efficiency in payments for environmental services: a conceptual approach. *Ecological Economics*, v. 69, n. 6, p. 1237-1244.

PATTANAYAK, S.K., WUNDER, S., FERRARO, P.J. (2010) Show me the money: do payments supply environmental services in developing countries? *Review of Environmental Economics and Policy*, v. 4, n. 2, p. 254-274.

PAULINO, E.T. (2014) The agricultural, environmental and socio-political repercussions of Brazil's land governance system. *Land Use Policy*, v. 36, p. 134-144.

PETERS, E.L. (2006) *Meio ambiente & propriedade rural*. 4. ed. Curitiba: Juruá, 191p.

PELLIN, A., RANIERI, V.E.L. (2009a) Evolução da conservação voluntária em terras privadas no Brasil e consolidação das RPPNs. In: MEDEIROS, R., SILVA, H.P., IRVING, M.A. (editores). *Áreas Protegidas e Inclusão Social: tendências e perspectivas*. Rio de Janeiro.

_____. (2009b) Motivações para o estabelecimento de RPPNs e análise dos incentivos para sua criação e gestão no Mato Grosso do Sul. *Natureza & Conservação*, v. 7, p. 72-81.

PELLIN, A., TACHARD, A.L., SILVA, L.F., RANIERI, V.E.L. (2007) Compensação ambiental como fonte de recursos para unidades de conservação: situação atual e aspectos polêmicos. *OLAM (Rio Claro)*, v. 7, p. 171-186.

PHILLIPS, J.D. (1989a) An evaluation of the factors determining the effectiveness of water quality buffer zones. *Journal of Hydrology*, v. 107. p. 133-145.

_____. (1989b) Nonpoint source pollution control effectiveness of riparian forests along a coastal plain river. *Journal of Hydrology*, v. 110, p. 221-273.

RANIERI, V.E.L., MEDEIROS, R., VALVERDE, Y., D'AVIGNON, A., PEREIRA, G.S., BARBOSA, J.H.C., SOUSA, N.O.M. (2011) Passado, presente e futuro do Sistema Nacional de Unidades de Conservação: uma síntese dos resultados do seminário nacional. In: MEDEIROS, R., ARAÚJO, F.F.S. (organizadores). *Dez anos do Sistema Nacional de Unidades de Conservação da natureza: lições do passado, realizações presentes e perspectivas para o futuro.* Brasília: MMA, 220p.

ROCKSTRÖM, J. et al. (2009) A safe operating space for humanity. *Nature*, v. 461, p. 472-475.

RODRIGUES, C.G.O., GODOY, L.R.C. (2013) Atuação pública e privada na gestão de Unidades de Conservação: aspectos socioeconômicos da prestação de serviços de apoio à visitação em parques nacionais. *Desenvolvimento e Meio Ambiente*, v. 28, p. 75-88.

ROSEMBERG, D.K., NOON, B.R., MESLOW, E.C. (1997) Biological corridors: form, function, and efficacy. *BioScience*, v. 47, n. 10, p. 677-687.

SANDBROOK, C., ADAMS, W.M. (2012) Accessing the impenetrable: the nature and distribution of tourism benefits at a Ugandan National Park. *Society and Natural Resources*, v. 25, n. 9, p. 915-932.

SAUNDERS, D.A., HOBBS, R.J., MARGULES, C.R. (1991) Biological consequences of ecosystem fragmentation: a review. *Conservation Biology*, v. 5, p. 18-32.

SECRETARIAT OF THE CONVENTION ON BIOLOGICAL DIVERSITY. *Global Biodiversity Outlook* 4. Montreal. 155p.

SHAFER, C.L. (1990) *Nature reserves: island theory and conservation practice.* Washington: Smithsonian Institution, 189p.

SHAFER, C.L. (2001) Inter-reserve distance. *Biological Conservation*, v. 100, p. 215-227.

SHAFFER, M.L. (1981) Minimum population sizes for species conservation. *BioScience*, v. 31, n. 2, p. 131-134.

SHOGREN, J.F., PARKHURST, G.M., SETTLE, C. (2003) Integrating economics and ecology to protect nature on private lands: models, methods, and mindsets. *Environmental Science & Policy*, v. 6, n. 3, p. 233-242.

SILVA, J.A.A., NOBRE, A.D., MANZATTO, C.V., JOLY, C.A., RODRIGUES, R.R., SKORUPA, L.A., NOBRE, C.A., AHRENS, S., MAY, P.H., SÁ, T.D.A., CUNHA, M.C., RECH FILHO, E.L. (2011) *O Código Florestal e a Ciência:* contribuições para o diálogo. São Paulo: Sociedade Brasileira para o Progresso da Ciência, SPBC; Academia Brasileira de Ciências, ABC, 124p.

SIMBERLOFF, D., FARR, J.A., COX, J., MEHLMAN, D.W. (1992) Movement corridors: conservation bargains or poor investments? *Conservation Biology*, v. 6, n. 4, p. 493-504.

SOLANO, P., CHACÓN, C.M. (2008) Conservación voluntaria por la sociedad civil en América Latina. In: CHACÓN, C.M. (editores). *Voluntad de conservar: experiencias seleccionadas de conservación por la sociedad civil en iberoamérica.* Asociación Conservación de la Naturaleza, San José.

SPAROVEK, G., RANIERI, S.B.L., GASSNER, A., DE MARIA, I.C., SCHNUG, E., SANTOS, R.F., JOUBERT, A. (2002) A conceptual framework for the definition of the optimal width of riparian forests. *Agriculture, Ecosystems and Environment*, v. 90, p. 169-175.

SPAROVEK, G., BERNDES, G., KLUG, I.F., BARRETO, A.G.O.P. (2010) Brazilian agriculture and environmental legislation: status and future challenges. *Environmental Science & Technology*, v. 44, n. 16, p. 6046-6053.

STAUFFER, D. (1985) *Introduction to percolation theory.* Londres: Taylor & Francis, 124p.

STEFFEN, W., RICHARDSON, K., ROCKSTROM, J., CORNELL, S.E. et al. (2015) Planetary boundaries: guiding human development on a changing planet. *Science*, v. 347, n. 6223.

STOLTON, S., REDFORD, K.H., DUDLEY, N. (2014) *The futures of privately protected areas.* Gland, Switzerland: IUCN. 113p. (Protected Area Technical Report Series, 1).

SWIFT, B., ARIAS, V., BASS, S., CHACÓN, C.M., CORTÊS, A. (2004) Private lands conservation in Latin America: the need for enhanced legal tools and incentives. *Journal of Environmental Law & Litigation*, v. 19, n. 1, p. 85-140.

THE ECONOMICS OF ECOSYSTEMS AND BIODIVERSITY FOR LOCAL AND REGIONAL POLICY MAKERS - TEEB. Malta: Progress Press, 2010. 207p.

THOMPSON, A., MASSYN, P.J., PENDRY, J., PASTORELLI, J. (2014) *Tourism concessions in protected natural areas:* guidelines for managers. New York: United Nations Development Programme. 299p.

TISCHENDORF, L., FAHRIG, L. (2000) On the usage and measurement of landscape connectivity. *Oikos*, v. 90, n. 1, p. 7-19.

TUCCI, C.E.M., CLARKE, R.T. (1997) Impacto das mudanças da cobertura vegetal no escoamento: revisão. *Revista Brasileira de Recursos Hídricos*, v. 2, n. 1, p. 135-152.

TURNER, M.G. (1989) Landscape ecology: the effect of pattern on process. *Annual Review of Ecology, Evolution and Systematics*, v. 20, p. 171-197.

_____. (2005) Landscape Ecology: what is the state of the science? *Annual Review of Ecology, Evolution, and Systematics*, v. 36, n. 1, p. 319-344.

UNEP-WCMC and IUCN. (2016) Protected Planet Report 2016. UNEP-WCMC and IUCN: Cambridge UK and Gland, Switzerland. 73p.

VAN GOSSUM, P., ARTS, B., VERHEYEN, K. (2012) "Smart regulation": can policy instrument design solve forest policy aims of expansion and sustainability in Flanders and the Netherlands? *Forest Policy and Economics*, v. 16, p. 23-34.

VATN, A. (2010) An institutional analysis of payments for environmental services. *Ecological Economics*, v. 69, n. 6, p. 1245-1252.

VERÍSSIMO, A., NUSSBAUM, R. (2011) *Um resumo do status das florestas em países selecionados.* Imazon/The Proforest Initiative, 170p.

VIANA, M.B. (2004) *A contribuição parlamentar para a política florestal no Brasil.* Brasília: Câmara dos Deputados, 34p.

VILLARD, M.A., METZGER, J.P. (2014) Beyond the fragmentation debate: a conceptual model to predict when habitat configuration really matters. *Journal of Applied Ecology*, v. 51, p. 309-318.

WILCOX, B.A., MURPHY, D.D. (1985) Conservation strategy: the effects of fragmentation on extinction. *The American Naturalist*, v. 125, p. 879-887.

WITTMER, H., RAUSCHMAYER, F., KLAUER, B. (2006) How to select instruments for the resolution of environmental conflicts? *Land Use Policy*, v. 23, n. 1, p. 1-9.

WORBOYS, G., LOCKWOOD, M., KOTHARI, A., FEARY, S., PULSFORD, I. (2015) *Protected area governance and management.* Canberra, Australia: ANU Press, 966p.

WORLD BANK GROUP. (2016) *An introduction to tourism concessioning*: 14 characteristics of successful programs. Washington, DC.

WU, J. (2013) Key concepts and research topics in landscape ecology revisited: 30 year after the Allerton Park workshop. *Landscape Ecology*, v. 28, p. 1-11.

WYMAN, M., BARBORAK, J.R., INAMDAR, N., STEIN, T. (2011) Best practices for tourism concessions in protected areas: a review of the field. *Forests*, v. 2, p. 913-928.

YOUNG, C.E.F., BAKKER, L.B.D. (2015) *Incentivos econômicos para serviços ecossistêmicos no Brasil*. Rio de Janeiro: Forest Trends, 118p.

YOUNG, C.E.F.; MEDEIROS, R.J. (Org.) (2018). *Quanto vale o verde: a importância econômica das unidades de conservação brasileiras*. 1. ed. Rio de Janeiro: Conservação Internacional, 179p.

ZIEGLER, A.D., GIAMBELLUCA, T.W., TRAN, L.T. et al. (2004) Hydrological consequences of landscape fragmentation in mountainous northern Vietnam: evidence of accelerated overland flow generation. *Journal of Hydrology*, v. 28, n. 1-4, p. 124-146.

ANÁLISE DA VIABILIDADE AMBIENTAL DE PROJETOS

29

Marcelo Montaño / Victor Eduardo Lima Ranieri

Este capítulo trabalha o conceito de viabilidade ambiental como elemento essencial ao processo de análise das condições a serem observadas para a tomada de decisões relativas à implementação de projetos de empreendimentos e atividades econômicas. Para tanto, recorre-se a dois modelos descritivos construídos a partir de abordagens distintas para a explicação do mecanismo de resposta dos sistemas ambientais e que amparam o modo como são aplicados no campo da Engenharia Ambiental e áreas correlatas os conceitos de impacto ambiental, resiliência, resistência e capacidade suporte ambiental. A fim de apresentar ao leitor um panorama dos elementos instrumentais que se relacionam com o tema, é realizada uma breve menção aos diferentes métodos aplicados para avaliação dos impactos ambientais. A partir daí, a discussão remete à aplicação do conceito de viabilidade ambiental no universo da gestão ambiental, considerando os instrumentos diretamente relacionados com o tema, especialmente aqueles que se relacionam com o desempenho ambiental de empreendimentos e atividades, discutindo-se as relações do conceito de viabilidade ambiental com outros instrumentos de política ambiental como padrões de qualidade, licenciamento ambiental e avaliação de impacto ambiental.

29.1 INTRODUÇÃO

Dentre as opções que se apresentam às presentes gerações para orientar os processos de desenvolvimento econômico e social, percebe-se de imediato a necessidade da incorporação – de fato – das questões ambientais junto aos processos de tomada de decisão. Os problemas de ordem ambiental apresentam relação estreita com uma ampla gama de efeitos, que invariavelmente se manifestam nos arranjos sociais, políticos e econômicos (May, Lustosa & Vinha, 2003; Sachs, 2007), e, por essa razão, devem ocupar um lugar destacado entre as variáveis que definem os rumos em direção a um desenvolvimento que seja pautado pela busca de um relacionamento harmonioso entre o *crescimento econômico e a qualidade ambiental* em sentido amplo, condição fundamental para a promoção da sustentabilidade.

As intensas transformações provocadas no meio em decorrência das atividades humanas e suas consequências nos meios físico, biológico e socioeconômico têm, dentre outros aspectos, evidenciado a necessidade de incluir as questões ambientais no processo decisório no momento da avaliação de propostas específicas de ocupação do território vinculadas à implantação de atividades econômicas.

A observação do conceito de *viabilidade ambiental* como referência para o planejamento das ações humanas causadoras de impactos sobre o meio ambiente constitui uma das necessidades mais prementes nesse sentido, inclusive para respaldar as tradicionais análises econômicas tendo como base as relações de custo-benefício. Metodologicamente, a análise de viabilidade ambiental deve envolver uma avaliação dos efeitos induzidos por tais ações, de modo a verificar a sua compatibilidade com a capacidade do meio em assimilar tais efeitos sem prejuízo para a produtividade dos sistemas ambientais, considerando níveis de qualidade ambiental adequados ao desenvolvimento das diferentes populações que compõem os ecossistemas.

Como consequência, é possível destacar os efeitos potencialmente negativos sobre o meio e identificar as medidas a serem adotadas para sua mitigação e controle, tendo em vista o nível de qualidade ambiental que se deseja manter ou alcançar. A análise da viabilidade ambiental apresenta, portanto, uma relação estreita com os requisitos de desempenho a serem incorporados pelos projetos e, portanto, com sua *viabilidade técnica*. Uma vez que também apresenta estreita relação com a concepção tecnológica dos projetos, a análise da viabilidade ambiental também está relacionada com a *viabilidade econômica* de empreendimentos.

Trata-se de um tema recorrente no cotidiano do profissional de meio ambiente, uma vez que ampara não somente as decisões relacionadas com a solicitação de autorizações para realizar intervenções sobre meio ambiente mas, sobretudo, a concepção e design dos projetos a serem implementados. Diversos países adotam critérios e procedimentos distintos para a análise de viabilidade ambiental, sendo comum a existência de referências que estabelecem as alterações admissíveis (*thresholds*) sobre a qualidade ambiental decorrentes da implantação de empreendimentos e atividades (no caso brasileiro, ilustradas pelos padrões de qualidade ambiental estabelecidos na legislação).

29.2 ABORDAGENS APLICADAS À ANÁLISE AMBIENTAL

O campo da Engenharia Ambiental é amparado pela aplicação de conceitos e conteúdos provenientes de diferentes disciplinas e áreas de conhecimento, que permitem o desenvolvimento de procedimentos metodológicos voltados para a solução de problemas complexos que envolvem o uso dos recursos ambientais em processos de desenvolvimento. No caso da análise dos efeitos sobre o meio decorrentes das atividades humanas, duas perspectivas distintas e complementares podem ser aplicadas.

Considerando-se o mecanismo de funcionamento dos sistemas ambientais, é possível trabalhar a análise dos efeitos provocados pelo homem a partir de um ponto de vista ecossistêmico, em que a *resposta* do meio a uma determinada *ação externa* ao sistema ambiental depende do *estado* em que se encontra tal sistema ao longo do tempo em que a ação é exercida. Tal abordagem é empregada por diferentes modelos de causa-efeito aplicados no campo da Ecologia para descrição do funcionamento dos sistemas ecológicos, e é amparada pela interpretação que esta disciplina oferece para as propriedades *resistência*, *resiliência* e *capacidade de suporte* do meio.

Conforme estabelecido por Odum e Barrett (2007), os processos que ocorrem ao nível do ecossistema são descritos conforme indicado pela Figura 29.1, considerando-se uma ou mais fontes de energia ou funções de força externa (a *pressão* estabelecida sobre o sistema, P), as variáveis de *estado* e suas propriedades (E_1, E_2....E_n) e os caminhos de fluxo (de energia ou de transferência de massa, F_1, F_2, ..., F_k) que estabelecem as conexões com as forças externas e entre as variáveis de estado. Combinadas com as funções de interação (I), as forças e as propriedades emergentes interagem para *modificar*, *ampliar* ou *controlar* os fluxos de matéria e energia ou *criar novas propriedades* emergentes. Por fim, os caminhos de fluxo são retomados a partir de eventuais alças de retroalimentação (R).

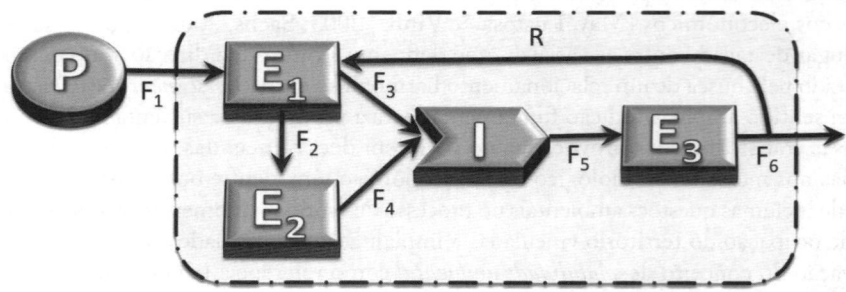

FIGURA 29.1 Modelo de funcionamento de um sistema ecológico. *Fonte: Modificado de Odum e Barrett, 2007.*

O modelo PER, que será mais detalhadamente abordado no Capítulo 33, predomina como referência conceitual para a realização de estudos ambientais voltados para a identificação e quantificação dos impactos causados pelas ações humanas, ou seja, para a *análise ambiental*. É esta referência, por exemplo, que orienta a definição para o que se considera impacto ambiental no âmbito da política ambiental brasileira (assim como, diga-se de passagem, para a ampla maioria dos sistemas de avaliação de impacto ambiental ao redor do planeta). O artigo 2º da Resolução CONAMA nº 01, de 23 de janeiro de 1986, considera como impacto ambiental:

"qualquer alteração das propriedades físicas, químicas e biológicas do meio ambiente, causadas por qualquer forma de matéria ou energia resultante das atividades humanas que, direta ou indiretamente, afetam: a saúde, a segurança e o bem-estar da população; as atividades sociais e econômicas; a biota; as condições estéticas e sanitárias do meio ambiente; a qualidade dos recursos ambientais".

Para o modelo apresentado na Figura 29.1, pode-se inferir que o nível de alterações causadas no sistema ambiental por uma fonte externa de pressão (ou seja, segundo a definição estabelecida na política ambiental brasileira, a magnitude dos *impactos ambientais*), determinado pelo novo conjunto de propriedades (ou variáveis de estado) apresentado pelo sistema após a perturbação, será dependente de sua *resistência* a modificações (a capacidade de manter sua estrutura e função diante de uma fonte externa de pressão), de sua *resiliência* (capacidade de assimilar os efeitos e retornar à sua condição anterior de equilíbrio, ou encontrar uma nova condição para este equilíbrio) e de sua *capacidade de suporte* (relacionada com a razão entre a energia primária disponível e a energia necessária para sustentar todas as estruturas e funções básicas do sistema).

Neste caso, temos que a *resposta* do meio é descrita em termos das alterações sofridas pelo meio (os *impactos ambientais* verificados) a partir de uma ação exercida por um agente externo ao sistema (ou seja, a *pressão*). Para se conhecer a magnitude dos impactos, portanto, é necessário conhecer o *estado* em que o meio se encontra e as características da atividade responsável pela *pressão* aplicada (Figura 29.2).

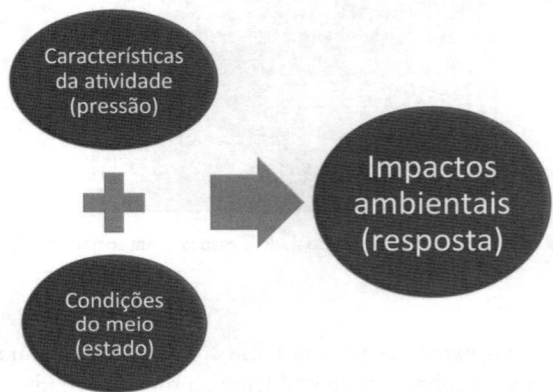

FIGURA 29.2 Análise ambiental com foco na identificação dos impactos sobre o meio ambiente.

Uma segunda abordagem para a análise ambiental incorpora uma perspectiva diferente e trabalha a resposta fornecida pelo sistema em análise a partir de um ponto de vista sociopolítico, voltado para o manejo dos recursos ambientais e para a gestão das atividades causadoras de impactos sobre o meio ambiente. Sendo assim, considera-se que a *sociedade*, diante de um determinado nível de impacto ambiental (potencial ou já verificado), posiciona-se no sentido de reivindicar medidas a serem adotadas para que este impacto seja preferencialmente eliminado ou, no mínimo, mitigado e mantido sob controle.

Conforme IBAMA (2002), um modo simples de avaliar os impactos ambientais sob tal perspectiva deve se basear nas ações humanas exercidas sobre o meio e que levarão aos impactos e, em seguida, nas respostas potenciais no âmbito de políticas públicas que poderiam minimizar ou eventualmente eliminar tais impactos.

Esta abordagem (Figura 29.3), aperfeiçoada no âmbito das avaliações ambientais integradas[1] elaboradas pelo Programa das Nações Unidas para o Meio Ambiente (PNUMA), permite visualizar o processo de estabelecimento de limites para as alterações causadas pelo homem no desenvolvimento de suas atividades como resposta a um quadro de degradação da qualidade ambiental.

Nesse caso, o *estado* refere-se às condições do meio ambiente, tais como qualidade do ar/nível de poluentes; diminuição de fertilidade do solo; perda de biodiversidade; nível de poluentes nos recursos hídricos; taxas de desmatamento etc. O estado do meio tem efeitos sobre a saúde humana assim como sobre outros elementos de natureza sociopolítica. Por exemplo, aumento na degradação do solo pode implicar em declínio na produção e aumento na importação de alimentos, aumento no uso de fertilizantes, desnutrição, entre outros efeitos com implicações sobre o desenvolvimento. Ser informado a respeito do estado do meio ambiente e seus efeitos indiretos é, portanto, essencial para os tomadores de decisão e formuladores de políticas públicas.

---

[1]As avaliações ambientais integradas, na ótica do PNUMA, voltam-se para uma análise dos efeitos ambientais e seu balanceamento diante de aspectos sociais e econômicos.

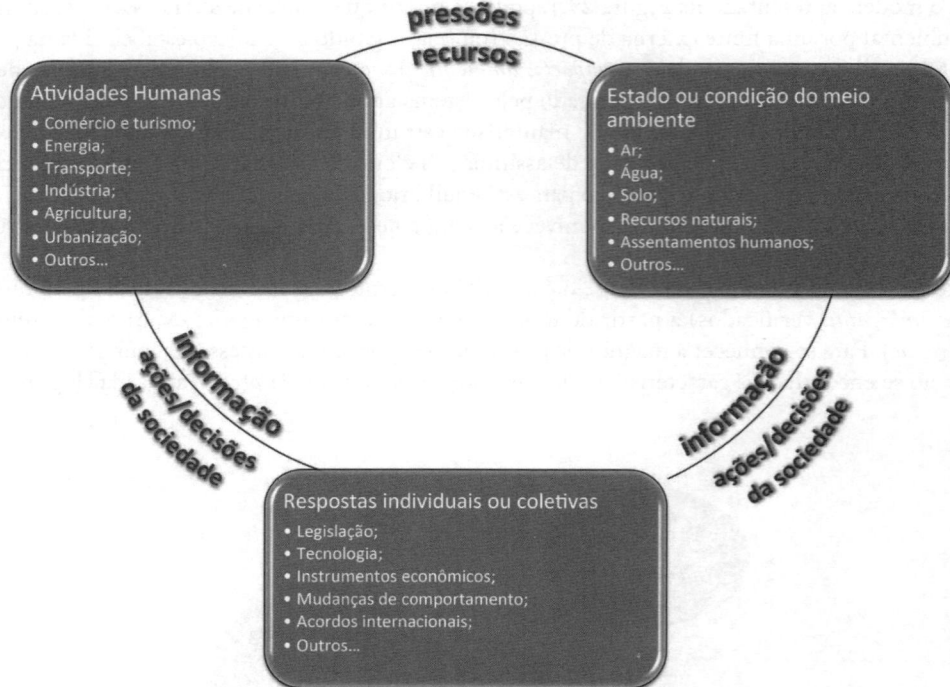

FIGURA 29.3 Análise ambiental com foco nas condições do meio e respostas da sociedade. *Fonte: Modificado de IBAMA, 2002.*

Por *pressão*, têm-se as ações exercidas pelo homem sobre o meio – notadamente, em termos de atividades e processos que atuam sobre o meio ambiente e provocam mudanças em suas propriedades. Tais ações são, geralmente, as causas primárias e forças motrizes dos processos de alteração da qualidade do meio ambiente, estando associadas a processos e fenômenos ligados ao desenvolvimento como crescimento demográfico, ocupação do território, expansão industrial, exploração de recursos naturais, padrões de consumo, desigualdades sociais etc.

Os *impactos* desta pressão sobre o meio referem-se à saúde, bem-estar e condições da população, da economia, dos ecossistemas etc. Por exemplo, altos níveis de nutrientes em reservatórios podem levar a aumento na proliferação de algas e contaminação da água por substâncias tóxicas produzidas por determinadas espécies de cianobactérias.

A *resposta* da sociedade, por sua vez, corresponde às ações tomadas com o intuito de minimizar ou evitar os impactos ambientais, reduzir a degradação ambiental ou preservar recursos naturais. Tais ações têm efeitos diretos sobre o modo como as atividades humanas lidam com o meio ambiente, podendo incluir: disciplinamentos para o uso dos recursos ambientais de caráter nacional, regional ou local; leis e demais normas; instrumentos econômicos; estratégias para preservação do meio ambiente e recuperação da qualidade ambiental; convenções e protocolos internacionais ou regionais etc.

É importante notar os fluxos que alimentam os processos inerentes a cada compartimento. Em primeiro plano, estão os fluxos de *pressões* e *recursos*, relacionando as atividades humanas utilizadoras de recursos e geradoras de forças externas que pressionam os sistemas ambientais provocando alterações em suas propriedades de estado, e alterando também as condições com que os recursos ambientais se apresentam para o desenvolvimento das atividades humanas. Em seguida, vemos os fluxos que alimentam o compartimento sociopolítico com *informações* a respeito do estado do meio e das condições com que as atividades humanas são exercidas, gerando como resposta uma série de *ações/decisões* voltadas para o disciplinamento das atividades (por exemplo, impondo-se requisitos de desempenho ambiental e limites para as alterações admissíveis causadas sobre o meio), recuperação de áreas degradadas e conservação/preservação de recursos naturais.

Um exemplo deste mecanismo de *resposta* do meio sociopolítico diante da diminuição da qualidade ambiental causada por impactos sobre o meio remete ao estabelecimento da obrigatoriedade de obtenção de licenças e autorizações previamente à realização de ações modificadoras do meio ambiente, o que será discutido mais adiante neste capítulo.

29.3 PADRÕES DE QUALIDADE

O estabelecimento de padrões de qualidade ambiental constitui um instrumento da Política Nacional do Meio Ambiente que descreve os níveis de qualidade a serem mantidos ou alcançados para o meio, tendo em vista o disciplinamento das atividades e ações humanas. Os padrões de qualidade expressam, portanto, valores de referência para diferentes parâmetros ambientais, em termos da qualidade considerada adequada para um determinado compartimento ambiental, recurso ambiental ou porção do território.

No campo do planejamento e avaliação de impactos, os padrões de qualidade ambiental são entendidos como elementos que definem os *requisitos de desempenho ambiental* dos projetos de empreendimentos ou atividades a serem implantados, de modo a serem considerados *viáveis* sob o ponto de vista ambiental. Em outras palavras, os padrões de qualidade estabelecem os limites admissíveis para as alterações sobre o meio provocadas pelas atividades humanas.

A existência de referências quantitativas claramente estabelecidas para os limites de qualidade ambiental oferece aos projetistas elementos concretos para a definição do nível de eficiência a ser alcançado por equipamentos e dispositivos de controle ambiental. O nível de eficiência no tratamento para remoção de matéria orgânica em efluentes lançados em corpos de água, por exemplo, é determinado com base nos padrões de qualidade admissíveis para a classe do corpo receptor. Do mesmo modo, a concentração de substâncias poluidoras como monóxido de carbono, óxido de nitrogênio e dióxido de enxofre emitidas por uma usina termoelétrica devem observar os limites para estes parâmetros estabelecidos para a qualidade do ar.

Incluem-se nesta linha os padrões de qualidade estabelecidos por legislação específica (nas esferas da União, estados e municípios), pelo Conselho Nacional do Meio Ambiente (CONAMA) ou pelos órgãos estaduais integrantes do SISNAMA e com atribuições específicas, como por exemplo:

- Resolução CONAMA 357/2005, que define os limites admissíveis para uma série de parâmetros de qualidade da água (pH, turbidez, DBO, DQO, coliformes fecais, nutrientes, metais etc.) em função dos diferentes usos pretendidos para os recursos hídricos;
- Resolução CONAMA 430/2011, que estabelece as condições e os padrões para o lançamento de efluentes (complementando a anterior);
- Resolução CONAMA 03/1990, que estabelece os padrões de qualidade para o ar e orienta as ações de monitoramento e controle realizadas sobre este fator ambiental;
- Resolução CONAMA 420/2009, que estabelece os critérios e valores orientadores para a qualidade do solo e águas subterrâneas;
- Resolução CONAMA 01/1990, que, em conjunto com a norma ABNT 10.251/2000, estabelece os limites máximos de ruído a serem observados pelas atividades humanas de modo a manterem o conforto da comunidade;
- Decisão de Diretoria (CETESB/SP) DD.215/2007/E, que estabelece os limites admissíveis para vibrações em função de diferentes tipologias de ocupação.

Além destes, determinados dispositivos de disciplinamento sobre o uso de recursos naturais ou sobre a ocupação do território também ocupam lugar de destaque no campo de aplicação dos instrumentos de política ambiental em termos da compatibilização das atividades econômicas com a qualidade ambiental requerida.

É o caso, por exemplo, das faixas de proteção estabelecidas ao longo de corpos hídricos, topos de morro, bordas de tabuleiro, *cuestas* e restingas, em que a qualidade ambiental está associada à manutenção das condições estabelecidas que permitem a estabilidade geológica, a qualidade dos corpos hídricos, a manutenção do fluxo gênico de fauna e flora etc., já amplamente descritas como funções ambientais desempenhadas pelas áreas de preservação permanente (ver Capítulo 28).

Da mesma forma como um padrão de qualidade objetivamente estabelecido para a água, por exemplo, tais dispositivos devem ser compreendidos como elementos que definem os requisitos mínimos de desempenho a serem alcançados pelas atividades e empreendimentos. Em todos os casos, é pertinente que os responsáveis pelos projetos de desenvolvimento se questionem da seguinte maneira, por exemplo:

- *qual o nível mínimo de remoção de particulados a ser alcançado pelos dispositivos filtrantes que serão instalados nas chaminés, a fim de atender aos requisitos de qualidade estabelecidos para a presença de partículas inaláveis no ar?*

- *qual o desenho para o loteamento que está sendo projetado de modo a atender aos requisitos de viabilidade técnica e econômica mantendo-se um afastamento minimamente adequado das áreas de preservação permanente?*
- *qual o nível mínimo de eficiência a ser atingido na remoção das cargas poluidoras deste efluente de modo a contemplar a qualidade estabelecida para o curso d'água receptor?*
- *de que modo deve-se realizar o cultivo deste produto de modo a manter a funcionalidade ambiental e ecológica das áreas de reserva legal nesta propriedade e em propriedades vizinhas?*

29.4 VIABILIDADE AMBIENTAL

A viabilidade ambiental pode ser entendida como uma propriedade fundamental das atividades humanas a ser verificada previamente às ações exercidas sobre o meio, que expressa a possibilidade de adequação das atividades antrópicas frente a padrões de qualidade estabelecidos formalmente ou negociados entre as partes interessadas, levando-se em consideração a capacidade do meio em assimilar um certo nível de alterações (impactos) provocadas por estas atividades (Montaño & Souza, 2008).

Segundo aponta Souza (2000), ela é determinada a partir da observação do binômio tipologia-localização. Isso significa que concorrem para a viabilidade ambiental — de modo pleno e simultâneo — as características do meio e as características da atividade ou empreendimento que se pretende implantar, considerando o nível de qualidade ambiental estabelecido para o momento da implantação e requerido ao longo do tempo.

É importante notar que a viabilidade ambiental está condicionada ao *estado* do meio, e portanto à localização pretendida para as atividades, na medida em que cada local apresenta características ambientais próprias que resultam em uma determinada capacidade de *resposta* diante dos efeitos que serão causados. Nesse sentido, a viabilidade ambiental das atividades também se associa a propriedades dos sistemas ambientais como resiliência, resistência e capacidade suporte.

Ao mesmo tempo, a viabilidade ambiental depende da *pressão* exercida pela atividade que se pretende instalar, ou seja, das características da atividade associadas à sua capacidade de provocar alterações no meio, tais como porte e concepção tecnológica, potencial para indução de outras atividades e para interferência em processos de natureza social e ambiental.

Em termos ideais, as atividades humanas não deveriam provocar alterações significativas no meio. Nesse caso, os limites admissíveis para os impactos seriam orientados pela capacidade de suporte dos sistemas ambientais e a análise de viabilidade ambiental poderia ser compreendida como um dos elementos responsáveis pela operacionalização da sustentabilidade ambiental como referência para as decisões relativas à implantação de atividades ou empreendimentos.

Em termos concretos, em sintonia com o caráter *acomodativo* que orienta a prática do desenvolvimento sustentável nos dias atuais, as alterações ambientais provocadas pelas atividades humanas são ponderadas diante de *trade-offs* verificados entre os aspectos econômico, social e ambiental, sendo que estes últimos (e, particularmente, o aspecto ambiental) muitas vezes são prejudicados em favor de aspectos econômicos associados ao desenvolvimento.[2]

Nesse contexto, os objetivos da análise de viabilidade ambiental alinham-se com a manutenção dos níveis de qualidade ambiental a serem observados, o que por sua vez reflete no estabelecimento dos condicionantes para as atividades em termos dos impactos ambientais considerados *admissíveis*, função dos padrões de qualidade (legalmente estabelecidos ou negociado conforme o caso). A Figura 29.4 ilustra as duas situações descritas.

---

[2]Situação que se observa rotineiramente nos países em desenvolvimento, como o Brasil, que, em busca do "arranque" para alcançar padrões elevados de desenvolvimento econômico, têm tomado decisões bastante questionáveis em termos de seus reflexos sobre o meio ambiente, que normalmente envolvem a flexibilização dos padrões de qualidade a serem mantidos. Entre tantos exemplos vale citar as aprovações, sob inúmeros protestos, das construções das barragens para as usinas hidrelétricas de Três Gargantas (China) e Belo Monte (Brasil). Recentemente, em função de sucessivas crises econômicas, muitos países desenvolvidos adotaram medidas semelhantes para flexibilização da legislação ambiental e dos critérios ambientais a serem aplicados na avaliação de projetos de desenvolvimento. Em todos os casos, a intenção assumida pelos governos é diminuir aquilo que é visto (sob uma ótica míope) como "entrave ao desenvolvimento".

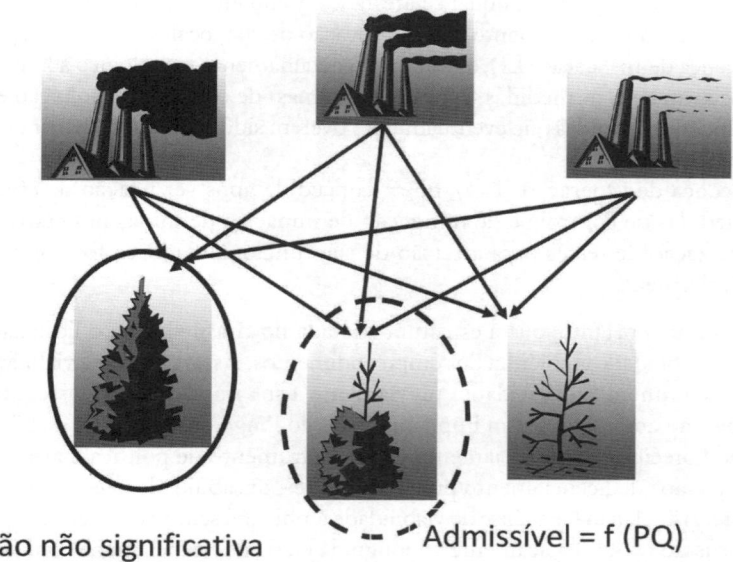

Ideal = alteração não significativa   Admissível = f (PQ)

FIGURA 29.4 Objetivo da análise de viabilidade ambiental (estabelecimento do nível admissível de impactos ambientais, como função dos padrões de qualidade).

29.5 O LICENCIAMENTO AMBIENTAL

O conceito de viabilidade ambiental materializa-se, na prática, pela incorporação – no processo decisório – de mecanismos que incluam uma avaliação referente à capacidade de suporte apresentada por um determinado território para a instalação de atividades e empreendimentos potencialmente impactantes. No Brasil, a operacionalização do conceito de viabilidade ambiental é proporcionada por meio do licenciamento ambiental de atividades e empreendimentos. O sistema de licenciamento ambiental brasileiro é fundamentado no exercício do poder de polícia por parte do Estado, em que se destacam a legitimidade e a necessidade de se restringir a ação do agente particular a fim de resguardar o interesse coletivo (Granziera, 2003; Machado, 1996). Tal sistema prevê a necessidade dos empreendimentos terem seus projetos submetidos à avaliação do Poder Público, desde a sua concepção, passando pela implantação, a entrada em operação, e continuamente após essa etapa.

A funcionalidade do licenciamento ambiental como instrumento de política ambiental está vinculada à existência de instrumentos que atuem de modo complementar durante o processo de tomada de decisão – que garantam desde a fundamentação técnica da decisão propriamente dita até a sua sustentação jurídico-institucional. A estruturação de um sistema de licenciamento ambiental eficiente, amparado por tais instrumentos, é condição fundamental para o desempenho satisfatório das ações do Estado relacionadas com a tutela do meio ambiente (conforme estabelece a Constituição Federal de 1988), associada à necessária – porém ainda pouco instrumentalizada – corresponsabilização da sociedade no trato da questão ambiental. Com relação aos fundamentos do licenciamento ambiental, destacam-se os seguintes conceitos:

- o licenciamento ambiental é um instrumento de *política ambiental* que se pauta pelos objetivos da Política Nacional do Meio Ambiente (Lei 6.938/81), com destaque para a compatibilização do crescimento econômico com a manutenção da qualidade ambiental;
- trata-se de um instrumento de *tomada de decisão*, fundamentado pela aplicação de outros instrumentos conforme o caso, como a avaliação de impacto ambiental, os parâmetros de qualidade ambiental, outorga do direito de uso dos recursos hídricos, bem como outros requisitos legais aplicáveis;
- é também um instrumento de *gestão ambiental*, na medida em que estabelece o quadro mínimo de objetivos a serem perseguidos ao longo das etapas de implantação, operação e desativação (se for o caso) dos empreendimentos.

Isso se reflete especialmente nas normas que orientam o processo de licenciamento ambiental atualmente em vigor. O processo de licenciamento, conforme instituído no país, desenvolve-se a partir de três etapas, cada qual com a sua finalidade específica, conforme dispõe a Resolução CONAMA nº 237/97 em seu artigo 8°:

- a Licença Prévia (LP), na qual se atesta a viabilidade ambiental dos empreendimentos e atividades submetidas ao licenciamento, após aprovação de sua localização e concepção tecnológica;
- a Licença de Instalação (LI), que aprova o detalhamento tecnológico ao nível do projeto executivo, com especial atenção às medidas (ações e programas) de controle de poluição e mitigação de impactos (o que inclui as medidas que eventualmente tiverem sido acordadas a partir dos processos de participação pública); e
- a Licença de Operação (LO), que é concedida após verificação da efetiva implantação de todas as medidas de controle e de mitigação de impactos definidas nas etapas anteriores, inclusive com a realização de testes para aferição de sua funcionalidade, se for o caso, e que deve ser renovada periodicamente.

Verifica-se, portanto, que a estrutura adotada no Brasil vincula o licenciamento ambiental à análise prévia da viabilidade ambiental dos empreendimentos. Assim, atestar a viabilidade ambiental dos projetos de empreendimentos e atividades previamente à sua implantação, e assegurar que as devidas medidas de adequação ambiental sejam implementadas ao longo das etapas de instalação e operação, constitui a finalidade precípua do licenciamento como instrumento de política e gestão do meio ambiente, o que confere à etapa de licenciamento prévio toda a responsabilidade pela efetividade da aplicação deste instrumento. Afinal, não há análise de viabilidade ambiental sem a consideração efetiva do aspecto locacional, cuja discussão ocorre basicamente ao longo da etapa de licenciamento prévio.

Além disso, conforme destacado por Agra Filho (2016), tendo em vista que a análise da viabilidade ambiental de um projeto deve considerar a resiliência e vulnerabilidade ambiental apresentadas em sua área de influência, a análise de alternativas tecnológicas que se mostrem compatíveis com as condições ambientais a serem preservadas ou recuperadas implica em identificar quais seriam as *melhores tecnologias disponíveis* a serem consideradas na concepção do projeto, com vistas ao pleno atendimento ao que estabelece a legislação.

A licença prévia deve, portanto, estabelecer os requisitos e condicionantes para que o empreendimento ou atividade seja considerado ambientalmente viável. Significa que, além das medidas de mitigação e controle propostas pelo empreendedor, cabe ao órgão ambiental definir — por meio da licença prévia — quais outros elementos devem ser incorporados ao projeto para assegurar a manutenção dos padrões de qualidade ambiental aplicáveis, tanto em termos de mitigação/controle dos impactos ambientais quanto como compensação pelos impactos negativos não mitigáveis. As etapas posteriores (licenciamento de instalação e de operação) apresentam, a rigor, uma relação diferenciada com a componente locacional da viabilidade ambiental, uma vez que são focadas essencialmente nos aspectos tecnológicos relacionados com a incorporação, pelos empreendimentos, de medidas de controle de poluição e mitigação de efeitos ambientais estabelecidas inicialmente.

Para emissão da licença de instalação, o órgão ambiental deve verificar a devida incorporação ao projeto do empreendimento das medidas de mitigação e controle estabelecidas na etapa anterior, bem como eventuais planos e programas para minimização de efeitos ambientais ou compensação que também tenham sido estabelecidos, sobretudo aqueles que tenham relação com a etapa de implantação do empreendimento. Por exemplo, supondo que o empreendimento envolva a instalação de dispositivos de condução de efluentes em área urbanizada até o local em que se pretende instalar uma estação de tratamento de esgoto, as medidas para assegurar a viabilidade ambiental do empreendimento poderão incluir a critério do órgão ambiental um plano de controle de interferências no sistema viário da cidade, procurando-se minimizar os efeitos sobre o trânsito ao longo das obras de implantação dos dispositivos.

Determinados empreendimentos, por suas características, apresentam já na etapa de implantação a necessidade de adoção de medidas de gerenciamento de impactos sobre o meio ambiente, incluindo-se nas suas respectivas licenças de instalação a exigência de medidas de monitoramento de impactos associados à implantação como, por exemplo, monitoramento de fauna para identificação de efeitos como o afugentamento de espécies, ou ainda monitoramento da qualidade das águas superficiais para verificação dos impactos decorrentes da execução de obras civis. Um bom exemplo desta situação remete à implantação da segunda pista da rodovia dos Imigrantes, que faz a ligação entre a cidade de São Paulo e o litoral, analisadas por Gallardo (2004) e Gallardo & Sánchez (2004) em termos da relação entre as medidas estabelecidas pela licença de instalação e as atividades relacionadas com a gestão ambiental do empreendimento durante esta etapa.

Por outro lado, no caso de empreendimentos com menor potencial para causar efeitos negativos, é comum que as exigências técnicas emitidas pelo órgão ambiental para fins de emissão da licença de instalação se resumam à descrição dos dispositivos de controle de poluição incorporados ao projeto do empreendimento. É o caso, tipicamente, de indústrias pertencentes ao setor metal-mecânico (indústrias de usinagem de metais, tratamento térmico, por exemplo) cujas atividades implicam no lançamento de efluentes, emissões atmosféricas, geração de resíduos sólidos, ruídos ou vibrações, cujas características e intensidade não implicam em degradação significativa da qualidade ambiental.[3]

Para emissão da licença de operação, o órgão ambiental deve verificar o atendimento às exigências e técnicas condicionantes estabelecidas nas etapas anteriores, que também incluem eventuais planos e programas para minimização de efeitos sobre o meio, ou medidas compensatórias. Além disso, de caráter absolutamente relevante para a gestão ambiental dos empreendimentos, a licença de operação estabelece as medidas de monitoramento e acompanhamento de efeitos sobre o meio, para verificação da efetividade das medidas de mitigação e controle de impactos. A licença de operação estabelece uma demarcação objetiva sobre as atividades que compõem o empreendimento licenciado, desde os insumos, matéria-prima, volume de produção, processos produtivos, resíduos gerados etc., bem como das medidas a serem obrigatoriamente integradas em seu sistema de gestão ambiental, de modo a assegurar a viabilidade (ambiental) ao longo de sua vida útil. A efetividade na implementação destas medidas será verificada ao longo do tempo pelo órgão ambiental, no momento da renovação das licenças de operação emitidas (com validade mínima de quatro e máxima de 10 anos, segundo a Resolução CONAMA 237/1997, ou de dois a cinco anos conforme estabelecido pela legislação paulista, Decreto Estadual 47.397/2002).

O LICENCIAMENTO AMBIENTAL E A DESATIVAÇÃO DE EMPREENDIMENTOS

A desativação de empreendimentos constitui uma etapa de grande interesse para a gestão ambiental, tendo em vista a possibilidade de geração de passivos ambientais significativos. Em função da falta de atenção por parte dos sistemas de licenciamento e fiscalização, atualmente são inúmeros os casos de identificação de áreas contaminadas decorrentes da desativação de atividades poluidoras sem a adoção de medidas adequadas para sua remediação e descontaminação. Em áreas urbanas de regiões industrializadas, além dos graves acidentes já registrados relacionados com áreas contaminadas, é muito comum que novos empreendimentos de parcelamento do solo para fins habitacionais se deparem com processos de investigação e remediação de áreas degradadas após a identificação (ao longo do levantamento de informações para o planejamento da ocupação) de passivos ambientais significativos decorrentes do encerramento inadequado das atividades anteriores.

Determinadas atividades têm como característica o fato de apresentarem um ciclo de vida útil facilmente identificável, em termos do tempo de exploração de seus atributos funcionais. É o caso, sem dúvida, da atividade de mineração, cujo ciclo de exploração está associado às possibilidades técnicas e econômicas para aproveitamento da jazida mineral, bem como de aterros de resíduos (domiciliares, industriais, de construção civil) por conta de sua capacidade limitada em termos do volume para disposição dos resíduos. Em decorrência, tais atividades recebem por parte dos órgãos ambientais um tratamento diferenciado, que exigem já na etapa de licenciamento prévio a apresentação de um plano de encerramento e recuperação de áreas degradadas. Com relação às demais, é possível apontar para a existência de um processo em curso para a adoção sistemática, por parte dos órgãos

ambientais, de medidas e procedimentos voltados para a eliminação dos passivos ambientais na fase de desativação ou encerramento das atividades, ou ainda ao longo de sua operação.

No estado de São Paulo, por exemplo, o Decreto Estadual 47.400/2002 estabelece que toda atividade sujeita ao licenciamento ambiental deve apresentar ao órgão ambiental um Plano de Desativação no momento do encerramento de suas atividades, a ser aprovado pelo órgão ambiental, contemplando a situação ambiental existente e, se for o caso, as medidas de restauração e recuperação da qualidade ambiental nas áreas que serão desativadas ou desocupadas. Como medida para assegurar o cumprimento desta norma, a legislação paulista estabelece que os órgãos estaduais responsáveis pelo encerramento formal das atividades somente poderão finalizar os processos de encerramento após a comprovação da apresentação, ao órgão ambiental, de um relatório (devidamente acompanhado de suas correspondentes Anotações de Responsabilidade Técnica) atestando o cumprimento das medidas estabelecidas no Plano de Desativação.

A legislação aplicada ao licenciamento no estado do Rio de Janeiro preconiza uma abordagem diferenciada para lidar com o passivo ambiental. Naquele estado, o Decreto Estadual 42.159/2009 estabelece que a remediação de áreas degradadas associadas a atividades já encerradas está sujeita à emissão da Licença Ambiental de Recuperação. No caso de serem identificados passivos ambientais ao longo da operação, a renovação da licença de operação se dará pela Licença de Operação e Recuperação, que incluirá a exigência de medidas de remediação/recuperação do passivo de modo concomitante à operação, desde que não haja risco à saúde da população ou dos trabalhadores.

29.6 MÉTODOS PARA AVALIAÇÃO DE IMPACTOS

A avaliação dos impactos ambientais associados a uma atividade deve ser conduzida dentro de um alto nível de rigor científico e metodológico, de modo a assegurar a relevância das informações apresentadas aos tomadores de decisão. Para tanto, deve-se atentar para que as ferramentas aplicadas à avaliação dos impactos sejam adequadas à situação e ao contexto em que serão aplicadas. Apresentam-se a seguir, conforme as colocações de Canter (1996), Therivel (2004), Glasson, Therivel & Chadwick (2005) e Noble (2006), e com base na organização apresentada por Oliveira, Montaño & Souza (2009), os métodos mais utilizados nas avaliações de impactos ambientais de empreendimentos.

---

[3]Tais atividades são enquadradas no estado de São Paulo como *atividades poluidoras* (Decreto Estadual 8.468/1976 e Decreto Estadual 47.397/2002), e seguem procedimentos de licenciamento ambiental baseados na caracterização das *entradas* (insumos, matéria-prima), *processos de fabricação*, e *saídas* (efluentes, emissões, resíduos sólidos, ruídos e vibrações), e descrição das *medidas de gerenciamento e controle* da poluição.

29.6.1 Julgamento de Especialistas

Aplicado em diversas situações e em diferentes etapas das avaliações de impacto: coleta de dados, análise e seleção de alternativas tecnológicas e locacionais, previsão de impactos e identificação de medidas mitigadoras. Os métodos *ad hoc* envolvem a identificação prévia das questões relevantes para posterior encaminhamento a especialistas, que podem sistematizar suas observações de diferentes modos como, por exemplo, empregando o Método Delphi – uma série de questionários aplicados de modo consecutivo até que se alcance consenso entre os especialistas em torno da questão em pauta.

Apresenta como pontos positivos os custos (em termos de tempo e de recursos financeiros) envolvidos em sua aplicação, em comparação com outros métodos que não necessariamente apresentam níveis de incerteza menores, além de estimular a troca de informações entre os participantes. Por outro lado, pode apresentar resultados tendenciosos dependentes do conjunto de especialistas participantes.

29.6.2 Listagens de Controle (ou Listagens de Verificação)

A maior parte das listas de controle é orientada para a identificação dos impactos potenciais sobre fatores ambientais (meios biofísico, social e econômico) considerados relevantes, diferenciando-se umas das outras pelo nível de sofisticação aplicado.

Listagens simples – de impactos normalmente associados a certas tipologias de empreendimentos, ou de fatores ambientais potencialmente afetados – são úteis para garantir que certos impactos não sejam negligenciados ao longo do processo de avaliação; listagens com questionários são amparadas por um conjunto de questões a serem respondidas, que podem incluir impactos indiretos, potenciais medidas mitigadoras, ou mesmo considerações a respeito da significância dos impactos apresentados; listagens com limites de significância constituem uma derivação em que se apresentam, juntamente com os impactos para cada componente do meio, uma referência quantitativa além da qual o impacto torna-se significativo (podendo-se incluir, ainda, indicações referentes ao horizonte temporal estimado para a duração dos impactos), o que a torna especialmente útil para a análise de alternativas.

29.6.3 Redes de Interação

Também denominada análise de causa-efeito, de consequência ou de cadeia de causalidades. Sua característica fundamental é o reconhecimento explícito de que o meio ambiente é composto por uma intrincada rede de relações entre seus componentes, e que muitos dos impactos causados por certas atividades ocorrem de modo destacado da atividade em si, indiretamente. As redes de interação têm como objetivo principal a identificação das interações fundamentais que caracterizam toda a cadeia de eventos que conduz aos efeitos negativos sobre o meio. Este método mostra-se particularmente eficaz para a identificação de consequências provocadas de modo não intencional pela atividade em análise e possíveis medidas para assegurar sua efetiva implementação, bem como para a identificação de efeitos cumulativos.

As redes de interação atualmente aplicadas têm sua fundamentação metodológica no trabalho de Sorensen (1971), elaborado para auxiliar os planejadores na identificação e solução de usos do solo conflitantes para seis fatores ambientais – água, clima, condições geofísicas, biota, condições de acesso e estéticas. A aplicação do método se inicia com a identificação das alterações potenciais sobre o meio que resultam de uma determinada ação, dispostas em um formato de matriz. Das alterações identificadas, resultam os impactos sobre o meio, identificados ao longo da cadeia de causalidade até que esta tenha sido rastreada para todos os impactos e alterações nas condições ambientais identificados, até a determinação de seus impactos finais.

Assim como as matrizes, as redes de interação elaboradas atualmente mostram-se significativamente simplificadas em relação à proposta inicial, sendo empregadas essencialmente para a identificação de impactos de ordem superior, sendo esta reconhecidamente a sua grande contribuição para a avaliação dos impactos.

29.6.4 Matrizes de Impacto

Da mesma forma que para as listagens de controle, as matrizes apresentam inúmeras possibilidades de variação, que lhes conferem diferentes graus de sofisticação. Todas elas derivam da matriz proposta pelo Serviço Geológico dos Estados Unidos a partir do trabalho de Leopold et al. (1971), baseada em uma lista de ações causadoras de impacto e de componentes ambientais sujeitos aos impactos causados, na qual se dispõem a magnitude e a significância das interações indicadas.

Constituindo o método mais utilizado para identificação de impactos de empreendimentos e atividades, as matrizes de impacto atualmente elaboradas são basicamente quadros bidimensionais de informação que dispõem em seus eixos os fatores ambientais afetados e as ações indutoras de impactos, compostas por elementos (atributos) que qualificam os efeitos prováveis sobre o meio – presença/ausência do impacto, magnitude, abrangência, importância, entre outros.

A Figura 29.5 apresenta um exemplo de uma matriz baseada na matriz de Leopold, elaborada a partir da identificação das ações e dos fatores ambientais potencialmente impactados para um empreendimento específico.

29.6.5 Índices de Impacto (Métodos Quantitativos)

Estes métodos procuram comparar a importância relativa dos impactos pelo ordenamento ponderado e posterior elaboração de um índice composto para os impactos. Os métodos desta categoria são derivados dos trabalhos desenvolvidos pelos laboratórios Battelle Columbus para agências federais norte-americanas para avaliar projetos de desenvolvimento em recursos hídricos, rodovias, usinas nucleares, dentre outros.

Um destes métodos – *Environmental Evaluation System* (Dee et al., 1973) – consiste de uma listagem de controle com 74 parâmetros ambientais, sociais e econômicos que possam ser afetados pela proposta avaliada. Assumindo que estes parâmetros possam ser exprimidos de modo quantitativo e que representam um aspecto da qualidade ambiental (por exemplo, a concentração de oxigênio dissolvido seria um indicador da qualidade do meio aquático), o método propõe a utilização de funções matemáticas (linear, quadráticas, logarítmicas etc.), estabelecidas por especialistas para expressar a relação entre a qualidade ambiental e cada parâmetro em uma escala numérica de 0 a 1 (do mais degradado para o menos degradado).

O impacto é determinado a partir da variação prevista para os escores atribuídos a cada um dos parâmetros, entre o estado inicial e a projeção para a situação futura. Para tornar os impactos comparáveis entre si, cada parâmetro recebe um peso relativo a seu grau de importância (novamente atribuídos após consulta a especialistas) normalizado em uma escala de 1.000 pontos, que são posteriormente multiplicados pelos valores de qualidade atribuídos anteriormente. Ainda que a quantificação aplicada à hierarquização dos impactos seja bastante atraente, especialmente do ponto de vista da comunicação com o público e para a tomada de decisão, sua relativa complexidade e consequente dificuldade de compreensão consiste no principal elemento de enfraquecimento deste método – o que aumenta a possibilidade de manipulação dos resultados.

29.6.6 Análise de Ciclo de Vida

Trata-se de um método consagrado no ambiente empresarial, voltado para a avaliação dos impactos ambientais associados a toda a cadeia produtiva de um produto ou serviço, ao longo de toda a sua vida — desde a extração da matéria-prima até o descarte final ou retorno ao processo produtivo (ver Capítulo 30). Aplicada no âmbito da avaliação de impacto ambiental de empreendimentos, possibilita avaliar todos os impactos associados a um determinado produto ou serviço, desde a sua concepção e desenvolvimento inicial até sua implementação, permitindo englobar toda a cadeia de impactos indiretos ou induzidos. Por suas características, a ACV mostra um grande potencial para ser empregada em estudos de alternativas tecnológicas, elemento indispensável para a análise de viabilidade ambiental.

Em termos metodológicos, envolve a realização de pelo menos quatro etapas: definição de objetivos, alternativas a serem avaliadas, limites dos sistemas, escopo etc. (por exemplo, comparações entre disposição de resíduos em aterro e possibilidades da coleta seletiva/reciclagem para os próximos 10 anos); elaboração de um inventário com a descrição das entradas (matéria-prima e energia) e saídas (emissões atmosféricas, lançamentos na água e no solo etc.) relevantes para cada uma das alternativas avaliadas; avaliação da magnitude e relevância dos impactos potenciais associados a cada uma das entradas e saídas identificadas, o que pode incluir o agrupamento dos dados em categorias de impacto (poluição hídrica, aquecimento global etc.), estabelecimento das relações entre os dados de inventário e as categorias de impacto, a quantificação dos impactos associados a cada alternativa; interpretação dos resultados para a indicação da alternativa escolhida, modificações a serem incorporadas pelas atividades, medidas mitigadoras etc.

29.6.7 Análise Multicriterial

Empregada para analisar e comparar o modo como diferentes alternativas podem alcançar diferentes objetivos, e orientar a indicação da melhor alternativa locacional e/ou tecnológica. Em termos metodológicos, envolve a escolha dos critérios de análise para os impactos e para as alternativas elencadas, a ponderação sobre o modo como cada alternativa afeta os critérios, atribuição de pesos para a importância dos impactos (normalmente conduzidas por um painel de especialistas), e a escolha de um método de integração dos

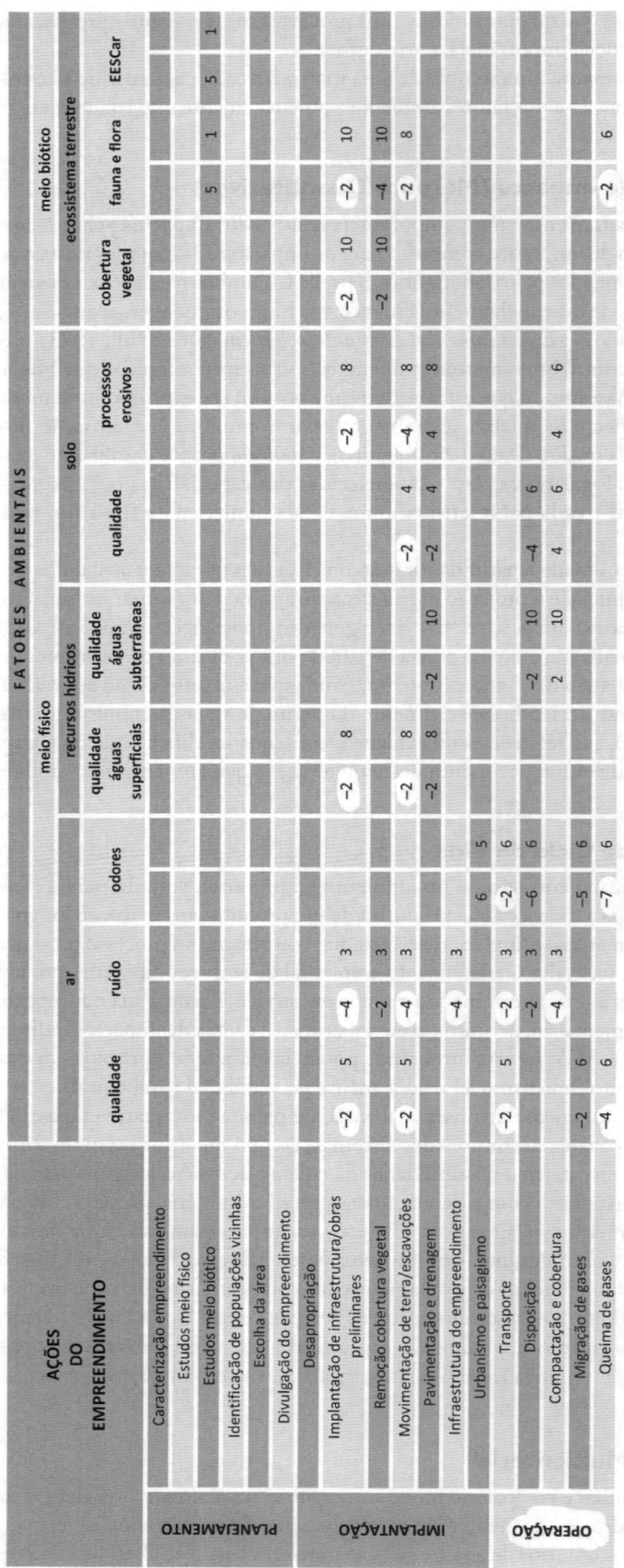

FIGURA 29.5 Extrato de matriz de impactos, baseada na proposta de Leopold et al. (1971).

diferentes valores e pesos relativos a cada uma das alternativas. Ao final, as alternativas são apresentadas de modo hierarquizado, em uma escala ordinal de valores, o que permite a sua comparação de imediato.

A atribuição de pesos para os diferentes critérios de análise é interessante, por refletir o reconhecimento de que algumas questões mostram-se mais relevantes do que outras, em função do contexto em que se apresentam. Por outro lado, configura um dos pontos mais vulneráveis deste método por possibilitar a manipulação dos resultados, bastante sensíveis à ponderação atribuída aos critérios. Pode ser empregada em conjunto com outros métodos, valendo-se das saídas relativas aos valores para ponderação dos impactos (por exemplo, aplicando-se um método para o estabelecimento quantitativo dos escores, como o método de Battelle), ou como metodologia de suporte para outras aplicações (por exemplo, a análise de vulnerabilidade descrita mais à frente).

29.6.8 Sobreposição de Informações/Mapas

Este método tem suas raízes estabelecidas por McHarg (1969). Permite identificar com certa clareza, dentre as áreas inseridas no território estudado, as que se mostram favoráveis à atividade ou empreendimento (apropriadas ou não para o seu desenvolvimento). As abordagens para sobreposição de mapas podem variar entre a combinação de restrições, em que os mapas indicam as áreas aptas (disponíveis) e inaptas (indisponíveis) para o desenvolvimento, e o estabelecimento de níveis de aptidão para a ocupação do território, cujas metodologias vêm sendo aprimoradas com o uso dos Sistemas de Informações Geográficas (ver Capítulo 25).

Apresenta como principal vantagem a grande compreensibilidade associada aos mapas e a facilidade de atualização das informações empregadas, inclusive para a geração e avaliação de novos cenários de desenvolvimento. Por outro lado, a elaboração de um banco de dados relacionados com as informações básicas pode ser uma atividade altamente consumidora de recursos (tempo e dinheiro).

Dada a facilidade de integração, este método tem sido aplicado em conjunto com outros métodos, com vistas à espacialização quantitativa dos impactos ambientais, (ver exemplo na Figura 29.6).

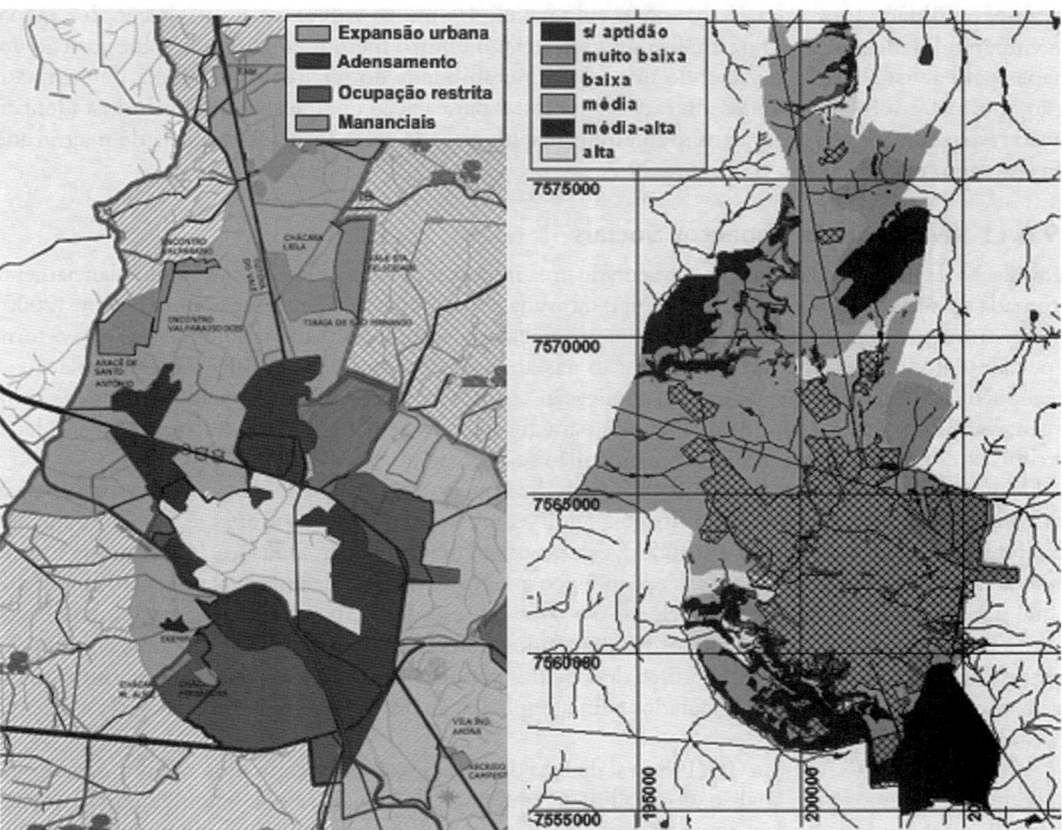

FIGURA 29.6 Sobreposição de informações (à direita) para visualização do potencial de impacto ambiental vinculado às diretrizes estabelecidas no Plano Diretor Municipal do município de São Carlos-SP (à esquerda). *Fonte: Montaño, Oliveira & Souza (2007).*

29.6.9 Análise de Custo-benefício (Valoração Ambiental)

A análise de custo-benefício focada na valoração ambiental tem como objetivo comparar o valor monetário dos benefícios associados à ação em análise com o valor de seus custos, auxiliando os tomadores de decisão a partir da tradução dos custos ambientais e sociais em uma unidade de medida consagrada e amplamente compreendida – o valor monetário. Em tese, os impactos seriam referenciados sobre uma mesma base, facilitando sua comparação.

A literatura descreve duas abordagens mais amplas para a aplicação de métodos de valoração econômica, nas quais se parte das preferências declaradas pelos indivíduos a partir de questionários aplicados (que incluem métodos de valoração contingente/disposição a pagar ou classificação de suas preferências), ou das preferências inferidas a partir de comportamentos individuais (custo de substituição, custo de viagem, preços hedônicos/valores imobiliários ou salários etc.). Suas principais desvantagens são o nível de generalização e incerteza com relação aos valores apresentados e associações efetuadas (por exemplo, a desvalorização de imóveis pode não estar associada a um aumento da poluição ambiental como frequentemente se assume), além da quantidade de dados necessários para a aplicação dos métodos.

29.6.10 Análise de Vulnerabilidade/Aptidão

Permite avaliar diferentes cenários de desenvolvimento quanto às implicações para a qualidade do meio sobre o qual podem ser implantados, considerando-se a vulnerabilidade como a integração da suscetibilidade dos diferentes fatores que compõem os sistemas ambientais diante da ação avaliada. De modo análogo, considera-se a aptidão como a propriedade inversa à vulnerabilidade, ou seja, áreas aptas são aquelas pouco vulneráveis a uma ação específica. Em termos metodológicos, envolve normalmente a integração com a análise multicriterial e as técnicas de geoprocessamento, em ambiente de SIG. Desenvolvida em quatro etapas: definição dos impactos e fatores ambientais para os quais a análise de vulnerabilidade será conduzida, a partir da ação avaliada; elaboração de mapas de vulnerabilidade para cada fator ambiental elencado que indiquem a sensibilidade do fator ambiental com relação ao impacto e o critério de avaliação utilizado para valorar o sistema, em classes de vulnerabilidade (por exemplo, 0 = não vulnerável; 4 = muito vulnerável); integração dos mapas de vulnerabilidade, por meio da análise multicriterial ou outro método analítico, e sobreposição dos mapas para a visualização espacial do nível de vulnerabilidade do território avaliado à determinada ação; por fim, a sobreposição das alterações esperadas para a ação em questão, permitindo a identificação (espacializada) dos impactos ambientais negativos e, de certa forma, sua escala de magnitude. Um exemplo é apresentado na Figura 29.7.

29.6.11 Avaliação de Impactos Sociais

A avaliação de impactos sociais tem apresentado uma importância crescente no contexto do planejamento e tomada de decisão, integrando-se ao campo da avaliação de impacto. Conforme aponta Barrow (2000), este instrumento tem atuação destacada na promoção da sustentabilidade ambiental – o que o torna especialmente interessante para a integração nas análises de viabilidade ambiental. Com relação ao arcabouço metodológico que orienta sua aplicação, verifica-se uma preferência pelas abordagens compreensivas e integradas, além de adaptações para abordagens sistêmicas para determinadas unidades territoriais como uma bacia hidrográfica ou região socioeconômica.

De qualquer maneira, um dos pontos principais diz respeito ao emprego de metodologias participativas para a identificação e previsão dos impactos tendo como base os efeitos sobre aspectos demográficos, econômicos, simbólicos (valores e atitudes), essenciais em determinadas situações. Constituinte importante do sistema ambiental, o meio socioeconômico integra a avaliação de impactos no sistema brasileiro, o que significa que este deveria condicionar o escopo dos estudos ambientais e integrar a linha de base sobre a qual os impactos serão identificados e avaliados. Conceitualmente, deve-se procurar informações sobre as necessidades, aspirações e estilos de vida das populações envolvidas, buscando a compreensão das consequências sobre os locais afetados com a implantação do empreendimento, de modo a orientar o processo decisório.

A Resolução CONAMA nº 01/1986 estabelece diretrizes para elaboração dos estudos de impacto ambiental elaborados para análise da viabilidade ambiental de projetos de desenvolvimento. Em seu artigo 1º, a resolução considera impacto ambiental como sendo as alterações nas propriedades físicas, químicas ou biológicas provocadas por atividades humanas, que afetam: a saúde, segurança e bem-estar

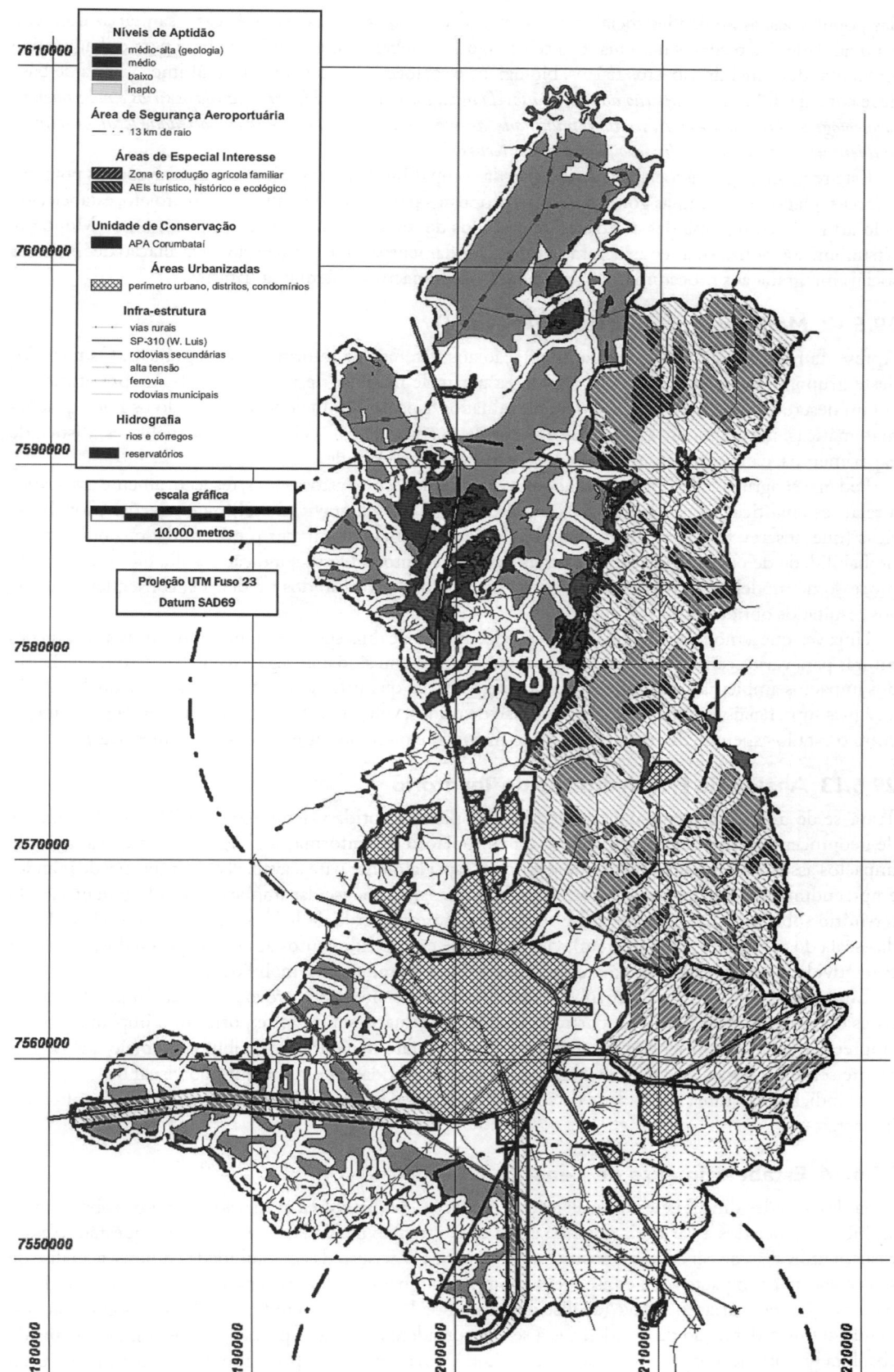

Figura 29.7 Análise de vulnerabilidade/aptidão à implantação de aterro sanitário para o município de São Carlos-SP. *Fonte: Montaño et al. (2012).*

das populações; as atividades sociais e econômicas; a biota; as condições estéticas e sanitárias do meio; e a qualidade dos recursos naturais. Em seu artigo 6º, estabelece que a linha de base para o diagnóstico ambiental deve incluir aspectos físicos, biológicos e socioeconômicos. Para este último, a linha de base deve considerar "*o uso e ocupação do solo, os usos da água e a socioeconomia, destacando os sítios e monumentos arqueológicos, históricos e culturais da comunidade, as relações de dependência entre a sociedade local, os recursos ambientais e a potencial utilização futura desses recursos*".

Este requisito legal, associado à verificação da compatibilidade do projeto em análise com as políticas setoriais, planos e programas governamentais propostos para a área de influência do projeto, estabelecida pelo artigo 5º como uma das diretrizes dos estudos de impacto ambiental, compõem o que Montaño, Utsunomiya e Souza (s/d) consideram serem os fundamentos para a utilização da avaliação de impactos sociais integrada aos procedimentos de avaliação de impacto ambiental no Brasil.

29.6.12 Modelagem Matemática (Previsão)

Apresentam grande afinidade para a integração aos sistemas de informações geográficas. Os métodos deste grupo, desenvolvidos, em sua maioria, a partir de modelos aplicados em AIA de projetos, procuram descrever o comportamento de determinados aspectos do meio valendo-se do uso de equações matemáticas, normalmente elaboradas a partir de postulados e leis científicas ou análise estatística de experimentos, e que apresentam diferentes graus de complexidade.

Podem ser agrupados em torno de modelos determinísticos ou estocásticos, respectivamente associados a relações analíticas fixas (como a relação entre massa e força gravitacional) ou a relações probabilísticas (que descrevem o grau de probabilidade de ocorrência de um certo evento dado o número e a probabilidade de ocorrência de um certo número de eventos). Dessa condição resulta o ponto fraco do processo de modelagem: o grau de incerteza associado à aplicação dos modelos e, consequentemente, aos resultados obtidos.

Uma vez que a modelagem envolve o estabelecimento de uma série de hipóteses relativas às condições futuras para vários cenários, os modelos computacionais têm sido empregados com sucesso na avaliação dos impactos ambientais de projetos para a determinação quantitativa de impactos sobre a qualidade do ar, águas superficiais e subterrâneas, propagação de ruídos, volume de tráfego etc., a partir da comparação entre o estado esperado do meio (sem a ação prevista) e o estado futuro do meio (com a ação).

29.6.13 Análise de Fragmentação do Território

Trata-se de uma abordagem cuja potencialidade plena é obtida valendo-se da utilização de técnicas de geoprocessamento para o tratamento e manipulação das informações. Aplicada para avaliação de impactos associados à fragmentação do território, especialmente para a avaliação de impactos de grandes empreendimentos lineares de infraestrutura. Voltada para a análise das implicações da fragmentação do território sobre as estratégias de conservação da natureza (perda de habitats); paisagem (pela redução da escala dos elementos de paisagem); viabilidade de empreendimentos agrícolas (pela redução do custo-efetividade em comparação com as grandes unidades produtivas); mobilidade etc.

Em termos metodológicos, envolve a identificação das alterações provocadas pela implantação das redes de infraestrutura lineares a partir da análise das situações anterior e posterior à implantação dos empreendimentos. Apresenta como pontos positivos o fato de lidar com atributos do meio que dificilmente seriam tratados de uma outra forma, além da capacidade de representação visual dos impactos, o que indica uma ampla capacidade de servir de suporte à aplicação de outras técnicas para análise dos impactos.

29.6.14 Estabelecimento de Cenários

Uma das grandes dificuldades da avaliação de impactos é lidar com a avaliação de efeitos sobre o meio ambiente associados a variáveis que não estão diretamente vinculadas à atividade em questão. Nesses casos, a utilização de cenários se mostra essencial para a descrição das possibilidades futuras, a análise de seus respectivos impactos, e a consequente comparação para diferentes cenários gerados simulando-se modificações em variáveis-chave (análise de sensibilidade), inclusive em termos de efeitos cumulativos. Sendo assim, a definição das tendências a serem consideradas para as previsões constitui uma etapa de absoluta importância para a aplicação deste método, uma vez que são peças fundamentais na construção dos cenários (ver exemplo na Figura 29.8). A aplicação deste método traz como vantagens a geração de dados mais realistas, inclusive refletindo as incertezas associadas, facilitando a observação do princípio da precaução.

FIGURA 29.8 Projeção (cenário) da pressão sobre fragmentos florestais (em preto) para um cenário de urbanização estabelecido para o ano de 2019 (cinza-escuro), município de São Carlos-SP. *Fonte: Montaño e Souza (2007)*

29.6.15 Avaliação de Risco

O tema do risco ambiental tem sido abordado de diferentes modos, segundo diferentes métodos e por diferentes disciplinas, conforme será visto no Capítulo 31. Com relação à inclusão do risco no campo da avaliação de impactos, destacam-se pelo menos duas abordagens complementares, associadas aos domínios das ciências sociais e da engenharia. Do ponto de vista das ciências sociais, o risco tem sido tratado como um elemento presente no cotidiano das sociedades modernas, que têm no risco um elemento intrínseco ao processo de desenvolvimento tecnológico (Beck, 1992) e, portanto, reagem e se adaptam conforme sua influência. De acordo com Veyret (2007), trata-se de um objeto social inicialmente percebido individualmente, associado a elementos de ordem natural, bem como às diversas atividades executadas pelo Homem e aos empreendimentos em geral.

No campo da avaliação de risco ambiental, verifica-se um amplo domínio do aspecto técnico, o que reduz o risco a um elemento de origem essencialmente tecnológica que, de acordo com Sánchez (2006), pode ser classificado como crônico (em que a exposição ao risco ocorre de forma contínua ao longo do tempo, como o lançamento de um determinado poluente atmosférico) ou agudo (exposição imediata ao fator de risco, ocasionada por algum tipo de acidente).

Sob esse ponto de vista, sua materialização objetiva está sempre associada à ação humana, seja por conta de uma falha de projeto (em um determinado equipamento ou dispositivo de segurança) ou operacional (por imperícia ou pela inobservância de um determinado protocolo de segurança). Um exemplo é apresentado na Figura 29.9. O risco é tecnicamente definido como o resultado do produto entre a probabilidade de ocorrência de um evento considerado potencialmente perigoso e a extensão dos danos provocados (que variam entre prejuízos materiais, financeiros, danos à saúde e aos ecossistemas ou, no limite, a perda de vidas humanas).

Segundo a *Society for Risk Analysis* (SRA), uma instituição profissional interdisciplinar, fundada em 1981, nos Estados Unidos, voltada à análise, gerenciamento e comunicação dos riscos, risco é o potencial da realização de uma consequência adversa e indesejada à vida humana, saúde, propriedade, ou ao meio ambiente. Vista dessa forma, a avaliação de risco proporciona uma forma prática de análise do problema, segundo regras estatísticas, que expressa as probabilidades de ocorrência de todos os possíveis valores de cada parâmetro avaliado.

A despeito das técnicas desenvolvidas para o estabelecimento do risco ambiental, sua definição é envolta em aspectos bastante polêmicos, levando em conta, inclusive, o grau de subjetividade relacionado com o estabelecimento de "patamares aceitáveis" para o risco. Seja como for, associado a empreendimentos que operam atividades de risco, há sempre uma parcela objetiva de modificação das condições ambientais no entorno de sua localização que, independentemente de parâmetros probabilísticos, provocam restrições quanto ao uso do solo e, portanto, devem ser avaliados (ver caso ilustrado na Figura 29.10).

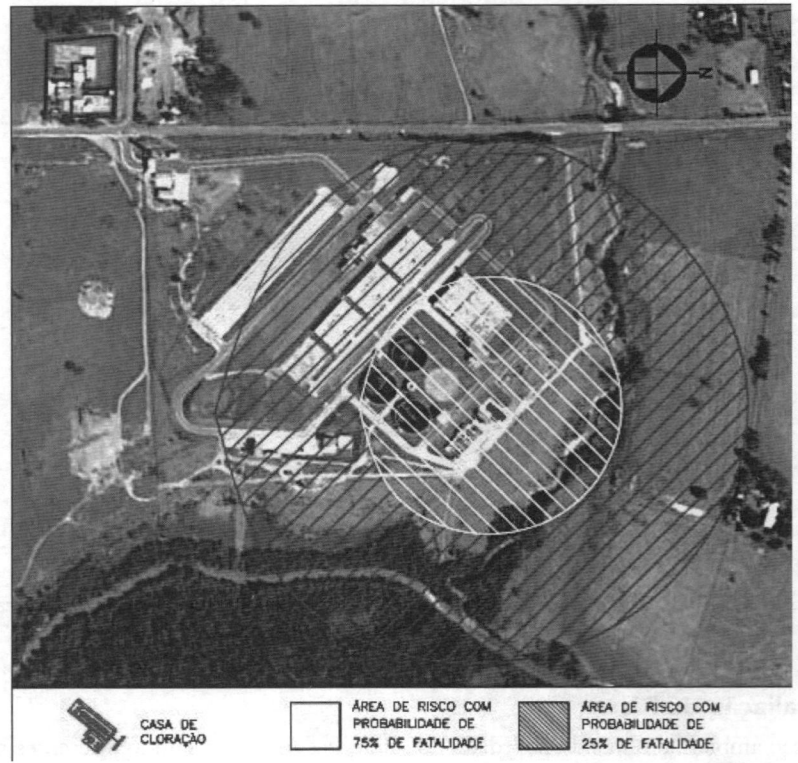

FIGURA 29.9 Indicação das áreas de influência para 75% e 25% de fatalidade considerando-se a possibilidade de rompimento de cilindro para armazenamento de gás cloro em unidade de cloração de ETE. *Fonte: Kramer (2010).*

FIGURA 29.10 Incompatibilidades com o uso do solo nas proximidades de duto implantado em Ribeirão Preto-SP. *Fonte: Souza, Montaño & Oliveira (2007).*

29.7 VIABILIDADE AMBIENTAL E GESTÃO DE EMPREENDIMENTOS

Como visto, a análise de viabilidade ambiental tem como fundamento o estabelecimento dos requisitos de desempenho ambiental a serem incorporados aos projetos de empreendimentos e atividades tendo em vista a manutenção dos padrões de qualidade, previamente à sua implantação. Uma vez que tais requisitos são formalizados por meio do licenciamento ambiental, tornando-se obrigatórios, este desempenho deve ser ao menos mantido durante a implantação e entrada em operação da atividade, e continuamente ao longo do tempo.

Tomando como base a proposição de Souza (2000), vista na Figura 29.11, para o delineamento de um sistema de gestão ambiental, verifica-se que a análise de viabilidade ambiental ocupa uma posição central entre os componentes que integram tal sistema. A partir das informações relacionadas com

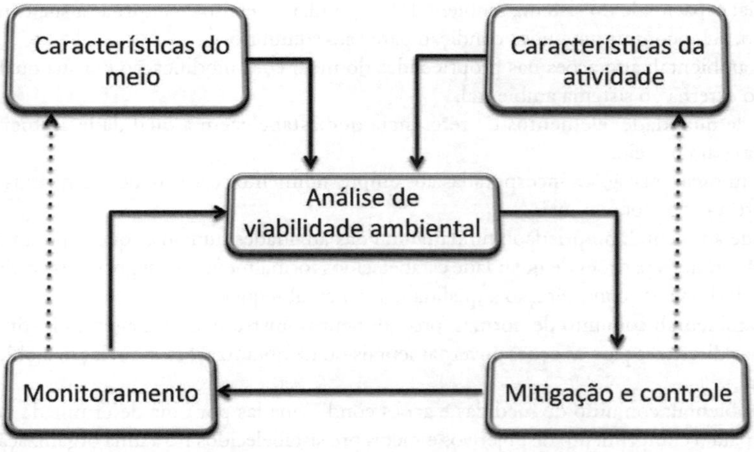

FIGURA 29.11 Viabilidade e gestão ambiental. *Fonte: Modificado de Souza, 2000.*

as características do meio (*estado*) combinadas com a descrição dos processos e atividades associados ao empreendimento[4] (*pressão*), e por meio da aplicação de técnicas de análise ambiental, chega-se à identificação das alterações a serem provocadas sobre o meio (*impactos*).

Uma vez identificados e descritos, os impactos ambientais devem ser confrontados com os *requisitos de desempenho ambiental* estabelecidos pelos padrões de qualidade. A partir daí, têm-se as condições adequadas para o estabelecimento das medidas a serem incorporadas aos projetos para a mitigação e o controle dos efeitos sobre o meio causados pelo empreendimento, de modo a garantir a sua *viabilidade ambiental* e amparar o deferimento — pelo órgão ambiental — do pedido de licença prévia.

Tais medidas devem ser incorporadas ao sistema de gestão ambiental da organização, uma vez que também estarão vinculadas às licenças ambientais que autorizam a implantação e operação do empreendimento. Desta forma, serão incorporadas como requisitos de desempenho a serem alcançados para a manutenção da validade das licenças ambientais e, a partir do monitoramento de sua efetividade, para demonstração da *conformidade legal* por parte das organizações.

Os dados obtidos por meio do monitoramento realimentam o sistema de gestão ambiental das organizações, por meio de um processo contínuo, além de serem integrados aos bancos de dados dos órgãos de planejamento e gestão. Caso indiquem desconformidade em relação ao desempenho ambiental estabelecido, o sistema de gestão deverá reavaliar os aspectos e impactos ambientais em busca de ajustes nas medidas de mitigação e controle, tendo em vista a manutenção de sua conformidade.

Em situações extremas, os dados do monitoramento indicarão aos gestores públicos que o estado do meio passa a ser tal que não haverá mais possibilidade de suportar os efeitos derivados do empreendimento (ou conjunto de empreendimentos) em questão, sinalizando aos órgãos ambientais pela necessidade de cancelamento das licenças emitidas (o que é amparado pela legislação aplicada) ou adoção de medidas estratégicas de gestão para o território.

REVISÃO DOS CONCEITOS APRESENTADOS

Como visto neste capítulo, a viabilidade ambiental encerra um conceito que se ampara em diferentes elementos teóricos e aplicados, provenientes de diferentes campos do conhecimento, que orientam as ações no campo da política e da gestão ambiental. Destacam-se os seguintes:

- sistema ambiental: conjunto de elementos, organismos, indivíduos, propriedades, ciclos, fluxos de matéria e energia etc. que interagem entre si e estabelecem relações de modo a manter condições propícias à manutenção e ao desenvolvimento de suas atividades, inclusive se relacionando com outros sistemas.
- resistência ambiental: capacidade do sistema ambiental de manter sua estrutura e funções diante de uma pressão externa.
- capacidade de suporte: capacidade dos sistemas ambientais de suportar uma determinada demanda em termos de produtividade primária de modo a manter uma determinada população; relaciona-se com a razão entre a energia primária disponível e a energia necessária para sustentar todas as estruturas e funções básicas do sistema.

---

[4]Tais atividades ou processos são também chamados, no jargão já incorporado ao universo da gestão ambiental de organizações, de *aspectos ambientais*.

- resiliência: capacidade do sistema ambiental de assimilar os efeitos e retornar à sua condição anterior de equilíbrio, ou encontrar uma nova condição para este equilíbrio.
- impacto ambiental: alterações nas propriedades do meio com modificação em sua qualidade, a partir de uma ação externa ao sistema ambiental.
- padrões de qualidade: elementos de referência que estabelecem a qualidade ambiental admitida (ou requerida) para o meio.
- medidas mitigadoras: ações incorporadas aos empreendimentos e atividades com vistas à diminuição dos efeitos provocados sobre o meio.
- viabilidade ambiental: propriedade fundamental das atividades humanas, que expressa a possibilidade de adequação frente a padrões de qualidade estabelecidos formalmente ou negociados entre as partes interessadas, levando-se em consideração a qualidade ambiental requerida.
- política ambiental: conjunto de normas, procedimentos, instrumentos e agentes institucionais que estabelecem as diretrizes para as ações governamentais ou de organizações em relação a objetivos de natureza ambiental.
- gestão ambiental: conjunto de medidas e ações condicionadas por uma determinada política ambiental, voltadas para o cumprimento de objetivos e metas pré-estabelecidos para uma organização ou para a esfera pública.

SUGESTÕES DE LEITURA COMPLEMENTAR

- Para aprofundamento dos princípios e conceitos que fundamentam a abordagem ecossistêmica, veja Odum, E. P., Barrett., G. W. (2007) *Fundamentos de Ecologia*. São Paulo, Thomson Learning.
- Para compreensão dos aspectos que envolvem a geração de passivos ambientais a partir da desativação de empreendimentos, veja Sánchez, L. E. (2001) *Desengenharia*: o passivo ambiental na desativação de empreendimentos industriais. São Paulo: Edusp.
- Com relação aos diferentes aspectos que cercam o tema da sustentabilidade e desenvolvimento sustentável, recomenda-se a leitura de Foladori, G. (2001) *Limites do desenvolvimento sustentável*. Campinas: Ed. Unicamp; Sachs, I. (2007) *Rumo à ecossocioeconomia* - teoria e prática do desenvolvimento. São Paulo: Cortez; Nobre, M., Amazonas, M. C. (2002) *Desenvolvimento sustentável*: a institucionalização de um conceito. Brasília: Ed. IBAMA.

Referências

BARROW, J. (2000) *Social Impact Assessment* – an introduction. Londres: Arnold Publishers.

BECK, U. (1992) *Risk Society*: towards a new modernity. Londres: Sage Publications.

CANTER, L. (1996) *Environmental Impact Assessment*. 2ª edição. Nova Iorque: McGraw-Hill.

DEE, N., BAKER, J.K., DROBNY, N.L., DUKE, K.M., WHITMAN, I., FAHRINGER, D.C. (1973) *An environmental evaluation system for water resources planning*. Water resources research, 3, 523-535.

GALLARDO, A.L.C.F. (2004) Análise das práticas de gestão ambiental da construção da pista descendente da Rodovia dos Imigrantes. Tese (Doutorado). Escola Politécnica da Universidade de São Paulo.

GALLARDO, A.L.C.F., SÁNCHEZ, L.E. (2004) Follow-up of a road building scheme in a fragile environment. *Environmental Impact Assessment Review*, Nova York, v. 24, n. 2, p. 47-58.

GLASSON, J., THÉRIVEL, R., CHADWICK, A. (2005) *Introduction to Environmental Impact Assessment*. 3ª edição, Londres: Routledge.

GRANZIERA, M.L.M. (2003) *Direito de águas*– disciplina jurídica das águas doces. 2ª Edição. São Paulo: Atlas.

IBAMA (2002) *GEO Brasil 2002* – Environmental Outlooks in Brazil. Org: Santos, T.C. C., Câmara, J.B. D. Brasília: Editora IBAMA.

KRAMER, C.R. (2010) *Estudo de avaliação de risco aplicado à Estação de Tratamento de Esgotos de São José do Rio Preto-SP.* Monografia de conclusão de curso (Engenharia Ambiental). Escola de Engenharia de São Carlos, Universidade de São Paulo.

LEOPOLD, L.B., CLARKE, E.E., HANSHAW, B.B., BALSLEY, J.R. (1971) A *procedure for evaluating environmental impact*. US Geological Survey Circular, 645: Washington, DC.

MACHADO, P.A.L. (1996) *Direito ambiental brasileiro*. 6ª edição. São Paulo: Malheiros.

MAY, P., LUSTOSA, M.C., VINHA, V. (orgs.) (2003) *Economia do meio ambiente* - teoria e prática. Rio de Janeiro: Campus.

MCHARG, I.L. (1969) *Design with nature*. 25th Anniversary Edition [1992]. Nova Iorque: John Wiley and Sons.

MONTAÑO, M., OLIVEIRA, I.S.D., SOUZA, M.P. (2007) *O estabelecimento da base de referência ambiental como fundamento para a viabilidade de ocupação do território*. In: Congresso Brasileiro de Engenharia Sanitária e Ambiental, 24, 2007, Belo Horizonte. Anais.. Belo Horizonte: Editora da Universidade Federal.

MONTAÑO, M., RANIERI. V.E.L., SCHALCH, V., FONTES A.T., CASTRO, M.C.A.A., SOUZA, M. P (2012) Integração de critérios técnicos, ambientais e sociais em estudos de alternativas locacionais para implantação de aterro sanitário. Revista Engenharia Sanitária e Ambiental, v. 17, p. 61-70, ABES: Rio de Janeiro.

MONTAÑO, M., SOUZA, M.P. (2007) *Land use and cover change (LUCC) model and environmental policy tools applied to regional planning*. Proceedings. 10th International Conference on Computers in Urban Planning and Urban Management. Foz do Iguaçu, julho de 2007.

MONTAÑO, M., SOUZA, M.P. (2008) A viabilidade ambiental no licenciamento de empreendimentos perigosos no Estado de São Paulo. *Eng. Sanit. Ambient.*, vol.13, nº 4, p.435-442.

MONTAÑO, M., UTSUNOMIYA, R., SOUZA, M.P. (2012) *Social Impact Assessment in Brazil*. Submetido à *Environmental Impact Assessment Review*.

NOBLE, B. (2006) *Introduction to environmental impact assessment*: a guide to principles and practice. Oxford: Oxford University Press.

ODUM, E.P., BARRETT., G.W. (2007) *Fundamentos de Ecologia*. São Paulo: Thomson Learning.

OLIVEIRA, I.S.D., MONTAÑO, M., SOUZA, M.P. (2009) *Avaliação Ambiental Estratégica*. São Carlos: Suprema.

SACHS, I. (2007) *Economia e ecologia. In*: VIEIRA, P.F. (org.). Rumo à ecossocioeconomia – teoria e prática do desenvolvimento. São Paulo: Cortez.

SÁNCHEZ, L.E. (2006) *Avaliação de Impacto Ambiental*: conceitos e métodos. São Paulo: Oficina de Textos.

SORENSEN, J.C. (1971) *A framework for the identification and control of resource degradation and conflict in multiple use of the coastal zone*. Berkeley: Department of Landscape Architecture, University of California.

SOUZA, M.P. (2000) *Instrumentos de gestão ambiental*: fundamentos e prática. São Carlos: Riani Costa.

SOUZA, M.P., MONTAÑO, M., OLIVEIRA, I.S.D. (2007) *A desconformidade no licenciamento ambiental do traçado do gasoduto Gás Brasiliano distribuidora no estado de São Paulo*. In: Congresso Brasileiro de Engenharia Sanitária e Ambiental, 24, 2007, Belo Horizonte. Anais.. Belo Horizonte: Editora da Universidade Federal.

THERIVEL, R. (2004) *Strategic environmental assessment in action*. Londres: Earthscan.

VEYRET, Y. (org.) (2007) *Os riscos*: o homem como agressor e vítima do meio ambiente. São Paulo: Editora Contexto.

GESTÃO AMBIENTAL DE EMPRESAS

30

Aldo Roberto Ometto / Americo Guelere Filho / Renata Bovo
Peres / Camila dos Santos Ferreira

Este capítulo, que apresenta os conceitos e as principais práticas de Gestão Ambiental Empresarial, é estruturado em três partes. Inicialmente, discute-se a evolução da gestão ambiental de empresas com base em seus principais conceitos, aplicações e motivadores. Em seguida, apresentam-se as normas da série ISO 14.000, de gestão ambiental, com foco na ISO 14.001. A terceira parte aborda duas aplicações da gestão ambiental empresarial: uma ao processo de produção, com destaque para os procedimentos do programa de Produção Mais Limpa, e outra à gestão do ciclo de vida, com destaque para o ecodesign e a avaliação do ciclo de vida.

30.1 INTRODUÇÃO

As ações das empresas em prol da sustentabilidade estão na pauta dos meios de divulgação, relatórios empresariais e trabalhos acadêmicos. Muitos desses trabalhos trazem expressões como "boas práticas empresariais", "sustentabilidade corporativa", "empresas socialmente responsáveis", entre outros termos que surgem no meio acadêmico e na mídia. Sem dúvida, este é o momento da história, nacional e internacional, em que o setor empresarial mais procura desenvolver e divulgar ações que apresentem uma mudança de postura com vistas a prevenir e minimizar os danos causados ao meio ambiente. Isso advém, principalmente, de medidas de punição (advindas das legislações e de órgãos fiscalizadores) ou de prêmios, obtidos por ganhos em produtividade, imagem, melhor relação com os clientes, fornecedores e demais partes interessadas (*stakeholders*).

Nesse sentido, ao mesmo tempo em que surgiram exigências e obrigações ao setor empresarial, começaram a ser estudadas novas técnicas, procedimentos e estratégias de gestão ambiental que pudessem auxiliar as empresas a compreender o que realmente significa desenvolver ações visando à melhoria ambiental da empresa ("intramuros"), considerando as escalas local, regional e mesmo global ("extramuros").

Essas práticas procuraram, também, mostrar que melhorias ambientais podem trazer, como consequências, economia de recursos e ganhos econômicos à empresa. Assim, o desafio em incorporar um **Sistema de Gestão Ambiental Empresarial** começou a se tornar ainda mais interessante para um setor que tem o lucro como seu principal objetivo. Desse modo, na visão empresarial, a inclusão da questão ambiental no negócio deve ser vista como uma oportunidade competitiva e um diferencial estratégico, podendo se tornar um fator determinante para o sucesso ou o fracasso das organizações, a fim de buscar não apenas a satisfação imediata do cliente, mas sim da sociedade atual e das gerações futuras (Pereira & Tocchetto, 2004).

Para isso, a gestão ambiental empresarial deve ser organizada de modo a incluir as questões ambientais nas principais decisões estratégicas e operacionais de responsabilidade da empresa, de acordo com as premissas da sustentabilidade. Dependendo da estrutura organizacional da empresa, a gestão ambiental pode proporcionar soluções integradas às diversas áreas funcionais (produção, comercial, recursos humanos, financeira, contabilística e marketing) ou junto aos principais processos de negócios (planejamento estratégico, desenvolvimento de tecnologia, desenvolvimento de produto, entrega do produto, entre outros), com o objetivo de evitar que impactos ambientais ocorram.

Portanto, para que a gestão ambiental empresarial seja efetiva, ela não pode ser realizada de modo paralelo às principais áreas funcionais da empresa e aos seus principais processos de negócios operacionais e estratégicos, ou se organizar somente para reparar os danos ambientais cometidos por decisões técnicas e gerenciais que não contemplaram essa área do conhecimento (a área ambiental). Pelo seu **caráter preventivo**, ela precisa ser estruturada de modo a participar efetivamente nas principais decisões dessas áreas ou processos.

Os ganhos corporativos com a inclusão da gestão ambiental de modo eficaz incluem a otimização dos processos de produção, a inovação baseada em melhorias ambientais, a melhoria da imagem institucional, um ambiente de trabalho com menor risco, entre outros. Essas e outras conquistas não são atingidas por ações isoladas e nem pelo chamado *greenwashing*, quando a empresa se declara sustentável, mas não aplica atitudes sustentáveis em suas operações e negócios.

Percebe-se, portanto, que há ganhos econômicos, ambientais e sociais com a adoção da gestão ambiental empresarial, não como uma área ou processo isolado, mas por meio de uma **gestão integrada** com as decisões empresariais. Isso pode gerar possibilidades de melhorias da sustentabilidade na empresa, incluindo o produto, com benefícios para a sociedade em geral. Para isso, uma forma de gestão ambiental mais aberta, com a participação de outras partes interessadas, como a Academia e as ONGs, pode auxiliar essa conquista.

Entretanto, esse tema ainda sustenta muitas dúvidas e indagações: Por onde começar a gestão ambiental empresarial? Quais são as práticas mais modernas e eficazes? Quais são as etapas? Como conduzi-las? Como medir e avaliar o progresso obtido? Este capítulo procura responder a algumas dessas indagações, mostrando a evolução da gestão ambiental empresarial, a série de normas internacionais ISO 14.000 e as aplicações da gestão ambiental ao processo de produção e ao ciclo de vida do produto, que inclui desde a extração da matéria-prima até o seu retorno.

30.2 EVOLUÇÃO DAS PRÁTICAS DE GESTÃO AMBIENTAL EMPRESARIAL

Este tópico aborda o desenvolvimento histórico das práticas de gestão ambiental de empresas, incluindo seus principais motivadores, limitações e benefícios.

Antes do surgimento de leis ambientais, o meio físico (ar, água e solo) era encarado como sendo livremente disponível para receber os resíduos advindos das atividades antrópicas, o que para a época não era tão problemático quanto hoje, uma vez que a população era esparsa e havia bem menos produtos industrializados em comparação com os dias atuais (Bulchholz, 1998). Nesse contexto, o comportamento das empresas associava-se a uma **estratégia passiva**, uma vez que elas se limitavam a diluir e dispersar os poluentes gerados.

Segundo Sánchez (2001), as primeiras leis que visavam enfrentar a temática da poluição surgiram em países industrializados a partir de meados do século XX e focavam, primordialmente, no controle de emissões de poluentes, sendo, dessa forma, de **caráter notadamente corretivo**. Nos Estados Unidos, por exemplo, a Lei do Ar Puro e da Água Pura somente foi estabelecida na década de 1960 (Callenbach et al., 1993).

Como forma de se adequar aos **instrumentos legais de comando e controle**, as empresas passaram a adotar, a partir da década de 1960 e 1970 as soluções tecnológicas conhecidas como **"fim de tubo"**, ou seja, buscavam controlar e tratar suas emissões atmosféricas, efluentes líquidos e resíduos sólidos por meio de sistemas de tratamento, sem alterar os processos de produção ou os produtos. As ações eram focadas, por exemplo, no tratamento e disposição de resíduos, na instalação de filtros em chaminés e na construção de estações de tratamento de efluentes líquidos. Além disso, algumas ações de remediação, como de solo contaminado, também complementavam as ações à época.

Essas **ações reativas** não traziam retorno econômico à empresa, somente custos, pois o gasto era relacionado com os resíduos, emissões e efluentes, e não se caracterizava como um investimento no processo produtivo ou no produto. A empresa somente realizava tais ações porque era obrigada pela legislação.

A década de 1980 foi o marco do aumento, em escala planetária, da consciência ambiental e, também, da mudança no comportamento das empresas no tocante à gestão ambiental. Essa mudança teve alguns motivadores que despertaram o **valor ambiental** nas pessoas, a partir da ocorrência de episódios de grandes impactos ambientais, como Seveso, Bhopal, Chernobyl e Basel.

Além disso, a postura empresarial com relação à área ambiental começou a mudar, visto que "*os gastos com proteção ambiental começaram a ser vistos pelas empresas líderes não primordialmente como custos, mas sim como investimentos no futuro e, paradoxalmente, como vantagem competitiva. A atitude passou de defensiva e reativa para ativa e criativa*" (Callenbach et al., 1993). Essa mudança de atitude, deveu-se, em grande parte, à constatação dos reais custos associados ao tradicional gerenciamento de resíduos, uma vez que, além dos custos contabilizados com o tratamento e disposição, havia outros custos relacionados e que, usualmente, não eram contabilizados, por exemplo, perda de matérias-primas, gastos com água e energia, não conformidades legais e normativas e aqueles relacionados com a imagem da empresa (custos intangíveis). Sob esse viés econômico, segundo dados do *United Nations Environmental Program (Unep)*, de forma geral, para cada US$ 1 contabilizado com tratamento ou disposição de resíduos, há outros US$ 2-3 "escondidos" ou simplesmente ignorados, sendo essa constatação válida inclusive para empresas grandes e bem gerenciadas (UNEP, 2004).

Foi nesse contexto que algumas indústrias passaram a adotar estratégias que visavam a reduzir a quantidade de resíduos gerados por meio de técnicas de reutilização, reciclagem (interna ou externa ao processo) e recuperação de materiais, como ilustrado na Figura 30.1.

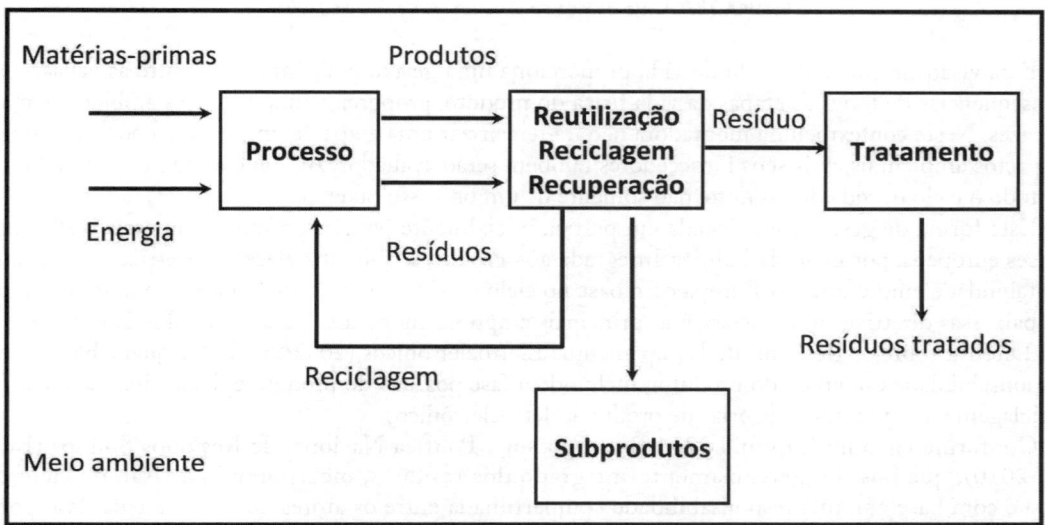

Figura 30.1 Reutilização, reciclagem, recuperação. *Fonte: Bishop (2000).*

Tanto a reutilização quanto a reciclagem e a recuperação, embora contribuam para a minimização da geração de resíduos, não se constituem em soluções definitivas, pois partem do pressuposto de que o resíduo existe, e também porque geram subprodutos e envolvem gastos de energia e outros custos operacionais.

Mediante essas constatações, a partir do final da década de 1980, as empresas passaram a tratar a questão da poluição causada pelos resíduos de seus processos de modo mais **sistêmico**, o que as levou a reverem suas estratégias de gerenciamento ambiental, passando de uma postura reativa para uma **proativa (preventiva)**, cujo princípio norteador foi a prevenção da geração ou, ao menos, a minimização dos aspectos ambientais na fonte. Consequentemente, foi possível controlar os impactos ambientais negativos, atuando na causa da geração antes de buscar as soluções técnicas que agiam nos efeitos (resíduos, efluentes e emissões), as quais podem ser complementares. Assim, a finalidade de reduzir os impactos ambientais estava aliada, principalmente, à busca da otimização dos processos produtivos e à redução dos custos. Isso foi implementado por programas conhecidos como Produção mais Limpa, Produção Limpa ou Produção Verde.

Na busca da causa da geração de determinados aspectos e impactos ambientais, as soluções passavam, muitas vezes, pela substituição da matéria-prima e de fornecedores, pela mudança na forma de uso do produto, pelo retorno do produto após o uso, ou seja, as soluções estavam em outras etapas, que não a de fabricação. Dessa maneira, verificou-se que as soluções se encontravam ao longo de todo o ciclo de vida do produto.

Assim, de modo a eliminar ou minimizar os aspectos e impactos ambientais não somente na produção, mas no ciclo de vida do produto (Figura 30.2), desde a extração e beneficiamento da matéria-prima, o transporte, a produção, a distribuição, o consumo, o pós-uso até a disposição final, a gestão ambiental empresarial, principalmente a partir do final da década de 1990, ampliou sua visão para o **ciclo de vida do produto**.

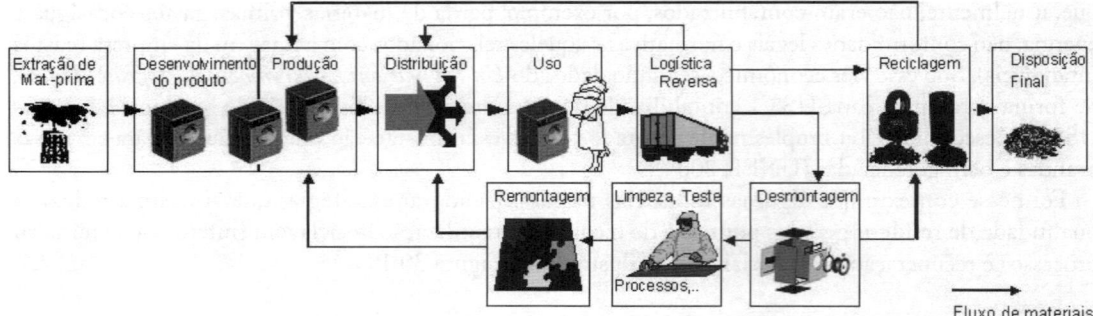

FIGURA 30.2 Ciclo de vida do produto. *Fonte: Franke (2004).*

Essa visão sistêmica do ciclo de vida proporciona uma gestão mais integrada entre as causas e as consequências de todas as etapas da vida física do produto, proporcionando soluções ambientais mais eficazes. Neste contexto, uma montadora não irá terceirizar uma etapa de um processo por ter grandes impactos ambientais, pois seus fornecedores também serão avaliados. As soluções são para a melhoria de todo o ciclo de vida do produto, não somente de um processo ou etapa.

Esta forma de gestão foi colocada em prática inicialmente para os produtos comercializados nos países europeus, por meio da Política Integrada aos Produtos, que estabelece as diretrizes para a sustentabilidade empresarial na Europa com base no ciclo de vida do produto. Contudo, em um mercado global, essas diretrizes influenciaram as principais empresas mundiais. Uma dessas diretivas europeias é a Diretiva sobre os Resíduos de Equipamentos Eletroeletrônicos (2002/96/EC), a qual é baseada na responsabilidade estendida do produtor, incluindo a fase pós-uso do produto e determinando cotas de reciclagem para diversas categorias de produtos eletroeletrônicos.

Conforme visto no Capítulo 22, o Brasil possui a Política Nacional de Resíduos Sólidos (Brasil, 2010), que busca o gerenciamento integrado dos resíduos, incorporando a visão de ciclo de vida e com base em uma responsabilidade compartilhada entre os atores do ciclo de vida. Isso pode trazer dificuldades para colocar as ações em prática, além de gerar uma necessidade de se terem mais informações relacionadas com os produtos, uma vez que o consumidor também será responsabilizado pela sua destinação correta.

De qualquer modo, a gestão baseada no ciclo de vida do produto, complementada pelas demais, destaca-se como a mais sistêmica em termos de soluções ambientais. Além disso, as empresas que se antecipam no atendimento dessas novas demandas podem conseguir inovações em seus processos, produtos e modelos de negócios, assim como uma gestão mais compartilhada entre fornecedores e clientes.

Esse breve panorama que foi apresentado a respeito da evolução histórica da gestão ambiental empresarial representa as práticas de como as empresas adotavam e adotam suas ações na área ambiental. No entanto, isso não significa que, atualmente, todas as empresas adotem a gestão do ciclo de vida.

30.3 A SÉRIE ISO 14.000 – GESTÃO AMBIENTAL

A ISO é uma organização internacional de padronização, com membros de 162 institutos de países de todas as regiões do mundo. Há mais de 18 mil normas da ISO para as três dimensões da sustentabilidade (ambiental, social e econômica), publicadas a partir de padrões internacionais. O Brasil está representado na ISO pela Associação Brasileira de Normas Técnicas (ABNT), que também é membro fundador dessa organização internacional.

A série ISO relacionada com a gestão ambiental é a ISO 14.000, que pode ser implantada em qualquer tipo de organização, tanto privada quanto pública, de empresas à administração pública. As normas relacionadas com o sistema de gestão ambiental incluem os requisitos com orientações para uso (ISO 14.001:2015; ABNT NBR ISO 14.001:2015), com diretrizes gerais sobre princípios, sistemas e técnicas de apoio para implementação (ISO 14.004:2016; NBR ISO 14.004:2005), incluindo o uso da avaliação do desempenho ambiental (ISO 14.005:2010) e indicações para a incorporação do ecodesign (ISO 14.006:2011). A única norma certificável da série ISO 14.000 é a ISO 14.001:2015/NBR ISO 14.001:2015, a qual é apresentada, no item a seguir deste capítulo, com mais detalhes.

As normas de auditoria indicam os procedimentos para a avaliação ambiental de locais e organizações (ISO 14.015: 2001; NBR ISO 14.015:2003) e para auditoria dos sistemas de gestão ambiental integrados ao sistema da gestão da qualidade (ISO 19.011:2011; NBR ISO 19.011:2012).

As normas referentes a rótulos e declarações ambientais se relacionam com os princípios gerais (ISO 14.020:2000; NBR ISO 14.020: 2002) e os procedimentos e requisitos. Isso pode ocorrer a partir de uma autodeclaração ambiental, considerada a rotulagem do tipo II (ISO 14.021:2016; NBR ISO 14021: 2017), ou de um programa de rotulagem tipo I (ISO 14.024:1999; NBR ISO 14.024: 2004). Este último é um programa de terceira parte, de caráter voluntário, que concede uma licença de uso de rótulos ambientais em produtos ambientalmente preferíveis, com base no seu ciclo de vida. A rotulagem de tipo III (ISO 14.025:2006), por sua vez, é baseada em uma avaliação do ciclo de vida do produto e verificada por terceira parte independente.

A norma de avaliação do desempenho ambiental (ISO 14.031:2013; NBR ISO 14.031:2015) pode ser aplicada dentro da organização, com indicadores operacionais e gerenciais e, além disso, considerar as características ambientais do local onde a atividade é realizada por meio de indicadores de condição ambiental. Vale destacar a importância destes últimos indicadores por considerarem a localização da atividade.

As normas relacionadas com a avaliação do ciclo de vida indicam seus princípios e estrutura metodológica (ISO 14.040:2006; NBR ISO 14.040: 2009), os requisitos e orientações (ISO 14.044:2006; NBR ISO 14.044:2009), alguns exemplos (ISO/TR 14.047:2012 e ISO/TR 14.049:2012) e formatação requerida para a documentação dos dados (ISO/TS 14.048:2002). Essa técnica será mais explorada no item relacionado com as aplicações da gestão ambiental no ciclo de vida do produto.

As normas referentes aos gases de aquecimento global se relacionam as especificações com guia para a quantificação, monitoramento, validação, verificação e relatório das emissões e sequestros de carbono (ISO 14.064:2006; NBR ISO 14.064:2007, partes 1, 2 e 3), além dos requisitos da validação e verificação (ISO 14.065:2013) e das equipes (ISO 14.066:2011).

Além dessas normas, as quais estão relacionadas com os subcomitês específicos da área de gestão ambiental da ISO, há outras normas, relatórios técnicos e guias informativos. Entre eles, há a norma de comunicação ambiental (ISO 14.063:2006; NBR ISO 14.063:2009), a qual pode ser usada para subsidiar o desenvolvimento de relatórios ambientais, pois apresenta diretrizes e exemplos.

A integração dos aspectos ambientais no processo de desenvolvimento de produto é indicada por um relatório técnico (ISO/TR 14.062:2002; ABNT ISO/TR 14.062:2004) e nos padrões do produto por um guia (ISO *Guide* 64:2008; ABNT ISO GUIA 64:2010). Esse tema será mais explorado no item relacionado com as aplicações da gestão ambiental no ciclo de vida do produto.

A contabilidade dos custos do fluxo de material é dada pela ISO 14.051:2011 e os termos e definições, ou seja, o vocabulário, pela ISO 14.050:2009/NBR ISO 14.050:2012.

A série ISO 14.000 foi desenvolvida para ser implementada de acordo com o ciclo *Plan, Do, Check, Act* (PDCA). Uma norma que busca organizar um sistema de gestão baseado neste ciclo, em busca da melhoria contínua, é a ISO 14.001.

30.3.1 Sistema de Gestão Ambiental – ISO 14.001

Um sistema de gestão ambiental (SGA) mundialmente conhecido é o da ISO. Segundo a ISO (2018), a ISO 14001 está implementada em 300 mil organizações espalhadas por 171 países.

De acordo com a ABNT (2015), um SGA é *"parte do sistema de gestão usado para gerenciar aspectos ambientais, cumprir requisitos legais e outros requisitos, e abordar riscos e oportunidade"* (página 2). Sendo assim, um sistema de gestão é *"um conjunto de elementos inter-relacionados ou interativo de uma organização, para estabelecer política, objetivos e processos para alcançar esses objetivos"* (página 1).

Para efeito de certificação, a organização deve estabelecer, documentar, implementar, manter e continuamente melhorar um SGA em conformidade com os requisitos descritos nas cláusulas 4, 5, 6, 7, 8, 9 e 10.

Na cláusula 4, a norma determina a necessidade de delimitar o contexto em que a organização está inserida. Além disso, identificar e considerar as necessidades e expectativas das partes interessadas e determinar o escopo do sistema de gestão ambiental.

A cláusula 5 estabelece que a alta direção deve liderar e comprometer-se com a implementação e manutenção do sistema de gestão. A organização deve determinar sua política ambiental, determinar os papéis, responsabilidades e autoridades organizacionais competente a cada colaborador.

A cláusula 6 é referente à etapa de planejamento do SGA. Neste momento, a organização deve identificar todos os riscos e oportunidades envolvidos com o sistema de gestão, identificar os aspectos ambientais (elemento das atividades, produtos ou serviços de uma organização, que interage ou pode interagir com o meio ambiente), levantar os requisitos legais e outros requisitos que a organização considerar conveniente, além de definir os objetivos ambientais e planejar ações para alcançá-los.

Na cláusula 7, a norma estabelece que a organização deve determinar e prover recursos necessários para o estabelecimento, implementação, manutenção e melhoria contínua do sistema de gestão ambiental. Para isso, a organização deve determinar quais são as competências necessárias dos colaboradores que realizam trabalho sob seu controle ou terceiros, conscientizá-los da importância do sistema de gestão ambiental e de seu trabalho e comunicar internamente e externamente informações pertinentes para o sistema de gestão ambiental entre as diversas partes interessadas.

A cláusula 7 refere-se à necessidade de a organização possuir informação documentada, determinada pela organização como sendo necessária para a eficácia do sistema de gestão ambiental. Para isso, a organização deve criar, atualizar e controlar as informações que serão documentadas.

Na cláusula 8, a norma estabelece requisitos referente ao planejamento e controle operacional e preparação e resposta a emergência. A cláusula 9 refere-se à avaliação de desempenho, neste caso, a organização deve monitorar, medir, analisar e avaliar seu desempenho ambiental, através de auditorias internas e análise crítica pela direção. A cláusula 10 estabelece a necessidade de realização de melhorias através da identificação de não conformidade e ação corretiva para garantir a melhoria contínua.

O SGA pode ser implantado dentro do sistema de gestão integrado da empresa, em conjunto com o sistema de gestão da qualidade (SGQ), por meio da ABNT ISO 9.001, e o sistema de gestão de saúde e segurança do trabalho, por meio da ISO 45001:2018 ou OHSAS 18.001. Além disso, os aspectos de responsabilidade social estão sendo trazidos pela ISO 26.000 e o sistema de gestão da responsabilidade social, pela NBR 16.001.

Essa integração ratifica que a gestão ambiental empresarial não pode ser realizada de modo separado às demais áreas, processos ou sistemas de gestão da empresa. Ao analisar a correspondente norma do SGA relacionada com a qualidade, o sistema de gestão da qualidade já indica as áreas de aplicação da qualidade, como na produção, no desenvolvimento de produto, entre outros. Portanto, as normas do SGA precisam, também, incorporar esta visão integrada, o que já se iniciou com a ISO 14.006, lançada em 2011, que indica as diretrizes para a implementação do SGA incluindo o ecodesign.

O certificado é emitido com a aprovação da auditoria externa pelo organismo de certificação credenciado e é mantido com auditorias periódicas. A certificação ISO 14.001 não é referente à empresa, ao produto ou ao processo de produção, mas sim ao sistema de gestão ambiental implantado de acordo com a NBR ISO 14.001. Sendo assim, é uma certificação de conformidade, não de desempenho, pois não há uma meta de desempenho a ser atingida estabelecida pela norma. Para conseguir a certificação, a empresa precisa estar em conformidade com os requisitos da norma e atingir os objetivos e metas estabelecidos pela própria organização. Portanto, a certificação pode não garantir um bom desempenho ambiental da organização se os objetivos e metas ambientais não forem baseados nos aspectos e impactos ambientais mais relevantes da organização.

Contudo, o SGA auxilia a organização em relação à gestão de seus aspectos ambientais, padronizando as atividades, indicando responsabilidades e incorporando a filosofia de melhoria contínua em relação aos seus processos e produtos a fim de reduzir os aspectos e impactos ambientais.

30.4 PRODUÇÃO MAIS LIMPA

A norma ISO 14.001 para o SGA, como visto, estabelece as orientações gerais e os requisitos para a implementação de um SGA. Contudo, não apresenta um procedimento mais detalhado para as soluções dos aspectos ambientais significativos identificados.

Dessa forma, programas que buscam indicar procedimentos para tais soluções são complementares ao SGA. O ideal é não gerar os aspectos ambientais para não precisar ter que gerenciá-los e tratá-los depois. É nesse contexto que surge um modelo de gerenciamento ambiental que visa a priorizar as ações de redução na fonte dentro do contexto da minimização dos aspectos ambientais (Figura 30.3).

Os benefícios da redução na fonte podem ser (Usepa, 2001): redução de custos operacionais (no consumo de água, no consumo de energia, no consumo de insumos auxiliares, no tratamento e disposição de resíduos) e com a conformidade legal; melhoria das condições de trabalho (redução dos riscos de acidentes, aumento da satisfação e conforto do trabalhador, redução de substâncias tóxicas no ambiente

Figura 30.3 Hierarquia de gerenciamento ambiental de resíduos. *Fonte: Cetesb (2004).*

de trabalho); aumento de produtividade (uso eficiente de matérias-primas, otimização do processo produtivo, melhores práticas operacionais); melhoria da qualidade ambiental do processo baseada na melhoria contínua; conservação de recursos e melhoria da imagem institucional da empresa perante o seu público de interesse, entre outros.

A Minnesota Mining and Manufacturing (3M) lançou, em 1975, o programa denominado Pollution Prevention Pays (3P). Em seus primeiros anos de existência, o programa 3P envolveu mais de 2.500 mudanças de processos, levou a uma economia de mais de US$500 milhões, além de outros US$650 milhões resultantes da economia de energia (Leighton, 1992 citado por Callembach et al., 1993). A economia gerada por esse programa pioneiro foi de US$46.200.000 em 2003 (3M, 2004).

É nesse contexto que surgem estratégias de produção que buscam a redução na fonte e a prevenção à poluição, como a Produção Mais Limpa (P + L) e a Produção Limpa. Embora existam algumas diferenças entre esses termos, principalmente quanto ao escopo e à aplicação, em termos gerais trata-se, notadamente, de estratégias proativas voltadas, predominantemente, aos processos produtivos e cujo objetivo comum é reduzir a geração de poluentes na fonte geradora, promovendo o uso racional dos recursos naturais e evitando as abordagens tradicionais de fim de tubo: tratamento e disposição de resíduos. No Brasil, esses termos são empregados com intuitos semelhantes, sendo "P + L" o termo mais difundido.

O Programa de Produção Mais Limpa foi lançado pela *United Nations Environmental Program* (Unep), ou Programa das Nações Unidas para o Meio Ambiente (PNUMA), em 1989, e, segundo Unep (2001), refere-se à aplicação contínua de uma estratégia ambiental preventiva, integrada e aplicada a processos, produtos e serviços. Incorpora o uso mais eficiente dos recursos naturais e, consequentemente, minimiza a geração de resíduos e poluição, bem como os riscos à saúde humana e ao meio ambiente. Para processos produtivos, a P + L inclui a conservação de matérias-primas e energia, buscando a eliminação do uso de materiais tóxicos e da quantidade e toxicidade de todas as possíveis emissões e resíduos. Para produtos, a P + L inclui a redução dos efeitos negativos do produto ao longo de seu ciclo de vida, desde a extração das matérias-primas até a disposição final do produto. Para serviços, a P + L incorpora questões ambientais no planejamento e execução de serviços.

Segundo Unep (2004), o processo de implementação de um programa de P + L em uma empresa segue os seguintes passos (Figura 30.4).

O **planejamento e organização** envolve o comprometimento da gerência e dos colaboradores, a identificação das barreiras e respectivas soluções para a implementação do programa, a determinação das metas e a organização do grupo de trabalho ("ecotime"). Como uma meta para a Produção Mais Limpa

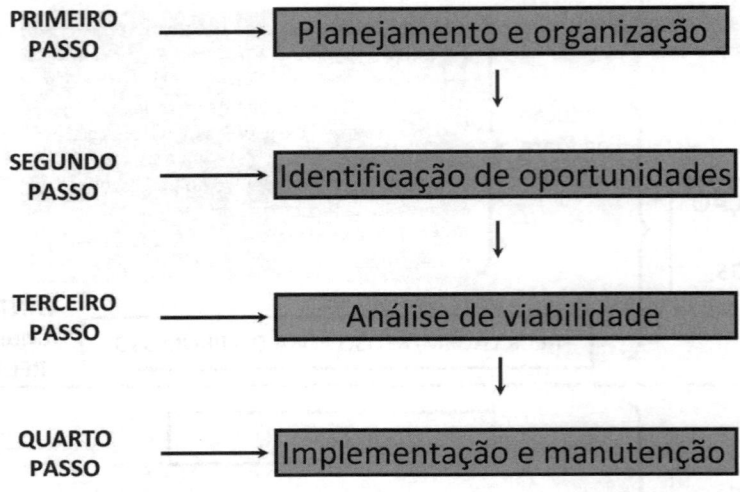

FIGURA 30.4 Passos para a implementação da P + L. *Fonte: UNEP (2004).*

e forma de medir os ganhos de sua implantação, surgiu, durante a década de 1990, inserido no contexto das estratégias proativas de gerenciamento ambiental, o conceito de ecoeficiência.

A **ecoeficiência** foi introduzida em 1992 pelo *World Business Council for Sustainable Development*, para o qual a ecoeficiência "(...) *é alcançada mediante o fornecimento de bens e serviços a preços competitivos que satisfaçam as necessidades humanas e tragam qualidade de vida, ao mesmo tempo em que reduzem progressivamente o impacto ambiental e o consumo de recursos ao longo do ciclo de vida, em um nível, no mínimo, equivalente à capacidade de sustentação estimada da Terra*" (CEBDS, 2009a). São elementos da ecoeficiência (CEBDS, 2009a): redução do consumo de materiais, energia, substâncias tóxicas; reciclagem de materiais; uso sustentável de recursos renováveis; prolongamento da durabilidade dos produtos; agregação de valor aos bens e serviços.

Segundo Wenzel & Alting (2004), a ecoeficiência é uma métrica para quantificar e expressar o atendimento das demandas humanas, que ocorrem através dos subsistemas existentes (os sistemas de manufatura, por exemplo) em função do impacto ambiental gerado pelo mesmo subsistema ao atender tal demanda. Essa métrica é dada pelo quociente entre o que se obtém como produto de um processo ou produto em relação à soma dos insumos e impactos ambientais gerados para sua obtenção.

$$\text{Ecoeficiência} = \frac{\text{produto}}{\text{insumos} + \text{impactos ambientais}}$$

A **etapa de identificação de oportunidades** é composta pela análise do processo e identificação das fontes geradoras, pela análise das causas e, por fim, pela geração de oportunidades de P + L. Nessa fase, é feita a identificação (qualitativa e quantitativa) das fontes geradoras de resíduos, são analisadas as possíveis causas da geração de resíduos durante o processo produtivo e as possíveis soluções a serem adotadas. Para a identificação das fontes geradoras, as principais técnicas utilizadas são os fluxogramas dos processos e seus balanços de massa e energia. Estes indicam a medida da eficiência com que insumos e matérias-primas são convertidos em produtos. A Figura 30.5 ilustra as possíveis causas da geração de aspectos ambientais durante um processo produtivo.

As principais práticas de P + L utilizadas estão mostradas na Figura 30.6 e comentadas a seguir.

* **Boas práticas de *housekeeping*.** Trata-se de uma abordagem da escola da qualidade, que tem por objetivo manter a organização em ordem, com medidas como o melhor aproveitamento do espaço, eliminação das causas dos acidentes, entre outros. Envolve mudanças organizacionais de baixo custo e rápido retorno, geralmente relacionadas com a padronização de procedimentos e operações, além da mudança cultural dos funcionários. Pode ser aplicada por meio da metodologia 5S (Classificação, Ordem, Limpeza, Padronização e Manutenção), a qual pode proporcionar maior produtividade, segurança, motivação dos funcionários, entre outros.

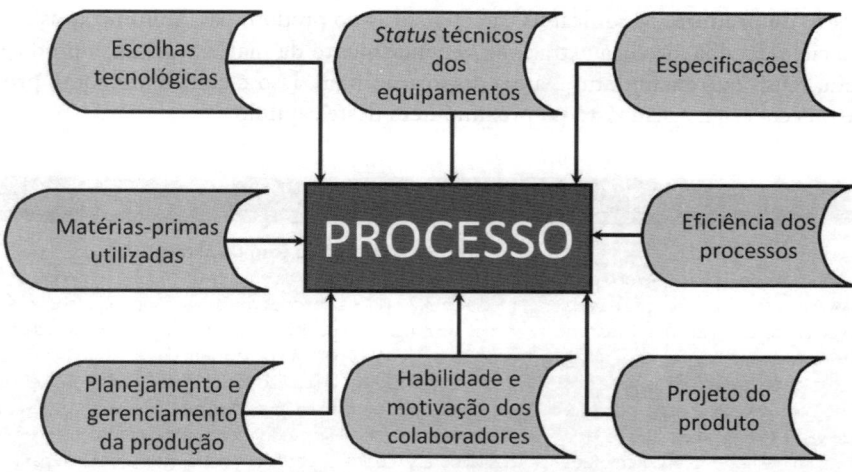

FIGURA 30.5 Possíveis causas da geração de aspectos ambientais. *Fonte: Adaptado de Unep (2004).*

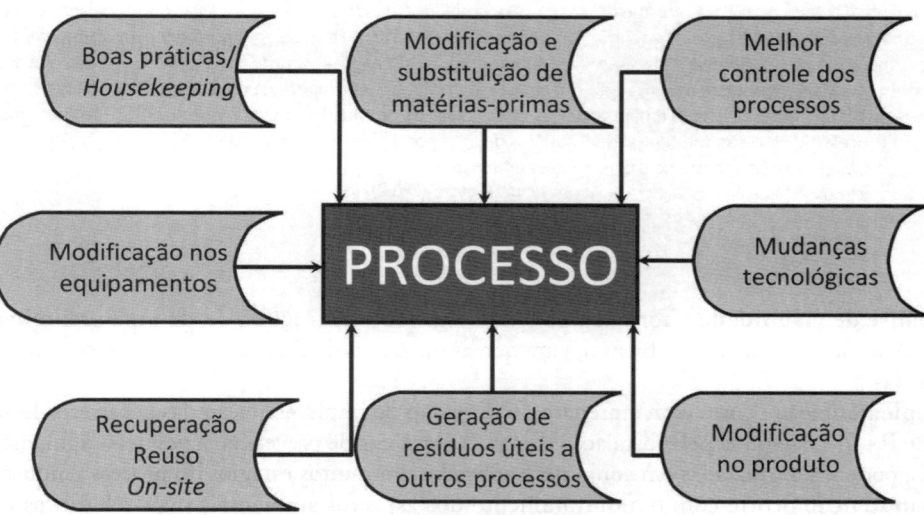

FIGURA 30.6 Práticas utilizadas para a geração de opções de P + L. *Fonte: Adaptado de UNEP (2004).*

- **Modificação/substituição de matérias-primas.** As substituições podem ser por materiais menos tóxicos, renováveis, recicláveis e reciclados, com maior ciclo de vida e que gerem menor impacto ambiental.
- **Melhor controle do processo de produção.** Revisar parâmetros do processo; atualizar instruções operacionais, como de utilização das máquinas; melhorar os procedimentos de trabalho; realizar manutenção preventiva e preditiva; monitorar e controlar melhor o processo de produção. Esse monitoramento dos dados do processo busca a melhoria da eficiência e a redução das perdas e aspectos ambientais.
- **Modificação de equipamentos.** A atualização dos equipamentos, a remanufatura ou a substituição destes na busca da otimização do processo; redução da geração de perdas, resíduos, efluentes e emissões.
- **Mudanças tecnológicas.** Utilização de tecnologias mais limpas no processo e/ou no produto; mudança no fluxograma do processo de produção para reduzir perdas e desperdícios e otimização de layout; além de mudanças operacionais no processo de produção.
- **Recuperação/reúso.** Realizar a reutilização das perdas geradas no próprio processo ou para outras aplicações na companhia.
- **Geração de resíduos úteis a outros processos.** Considerar a possibilidade de transformar resíduos em matérias-primas úteis a serem utilizadas em outras empresas. Na ecologia industrial, isso se denomina simbiose industrial e pode ser planejado nos distritos industriais, transformando-os em ecoparques industriais.

- **Modificação do produto.** Modificar as características do produto para minimizar os seus impactos durante o ciclo de vida, desde a extração e beneficiamento da matéria-prima, a produção, o uso, a reciclagem, reúso ou remanufatura, até a disposição final. Isso é conhecido como projeto para o ambiente ou ecodesign e será visto no próximo item deste capítulo.

CASOS DE P + L

Empresa: Robert Bosch Ltda.

A atividade principal da empresa é a fabricação de material elétrico para veículos, aparelhos e ferramentas elétricas. A iminência da expiração da vida útil dos equipamentos de abastecimento de ar comprimido com compressores e secadores de ar e o alto custo para sua reforma justificaram a busca de alternativas para sua substituição. Foi realizada aquisição de equipamentos mais modernos, com foco na redução do consumo de energia elétrica e com sistema de secagem do ar isento de gases refrigerantes. Um sistema de supervisão automático foi implantado, com melhor escalonamento dos equipamentos em função da demanda e garantindo, além da redução de energia, a maior uniformidade da pressão oferecida, com variação de apenas 0,15 bar. Com isso, a empresa obteve redução de 9,23% de consumo de energia por hora: 0,008 kwh/m³, aumento da oferta de 16% do volume de ar produzido para a fábrica, aumento na qualidade da pressão e do ar comprimido, eliminação dos serviços de compras de gás refrigerante, eliminação da manutenção do sistema de secadores, redução de manutenções em geral e eliminação de 900 kg de gás refrigerante R22. As ações futuras da empresa visam à integração do gerenciador do processo com o sistema central de gerenciamento de dados da empresa, possibilitando monitoramento e controle à distância dos dados gerados pelo sistema.

Empresa: Usina São José da Estiva S/A

Os principais produtos da empresa são açúcar e álcool, com produção média de 3,2 milhões de toneladas de cana-de-açúcar. Usinas de açúcar e álcool são empresas que utilizam quantidades significativas de água em seus processos, sendo a operação de lavagem de cana uma das maiores. Desde a safra 2008/2009, a Usina São José da Estiva utiliza o sistema de limpeza da cana a seco, com ar ao invés da água. Dois ventiladores de 250 m³/h são fixados na esteira, lançando toda a palha e terra que chega com a cana das lavouras. A palha é jogada em outra esteira e segue para a queima na caldeira, para a produção de energia. A terra, depositada no chão, é lavada e esse efluente não é totalmente descartado, pois essa água passa por um sistema fechado, obtendo redução expressiva no consumo. De acordo com o balanço hídrico da Usina Estiva, para lavar 630 toneladas de cana, era necessário captar 50 mil litros de água por hora para compensar as perdas por evaporação, drenagem e arraste desta água no sistema, que circula em circuito fechado. Com a limpeza da cana a seco, baixou-se esta captação para 10 mil litros de água por hora, o que significa quase um milhão de litros de água por dia, com uma redução de 80% na captação de água para este circuito.
Fonte: Cetesb (2012).

A análise de viabilidade é formada por uma série de verificações, desde uma preliminar até as análises técnica, econômica e ambiental, para que as opções mais viáveis em todos esses critérios sejam selecionadas.

A implementação ocorre com a preparação do plano de implementação das ações escolhidas como viáveis de P + L e é seguida pela instalação destas. As técnicas de prevenção à poluição, aqui vistas como de P + L, podem ser utilizadas em conjunto e aplicadas em muitos estágios do processo industrial.

A manutenção ocorre com o monitoramento dos aspectos ambientais mais relevantes por meio de indicadores de desempenho ambiental antes e depois da implementação e com a verificação destes resultados com os objetivos e metas propostas. Além disso, o programa se mantém baseado no ciclo PDCA, reiniciando-se na busca da melhoria contínua.

Como indicado, a P + L pode ser utilizada de forma complementar ao SGA, embora sejam procedimentos independentes. Por fim, cabe ressaltar que, embora a P + L aborde de forma pioneira o conceito do ciclo de vida, o que se verifica, frente ao seu emprego, é que se trata de uma estratégia de gerenciamento ambiental voltada, prioritariamente, ao processo de produção. A P + L, no entanto, representa a transição para aquelas estratégias voltadas ao ciclo de vida dos produtos.

30.5 GESTÃO DO CICLO DE VIDA

A gestão do ciclo de vida é, atualmente, o modelo mais sistêmico de buscar a melhoria ambiental relacionado com a produção e o consumo de produtos.

Do ponto de vista ambiental, abordagens ao ciclo de vida de produtos justificam-se pela natureza da relação entre produtos e impactos ambientais. Embora os produtos (bens e serviços) guardem estreita relação com a qualidade de vida de que usufruímos, as crescentes taxas com que são produzidos e consumidos estão nas origens da maior parte da poluição e esgotamento dos recursos naturais causados pela humanidade (Comissão das Comunidades Europeias, 2001).

Uma vez que o impacto ambiental de um produto é determinado pela soma dos impactos ambientais observados ao longo das fases de seu ciclo de vida (Baumann et al., 2002; Nielsen & Wenzel, 2002), somente considerando o ciclo de vida dos produtos pode-se caminhar em direção à conciliação entre qualidade de vida e preservação ambiental, elementos essenciais ao desenvolvimento sustentável. Isso é ratificado por Unep (2008), que considerou que o desenvolvimento sustentável pode ser promovido a partir de três estratégias:

i) **Desmaterialização.** Enfoca a necessidade e a funcionalidade, ao invés do bem físico em si.

ii) **Gestão do ciclo de vida.** É um sistema de gestão que integra práticas e conceitos sustentáveis e repassa as informações relevantes às partes interessadas para a tomada de decisão ser em prol do menor impacto ambiental do produto em todas as fases do ciclo de vida (Figura 30.7).

iii) **Sistema produto-serviço.** Consiste no desenvolvimento de uma mistura comerciável de bens e serviços que, em conjunto, são capazes de atender às necessidades do cliente, com menor impacto ambiental.

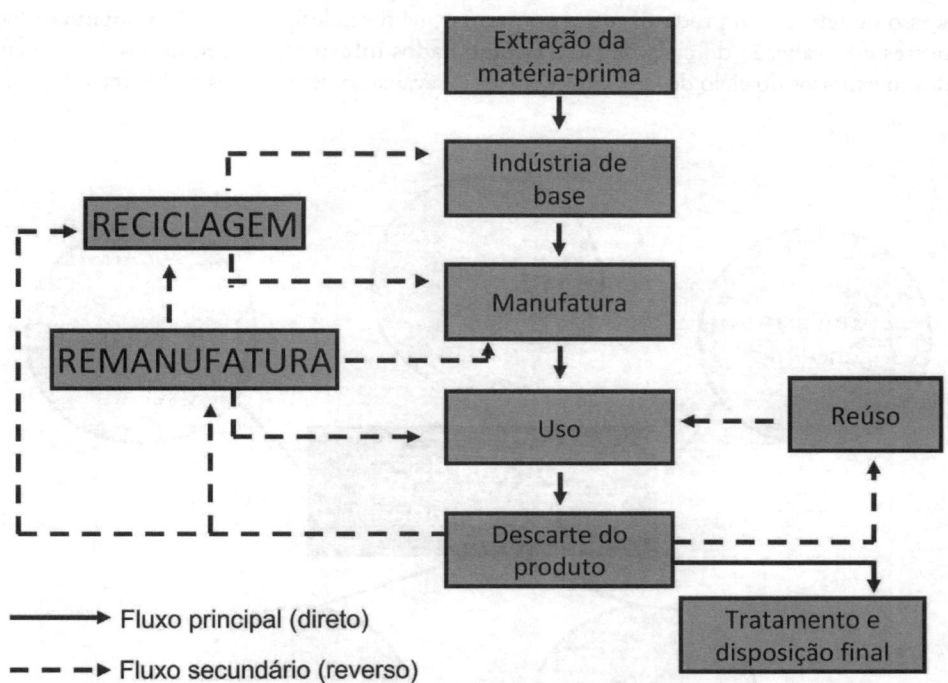

FIGURA 30.7 Ciclo de vida de um produto segundo o fluxo de materiais. *Fonte: Adaptado de Guelere Filho et al. (2009).*

A Figura 30.7 mostra um esquema do ciclo de vida de um produto sob a ótica do fluxo de materiais (direto e reverso), com algumas alternativas complementares para o fim de vida do produto (reúso, remanufatura e reciclagem). Na gestão ambiental baseada no ciclo de vida do produto, são fundamentais as definições de soluções para o fim de vida ambientalmente correto do produto. A remanufatura, em muitos casos, pode ser vista como uma boa opção de fechamento do ciclo de vida dos produtos, pois se trata de um processo no qual produtos usados são restaurados à condição de novos, possuindo a mesma função, garantia e qualidade fornecidas pelo fabricante original. As partes as quais não é possível reutilizar ou remanufaturar podem seguir para a reciclagem.

Esta gestão após o uso do produto pode promover o retorno dos materiais e produtos e o desenvolvimento de serviços, fechando-se o ciclo de vida do produto e trazendo oportunidades de novas formas de negócios, como o *Product Service System* – PSS, um sistema que integra o bem físico com o serviço, buscando, no limite, a desmaterialização do produto. Portanto, a gestão do ciclo de vida pode incorporar as outras duas estratégias citadas anteriormente por Unep (2008) por ser baseada em métodos criativos e integrados que permitem, à organização, a melhoria contínua do ciclo de vida de seu bem e/ou serviço.

A gestão do ciclo de vida (GCV), ou *life cycle management* (LCM), é um sistema de gestão do produto que visa à integração do conceito de ciclo de vida para minimizar as cargas econômicas, sociais e ambientais associadas ao produto durante todo seu ciclo de vida (Unep, 2007). O objetivo da GCV é auxiliar a empresa na tentativa de integrar políticas referentes ao produto e ajudar a organização a alcançar metas referentes a melhorias de seus processos e produtos, aprimorando o relacionamento com os grupos interessados.

A gestão do ciclo de vida, segundo a Unep (2006), é a aplicação do pensamento do ciclo de vida a práticas empresariais, com o objetivo de gerir sistematicamente o ciclo de vida dos bens e serviços de uma organização. Também é definida como a gestão sistemática de ciclos da vida de produtos e materiais para promover padrões de produção e consumo que sejam mais sustentáveis do que os que temos atualmente. De forma geral, pode ser vista como uma estrutura de gestão flexível e integrada de conceitos, técnicas e procedimentos para abordar os aspectos ambiental, econômico e social de produtos, procedimentos e organizações.

A GCV inclui estratégias e conceitos, sistemas e processos, programas, ferramentas e técnicas (ou práticas), além de dados informativos e modelos (Figura 30.8). Dentro das **estratégias e conceitos**, há a sustentabilidade e a ecologia industrial; **como sistemas e processos**, há o sistema de gestão integrado e o processo de retorno do produto; como **programas**, há o ecodesign; como **ferramentas e técnicas**, há softwares e a avaliação do ciclo de vida; e como **dados informativos e modelos**, há os bancos de dados dos inventários do ciclo de vida e os modelos de avaliação de impactos ambientais (Unep, 2006).

FIGURA 30.8 Gestão do Ciclo de Vida. *Fonte: Unep (2006).*

Vale destacar que a ecologia industrial, que busca adequar o funcionamento dos sistemas antrópicos ao sistema natural e equilibrá-los, é uma área que muito contribui para a gestão do ciclo de vida.

Com uma visão integrada de todos os impactos ambientais, sociais e econômicos associados ao sistema de produto (ciclo de vida do produto) e com o objetivo de obter produtos sustentáveis, a gestão do ciclo de vida do produto amplia a gestão focada apenas no processo produtivo. Uma aplicação da gestão do ciclo de vida pode ser realizada na gestão da cadeia de suprimentos, na qual o critério ambiental deve ser incorporado para a seleção de fornecedores. Desse modo, surge a *green supply chain*, que busca a qualidade ambiental de toda a cadeia de suprimentos, considerando, também, sua logística reversa.

Nessa visão de adequação ambiental de toda cadeia produtiva, Harland (1999) sugeriu o conceito de *value creating network*, como uma cooperação produtiva ao longo de uma cadeia de adição de valor (*value added chain*). Trata-se da obtenção de um valor pautado em uma nova ordem econômica de produção e consumo sustentáveis, incorporando tecnologia, gestão, estrutura e incentivos para o ciclo de materiais, ou seja, uma economia cíclica ou economia de ciclo (Bermejo, 2011). Essa nova ordem econômica já está sendo colocada em prática por meio da economia circular. As empresas que desenvolvem e aplicam a gestão do ciclo de vida são as que mais apresentam oportunidades para obter a adição de valor ambiental em seus produtos.

30.5.1 Ecodesign

A gestão do ciclo de vida de produtos para a sustentabilidade requer a adequação das principais áreas ou processos de negócios da empresa, de modo a incluir as dimensões ambiental e social. Os processos de negócios da empresa já devem considerar a visão do ciclo de vida e a sustentabilidade, o que se inicia no processo de planejamento estratégico e no desenvolvimento de produtos. A inclusão da área ambiental neste processo pode ser realizada por meio do ecodesign ou *Design for Environment* – DfE (Projeto para o Ambiente), a fim de eliminar ou reduzir os impactos ambientais negativos durante o ciclo de vida do produto.

Nas fases iniciais do projeto do produto, são definidos de 60% a 80% dos impactos potenciais causados no ciclo de vida de um produto (Graedel & Allenby, 1995). Além dos aspectos ambientais, os financeiros, relacionados com 85% do custo final do produto, são prioritariamente determinados nas fases iniciais do processo de desenvolvimento do produto (Fabrycky, 1987 citado por Sroufe et al., 2000).

Nesse contexto, várias abordagens têm sido desenvolvidas para subsidiar as empresas na adoção de práticas de gestão ambiental integradas ao processo de desenvolvimento de produto, principalmente por meio do *Ecodesign* (Maxwell & Van Der Vorst, 2003). Ecodesign, ou DfE, é um modelo de projeto orientado por um exame sistemático, durante o processo de desenvolvimento de novos produtos (ou mesmo de remodelar o design de produtos existentes), dos aspectos dos projetos relacionados com a proteção ambiental e à saúde humana que perfazem todas as fases do ciclo de vida do produto. Também é definido como uma estratégia de projeto que busca a redução dos impactos ambientais do ciclo de vida do produto (Fiksel & Wapman, 1994 e ECO2-IRN, 1995).

O ecodesign trata da introdução sistemática de requisitos ambientais ao processo de desenvolvimento de produtos (PDP), principalmente em suas fases iniciais, podendo ser visto como uma abordagem de PDP que se alinha ao conceito do desenvolvimento sustentável. Isso se dá por meio de uma estratégia proativa de gestão ambiental de empresas, a qual integra as funções de gestão ambiental e desenvolvimento de produtos em uma visão holística sobre os impactos ambientais causados ao longo do ciclo de vida de um produto (Byggeth & Hochschorner, 2006; Giudice et al., 2006; Luttropp & Lagerstedt, 2006; Guelere Filho & Pigosso, 2008). Vale ressaltar que a adoção do ecodesign deve ser feita sem comprometer critérios essenciais ao sucesso comercial dos produtos, tais como: desempenho, funcionalidade, segurança, estética, qualidade, tempo de desenvolvimento (*time to market*) e custo (Hauschild et al., 2004).

A integração das questões ambientais no desenvolvimento de produtos permite considerar todos os estágios do ciclo de vida do produto de modo a garantir que os impactos ambientais mais significativos sejam identificados e reduzidos durante este processo. Para isso, técnicas e ferramentas de ecodesign podem "*ajudar no desenvolvimento de sistemas de medida, análise do desempenho ambiental, tomada de decisão, promoção de criatividade e na integração com negócios e fatores econômicos*", de acordo com a ABNT NBR ISO 14.062:2004. Elas podem variar desde uma matriz qualitativa de impactos do ciclo de vida ou um guia (como as 10 regras de ouro), até a avaliação do ciclo de vida do produto.

AS 10 REGRAS DE OURO DO ECODESIGN

1. Não utilize substâncias tóxicas e, quando necessário, utilize ciclos fechados.
2. Minimize o consumo de energia e recursos na fase de produção e transporte por meio de *housekeeping*.
3. Use características estruturais e materiais de alta qualidade para minimizar o peso dos produtos desde que não haja interferência na flexibilidade, resistência a impactos ou outras prioridades funcionais.
4. Minimize o consumo de energia e recursos na fase de uso, especialmente para produtos com os aspectos ambientais mais significativos nessa fase.
5. Promova reparos e atualizações, especialmente para produtos dependentes de sistemas, como celulares, computadores e outros eletroeletrônicos.
6. Promova vida longa, especialmente para produtos com impactos ambientais significantes fora da sua fase de uso.
7. Invista em melhores materiais, tratamentos de superfície ou arranjos estruturais para proteger o produto de sujeira, corrosão e desgaste, assegurando, dessa forma, maior vida útil ao produto.
8. Organize atualizações, reparos e reciclagem por meio de facilidade de acesso, identificação das partes, módulos, pontos de ruptura e manuais.
9. Promova a atualização, reparo e reciclagem, usando poucos materiais, simples, reciclados e não misturados, com as ligas metálicas.
10. Use a menor quantidade possível de elementos de junção e, quando necessário, use parafusos, adesivos, soldas, parafusos de pressão, travas geométricas, de acordo com o cenário de ciclo de vida.

Fonte: Luttropp & Lagerstedt (2006).

CASOS DE ECODESIGN

Empresa Philips

A empresa Holandesa Royal Philips foi fundada em 1891 e é uma das grandes referências em ecodesign da atualidade. O ponto de partida desse destaque é a clara associação entre sustentabilidade e a estratégia de negócios da empresa, a qual é expressa pela passagem: "A sustentabilidade é o centro da estratégia da Philips e estamos comprometidos a ampliá–la em todos os aspectos do nosso negócio, seja nos produtos, na fabricação, nas compras, nas comunidades em que atuamos e nas práticas de trabalho de nossos funcionários". Pode–se notar claramente que a dimensão do ciclo de vida dos produtos é considerada na estratégia de negócios da empresa, a qual apresenta, desde 1994, um programa de ecodesign norteado por cinco critérios principais, as chamadas *Green Focal Areas*: peso do produto, uso de substâncias tóxicas, consumo de energia (eficiência energética), reciclagem e descarte final do produto e da embalagem. Em complemento, para a produção de lâmpadas, há um foco extra: tempo de vida útil. Alinhada à estratégia de negócios da empresa, uma família de produtos ou um determinado produto que segue os critérios de ecodesign recebe o logo Philips Green, o qual atesta, segundo a empresa, que o produto que o carrega possui "um desempenho ambiental significativamente melhor do que seus concorrentes ou antecessores". Os produtos assim identificados compõem a linha de produtos verdes da empresa, os quais, em 2009, tiveram suas a vendas aumentadas em 19%, representando participação de 30% na receita global da companhia contra 25% das vendas em 2008. Como exemplo, pode-se citar um aspirador de pó concebido segundo critérios de ecodesign, cuja composição é de 50% de plástico pós-consumo e de 25% de polímeros de origem vegetal renovável. Dessa forma, o produto se destaca em relação ao critério de reciclagem. Em outro caso, a empresa oferece uma solução em diagnóstico por imagem baseada em um produto remanufaturado. Neste, o cliente submete seu equipamento Philips antigo à empresa, que se encarrega de devolvê–lo a condição de novo por meio da remanufatura. Dessa forma, recursos naturais e energia deixam de ser consumidos e resíduos sólidos gerados, contribuindo também para a redução na emissão de CO_2 (Philips, 2012).

Empresa Hewlett Packard (HP)

A HP estabeleceu seu programa de DfE (*Design for Environment*) em 1992, sendo também uma das referências no assunto. Segundo a empresa, seu programa tem três prioridades: eficiência no consumo de energia – reduzir a necessidade de energia na fabricação e uso dos produtos; inovação de materiais – reduzir a quantidade de materiais usados nos produtos e desenvolver materiais que tenham um impacto ambiental menor e valor maior em seu fim de vida; e projeto para reciclagem – projetar o equipamento de modo a facilitar a atualização e/ou reciclagem (HP, 2012).

Embora alguns guias e matrizes qualitativas possam subsidiar o desenvolvimento de produto, principalmente em suas fases iniciais e quando a empresa não possui um nível elevado de maturidade ambiental, Wenzel et al. (1994) consideram que a habilidade da ACV em medir o impacto ambiental de um produto pelo seu ciclo de vida a torna a única técnica holística e eficaz para avaliar as consequências das escolhas ambientais feitas durante o desenvolvimento do produto. Dessa forma, o próximo tópico aborda essa prática.

30.5.2 Avaliação do Ciclo de vida

A principal técnica para se quantificarem os impactos do ciclo de vida de um produto é a avaliação do ciclo de vida (ACV), cujas abordagens podem ser nas áreas ambientais, sociais e econômicas. Apesar de as normas de ACV da ISO (ISO 14.040 e ISO 14.044) focarem somente o componente ambiental, elas podem ser usadas para esses outros aspectos.

Udo de Haes et al. (2002) salientaram que a ACV se apresenta como a principal técnica para subsidiar, a partir da compilação de informações e de avaliações técnicas, além do desenvolvimento do produto, a gestão da produção, do pós-uso, da logística convencional e da reversa, ou seja, a gestão do ciclo de vida. A ACV é uma técnica de "*compilação e avaliação das entradas, saídas e dos impactos ambientais potenciais de um sistema de produto ao longo de seu ciclo de vida*" (ABNT, 2009).

A estrutura metodológica e as principais aplicações diretas da ACV são apresentadas na Figura 30.9 e suas fases são descritas em seguida.

i) **Definição do objetivo e escopo**. Para a definição do objetivo, seis aspectos precisam ser indicados e documentados: aplicações pretendidas com os resultados; limitações relacionadas com o método; considerações e cobertura dos impactos; motivos para a realização do estudo e o contexto das decisões que o estudo apoiará; público alvo dos resultados; definição se será um estudo comparativo aberto ao público; definição dos participantes diretos e outros atores que influenciarão o estudo. Baseado na definição do objetivo, o escopo precisa definir claramente: os tipos de entregas; o sistema de produto que será estudado e sua(s) função(ões), unidade(s) funcional(ais) e fluxo(s) de referência(s);

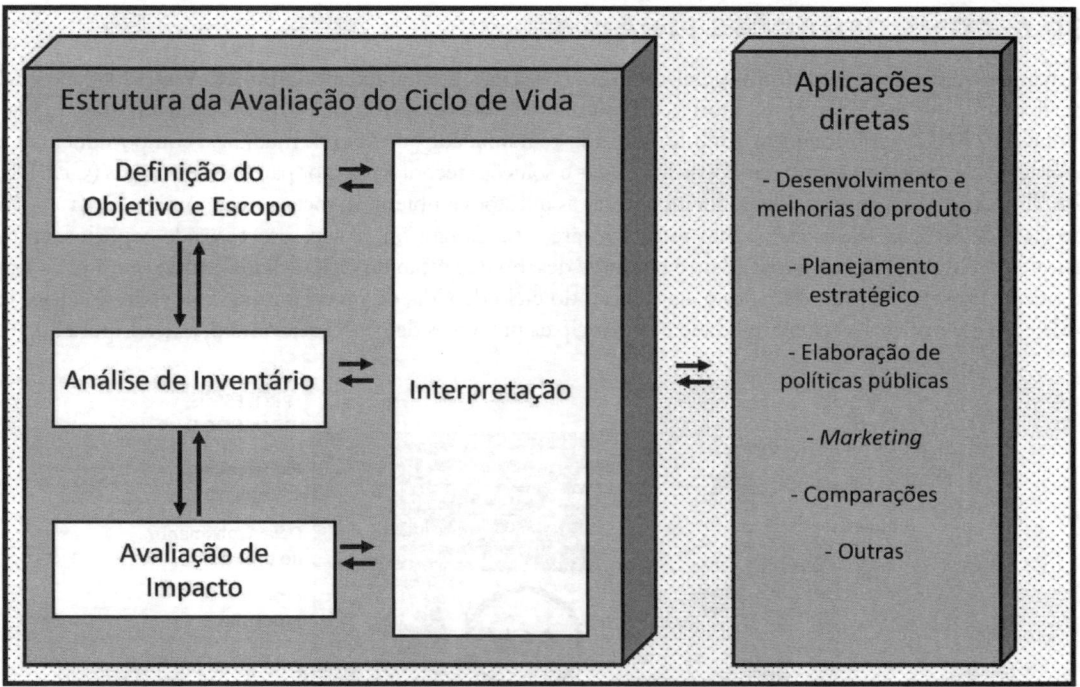

Figura 30.9 Fases e aplicações de uma ACV. *Fonte: Adaptado de ABNT (2009).*

as abordagens para a modelagem do inventário; fronteira do sistema, requisitos de qualidade dos dados e critérios de corte relacionados; categorias de impactos e seus respectivos métodos; requisitos especiais para comparação de sistemas; necessidade de revisão crítica e planejamento do relatório dos resultados (ABNT, 2009; *European Commission*, 2010).

ii) **Análise de inventário de ciclo de vida (ICV).** Envolve o planejamento e a coleta de dados e informações; os procedimentos de cálculo; a alocação, quando necessária, e, enfim, o cálculo dos resultados do ICV (ABNT, 2009 e *European Commission*, 2010).

iii) **Avaliação de impacto do ciclo de vida (AICV).** Esta fase é dirigida à avaliação de potenciais impactos ambientais relacionados com a saúde humana, ao ambiente natural e ao uso de recursos, partindo dos dados de entrada e saída, que foram os resultados da análise do inventário. As etapas obrigatórias da avaliação de impacto do ciclo de vida são: seleção das categorias de impactos, indicadores de categoria e modelos de caracterização; correlação dos resultados do ICV às categorias de impacto selecionadas (classificação) e cálculo dos resultados dos indicadores de categoria (caracterização). As demais etapas da AICV são opcionais: normalização, que trata do cálculo da magnitude dos indicadores de categoria em relação a informações de referência, possibilitando a comparação entre categorias; o agrupamento, no qual as categorias de impacto são agregadas, podendo envolver hierarquização das categorias de impacto; a ponderação, na qual se busca a conversão e possível agregação dos resultados dos indicadores entre as diferentes categorias de impacto utilizando fatores numéricos baseados em escolha de valores; e análise da qualidade dos dados para melhor entendimento da confiabilidade dos resultados da AICV (ABNT, 2009 e *European Commission*, 2010).

iv) **Interpretação.** Nesta fase, os resultados das etapas da análise de inventário e da avaliação de impacto são combinados com o objetivo e escopo, de forma consistente, visando a identificar questões significativas, conclusões e recomendações. As limitações do estudo são, também, indicadas nesta fase, de forma transparente, baseadas na avaliação da completeza, sensibilidade e consistência do estudo (ABNT, 2009 e *European Commission*, 2010).

Há, ainda, a elaboração do relatório e a análise crítica realizada por especialistas externos, quando necessária. Vale destacar a característica interativa da ACV entre as quatro fases apresentadas.

A comunicação externa do desempenho ambiental da empresa e do seu produto também é o foco da gestão do ciclo de vida e pode ser realizada por meio de relatórios de sustentabilidade, como o *Global Reporting Initiative* (GRI), rótulos ambientais, entre outros, que podem se basear na ACV.

30.6 CONSIDERAÇÕES FINAIS

Atualmente, as empresas, de forma geral, estão em busca da sustentabilidade. O projeto Visão 2050, do qual participam diversas empresas-membros do Conselho Empresarial Mundial para o Desenvolvimento Sustentável (CEBDS), mostra que o caminho para a sustentabilidade necessita de mudanças comportamentais e inovações sociais e, ao mesmo tempo, de inovações e soluções tecnológicas por parte das empresas (CEBDS, 2009b). Contudo, a empresa necessita incorporar as questões ambientais, sociais e econômicas, com a visão do ciclo de vida, nas decisões de suas principais áreas funcionais ou de seus processos de negócios, tanto estratégicos quanto operacionais. Este é o grande desafio da gestão do ciclo de vida, sendo que a principal técnica para subsidiar tais decisões é a avaliação do ciclo de vida, de modo a integrar a visão do ciclo de vida e as dimensões da sustentabilidade nos principais processos de negócios, como ilustra a Figura 30.10.

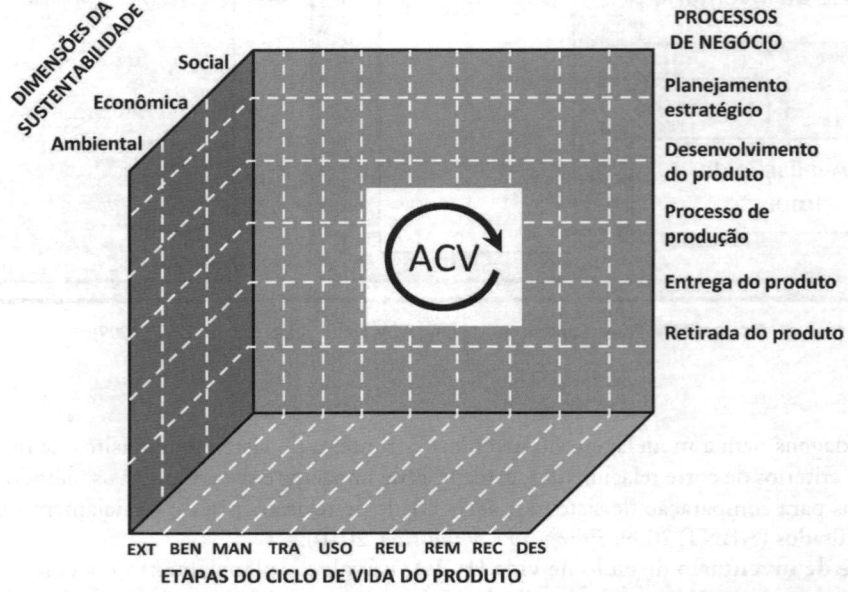

FIGURA 30.10 Avaliação da sustentabilidade do ciclo de vida integrada aos principais processos de negócios por meio da ACV; EXT: extração da matéria-prima; BEN: beneficiamento; MAN: manufatura; TRA: transporte; USO: uso do produto; REU: reúso; REM: remanufatura; REC: reciclagem; DES: destinação final.

REVISÃO DOS CONCEITOS APRESENTADOS

Neste capítulo, foram apresentados os conceitos e as principais práticas de gestão ambiental empresarial, a qual deve ser organizada de forma integrada às principais áreas ou processos de negócios da empresa.

A evolução histórica das práticas de gestão ambiental nas empresas iniciou-se de uma postura passiva, que se limitava a diluir e dispersar os poluentes, passando para uma postura reativa, caracterizada pelas ações de fim de tubo e remediações, até atingir uma postura proativa voltada à prevenção à poluição. Esta última postura tem suas principais aplicações práticas nos processos de produção, por meio de programas como a Produção Mais Limpa e no ciclo de vida do produto, ou seja, desde a extração da matéria-prima até o retorno e disposição final do produto, por meio da gestão do ciclo de vida.

As principais normas internacionais de gestão ambiental, representadas pela série ISO 14.000 foram apresentadas neste capítulo, com foco na ISO 14.001, a qual é a parte responsável pelas etapas de desenvolvimento, implementação, execução, avaliação e manutenção da política ambiental da companhia.

A aplicação da postura proativa em processos de produção é apresentada por meio do Programa de Produção Mais Limpa, o qual é dividido nas fases de planejamento e organização, identificação de oportunidades, análise de viabilidade e implementação e manutenção.

A gestão do ciclo de vida (GCV), ou *life cycle management* (LCM), é um sistema de gestão que visa a minimizar as cargas econômicas, sociais e ambientais do ciclo de vida do produto. A aplicação da gestão do ciclo de vida é demonstrada pelo ecodesign, que busca a redução dos impactos ambientais do ciclo de vida do produto durante o processo de desenvolvimento do produto. Como principal técnica para quantificar os impactos do ciclo de vida e subsidiar ações de melhorias sistêmicas, a avaliação do ciclo de vida (ACV) é apresentada de acordo com as suas fases de desenvolvimento: definição de objetivo e escopo; análise de inventário; avaliação do impacto do ciclo de vida e interpretação.

Por fim, salienta-se a importância de a gestão ambiental estar integrada às principais áreas ou processos de negócios, tanto estratégicos quanto operacionais, buscando soluções sustentáveis para o ciclo de vida do produto.

SUGESTÕES DE LEITURA COMPLEMENTAR

- BARBIERI, J.C. (2007) Gestão Ambiental Empresarial: conceitos, modelos e instrumentos. São Paulo: Saraiva, 382p.
- Companhia Ambiental do Estado de São Paulo (CETESB). (2012) Casos de sucesso em Produção e Consumo Sustentáveis/Produção mais Limpa. Disponível em: <http://cetesb.sp.gov.br/consumosustentavel/casos-de-sucesso>. Acesso: maio 2018.
- ELKINGTON, J. (2012) Sustentabilidade: Canibais com garfo e faca. São Paulo: Makron Books, 488p.
- GIANNETTI, B.F., ALMEIDA, C.M.V.B. (2006) Ecologia Industrial. Conceitos, ferramentas e aplicações. São Paulo: Edgard Blucher, 128p.
- MANZINI, E., VEZZOLI, C.O. (2002) Desenvolvimento de produtos sustentáveis – Os requisitos ambientais dos produtos industriais. São Paulo: Edusp, 367p.
- ROMM, J.J. (2004) Empresas ecoeficientes: como as melhores empresas aumentam a produtividade e os lucros reduzindo as emissões de poluentes. São Paulo: Signus, 300p.
- SELIGER, G. (2007) Sustainability in Manufacturing: recovery of resources in product and material cycles. Berlim, Alemanha: Springer, 423p.
- SROUFE, R., SARKIS J. (2007) Strategic Sustainability: the state of the art in corporate environmental management systems. Grã-Bretanha: Greenleaf Publishing, 272p.

Referências

Associação Brasileira de Normas Técnicas (ABNT). (2015) NBR ISO 14.001:2015. *Sistemas de gestão ambiental – Requisitos com orientações para uso*. Rio de Janeiro: ABNT, 41p.

_____. (2004) ISO/TR 14.062. *Gestão ambiental – integração de aspectos ambientais no projeto e desenvolvimento do produto*. Rio de Janeiro: ABNT, 12p.

_____. (2009) NBR ISO 14.040. *Gestão Ambiental – Avaliação do ciclo de vida – Princípios e estrutura*. Rio de Janeiro: ABNT, 21p.

Análise Gestão Ambiental. (2012) Análise Gestão Ambiental – Anuário 2011/2012. Análise Editorial.

BAUMANN, H., BOONS, F., BRAGD, A. (2002) Mapping the green product development field: engineering, policy and business perspectives. *Journal of Cleaner Production*, v. 10, n. 5, p. 409-425.

BERMEJO, R. (2011) *Manual para una economia sostenible*. Madri: Catarata, 455p.

BISHOP, P.L. (2010) *Pollution prevention: fundamentals and practice*. Cingapura: McGraw-Hill, 717p.

BRASIL. (2010) *Lei Federal no 12.305, de 2 de agosto de 2010*. Institui a *Política Nacional de Resíduos Sólidos (PNRS)*. Disponível em: <http://www.planalto.gov.br/ccivil_03/_ato2007-2010/2010/lei/l12305.htm>. Acesso: maio 2018.

BULCHHOLZ, R.A. (1998) *Principles environmental management: the greening of business*. Nova Jersey: Prentice-Hall, 448p.

BYGGETH, S., HOCHSCHORNER, E. (2006) Handling trade-offs in ecodesign tools for sustainable product development and procurement. *Journal of Cleaner Production*, v. 14, n. 15-16, p. 1420-1430.

CALLENBACH, E. CAPRA, F., GOLDMAN, L. (1993) *Gerenciamento ecológico: guia do Instituto Elmwood de auditoria ecológica e negócios sustentáveis*. São Paulo: Cultrix, 208p.

Companhia Ambiental do Estado de São Paulo (CETESB). (2004) *Meio ambiente: prevenção à poluição*. Disponível em: <http://cetesb.sp.gov.br/consumosustentavel/documentos/>. Acesso: maio 2018.

Comissão das Comunidades Europeias. (2001) *Livro verde sobre la política integrada relativa aos produtos*, Disponível em: <https://eur-lex.europa.eu/legal-content/PT/TXT/?uri=LEGISSUM%3Al28011>. Acesso: maio 2018.

Conselho Empresarial Brasileiro para o Desenvolvimento Sustentável (CEBDS). (2009) *Ecoeficiência*. Disponível em: <http://cebds.org> Acesso: março 2018.

_____. *Visão 2050: A nova agenda para as empresas*. Rio de Janeiro: CEBDS, 80p.

ECO2-IRN. (1995) *Ecologically and Economically Sound Design and Manufacture – Interdisciplinary Research Network. Defining ecodesign workshop: Economically and Ecologically Sound Design and Manufacture*. 3rd Forum. UK: Manchester Metropolitan University.

European Commission (EC). (2010) *International Reference Life Cycle Data System (ILCD) Handbook: general guide for Life Cycle Assessment – Detailed guidance*. Joint Research Centre. Institute for Environmental and Sustainability. EUR 24708EN. Luxembourg. Publications Office of the European Union.

FRANKE, C. (2004) *Ciclo de vida de produtos*. Relatório técnico. Universidade Técnica de Berlin (TUBerlin) e Grupo de Adequação Ambiental em Manufatura (AMA), do Núcleo de Manufatura Avançada (NUMA). Disponível em: <http://www.numa.org.br>. Acesso: maio 2018.

FIKSEL, J., WAPMAN, K. (1994) *How to design for environment and minimize life cycle cost*. Electronics and the Environment, 1994. ISEE. Proceedings... IEEE International Symposium. DOI: 10.1109/ ISEE.;1; 1994.337290.

GIROTRA, K., NETESSINE, S. (2013) OM forum—business model innovation for sustainability. Manufacturing & Service Operations Management, v. 15, n. 4, p.537-544.

GIUDICE F., LA ROSA G., RISITANO A. (2006) *Product Design for the Environment: A Life Cycle Approach*. Boca Raton: CRC/Taylor & Francis, 481p.

GUELERE FILHO, A., PIGOSSO, D.A.C. (2008) Ecodesign: métodos e ferramentas. In: PIMENTA, H.C. D., GOUVINHAS, R.P. (organizadores). *Ferramentas de gestão ambiental: competitividade e sustentabilidade*. Natal: Cefet, 163p.

GUELERE FILHO, A. (2009) Integração do Ecodesign ao Modelo Unificado para a Gestão do Processo de Desenvolvimento de Produtos: estudo de caso em uma grande empresa de linha branca. Universidade de São Paulo – Tese de Doutorado. São Carlos, 274p.

GUELERE FILHO, A., PIGOSSO, D.C.A., OMETTO, A.R., ROZENFELD, H. (1995) *Remanufacturing on a framework for integrated technology and product-system lifecycle management (ITPSLM)*. In: The 1st CIRP Industrial Product-Service Systems (IPS2) Conference, Cranfield, 2009.

GRAEDEL, T.E., ALLENBY, B.R. *Industrial Ecology*. New Jersey: Prentice Hall, 412p.

HARLAND, C. (1999) Developing the Concept of Supply Strategy. *International Journal of Supply Strategy*, v. 19, n. 7, p. 650-673.

HAUSCHILD, M., JESWIET, J., ALTING, L. (2004) Design for the Environment – Do we get the focus right? *CIRP Annals – Manufacturing Technology*, v. 53, n. 1, p. 1-4.

HP (2012). http://www.hp.com/latam/br/ecosolutions/products/design-para-o-ambiente.html?jumpid=in_r602_br_pt_any_any/eco_solutions/design/20090724. Acesso em maio 2018.

ISO. (2018) *ISO 14000 family - Environmental management*. Disponível em:<https://www.iso.org/iso-14001-environmental-management.html>.

ISO. (2009) *Environmental management: The ISO 14000 family of International Standard*. Suíça: ISO, 12p.

LUTTROPP, C., LAGERSTEDT, J. (2006) EcoDesign and the ten golden rules: generic advice for merging environmental aspects into product development. *Journal of Cleaner Production*, v. 14, n. 1, p. 1-13.

MAXWELL, D., VAN DER WORST, R. (2003) Developing sustainable products and services. *Journal of Cleaner Production*, v. 11, p. 883-895.

NIELSEN, P.H., WENZEL, H. (2002) Integration of environmental aspects in product development: a stepwise procedure based on quantitative life cycle assessment. *Journal of Cleaner Production*, v. 10, n. 3, p. 247-257.

PEREIRA, L.C., TOCCHETTO, M.R.L. (2004) *Sistema de gestão e proteção ambiental*. Disponível em: <http://ambientes.ambientebrasil.com.br/gestao/artigos/sistema_de_gestao_e_protecao_ambiental.html>. Acesso: fevereiro/2019.

PHILIPS. https://www.philips.pt/a-w/about-philips/sustentabilidade.html. Acesso maio 2018.

SÁNCHEZ, L.E. (2001) *Desengenharia: o passivo ambiental na desativação de empreendimentos industriais*. São Paulo: Edusp, 254p.

SROUFE, R., CURKOVIC, S., MONTABON, F., MELNYK, S.A. (2000) The New product design process and design for environment: "crossing the chasm". *International Journal of Operations and Production Management*, v. 20, n. 2, p. 267-291.

UDO DE HAES, H.A., FINNVEDEN, G., GOEDKOOP, M. et al. (2002) *Life-Cycle Impact Assessment:. Striving towards Best Practice*. Society of Environmental Toxicology and Chemistry (SETAC), Pensacola, 272p.

United Nations Environment Programme (UNEP). (2001) *Division of Technology Industry and Economics. Cleaner Production*. Paris, França: Unep, 32p.

_____. (2004) *Division of Technology Industry and Economics. Financing cleaner production. Profiting from cleaner production: resource kit for training checklists for action*. Paris, França: Unep, 46p.

_____. (2006) *Background report for a UNEP Guide to Life Cycle Management – A bridge to sustainable products*. Paris, França: Unep, 108p.

_____. (2007) *Life Cycle Management: a business guide to sustainability*. Paris, França: Unep, 52p.

_____. (2008) *The role of Product-Service Systems in a Sustainable Society*. Paris, França: Unep, 6p.

United States Environmental Protection Agency (USEPA). *Pollution preservation, 2001*. Disponível em: <http://www.epa.gov/p2/p2policy/definitions.htm#source>. Acesso: março 2018.

VAN WEENEN, J.C.V. (1995) Towards sustainable product development. *Journal of Cleaner Production*, v. 3, n. 1-2, p. 95-100.

WENZEL; H., ALTING, L. (2006) Architecture of environmental engineering. In: Global Conference on Sustainable Product Development and Life Cycle Engineering, 4, 2006, São Carlos. Proceedings... São Carlos: Suprema.

WENZEL, H., HAUSCHILD, M., JORGENSEN, J., ALTING, L. (1994) *Environmental tools in product development*. In: IEEE International Symposium on Electronics & the Environment. ISEE 1994. Proceedings., 1994 IEEE International Symposium on, vol., n., pp. 100-105, 2-4. DOI: 10.1109/ISEE.;1; 1994.337295.

AVALIAÇÃO DE RISCOS: FUNDAMENTOS E APLICAÇÕES

31

Adelaide Cassia Nardocci / Marcelo de Souza Lauretto / Maria Inês
Zanoli Sato / Maria Tereza Pepe Razzolini

O presente capítulo apresenta os fundamentos dos métodos quantitativos de avaliação de riscos associados à exposição a agentes químicos e microbiológicos presentes em diferentes compartimentos ambientais, como água, solo e ar. As etapas da avaliação quantitativa de riscos são apresentadas, além das especificidades que devem ser consideradas nos estudos de riscos, incluindo o comportamento ambiental dos agentes, o tratamento estatístico dos dados, a definição dos modelos dose-resposta, a quantificação dos riscos e o emprego do método de Monte Carlo nesses cálculos. Os conceitos são ilustrados por meio de estudos de caso de aplicações de avaliações de riscos para agentes químicos em processos regulatórios de gestão da exposição e para riscos microbiológicos no reuso de lodo de esgoto. O capítulo traz também um glossário dos conceitos principais.

31.1 INTRODUÇÃO

A avaliação de riscos é a base para a maioria das regulações voltadas à gestão da exposição humana aos agentes ambientais químicos (agrotóxicos, metais, poluentes atmosféricos), físicos (radiações ionizantes) e biológicos (vírus, bactérias patogênicas). Embora envolva incertezas, a avaliação de riscos é a ferramenta mais poderosa para auxiliar na tomada de decisão sobre as concentrações toleráveis e a custo-eficácia das ações necessárias para a gestão do risco.

As pessoas estão cotidianamente expostas a uma variedade de agentes perigosos presentes no ar, na água, nos alimentos, nas superfícies de contato, nos produtos que consomem ou utilizam. Estas exposições ao longo da vida contribuem direta e indiretamente para a ocorrência de agravos à saúde, doenças e mortes prematuras. No entanto, identificar e avaliar as exposições e riscos mais relevantes a elas associados, assim como decidir sobre as ações necessárias de gerenciamento das exposições e/ou monitorá-las, são um dos maiores desafios da ciência neste século, o que tem demandado considerável volume de recursos materiais e humanos em todo mundo.

Embora a preocupação com os efeitos à saúde humana associados à exposição a agentes ambientais sempre esteve presente ao longo da história, assim como a busca por recursos para o enfrentamento dos problemas gerados, foi a partir da segunda metade do século XX que teve início o desenvolvimento de métodos quantitativos de avaliação de riscos e o emprego destes métodos nos processos regulatórios nas mais diversas áreas: meio ambiente, saúde pública, saúde do trabalhador, alimentação, segurança química, saneamento, engenharia, economia, entre outras.

A construção da estrutura conceitual da avaliação e do gerenciamento de riscos teve início, de um lado, com o desenvolvimento da indústria nuclear e as preocupações com a sua segurança, o que levou ao desenvolvimento dos métodos probabilísticos de análise de riscos, e, de outro, com a criação das principais agências reguladoras dos países desenvolvidos, voltadas às atividades de gestão da qualidade ambiental e de saúde e segurança no trabalho. Essas agências surgiram em resposta à rápida degradação ambiental causada pelo uso indiscriminado de agrotóxicos, pela poluição industrial por agentes perigosos, pela disposição inadequada de resíduos perigosos e, ainda, à crescente pressão popular (Molak, 1996).

A avaliação de riscos é, essencialmente, um instrumento de auxílio à tomada de decisão, e pode ser definida como o conjunto de procedimentos e técnicas específicas que sintetizam as melhores informações e os julgamentos científicos disponíveis sobre as mesmas, com o objetivo de identificar, quantificar e avaliar a probabilidade de efeitos adversos para o ser humano, outras espécies e ecossistemas, a partir da exposição a um determinado agente. Deve proporcionar a mais completa informação possível aos responsáveis por controlar e prevenir os riscos, àqueles que estabelecem políticas e normas (Nardocci, 2009).

Atualmente, existem diversas ferramentas da avaliação de riscos disponíveis para aplicação em diferentes áreas da engenharia, saúde pública e economia, visando ao atendimento de diversas finalidades nos processos regulatórios de agências nacionais e internacionais. No entanto, a estrutura geral de todo estudo de risco é a mesma, desde 1983, quando o National Research Council publicou o *Risk Assessment in the Federal Government: Managing the Process* (NRC1983). Essa publicação definiu os conceitos e as bases gerais de avaliação de riscos como um processo constituído de quatro etapas: identificação de riscos, avaliação dose-resposta, avaliação da exposição e caracterização do risco. O Quadro 31.1 apresenta alguns termos e definições utilizados na área de avaliação e gerenciamento de riscos ambientais.

> ### QUADRO 31.1 Termos e conceitos utilizados no campo da análise de riscos ambientais
>
> **Risco:** Probabilidade de ocorrência de um efeito adverso em um organismo, sistema ou população (ou grupo) causada pela exposição a agentes ambientais, em circunstâncias específicas.
> **Perigo:** Propriedade inerente de um agente ou situação que tem o potencial de causar efeitos adversos.
> **Análise de risco:** É frequentemente entendida de forma mais ampla e inclui a avaliação de risco, a caracterização de risco, a comunicação de risco, o gerenciamento do risco e as políticas relacionadas no contexto das preocupações individuais, das organizações públicas e privadas e da sociedade nos níveis local, regional, nacional ou global.
> **Avaliação de risco:** Processo sistemático para compreender a natureza do risco, expressar e avaliar os riscos, baseados no conhecimento científico disponível a fim de subsidiar processos de tomada de decisão.
> **Gerenciamento de risco:** É o conjunto de todas as atividades técnicas e legais, bem como de todas as decisões e escolhas sociais, políticas e culturais que se relacionam direta ou indiretamente com as questões de risco.
> **Comunicação de risco:** Intercâmbio ou compartilhamento de dados, informações e conhecimento relacionados com riscos entre diferentes grupos (como reguladores, partes interessadas, consumidores, mídia, público em geral).
> **Percepção de risco:** Julgamento ou apreciação pessoal do risco.

A avaliação quantitativa de riscos (AQR) baseia-se na análise de cenários de exposição, que devem representar, da melhor forma possível, o contexto em análise. Assim, cada cenário de exposição é único e os resultados da AQR serão válidos apenas para o contexto de cada cenário. Os cenários podem ser reais ou postulados para situações hipotéticas ou futuras.

A seguir, será abordada a avaliação quantitativa de riscos na gestão de exposições contínuas a agentes químicos e microbiológicos, e apresentados exemplos de aplicações da ferramenta em diferentes cenários ambientais.

31.2 AVALIAÇÃO QUANTITATIVA DE RISCOS DE AGENTES QUÍMICOS (AQRQ)

A avaliação da exposição e dos efeitos à saúde dos agentes químicos presentes no ambiente é um grande desafio, seja (i) pela quantidade e diversidade de substâncias às quais estamos expostos, (ii) pela ampla disseminação desses contaminantes no ambiente, que resulta em uma grande diversidade de meios e condições de exposição, ou (iii) pela diversidade de efeitos à saúde que podem induzir.

Existem centenas de milhares de substâncias químicas, e novas substâncias são introduzidas todo ano no mercado. As propriedades físico-químicas, toxicológicas e de comportamento ambiental são específicas de cada substância e não podem ser inferidas ou extrapoladas de uma para outra, mesmo que estas apresentem, eventualmente, similaridades na estrutura química.

A seguir, serão apresentadas, de forma resumida, as etapas da AQRQ.

a. Identificação dos perigos

O objetivo desta etapa é identificar e selecionar os agentes químicos de interesse para avaliação de risco e decidir se as informações científicas disponíveis sobre estes agentes são suficientes para classificá-los como perigosos e justificar a realização das próximas etapas da AQR. Esta etapa divide-se em duas partes. A primeira é a caracterização detalhada do problema em questão, o que pode incluir o levantamento de dados sobre a origem e a história das atividades envolvidas na contaminação; análise de dados existentes; amostragem e análise de dados nos compartimentos ambientais para a identificação ou confirmação da presença de contaminantes, entre outros.

A segunda parte compreende o levantamento de informações confiáveis e atualizadas, na literatura científica especializada, das características físico-químicas e toxicológicas de todas as substâncias, do seu comportamento no ambiente e evidências existentes sobre a toxicidade e potencial de efeitos adversos à saúde humana. O Quadro 31.2 apresenta algumas das principais fontes de informações disponíveis.

QUADRO 31.2 Principais fontes de informações sobre substâncias químicas para avaliação de riscos

Integrated Risk Information System (IRIS): Foi criado pela USEPA,* em 1985, e fornece um banco de dados de substâncias químicas usualmente encontradas no meio ambiente para subsidiar avaliações baseadas em evidências de alta qualidade. Disponível em www.epa.gov/iris.

Toxicological Profiles da Agency for Toxic Substances and Disease Registry (ATSDR): Apresenta informações sobre contaminantes encontrados em áreas contaminadas. Disponível em http://www.atsdr.cdc.gov/toxprofiles/index.asp.

TOXNET: *Toxicology Data Network da US National Library of Medicine:* É um portal que direciona para diversas bases de dados sobre propriedades químicas, dados toxicológicos e comportamento ambiental dos contaminantes. Disponível em http://toxnet.nlm.nih.gov/.

Chemicals from the Office of Environmental Health Hazards Assessment (California State): Fornece informações para a avaliação de riscos e critérios regulatórios utilizados no estado da Califórnia. Disponível em http://oehha.ca.gov/tcdb/index.asp.

Environmental Health Criteria from the World Health Organization (WHO): Traz revisões críticas internacionais sobre os efeitos de produtos químicos ou combinações de produtos químicos e agentes físicos e biológicos na saúde humana e no meio ambiente. Disponível em http://www.who.int/ipcs/publications/ehc/en/.

*U.S. Environmental Protection Agency (Agência de Proteção Ambiental dos Estados Unidos) (www.epa.gov).

Após análise cuidadosa das informações coletadas, três decisões importantes podem ser tomadas: (i) as substâncias não são perigosas e, portanto, não é necessário prosseguir com as etapas seguintes; (ii) as substâncias são perigosas e, portanto, é necessário efetuar as próximas etapas; (iii) as informações levantadas não são suficientes para concluir a respeito e mais estudos serão necessários. Estas decisões poderão resultar em dois tipos de erros: (1) as substâncias foram consideradas seguras e não eram e; (2) as substâncias foram consideradas perigosas e não eram. Do ponto de vista de saúde pública, o primeiro tipo de erro é mais preocupante, mas, do ponto de vista econômico e social, o segundo tipo também pode ter sérias implicações.

b) Avaliação da exposição

O objetivo da avaliação da exposição é estimar a dose recebida pela população exposta, a frequência e a duração da exposição aos agentes químicos selecionados na etapa anterior. Na análise quantitativa de risco, a estimativa da exposição é realizada a partir da avaliação de cenários de exposição.

A avaliação do cenário considera a emissão, a dispersão e o transporte do agente no ambiente, as características da ocupação e da população exposta e o tempo de exposição, definindo o cenário de exposição. Os parâmetros a serem avaliados são concentração de exposição, a frequência e a duração da exposição, além da dose potencial. O Quadro 31.3 apresenta os termos e definições principais utilizados na avaliação da exposição.

QUADRO 31.3 Termos e definições utilizados em avaliação de exposição a agentes ambientais

Fontes: Naturais/antropogênicas; áreas/pontuais/difusas/lineares; estacionárias/móveis; *indoor/outdoor*

Exposição: É o contato entre os agentes ambientais e as pessoas expostas

Meios de exposição: São os meios ambientais que colocam os agentes em contato com as pessoas

Exemplos: água, ar, solo, poeiras, alimentos, produtos de consumo

Caminhos de exposição: O percurso físico que o agente percorre no ambiente da fonte até o ponto de exposição

Concentração de exposição: É a concentração do agente no meio de contato: mg/kg (alimentos); mg/L (água e outros líquidos); mg/m^3 ou $\mu g/m^3$ (ar); mg/cm^2 ou $\mu g/cm^2$ para superfícies contaminadas; % por peso; fibras/m^3 (ar)

Dose potencial: É a quantidade do agente que é inalada ou ingerida por kg de peso corpóreo. Para exposição dérmica, é a quantidade do agente que é aplicada na superfície da pele por kg de peso corpóreo

Vias de exposição: São as formas de entrada do agente no organismo humano: inalação, contato dérmico e ingestão

Duração da exposição: O período de tempo em que a pessoa fica exposta ao agente: segundos, minutos, horas, dias, semanas, meses, anos, tempo de vida

Frequência da exposição: Contínua, intermitente, cíclica, randômica, rara

Locais de exposição: Ocupacional/não ocupacional; residencial/não residencial; *indoor/outdoor*

A Figura 31.1 mostra um cenário de exposição típico, com indicação dos caminhos e vias de exposição utilizados na avaliação do cenário.

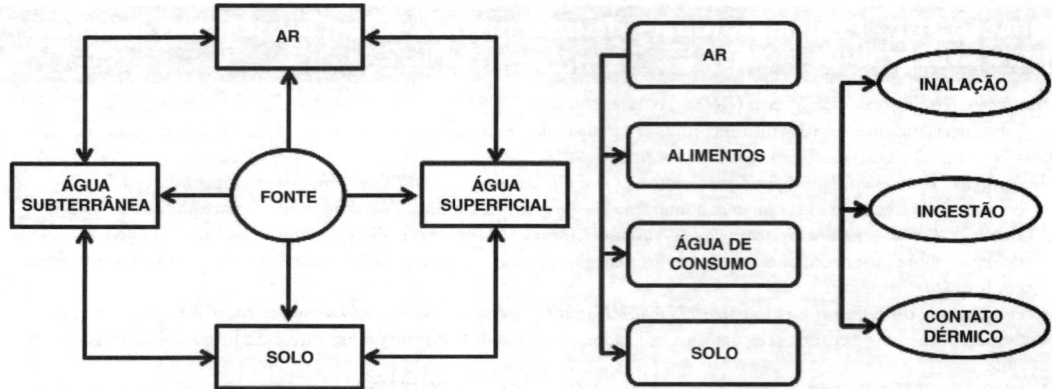

FIGURA 31.1 Caminhos e vias de exposição utilizados para estimativa de exposição.

A estimativa das concentrações ambientais dos agentes pode ser realizada de forma direta ou através de modelos. Na forma direta, medidas da concentração dos agentes de interesse nos meios de contato com a população permitem estimar as emissões e simular o transporte ambiental dos agentes, da fonte até os meios de exposição. Na estimativa direta, é fundamental estabelecer um plano de amostragem que garanta a representatividade do cenário de exposição, assim como técnicas analíticas adequadas às magnitudes previstas das concentrações.

A estimativa por modelos pode variar desde simples cálculos até sistemas computacionais sofisticados que resolvem equações diferenciais parciais que governam o transporte e a transformação dos agentes no meio. Deve ser enfatizado que a dispersão e o comportamento dos agentes no ambiente são fortemente influenciados pelas características do local, como tipo de solo, drenagem, presença de corpos de água, padrões de precipitação pluviométrica, temperatura e umidade do ar, entre outros.

Para completar esta etapa, são necessárias informações sobre a população exposta, a frequência e a duração da exposição. São relevantes as seguintes informações:

(1) Tipo de ocupação: residencial, comercial, industrial, recreacional;
(2) Tempo de permanência na área; tempo de permanência *indoor* e *outdoor*;
(3) Hábitos: consumo e origem da água e alimentos; atividades ocupacionais e recreacionais, entre outros;
(4) Grupos sensíveis: escolas, hospitais, asilos ou grupos com hábitos culturais específicos;
(5) Distribuição por sexo e faixa etária.

As crianças são sempre um grupo sensível de grande relevância em estudos de risco. Nos últimos anos, muitos esforços têm sido feitos para o desenvolvimento de informações específicas para a avaliação e a redução dos riscos para crianças (WHO, 2006).

A estimativa da dose potencial (D_{pot}) é dada, de forma simplificada, pela Equação 31.1:

$$D_{pot} = \frac{C \cdot TI \cdot FE \cdot DE}{PC \cdot TR}$$

Equação 31.1

em que: D_{pot} é a dose potencial diária média (mg/kg.dia), C é a concentração do agente no meio de exposição (mg/L ou mg/kg), TI é a taxa de ingestão ou de inalação (L/dia ou mg/dia), FE é a frequência de exposição (dias/ano), DE é a duração da exposição (anos), PC é o peso corpóreo (kg) e TR é o tempo de referência (dias). O TR é o tempo no qual é estimada a média diária. Para exposições ao longo da vida, TR é igual ao tempo de vida médio e, usualmente, dado por $TR = DE \times 365$ dias (USEPA 1992).

Para dose de exposição dérmica, calcula-se a quantidade absorvida pela pele, a qual depende do tipo de meio e área de contato com o corpo. Mais detalhes podem ser obtidos em USEPA (1992).

c) Avaliação dose-resposta

A avaliação dose-resposta é a caracterização quantitativa da relação entre as doses recebidas e as respectivas respostas na população, por meio de modelos específicos. No estudo da exposição aos agentes químicos, dois tipos de efeitos têm sido considerados: os que apresentam e os que não apresentam limiar de dose, como é o caso dos efeitos carcinogênicos.

Os modelos são obtidos a partir de dados disponíveis, geralmente, de pessoas ou grupos que já foram expostos ou de estudos com animais; do relacionamento estrutura-atividade e/ ou de investigação *in vitro*. As informações necessárias para a realização desta etapa devem ser obtidas nas fontes de dados especializados (Quadro 31.2).

Os efeitos com limiar são usualmente referidos na literatura como efeitos não carcinogênicos ou sistêmicos, e compreendem os efeitos em órgãos específicos, neurológicos/comportamentais, imunológicos, reprodutivos e de desenvolvimento. Nesses casos, para a avaliação de riscos, assume-se que há um limiar de efeito, ou seja, um valor de dose abaixo do qual, provavelmente, não ocorrerão efeitos adversos significativos à saúde das pessoas.

Muitas agências internacionais têm desenvolvido valores de referência para serem utilizados em avaliação de riscos, entre os quais se destacam: dose de referência (*RfD*) ou concentração de referência (*RfC*) (USEPA/IRIS); incorporação diária tolerável/concentração diária tolerável (*Health Canada*); *minimal risk level* (*MRL*) (ATSDR – *Agency for Toxic Substances and Disease Registry*); incorporação diária tolerável (IPCS – *International Programme on Chemical Safety*). Tradicionalmente, estes valores têm sido derivados a partir do NOAEL (*No Observed Adverse Effect Level*), que é o nível no qual não se observam efeitos adversos, considerando-se fatores de segurança e incerteza. Deve ser destacado que estes índices, frequentemente, levam em conta premissas e considerações diferentes, seja quanto à definição dos fatores de segurança e incerteza, seja quanto aos estudos toxicológicos e ou epidemiológicos nos quais se baseiam.

Para os efeitos sem limiar, chamados efeitos carcinogênicos, considera-se que a relação dose-resposta é linear e que a toda dose há sempre um risco associado. Para avaliação dos riscos de efeitos carcinogênicos, assume-se, portanto, uma relação linear e os fatores de carcinogenicidade (fator potencial) são dados pelo coeficiente angular (inclinação) da reta. A classificação sobre as evidências de carcinogenicidade em seres humanos de agentes ambientais tem sido realizada por duas agências principais: a USEPA e a IARC,[1] que periodicamente revisam os estudos epidemiológicos e toxicológicos existentes e realizam a classificação do chamado "peso das evidências" sobre o potencial de cada agente de induzir câncer em seres humanos.

Os valores de dose de referência e fatores de carcinogenicidade são característicos de cada substância química e podem ser encontrados nos bancos de dados de informações toxicológicas. Alguns termos e definições são apresentados no Quadro 31.4.

QUADRO 31.4 **Termos e definições utilizados na etapa de avaliação dose-reposta**

Dose de referência (*RfD*): Dose diária de uma substância química, em mg/kg de peso corpóreo/dia do peso corpóreo que, provavelmente, não causará efeito adverso à saúde, ainda que o indivíduo esteja exposto ao longo de todo o seu tempo de vida

NOEL (*No Observed Effect Level*): Dose para a qual não há um aumento biologicamente ou estatisticamente significativo, entre a população exposta e o grupo controle, na frequência ou severidade de um efeito adverso

NOAEL (*No Observed Adverse Effect Level*): Dose para a qual não há um aumento biologicamente ou estatisticamente significativo, entre a população exposta e o grupo controle, na frequência ou severidade de um efeito adverso. Alguns efeitos podem ser produzidos, mas eles não são considerados adversos, nem precursores de efeitos adversos específicos

Slope Factor (*SF*) ou Fator de carcinogenicidade: Incremento de risco de câncer para uma dose de 1 mg de substância por kg de peso corpóreo por dia

---

d) Caracterização do risco

No caso de efeitos não carcinogênicos, não é possível obter uma medida da probabilidade de efeito. Desta forma, avaliação é feita pela comparação direta das doses calculadas com os valores de referência (*RfD*). Isto pode ser feito dividindo-se a dose estimada pela *RfD* e obtendo o chamado Quociente de Risco – *HQ* (*Hazard Quotient*) (Equação 31.2):

$$HQ = \frac{D_{pot}}{RfD}$$

Equação 31.2

Se *HQ* for menor que 1, a exposição à substância química em questão é considerada como não provável de causar efeitos adversos significativos à saúde. Se for maior que 1, efeitos adversos à saúde são prováveis de ocorrer e ações de remediação ou mitigadoras são necessárias. O *HQ* não é uma medida do risco, mas apenas um ponto de partida para estimar o risco (USEPA, 1992).

Para exposição a várias substâncias diferentes, a adição das doses é apropriada apenas para os casos em que os compostos considerados induzem ao mesmo tipo de efeito e por meio de modos similares de ação. Do contrário, é mais apropriado calcular os *HQ*s separadamente para cada substância.

---

[1] *International Agency for Research on Cancer* (Agência de Pesquisa sobre Câncer da Organização Mundial de Saúde) (www.iarc.fr).

Para substâncias carcinogênicas, o risco é calculado multiplicando-se a dose estimada pelo fator de carcinogenicidade, também chamado *slope factor* (*SF*) (USEPA 1992). O fator potencial é a inclinação da reta obtida pela extrapolação dos dados de altas doses para baixas doses, considerando-se uma associação linear entre dose-resposta.

Desta forma, o risco para efeitos carcinogênicos é dado pela Equação 31.3.

$$Risco = D_{pot} \cdot SF$$ Equação 31.3

em que: D_{pot} é a dose potencial diária média, em mg/kg peso corpóreo/dia; *SF* é o *slope factor* dado em risco por mg/kg de peso corpóreo/dia. Maiores detalhes podem ser obtidos em USEPA (1992), Rodricks (1992) e WHO (1999).

O risco fornece a probabilidade de um incremento na ocorrência de efeitos adversos na população exposta, associado a cada cenário de exposição e é expresso por um valor entre 0 e 1 e é adimensional. Um valor de risco de 1×10^{-3}, por exemplo, representa 1 caso de câncer esperado a cada 1.000 pessoas expostas.

31.3 AVALIAÇÃO QUANTITATIVA DE RISCO MICROBIOLÓGICO (AQRM)

A ocorrência de microrganismos patogênicos (bactérias, vírus, protozoários e helmintos) em matrizes ambientais tem sido relatada em diversos estudos (Razzolini et al., 2010, Pinto et al., 2012, Sato et al., 2013, Bastos et al., 2013, Krzynowski Jr. et al., 2014, Franco et al., 2016), trazendo preocupações sobre o seu potencial de causar efeitos adversos à saúde humana. Portanto, a exposição ambiental a agentes patogênicos deve ser vista com atenção, já que mais de 80% dos patógenos capazes de causar doenças em seres humanos são transmitidos por rotas ambientais (água, ar, solo, alimentos, resíduos líquidos e sólidos) e, ainda, alguns patógenos podem apresentar mais que uma rota de transmissão (Tabela 31.1).

TABELA 31.1 Principais rotas de transmissão de alguns microrganismos patogênicos

Patógeno	Exemplo	Rota de transmissão	Via de exposição
Vírus	Adenovírus	Água e alimento contaminados; ar	Ingestão e Dérmica
	Rotavírus	Água e alimento contaminados, contato pessoal	Ingestão
Bactérias	*Salmonella*	Água e alimento contaminados	Ingestão
	Legionella	Água (aerossóis), ar	Inalação
Protozoários	*Giardia*	Água e alimento contaminados	Ingestão
	Naegleria	Água (aerossóis)	Inalação
Helmintos	*Ascaris*	Água e solo contaminados	Ingestão
	Trichuris	Água e solo contaminados	Ingestão

Fonte: Adaptado de Haas, Rose e Gerba (2014).

Nos últimos anos, uma das ferramentas utilizadas para avaliar o impacto na saúde humana da presença de patógenos em águas de abastecimento público ou em outras matrizes ambientais tem sido a avaliação quantitativa de risco microbiológico (AQRM). A AQRM é definida como o processo que avalia a probabilidade de ocorrência de efeitos adversos à saúde humana pela exposição a microrganismos patogênicos (ou suas toxinas) ou a um meio onde esses ocorram. Os princípios de avaliação de risco para estimar as consequências da exposição (planejada ou casual) a microrganismos infecciosos permite expressar os riscos de forma quantitativa em termos de infecção, doença ou morte por microrganismos patogênicos (ILSI 2000). A AQRM é, portanto, um procedimento que integra informações com base em dados científicos com o objetivo de determinar a possibilidade de efeitos adversos à saúde humana em decorrência da exposição a um microrganismo específico.

Como a avaliação do risco microbiológico é uma ferramenta que estima os impactos na saúde humana causados por microrganismos, descritos como doenças e sintomas associados às infecções, existem muitos termos utilizados pela comunidade médica, por profissionais de saúde pública, por cientistas, dentre outros, que devem ser harmonizados para se evitarem ruídos de comunicação e interpretações equivocadas. O Quadro 31.5 apresenta alguns termos rotineiramente utilizados na condução da AQRM e suas definições.

QUADRO 31.5 Termos e definições utilizados em avaliação de exposição a agentes microbiológicos

Infecção: Contato inicial do hospedeiro com o microrganismo patogênico

Colonização: Processo de interação do microrganismo patogênico com o hospedeiro

Doença: Conjunto de sintomas associados com a infecção e colonização pelo microrganismo patogênico

Patogenicidade: Capacidade de um microrganismo causar doença ao superar as defesas do hospedeiro

Virulência: Grau de intensidade com que o microrganismo é capaz de causar a doença no hospedeiro

Infectividade: Habilidade do patógeno de colonização, sobrevivência e multiplicação no hospedeiro

Dose infecciosa: Número mínimo de microrganismos capazes de ultrapassar as barreiras de defesa do hospedeiro, de sobreviver e de se multiplicar no hospedeiro

Dose-resposta: Relação quantitativa de diferentes valores de exposição (dose, intensidade e duração) associada à ocorrência de efeitos adversos à saúde humana

Curva dose-resposta: Representação gráfica da relação quantitativa entre dose de microrganismos administrada e a resposta biológica específica a esse agente

Imunodeprimido/imunocomprometido: Pessoas que apresentam deficiências no sistema imunitário e, portanto, são mais sensíveis a infecções que a população em geral

Assim como para o risco químico, a condução da AQRM está estruturada em quatro etapas principais: identificação do perigo, avaliação da exposição, avaliação da relação dose-resposta e caracterização do risco, como apresentado na Figura 31.2.

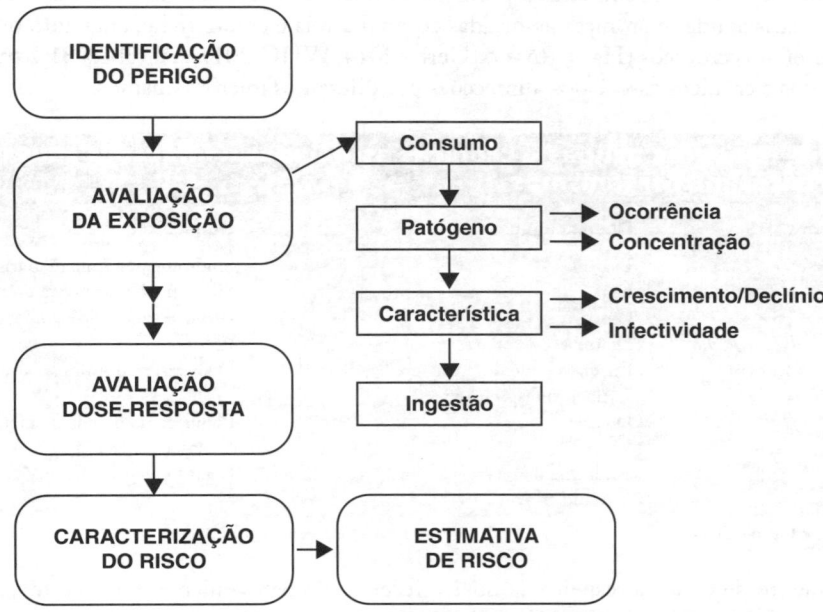

FIGURA 31.2 Estrutura para a condução da avaliação quantitativa de risco microbiológico (AQRM). *Fonte: Adaptado de Marks et al., 1998.*

Essa estrutura pode apresentar pequenas variações, dependendo do objeto de estudo, mas essa é a mais utilizada e está descrita em diretrizes internacionais relacionadas com a água e os alimentos (FAO/WHO, 2003; WHO, 2006; WHO, 2017; CAC, 2013).

Importante destacar que, antes da condução da AQRM, é crucial determinar o contexto, alcance e finalidade da avaliação e o uso pretendido dos resultados obtidos, a fim de selecionar a abordagem mais adequada para o problema em estudo. Portanto, o primeiro passo para a realização da avaliação quantitativa de risco microbiológico é formular questões que pretendemos responder. Tais questões surgem de contextos complexos de contaminação microbiológica de matrizes ambientais (água, solo, ar), ambientes internos, alimentos, entre outros. Nesse sentido, algumas perguntas podem surgir, como, por exemplo:

i) Qual o nível de risco a que pessoas que vivem em assentamentos irregulares estão expostas?

ii) Qual é a probabilidade de crianças menores de 12 anos adoecerem por norovirose após nadar em uma praia contaminada? Como essa situação pode ser gerenciada?

iii) Se cultivos de alface forem irrigados com água de reúso (esgoto tratado), qual será o risco à saúde dos consumidores? Há risco de ocorrer infecção por *Salmonella*? Em que fase da cadeia produtiva podem-se aplicar medidas para reduzir os riscos?

iv) Qual seria o impacto no sistema de abastecimento de água potável após a ocorrência de um evento extremo (por exemplo: secas severas e inundações)?

a) Identificação do perigo

A etapa de identificação do perigo trata tanto da identificação do agente microbiano quanto dos desfechos (infecção, doença e morte) associados a um agente específico. A AQRM necessita de uma identificação minuciosa do microrganismo e de seus efeitos sobre a saúde humana, a ser realizada de modo criterioso e cuidadoso. Por ser uma área dinâmica com constantes avanços científicos e tecnológicos, é importante uma revisão detalhada da literatura recente.

A descrição do ciclo biológico (ou de vida) do microrganismo é fundamental para se identificarem seus hospedeiros (definitivos e intermediários) e reservatórios, além das fases infecciosas do ciclo de vida e de suas formas de resistência no ambiente. O modo de transmissão e suas rotas devem ser caracterizados. Possíveis rotas ocorrem pela água, pelos alimentos, pelo ar, por fômites (objetos e materiais que podem carrear agentes infecciosos) ou então por vetores (biológicos ou mecânicos).

Outro aspecto importante a ser considerado é se o microrganismo em questão pode causar efeitos específicos ou múltiplos. Por exemplo, o Adenovírus, vírus que pode ser transmitido pela via fecal-oral e respiratória, é capaz de causar uma variedade de doenças como gripe, gastroenterite, conjuntivite, entre outras. Cada doença apresenta sintomas específicos, os quais podem variar de leves a severos.[2] Algumas infecções e doenças agudas e crônicas associadas como diarreia e conjuntivite, enquanto outras podem evoluir e gerar efeitos crônicos (Haas, Rose & Gerba 2014, WHO 2017). A Tabela 31.2 traz exemplos de efeitos agudos e crônicos associados a infecções por diferentes microrganismos.

TABELA 31.2 Doenças agudas e crônicas associadas a infecções causadas por diferentes microrganismos

Microrganismos	Doença aguda	Doença crônica
Campylobacter	Diarreia	Síndrome de Guillain-Barré
E. coli O15H7	Diarreia	Síndrome hemorrágica urêmica (SHU)
Helicobacter	Gastrite	Úlcera e câncer de estômago
Salmonella, *Shigella* e *Yersinia*	Diarreia	Artrite
Coxsackie B e Adenovírus	Encefalite, meningite asséptica, diarreia, doença respiratória	Diabetes, miocardite, obesidade
Giardia	Diarreia	Prejuízos no desenvolvimento e dores nas articulações
Toxoplasma	Síndrome do recém-nascido, perda visual e auditiva	Retardo mental, demência, convulsão

Fonte: Haas Rose e Gerba, 2014.

O levantamento de dados a respeito da dose infecciosa do patogênico é importante, já que alguns podem causar infecção e doença em baixas doses como vírus entéricos (rotavírus, por exemplo), ao passo que outros necessitam de doses elevadas para que ocorra a infecção/doença, como por exemplo, *Campylobacter* (WHO 2017).

Os métodos diagnósticos são relevantes, pois fornecem informações importantes sobre a incidência e prevalência de doenças que acometem a população de uma determinada área e, ainda, são fundamentais nas investigações de surtos. Em se tratando da circulação dos microrganismos no ambiente – água, solo, ar, alimentos –, deve-se conhecer as técnicas de detecção e quantificação nessas matrizes e suas vantagens e desvantagens.

Outro aspecto a ser considerado são as populações sensíveis (gestantes, imunodeprimidos, crianças, HIV positivo) e como elas são afetadas quando expostas ao microrganismo de interesse. Por exemplo, a hepatite causada pelo vírus da Hepatite E (HEV), veiculado pela água, apresenta taxa de mortalidade de 1 a 2% na população em geral, no entanto para gestantes essa taxa aumenta para uma faixa de 10 a 20% (Haas, Rose & Gerba, 2014). A Tabela 31.3 mostra as taxas de mortalidade para patógenos entéricos em casa de repouso de idosos comparadas à população em geral.

---

[2]CDC – www.cdc.gov/adenovirus/about/symptons.html.

TABELA 31.3 Taxas de mortalidade para patógenos entéricos em casas de repouso em relação à população em geral

Microrganismo	Taxa de mortalidade (%)	
	População em geral	População em casa de repouso
Campylobacter jejuni	0,1	1,1
E.coli O157	0,2	11,8
Salmonella	0,1	3,8
Rotavírus	0,01	1,0

Fonte: Haas, Rose e Gerba, (2014).

Os estudos epidemiológicos, os quais associam desfechos de saúde com possíveis rotas e vias de exposição, são outra fonte importante de dados sobre prevalência, sazonalidade dos agravos, geografia da doença e severidade.

b) Avaliação da exposição

Essa etapa tem por finalidade avaliar: o processo que determina o tamanho e a natureza da população exposta; a concentração e distribuição do microrganismo de interesse; bem como a frequência e a duração da exposição. Portanto, o objetivo é o de estimar a dose diária (uma única exposição) a que uma população está exposta.

Essa etapa pode ser dividida em duas partes para a construção de um cenário de exposição: (i) avaliar os caminhos (ou rotas) que transportam o patógeno de uma determinada fonte até alcançar uma população, e (ii) estimar a dose diária expressa como o número de microrganismos que foram ingeridos ou inalados por dia.

A concentração do microrganismo pode variar da fonte até alcançar o ponto de contato com as pessoas expostas. Vários fatores ambientais influenciam no crescimento e sobrevivência do microrganismo. Entre eles, podem-se citar: temperatura, umidade, radiação ultravioleta, pH, salinidade, concentração de nutrientes e presença de substâncias químicas. As taxas de inativação e decaimento natural variam de acordo com o microrganismo e com as matrizes ambientais.

A medição da concentração dos microrganismos de interesse em uma determinada matriz ambiental pode ser realizada diretamente com o uso de procedimentos analíticos padronizados e validados. Assim como para as medições de substâncias químicas, também é possível obter essa estimativa utilizando-se modelos teóricos e empíricos.

A dose diária de exposição a um determinado agente microbiano pode ser estimada, de forma simplificada, de acordo com a Equação 31.4:

$$D = C \cdot TI$$ Equação 31.4

em que: D é a dose diária de exposição, C é a concentração do microrganismo no meio de exposição (p.ex. UFC/L, UFF/g) e TI é a taxa de ingestão diária (por exemplo: L/dia, g/dia).

É possível incluir na determinação da dose diária de exposição mais dados para se melhorar a qualidade de sua estimativa, tais como a taxa de recuperação da técnica analítica de quantificação do patógeno, a taxa de inativação do organismo no meio e outros dados que se façam relevantes de acordo com o cenário de exposição.

c) Avaliação dose-resposta

O objetivo dessa etapa é encontrar uma relação quantitativa entre o nível da exposição a um agente microbiano patogênico e a probabilidade de ocorrência de efeito adverso à saúde humana, ou seja, infecção, doença e morte. Um modelo dose-resposta, em geral, é descrito como uma função matemática que expressa graficamente a dose administrada e a probabilidade do efeito adverso. As informações para o desenvolvimento dos modelos podem ser obtidas a partir de estudos epidemiológicos e experimentais, nos quais são observados os efeitos da exposição.

A Figura 31.3 traz um exemplo de curva dose-resposta para a ingestão de diferentes doses de rotavírus para seres humanos, na qual o eixo horizontal representa a dose ingerida por exposição e o eixo vertical representa o respectivo risco de infecção. Os pontos indicam as observações experimentais (proporções de casos de infecção por dose) e a linha contínua, a curva dose-resposta ajustada.

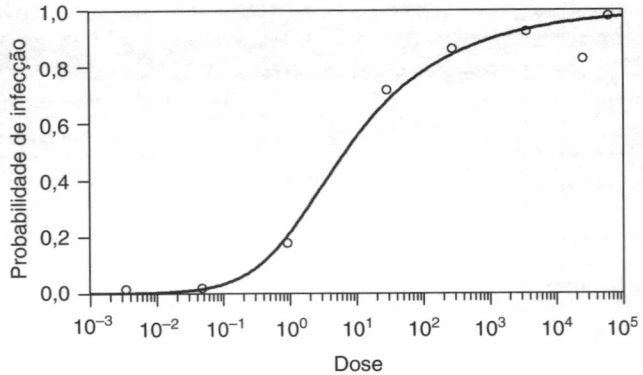

Figura 31.3 Curva de dose resposta por ingestão para seres humanos para diferentes doses de rotavírus. *Fonte: Adaptado de Gerba (2009).*

Na literatura, já existem modelos dose-resposta propostos para muitos patógenos que podem ser utilizados na condução da AQRM, sendo os mais comumente empregados o exponencial e o beta-Poisson.

O modelo exponencial é baseado em três premissas: (i) os microrganismos são distribuídos randomicamente no meio e assim a probabilidade de exposição segue a distribuição de Poisson; (ii) no mínimo um patógeno sobrevive dentro do hospedeiro; e (iii) todos os microrganismos têm probabilidade (k) independente e idêntica de sobreviver e iniciar um processo de infecção. Sob essas condições, a probabilidade diária de infecção é dada pela Equação 31.5.

$$P_I = 1 - \exp(-r \cdot D)$$ Equação 31.5

em que: P_I é a probabilidade diária de infecção, $r = 1/k$ e D é a dose diária de exposição.

O modelo beta-Poisson é baseado em considerações similares ao modelo exponencial, exceto que a probabilidade k do organismo sobreviver não é constante, mas segue uma distribuição beta. Neste caso, a probabilidade diária de infecção é dada pela Equação 31.6.

$$P_I = 1 - \left(1 + \frac{D}{\beta}\right)^{-\alpha}$$ Equação 31.6

em que: P_I é a probabilidade diária de infecção, D é a dose diária, e α, β são parâmetros do modelo dose-resposta cujos valores são específicos para cada patógeno (Haas, Rose & Gerba, 2014). A Tabela 31.4 mostra exemplos de resultados para ambos os modelos (exponencial e beta Poisson) para vários microrganismos.

Tabela 31.4 Modelos dose-resposta de estudos de ingestão para diferentes patógenos entéricos

Microrganismos	Melhor ajuste	Parâmetros
Echovirus 12	Beta-Poisson	$\alpha = 0,374$
		$\beta = 186,69$
Rotavirus	Beta-Poisson	$\alpha = 0,26$
		$\beta = 0,42$
Poliovirus 1	Exponential	$r = 0,009102$
Poliovirus 1	Beta-Poisson	$\alpha = 0,1097$
		$\beta = 1524$
Poliovirus 3	Beta-Poisson	$\alpha = 0,409$
		$\beta = 0,788$
Cryptosporidium	Exponential	$r = 0,004191$
Giardia lamblia	Exponential	$r = 0,02$
Salmonella	Exponential	$r = 0,00752$
Escherichia coli	Beta-Poisson	$\alpha = 0,1705$
		$\beta = 1,61 \times 10^6$

Fonte: Gerba (2009).

Outros modelos podem ser encontrados em sítios especializados, como o do Center for Advancing Microbial Risk Assesment.[3]

d) Caracterização do risco

Essa etapa consiste na integração de todas as informações levantadas e obtidas nas etapas anteriores. A partir da probabilidade diária de infecção, o risco (ou probabilidade) anual de infecção é estimado de acordo com a Equação 31.7.

$$P_A = 1 - (1 - P_I)^n \qquad \text{Equação 31.7}$$

em que: P_A é o risco anual, P_I é a probabilidade diária de infecção e n é a frequência da exposição, dada em dias/por ano em que a pessoa está exposta (por exemplo: para uma exposição diária ao longo do ano, $n = 365$ dias).

Se as taxas de morbidade (ou de doença) e de mortalidade (ou de morte) estiverem disponíveis para o microrganismo de interesse, as probabilidades de doença e de morte podem ser estimadas pelas Equações 31.8 e 31.9.

$$P_D = P_A \cdot \text{taxa de morbidade específica} \qquad \text{Equação 31.8}$$

$$P_M = P_D \cdot \text{taxa de mortalidade para a doença específica} \qquad \text{Equação 31.9}$$

em que: P_D é a probabilidade de doença e P_M é a probabilidade de morte.

A probabilidade de infecção, doença ou morte é usualmente expressa em forma exponencial, como, por exemplo, 1×10^{-6} (que representa 1 caso de infecção/doença/morte em 1.000.000 de indivíduos expostos).

31.4 TRATAMENTO ESTATÍSTICO DOS DADOS AMBIENTAIS

Frequentemente, as concentrações dos agentes químicos ou biológicos na matriz de interesse, denotadas pela letra C nas Equações 31.1 e 31.4, devem ser estimadas a partir de medições prévias das concentrações em amostras ambientais coletadas dessa matriz. Discutimos nesta seção algumas etapas e desafios a serem considerados no tratamento estatístico dos dados.

A primeira etapa na modelagem dos dados ambientais é sua análise exploratória, por meio da sumarização na forma de estatísticas básicas, como média aritmética simples, média geométrica, mediana, percentis e outras. Em combinação com análises gráficas (histogramas, diagramas de ramos e folhas, *boxplots* etc), essa etapa é importante para a identificação dos principais aspectos da distribuição, tais como sua média, dispersão, assimetria (usualmente identificada pela alta ocorrência de concentrações baixas e ao mesmo tempo a ocorrência de alguns poucos valores bastante elevados), entre outros.

Uma questão recorrente é a presença de amostras nas quais o agente não é encontrado, seja pela baixa concentração desse agente no meio ou pela limitação do método laboratorial, quando o limite de detecção (LD) é elevado. Essas amostras são usualmente ditas *censuradas*, pois se sabe apenas que a concentração na amostra está abaixo do limite de detecção, e portanto está no intervalo entre 0 e LD. A eliminação direta dessas amostras das análises estatísticas resulta no descarte de informação importante, e quase sempre em uma baixa confiabilidade nos riscos estimados. A abordagem mais simples é a substituição direta das observações nulas por algum valor constante, como 0, LD/2, LD/√2 ou o próprio LD, permitindo assim o cálculo das estatísticas sobre os dados "completos". Todavia, a substituição direta por essas constantes tende a gerar estimadores enviesados (ou seja, a média e a variância das distribuições tendem a ser sub ou superestimadas), especialmente com as substituições por 0 e LD (Croghan & Egeghy 2003). Alternativas mais robustas para lidar com esses casos são a extrapolação dos dados faltantes usando modelos de regressão ajustados sobre as observações não censuradas (Croghan & Egeghy 2003) e o ajuste de distribuições adaptadas para dados censurados (Govaerts et al. 2000).

31.5 ANÁLISE PROBABILÍSTICA USANDO O MÉTODO DE MONTE CARLO

Embora a estimativa pontual dos riscos (ou seja, aquela baseada em estimativas pontuais dos parâmetros de exposição e dos de modelos dose-resposta) seja útil para fornecer uma informação preliminar

---

[3]www.camra.msu.edu.

de sua ordem de grandeza, nas situações em que esta estimativa preliminar está próxima ou acima dos padrões toleráveis, é importante realizar uma análise mais cuidadosa dos riscos. Tal análise deve levar em consideração as incertezas e as variabilidades dos principais fatores de entrada do modelo (concentrações, taxas de ingestões etc). A análise probabilística é uma ferramenta útil nessa tarefa, pois fornece ao gestor a resposta para duas perguntas fundamentais:

a) Qual o nível de incerteza sobre o risco estimado? Em outras palavras, quais os limites superiores do risco, dentro de certos níveis de confiança estabelecidos?

Essa questão parte do princípio de que os riscos entre os indivíduos da população não são uniformes, já que as pessoas possuem diferentes níveis de exposição e de resposta aos agentes contaminantes. Os limitantes superiores dos riscos (por exemplo, o 95° percentil) fornecem uma medida do nível de risco sobre os indivíduos mais vulneráveis da população, tais como crianças, idosos, pacientes imunocomprometidos ou aqueles com maior grau de contato com os agentes. Toda tomada de decisão deve levar em consideração esses grupos, já que os efeitos de eventuais contaminações ou infecções tendem a ser mais severos sobre eles do que sobre o restante da população.

b) Como as incertezas e variabilidades dos fatores de entrada do modelo impactam nos riscos?

A condução de análises de sensibilidade para avaliar o impacto de cada um dos fatores sobre a avaliação de riscos é de suma importância, pois permite ao gestor analisar criticamente as premissas sobre cada fator e, principalmente, identificar as ações a serem tomadas para diminuir os riscos ou a incerteza de suas estimativas. Por exemplo, a identificação de que o nível de contaminação é um dos fatores de maior impacto sobre os riscos, pode não apenas fornecer evidências da necessidade de ações corretivas de mitigação ambiental, como também (ou principalmente) auxiliar na definição de planos de metas de curto, médio e longo prazos.

Uma das abordagens mais empregadas para análise probabilística dos riscos é o método de simulação de Monte Carlo, que consiste essencialmente em três passos principais:

1. Para cada fator de entrada que esteja sujeito a incertezas ou variabilidades, é assumida uma distribuição de probabilidade, com base na literatura corrente, na modelagem de dados primários e secundários disponíveis ou ainda na elicitação de distribuições junto a especialistas.

2. Iterativamente, sorteia-se um valor para cada parâmetro de acordo com sua distribuição de probabilidade, e calcula-se o valor do risco resultante (usando as mesmas equações utilizadas para estimar o risco pontual). Repete-se esse procedimento dezenas de milhares de vezes, obtendo, assim, uma distribuição simulada dos possíveis valores dos riscos em função dos possíveis valores dos parâmetros de entrada;

3. A partir da distribuição dos riscos obtidos nas simulações, extraem-se alguns sumários estatísticos dos riscos, tais como a média, mediana e quartis superiores (95° ou 97,5° percentis);

Usualmente, uma análise de sensibilidade é também conduzida, a fim de identificar os parâmetros com maiores níveis de associação com os riscos calculados. Essa identificação é realizada calculando-se o coeficiente de correlação entre os valores simulados de cada parâmetro e os respectivos valores dos riscos anuais obtidos. O coeficiente de correlação de postos de Spearman é usualmente o mais usado, por ser sensível a quaisquer tipos de associações monotônicas entre variáveis, inclusive associações não lineares.

31.6 ESTUDOS DE CASO

31.6.1 Cenário De Exposição Via Ingestão de Água e Solo Contaminados com Agente Químico.

Nos centros urbanos do estado de São Paulo, existem muitas áreas onde o solo e a água estão contaminados com substâncias químicas perigosas. Nos estudos de riscos destas áreas, os caminhos de exposição via ingestão direta da água e do solo são os usualmente avaliados. A exposição crônica via solo pode ser importante para crianças que podem brincar e ingerir solo contaminado. A contaminação por hidrocarbonetos policíclicos aromáticos (HPAs), compostos binários formados por carbono e hidrogênio com estrutura que consiste de pelo menos dois anéis aromáticos e de cinco ou seis átomos de carbono condensados, é relevante. Esses compostos são poluentes orgânicos persistentes (POPs) e muitos deles e/ou seus derivados são potencialmente carcinogênicos e/ou mutagênicos. Dentre eles, o benzo[a]pireno (BaP) é o mais conhecido.

O BaP é um HPA com cinco anéis aromáticos e pode ser produzido por fontes naturais (incêndios florestais) ou antropogênicas (queima de combustível fóssil, exaustão de motores dos veículos, cigarro e fontes industriais). As principais vias de exposição não ocupacional ao BaP são a inalação do ar poluído, ingestão de água e alimentos contaminados e processos de cozimento que envolvem fumaça (churrasco, alimentos defumados) (IRIS, 2018). A exposição dérmica pode ocorrer por meio do contato com materiais contendo fuligem, alcatrão ou petróleo bruto, incluindo produtos farmacêuticos contendo alcatrão de hulha, como xampus baseados em alquílica e tratamentos para eczema e psoríase (IARC, 2012).

Segundo IRIS (2018), evidências de estudos em animais demonstram que a exposição ao BaP está associada com neurotoxicidade no desenvolvimento, toxicidade reprodutiva e efeitos imunológicos. Além disso, estudos epidemiológicos envolvendo exposição a misturas de HPAs relataram associações entre biomarcadores internos de exposição a aditivos de BaP (benzo[a]pireno diol epóxido-ADN) e efeitos adversos no nascimento (por exemplo, baixo peso ao nascer e redução da circunferência craniana), efeitos neurocomportamentais e diminuição da fertilidade (IRIS, 2018). Estudos com diferentes espécies de animais demonstram que o BaP é carcinogênico em múltiplos locais (trato digestivo, fígado, rim, trato respiratório, faringe e pele) por todas as rotas de exposição. Um número crescente de estudos ocupacionais demonstra uma relação exposição-resposta positiva com exposição cumulativa ao benzo[a]pireno e câncer de pulmão.

Considerando que há evidências de que a exposição ao BaP está associada a efeitos não carcinogênicos e carcinogênicos, este estudo de caso estimou o incremento de risco de câncer e de efeitos não carcinogênicos para um grupo de pessoas que vivem em uma área contaminada e cuja exposição ocorreu desde o nascimento até os 30 anos. Assumiu-se que, durante este período, os moradores tiveram contato com o solo e a água contaminada por BaP. O período de exposição foi dividido em quatro faixas etárias (<2 anos; 2 a < 6 anos; 6 a < 16 anos, e 16 a 30 anos) e os dados de ingestão de água e solo para cada faixa foram obtidos de USEPA (2011). Os dados de peso corpóreo foram obtidos do IBGE (2010). Os riscos foram estimados considerando os valores médios de todos os parâmetros, como apresentados na Tabela 31.5.

TABELA 31.5 Parâmetros utilizados para a estimativa da dose e do risco por grupo etário considerado

Parâmetro	Unidade	Intervalos etários			
		0 < 2 anos	2 < 6 anos	6 < 16 anos	16 < 30 anos
Cs	mg/kg	0,2 (0,5)	0,2 (0,5)	0,2 (0,5)	0,2 (0,5)
TIs	mg/dia	100	100	100	50
Ca	mg/L	0,0002	0,0002	0,0002	0,0002
TIa	L/dia	1	1	2	2
PC	kg	10	17	39	66
FE	dias/ano	350	350	350	350
DE	anos	2	4	10	14
$TR=DE \times 365$	dias	2×365	4×365	10×365	14×365
FP	$(mg/kg.dia)^{-1}$	1	1	1	1
RfD	(mg/kg.dia)	3×10^{-4}	3×10^{-4}	3×10^{-4}	3×10^{-4}
FA	kg/mg	1×10^{-6}	1×10^{-6}	1×10^{-6}	1×10^{-6}

Cs – é a concentração do contaminante no solo ingerido que pode ser medida diretamente ou estimada por modelos. Para o propósito deste exemplo, assumiu-se uma concentração hipotética média de 0,2 mg/kg com desvio padrão de 0,5 mg/kg.
TIs – a ingestão de solo é maior para crianças, em especial, na fase que engatinham e brincam no chão. USEPA (2011) considera os valores de médios de 100 mg/dia e 50 mg/dia, respectivamente para crianças e adultos. Valores mais conservadores, equivalentes ao 90° percentil, podem ser 200 mg/dia e 100 mg/dia.
Ca – é a concentração do contaminante na água de consumo, que pode ser medida diretamente ou estimada por modelos. Para o propósito deste exemplo, assumiu-se uma concentração hipotética média de 0,2 μg /L com desvio padrão de 0,5 μg/L.
TIa – a ingestão diária de água varia com a idade. Dados detalhados podem ser obtidos em USEPA (2011). Neste exemplo, foi assumido um valor médio para as faixas etárias consideradas.
PC – é o peso corpóreo, que varia com a idade. Dados detalhados podem ser obtidos em USEPA (2011) para cada grupo etário. Neste exemplo, foram considerados os valores médios para cada grupo.
FE – Frequência de exposição é período ao longo do ano em que as pessoas estiveram expostas, dada em dias/ano. Neste exemplo, assume-se que é uma área residencial e que, portanto, as pessoas estão expostas 350 dias por ano (considera-se que as pessoas estiveram ausentes da área por um período de 15 dias em razão de férias, viagens ou passeios).
DE – é a duração da exposição, em anos, em que a pessoa esteve exposta.
TR – é o tempo de referência, em dias, no qual a dose média é estimada. Neste caso, como se calcula a dose para cada faixa etária, o TR é igual a duração da exposição (DE) multiplicado por 365 dias.
FA – Fator de ajuste de unidades para o cálculo de dose via ingestão de solo.

Para a estimativa da dose potencial, risco e *HQ*, foram utilizadas as Equações 31.1, 31.2 e 31.3, respectivamente. O fator potencial oral do benzo[a]pireno, *FP*, e a dose de referência (*RfD*) foram obtidos em IRIS (2018).

A Tabela 31.6 apresenta os valores de risco de câncer obtidos por via de exposição e grupo etário, bem como os riscos totais.

TABELA 31.6	Risco de câncer estimado por via de exposição e grupo etário				
Valores estimados	**Risco por intervalo etário**				**Risco Total**
	0 < 2 anos	**2 < 6 anos**	**6 < 16 anos**	**16 < 30 anos**	
Risco solo	$1,9 \times 10^{-06}$	$8,61 \times 10^{-06}$	$2,4 \times 10^{-06}$	$2,0 \times 10^{-06}$	$1,49 \times 10^{-05}$
Risco água	$1,9 \times 10^{-05}$	$4,58 \times 10^{-05}$	$9,8 \times 10^{-06}$	$5,8 \times 10^{-06}$	$8,04 \times 10^{-05}$
Risco total	$2,1 \times 10^{-05}$	$5,44 \times 10^{-05}$	$1,2 \times 10^{-05}$	$7,8 \times 10^{-06}$	$9,52 \times 10^{-05}$

O incremento de risco total de câncer, resultante da exposição ao longo dos 30 anos, pode ser calculado pela soma dos riscos em cada faixa etária. A contribuição percentual de cada caminho e cada faixa etária para o risco total pode ser vista na Figura 31.4. É importante observar que, embora a duração da exposição seja menor, os riscos para crianças são maiores em virtude da influência dos valores de peso corpóreo na estimativa da dose. Este fato, somado ao conhecimento de que as crianças são um grupo susceptível aos efeitos biológicos da exposição a agentes químicos, enfatiza-se a importância de se dar atenção especial a esse grupo na avaliação de risco.

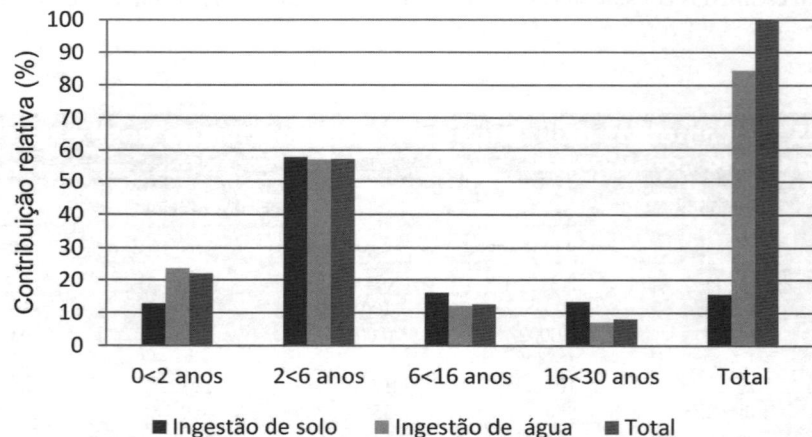

FIGURA 31.4 Contribuição relativa (%) dos caminhos de exposição para o risco de câncer por intervalo etário.

A decisão sobre a importância dos valores de risco estimados depende da consideração do valor que é definido como tolerável para cada caso. Para a exposição ambiental a agentes químicos, atualmente, o valor de risco de 1×10^{-6} é definido pela Organização Mundial da Saúde e outras agências como tolerável, mas algumas agências podem aceitar valores maiores para situações específicas (WHO, 2017). Por exemplo, a USEPA pode aceitar um risco de até 1×10^{-4} para alguma área contaminada, desde que seja demonstrado que o custo benefício da remediação não seja justificável (USEPA, 1989). A CETESB utiliza atualmente o valor de risco de 1×10^{-5} como o máximo tolerável para áreas contaminadas (CETESB, 2001). Outros países, como a Holanda, por exemplo, já adotam valores de risco menores que 1×10^{-6} para a exposição ambiental a agentes químicos de forma geral.

Para os efeitos não carcinogênicos, o *HQ* também pode ser estimado para a dose em cada faixa etária, como mostrado na Tabela 31.7. Nesse caso, não é realizada a soma dos *HQ*s para cada faixa etária, mas sim a verificação se o valor de cada um deles é maior do que 1, o que indicaria que o risco não é tolerável. Embora seja possível estimar o *HQ* para o total de 30 anos de exposição, isso subestimaria o risco para as crianças; note, na Tabela 31.7, que os valores dos *HQ*s nos grupos mais jovens são os mais elevados.

TABELA 31.7   Valores de *HQ* estimados por via de exposição e intervalo etário

Via de exposição	HQ por intervalo etário			
	0 < 2 anos	2 < 6 anos	6 < 16 anos	16 < 30 anos
Solo	0,01	0,01	0,01	0,01
Água	0,06	0,04	0,03	0,02
Total	0,07	0,04	0,04	0,03

Agências como a USEPA e a ATSDR têm discutido a definição de valores de referência específicos para doses subcrônicas (*DE* > 30 dias e < 10% do tempo de vida) e crônicas (*DE* > 10% do tempo de vida), e ainda valores específicos para crianças. No entanto, estes valores ainda não estão disponíveis nas bases de dados.

Neste caso, os valores de *HQ* são menores que 1, mostrando que, para este cenário de exposição, não são esperados efeitos sistêmicos significativos à saúde da população exposta. A ingestão de água se mostrou o caminho de exposição mais importante.

31.6.2 Cenário de Exposição ao Rotavírus Via Ingestão de Lodo de Esgoto

A utilização de lodo de esgoto na agricultura tem sido considerada como alternativa para minimizar os impactos de sua disposição (descarte) ambiental, bem como uma forma complementar de adubação do solo. Entretanto, a presença de contaminantes, entre eles os microrganismos patogênicos, deve limitar e orientar sua aplicação. Considerando a importância dessa prática na possível disseminação de vírus patogênicos, neste estudo de caso foi estimado o risco de infecção por rotavírus em trabalhadores expostos ao lodo de esgoto durante aplicação na agricultura a partir das concentrações desse patógeno em amostras de lodo de esgoto tratado. Rotavírus é considerado a maior causa de gastroenterite infantil no mundo (Mokomane et al., 2018). No México, 96% das crianças até 2 anos tinham sido infectadas pelo vírus (Velázquez et al., 1996), embora haja indícios de que os adultos apresentem mais infecções assintomáticas (Health Canada, 2011). As taxas de infecções sintomáticas observadas nesse grupo podem chegar a 70% (Anderson et al., 2012).

Nesse cenário, foram considerados dados obtidos de 14 amostras de lodo de esgoto de uma estação de tratamento de esgoto (ETE). As concentrações de rotavírus obtidas nas amostras de lodo tratado variaram de 0,3 a 7,2 UFF (unidade formadora de flocos)/g de sólidos totais (ST) (Tabela 31.8). Essas concentrações foram modeladas de acordo com uma distribuição gama, cujos parâmetros de forma e taxa (aqui denotados por *a* e *b*, respectivamente) foram estimados pelo método de máxima verossimilhança, devidamente adaptado para tratar as concentrações abaixo do limite de detecção (Delignette-Muller & Dutang, 2015). Os valores estimados dos parâmetros (*a* = 0,568; *b* = 0,364) resultaram em uma

TABELA 31.8   Quantidade de rotavírus detectadas nas amostras de lodo de esgoto tratado

Nº da amostra	Rotavírus (UFF/gST)
1	1,2
2	< LD
3	< LD
4	2,8
5	0,37
6	1,2
7	7,2
8	1,97
9	0,8
10	< LD
11	0,77
12	< LD
13	2,0
14	3,2

LD – Limite de detecção: 0,2UFF/g ST.

distribuição com média de 1,56 UFF/g de ST, desvio padrão de 2,07 UFF/g de ST e 95° percentil de 5,72 UFF/g de ST.

Considerou-se como população exposta os trabalhadores que manipulam o lodo tratado durante sua aplicação no solo para dois cenários de exposição: (i) ingestão acidental direta do lodo; e (ii) ingestão acidental da mistura solo/lodo, para várias taxas de aplicação.

Como taxas de ingestão de lodo/solo, foi considerado um valor mínimo de 50 mg/dia (Lagoy, 1987) e um máximo de 480 mg/dia (Hawley, 1985). Para o cenário de ingestão da mistura solo/lodo, as taxas de aplicação foram de 2, 5, 10, 15, 20 e 30 ton/ha. A dose diária de rotavírus ingerida (UFF/dia) foi estimada segundo a Equação 31.10.

$$D = \frac{C \cdot i \cdot A}{T}$$

Equação 31.10

em que: D é dose diária (partículas virais ingeridas), C é a concentração do patógeno no lodo já corrigida pelo teor de sólidos para cada amostra analisada (UFF/g), i é a quantidade de mistura solo/lodo ingerida (g), A é taxa de aplicação (ton/ha) e T é o peso total do solo (ton/ha), estimado pela Equação 31.11.

$$T = 1000 \cdot p \cdot d$$

Equação 31.11

em que: p é a profundidade máxima de aplicação (m) e d é a densidade do solo (ton/m³). Para esse caso, foram assumidos p = 0,2 m e d = 1 ton/m³.

O modelo dose-resposta utilizado para o cálculo do risco diário de infecção foi o modelo Beta-Poisson segundo a Equação 31.12.

$$P_I = 1 - \left(1 + \frac{D}{\beta}\right)^{-\alpha}$$

Equação 31.12

em que: P_I a probabilidade de infecção diária e os parâmetros do modelo de dose-resposta α = 0,26 e β = 0,42 (Gerba, 2009).

Para a estimativa do risco anual de infecção (P_A), utilizou-se a Equação 31.7, levando-se em consideração o número de exposições de 20 dias no ano, conforme Equação 31.13.

$$P_A = (1 - P_I)^{20}$$

Equação 31.13

A análise de incertezas e de sensibilidade para cada parâmetro utilizado na condução do estudo foi realizada mediante a utilização da simulação de Monte Carlo. A Tabela 31.9 apresenta os valores de risco diário e anual de infecção considerando o cenário 1 (ingestão acidental direta de lodo), apresentando o valor estimado pela concentração média e o percentual de 95% da distribuição simulada.

TABELA 31.9 Valores de risco diário e anual de infecção, considerando ingestões de 50 mg/dia e 480 mg/dia de lodo

Ingestão 50 mg/dia		Ingestão 480 mg/dia	
Risco diário Média (95° Percentil)	Risco anual Média (95° Percentil)	Risco diário Média (95° Percentil)	Risco anual Média (95° Percentil)
$3,8 \times 10^{-2}$ $(1,3 \times 10^{-1})$	$4,1 \times 10^{-1}$ $(9,3 \times 10^{-1})$	$1,7 \times 10^{-1}$ $(4,1 \times 10^{-1})$	$7,9 \times 10^{-1}$ $(9,9 \times 10^{-1})$

A Tabela 31.10 apresenta os valores de risco diário e anual de infecção considerando o cenário 2 (ingestão acidental da mistura solo/lodo, para várias taxas de aplicação).

Na avaliação de risco microbiológico, o valor tolerável de risco anual de 1×10^{-4} é utilizado pela USEPA e seguido por agências reguladoras de diversos países. Este valor foi definido considerando as taxas de incidência de doenças infecciosas observadas nos Estados Unidos da América. No Brasil, ainda não existe um valor tolerável definido. Tomando-se por base o valor de referência (1×10^{-4}), observa-se que os riscos estimados foram elevados para ambos os cenários.

TABELA 31.10 Média e 95° percentil do risco diário e anual de infecção, considerando ingestões de 50 mg/dia e 480 mg/dia de mistura solo/lodo, em função das taxas de aplicação consideradas

Taxa aplicação (ton/ha)	Ingestão 50 mg/dia		Ingestão 480 mg/dia	
	Risco diário Média (95° Percentil)	Risco anual Média (95° Percentil)	Risco diário Média (95° Percentil)	Risco anual Média (95° Percentil)
2	$4,8 \times 10^{-5}(1,7 \times 10^{-4})$	$9,5 \times 10^{-4}(3,5 \times 10^{-3})$	$4,6 \times 10^{-4}(1,7 \times 10^{-3})$	$9,0 \times 10^{-3}(3,3 \times 10^{-2})$
5	$1,2 \times 10^{-4}(4,4 \times 10^{-4})$	$2,4 \times 10^{-3}(8,7 \times 10^{-3})$	$1,1 \times 10^{-3}(4,2 \times 10^{-3})$	$2,2 \times 10^{-2}(8,0 \times 10^{-2})$
10	$2,4 \times 10^{-4}(8,7 \times 10^{-4})$	$4,7 \times 10^{-3}(1,7 \times 10^{-2})$	$2,3 \times 10^{-3}(8,2 \times 10^{-3})$	$4,3 \times 10^{-2}(1,5 \times 10^{-1})$
15	$3,6 \times 10^{-4}(1,3 \times 10^{-3})$	$7,1 \times 10^{-3}(2,6 \times 10^{-2})$	$3,4 \times 10^{-3}(1,2 \times 10^{-2})$	$6,2 \times 10^{-2}(2,2 \times 10^{-1})$
20	$4,8 \times 10^{-4}(1,7 \times 10^{-3})$	$9,4 \times 10^{-3}(3,4 \times 10^{-2})$	$4,5 \times 10^{-3}(1,6 \times 10^{-2})$	$8,0 \times 10^{-2}(2,8 \times 10^{-1})$
30	$7,1 \times 10^{-4}(2,6 \times 10^{-3})$	$1,4 \times 10^{-2}(5,1 \times 10^{-2})$	$6,6 \times 10^{-3}(2,4 \times 10^{-2})$	$1,1 \times 10^{-1}(3,8 \times 10^{-1})$

REVISÃO DOS CONCEITOS APRESENTADOS

- A avaliação de riscos fornece a base para a tomada de decisão e definição de regulamentações voltadas à gestão da exposição humana a agentes ambientais (físicos, químicos e biológicos).
- A avaliação quantitativa de riscos tem por objetivo estimar a probabilidade de efeitos adversos à saúde das pessoas expostas aos agentes ambientais perigosos e se divide em quatro etapas: identificação de perigos, avaliação dose-resposta, avaliação da exposição e caracterização do risco.
- A avaliação quantitativa dos riscos de agentes químicos perigosos aplica-se ao estudo de exposições ambientais de baixas doses como, por exemplo, a exposição aos poluentes atmosféricos; aos resíduos de agrotóxicos em água e alimentos; ao solo e água contaminados. Permite estimar o incremento de risco de câncer e de outros efeitos não carcinogênicos.
- A avaliação quantitativa do risco microbiológico aplica-se ao estudo do risco de infecção, doença ou morte associado à presença de vírus, bactérias e protozoários patogênicos presentes em matrizes ambientais como água de consumo humano, alimentos cultivados em solo com lodo de esgoto; cenários envolvendo reuso de água, entre outros.
- A avaliação de risco deve se basear na melhor informação científica disponível no momento sobre o cenário de exposição, o comportamento ambiental dos agentes e sobre as evidências de efeitos adversos à saúde humana.
- A avaliação probabilística de risco através do método de Monte Carlo permite avaliar as incertezas sobre os riscos estimados, bem como identificar os fatores com maiores influências sobre os riscos.

Referências bibliográficas

ANDERSON, E.J., KATZ, B.Z., POLIN, J.A., REDDY, S., WEINNABE, M.H., NASKIN, G.A. (2012) Rotavirus in adults requiring hospitalization. Journal of Infection 64:89-95.

BASTOS, V.K., CUTOLO, S.A., DORIA, M.C.O., RAZZOLINI, M.T.P. (2013) Detection and quantification of viable Ascaris sp. and other helminth eggs in sewage-sludge. International Journal of Environmental Health Research 23(4):352-362.

CETESB/GTZ. (2001) Manual de Gerenciamento de Áreas Contaminadas. 2 ed. São Paulo: CETESB.

Codex Alimentarius Commission (CAC). (2013) Principles and guidelines for the conduct of microbial risk assessment. CAC/GL 63-2007. Secretariat of the joint FAO/WHO Food standards programme, FAO, Rome.

CROGHAN, C., EGEGHY, P.P. (2003) Methods of dealing with values below the limit of detection using SAS. Presented at Southeastern SAS User Group, St. Petersburg, FL, September 22-24.

DELIGNETTE-MULLER, M.L., DUTANG, C. (2015) FITDISTRPLUS: an R Package for Fitting Distribuitions. Journal of Statistical Software, 64, n. 4, 1-34. http://www.jstatsoft.org/v64/i04.

Food and Agriculture Organization/World Health Organization (FAO/WHO). (2003) Hazard characterization for pathogens in food and water: guidelines. Microbial risk assessment series nº 3.

FRANCO, R.M.B., AMARO, B.C.T., NETO, R.C., FIUZA, V.R.S. (2016) Cryptosporidium species and Giardia genotypes detected in surface water supply of Campinas, Southeast Brazil, by molecular methods. Journal of Veterinary Medicien and Research 3(3): 1053.

GERBA, C.P. (2009) Risk assessment. In: Environmental microbiology. Ed. RM Maier, IL Pepper, CP Gerba. 2nd Ed. American Press, San Diego (CA), USA.

GOVAERTS, B.L., BAILLY, C., EECKAUT, P.V. (2000) Calculating summary statistics and fitting a lognormal distribution to left censored environmental data. Consulting Report No. 01-02 on: Assessment of the concentration level of chemical substances in river networks. Institute de Statistique, Université Catholique de Louvain.

HAAS, C.N., ROSE, J.B., GERBA, C.P. (2014) Quantitative Microbial Risk Assessment 2ª Ed. John Wiley.

HAWLEY, J.K. (1985) Assessment of Health Risk Exposure to Contaminated Soil. Risk Analysis, 5: 289-302.

HEALTH CANADA. (2011) Guidelines for Canadian drinking water quality – Guideline technical document. Enteric Viruses. Otawa, Ontario.

Instituto Brasileiro de Geografia e Estatística (IBGE). (2010) Pesquisa de orçamentos familiares 2008-2009: antropometria e estado nutricional de crianças, adolescentes e adultos no Brasil. Rio de Janeiro.

International Agency for Research on Cancer (IARC). (2012) Benzo[a]pyrene. In: IARC. Chemical Agents and Related Occupations. IARC/WHO, Geneva, Volume 100F. Disponível online em: http://monographs.iarc.fr/ENG/Monographs/vol100F/mono100F-14.pdf.

International Life Science Institute (ILSI). (2000) Revised framework for microbial risk assessment. ILSI Press, Washignton DC.

Integrated Risk Information System (IRIS). Washington (DC). [online]. Benzo[a]pyrene. Disponível em: https://cfpub.epa.gov/ncea/iris2/chemicalLanding.cfm?substance_nmbr=136, accessed in 01/30/2018].

KRZYNOWSKI JR., F., ZAPPELINI, L., MARTONE-ROCHA, S. et al. (2014) Quantification and characterization of Salmonella spp. isolates in sewage sludge with potential usage in agriculture. BMC Microbiology 14: 263.

LAGOY, P. (1987). Estimated Soil Ingestion Rates for Use in Risk Assessment. Risk Analysis, 7: 355-359.

MARKS, M.M. et al. (1998) Topics in microbial risk assessment: dynamic flow tree process. Risk Analysis, 18(3), 309-328.

MOKOMANE, M., KOSVOVE, I., DE MELO, E., PERNICA, J.M., GOLDFARB, D.M. (2018) The global problem of childhood diarrhoeal diseases: emerging strategies in prevention and management. Therapeutic Advances in Infectious Disease 5(1):29-43.

MOLAK, V. [editor]. (1996) Fundamentals of risk analysis and risk management. Cincinnati: Lewis Publishers.

NARDOCCI, A.C. (2009) Ambiente e Saúde Humana. In: Pinto et al. Sistema de Gestão Ambiental. Rio de Janeiro: Guanabara Koogan.

National Research Council (NRC). (1983) Risk assessment in the federal government: managing the process. Washington (DC): National Academy Press.

PINTO, K.C., HACHICH, E.M., SATO, M.I.Z. et al. (2012) Microbiological quality of sand and water from three selected beaches of South Coast, Sao Paulo state, Brazil. Water Science and Technology 66(11):2475-2482.

RAZZOLINI, M.T.P., DA SILVA SANTOS, T.F., BASTOS, V.K. (2010) Detection of Giardia and Cryptosporidium cysts/oocysts in watersheds and drinking water sources in Brazil urban areas. Journal of Water and Health, 8(2), 399-404.

RODRICKS, J.V. (1992) Calculated risks. Cambridge: Cambridge University Press.

SATO, M.I.Z., GALVANI, A.T., PADULA, J.A. et al. (2013) Assessing the infection risk of Giardia and Cryptosporidium in public drinking water delivered by surface water systems. Science of the Total Environment 442, 389-396.

US Environmental Protection Agency (USEPA). (1992) Guidelines For Exposure Assessment. Washington, DC. EPA-/600/Z-92/001

_____. (1989) Risk Assessment Guidance for Superfund Vol I. Human Health Evaluation Manual (Part A). Washington, DC. EPA/540/1-89/002.

_____. (2011) Exposure Factors Handbook 2011 Edition (Final Report). U.S. ENVIRONMENTAL PROTECTION AGENCY, Washington, DC, EPA/600/R-09/052F.

VELAZQUEZ, F.R., MATSON, D.O., CALVA, J.J. et al. (1996) Rotavirus infections in infants as protection against subsequent infections. N Engl J Med 335(14):1022e8.

World Health Organization (WHO). (2006) Guidelines for the safe use of wastewater, excreta and greywater. Vol. 2 – Wastewater use in agriculture. Geneva, Switzerland.

_____. (2017) Guidelines for drinking-water quality. 4th Ed. Vol. 1. 2017. Geneva, Switzerland.

_____. (1999) International Program on Chemical Safety (IPCS). Principles for the assessment of risks to human health from exposure to chemicals. Genebra [Environmental Health Criteria, 210].

CERTIFICAÇÃO AMBIENTAL

32

Érica Pugliesi / Camila dos Santos Ferreira / Aldo Roberto Ometto

Este capítulo apresenta os conceitos e os principais sistemas de certificação ambiental, aplicáveis a sistemas, processos ou produtos. Para facilitar a apresentação do tema, o capítulo foi dividido em certificação de sistemas de gestão ambiental e certificação de produtos, com ênfase, para esses últimos, nos selos verdes das categorias florestal, agrícola e de produtos orgânicos. São apresentados casos práticos para ilustrar os processos de certificação.

32.1 INTRODUÇÃO

O Instituto Nacional de Metrologia, Normatização e Qualidade Industrial (INMETRO) define certificação como um "*conjunto de atividades realizadas por uma organização de terceira parte, independente, que atesta que um produto, pessoa, serviço ou sistema segue requisitos técnicos especificados, confirmada através da emissão de um certificado, confirmando o cumprimento das normas do sistema adotado*" (INMETRO, 2009). Com relação à sua função, a certificação pode ser utilizada como uma ferramenta de comunicação e credibilidade, ao reconhecer atributos de um produto, processo ou serviço, garantindo que eles se enquadram em normas pré-definidas. Tais normas, seja na esfera pública, privada, nacional ou internacional, são utilizadas para o monitoramento e decisão das certificações.

Além da diferenciação de produtos e processos no mercado, a certificação estabelece um vínculo entre consumidores e produtores, ao transmitir informações sobre o produto ou a empresa por meio do selo. Nesta perspectiva, a certificação sustenta-se nos seguintes princípios: o de comunicar informações sobre produtos, serviços ou sistemas; o de gerar benefícios aos consumidores e à cadeia produtiva como um todo por meio da garantia da qualidade; e o de criar incentivos à melhoria e cooperação entre empresas.

Porém, apesar de cumprir este importante papel, apenas obter a certificação não responde a todas as demandas da sociedade por um ambiente mais equilibrado e sustentável — isso depende de outras ações conjuntas que possam promover mudanças significativas nas atividades produtivas, como a realização de treinamentos e capacitações contínuas, promoção da educação e a implementação de políticas públicas.

Neste capítulo, abordamos a certificação ambiental, que é a utilização da certificação atendendo a requisitos ambientais de sistemas de gestão, produtos ou serviços. A utilização do termo certificação ambiental é bastante ampla, contemplando processos e sistemas que tiveram origens bastante variadas e atendendo a demandas específicas de diferentes setores sociais. Este é um instrumento de mercado da gestão ambiental que também possui outros instrumentos como comando e controle, econômicos etc.

Frente a essa diversidade de usos e funções, a série ISO 14.000 vem incorporando, ao longo dos anos, normas de sistemas nacionais e regionais. Ao migrarem para a ISO, estes sistemas têm sua estrutura, contribuições e aplicação ampliadas em escala global. Com uma finalidade operacional, as normas ISO da série 14.000 são agrupadas em subséries, gerenciadas por comitês e grupos de trabalho específicos.

Os principais sistemas de certificação ambiental estão contemplados nas normas ISO 14.001 e série - referentes à implantação de sistemas de gestão ambiental em processos de organizações –, e nas normas da série 14.020 – utilizadas para o estabelecimento de programas de certificação ambiental de produtos e serviços.

Para uma melhor apresentação dos diferentes sistemas de certificação ambiental, este capítulo foi subdividido em:

- Certificação de Sistemas de Gestão Ambiental, no qual são apresentados os dois principais sistemas de gestão certificáveis na atualidade; e

- Certificação Ambiental de Produtos - Rotulagem Ambiental, que aborda os programas de certificação de produtos denominados selos verdes, as autodeclarações ambientais e as declarações ambientais de produtos (DAPs). Dentre os selos verdes apresentados neste capítulo, demos destaque a três sistemas de certificação de ampla utilização na sociedade atual: florestal, agrícola e de produtos orgânicos.

32.2 CERTIFICAÇÃO DE SISTEMAS DE GESTÃO AMBIENTAL

Um sistema de gestão ambiental (SGA) é *"parte de um sistema de gestão usado para gerenciar aspectos ambientais, cumprir requisitos legais e outros riscos e abordar riscos e oportunidades"*, sendo um sistema de confidencialidade (ABNT, 2015 p.2). A implementação de um SGA pode trazer alguns benefícios como: melhora do desempenho ambiental, melhora da imagem da organização perante as partes interessadas, aumento da competitividade, auxílio no cumprimento a requisitos legais, entre outros.

A certificação do sistema de gestão ambiental *"é um dos meios que fornece garantias de que a organização implementou um sistema de gestão dos aspectos relevantes de suas atividades, produtos e serviços, alinhados com a política da organização"* (ABNT, 2016 p. ix). O processo de certificação envolve atividades individuais, dentre elas as auditorias do sistema de gestão ambiental. A certificação de sistemas de gestão é uma atividade de avaliação de conformidade de terceira parte. O atestado da conformidade do SGA com uma norma de sistema de gestão é um documento de certificação ou um certificado. Sendo assim, a certificação fornece demonstração de que a organização está em conformidade com os requisitos especificados, é capaz de atingir sua política e objetivos declarados e que o sistema esteja definitivamente implementado (ABNT, 2016). De acordo com essa mesma fonte, a certificação baseia-se em alguns princípios:

- **Imparcialidade:** para garantir esse princípio, a organização deve eliminar algumas ameaças como interesse próprio, auto avalição, intimidação e ameaças;
- **Competência:** é necessário que o organismo de certificação seja competente para avaliar o sistema de gestão;
- **Responsabilidade:** o cliente certificado é responsável por atingir os objetivos declarados;
- **Transparência:** um organismo de certificação deve oferecer acesso ao público ou divulgar informações referentes ao seu processo de auditoria e certificação;
- **Confiabilidade:** o organismo de certificação deve garantir que nenhuma informação confidencial do cliente seja divulgada;
- **Capacidade de resposta a reclamações:** espera-se que as reclamações enviadas ao organismo de certificação sejam consideradas e investigadas;
- **Abordagem baseada em risco:** os organismos devem considerar os riscos de oferecer certificado competente, coerente e imparcial.

De acordo com a Associação Brasileira de Normas Técnicas (2016), o processo de certificação do sistema de gestão ambiental segue as seguintes etapas:

1. **Atividade de pré-certificação:** a organização deve solicitar para o organismo de certificação a certificação ambiental. Ela deve fornecer todas as informações necessárias que serão analisadas criticamente pelo organismo credenciado;
2. **Planejamento de auditorias:** neste momento, devem ser estabelecidos pelo organismo certificado os objetivos e escopo das auditorias e posteriormente um plano de execução;
3. **Certificação inicial:** busca analisar criticamente a implementação do sistema de gestão;
4. **Condução das auditorias:** nesta etapa o organismo de certificação explica à organização como as auditorias serão conduzidas. Neste momento, as auditorias são efetivamente realizadas;
5. **Decisão de certificação:** nesta etapa, o organismo de certificação decide se o certificado será concedido ou recusado. O certificado tem validade de três anos;
6. **Manutenção de certificação:** nesta etapa, a organização deve manter o sistema de gestão ambiental em seu perfeito funcionamento;
7. **Recertificação:** tem como objetivo garantir que a organização continua a atingir os requisitos legais e outros.

A seguir, serão apresentados dois sistemas de gestão, um baseado na ISO 14.001, criado em 1993 pela International Organization for Standardization (ISO), e o outro no Eco-Management and Audit Scheme (EMAS) – criado em 1993 na União Europeia.

32.2.1 Sistema de Gestão Ambiental – ISO 14.001:2015

Em 1993, a International Organization for Standardization (ISO) criou um comitê técnico ISO/TC 207, influenciada pelas discussões levantadas na Rio 92, para elaborar a série ISO 14.000. Em 1996, foi lançada a primeira versão da norma ISO 14.001, posteriormente revisada em 2004 e 2015.

O objetivo desta norma é *"prover às organizações uma estrutura para a proteção do meio ambiente e possibilitar uma resposta às mudanças das condições ambientais em equilíbrio com as necessidades socioeconômicas"* (ABNT, 2015 p. viii). Além disso, estabelece requisitos para a implementação de um sistema de gestão ambiental. A norma deixa claro que a adoção desta por si só, não garante resultados ambientais ideais.

Esta norma considera como base o método do ciclo PDCA (*Plan*, *Do*, *Check* e *Act*). Este método é interativo e utilizado com o intuito de alcançar a melhoria contínua. As fases do ciclo são descritas brevemente a seguir:

- *Plan* **(planejar):** nesta fase, estabelecem-se os objetivos ambientais e processos necessários para que a organização possa atingir sua política ambiental;
- *Do* **(fazer):** nesta fase, o sistema de gestão ambiental é implementado de acordo com o planejado na fase anterior;
- *Check* **(checar):** nesta fase são necessários o monitoramento e a medição dos processos para garantir se estão de acordo com a política e objetivos ambientais. Além disso, os resultados devem ser reportados;
- **Act (Agir):** nesta fase, caso exista possibilidade de melhoria, ações serão tomadas para que possam ser implementadas.

O Quadro 32.1 apresenta a estrutura da norma ISO 14.001:2015 e posteriormente cada cláusula será descrita brevemente.

QUADRO 32.1 Cláusulas e requisitos da norma ISO 14.001:2015 (ABNT, 2015)	
Cláusula	**Requisito**
1. Escopo	
2. Referências normativas	
3. Termos e definições	3.1 Termos referentes à organização e liderança
4. Contexto da organização	4.1 Entendendo a organização e seu contexto
	4.2 Entendendo as necessidades e expectativas das partes interessadas
	4.3 Determinando o escopo do sistema de gestão ambiental
	4.4 Sistema de gestão ambiental
5. Liderança	5.1 Liderança e compromisso
	5.2 Política ambiental
	5.3 Papéis, responsabilidades e autoridades organizacionais
6. Planejamento	6.1 Ações para abordar riscos e oportunidades
7. Apoio	7.1 Recursos
	7.2 Competência
	7.3 Conscientização
	7.4 Comunicação
	7.5 Informação documentada
8. Operação	8.1 Planejamento e controle operacionais
	8.2 Preparação e resposta a emergência
9. Avaliação do desempenho	9.1 Monitoramento, medição, análise e avaliação
	9.2 Auditoria interna
	9.3 Análise crítica pela direção
10. Melhoria	10.1 Generalidades
	10.2 Não conformidade e ação corretiva
	10.3 Melhoria contínua

1. **Escopo:** esta cláusula define o escopo da norma, que, por sua vez, estabelece requisitos para implementação de sistema de gestão ambiental podendo ser aplicável a qualquer organização de diferentes tamanhos, segmento e natureza. A norma não determina critérios de desempenho ambiental específicos;

2. **Referências normativas:** esta cláusula não apresenta referências a outras normas que devem ser consideradas na utilização da ISO 14.001:2015;

3. **Termos e definições:** esta cláusula apresenta a definição de termos considerados importantes para a interpretação correta da norma;

4. **Contexto da organização:** esta cláusula estabelece requisitos referentes à necessidade das organizações em entender o contexto em que está inserida, as necessidades e expectativas das partes interessadas e a definição do escopo do sistema de gestão, ou seja, os limites e a aplicabilidade do sistema (exemplo: o escopo do SGA pode ser em uma filial, uma linha de produção, entre outros limites que a organização considerar convenientes);

5. **Liderança:** esta cláusula dita que a alta direção deve comprometer-se com o sistema de gestão. Para isso, a liderança deve garantir o cumprimento da política ambiental, além de definir os papéis, responsabilidades e autoridades que cada colaborador deve exercer;

6. **Planejamento:** esta cláusula estabelece que a organização deve planejar ações para abordar riscos e oportunidades, identificar os aspectos ambientais, mapear os requisitos legais e outros que considere importantes, além de definir os objetivos e como alcançá-los;

7. **Apoio:** esta cláusula estabelece requisitos para garantir que a organização determine as competências necessárias que os colaboradores devem possuir, conscientize as partes interessadas da importância do sistema de gestão ambiental, comunique interna e externamente e documente todas as informações obrigatórias (por exemplo, planilha de aspectos e impactos ambientais);

8. **Operação:** nesta cláusula, os requisitos estabelecem que as organizações devem estabelecer, implementar, controlar e manter os processos necessários para atingir os objetivos do SGA, além disso, devem estar preparadas para responder a qualquer situação de emergência;

9. **Avaliação de desempenho:** nesta cláusula, os requisitos estabelecem que a organização deve monitorar, medir, analisar e avaliar seu desempenho ambiental, além disso, realizar auditorias internas para garantir a melhoria contínua;

10. **Melhoria:** nesta cláusula, os requisitos estabelecem que ao ocorrer uma não conformidade uma ação corretiva deve ser implementada para corrigir o problema, buscando a melhoria contínua.

32.2.2 *Eco-Management and Audit Scheme* (EMAS)

O EMAS *(eco-management and audit scheme*; sistema de ecogestão e auditoria) foi elaborado pelo Conselho da União Europeia em 29 de junho de 1993, estabelecido originalmente pelo regulamento CEE nº1836/93 (EMAS, 2017).

É um instrumento que auxilia organizações a avaliarem, relatarem e melhorarem seu desempenho ambiental, através da melhoria contínua e da avaliação sistemática, objetiva e periódica do sistema de gestão ambiental. Este instrumento adota a metodologia baseada do PDCA e pode ser utilizado por organizações de diferentes tamanhos, natureza e setores.

Os principais benefícios da aplicação do EMAS envolvem: maior credibilidade, transparência e reputação; oportunidades de melhoria; melhora no desempenho ambiental e financeiro; aumento da motivação dos funcionários; melhora na comunicação com as partes interessadas; entre outros (EMAS, 2017).

De modo a otimizar a aplicação do EMAS, foi publicado, em 2001, o Regulamento (CE) nº 761/2001, do Parlamento Europeu e do Conselho, revogando a primeira versão deste sistema e estabelecendo outro com a designação de EMAS II (EMAS, 2017).

As principais mudanças estão relacionadas com: expansão de aplicação do EMAS a todos os setores de atividade econômica; adoção do modelo de sistema de gestão ambiental baseado na norma ISO 14.001; utilização de um logotipo reconhecido que permite às empresas registradas no EMAS publicá-lo de uma forma mais eficaz; maior envolvimento de todos os colaboradores na implementação do EMAS; melhoria do conteúdo da Declaração Ambiental; abertura à elaboração de uma Declaração Ambiental global; e a validação anual das alterações à Declaração Ambiental (EMAS, 2017).

Em 2009, o regulamento EMAS II foi modificado de acordo com o Regulamento (CE) nº 1221/2009 do Parlamento Europeu e do Conselho, de 25 de novembro de 2009. Houve alteração em relação à participação voluntária para outras organizações em outros países. O EMAS III foi publicado em 22 de dezembro de 2009 e entrou em vigor em 11 de janeiro de 2010 (EMAS, 2017).

Em dezembro de 2011, a Comissão publicou o primeiro documento de orientação em conformidade com o EMAS III. A decisão da Comissão 2011/832/EU, de 07 de dezembro de 2011, prevê ainda esclarecer informações e orientações sobre os Artigos 3 e 46 do Regulamento (CE) nº 1221/2009, que permite o registro da União Europeia e global. Sendo assim, o EMAS passou a ser aplicável a organizações de diferentes países. Atualmente, cerca de 63 países possuem organizações que aplicam o EMAS (EMAS, 2017).

A abertura do EMAS para diferentes países fornece às organizações de todos os setores uma ferramenta para alcançar alto nível de desempenho ambiental, que pode ser publicamente reconhecida pelas partes interessadas da Comunidade Europeia (EMAS, 2017).

De acordo com o Regulamento nº 1221/2009, a cada três anos, as organizações certificadas devem passar pela verificação do sistema de gestão ambiental para garantir que estão cumprindo com a política ambiental e atendendo aos objetivos estabelecidos. Para organizações de pequeno porte, esta verificação ocorre em até quatro anos (EMAS, 2017).

A organização deve relatar seu desempenho ambiental referente a alguns indicadores como: eficiência energética e dos materiais; água; resíduos; biodiversidade; e emissões. Sendo assim, a organização deve assegurar que todos os impactos ambientais significativos presentes em cada atividade devem ser claramente identificados e declarados (EMAS, 2017).

O logotipo EMAS só pode ser utilizado por organizações registradas e apenas enquanto se mantiver válido o respectivo registro. É necessário que a organização deixe claro qual o escopo (locais de atividades) em que o registro se aplica.

A ISO 14.001 é uma norma reconhecida mundialmente, assim como o EMAS. Ambas têm como objetivo a implementação de um sistema de gestão ambiental. No entanto, no processo de certificação da ISO 14.001, a organização recebe um certificado de conformidade do sistema de gestão. No EMAS, a organização recebe um registro que demonstra conformidade com o instrumento.

32.3 CERTIFICAÇÃO AMBIENTAL DE PRODUTOS: ROTULAGEM AMBIENTAL

Os programas de rotulagem ambiental são ferramentas de mercado utilizadas para promover mudanças no setor produtivo visando à melhoria dos aspectos ambientais da produção — seja por meio da proteção ao meio ambiente, do estímulo à pesquisa, inovação e adoção de padrões mais sustentáveis ou ainda pela promoção da consciência ambiental dos consumidores. Os rótulos ambientais, selos verdes ou declarações ambientais indicam **atributos ambientais em produtos ou serviços**, e são utilizados na forma de símbolos, afirmações, informações ou bulas em produtos e suas embalagens ou ainda por meio da comunicação direta com os consumidores.

A rotulagem ambiental vem adquirindo importância crescente nas últimas décadas e suas práticas têm se estabelecido em âmbito mundial frente a um novo mercado em consolidação, denominado mercado verde. O uso dos rótulos ambientais para a comunicação ambiental é abordado na Agenda 21 e na Conferência das Nações Unidas sobre Comércio e Desenvolvimento (UNCTAD), está na pauta da Organização de Cooperação e Desenvolvimento Econômico (OCDE) e nos discursos de ONGs de atuação transnacional. No Brasil, constitui um dos objetivos da Política Nacional de Resíduos Sólidos (para mais detalhes sobre essa política, consulte o Capítulo 22).

Com a profusão de informações características do mundo moderno, a debilidade da regulação do teor das propagandas, e o fomento cada vez maior para o consumo descontrolado, a confusão dos consumidores com as propagandas e informações com apelo ambiental é agravada por diversos fatores característicos dos atributos ambientais. O uso de expressões como "amigo do ozônio", "amigo do ambiente", ou "produto ecológico" dentre outros, não oferece confiabilidade à maioria dos consumidores com poucos conhecimentos em física, química ou biologia, nem possibilidade de julgar sua credibilidade (Gómez, 1995). Outros termos, como "reciclável" e "compostável", referem-se — além das características inerentes dos produtos — à existência ou não de infraestrutura apropriada para que sejam reciclados ou compostados ao fim de sua vida útil. Outros termos, como "recurso reduzido" ou "fonte reduzida" são pouco utilizados e, consequentemente, não são totalmente compreendidos ou são mal interpretados pelos consumidores.

Não existem produtos "verdes" puros, assim como a maioria dos produtos industrializados não são inócuos ao meio ambiente, seja em sua fase de produção, comercialização, utilização ou descarte (Gómez, 1995). Surge, portanto, a necessidade de estabelecer sistemas que permitam aos consumidores identificar facilmente aqueles produtos "menos prejudiciais" ou com características "mais amigáveis" ao meio ambiente. As experiências e iniciativas adotadas em alguns países para a criação de sistemas de rotulagem ambiental se apresentam em dois objetivos principais:

- facilitar a informação e a capacidade de escolha dos consumidores em suas decisões de compra por meio da diferenciação dos produtos; e
- estimular a produção, comercialização e o consumo de produtos que sejam menos impactantes ao meio ambiente que demais alternativas disponíveis no mercado.

As empresas podem fazer uso de mais de um selo verde para comunicarem características ambientais diferenciadas de seus produtos e serviços. Em alguns casos, preferências de consumidores ou exigências de mercados específicos podem levar a empresa a adotar selos sinérgicos, com abrangências complementares, ou ainda com critérios correspondentes. Seja na utilização de um ou mais selos pelas empresas, podemos considerar que são muitos os ganhos ao internalizar questões ambientais na gestão do negócio, como a racionalização da utilização de energia e matéria-prima, diminuição da geração dos resíduos, aumento da eficiência dos processos e consequente redução dos seus custos.

No que diz respeito ao comércio e à circulação internacional de mercadorias, os rótulos ambientais podem, inicialmente, se apresentar como uma barreira de acesso a alguns mercados — particularmente em países com populações mais exigentes em relação às informações de origem (rastreabilidade) e características dos produtos. A adoção de rótulos que sejam reconhecidos globalmente é uma forma de superar estas barreiras de comercialização e, consequentemente, ter acesso a novos mercados.

32.3.1 Origem e Experiências Internacionais em Rotulagem Ambiental

O primeiro registro de um programa de rotulagem ambiental foi iniciativa do governo alemão juntamente com outros setores da sociedade, especialmente as associações e igrejas, que, em 1977 criaram o programa *Blauer Engel* (*Blue Angel Label*, ou ainda, Anjo Azul) (Hemmelscamp; Brockmann,1997). Este processo foi fortalecido pelas discussões ocorridas em 1972 na Primeira Conferência sobre Meio Ambiente da ONU e serviu de modelo para todos os demais programas ao redor do mundo.

Para sua consecução, em 1971, foi estabelecido na Alemanha um plano ambiental nacional, no qual foi apresentado o conceito de um programa de etiquetagem ecológica para produtos de consumo. O programa de etiquetagem fixou como objetivo a redução da contaminação ambiental por meio da inovação tecnológica, pela melhor informação aos consumidores e incentivos econômicos para a fabricação de produtos menos nocivos pela perspectiva ambiental (Gómez, 1995). Naquele momento, houve a percepção de que a diferenciação de produtos possuía receptividade junto ao mercado consumidor alemão, podendo constituir um novo instrumento para induzir as empresas a melhorar seu desempenho ambiental. Em 1978, foram emitidos os primeiros selos, conferidos por um júri ambiental, que ainda hoje é formado por representantes de diferentes setores da sociedade — o que confere alta credibilidade entre os alemães.

Os parâmetros de avaliação — ou critérios — dos produtos selecionados são concebidos de forma conjunta entre especialistas representantes das indústrias, organizações não governamentais, representantes da sociedade (igreja) e o governo. A formulação dos critérios é bastante complexa, pois objetiva a avaliação integral das características ambientais dos produtos, considerando os aspectos ambientais de incidência negativa. Deste modo, a presença de determinada substância nos produtos ou a utilização de produtos nocivos ao meio ambiente no processo produtivo torna-se um impedimento à obtenção do selo (Gómez, 1995; Hemmelscamp; Brockmann,1997).

A definição das categorias de produtos é fundamentada no princípio da equivalência funcional, ou seja, todos os produtos admitidos na categoria devem ser intercambiáveis ou equivalentes, sob a perspectiva do uso. Por exemplo: é possível comparar um automóvel com catalisador e outro sem, porém, não se pode comparar um automóvel com uma bicicleta ou um caminhão. O rótulo só é concedido a produtos que se apresentem com características ecológicas muito superiores a outros que tenham a mesma função (Gómez, 1995).

A partir da criação do *Blue Angel* e de seu reconhecimento no mercado como ferramenta de comunicação ambiental e diferenciação de produtos, países em diferentes partes do mundo passaram a estabelecer programas de rotulagem ambiental, como o *Nordic Swan* (Noruega), *Environmental Choice/ Choix Environmental* (Canadá), *EcoMark* (Japão), *Green Seal* (Estados Unidos), *Nordic Swan* (Países Nórdicos) e *Ecolabel* (Comunidade Europeia) (Figura 32.1).

FIGURA 32.1 Selos de identificação dos Programas de Rotulagem Ambiental: *Environmental Choice* (Canadá), *EcoMark* (Japão), *Blue Angel* (Alemanha), *Green Seal* (Estados Unidos) e *Ecolabel* (Comunidade Europeia). *Fonte: http://www.ideiasustentavel.com. br/rotulos-selos-e-certificacoes-verdes-2/.*

Grande parte destes programas surgiu de iniciativas governamentais, porém, a definição dos critérios para a certificação é resultado de distintos modelos de governança que envolvem representantes dos setores governamental, produtivo e consumidores. As avaliações, a concessão e emissão dos selos ou certificados ocorrem, via de regra, por organismos certificadores independentes.

De modo geral, apesar de partirem de iniciativas governamentais, os programas são voluntários e independentes e a concessão do selo se faz por meio de avaliações contínuas do cumprimento de critérios pré-estabelecidos. A padronização das atividades de avaliação e concessão do selo dá maior credibilidade e, consequentemente, gera segurança aos consumidores — não sofrendo os efeitos da desconfiança que recai sobre os selos de autodeclarações, utilizados sem verificação externa.

Os programas de selo verde de maior abrangência internacional compõem uma associação denominada *Global Ecovillage Network* – GEN (Rede Global de Ecovilas), que atua como um fórum de discussão e coesão entre as iniciativas. Apesar das diferenças entre os programas, a participação nestes fóruns visa facilitar o reconhecimento mútuo entre os selos.

Devido à proliferação dos selos ambientais — muitos deles iniciativas locais — e da ausência de regulamentos específicos para os mesmos, na década de 1980, a ISO iniciou um fórum de discussão sobre o tema e passou a incorporar a rotulagem em seus grupos de trabalho da série ISO 14.000. Como resultado do grupo de trabalho, foram propostas normas específicas para rotulagem ambiental na subsérie ISO 14.020, contemplando orientações para os programas de selos verdes, para as autodeclarações ambientais e para rótulos que apresentassem informações quantitativas para avaliação do ciclo de vida dos produtos.

32.3.2 Experiência Brasileira

No Brasil, os programas de rotulagem ambiental foram desenvolvidos de forma espelhada na experiência alemã. A iniciativa brasileira para criação de um selo verde multicritério ocorreu na década de 1990, logo após a Eco-92, na qual a Financiadora de Estudos e Projetos (Finep) selecionou o projeto conjunto da ABNT e do Instituto Brasileiro de Proteção Ambiental. Para implementação do rótulo ambiental, foi estabelecido um projeto-piloto destinado a categorias de produtos pré-selecionados: papel, couro e calçados, eletrodomésticos e artigos de higiene, aerossóis livres de CFC, baterias de automóveis, detergentes biodegradáveis, lâmpadas, móveis de madeira e produtos para embalagem (Guerón, 2003, Moura, 2013).

No ano de 1993, foi criado o Programa Brasileiro de Rotulagem Ambiental da ABNT e o selo denominado Qualidade Ambiental – conhecido pela logomarca de um beija-flor verde e branco sobre a representação do globo terrestre em azul (Figura 32.2).

Figura 32.2 Selos de identificação do Programa Brasileiro de Rotulagem Ambiental – Qualidade Ambiental. *Fonte: http://www. abntonline.com.br/sustentabilidade/Rotulo/Default.*

Este programa tem por base as normas ISO 14.020 (Rótulos e declarações ambientais – Princípios Gerais) e ISO 14.024 (Rótulos e declarações ambientais – Rotulagem ambiental tipo I – princípios e procedimentos), é voluntário, estruturado a partir de múltiplos critérios para cada categoria de produto e passa por um processo de avaliação contínua para a emissão do selo. Sua metodologia se apoia na Avaliação do Ciclo de Vida (ACV), contemplando os seguintes elementos: extração e processamento de matéria-prima, fabricação, transporte e distribuição, usos do produto, reutilização, manutenção, reciclagem, descarte final, ingredientes ou restrições a materiais utilizados e desempenho ambiental do processo de produção (Voltolini, 2010).

32.3.2.1 Rotulagem Ambiental e a Série ISO 14.020

A rotulagem ambiental deve ser um processo de adesão voluntária, baseado na avaliação do cumprimento de critérios pré-estabelecidos e que tenha, como foro de deliberação, entidade reconhecida como representativa de todos os segmentos organizados da sociedade (Guerón, 2003).

Os rótulos ambientais que foram propostos a partir da estrutura da ISO 14.020 ou se adequaram a ela adotam como metodologia a realização de avaliações periódicas da conformidade — que permite a manutenção do uso do selo. A verificação dos atributos ambientais dos produtos e da conformidade dos mesmos com os critérios pré-estabelecidos, pode ser realizada por **primeira parte**, quando o próprio fabricante declara que o produto atende a determinados critérios ou possui determinadas qualidades ambientais, ou por **terceira parte**, quando entidades independentes, baseadas em critérios e normas, concedem a utilização de rótulos aos produtos (Guerón, 2003).

Com relação aos impactos, os programas podem ser classificados como positivos, negativos ou neutros.[1] Os programas **positivos** são aqueles que identificam produtos que possuem atributos ambientais considerados superiores aos concorrentes de mercado (por exemplo, *Blue Angel*, Qualidade Ambiental ABNT) ou um atributo ambiental específico (por exemplo, reciclado, biodegradável). Os programas **negativos** são, normalmente, de adesão obrigatória pelos fabricantes e alertam os consumidores sobre a presença de substâncias nocivas ou perigosas nos produtos (por exemplo, rótulo de produtos químicos). Já os programas **neutros** apresentam informações ambientais sobre os produtos, que podem ser interpretadas pelos consumidores, influenciando-os em suas decisões de compra (por exemplo, selos Procel de eficiência energética) (Guerón, 2003; Voltolini, 2010).

As normas da série ISO 14.020 têm por objetivo harmonizar os diferentes programas de rotulagem ambiental que ocorrem internacionalmente. O uso destas normas possibilita que os programas tenham a mesma consistência em métodos e procedimentos, garantindo parâmetros equivalentes para análise e concessão dos selos — e não a homogeneização destes programas. A harmonização de procedimentos também permite que os programas façam reconhecimento mútuo dos rótulos, caso considerem pertinente.

A série ISO 14.020 é constituída pelas normas ISO 14.020, ISO 14.021, ISO 14.024 e ISO 14.025. A principal norma – que define as diretrizes gerais para o estabelecimento dos programas de rotulagem ambiental – é a ISO 14.020. Esta norma explicita que:

"Rótulos e declarações ambientais fornecem informações sobre um produto ou serviço em termos de suas características ambientais gerais, ou de um ou mais aspectos ambientais específicos. [...] pode aparecer sob forma de um texto, um símbolo ou elemento gráfico no rótulo de um produto ou numa embalagem, na

---

[1]Esta classificação passou a ser adotada após estudo realizado pela EPA em 1998, denominado *Environmental Labelling Issues, Policies, and Practices Worldwide.*

literatura sobre o produto, em boletins técnicos, em propaganda ou publicidade, entre outras coisas. [...] A meta geral dos rótulos e declarações ambientais é [...] promover a demanda e fornecimento dos produtos e serviços que causem menor impacto ambiental, estimulando assim, o potencial para uma melhoria ambiental contínua, ditada pelo mercado." (ABNT, 2002)

A norma 14.020 fornece diretrizes gerais para todos os programas de rotulagem, tanto para as autodeclarações, quanto para os programas de terceira parte. Ela indica os seguintes princípios gerais orientadores de todos os rótulos e declarações (ABNT, 2002):

i) devem ser acurados, verificáveis, pertinentes e não enganosos;

ii) os seus procedimentos e critérios não devem ser preparados, adotados ou aplicados com a intenção (ou efeito) de criar obstáculos desnecessários ao comércio;

iii) devem ser baseados em metodologias científicas que sejam suficientemente abrangentes e completas para suportá-los e que produzam resultados acurados e reproduzíveis;

iv) o seu desenvolvimento deve, sempre que apropriado, levar em consideração o ciclo de vida do produto ou serviço;

v) não deve inibir inovações que mantenham ou tenham o potencial de melhorar o desempenho ambiental;

vi) quaisquer requisitos administrativo ou periódico de informação relacionados com eles devem se limitar àqueles necessários ao estabelecimento de conformidade aos critérios e/ou normas aplicáveis;

vii) as normas ou critérios aplicáveis devem ser desenvolvidos mediante um processo de consenso;

viii) as informações sobre os atributos ambientais dos produtos e serviços pertinentes devem estar disponíveis aos compradores;

ix) a informação relativa aos procedimentos e metodologias usadas para suportá-los deve estar disponível e ser fornecida, quando solicitada, a todas as partes interessadas.

A norma ISO 14.020 define três tipos de classificação para os programas de rotulagem (Quadro 32.2):

QUADRO 32.2 **Classificação dos rótulos ambientais segundo a norma ISO 14.020**		
Rótulos Ambientais – ISO 14020		
Tipo I	**Tipo II**	**Tipo III**
Rótulo de Programa de Terceira Parte – Selos verdes	Rótulo de Programa de Primeira Parte – Autodeclaração ambiental	Rótulo de Programa de Terceira Parte – Declaração Ambiental de Produto (DAP)
Adesão voluntária	Adesão voluntária	Adesão voluntária
Baseado em múltiplos critérios, previamente definidos pelo programa e válidos para categorias ou classes de produtos ou serviços.	Baseado em um único critério, definido pelo interessado.	Baseado em múltiplos critérios, previamente definidos para categorias de produtos.
Exemplo: certificação florestal – FSC manejo florestal	Exemplo: Autodeclaração do fabricante sobre característica do produto reciclável	Declaração detalhada com informações quantificadas sobre os parâmetros ambientais em produtos e serviços
		Exemplo: rótulos com informações quantitativas para uso em avaliação de ciclo de vida de produto
Foco: consumidor final	Foco: consumidor final	Foco: empresas
Certificação de Terceira Parte	Não exige certificação	Certificação de Terceira Parte
Apresentam validade do selo em função da periodicidade da certificação	Não possuem validade	Apresentam validade do selo em função da periodicidade da certificação
Apresenta-se como um símbolo do programa impresso no produto ou embalagem e pode ser acompanhado de texto informativo sobre o programa.	Apresenta-se como símbolo e texto impresso no produto e embalagem.	Apresenta-se como texto contendo dados da empresa, do produto, impactos ambientais quantificados (água, matéria-prima, energia, etc)
Exemplo: símbolo do Programa Qualidade Ambiental	Exemplo: ciclo de Möbius para identificar produto reciclável	

Fonte: modificado de Pugliesi et al. (2014).

Tipo 1 – estabelecidos na norma ISO 14.024, são programas independentes, e levam em consideração vários atributos dos produtos, por isso são chamados de programas multicritérios. Os rótulos tipo 1 também chamados de Programas de Terceira Parte.

Tipo 2 – estabelecidos na norma ISO 14.021, os programas tipo 2 são as autodeclarações ambientais. As informações prestadas são referentes as características ambientais específicas dos produtos e são fornecidas pelo próprio fabricante, ou seja, são os selos de primeira parte.

Tipo 3 – estabelecida na norma ISO 14.025, contempla a categoria de rótulos de informação quantificada do produto, baseada em verificação independente, utilizando critérios prefixados.

32.3.2.2 Autodeclarações Ambientais ou Rotulagem Ambiental do Tipo II

As autodeclarações ambientais são iniciativas de fabricantes em informar características ambientais específicas de seus produtos, e não possuem organismo certificador ou verificador que comprove e monitore suas declarações ambientais, sendo considerados rótulos de programas de primeira parte (Pugliesi et al., 2014). São selos mais vulneráveis, que geram polêmica, pois, como respondem a interesses comerciais dos fabricantes, podem fornecer informações parciais sobre os produtos. Por outro lado, por destacarem atributos ou características específicas dos produtos, podem ser melhor compreendidas pelos consumidores, tornando-se um importante instrumento para a comunicação ambiental.

A norma ISO 14.021 especifica os requisitos para autodeclarações ambientais como os termos a serem utilizados, símbolos e gráficos, e as orientações para apresentação destes rótulos nos produtos. A norma descreve uma metodologia de avaliação e verificação geral para autodeclarações ambientais e métodos específicos de avaliação e verificação (ABNT, 2002).

Os termos e definições utilizados nas autodeclarações referem-se às qualidades e atributos ambientais que um produto ou serviço possa ter: compostável, degradável, projetado para desmonte, vida útil do produto prolongada, energia recuperada e reciclável, conteúdo reciclado, consumo de energia reduzido, uso reduzido do recurso, consumo reduzido de água, tanto reutilizável quanto recarregável, e redução de resíduos.

A norma estabelece que o autor da declaração é responsável pela avaliação e fornecimento de dados necessários para a verificação das autodeclarações ambientais. Deste modo, antes de fazer a declaração, devem ser implementadas medidas de avaliação para alcançar resultados confiáveis e reproduzíveis necessários para verificar a declaração. A avaliação deve, ainda, ser totalmente documentada e a documentação retida pelo autor da declaração para que possa ser consultada ou fornecida aos consumidores, caso requisitado. A guarda destas informações deve ocorrer pelo período em que o produto estiver no mercado e por um razoável período posterior, levando-se em conta a vida útil do produto (Pugliesi et al., 2014).

Apesar de serem especificadas em norma as metodologias de avaliação e verificação das autodeclarações ambientais, cabe ao fabricante a responsabilidade pela efetivação destas ações e, na ausência de verificação externa ou independente, pode ocasionar suspeita e insegurança nos consumidores.

Por apresentarem linguagem direta, as autodeclarações possibilitam de forma mais ampla que os consumidores conheçam os impactos específicos dos produtos que compram e assim podem influenciar os fabricantes com relação às características desejáveis dos produtos. As autodeclarações ambientais são, sem dúvida, a mais poderosa forma de comunicação ambiental, na medida em que são facilmente reconhecidas pelos consumidores (Pugliesi et al., 2014).

32.3.2.3 Declaração Ambiental de Produtos (DAP) ou Rotulagem Ambiental do Tipo III

O Programa Voluntário de Rotulagem Ambiental Tipo III – Declaração Ambiental de Produto (DAP) foi instituído no Brasil em março de 2016 pelo INMETRO, integrando o Sistema Brasileiro de Avaliação de Conformidade (SBAC).

No âmbito deste programa, a DAP é um documento que reúne informações das etapas produtivas e apresenta um resumo do perfil ambiental de um produto, fornecendo informações sobre seus aspectos ambientais de forma padronizada e objetiva (INMETRO, 2016). Ao serem utilizados métodos padronizados quantitativos, é possível a avaliação das mesmas categorias de impacto ambiental para que produtos com mesma funcionalidade sejam comparáveis pelos consumidores, em diferentes regiões ou países (ABIPLAST, 2016).

A DAP possui o aspecto similar a etiquetas de valores nutritivos e deve indicar os recursos empregados (como água, matéria-prima, combustíveis fósseis, outras formas de energia, entre outros) e cargas de emissões (gases de efeito estufa, acidificação, ozônio ao nível do solo, entre outros). A DAP não é um rótulo de qualidade ou desempenho ambiental, pois embora forneça informações objetivas sobre aspectos ambientais de um produto, não define exigências ambientais específicas (padrão de desempenho). Ela é baseada em estudos de Avaliação do Ciclo de Vida (ACV) e fornece uma descrição detalhada de características ambientais de produtos ao longo do seu ciclo de vida – desde a extração das matérias-primas, processo de fabricação, uso e descarte (INMETRO, 2016).

De modo distinto aos selos do Tipo I e Tipo II, os selos Tipo III não possuem um padrão ou referencial a ser alcançado. A avaliação do nível de impacto ambiental dos produtos é realizada pelo consumidor e é baseada em dados quantitativos (absolutos) obtidos pela ACV.

Embora seja um programa voluntário, deve ser considerado estratégico no país, pois poderá representar, no futuro, um diferencial significativo de competitividade para as empresas (ABIPLAST, 2016).

32.3.2.4 Programas de Selo Verde ou Rotulagem Ambiental do Tipo I

A ISO 14.024 é a norma utilizada como guia para a estruturação dos programas de selo verde e os procedimentos de certificação para a concessão do rótulo. Esta norma estabelece os princípios e procedimentos para o desenvolvimento de programas de rotulagem ambiental, incluindo a seleção de categorias de produtos, critérios ambientais e características funcionais dos produtos para avaliar e demonstrar sua conformidade.

Programas de selo verde são rótulos de terceira parte, ou seja, são aqueles certificados por organismos independentes do fabricante. Estes programas identificam produtos que causem menor impacto ambiental que similares da mesma categoria existente no mercado e são baseados em múltiplos critérios, ou seja, vários atributos do produto são analisados para a concessão do selo. O processo de avaliação ocorre por auditorias e o selo é concedido a produtos que satisfazem um conjunto de requisitos pré-estabelecidos (critérios).

Dessa forma, para o consumidor final, o selo permite a identificação de produtos que se destacam do ponto de vista ambiental, dentro de uma determinada categoria de produto específica.

De acordo com a norma ISO 14.024, estes programas devem atender aos seguintes princípios:

- natureza voluntária;
- cumprimento da legislação ambiental e outras normas regulamentares aplicáveis;
- os critérios ambientais devem ser estabelecidos levando-se em consideração o ciclo de vida do produto;
- seletividade;
- os produtos certificados devem ser adequados ao uso;
- os critérios devem ter um período de validade, após o qual devem ser revisados;
- consulta às partes interessadas;
- transparência;
- não devem criar ou ter a intenção de criar obstáculos ao comércio internacional;
- os programas de rotulagem devem ser acessíveis a todos os potenciais solicitantes;
- os critérios ambientais devem ter base científica;
- os custos e taxas devem maximizar, na medida do possível, a acessibilidade ao rótulo;
- confidencialidade; e
- reconhecimento mútuo.

Podemos considerar que os programas de selos verdes constituem um mecanismo de implementação de políticas ambientais dirigido aos consumidores, auxiliando-os na escolha de produtos com características ambientais menos impactantes. Por outro lado, os selos verdes apresentam-se também como um instrumento de marketing para as organizações que investem nesta área e querem oferecer produtos diferenciados no mercado.

32.3.2.5 Selos e Programas de Certificação Agrícola e Florestal

Alguns programas de selo verde possuem abrangência internacional e incorporam, entre seus princípios fundamentadores, além dos critérios ambientais, os critérios da sustentabilidade, objetivando estimular melhorias ambientais, sociais e econômicas nos setores florestal e agropecuário. A partir de uma estrutura de princípios e critérios embasados na atuação responsável, contribuem para a conservação dos recursos naturais, promovem condições dignas e justas para os trabalhadores e proporcionam boas relações com as comunidades próximas à área, propriedade ou empresa certificada.

Independentemente do porte do empreendimento certificado, são identificados benefícios como a diferenciação dos produtos no mercado, possibilidade de participação em mercados mais exigentes, ganhos na gestão do negócio e melhoria na imagem institucional.

Neste item, abordaremos os mais conhecidos sistemas de certificação com estas características: certificação agrícola, de produtos orgânicos e florestal.

32.3.2.5.1 Certificação Agrícola

No contexto da intensificação do monocultivo em áreas extensas, aliado ao uso intensivo de produtos químicos para o aumento e manutenção da produção, característico da denominada "revolução verde", tornaram-se cada vez mais perceptíveis os efeitos e impactos destas práticas ao meio ambiente e à qualidade de vida. Ademais, o conjunto das práticas agrícolas adotadas se mostrou altamente dependente de aporte de energia externa, intensificando a pressão sobre o meio e os impactos ambientais negativos sobre os recursos naturais. A partir da década de 1970, aspectos ambientais relacionados com a produção de alimentos tornaram-se, em alguns países, parte dos processos de decisão para a aquisição de produtos (Pessoa et al., 2002), impulsionando a discussão sobre a identificação da origem e das formas de produção dos alimentos (Gómez, 1995; Sabbag, 2008).

As pressões exercidas pela sociedade (em protestos e boicotes) e dos mercados consumidores por produtos agrícolas produzidos em sistemas menos impactantes ao meio ambiente culminaram na proposição de mecanismos reguladores de qualidade, que incorporassem o desempenho ambiental de processo de produção observados na grande quantidade de normas de certificação e de leis ambientais que surgiram após a década de 1970 (Pessoa et al., 2002).

Iniciativas paralelas de grupos sociais nos Estados Unidos ligados à igreja, que procuraram fomentar comércio com populações menos favorecidas dos países em desenvolvimento (IBD, 2017), e na Holanda, Alemanha e Suíça fizeram surgir o programa de certificação agrícola *Fair Trade* (Pessoa et al., 2002). Esse programa, que possui como objetivo principal a comercialização justa de produtos agrícolas, além de relacionar questões sociais e ambientais com o processo produtivo, insere, no mercado, produtos produzidos em sistema familiar e oriundos de associação de pequenos produtores de países da América Latina, da Ásia e da África (Pessoa et al., 2002).

Simultaneamente, foi estabelecido o Programa Eco-OK, coordenado pela ONG *Rainforest Alliance*, de origem americana, com parceiros na Costa Rica, Panamá, Equador e Guatemala certificando as atividades do setor agropecuário de laranja, banana, café e cacau. O objetivo principal desse programa é o uso racional de agroquímicos e a proteção de florestas e da biodiversidade. Este programa também relaciona como critérios para certificação e uso do selo os aspectos sociais das formas de trabalho e a garantia da saúde e direitos dos trabalhadores (Pessoa et al., 2002).

A mobilização dos governos, setores sociais e produtivos na proposição de estruturas de verificação da origem e forma de produção de alimentos se ampliou e se estabeleceram iniciativas nacionais com características variáveis. A Dinamarca passou a comercializar frutas com um rótulo de "produção integrada". A Alemanha estabeleceu o primeiro programa de selo multicritérios. Na sequência, Escandinávia, Japão e Canadá desenvolveram programas nacionais de rotulagem ambiental (apresentados anteriormente neste capítulo), de forma a contemplar a certificação de produtos agrícolas *in natura* e processados (Gómez, 1995). Em 1992, a Regulamentação nº 880/92 da União Europeia instituiu o *eco-labelling* (ecorotulagem), ou "selo verde", que só pode ser usado pelo fabricante do produto, se observar determinado nível de desempenho ambiental de referência (Pessoa et al., 2002).

A certificação agrícola teve seu início na América Central, sendo posteriormente utilizada em outros contextos e continentes. O Brasil, em 1998, iniciou a utilização das normas para a certificação do setor sucroalcooleiro devido à sua importância estratégica para a economia (Pinto, 2012) e, em 2001, os estudos para a certificação do café.

A **Rede de Agricultura Sustentável** (RAS) teve origem no final de década de 1980, passando por diversas configurações até que a entidade foi registrada como organização no México, em 2008, como uma coalizão de organizações conservacionistas independentes, que promove a sustentabilidade social e ambiental da produção agrícola, por meio do desenvolvimento de normas técnicas (Pinto, 2012).

A RAS faz uso da Norma de Agricultura Sustentável para a certificação e tem como pilar fundamental o sistema de gestão social e ambiental da unidade produtiva, configurando-se como uma certificação socioambiental. A unidade produtiva objeto da certificação pode ter distintas configurações ou estar localizada em qualquer bioma, seja ela uma fazenda, uma associação de fazendas, uma cooperativa de pequenos produtores ou outras formas de empreendimentos ou arranjos produtivos. As certificações agrícolas podem ocorrer como **certificação da produção agrícola** e **certificação da cadeia de custódia.**

A **certificação de produção agrícola** é uma certificação de verificação do cumprimento dos princípios de manejo sustentável diretamente nas propriedades agrícolas produtoras. Veja o Caso 1 a seguir.

CASO 1: FRAISE, PAIXÃO POR MORANGOS

A produção de morango na fazenda "Fraise, paixão por morangos", localizada na cidade de Estrela, no Rio Grande do Sul, recebeu, em maio de 2017, a certificação *Rainforest Alliance Certified™* que reconhece empresas que possuem um bom desempenho socioambiental e com a produção eficiente no uso dos insumos como água, solo, energia, adubo e defensivos.

Os donos, Luiz Pianta, Márcia e Marlove Kartsch, trouxeram da França uma tecnologia que permite o rendimento máximo da produção de morango sem a utilização de agrotóxico utilizando apenas o controle biológico dos agentes que podem causar danos a plantação. A empresa está em busca de expandir seu negócio através da exportação. Para isso, entrou em contato com a Agência Brasileira de Promoção de Exportações e Investimentos (Apex) para buscar orientações sobre a colocação do produto no exterior.

Mais informações disponíveis em: <http://imaflora.blogspot.com.br/2017/05/morangos-com-tecnica-francesa-recebem.html>. Acesso em maio de 2018.

A certificação **cadeia de custódia** é complementar à de produção agrícola e se caracteriza por ser uma certificação de rastreabilidade dos produtos agrícolas certificados, que garante a origem da matéria-prima em produtos finais, certificados ao longo de toda a cadeia produtiva. A cadeia de custódia é aplicada às empresas que fazem uso de produtos procedentes das propriedades agrícolas certificadas, atendendo às demandas de consumidores que exigem a garantia da origem dos produtos agrícolas processados que adquirem. A partir deste tipo de certificação, as empresas apresentam uma declaração na embalagem de seus produtos com o selo, garantindo que este é procedente de uma propriedade agrícola certificada (Pinto, 2012). De acordo com o mesmo autor, a certificação pode ser solicitada para um empreendimento individual ou para um grupo, sendo que em ambos os casos o certificado é emitido após a verificação da conformidade com a Norma de Agricultura Sustentável. Para a certificação de empreendimento individual, a conformidade das atividades com a norma é avaliada em todo o empreendimento. Já para a certificação de grupos, o administrador do grupo e uma parte das propriedades será avaliada, a partir de uma amostragem randômica das propriedades. O escopo da **auditoria de certificação** é a própria propriedade agrícola, incluindo sua infraestrutura, áreas de processamento e embalagem, áreas de conservação e habitação, e todos os trabalhadores envolvidos nas atividades produtivas.

A certificação tem duração de três anos, com a realização de auditorias anuais no primeiro e no segundo ano da certificação. Caso a empresa queira iniciar um novo ciclo, ela deve, no terceiro ano, programar uma auditoria de recertificação. Podem ser realizadas, adicionalmente, **auditorias de verificação**, solicitadas pela empresa para que seja verificado o cumprimento das ações corretivas em resposta às não conformidades identificadas em auditorias anteriores; **auditoria de pesquisa**, que responde a denúncia de um cliente certificado, sendo um processo não programado; e **auditoria de qualidade**, também não programada, que tem o objetivo de verificar a implantação das normas e controlar o uso do selo (RAS, 2010).

A equipe de auditoria verifica o desempenho da propriedade agrícola em relação a cada um dos critérios aplicáveis da norma. Para obter a certificação, as empresas devem cumprir, no mínimo, 50% dos critérios aplicáveis de cada princípio e 80% do total dos critérios aplicáveis da norma, além de ter conformidade total com todos os 15 critérios definidos como críticos (RAS, 2010). Se a propriedade agrícola não cumprir a implantação de quaisquer das práticas definidas nos critérios, esta atitude resultará na atribuição de uma **não conformidade** (RAS, 2010).

Existem duas categorias de não conformidades: a **não conformidade maior** indica o cumprimento de um critério em menos de 50%; e a **não conformidade menor**, que identifica o cumprimento igual ou superior a 50% do critério, mas inferior a 100% (RAS, 2010).

Algumas situações podem levar à suspensão e cancelamento da certificação, como, por exemplo, evidências do uso inapropriado do selo em produtos de empreendimentos certificados, evidências de fraude ou má representação da condição de certificado pelo empreendimento.

32.3.2.5.2 Certificação de Produtos Orgânicos

A agricultura orgânica se apresenta como uma alternativa ao modelo convencional da produção agrícola, contrapondo as técnicas atualmente utilizadas — como o uso excessivo de produtos químicos e a utilização de transgênicos — e apresentando um novo paradigma nos aspectos sociais, de segurança e das relações de trabalho no campo, buscando um maior equilíbrio da sociedade. Apesar da concepção dos movimentos de agricultura orgânica datar dos anos 1920, a institucionalização da agricultura orgânica no mundo teve início em 1972, com a criação da IFOAM — Federação Internacional dos Movimentos de Agricultura Orgânica (IFOAM, 2014). Já no Brasil, até a década de 1970, a produção de orgânicos ainda era tratada apenas como uma forma alternativa de vida, a partir do contato do homem com a terra (Pinto, 2012; Karam et al, 2006).

Porém, com o crescimento da consciência de preservação ecológica e a busca por uma alimentação mais saudável, houve expansão de consumo dos produtos orgânicos e, na década de 1980, tiveram origem cooperativas de produção e consumo de produtos naturais. Os produtos orgânicos, além de minimizarem os impactos para o meio ambiente ao utilizarem insumos orgânicos, descartam o uso de agroquímicos e organismos geneticamente modificados, sobre os quais ainda não se têm certeza sobre as consequências de seu uso (Alves et. al, 2012).

No entanto, para que os agricultores usufruam desses benefícios na produção orgânica, obtendo maior sucesso e melhorando a competitividade no mercado, é necessário que passem por um processo de certificação por organismos reconhecidos oficialmente. Porém, para os agricultores familiares que comercializam seus produtos diretamente com os consumidores, realizando processos próprios de organização, a certificação é facultativa, desde que assegurem aos consumidores e ao órgão fiscalizador a rastreabilidade do produto e o livre acesso aos locais de produção (MAPA, 2014).

O processo de certificação é um instrumento importante para o setor agrícola por agregar valor aos produtos e consequente aumento de renda dos produtores, e ainda permitem a expansão do comércio nacional e internacionalmente. Já para os consumidores, o selo de produto orgânico garante a integridade, qualidade e a forma de produção, orientando suas decisões de compra.

No Brasil, em 1994, o então Ministério da Agricultura propôs a regulamentação da certificação de produtos orgânicos, resultando na Portaria MA nº 178, que criou uma Comissão Especial para propor normas de certificação. Em 2003, a partir da estruturação do Ministério da Agricultura, Pecuária e Abastecimento (MAPA), foi aprovada a Lei 10.831 que traz os conceitos a respeito da produção orgânica, a qual tem como finalidade:

"ofertar produtos saudáveis isentos de contaminantes intencionais; preservar a diversidade biológica dos ecossistemas naturais e a recomposição ou incremento da diversidade biológica dos ecossistemas modificados em que se insere o sistema de produção; incrementar a atividade biológica do solo; promover um uso saudável do solo, da água e do ar; e reduzir ao mínimo todas as formas de contaminação desses elementos que possam resultar das práticas agrícolas; reciclar resíduos de origem orgânica, reduzindo ao mínimo o emprego de recursos não renováveis".

No ano de 2009, foi lançado o selo oficial do Sistema Brasileiro de Avaliação da Conformidade Orgânica, estabelecendo os requisitos para a sua utilização nos produtos orgânicos. O selo brasileiro segue os procedimentos definidos pelo MAPA e reconhecidos pela IFOAM, que cria as normativas e decretos que dispõem sobre os deveres da certificadora e o processo de concessão do selo (MAPA, 2014).

A certificação de produtos orgânicos é o procedimento pelo qual uma certificadora, devidamente credenciada pelo MAPA e pelo INMETRO, assegura que um determinado produto, processo ou serviço obedece às normas e práticas da produção orgânica.

No Brasil, o produtor orgânico deve fazer parte do Cadastro Nacional de Produtores Orgânicos, o que é possível somente se estiver certificado por um dos três mecanismos descritos a seguir:

Certificação por Auditoria – a concessão do selo é feita por uma certificadora pública ou privada credenciada no MAPA.

Sistema Participativo de Garantia – caracteriza-se pela responsabilidade coletiva dos membros do sistema, que podem ser produtores, consumidores, técnicos e demais interessados. Para ser legalizado, deve possuir um Organismo Participativo de Avaliação da Conformidade (Opac), legalmente constituído, que responderá pela emissão do selo.

Controle Social na Venda Direta – a legislação brasileira abriu uma exceção na obrigatoriedade de certificação dos produtos orgânicos para a agricultura familiar. Exige-se, porém, o credenciamento dos produtores familiares em uma organização de controle social cadastrado em órgão fiscalizador oficial. Com isso, os agricultores familiares passam a fazer parte do Cadastro Nacional de Produtores Orgânicos.

Para além da garantia da qualidade dos produtos orgânicos, a importância da certificação se faz na regulamentação dos processos e tecnologias de produção necessárias para a manutenção de padrões éticos do movimento orgânico e a credibilidade do produto e produtor no comércio.

32.3.2.5.3 Certificação Florestal

A certificação florestal vem sendo utilizada desde a década de 1990 pelas organizações produtoras do setor florestal tanto de florestas naturais quanto de florestas plantadas. A certificação do manejo florestal destas organizações tem um impacto econômico significativo no setor, assim como são evidentes os ganhos ambientais e sociais decorrentes do manejo adequado das florestas.

Os sistemas de certificação florestais mais consagrados e utilizados no mundo são o *Forest Stewardship Council* (FSC) e o *Programme for Endorsement of Forest Certification* (PEFC). Estes sistemas possuem semelhanças nas motivações e no processo de criação, e ainda o compromisso com as práticas de manejo florestal sustentáveis, considerando-se aspectos econômicos, sociais e ambientais. As diferenças entre os sistemas são relativas aos atores que articularam suas criações e a forma de governança, considerando como foram estruturados cada um dos sistemas.

No Brasil, a certificação FSC possui o maior número de organizações e área certificadas, tanto para manejo florestal quanto para cadeia de custódia. As plantações certificadas encontram-se majoritariamente nas regiões sudeste e sul – áreas historicamente ocupadas pelas culturas dos gêneros *Pinus* e *Eucalyptus* (Silva & Papp, 2014; Bonfim, 2016).

A certificação florestal pode ser solicitada e concedida a qualquer empresa ou pessoa que extraia, produza, consuma, industrialize ou comercialize matéria-prima ou produtos de origem florestal (proveniente de florestas nativas ou plantações florestais), como também empreendimentos de manejo florestal, indústrias de celulose e papel ou de embalagens, moveleiras, gráficas, comunidades, marcenarias, empresas do ramo de cosméticos, exportadores, distribuidores, cooperativas, dentre outros (IMAFLORA, 2005).

A avaliação da empresa a ser certificada é realizada por auditores das certificadoras que são credenciadas e monitoradas pelo FSC ou PEFC, e deve seguir os princípios e critérios estabelecidos em norma específica para cada tipo e escopo de certificação. Depois de realizada a auditoria, é emitido um relatório com as evidências de cumprimento ou não dos critérios pré-estabelecidos, classificando-os para a posterior análise de aceite da certificação. O relatório é posteriormente revisado por especialistas da certificadora e publicado para consulta. Caso não haja contestação, a certificadora irá decidir sobre a certificação, e, após sua aprovação, a empresa estará apta a utilizar o selo, sendo monitorada anualmente e sua certificação renovada a cada cinco anos.

Os sistemas de certificação florestal têm como base três elementos:

- um padrão, estabelecido em uma normativa que define os critérios a serem cumpridos;
- a certificação, que é o processo de verificação por meio de auditorias realizadas por uma terceira parte independente (organismos de certificação); e
- o credenciamento dos organismos de certificação, que dá competência para sua atuação independente.

São passíveis de certificação florestas naturais ou plantadas, em qualquer bioma do mundo, localizadas em áreas privadas, áreas coletivas ou pertencentes a grupos, áreas públicas, concessões florestais, pequenos, médios e grandes produtores, e qualquer produto derivado da floresta, madeireiro ou não madeireiro (BONFIM, 2016).

Certificação Florestal FSC. O FSC (*Forest Stewardship Council*) é uma instituição internacional, independente, não governamental e sem fins lucrativos, aberta à participação de qualquer pessoa ou instituição que tenha interesse social, ambiental ou econômico relacionado com a atividade florestal, e que demonstre compromisso com os princípios de bom manejo florestal. Foi criado em 1993 no contexto da preocupação dos movimentos sociais e ecológicos, assim como dos produtores de madeira, com os impactos ambientais e sociais causados pelo consumo da madeira tropical, oriunda de sistemas de extração predatórios.

A certificação FSC tem como objetivo atestar que determinado empreendimento, seja empresa ou comunidade, realiza o bom manejo de florestas de acordo com padrões que consideram aspectos ambientais, econômicos e sociais (IMAFLORA, 2005).

O FSC se estrutura em um processo participativo de gestão que envolve organizações ambientalistas, ONGs, sindicatos, pesquisadores, populações florestais, indústria, entre outros setores e entidades. Este desenho institucional foi criado com o objetivo de que todos os grupos participantes fossem considerados de forma igualitária nos processos de tomada de decisão. Para possibilitar essa participação igualitária, os associados são divididos em três câmaras: social, econômica e ambiental. Cada câmara é subdividida, ainda, em representantes do hemisfério norte e hemisfério sul (FSC Brasil, 2014).

Os diferentes tipos de certificação FSC possíveis são determinados, basicamente, pelo tipo de manejo a ser realizado (florestas naturais ou plantadas com fins madeireiros ou produtos não madeireiros), do tamanho da área a ser manejada, e pela realização de processos de manufatura da matéria prima. Desta forma, existem três modalidades de certificação: Manejo Florestal (FM), Cadeia de Custódia (COC) e Madeira Controlada (CW) (FSC Brasil, 2014).

A **certificação de manejo florestal (FM)** atesta que a floresta foi manejada de acordo com aspectos ambientais, econômicos e sociais, incluídos nos princípios, critérios e indicadores da certificação FSC. Veja o Caso 2.

CASO 2: COOPERATIVA DOS PRODUTORES AGROEXTRATIVISTA DO BAILIQUE – AMAZONBAI

A cooperativa dos Produtores Agroextrativista do Bailique, AmazonBai, filiada à Organização das Cooperativas do Amapá (OCB), recebeu do FSC, em 2017, o certificado de manejo da floresta. *"O presidente da AmazonBai, Rubens Gomes, considera que a exportação do produto certificado é um marco no processo da agroindústria amapaense e comprova que é possível ter desenvolvimento com uso sustentável da floresta"*. Em abril de 2017, a cooperativa vendeu suas primeiras 15 toneladas de açaí certificado. Com a cooperativa, os ribeirinhos passam a vender o açaí diretamente para a cooperativa sem a presença de atravessadores. *"A AmazonBai e outras 11 cooperativas fazem parte do consórcio de produção de alimentos que é gerenciado pela OCB. A organização atua em três cadeias produtivas: açaí (seis cooperativas), pescado (três cooperativas) e castanha do Brasil (três cooperativas)"*. Os representantes da OCB solicitaram apoio e incentivos do Estado. Também aguardavam liberação do Fundo de Desenvolvimento Rural do Amapá (Frap) para que consigam modernizar e expandir a produção de alimentos. *"A certificação do açaí por um conselho mundial torna o produto mais valorizado e incentiva os extrativistas do açaí a entrarem no mercado de exportação"*.

Mais informações disponíveis em: <https://www.diariodoamapa.com.br/cadernos/cidades/amapa-vai-exportar-primeira-carga-de-acai-com-selo-internacional/>. Acesso: maio de 2018.

A **certificação de cadeia de custódia (COC)** é aplicada a unidades de processamento, como fábricas de papel, serrarias, gráficas. Avalia-se se o produto final possui origem em uma floresta certificada, por meio da rastreabilidade da matéria prima desde a floresta até o consumidor final. O produto pode receber o **selo misto** (quando possuir quantidade de matéria prima não certificada misturada) ou **100%** (produto produzido em sua totalidade com madeira certificada).

A **certificação de madeira controlada (CW)** aplica-se para a matéria prima não certificada que entra na indústria e fará parte de um produto rotulado como certificado (selo de cadeia de custódia), atestando que a matéria prima não é proveniente de fontes inaceitáveis perante o FSC (FSC BRASIL, 2014). São consideradas fontes inaceitáveis as matérias primas produzidas ilegalmente, em áreas onde houve violação de direitos civis e tradicionais, provenientes de áreas com alto valor de conservação, de áreas de florestas naturais convertidas em outros usos e de florestas geneticamente modificadas. Somente a madeira certificada como controlada pode compor os selos mistos de cadeia de custódia.

Certificação PEFC. O PEFC é uma organização independente, não governamental e sem fins lucrativos, fundada em 1999 a partir da iniciativa de empresas europeias em resposta ao crescimento da atuação do FSC no mercado internacional. O sistema foi desenvolvido com base nos critérios definidos nas Conferências de Helsinki e de Lisboa sobre a proteção florestal na Europa e possui como objetivo a promoção da sustentabilidade do manejo florestal. Ao contrário do FSC, que estabelece um sistema único de certificação com aplicação internacional, o PEFC é um programa que propõe o reconhecimento de sistemas de certificação regionais e nacionais, atuando como um "guarda-chuva", ao congregar diferentes iniciativas (Bonfim, 2016).

Apesar das diferenças e particularidades dos sistemas nacionais e regionais, a adesão ao PEFC permite uma maior aproximação das partes interessadas no processo de estruturação do sistema de certificação e proporciona o reconhecimento dos processos específicos e características regionais de promoção do bom manejo florestal. Entre os membros constituintes, possui organizações governamentais nacionais com programas de certificação reconhecidos (35 membros, incluindo o Brasil, representado pelo Cerflor), organizações governamentais nacionais sem programas de certificação reconhecidos (5), partes interessadas internacionais (22) e membros extraordinários (5) (Bonfim, 2016).

No Brasil, o Cerflor (Sistema Brasileiro de Certificação Florestal) foi criado em 1996 e lançado oficialmente em 2002. A ABNT é responsável pelo desenvolvimento, implementação e gestão da iniciativa nacional de certificação florestal, seguindo os parâmetros do Sistema Brasileiro de Avaliação da Conformidade (SBAC) e do Instituto Nacional de Metrologia, Qualidade e Tecnologia (INMETRO).

A Subcomissão Técnica de Certificação Florestal possui sua composição dividida em quatro categorias: representantes do governo, representantes do setor produtivo, representantes de consumidores e representantes de entidades neutras (órgãos de pesquisa e academia, entidades normalização e trabalhadores) (INMETRO, 2015). Com a finalidade de obter reconhecimento internacional, o INMETRO submeteu o pedido de avaliação do Cerflor ao PEFC em 2004, sendo aceito em 2005, por um período de cinco anos, e que deve passar por processos de renovação a cada cinco anos.

O Cerflor possui dois tipos de selo: **certificação do manejo florestal** (florestas nativas e plantações florestais) e **certificação de cadeia de custódia** de produtos de base florestal. Estes selos são obtidos a partir do cumprimento de princípios, critérios e indicadores aplicáveis para todo o território nacional, prescritos nas normas aprovadas pelo PEFC. Para a orientação das atividades de certificação, o Cerflor possui um conjunto de normas discutidas e publicadas no âmbito da ABNT e faz uso da NBR ISO 19.011 para a condução das auditorias.

32.6 CONSIDERAÇÕES FINAIS

A certificação ambiental se faz cada vez mais presente nos setores produtivos, na comercialização e consumo de produtos e serviços, seja por meio de sistemas de gestão ambiental ou de produtos certificados. Frente à profusão de informações característica do mundo moderno, os consumidores fazem uso da certificação para exercitar seu poder de escolha ante a oferta de produtos e serviços originários de distintas partes do mundo. As empresas, por outro lado, em face à concorrência crescente de seus produtos em um mercado globalizado, buscam diferenciais que agreguem valor ou se apresentem como símbolos de modos de vida e escolhas para os consumidores.

A opção pela certificação ambiental é uma decisão complexa, em que devem ser considerados custos, mudanças culturais, gerenciais e operacionais, e o compromisso de manutenção de um sistema que projeta a imagem da empresa em novos mercados. A certificação na prática se relaciona principalmente com o produto e a produção. A norma ISO 14.001 teve sua última atualização em 2015, quando passou a incorporar a visão do ciclo de vida e de processos de negócios. No entanto, ainda existe pouca relação com aspectos estratégicos da organização como, por exemplo, modelos de negócios.

REVISÃO DOS CONCEITOS APRESENTADOS

Neste capítulo, foram apresentados os conceitos e os principais sistemas de certificação ambiental, cuja aplicação se dá a produtos, sistemas ou processos. A certificação ambiental de produtos, aqui denominada rotulagem ambiental, está relacionada com a identificação de características ambientais de produtos e sua diferenciação no mercado. Destina-se aos consumidores finais, tendo um importante papel de comunicação ambiental. Já a certificação de sistemas de gestão ambiental é direcionada às empresas e aos métodos e processos de produção utilizados, tendo importante papel para atividades utilizadoras de recursos, objetivando melhorias nos processos de produção e gestão do negócio.

SUGESTÕES DE LEITURA COMPLEMENTAR

- ALVES, R. R. JACOVINE, L. A. G. (2015) Certificação florestal na indústria: aplicação prática da certificação de cadeia de custódia / Ricardo Ribeiro Alves. 1. ed. Barueri, SP: Manole.
- ALVES, F., FERRAZ, J. M. F., PINTO, L. F. G., SZMRECSÁNYI, T. (2008) Certificação Socioambiental para a Agricultura: Desafios para o Setor Sucroalcooleiro. Imaflora: Piracicaba, SP; EdUFSCar: São Carlos, SP. 300 p.
- LIMA, A. C. B., KEPPE, A. L. N., MAULE, F. E. et al. (2009) E certificar, faz diferença? Estudo de avaliação de impacto da certificação FSC/RAS. Imaflora – Piracicaba, SP.

Referências

Associação Brasileira da Indústria do Plástico (ABIPLAST). (2016) INMETRO – Programa de Rotulagem Ambiental Tipo III – Declaração Ambiental de Produto (DAP). Disponível em http://abiplast.org.br/noticias/inmetro--programa-de-rotulagem-ambiental-tipo-iii--declaracao-ambiental-de-produto-dap/20160329154107_J_185.

Associação Brasileira de Normas Técnicas (ABNT). (2016) ABNT NBR ISO/IEC 17021-1:2016. Rio de Janeiro: Associação Brasileira de Normas Técnicas. 54p.

_____. (2015) ABNT NBR ISO 14.001:2015. Rio de Janeiro: Associação Brasileira de Normas Técnicas. 41p.

_____. (2002) ABNT NBR ISO 14020: rótulos e declarações ambientais: princípios gerais. Rio de Janeiro.

ALVES, A.C.O., SANTOS, A.L.S., AZEVEDO, R.M.M.C. (2012) Agricultura orgânica no Brasil: sua trajetória para a certificação compulsória. Rev. Bras. de Agroecologia. 7(2): 19-27.

Banco Nacional de Desenvolvimento Econômico e Social (BNDES). (2002) O Setor Florestal no Brasil e a Importância do Reflorestamento. Rio de Janeiro, n. 16. Disponível em: http://www.bndespar.gov.br/SiteBNDES/export/sites/default/bndes_pt/Galerias/Arquivos/conhecimento/bnset/set1601.pdf.

BONFIM, M.S. (2016) Análise do atendimento aos princípios da certificação de manejo florestal FSC e perspectivas de aplicação dos Indicadores Genéricos Internacionais. 2016. Dissertação (Mestrado) – Universidade Federal de São Carlos, São Carlos.

Eco-management and Audit Scheme EMAS. (2017). Navigation path. European Commission. Acesso em: 09 Jan. 2018. Disponível em: <http://ec.europa.eu/environment/emas/index_en.htm>.

Food and Agriculture Organization of The United Nations (FAO). (2015) Recursos Forestales Mundiales 2015 (FAO, Ed.). Roma: Disponível em: www.fao.org/3/ai4793s.pdf.

International Federation of Organic Agriculture Movements, Research Institute of Organic Agriculture (IFOAM/FIBL). (2014) Organic world. Global organic farming statistics and news. Data tables FiBL-IFOAM. Disponível em: <Disponível em: http://www.organic-world.net/statistics-fao.html>.

GÓMEZ, C.S. (1995) El etiquetado ecológico. 1ª Edición. Ministerio de Obras Públicas, Transportes y Medio Ambiente. Dirección General de Política Ambiental, 1995. Serie Monografías.

GUÉRON, A.L. (2003) Rotulagem e certificação ambiental: uma base para subsidiar a análise da certificação florestal no Brasil. 2003. Dissertação (Mestrado) – Universidade Federal do Rio de Janeiro, Rio de Janeiro.

HEMMELSCAMP, J., BROCKMANN, K.L. (1997) Environmental Labels – The German 'Blue Angel'. Futures, Vol. 29, No. I, pp. 67-76, Filadélfia: Elsevier.

IBD. (2017) Sistema De Certificação Fair Trade IBD - 15a Edição – doc 8_1_3 – Agosto de 2017.

Instituto Nacional de Metrologia, Qualidade e Tecnologia (INMETRO). (2015) Cerflor: Certificação Florestal. Disponível em: http://www.inmetro.gov.br/qualidade/cerflor.asp.

_____. (2016) Portaria no 100, de 07 de março de 2016. Diário Oficial da União. Disponível em: http://www.inmetro.gov.br/legislacao/rtac/pdf/RTAC002391.pdf.

Insituto de Manejo e Certificação Florestal e Agrícola (IMAFLORA). (2005). Brasil Certificado: a história da certificação florestal no Brasil. São Paulo, 2005. Disponível em< http://www.imaflora.org/downloads/biblioteca/Brasil_certificado.pdf>.

_____. (2008) Manual de Certificação da Agricultura Sustentável. 15p. Disponível em: <http://www.terrabrasilis.org.br/ecotecadigital/pdf/manual-de-certificacao-da-agriculturasustentavel.pdf>.

KARAM, K., FONSECA, M.F., GRIZANTE JR, V., CARVALHO, Y.M.C. (2006) A institucionalização da agricultura orgânica no Brasil. Agriculturas - v. 3 – no 1 – abril de 2006.

Ministério da Agricultura, Pecuária e Abastecimento (MAPA). (2014) Orgânicos. Brasil. Disponível em: <Disponível em: http://www.agricultura.gov.br/desenvolvimento-sustentavel/organicos>.

MOURA, A.M.M. (2013) O mecanismo de rotulagem ambiental: perspectivas de aplicação no Brasil. Boletim Regional, Urbano e Ambiental, 7, 11-21, jan. /jun.,2013. Disponível em: http://repositorio.ipea.gov.br/bitstream/11058/5655/1/BRU_n07_mecanismo.pdf.

PESSOA, M.C.P.Y., SILVA, A.S., CAMARGO, S.P. (2002) Qualidade e certificação de produtos agropecuários. (Texto para discussão, 14). Brasília, DF: Embrapa Informação Tecnológica.

PINTO, L.F.G. (2012) A Busca pela Sustentabilidade no Campo – 10 Anos da Certificação Agrícola no Brasil. 132p. Imaflora - Piracicaba, SP.

PUGLIESI, E., MORAES, C.S.B. (2014) Auditoria ambiental e a norma ISO 19011.In: Moraes, C.S.B., Pugliesi, E. Auditoria e certificação ambiental / Clauciana Schmidt Bueno de Moraes, Erica Pugliesi (Orgs). Curitiba: InterSaberes.

Rede de Agricultura Sustentável (RAS). (2017) Norma para Agricultura Sustentável.

SABBAG, O.J. (2008) Avaliação de Impactos Ambientais pós-certificação Eurepgap na cultura do abacaxi em Guaraçaí (SP). Pesquisa Agropecuária Tropical v. 38, n. 4, p. 284-289, out./dez. 2008.

SILVA, E.J.V., PAPP, L.M. (2014) Certificação e Auditoria Florestal. In: Moraes, C.S. B; Pugliesi, E. Auditoria e certificação ambiental / Clauciana Schmidt Bueno de Moraes, Erica Pugliesi (Orgs). Curitiba: InterSaberes, 2014.

União Europeia (U.E.). (1993) CEE no 1836/93 do Conselho. Jornal Oficial das Comunidades Europeias. 18p. Acesso em: 09 Jan. 2017. Disponível em: <https://publications.europa.eu/en/publication-detail/-/publication/54daa846-98cc-4633-8a05-79c897db058f/language-es>.

_____. (2001) CE no 761/2001 do Parlamento e do Conselho. Sistema Comunitário de Ecogestão e Auditorias. Acesso em: 09 Jan. 2017. Disponível em: <http://eur-lex.europa.eu/legal-content/PT/TXT/HTML/?uri=LEGISSUM:l28022&from=PT>.

_____. (2009) Regulamento no 1221/2009 do Parlamento Europeu e do Conselho. Jornal Oficial das Comunidades Europeias. 18p. Acesso em: 09 Jan. 2017. Disponível em: <http://eur-lex.europa.eu/LexUriServ/LexUriServ.do?uri=OJ:L:2009:342:0001:0045:PT:PDF>.

VOLTOLINI, R. (2010) Rótulos, selos e certificações verdes: uma ferramenta para o consumo consciente. Dossiê 7. Ideia Socioambiental. Disponível em: http://www.ideiasustentavel.com.br/pdf/IS20%20-%20Dossie%20v3.pdf.

INDICADORES DE SUSTENTABILIDADE – IMPORTÂNCIA E APLICAÇÕES

33

Tadeu Fabrício Malheiros / Aline Doria de Santi / Rafael Donate Ávila / Tiago Cetrulo

Este capítulo apresenta os indicadores de sustentabilidade enquanto instrumentos-chave para a atuação do engenheiro. Os indicadores podem ser aplicados para monitoramento e avaliação na escala de políticas, programas ou projetos. No entanto, o desenvolvimento de sistemas de indicadores de sustentabilidade e sua aplicação requerem do engenheiro o conhecimento de aspectos processuais e de conteúdo para garantir que os princípios associados à questão do desenvolvimento sustentável estejam presentes. Entre os desafios, o capítulo destaca a insuficiente disponibilidade de dados de aspectos sistêmicos, a descontinuidade na avaliação de políticas e a resistência à promoção de processos participativos.

33.1 INFORMAÇÃO E TOMADA DE DECISÃO NA ENGENHARIA AMBIENTAL

O campo de atuação da engenharia é amplo e, na maioria das vezes, trabalha com problemas complexos e de interface com outros campos do conhecimento. Há, assim, um desafio permanente de encontrar informações-chave e estratégicas sobre os recursos necessários para a promoção do desenvolvimento de comunidades, empresas e regiões visando subsidiar a tomada de decisões.

O Produto Interno Bruto – PIB, desenvolvido no século passado por Simon Kuznets, foi e ainda é um dos principais indicadores utilizados para medir crescimento e acumulação de riquezas e apoiar processos de decisão voltados ao desenvolvimento (Kuznets, 1934). Entretanto, não foi criado para medir a riqueza para além do seu fator econômico e, assim, acaba deixando de fora os custos sociais e ambientais dos processos produtivos, os quais ficam contabilizados como externalidades (Henderson, 2007; Meadows, 1998; Bossel, 1998).

As últimas décadas foram testemunhas de importantes movimentos sociais e ambientais, sendo cada vez mais presente a noção da indissociabilidade destas dimensões na promoção e durabilidade do desenvolvimento. Neste contexto, diante das profundas mudanças de paradigma, houve crescente demanda por parte das instituições e sociedade por indicadores mais integrados, mais alinhados ao conceito de desenvolvimento sustentável do relatório Nosso Futuro Comum (CMMAD, 1991).

Merece destaque, nessa perspectiva, a Agenda 21 Global, assinada durante a Conferência das Nações Unidas sobre Desenvolvimento e Meio Ambiente, ocorrida no Rio de Janeiro em 1992, que representa um marco significativo nos estudos e esforços internacionais na estruturação e proposição de indicadores como peças-chave na estratégia do desenvolvimento sustentável.

AGENDA 21 GLOBAL (GLOBAL AGENDA 21)

Capítulo 40 – "Informação para a Tomada de Decisões – Introdução – 40.1. No desenvolvimento sustentável, cada pessoa é usuário e provedor de informação, considerada em sentido amplo, o que inclui dados, informações, experiências e conhecimentos adequadamente apresentados. A necessidade de informação surge em todos os níveis, desde o de tomada de decisões superiores, nos planos nacional e internacional, ao comunitário e individual (...)" (UN, 1992).

A formulação de políticas e tomada de decisões mais alinhadas à ideia do desenvolvimento sustentável reforçam a necessidade de informações que possam orientar a sociedade sobre os rumos a serem desenhados, em termos de metas e de padrões de consumo e produção associados. Esta perspectiva rebate exatamente na atuação profissional do campo da engenharia. O engenheiro deve ter em sua caixa de ferramentas as lentes adequadas para enxergar o planeta (olhar global) e suas partes (a questão do local e suas especificidades), favorecendo a decisão de onde colocar os esforços de forma a potencializar as energias do sistema no melhor uso dos recursos à luz do desenvolvimento sustentável.

Neste contexto, os indicadores de sustentabilidade ocupam papel central no processo, pois podem ser utilizados como ferramenta de mobilização das partes interessadas, na análise e avaliação da sustentabilidade do desenvolvimento, bem como nos processos de educação e comunicação (Philippi Jr. & Malheiros, 2013).

O uso adequado dos indicadores pressupõe seguir princípios para sua efetivação na gestão para a sustentabilidade. Infelizmente, muitos profissionais afetados pela constante pressão do tempo e custo, em geral, acabam por escolher sistemas de indicadores que nem sempre são os mais adequados aos seus contextos.

A experiência acumulada nas últimas décadas no tema de indicadores de sustentabilidade mostra a importância da definição prévia de marcos referenciais que darão base aos seus processos de construção e uso. Isto significa estar aberto às transformações na forma de olhar e perceber as diferentes realidades. Ou seja, ter flexibilidade para inclusão de novos fatores na cesta de tomada de decisão.

Os critérios-chave na definição do sistema de indicadores são a capacidade de integração e síntese, horizontes de planejamento que atendam às demandas atuais e não comprometam as oportunidades das gerações futuras e, finalmente, o estabelecimento de sistemas de monitoramento que viabilizem a coleta de dados com qualidade, regularidade e acesso pelos diferentes atores envolvidos na tomada de decisão (Gibson et al., 2005; Philippi Jr. e Malheiros, 2013).

A escolha do caminho metodológico a ser adotado para a construção dos indicadores é sempre uma etapa decisiva em termos de impacto, abrangência, custos, tempo e continuidade do projeto, entre outros. Antes, é preciso que haja vontade política em priorizar o processo e incorporar estes indicadores aos processos de decisão públicos e privados.

A efetividade dos indicadores está diretamente relacionada com a criação de oportunidades de participação das partes interessadas nos processos de definição com o uso dos indicadores de sustentabilidade. Assim, um aspecto importante na viabilização de sistemas de indicadores é a consideração das diferentes escalas de gestão – do local ao global. Estes sistemas devem, individualmente, atender especificidades locais, captando esforços e medindo desempenho de cada unidade. As diferentes escalas de análise devem observar fatores cumulativos de pressão sobre os recursos naturais, fragmentação de ecossistemas, capacidade de suporte, serviços ecossistêmicos, migração, redes de cidades, globalização, entre outros.

Destaca-se também que um dos maiores desafios na efetivação de sistemas de indicadores é a sua institucionalização, pois dessa dependem as estruturas de governança – pública e privada – se tornarem mais comprometidas e transparentes. Neste sentido, os indicadores de sustentabilidade podem contribuir no auto monitoramento dos sistemas gestores, em uma perspectiva de aprendizado contínuo e de melhoria progressiva, que responda às complexas redes de decisão política nos diferentes níveis de atuação.

33.2 A QUESTÃO DO DESENVOLVIMENTO SUSTENTÁVEL E O ENGENHEIRO AMBIENTAL

O paradigma do desenvolvimento sustentável, conforme abordado em outros capítulos deste livro, apoia-se no enfoque sistêmico das dimensões sociais, econômicas, institucionais e ambientais, tendo como critérios mínimos a justiça social e a manutenção de capacidade do sistema ecológico. Este enfoque sistêmico questiona exatamente a limitação do uso de indicadores de forma isolada, o que pode levar a erros na sua interpretação. Diversos países com indicadores econômicos elevados ainda apresentam elevadas taxas de pressão sobre os recursos naturais, por exemplo, as emissões per capita de gases de efeito estufa ainda são maiores nos países mais ricos.

Gibson et al. (2005) propõem, como princípios a serem observados na operacionalização do conceito de desenvolvimento sustentável, a perspectiva de longo prazo, a capacidade suporte dos ecossistemas, a responsabilidade inter e intra-gerações, o respeito ao princípio da precaução, o bem-estar comunitário baseado em ampla participação, e as ideias de cooperação, conservação e justiça. Adotar o desenvolvimento sustentável como estratégia significa uma visão diferente de mundo e novos caminhos para encontrar pontos de intervenção, cujas lentes da sustentabilidade estão na capacidade de integração, síntese e enfoque colaborativo em busca da melhoria da qualidade de vida.

Bössel (1998) lembra que o conceito de desenvolvimento carrega a interpretação de quem o usa, e direcionando seu foco. Assim, se certos indicadores forem utilizados de forma inadequada e outros negligenciados nos diversos processos de formulação e implementação de políticas públicas e privadas, assim como suas interfaces, isto poderá conduzir a situações crônicas de insustentabilidade. Daí a importância da construção e uso adequado das informações no processo de decisão, dentro do paradigma do desenvolvimento sustentável.

O ciclo de construção, uso e avaliação de indicadores de sustentabilidade apresenta inércia significativa, considerando a quantidade de instituições que, em geral, estão associadas a todo o processo de coleta, análise e elaboração de relatórios. Os procedimentos estão ligados a leis e normas que regem estas instituições e ao próprio sistema de informações, nos seus diversos níveis. É preciso considerar também as pessoas que, de alguma forma, estão relacionadas com este conjunto de informações, como no contexto da divulgação, como é o caso da mídia, por exemplo.

Portanto, no campo do desenvolvimento sustentável, a construção e a operacionalização de bons indicadores requerem o estabelecimento de princípios e boas práticas que norteiem todo o processo, partindo da definição de necessidades, de foco, de engajamento das partes interessadas, de procedimentos de comunicação e diálogo, e do seu uso na formulação e implementação de políticas públicas.

33.3 INDICADORES DE SUSTENTABILIDADE – UMA ABORDAGEM CONCEITUAL

Enfim, o que é um indicador de sustentabilidade?

A literatura traz uma lista de definições sobre indicadores, mas, de forma geral, referem-se a uma medida que resume informações importantes sobre um determinado fenômeno. A ideia é que o que está sendo efetivamente medido tenha significado maior do que simplesmente o valor associado a esta medição, sempre no contexto do uso do indicador para tomada de decisão. Assim, o indicador pode ser entendido como um sinal, algo que representa alguma coisa para uma pessoa ou um grupo.

Segundo Winograd & Farrow (2009), os dados são a base para indicadores e devem ser usados para interpretar mudanças ou condições. Ou seja, um dado torna-se um indicador quando sua compreensão ultrapassa o número e/ou a mensuração, no sentido de adquirir significado por meio da informação interpretada para a tomada de decisão.

Meadows (1998) destaca que indicadores são parte das informações que a sociedade usa para entender o mundo, planejar ações e tomar decisões. Gallopin (1996) descreve o indicador como uma variável ou função de variáveis e propõe que a variável é uma representação operativa de um atributo (característica ou propriedade) de um sistema. Neste caso, exemplos de variáveis seriam peso ou idade de uma determinada pessoa, número de habitantes de determinada localidade, número de morbidades em uma determinada região e volume de água em um determinado reservatório.

Uma função de variáveis pode ser simples, como uma taxa que mede a mudança de valores de variáveis em relação a um valor de base, como a Taxa de Mortalidade Infantil, bastante usada, por exemplo, na área de saúde.[1] Porém, pode ser complexa, incluindo a soma ou multiplicação de duas ou mais variáveis, ou mesmo o uso de modelagem matemática.

Segnestan (2002) destaca que a combinação de indicadores forma indicadores agregados ou índices. Bössel (1998, 1999) define indicadores enquanto ferramenta de orientação para tomada de decisão em ambientes complexos. Dahl (1997) destaca o papel dos indicadores como ferramentas de comunicação.

Uma das questões-chave dos indicadores reside, especialmente, na escolha da variável, ou das variáveis, cujos valores provêm de medições (variáveis quantitativas) ou observações (variáveis qualitativas), em distintos tempos, lugares e populações, entre outras.

As etapas de um processo de proposição de um conjunto de indicadores, conforme ilustrado na Figura 33.1, incluem:

(1) Definição clara da demanda e prioridade política;

(2) Designação de um grupo de trabalho multidisciplinar, responsável por todo o trabalho, que inclua representações de atores das diferentes partes interessadas (governo, sociedade civil e empresas, entre outros). Convite a especialistas para apoio em atividades que podem demandar conhecimentos mais específicos, como a análise técnica dos indicadores;

(3) Mapeamento e identificação dos valores e visões compartilhadas pelo grupo, observando sempre que a equipe deve exercer seu papel de representante, ou seja, manter diálogo periódico com as

---

[1]Mede o número de óbitos de menores de 1 ano na população residente em determinado espaço geográfico e ano.

bases de representação. Levantamento e avaliação crítica de sistemas e experiências já existentes em contexto similar. Definição do modelo e sistema a ser utilizado;

(4) Elaboração de uma primeira lista de indicadores. Análise técnica dos indicadores e ajustes da lista;

(5) Levantamento de dados para os indicadores selecionados. Avaliação quanto à coleta de informações e bases de dados existentes para os indicadores selecionados e ajustes na lista de indicadores, quando for o caso;

(6) Preenchimento das folhas metodológicas para os indicadores selecionados;

(7) Listagem final de indicadores e respectivas fichas de informações. Nesta etapa, sugere-se a elaboração de um relatório executivo de análise sistêmica dos resultados dos indicadores no seu conjunto;

(8) Elaboração de estratégia de comunicação para divulgação dos indicadores;

(9) Capacitação de partes interessadas (equipe que ficará responsável pela atualização dos indicadores e usuários potenciais, tais como lideranças e educadores para desenvolvimento sustentável, entre outros);

(10) Convênios para garantir fluxo de informações nos processos de coleta de dados;

(11) Publicação e disseminação dos indicadores.

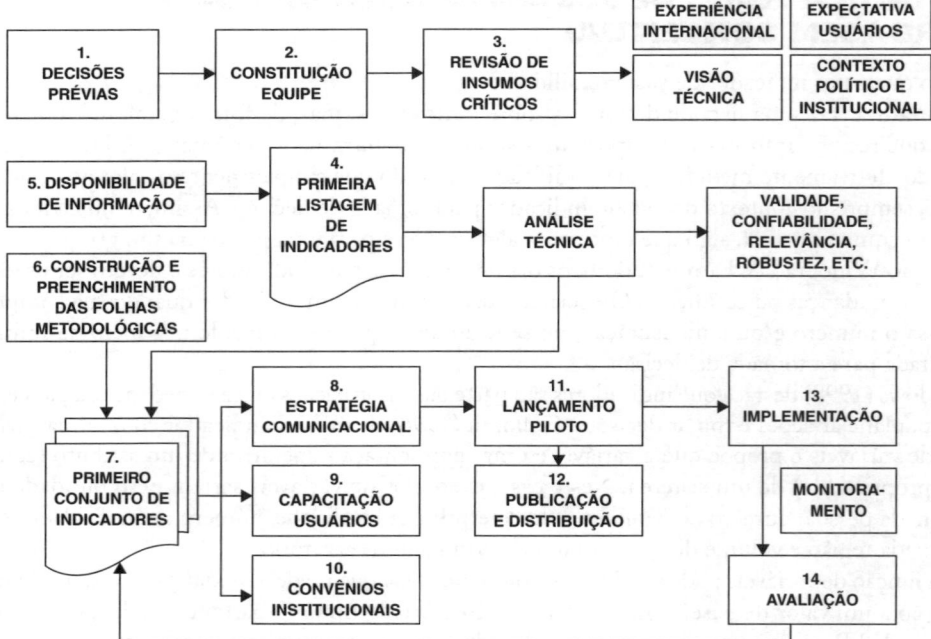

FIGURA 33.1 Fluxograma para construção de indicadores. *Fonte: Quiroga, 2001.*

O processo de construção dos indicadores deve ser monitorado e avaliado, bem como deve ser planejado um sistema de monitoramento para acompanhamento dos impactos e desdobramentos resultantes da publicação dos indicadores. Este processo cíclico, com revisões periódicas, favorece o aprendizado contínuo. Gomes (2011) destaca em sua pesquisa alguns requisitos importantes para a produção de bons indicadores, conforme descrito no Quadro 33.1.

Uma das discussões centrais sobre a estruturação de um sistema de indicadores de sustentabilidade reside na definição de quais e quantos indicadores são necessários para a avaliação dos processos de desenvolvimento sustentável. Há uma grande diversidade de indicadores sociais, econômicos e ambientais em uso, porém, a sua utilização sem estudos e critérios adequados poderá comprometer a avaliação e comunicação do processo de desenvolvimento sustentável. Neste contexto, um bom indicador (ou sistema de indicadores) deve possibilitar que se compreendam as relações entre atividades antrópicas e modificações ou impactos que estão sendo causados e quanto podem impactar a qualidade de vida presente e futura.

Assim, no item a seguir deste capítulo, são apresentadas três estruturas de sistemas de indicadores (Força Motriz-Pressão-Estado-Impacto e Resposta; Social-Econômico-Ambiental-Institucional; Postura Ambiental) em conjunto com a apresentação da ferramenta de *benchmarking*, com estudo de caso aplicado ao contexto do saneamento. Dessa forma, baseado nestes estudos, o engenheiro ambiental pode ter um panorama geral de diferentes aplicações de sistemas de indicadores na perspectiva do desenvolvimento sustentável.

QUADRO 33.1	**Condições para um sistema adequado de indicadores**
Requisitos	**Explicação**
Representatividade	Refere-se à capacidade de retratar os problemas da área de estudo.
Validade científica	Quanto ao processo como um todo, principalmente na forma de coleta e tratamento dos dados; nas relações com padrões de qualidade existentes, análises robustas e transparência na divulgação.
Fonte de informação	Deve-se observar a confiabilidade da sua origem.
Relevância	O indicador deve dialogar com o processo de tomada de decisão para possibilitar a avaliação o monitoramento do progresso no sentido de alcançar resultados para a sociedade.
Valores de referência	Para que o usuário possa estabelecer comparações.
Sensibilidade às mudanças	Que o indicador tenha sensibilidade para captar as alterações nas escalas espaciais e temporais necessárias ao processo de tomada de decisão.
Custo adequado	Corresponde ao valor ideal para obtenção da informação em função da quantidade de dados, da unidade de área e da escala de trabalho. Respeitar a relação custo/benefício.
Participação	Garantir princípio de representatividade de participação na construção e no uso dos indicadores.
Fácil compreensão	Indicadores devem ser simples e fáceis de compreender.
Modelo estrutural	Conjunto de indicadores deve estar apoiado em um sistema (modelo com dimensões e relações). Sem ele, o conjunto se torna uma mistura aleatória de indicadores, com risco de não captar os aspectos-chave da sustentabilidade para o contexto analisado.

Fonte: Gomes, 2011 (apud Philippi Jr. e Malheiros, 2013). Gomes et al., 2015.

33.4 MODELO FORÇA MOTRIZ-PRESSÃO-ESTADO-IMPACTO-RESPOSTA

Uma matriz amplamente aceita e frequentemente utilizada na elaboração de indicadores de interface ambiente – sociedade é a FPEIR (ou, DPSIR em inglês), cuja denominação resulta do acrônimo de Força Motriz (*Driving Force*), Pressão (*Pressure*), Estado (*State*), Impacto (*Impact*) e Resposta (*Response*).

Embora existam trabalhos anteriores focados no stress-resposta, datados da década de 1950, os modelos atuais de FPEIR têm base no trabalho de Anthony Friend e David Rapport (1979, 1991). Na literatura, é possível encontrar, em uso, diversas variações do modelo FPEIR, como o PEIR (Pressão-Estado--Impacto e Resposta), utilizado nos relatórios do Panorama Ambiental Global (*Global Environmental Outlook* – GEO); o modelo PER (Pressão-Estado-Resposta), utilizado pela Organização para Cooperação Econômica e Desenvolvimento (OCED); o modelo Força Motriz-Estado-Resposta (FER), utilizado pelas Nações Unidas; o modelo Força Motriz-Pressão-Estado-Exposição-Impacto-Resposta (FPEEIR), utilizado pela Organização Mundial da Saúde; e o modelo Força Motriz-Pressão-Estado-Impacto-Resposta (FPEIR), utilizado pela Agência Ambiental Europeia (Philippi Jr. & Malheiros, 2013).

De forma geral, o modelo FPEIR, ilustrado na Figura 33.2, considera que a atividade humana (força motriz) gera pressão no ambiente alterando o seu estado, o que causa um impacto, exigindo, portanto, uma resposta sobre os demais elementos. Assim, neste modelo, os indicadores de força motriz sinalizam os padrões e as políticas que geram elementos de pressão sobre os recursos naturais (pressão) e provocam alterações na qualidade ambiental (estado do meio ambiente); a alteração da qualidade ambiental gera impactos na saúde pública e na integridade do próprio meio ambiente; e os indicadores de resposta medem o esforço feito para resolver os problemas (Svarstad et. al, 2008).

O modelo FPEIR e suas variações oferecem um sistema capaz de descrever um problema em forma de cadeia de causa e efeito e uma situação dinâmica, atentando-se aos retornos (*feedbacks*) no sistema. O referido modelo usa indicadores em cada uma de suas categorias, sendo útil na descrição da correlação entre a origem e as consequências dos problemas ambientais (Kristensen, 2004). Sua popularidade

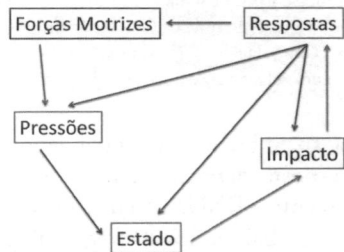

FIGURA 33.2 Representação gráfica da matriz FPEIR. *Fonte: Bosch & Gabrielsen (2003, p. 8).*

se relaciona com o fato de capturar, de forma simples, as relações fundamentais entre a sociedade e o meio ambiente, sendo amplamente aceito e frequentemente utilizado na elaboração de indicadores interdisciplinares e na conceituação de sistemas e modelos.

O potencial desta matriz não reside apenas em seus elementos, mas também na relação entre eles, conforme ilustra a Figura 33.3. Por exemplo, a relação entre força motriz e pressão é função da ecoeficiência; a relação entre pressão e estado está ligada à capacidade de depuração dos ecossistemas e outros fatores, por exemplo os climáticos; a relação entre qualidade ambiental e impacto depende de aspectos de capacidade suporte do ecossistema, vulnerabilidade e exposição do componente biótico; e a resposta da sociedade aos impactos depende de como estes impactos são notados e avaliados (Bosch & Gabrielsen, 2003).

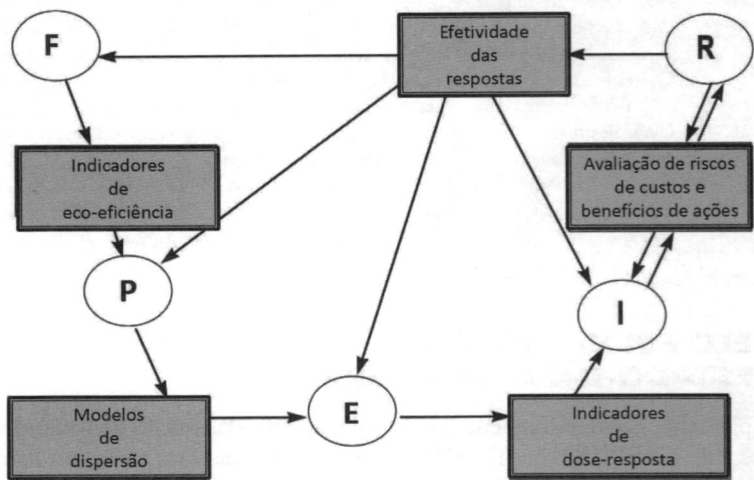

Figura 33.3 Representação gráfica da relação dos elementos da matriz FPEIR. *Fonte: Bosch & Gabrielsen (2003, p. 10).*

É importante ressaltar que a matriz FPEIR apresenta limitações. Críticos afirmam que cria um conjunto de indicadores estáticos que pode não considerar a dinâmica do sistema avaliado e não capturar tendências, com exceção dos casos em que a avaliação é realizada com os mesmos indicadores a intervalos regulares. Argumenta-se, ainda, que a matriz é frágil ao não captar de forma completa as relações de causa e efeito dos problemas ambientais, uma vez que a mesma sugere uma cadeia de eventos lineares e unidirecionais, mas os problemas ambientais são complexos e, em geral, com relações não lineares (Carr et. al, 2007).

A matriz FPEIR pode ser adaptada segundo as características do que se deseja avaliar, ou em função da demanda de indicadores ambientais, ou das condições de um determinado ambiente. Um exemplo de aplicação deste modelo na avaliação do sistema de esgotamento sanitário é apresentado no Quadro 33.2.

QUADRO 33.2 **Exemplos de indicadores de um sistema de esgotamento sanitário propostos com base na matriz FPEIR**	
Força motriz	Densidade demográfica (hab./km²)
	Produto Interno Bruto per capita (R$/hab.)
Pressão	Carga remanescente de DBO (t/dia)
	Carga remanescente de fósforo total (t/dia)
	Coliformes termotolerantes remanescentes (UFC/100mL)
Estado	Concentração crítica de oxigênio dissolvido nos corpos de água (mg/L)
	Concentração crítica de fósforo total nos corpos d'água (mg/L)
	Concentração crítica de coliformes termotolerantes nos corpos de água (UFC/100ml)
Impacto	Extensão de corpos de água em desacordo com o enquadramento (km)
	Índice de estado trófico dos corpos de água
	Incidência de doenças de veiculação hídrica (casos registrados/10.000 hab.)
Resposta	Índice de esgoto coletado em relação ao gerado (%)
	Índice de esgoto tratado em relação ao coletado (%)

Cabe destacar o modelo de avaliação ambiental integrada denominado GEO Cidades, que utiliza o modelo Pressão-Estado-Impacto-Resposta, derivado do projeto GEO Mundo, iniciado pelo Programa das Nações Unidas para o Meio Ambiente – PNUMA em 1995 com o objetivo de produzir a avaliação contínua do estado do meio ambiente global, nacional e regional, por meio de processos participativos e de parcerias institucionais (PNUMA, 2004).

Essencialmente, este processo de avaliação ambiental integrada parte de quatro perguntas:

- O que está acontecendo com o meio ambiente? (corresponde ao estado do meio ambiente – **E**);
- Por que está ocorrendo? (corresponde às pressões exercidas pela atividade humana sobre o meio ambiente – **P**);
- O que pode ser feito ou o que está sendo feito? (respostas para reduzir pressões ou aliviar os impactos – **R**);
- Que danos estão sendo causados na saúde pública e nos ecossistemas por conta da alteração da qualidade ambiental? (refere-se aos impactos ou efeitos sobre a qualidade de vida, ecossistemas ou economia local – **I**).

O modelo GEO Cidades propõe uma cesta de 53 indicadores, distribuídos entre os já amplamente utilizados, mas com alguns novos de maior aderência ao contexto de cidades. O modelo prevê a possibilidade de que possam ser escolhidos substitutos a alguns desses indicadores, em razão de eventual problema que possa surgir durante a sua definição ou mesmo na coleta de dados. Pode-se, também, proceder a inclusão de outros locais (propostos no âmbito dos trabalhos de cada cidade em face de sua relevância para aquele contexto específico) (PNUMA, 2004).

Este modelo foi aplicado ao município de São Paulo em 2002, sob a coordenação da Secretaria do Verde e do Meio Ambiente. O processo foi elaborado de forma integrada com o Conselho Municipal do Meio Ambiente e Desenvolvimento Sustentável (CADES) de São Paulo (SVMA & IPT, 2004). Além dos indicadores, o resultado final foi um Relatório com a avaliação integrada da questão ambiental e suas interfaces no âmbito da cidade de São Paulo. O principal objetivo foi orientar a aplicação de recursos do Fundo Especial do Meio Ambiente e Desenvolvimento Sustentável (FEMA), criado por lei e cuja regulamentação prevê sua gestão mediante o uso de indicadores ambientais.

Em relação à cesta básica proposta na Metodologia GEO Cidades, foram definidos 45 indicadores (sendo 33 sem modificações e 12 com adaptações). Introduziram-se três indicadores como substitutos, dada a dificuldade encontrada na obtenção de dados relativos a determinados indicadores. Além destes, foram acrescentados outros 35, considerados relevantes à cidade de São Paulo, totalizando 83 indicadores na Matriz dos Indicadores Ambientais Paulistanos (Figura 33.4).

FIGURA 33.4 Matriz dos indicadores ambientais paulistanos. *Fonte: SVMA & IPT, 2004.*

33.5 INDICADORES DE DESENVOLVIMENTO SUSTENTÁVEL DA COMISSÃO DE DESENVOLVIMENTO SUSTENTÁVEL DAS NAÇÕES UNIDAS

A Comissão de Desenvolvimento Sustentável (CDS) das Nações Unidas foi uma das principais instituições de articulação a desenvolver conhecimento e base para construção de indicadores de sustentabilidade. A partir da orientação do Capítulo 40 da Agenda 21 Global, em 1995, foi aprovado um programa de trabalho em indicadores de desenvolvimento sustentável, com duração de cinco anos (1995-2000), convocando organizações do Sistema das Nações Unidas e organizações intergovernamentais e não governamentais para a implementação dos principais elementos desse programa (Nações Unidas, 2001). O seu principal objetivo foi construir indicadores alinhados à proposta da Agenda 21 Global, favorecendo a formação de uma base de monitoramento, em níveis nacionais e locais. Por meio de oficinas de trabalho com participação de especialistas em indicadores e sustentabilidade, estruturaram-se metodologias e implementaram-se atividades de capacitação para fomento ao uso dos indicadores na perspectiva da Agenda 21. Outro objetivo foi o de induzir a elaboração de relatórios nacionais e locais como subsídio para a Comissão de Desenvolvimento Sustentável (CDS) acompanhar os avanços em relação à implementação da Agenda 21 Global.

A primeira versão dos indicadores de sustentabilidade produzidos a partir desta coordenação das Nações Unidas resultou em um conjunto de 134 indicadores, que cobriam basicamente os capítulos da Agenda 21 Global e estavam organizados segundo o modelo Força Motriz-Estado-Resposta (FER). Esta versão foi encaminhada para 22 países para testes entre 1996 e 1999. Desta etapa, com base nas avaliações que retornaram de cada país, a matriz foi reestruturada. A organização dos indicadores, segundo o modelo FER, foi substituída pelo modelo temático Social-Ambiental-Econômico-Institucional. Isso resultou, em 2001, no enxugamento para 57 indicadores,[2] conforme Quadro 33.3 (Philippi Jr. & Malheiros, 2013).

QUADRO 33.3 Tradução e adaptação da estrutura temática de indicadores da CDS

		SOCIAL
TEMA	**SUB-TEMA**	**INDICADOR**
Equidade	Pobreza	% da população vivendo abaixo da linha da pobreza
		Índice de Gini de distribuição de renda
		Taxa de desemprego
	Igualdade de gênero	Média dos salários das mulheres em relação aos dos homens
Saúde	Estado nutricional	Estado nutricional das crianças
	Mortalidade	Taxa de mortalidade abaixo dos 5 anos de idade
		Expectativa de vida ao nascer
	Saneamento	% população com serviço adequado de disposição de esgotos
	Água potável	População com acesso à água potável segura
	Serviços de saúde	% da população com acesso aos serviços primários de saúde
		Imunização de crianças contra doenças infecciosas
		Taxa de prevalência de contraceptivos
Educação	Nível educacional	Taxa de conclusão da escola primária e secundária
	Analfabetismo	Taxa de analfabetismo entre adultos
Moradia	Condições de vida	Área de moradia por pessoa
Segurança	Crime	Número de crimes notificados por 100.000 habitantes
População	Mudanças demográficas	Taxa de crescimento da população
		População dos assentamentos formais e informais

Além disso, como resultado da Agenda 21 Global, diversos governos começaram a partir de 1993, a pedido da CDS, a submeter à Comissão relatórios periódicos de seus status de implementação da Agenda 21. Estes relatórios cobrem diversos capítulos da Agenda 21.

Este programa foi fundamental para difusão da questão dos indicadores de sustentabilidade. Um dos desdobramentos efetivos dele são os atuais relatórios de indicadores de desenvolvimento sustentável,

---

[2]Esse processo acabou deixando algumas áreas descobertas em relação à proposta inicial de uma avaliação da implementação da Agenda 21 Global e, portanto, dos rumos para um desenvolvimento sustentável.

QUADRO 33.3 Tradução e adaptação da estrutura temática de indicadores da CDS *(Cont.)*

SOCIAL

TEMA	SUB-TEMA	INDICADOR
AMBIENTAL		
Atmosfera	Mudança climática	Emissão de gases do efeito estufa
	Depleção da camada de ozônio	Consumo de substâncias destruidoras da camada de ozônio
	Qualidade do ar	Concentração de poluentes no ar em áreas urbanas
Terra	Agricultura	Áreas de plantação permanente e aráveis
		Uso de fertilizantes
		Uso de pesticidas agrícolas
	Florestas	Área de floresta como % da área total
		Intensidade de desflorestamento
	Desertificação	Terra afetada por desertificação
	Urbanização	Área de assentamentos formais e informais
Oceanos, mares e costas	Zona costeira	Concentração de algas em águas costeiras
		% do total da população vivendo em áreas costeiras
	Pesca	Pesca anual das principais espécies
Água	Quantidade de água	Retirada anual de água superficial e subterrânea como % da água total disponível
	Qualidade da água	DBO nos corpos de água
		Concentração de coliformes fecais
Biodiversidade	Ecossistema	Área de ecossistemas principais selecionados
		Áreas protegidas como % da área total
	Espécies	Abundância de espécies principais selecionadas
ECONÔMICO		
Estrutura econômica	Performance econômica	PIB per capita
		Parcela do investimento em PIB
	Comércio	Balança comercial em bens e serviços
	Status financeiro	Dívida em razão do PIB
		Total de Auxílio Oficial ao Desenvolvimento (AOD) dado ou recebido como percentagem do PIB
Padrões de Produção e Consumo	Consumo de material	Intensidade de uso de recursos materiais
	Uso de energia	Consumo de energia anual per capita
		Parcela de consumo de energia de recursos renováveis
		Intensidade do uso da energia
	Geração e gerenciamento do lixo	Geração de resíduos sólidos industriais e municipais
		Geração de resíduos perigosos
		Geração de resíduos radioativos
		Reciclagem de lixo e reuso
	Transporte	Distância percorrida per capita por modo de transporte
INSTITUCIONAL		
Estrutura institucional	Estratégia de implementação de desenvolvimento sustentável	Estratégia Nacional de Desenvolvimento Sustentável
	Cooperação internacional	Implementação de acordos globais ratificados
Capacidade institucional	Acesso à informação	Número de assinaturas de internet por 1.000 habitantes
	Infraestrutura de comunicação	Linhas telefônicas por 1.000 habitantes
	Ciência e tecnologia	% do PIB gasto com ciência e tecnologia
	Preparo e respostas a desastres	Perda humana e econômica devido a desastres naturais

Fonte: Nações Unidas, 2001.

produzidos periodicamente por diversos países. O Brasil teve, em 2012, produzido seu primeiro relatório dos indicadores de desenvolvimento sustentável, segundo este modelo temático, o qual vem sendo atualizado a cada dois anos aproximadamente (IBGE, 2002, 2004, 2008, 2010, 2012, 2015).

Apesar dos esforços, das orientações e capacitação deste programa das Nações Unidas, devido ao número elevado de indicadores e a dificuldade de levantar diversos dados e produzir relatórios periódicos de acompanhamento dos capítulos da Agenda 21, verificou-se a necessidade de focar em alguns aspectos mais críticos relacionados com o desenvolvimento sustentável.

Assim, em 2000, foi lançado o Programa dos Objetivos de Desenvolvimento do Milênio (ODM), com prazo de implementação de 15 anos. A cada objetivo, estavam associadas metas e um ou mais indicadores de monitoramento.

Os oito ODMs definidos foram (Nações Unidas, 2015):

- Objetivo 1 – Erradicar a pobreza extrema e a fome
- Objetivo 2 – Alcançar educação básica de qualidade para todos
- Objetivo 3 – Promover a igualdade entre gêneros e empoderar as mulheres
- Objetivo 4 – Reduzir a mortalidade infantil
- Objetivo 5 – Melhorar a saúde das gestantes
- Objetivo 6 – Combater a Aids, a malária e outras doenças
- Objetivo 7 – Garantir sustentabilidade ambiental
- Objetivo 8 – Estabelecer parceria global para o desenvolvimento

O relatório final dos ODMs informa que grande parte das metas teve significativos avanços em todo o mundo, porém apresentou-se desigual entre as regiões e países, deixando lacunas, principalmente, em relação às populações mais vulneráveis.

O foco e o pequeno número de indicadores mostraram-se bastante eficientes para alavancar ações em todo o planeta, em diversas escalas e em diferentes contextos, reforçando o papel eclético dos indicadores em processos de mobilização e de comunicação. Este macro programa fortaleceu os sistemas de monitoramento nacionais, dando base para que a Agenda 2030 pudesse resgatar a abordagem mais sistêmica da Agenda 21, atualizada pelo relatório O Futuro que Queremos, que foi um dos resultados da Conferência Mundial para o Desenvolvimento Sustentável – RIO + 20.

A Agenda 2030, conforme a Resolução da Assembleia Geral da Organização das Nações Unidas de 25 de setembro de 2015, estabelece 17 Objetivos de Desenvolvimento Sustentável e 169 metas associadas.

DECLARAÇÃO "TRANSFORMANDO NOSSO MUNDO: A AGENDA 2030 PARA O DESENVOLVIMENTO SUSTENTÁVEL"

"2. Em nome dos povos a que servimos, adotamos uma decisão histórica sobre um conjunto de Objetivos e metas universais e transformadores que é abrangente, de longo alcance e centrado nas pessoas. Comprometemo-nos a trabalhar incansavelmente para a plena implementação desta Agenda até 2030. Reconhecemos que a erradicação da pobreza em todas as suas formas e dimensões, incluindo a pobreza extrema, é o maior desafio global e um requisito indispensável para o desenvolvimento sustentável. Estamos empenhados em alcançar o desenvolvimento sustentável nas suas três dimensões – econômica, social e ambiental – de forma equilibrada e integrada. Também vamos dar continuidade às conquistas dos Objetivos de Desenvolvimento do Milênio e busca atingir suas metas inacabadas.

....

75. Os Objetivos e metas serão acompanhados e revistos utilizando um conjunto de indicadores globais. Estes irão ser complementados por indicadores nos níveis regionais e nacionais que serão desenvolvidas pelos Estados-membros, para além dos resultados dos trabalhos realizados para o desenvolvimento das linhas de base para essas metas onde os dados referentes a linhas de base nacionais e globais ainda não existam. O quadro de indicadores globais, a ser desenvolvido pelo Grupo Interagencial e de Peritos sobre os Indicadores dos Objetivos de Desenvolvimento Sustentável, será acordado pela Comissão de Estatística das Nações Unidas em março de 2016 e adotado posteriormente pelo Conselho Econômico e Social e pela Assembleia Geral, em conformidade com os mandatos existentes. Este marco será simples, porém robusto, abordará todos os Objetivos de Desenvolvimento Sustentável e metas, incluindo os meios de implementação, e preservará o equilíbrio político, a integração e a ambição nele contidos."

Fonte: Nações Unidas, 2012.

O quadro com 232 indicadores globais, referente à Agenda 2030 para o Desenvolvimento Sustentável, foi adotado pela Assembleia Geral da ONU em 2017 (Nações Unidas, 2017). Interessante observar que a lista é bem superior ao primeiro conjunto de indicadores da Agenda 21. Isto coloca, portanto, um desafio aos gestores em sustentabilidade para que se direcionem esforços e recursos, para fortalecer progressivamente as bases de informações de modo a suprir esta quantidade de indicadores. Apesar de parte das metas associadas aos 17 Objetivos do Desenvolvimento Sustentável já estar definida, há ainda o desafio de equacionar a questão da integração destes indicadores, evitando que análises isoladas prejudiquem processos efetivos de tomada de decisão.

33.6 INDICADORES DE POSTURA AMBIENTAL

Parte significativa da responsabilidade de administrar e gerenciar as questões ambientais relativas aos processos de produção está diretamente nas mãos das organizações privadas, sejam em ações preventivas ou corretivas. Outra parcela importante da responsabilidade advém do setor governamental, enquanto ator coordenador e potencial incentivador e regulador de um cenário de construção de qualidade socioambiental.

O conhecimento da postura ambiental de um setor é uma ferramenta balizadora para tomada de decisão do setor governamental no delineamento de seus instrumentos de intervenção com objetivos ambientais, que exercem grande influência sobre as decisões das empresas em tomar um tipo ou outro de postura ambiental.

Mais uma vez, entram em cena os indicadores. Neste contexto, sua utilização permite o conhecimento da postura ambiental das organizações privadas. O Quadro 33.4 apresenta uma classificação para postura ambiental, suas principais características e exemplos de indicadores que podem ser utilizados.

As empresas podem assumir alguns estágios de postura ambiental. As que apresentam menor sensibilização têm como principal característica a ausência de preocupações e investimentos no gerenciamento de impactos ambientais, por entender que as questões ambientais são entraves ao crescimento e ao lucro da organização. Esse tipo de empresa pode apresentar como potenciais consequências um significativo passivo ambiental; ser alvo permanente de fiscalização, normalmente, punida com multas e penalidades legais; ter conflitos diretos e indiretos com suas partes interessadas e acionistas, não atraindo investimentos e financiamentos; além de correr o risco de ter parte de seu mercado reduzido (postura passiva/reativa).

QUADRO 33.4 Classificação da postura ambiental e suas principais características e exemplos de indicadores

Postura	Principais características	Exemplos de indicadores
Passiva / Reativa	Controle nas saídas. Gerador de custos operacionais extra. Entrave à expansão dos negócios da empresa. Atuação se limita ao atendimento mínimo das exigências legais. Neutralidade estratégica.	Não há definição de responsabilização pela gestão ambiental. A administração não reconhece os impactos decorrentes das operações. Ocorrência de passivo/multas ambientais.
Preventiva	Modificação de processos e/ou produtos, alinhada às questões ambientais. Enfoque na economia de recursos. Grupo técnico específico. Criação de cargo, função ou departamento ambiental. Cumprimento das legislações Integração pontual.	Adota metas de redução para uso de água, combustíveis e energia elétrica. Tem processo para prevenir/reduzir impacto ambiental. Adota práticas sistematizadas de política ambiental.
Proativa	Controle da gestão ambiental pela alta gerência. Oportunidade de geração de lucro. Sistema gerencial especializado. Variável ambiental introduzida nas decisões de compra e seleção de fornecedores. Proatividade. Integração matricial.	Política ambiental integrada às demais políticas. Fornecedores precisam comprovar as práticas de gestão ambiental. Alta gerência participa da gestão ambiental. Influência na formulação de suas estratégias.

Fonte: Cetrulo, 2010.

Em um segundo estágio, encontram-se empresas que cumprem a lei quando exigida pelas autoridades e têm interesse e alguma prática em economizar recursos com procedimentos e tecnologias ambientais. No entanto, possuem uma tendência em postergar os investimentos em controle e gerenciamento ambiental, ou seja, as questões ambientais não são vistas de forma estratégica. Assim, essas empresas ficam vulneráveis a acidentes ambientais, mas com poucas consequências econômicas e financeiras; elas conseguem algumas vantagens competitivas, mas estão bastante vulneráveis à concorrência; ainda há desconfiança por parte de suas partes interessadas e acionistas (Postura Preventiva/Tática).

As empresas que são mais proativas, terceiro estágio, compreendem e aceitam que é melhor e economicamente mais viável inserir as questões ambientais desde as fases de planejamento. Elas utilizam muitas técnicas ambientais para economia de recursos e buscam conflito zero com legislação e sociedade em geral. Nesse estágio, as empresas tratam as questões ambientais como uma estratégia de negócio e diferencial competitivo, o que resulta na satisfação de seus acionistas, investidores e funcionários; em um melhor relacionamento com os órgãos governamentais ambientais, comunidade de entorno e ONGs; e em maior credibilidade e participação da empresa no mercado (postura proativa/estratégica).

Para exemplificar uma aplicação deste indicador de postura ambiental, é ilustrado a seguir um caso do setor sucroalcoleiro. A partir de um conjunto de indicadores selecionados, foi possível agregá-los em uma escala de 0 (postura mais passiva) a 1 (postura mais proativa) e classificar o setor, criando a base para um processo de *benchmarking*. A Figura 33.5 mostra um exemplo em que se utilizaram 26 indicadores a partir de consulta a 44 usinas (Cetrulo, 2010).

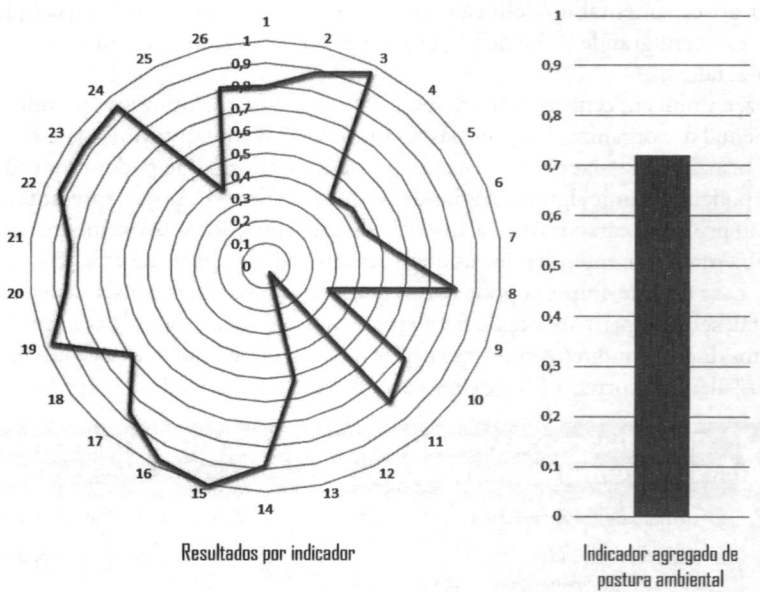

Resultados por indicador | Indicador agregado de postura ambiental

FIGURA 33.5 Indicadores de postura ambiental para o setor sucroalcoleiro do estado de São Paulo no ano de 2009. Do lado esquerdo, o resultado por indicador* para o setor. Do lado direito, um indicador geral da postura ambiental do setor. * Nº 1: Multas ambientais; Nº 2: Relacionamento com órgãos; Nº 3: Especialização da gestão ambiental; Nº 4: Auditoria ambiental; Nº 5: Comunicação ambiental; Nº 6: Capacitação ambiental; Nº 7: Programa de prevenção; Nº 8: Participação alta gerência; Nº 9: Marketing ambiental; Nº 10: Responsabilidade social; Nº 11: Responsabilidade ambiental; Nº 12 Certificação ambiental; Nº 13 Ponderação com fator econômico; Nº 14: P + L água; Nº 15: P + L energia e subprodutos; Nº 16: Conservação do solo; Nº 17: Controle biológico de pragas; Nº 18 Controle não químico de daninhas; Nº 19: Tratamento de efluentes atmosféricos; Nº 20: Tratamento de efluentes líquidos; Nº 21: Respeito à legislação; Nº 22: Queimadas; Nº 23 Vinhaça; Nº 24: APP; Nº 25: RL; Nº 26: Colheita mecanizada.

33.7 INDICADORES DE *BENCHMARKING* PARA SANEAMENTO

A definição proposta por Cabrera Jr. et al. (2011) para o *benchmarking* aplicado ao saneamento é: "*ferramenta para melhoria de desempenho através de pesquisa sistemática e adaptação de práticas de ponta*". É uma sistemática que implica no aprendizado de lições a partir dos outros (dos melhores), mas que exige um cuidadoso conhecimento interno de suas próprias práticas para possibilitar as adaptações. No setor de saneamento, as melhores práticas não são necessariamente encontradas nos melhores da classe (grandes empresas dominadoras do mercado), mas podem ser aprendidas de quase todas as outras operadoras, principalmente, quando se avaliam serviços específicos.

O *benchmarking* se divide em processual e métrico. Primeiramente, deve-se aplicar o *benchmarking* métrico para identificar as melhores operadoras. Posteriormente, deve-se fazer o exercício do *benchmarking* processual, no qual as operadoras com desempenhos inferiores aprendem os processos daquelas com desempenhos superiores e os internaliza para melhorar.

Para a realização do *benchmarking* métrico, existem vários métodos, com diferentes graus de sofisticação: Índices de Fator de Produtividade Total; Métodos Paramétricos de Mínimos Quadrados Ordinários (OLS), Mínimos Quadrados Ordinários Corrigidos (COLS) e Análises de Fronteiras Estocásticas (SFA); Análise Envoltória de Dados (DEA); e Indicadores de Desempenho.

O *benchmarking* métrico pode ser realizado através de métodos totais ou parciais para medir a produtividade ou eficiência das operadoras. Os métodos parciais, geralmente, dizem respeito a produção de uma empresa considerando um fator de entrada única. Com ele, é possível analisar diferentes aspectos e conexões, mas não prover uma medida de eficiência ou produtividade global. Já os métodos totais apresentam uma medida holística de eficiência ou produtividade de uma operadora ou de um serviço.

Os métodos parciais são representados pelos indicadores de desempenho (PIs, do inglês *Performance Indicators*), que avaliam somente uma dimensão de desempenho por vez. A utilização dos PIs é o método de *benchmarking* mais aplicado no setor de saneamento, como no caso das iniciativas do IWA, IBNET, OFWAT, *World Bank*, CARE-W e CARE-S, 6-*Cities*, *Benchleak* e ISO (Singh et al., 2010).

Indicadores de desempenho geralmente apresentam relações de produção fundamentais para as operadoras, como volume de água faturado por trabalhador, qualidade de serviço (continuidade, qualidade da água, queixas), água não contabilizada, cobertura e dados financeiros. Os dados para esses indicadores, geralmente, estão disponíveis e o método se configura como o mais fácil de ser aplicado (Berg, 2010). Esses indicadores podem ser agrupados em um índice, como, por exemplo, o APGAR da IBNET (Danilenko et al., 2014).

No cenário internacional, os sistemas de PIs que se destacam são os da IWA, AWWA, IBNET e, mais recentemente, a série ISO. O da IWA (*International Water Association*) fornece uma estrutura com 170 KPIs para distribuição de água e esgotamento sanitário. Esse quadro de indicadores está dividido em cinco dimensões e foi desenvolvido com base em um extenso teste de campo com mais de 70 operadoras no mundo. É o sistema mais completo de PIs para *benchmarking* no saneamento. A Associação Americana de Obras Hidráulicas – AWWA (*American Water Works Association*) e a Rede Internacional de Benchmarking para as Operadoras de Abastecimento de Água e Esgotamento Sanitário – IBNET (*International Benchmarking Network for Water and Sanitation Utilities*) do Banco Mundial, além de fornecerem o quadro de indicadores, também apresentam uma plataforma para coleta e análise de dados e disseminação dos resultados. O sistema da AWWA, consiste de 22 PIs divididos nas dimensões de gestão, desenvolvimento organizacional, relações com clientes, operações comerciais e operações de água e águas residuais. O sistema IBNET contém 27 PIs e, atualmente, é o sistema mais abrangente de *benchmarking* para saneamento, contando com mais de 3.000 operadoras em 100 países. As séries ISO 24511 e 24512 lidam com componentes de infraestrutura e gerenciamento de operadoras de água e esgotamento sanitário. Nessas séries, objetivos e possíveis ações para alcançar os objetivos foram identificados. As ações são baseadas em critérios de avaliação de serviço para os quais os indicadores de desempenho foram desenvolvidos.

Para exemplificar a utilização de PIs em processos de *benchmarking* para saneamento há o escore APGAR, que é um indicador agregado da IBNET para avaliar operadoras com base nos indicadores que estão no Quadro 33.5. Cada indicador é classificado em uma escala de zero a dois (baseado em *benchmark* da base de dados do IBNET) e os resultados são totalizados (0 a 10 para operadoras somente de serviços de água e 0 a 12 para as de serviços de água e esgotamento sanitário). Na Figura 33.6, é apresentada uma comparação entre o APGAR de uma operadora brasileira que apresentou nos últimos anos um escore abaixo dos 10% piores nos bancos de dados do IBNET.

QUADRO 33.5 Indicadores utilizados para o cálculo do escore APGAR da IBNET

INDICADOR	UNIDADE	DEFINIÇÃO
Cobertura de água	%	População com acesso aos serviços de água
Cobertura de esgoto	%	População com acesso aos serviços de esgotamento sanitário
Água não contabilizada	m³/km/dia	Diferença entre água distribuída e água vendida
Acessibilidade	%	Receitas operacionais totais anuais por população atendida / PIB nacional per capita.
Período de cobrança	Dias	(Contas a receber no final do ano / Receitas operacionais anuais totais) x 365
Cobertura dos custos operacionais	Razão	Total das receitas operacionais anuais / Custos operacionais anuais totais

Fonte: Danilenko et al. (2014).

Outro destaque da aplicação de indicadores alinhados ao contexto do desenvolvimento sustentável é seu papel essencial na melhoria de desempenho em áreas ou assuntos específicos do saneamento. Notadamente, a universalização do saneamento é uma delas. Na proposta do atual programa da ONU, entre os Objetivos do Desenvolvimento Sustentável (ODS), consta o Objetivo 6, de assegurar a disponibilidade e gestão sustentável de água e saneamento para todos, tendo como metas: 6.1) *"até 2030, alcançar o acesso universal e equitativo à água potável, segura e acessível para todos"*; e 6.2) *"até 2030, alcançar o acesso a saneamento e higiene adequados e equitativos para todos, e acabar com a defecação a céu aberto"*.

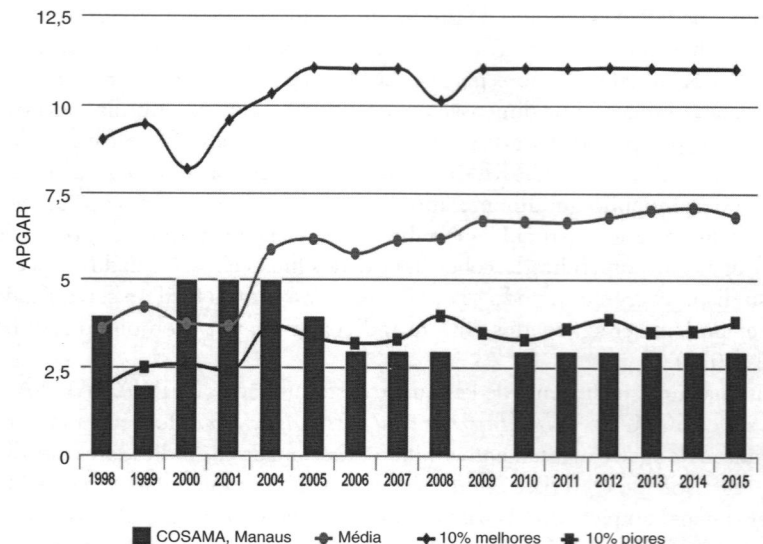

FIGURA 33.6 Gráfico comparando o escore APGAR da COSAMA com os valores médio, 10% melhores e 10% piores da base de dados da IBNET. *Fonte: IBNET, 2018.*

Para tanto, o monitoramento da prestação de serviços com a inclusão de sistemas de avaliação mensuráveis, a partir de cenários particularizados, possibilita definir estratégias de planejamento com indicadores e metas que favorecem atingir níveis crescentes de bom desempenho. Exemplos de indicadores que podem ser utilizados para a questão da universalização do saneamento no Brasil estão ilustrados no Quadro 33.6.

QUADRO 33.6 Conjunto de indicadores que podem ser utilizados para a universalização do saneamento básico no Brasil, incluindo sua descrição e direção desejada: aumento (↑) ou diminuição (↓)

Indicador	Descrição	Direção desejada
Restrição ao atendimento	Restrição da prestação dos Serviços de Abastecimento de Água e Esgotamento Sanitário – SAA&ES nos aglomerados subnormais devido à irregularidade da habitação	↓
Atendimento de água	Cobertura de água nos aglomerados subnormais	↑
Atendimento de esgoto	Cobertura de esgoto nos aglomerados subnormais	↑
Expansão da rede de água	Expansão da rede de água nos aglomerados subnormais	↑
Expansão da rede de esgoto	Expansão da rede de esgoto nos aglomerados subnormais	↑
Recursos humanos	Recursos humanos incumbidos da prestação dos SAA&ES para aglomerados subnormais	↑
Comunicação	Respostas às reclamações e sugestões dos aglomerados subnormais	↑
Parcerias institucionais	Parcerias institucionais relacionadas com a universalização dos SAA&ES	↑
Coleta de esgoto	Relação entre a coleta de esgoto nos aglomerados subnormais e volume de água consumida	↑
Perdas financeiras de água	Perdas de faturamento de água consumida informalmente nos aglomerados subnormais	↓
Investimentos financeiros na área	Investimentos financeiros para o atendimento dos aglomerados subnormais	↑
Subsídio específico em ligação	Subsídio em ligações de água nas áreas de aglomerados subnormais	↑
Subsídio geral em ligação	Subsídio em ligação de água para os usuários em geral	↓
Tarifa social	Famílias com tarifa social nas áreas com populações vulneráveis	↑
Programas educacionais	Programas educacionais desenvolvidos pelas operadoras	↑

Fonte: Rasera et al. 2017.

Outro exemplo de indicadores aplicados ao contexto do saneamento é o uso dos mesmos em processos de *benchmarking* para o controle de perdas de água. Os dados referentes às perdas de água são considerados um dos principais indicadores de desempenho operacional das prestadoras de serviços de saneamento em todo mundo (ReCESA, 2008; ADASA, 2015; Tardelli Filho, 2016). Mbuvi et al. (2012) apresentam a avaliação do desempenho das operadoras de água como um fator essencial para que as mesmas operem de forma eficiente e eficaz. Na mesma perspectiva, Hamilton & McKenzie (2014) defendem que os indicadores são fundamentais para avaliar a eficiência das ações e planejar as intervenções consecutivas. Para Kanakoudis et al. (2012), o processo de avaliação de desempenho do sistema de abastecimento é o primeiro passo para a redução de perdas de água, o que é defendido também por Thornton et al. (2008), que apresentam o uso de indicadores de desempenho como a primeira fase de um programa de controle de perdas de água.

Apesar da importância do uso dos indicadores na avaliação dos níveis de perdas de água, estes são avaliados de distintas formas em cada país, de modo que a sistemática de medição varia de acordo com o grau de desenvolvimento das operadoras de saneamento (Toneto Jr, et al., 2013; BRASIL, 2014). De acordo com Alegre et al. (2000) e Oliveira et al. (2015), os indicadores podem ser organizados em três níveis, de acordo com a complexidade:

- Nível 1: são indicadores básicos que fornecem visão geral da eficiência e eficácia da entidade gestora;
- Nível 2: são indicadores com maior grau técnico, que expõem um panorama mais preciso sobre os aspectos de gestão;
- Nível 3: são indicadores de alto padrão técnico que fornecem uma visão detalhada sobre a gestão da entidade gestora e demandam dados específicos, muitas vezes de difícil obtenção.

A primeira iniciativa de uso dos indicadores de saneamento foi apresentada em 1990 pela organização francesa Associação Geral de Higienistas e Técnicos Municipais (*Association Générale des Hygiénistes et Techniciens Municipaux* – AGHTM), que desenvolveu um dos trabalhos mais completos sobre a eficiência das redes de água, estabelecendo uma série de indicadores para avaliação do desempenho dos serviços, entre os quais indicadores de perdas (AGHTM, 1990). Ao longo dos anos, instituições internacionais têm elaborado indicadores de saneamento e, atualmente, a Associação Internacional para Água *(Internacional Water Associaton* – IWA) e a Associação Americana de Obras Hidráulicas (AWWA) são as principais organizações de água que desenvolvem grandes estudos na área de perdas. Em 2000, a IWA publicou um manual de melhores práticas para avaliação do desempenho de sistemas de abastecimento de água, intitulado *Performance Indicators for Water Supply Services*, com o objetivo central de padronizar o entendimento dos componentes de um sistema de abastecimento mediante uma matriz que representa o Balanço Hídrico das companhias de saneamento.

No contexto brasileiro, a Associação das Empresas de Saneamento Básico Estaduais (AESBE) e a Associação Nacional dos Serviços Municipais de Saneamento (ASSEMAE) apresentaram, em 1998, um conjunto de indicadores de desempenho operacional e gerencial dos serviços de saneamento, os quais convergem com os indicadores da AGHTM e IWA, reconhecendo a necessidade de combinar indicadores percentuais com indicadores físicos como base para comparação de desempenho (PNCDA, 2003). Baseado nos indicadores existentes, o Programa Nacional de Combate ao Desperdício de Água (PNCDA, 2003) propôs um conjunto de indicadores básicos de desempenho para quantificar as perdas de água em sistemas de distribuição. Apesar dos esforços destas organizações em propor indicadores de perdas que atendam as particularidades dos sistemas brasileiros, atualmente os quatro índices de perdas de água do Sistema Nacional de Informações sobre Saneamento (SNIS), vinculado à Secretaria Nacional de Saneamento Ambiental do Ministério das Cidades (SNSA), são os mais praticados no país e utilizados por diversas entidades para fins de fiscalização e planejamento.

Criado em 1996, no âmbito do Programa de Modernização do Setor Saneamento (PMSS), o SNIS é a principal fonte de informação sobre saneamento no Brasil, divulgando anualmente informações referentes ao saneamento dos municípios e propiciando o fortalecimento das agências reguladoras e de vários atores nas medidas de controle. Ainda que o SNIS seja uma iniciativa forte do governo federal em acompanhar o desempenho dos serviços de saneamento, a não auditoria das informações inseridas voluntariamente no sistema diminui a confiabilidade dos dados publicados (ABES, 2015; BRASIL, 2016). Frente a estes aspectos, o Quadro 33.7 apresenta os indicadores que se propõem a avaliar o desempenho das operadoras no controle das perdas de água, tanto em âmbito nacional quanto internacional.

Diante dos indicadores expressos no Quadro 33.7, é importante assinalar que, na seleção do indicador, é fundamental considerar as discussões em torno de representá-lo em percentual. A IWA apresenta restrições quanto ao uso deste indicador, recomendando que o mesmo seja empregado apenas para análises de faturamento, uma vez que são inadequados para avaliar a eficiência da gestão dos sistemas de distribuição, pois são fortemente influenciados pelas mudanças de consumo e não distinguem

QUADRO 33.7 Indicadores de perdas de água em âmbito nacional e internacional

	INDICADOR	CÁLCULO	VARIÁVEIS	UNIDADE
IWA	Perdas de água por ramal	$\dfrac{A15 \times 365}{\dfrac{H1}{C24}}$	A15: Perdas de água (m³) H1: Duração do período de referência C24: nº de ramais	m³/ramal/ano
	Perdas de água por comprimento de conduto	$\dfrac{A15}{\dfrac{H1}{C8}}$	A15: Perdas de água (m³) H1: Duração do período de referência C8: Comprimento de condutos (km)	m³/km/dia
	Perdas aparentes	$A16 + A17$	A16: Consumo total não autorizado A17: Consumo total de água não contabilizada	m³
	Perdas aparentes por ramal	$\dfrac{A18}{(A3 - A5 - A7)} \times 100$	A3: Água entrada no sistema (m³) A5: Água bruta exportada (m³) A7: Água tratada exportada (m³) A18: Perdas aparentes (m³)	%
	Perdas reais por ramal	$\dfrac{A19 \times 1000}{C24 \times \dfrac{H2}{24}}$	A19: Perdas reais (m³) C24: Número de ramais H2: Tempo de pressurização do sistema	l/ramal/dia
AGHTM	PP – Porcentagem das perdas na distribuição	$\dfrac{VP}{VD} \times 100$	VP: Volume de perdas na distribuição VD: Volume disponibilizado para distribuição	%
	PV – Porcentagem de vazamentos	$\dfrac{Vv}{VD} \times 100$	Vv: Volume de vazamentos VD: Volume disponibilizado para distribuição	%
IBNET	NRW – *Non Revenue Water*	$(AF - AV) \times 100$	AF: Água fornecida AV: Água vendida	%
	NRW – *Non Revenue Water*	$\dfrac{AF-AV}{\text{Extensão da Rede} \times n° \text{ de dias}}$	AF: Água fornecida AV: Água vendida	m³/km/dia
	NRW – *Non Revenue Water*	$\dfrac{AF-AV}{n° \text{ de ligações} \times n° \text{ de dias}}$	AF: Água fornecida AV: Água vendida	l/lig/dia
AESBE ASSEMAE	IPA – Índice de perdas de água	$\dfrac{VP-VU}{VP} \times 100$	VP: Volume produzido VU: Volume utilizado	%
	IPF – Índice de perda de faturamento	$\dfrac{VP-VF}{VP} \times 100$	VP: Volume produzido VF: Volume Faturado	%
	Índice de perda de água por extensão de rede	$\dfrac{VP-VU}{\text{Extensão da Rede} \times n° \text{ de dias}}$	VP: Volume produzido VU: Volume utilizado Extensão da rede (km)	l/km/dia
	Índice de perda de água por ligação	$\dfrac{VP-VU}{n° \text{ total de ligações} \times n° \text{ de dias}}$	VP: Volume produzido VU: Volume utilizado	l/lig/dia
PNCDA	IPD – Índice de perda na distribuição	$\dfrac{VD-VU}{VD} \times 100$	VD: Volume disponibilizado para distribuição VU: Volume utilizado	%
	IPF – Índice de perda de faturamento	$\dfrac{VD-VF}{VD} \times 100$	VD: Volume disponibilizado para distribuição VF: Volume faturado	%
	ILB – Índice linear bruto de perdas	$\dfrac{VD-VU}{EP \times ND} \times 100$	VD: Volume disponibilizado para distribuição VU: Volume utilizado EP: Extensão Parcial da Rede ND: nº de dias	m³/Km/dia

QUADRO 33.7 Indicadores de perdas de água em âmbito nacional e internacional *(Cont.)*

	INDICADOR	CÁLCULO	VARIÁVEIS	UNIDADE
SNIS	IPL – Índice de perda por ligação (IPL)	$\dfrac{VD\text{-}VU}{LA \times ND}$	VD: Volume disponibilizado para distribuição VU: Volume utilizado LA: nº de ligações ativas ND: nº de dias	m^3/Lig/dia
	IN013 – Índice de perdas de faturamento	$\dfrac{AG006+AG018\text{-}AG011\text{-}AG024}{AG006+AG018\text{-}AG024} \times 100$	AG006: Volume de água produzido AG011: Volume de água faturado AG018: Volume de água tratada importado AG024: Volume de serviço	%
	IN049 – Índice de perdas na distribuição	$\dfrac{AG006+AG018\text{-}AG010\text{-}AG024}{AG006+AG018\text{-}AG024} \times 100$	AG006: Volume de água produzido AG010: Volume de água consumido AG018: Volume de água tratada importado AG024: Volume de serviço	%
	IN050 – Índice bruto de perdas lineares	$\dfrac{AG006+AG018\text{-}AG010\text{-}AG024}{AG005} \times \dfrac{100}{365}$	AG005: Extensão da rede de água AG006: Volume de água produzido AG010: Volume de água consumido AG018: Volume de água tratada importado AG024: Volume de serviço	m^3/dia/Km
	IN051 – Índice de perdas por ligação	$\dfrac{AG006+AG018\text{-}AG010\text{-}AG024}{AG002} \times \dfrac{10^6}{365}$	AG002: Quantidade de ligações ativas de água AG006: Volume de água produzido AG010: Volume de água consumido AG018: Volume de água tratada importado AG024: Volume de serviço	L/dia/lig.

as perdas reais e aparentes. O uso deste indicador pode expressar resultados ilusivos, sendo esta medida válida apenas quando uma organização compara seu próprio desempenho (interno) com um valor já determinado anteriormente, não sendo apropriado para comparar empresas com características diferentes. Na mesma perspectiva, de acordo com Thornton et al. (2008), as perdas mensuradas em percentual não revelam nada sobre os volumes e custos específicos de perdas no sistema que são, segundo os autores, os dois parâmetros mais importantes na análise de perdas. Assim, cabe às entidades gestoras definirem quais são os indicadores mais adequados à realidade do sistema de saneamento em avaliação, considerando a capacidade do mesmo em produzir os dados necessários para realizar este cálculo, visando planejar as ações de controle das perdas baseado em indicadores, que retratem adequadamente o cenário do sistema de saneamento.

REVISÃO DOS CONCEITOS APRESENTADOS

A gama de aplicações dos indicadores de sustentabilidade é bastante variada. A ideia sempre está no uso das lentes da sustentabilidade por meio de indicadores. Os sistemas de indicadores devem ser propostos observando sempre a demanda e os usuários. Existe variação na escolha do modelo mais adequado e dos indicadores associados, mas é essencial trabalhar nas interfaces, provocando mudanças de postura e integrando partes que tradicionalmente têm sido abordadas de forma setorizada.

Referências

Associação Brasileira de Engenharia Sanitária e Ambiental (ABES). (2015) Controle e redução de perdas nos sistemas públicos de abastecimentos de água Posicionamento e Contribuições Técnicas da Abes. Disponível em <http://abes-dn.org.br/pdf /28Cbesa/Perdas_Abes.pdf> [14/Mai/2018].

Agência Reguladora de Águas, Energia e Saneamento Básico do Distrito Federal (ADASA). (2016) Anexo I – Manual de Avaliação de Desempenho da Prestação dos Serviços de Abastecimento de Água e Esgotamento Sanitário do Distrito Federal. Brasília: ADASA; 2015. Disponível em <http://www.adasa.df.gov.br/images/storage/area_de_atuacao/abastecimento_agua_esgotamen-to_sanitario/regulacao/manual_avaliacao_desempenho/Resolucao08_2016_AnexoI.pdf> [14/Mai/2018].

Association Générale des Hygiénistes et Techniciens Municipaux (AGHTM). (1990) Rendement des Réseaux d'eau Potable. Définition des Termes Utilisés. Association Générale des Hygiénistes et Techniciens Municipaux – AGHTM, Techniques Sciences Méthodes, 4 Bis, 22p. 1990.

ALEGRE, H., HIRNER, W., BAPTISTA, J.M., PARENA, R. (2000) Performance indicators for water supply services. Internacional Water Association. Londres.

BERG, S.V. (2010) Water utility benchmarking: Measurement, methodologies and performance incentives. Londres: IWA Publishing.

BOSSEL H. (1988) Earth at a crossroads. Paths to a sustainable future UK: Cambridge University Press.

BOSSEL H. (1999) Indicators for sustainable development: theory, method, applications. A report to the Balaton Group. Canadá: IISD.

BRASIL. (2014) Ministério da Saúde. Fundação Nacional de Saúde. Redução de perdas em sistemas de abastecimento de água. 2ª ed. – Brasília: Funasa.

_____. (2016) Sistema Nacional de Informações sobre Saneamento. Diagnóstico dos Serviços de Água e Esgotos – 2014. Brasília: SNSA/MCIDADES.

CABRERA Jr., E., DANE, P., HASKINS, S., THEURETZBACHER-FRITZ, H. (2011) Benchmarking Water Services. Guiding water utilities to excellence. Edited by the IWA Specialist Group on Benchmarking and Performance Assessment. London: AWWA and IWA Publishing.

CARR, E.R., WINGARD, P.M., YORTY, S.C., THOMPSON, M.C., JENSEN, N.K; ROBERSON, J. (2007) Applying DPSIR to sustainable development. International Journal of Sustainable Development & World Ecology, 14, p. 543-555. Available on <www.researchgate.net/publication/228618840_Applying_DPSIR_to_sustainable_development>. [May/14/ 2018].

CETRULO, T.B. (2010) Instrumentos de intervenção governamental e postura ambiental empresarial: uma análise da agroindústria canavieira do Estado de São Paulo. Dissertação (Mestrado em Ciências da Engenharia Ambiental) – Escola de Engenharia de São Carlos, Universidade de São Paulo, São Carlos.

Comissão Mundial sobre Meio Ambiente e Desenvolvimento (CMMAD). (1991) Nosso futuro comum. 2a ed. Rio de Janeiro: FGV.

DAHL, A.L. (1997) The big picture: comprehensive approaches. In: Moldan, B., Bilharz, S. (Organizadores). Sustainability indicators: report of the project on indicators of sustainable development. Chichester: John Willey and Sons.

DANILENKO, A., VAN DEN BERG, C., MACHEVE, B., MOFFITT, L.J. (2014) The IBNET Water Supply and Sanitation Performance Blue Book 2014: The International Benchmarking Network for Water and Sanitation Utilities Databook. The World Bank. Washington, D.C.

FRIEND, A.M., RAPPORT, D.J. (1979) Towards a comprehensive Framework for Environmental Statistics: a stress – response approach. Ottawa: Statistics Canada.

_____. (1991) Evolution of macro-information systems for sustainable development, Ecological Economics, 3 (1), p. 59-76.

GABRIELSEN, P., BOSCH, P. (2003) Environmental Indicators: Typology and Use in Reporting. European Environment Agency internal working paper. Available on <www.researchgate.net/publication/237573469_Environmental_Indicators_Typology_and_Use_in_Reporting>. [May/14/ 2018].

GALLOPIN, G.C. (1996) Environmental and sustainability indicators and the concept of situational indicators. A system approach. Environmental Modelling & Assessment, n. 1, p. 101-117.

GIBSON, R.B., HASSAN, S., HOLTZ, S., TANSEY, J., WHITELAW, G. (2005) Sustainability Assessment: Criteria, Processes and Applications. Londres: Earthscan.

GOMES, P.R. (2011) Indicadores ambientais na discussão da sustentabilidade: uma proposta de análise estratégica no contexto do etanol de cana-de-açúcar no Estado de São Paulo. Dissertação (Mestrado em Ciências da Engenharia Ambiental) – Escola de Engenharia de São Carlos, Universidade de São Paulo, São Carlos.

GOMES, P., MALHEIROS, T., FERNANDES, V., SOBRAL, M. (2015) Environmental indicators for sustainability: a strategic analysis for the sugarcane ethanol context in Brazil. Environmental Technology, v. 37, p. 16-27.

HAMILTON, S., MCKENZIE, R. (2014) Water Management and Water Loss. Nova York: IWA Publishing.

HENDERSON, H. (2007) PIB: um indicador anacrônico. Artigo publicado no Le monde diplomatique Brasil. Disponível em <http://diplo.org.br/2007-12,a2026> [24/02/2012]) [14/Mai/2018].

IB-NET Benchmarking Database (IBNET). (2018) Disponível em <https://database.ib-net.org/DefaultNew.aspx>. [11/ Mar/2018].

Instituto Brasileiro de Geografia e Estatística (IBGE). (2002) Indicadores de Desenvolvimento Sustentável. Rio de Janeiro: IBGE.

_____. (2004) Indicadores de Desenvolvimento Sustentável. Rio de Janeiro: IBGE.

_____. (2008) Indicadores de Desenvolvimento Sustentável. Rio de Janeiro: IBGE.

_____. (2010) Indicadores de Desenvolvimento Sustentável. Rio de Janeiro: IBGE.

_____. (2012) Indicadores de Desenvolvimento Sustentável. Rio de Janeiro: IBGE.

_____. (2015) Indicadores de Desenvolvimento Sustentável. Rio de Janeiro: IBGE.

KANAKOUDIS, V., TSITSIFLI, S., SAMARAS, P. ZOUBOULIS, A., BANOVEC, P. (2012) A new set of water losses-related performance indicators focused on areas facing water scarcity conditions. Desalination and Water Treatment. v. 51, p. 2994-3010.

KRISTENSEN, P. (2004) The DPSIR Framework. National Environmental Research Institute, Denmark. Available on < wwz. ifremer.fr/dce_eng/content/download/69291/913220/file/DPSIR.pdf >. [May/14/ 2018].

KUZNETS S. (1934) National Income, 1929-1932. Senate document no. 124, 73d Congress, 2d session. Available on <http://www.econlib.org/library/Enc/bios/Kuznets.html> [13/05/2018].

MBUVI, D., WITTE, K., PERELMAN, S. (2012) Urban water sector performance in Africa: a step-wise bias-corrected efficiency and effectiveness analysis. Utilities Policy, v. 22, 31-40.

MEADOWS, D. (1998) Indicators and information Systems for sustainable development. The Sustainability Institute. Available on <http://www.iisd.org/pdf/s_ind_2.pdf> [Feb/25/2012].

OLIVEIRA, G., SCAZUFCA, P., MARCATO, F.S., ORJUELA, G., AROUCA, L.F.A., AGUIAR, S.S. (2015) Perdas de Água: Desafios ao Avanço do Saneamento Básico e à Escassez Hídrica. Brasília: GO Associados. Disponível em <http://www.tratabrasil.org.br/datafiles/estudos/perdas-de-agua/Relatorio-Perdas-2013.pdf>. [14/Mai/2018].

PHILIPPI JR, A., MALHEIROS, T.F. (2013) Indicadores de Sustentabilidade e gestão ambiental. Barueri: Manole.

Programa Nacional de Combate ao desperdício de água (PNCDA). (2003) Documento Técnico de Apoio nº A2 – Indicadores de perdas nos sistemas de abastecimento de água. Ministério das Cidades – MC, Secretaria Nacional de Saneamento Ambiental. Brasília: MC.

Programa das Nações Unidas para o Meio Ambiente (PNUMA). (2004) Metodologia para a elaboração de Relatórios GEO Cidades – Manual de aplicação. México: PNUMA.

QUIROGA, R.M. (2001) Indicadores de sostenibilidad ambiental y de desarollo sostenible: estado del arte y perspectivas. Publicación de las Naciones Unidas. Serie Manuales nº 16, Santiago de Chile.

RASERA, D., MENDES, T.G., CETRULO, T.B. et al. (2017) Water supply and sewage services regulation indicators in poverty areas: structure and application process in Cubatão-SP, Brazil. Ambiente & Sociedade, 20(4), p. 61-84.

Rede Nacional de Capacitação e Extensão Tecnológica em Saneamento Ambiental (ReCESA). (2008) Abastecimento de água: gerenciamento de perdas de água e energia elétrica em sistemas de abastecimento: guia do profissional em treinamento: nível 2. Secretaria Nacional de Saneamento Ambiental (org). Salvador: ReCESA.

Secretaria do Verde e do Meio Ambiente (SVMA); Instituto de Pesquisas Tecnológicas do Estado de São Paulo (IPT). Programa das Nações Unidas para o Meio Ambiente (PNUMA). GEO Cidade de São Paulo: panorama do meio ambiente urbano. São Paulo: SVMA; Brasília: PNUMA; 2004.

SEGNESTAN, L. (2002) Environment and Sustainable Development Theories and Practical Experience. Environmental Economics Series. Paper No. 89. Washington, D.C.: The World Bank Environment Department. Disponível em <http://siteresources.worldbank.org/INTEEI/936217-1115801208804/20486265/IndicatorsofEnvironmentandSustainableDevelopment2003.pdf> [25/02/2012].

SINGH, M.R., UPADHYAY, V., MITTAL, A.K. (2010) Addressing sustainability in benchmarking framework for Indian urban water utilities. Journal of Infrastructure Systems, v. 16, n. 1, p. 81-92.

SVARSTAD, H., PETERSEN, L.K., ROTHMAN, D., SIEPEL, H., WATZOLD, F. (2008) Discursive biases of the environmental research framework DPSIR. Land Use Policy, Vol. 25, Issue 1, Pages 116-125. Available on < sciencedirect.com/science/article/pii/S0264837707000464 >. [May/14/ 2018].

TARDELLI FILHO, J. (2016) Aspectos relevantes do controle de perdas em sistemas públicos de abastecimento de água. Revista DAE. v.64, nº 201, 6-20.

THORNTON, J., STHURM, R., KUNKEL, G. (2008) Water loss control manual. 2nd ed. Nova York: Mc Graw-Hill.

TONETO JR., R., SAIANI, C.C.S., RODRIGUES, R.L. (2013) Perdas de água: entraves ao avanço do saneamento básico e riscos de agravamento à escassez hídrica no Brasil. Fundace. Disponível em: <http://prattein.com.br/home/images/stories/230813/Desenvolvimento_Sustentavel/estudo_perdas_gua.pdf>. [14/ Mai/ 2018].

United Nations (UN). (1992) Agenda 21. Available on <http://www.un.org/esa/sustdev/documents/agenda21/english/agenda21toc.htm> [Feb/25/2012].

_____. (2001) Commission on Sustainable Development. Indicators of Sustainable Development: Framework and Methodologies-background Paper No. 3, Nova York. Available on <www.un.org/esa/sustdev/csd/csd9_indi_bp3.pdf.> [25/02/2012].

_____. (2015) Relatório sobre os objetivos de Desenvolvimento do Milénio. Nova York: UN; 2015. Available on <https://www.unric.org/pt/images/stories/2015/PDF/MDG2015_PT.pdf>. [Jan/6/2018].

_____. (2012) The future we want. Resolution adopted by the General Assembly on 27 July 2012. (Sixty-sixth session) Rio de Janeiro: UN. Available on <http://www.un.org/ga/search/view_doc.asp?symbol=A/RES/66/288&Lang=E>. [Jan/6/2018].

_____. (2017) Work of the Statistical Commission pertaining to the 2030 Agenda for Sustainable Development – Resolution Resolution adopted by the General Assembly on 6 July 2017. Available on <https://unstats.un.org/sdgs/indicators/Global%20Indicator%20Framework_A.RES.71.313%20Annex.pdf>. [Jan/6/2018].

WINOGRAD, M., FARROW, A. (2009) Sustainable development indicators for decision making: concepts, methods, definition and use. In. SEIDLER, R. (Org). Dimensions of sustainable development. Boston: EOLSS Publishers, v.1 e 2.